90400602260
840.9 /BRE

HISTOIRE DE LA LITTÉRATURE FRANÇAISE

de 1940 à nos jours

JACQUES BRENNER

HISTOIRE DE LA LITTÉRATURE FRANÇAISE

De 1940 à nos jours

Fayard

1.
Littérature vivante

REMARQUES SUR LA DIFFICULTÉ D'ÉCRIRE L'HISTOIRE

Dans son pamphlet *Le Bazar des lettres,* Roger Gouze s'étonne que des critiques aient la naïveté de composer des ouvrages intitulés : *Histoire de la littérature contemporaine*. Bien qu'admirateur d'Anatole France, il estime que le mot *Histoire* et le mot *contemporain* jurent ensemble et sont contradictoires. L'*Histoire* serait le passé et *contemporain* désignerait le présent le plus immédiat.

Il n'en est rien. L'Histoire avec une majuscule est le récit d'événements qui paraissent marquants à celui qui a choisi de les raconter. Ces événements sont toujours du passé, mais ils peuvent aussi bien s'être déroulés la semaine dernière qu'il y a deux mille ans. L'idée de Roger Gouze, assez répandue, est qu'un recul serait nécessaire pour juger de l'importance véritable d'événements récents. On connaît la formule : *L'HISTOIRE jugera.* Cette formule est surtout employée par des hommes politiques quand leur action se trouve violemment contestée. *L'HISTOIRE QUI JUGE* est un personnage imaginaire, une consolante entité. C'est une figure idyllique de l'avenir; un avenir qui détiendrait la vérité.

Or il n'y a aucune raison de croire que les hommes de demain seront meilleurs juges que les hommes d'aujourd'hui. L'historien politique peut alléguer que demain seront révélés des documents capables de modifier l'opinion commune. L'historien littéraire, lui, se trouvera devant des œuvres inchangées : ce sont les mêmes textes qu'il s'agira d'apprécier.

Ah! s'écriera Roger Gouze, l'historien littéraire n'a pas à apprécier les œuvres. Il doit se contenter de signaler celles qui ont résisté au temps. Son rôle consiste à enregistrer le verdict de la postérité. Ainsi la littérature récente échappe à son domaine, cette masse de livres que Thibaudet appelait « la littérature non triée ».

Une telle conception de l'histoire littéraire suppose que, une fois le tri effectué, il ne saurait être remis en question. Pour le passé, il existerait un tableau immuable de la littérature française, les écrivains qui y ont un jour trouvé place ne sauraient plus en être délogés, les autres en seraient à jamais exclus.

Il n'en est rien. Ce tableau de la littérature se modifie sans cesse. Ronsard fut oublié pendant deux siècles avant d'être redécouvert par Sainte-Beuve. Corneille fut fort décrié dans les premières décennies du XXe siècle avant que Schlumberger ne le remît en selle. Sade n'est sorti que tout récemment de l'Enfer des bibliothèques. Ni Laclos, ni Nerval, ni Lautréamont n'étaient mentionnés il y a trente ans dans les manuels scolaires.

Si le texte des œuvres ne change pas, le regard des générations successives en modifie pourtant profondément le sens et la portée. Des qualités qui retenaient le lecteur d'hier laissent indifférent le lecteur d'aujourd'hui. Des audaces qui déconcertaient deviennent des mérites et des charmes. Certains grands écrivains conservent leur place éminente grâce à des œuvres qu'ils considéraient comme de petits amusements, alors qu'on ne lit plus les ouvrages qui leur avaient valu leur première gloire et qu'ils considéraient eux-mêmes comme leurs meilleures : c'est le cas de Voltaire, dont les contes ont gardé leur jeunesse alors que sa *Henriade* nous tombe des mains et que son théâtre ne contient plus que des pièces de musée.

Un pur historien des lettres devrait-il s'attacher à montrer ce qui a passionné successivement les lecteurs au cours des ans? Il préfère nous présenter les œuvres du passé dans une optique d'aujourd'hui. (Peut-être n'existe-t-il pas de pur historien.)

Dans telle récente *Histoire de la littérature française* on ne trouve aucune mention des deux plus grands succès dramatiques du XVIIe siècle : le *Timocrate* de Thomas Corneille pour la tragédie et *Le Mercure galant* de Boursault pour la comédie. C'est bien parce que ces œuvres ne sont plus jouées depuis longtemps.

Ainsi la vie littéraire racontée par les historiens n'est pas le reflet de ce qu'elle fut réellement. Elle nous est présentée plutôt telle qu'elle aurait dû être, puisque les œuvres mises en vedette sont les œuvres qui nous paraissent les plus remarquables de leur époque, non pas celles qui obtinrent à leur date le meilleur accueil du public.

Vous direz que c'est très bien ainsi et qu'il est préférable de nous entretenir de Racine plutôt que de Pradon, de Stendhal plutôt que de Frédéric Soulié et de Baudelaire plutôt que de Sully Prudhomme. Sans doute. Nous entendons seulement souligner que les historiens, soucieux d'honorer certaines œuvres, n'hésitent pas à modifier l'Histoire dont ils s'étaient institués les chroniqueurs.

Il serait trop simple d'affirmer que les contemporains se sont toujours trompés. Ils ont applaudi ce qui leur plaisait et, en cela, ils avaient bien raison. Au demeurant, c'est nous qui nous tromperions si nous considérions ces fameux contemporains comme un seul homme. Campistron attirait plus de spectateurs que Racine, mais Racine a obtenu quand même de beaux succès. Balzac enviait les tirages de Sue, mais lui-même ne manquait pas de lecteurs. Stendhal, boudé par le grand public, fut salué par une superbe étude de Balzac, et de fins connaisseurs, comme Musset ou Mérimée, ont tout de suite savouré ses écrits.

Personne ne songe à prétendre que l'importance réelle d'une œuvre est proportionnelle au nombre de ses lecteurs. On remarquera pourtant que les auteurs qui furent méconnus de leur vivant sont célébrés comme tels au moment où ils ont cessé de l'être (méconnus). Stendhal et Baudelaire ont fait fortune après leur mort et leurs tirages ont dépassé depuis longtemps ceux de Soulié ou de Sully Prudhomme. La faveur du grand nombre, ils l'ont finalement obtenue. Et c'est ce qui leur permet d'occuper la place que nous leur voyons dans nos *Histoires de la littérature*.

Existe-t-il des écrivains qui figurent dans les manuels sans que leurs œuvres aient atteint le grand public? On pense surtout à des poètes : Mallarmé, Valéry, Saint-John Perse. Inversement, des auteurs populaires ne sont accueillis qu'avec réticence. En dépit des efforts de Bory, certains critiques hésitent encore à considérer *Les Mystères de Paris* comme de la littérature.

La littérature commencerait à un certain niveau de style. Il ne s'agit pas d'ailleurs d'observer les règles scolaires du bien-écrire, mais de réussir à faire passer dans ses phrases une voix et une sensibilité. D'après la qualité du langage (qui traduit la personnalité de l'auteur), on dira : c'est — ou ce n'est pas — de la littérature.

Des ouvrages non littéraires peuvent d'ailleurs avoir une grande valeur par exemple sur le plan scientifique ou philosophique, mais ils ne relèvent pas de notre propos.

Qui s'intéresse à la littérature en tant que pure littérature? Si le premier venu sait, dans le domaine musical, qu'il n'y a rien de commun entre un opéra joué au Palais Garnier et une opérette présentée au Châtelet, entre un concert donné salle Pleyel et un tour de chant au music-hall de l'Olympia, beaucoup de gens distinguent assez mal, dans le domaine littéraire, la différence de nature qui existe entre les vers d'un chansonnier et un véritable poème, entre un feuilleton bien fabriqué et une fiction originale et forte.

Il faut revenir sur cette notion de « grand public » que nous avons utilisée tout à l'heure. Et sur la notion même de public. Comme adjectif, le mot signifie « qui concerne tout un peuple ». Comme substantif, ce n'est plus généralement qu'une réunion plus ou moins nombreuse de personnes. Le public d'un auteur, ce sont les personnes qui le lisent. Mais le public littéraire dans sa totalité représente combien de lecteurs?

Voltaire estimait avoir dix mille lecteurs. Sans doute était-ce là le nombre des gens dont l'opinion comptait en Europe au XVIIIe siècle, car Voltaire était lu à Moscou comme à Rome, à Berlin comme à Londres. Au XIXe siècle avec le développement de l'instruction publique, la lecture a fait de considérables progrès. Le public littéraire ne s'est pourtant pas élargi proportionnellement. Si l'on n'a jamais vendu autant de livres qu'aujourd'hui, les livres de littérature sont noyés dans la production délirante des éditeurs.

Les maisons d'édition, qui ont succédé aux libraires-éditeurs d'autrefois, sont devenues d'importantes affaires commerciales. (Au point d'intéresser les banquiers et d'être cotées en bourse.) Réalisant de gros bénéfices avec des ouvrages d'actualité et des documents de toutes sortes, elles se désintéressent parfois d'œuvres littéraires qui risquent de mal se vendre dans l'immédiat. Certains éditeurs d'hier pouvaient vivre sur leur fonds. Aujourd'hui la plupart des éditeurs jouent au coup par coup et s'émerveillent quand un livre qu'ils ont publié n'est pas retourné au néant six ou huit mois après sa sortie en librairie.

L'amateur de littérature se reconnaît, entre autres signes, à ce que les œuvres qu'il a aimées feront désormais partie de sa vie alors qu'un lecteur qui lit pour simplement se distraire oublie très vite les livres qui l'ont retenu le temps de sa lecture. Il s'ensuit que la survie des livres dépend entièrement des amateurs, et non du public frivole.

Loin de nous l'idée de dénigrer la littérature de divertissement. Tout bon livre est lui-même un divertissement, mais personnalisé : il est unique en son genre. Il traduit l'univers particulier d'un créateur. C'est à ce titre qu'il mérite de figurer dans une *Histoire de la littérature*.

Il paraît beaucoup de romans honorables, bien fabriqués, bien conduits, mais qui ressemblent à beaucoup d'autres. Ils peuvent ne pas manquer d'agréments dans l'instant. Ils n'ont aucune chance de durée. En revanche personne ne pourra jamais refaire *La Chartreuse de Parme, Splendeurs et misères des courtisanes, Le Comte de Monte-Cristo* ou *Les Misérables* et c'est pourquoi de tels livres recrutent sans cesse de nouveaux lecteurs.

Nous citons là quatre monuments de l'art romanesque. Il va sans dire que des œuvres moins ambitieuses ou de moindres dimensions ne constituent pas de moindres réussites : *La Double Méprise, Aurélia, L'Inutile Beauté, Paludes*. Et la perfection artistique, c'est dans de courts poèmes qu'on la trouve : *La Vie antérieure, Larme, Indignation, Les Colchiques*.

Peu d'œuvres font l'unanimité des lecteurs sur leurs mérites. La société littéraire se divise en familles d'esprits. Telle famille exaltant le réalisme, telle autre le fantastique. Il y a toujours une querelle des anciens et des modernes, des classiques et des romantiques. C'est que les choix, en littérature, sont affaires de goût, et que le goût dépend du tempérament. (A l'intérieur d'une même famille d'esprits, il existe de sérieuses divergences sur les mérites de tel ou tel auteur.)

Cette notion de goût a été très vivement attaquée ces dernières années. Mais elle n'a pas été remplacée.

On a prétendu que c'était une notion *bourgeoise*. Voilà une manière de politiser le débat. Du reste, ce n'est pas seulement la littérature, mais la culture en général qui a été attaquée et dénoncée comme un privilège de classe.

Dans un célèbre poème, Hugo nous a montré des émeutiers qui incendient une bibliothèque : ils légitiment leur acte en rappelant qu'on ne leur a pas appris à lire. On peut penser que la justice et le progrès ne consistaient pas à brûler les livres, mais à les rendre accessibles à tous.

La bonne littérature n'a jamais été bourgeoise et les bons écrivains n'ont jamais été les serviteurs de l'ordre établi. Quand elle dominait sans partage la société, la classe bourgeoise a toujours été méfiante envers les littérateurs et souvent franchement hostile. Cela se comprend. Toute œuvre qui compte remet en cause les valeurs admises, même si leurs auteurs se tiennent à l'écart de la politique : ils agissent dans le domaine de la sensibilité et des mœurs qui est au fond plus important. Citer des noms est inutile : il faudrait citer toute la littérature française. Barrès lui-même fut d'abord l'auteur de *Sous l'œil des Barbares* et Claudel celui de *Tête d'or*.

On a dit que les écrivains étaient eux-mêmes des bourgeois. Molière était-il un bourgeois? Et Diderot, Rousseau, Restif? Vallès, Rimbaud, Renard? Giono, Céline, Simenon? Guilloux, Camus? Le plus grand nombre des écrivains français ont vécu dans des conditions matérielles difficiles. Ceux qui connurent la fortune et vécurent en effet dans un confort bourgeois n'ont pas été les alliés de la bourgeoisie. Songez à Zola. Mauriac racontait que dans son enfance on lui avait appris à appeler son pot de chambre un « zola ».

Dénoncer la culture comme un privilège de classe est une imposture. La culture n'est pas un bien dont on puisse hériter. Malraux a très bien dit qu'elle ne s'hérite pas, « elle se conquiert ». Et vous pensez comme les bourgeois s'en fichent : c'est une valeur qui ne rapporte pas.

La bourgeoisie d'aujourd'hui ne ressemble plus guère à celle du siècle dernier et même à celle d'avant quarante. Les détenteurs de l'argent et du pouvoir ne défendent plus leurs privilèges au nom d'une morale : ils parlent en économistes et en technocrates. Les pauvres ont par ailleurs disparu en France : on ne connaît que les économiquement faibles, lesquels ne rêvent pas de grand chambardement, mais souhaitent seulement recevoir une plus grosse part des richesses de ce monde. Le mythe du Grand Soir, moderne nuit du 4 août, a vécu. On sait bien que les nationalisations les plus souhaitables ne modifieront pas la situation matérielle des ouvriers et du petit personnel.

Le prolétariat n'est plus ce qu'il était au XIXe siècle. On souhaite que son sort ne cesse de s'améliorer. Mais nous estimons aussi farfelu de le considérer comme le public idéal que de décider que la bourgeoisie n'a droit à aucun égard. Voilà pourtant la position de Sartre et, à diverses reprises, il a déclaré que c'était son tourment. Sartre admet en effet que le prolétariat ne le lit pas. Il avoue être resté un auteur bourgeois écrivant pour le public bourgeois. C'est en ce sens qu'il a pu déclarer : « Nous avons des lecteurs, mais pas de public. » (*Situations II*, p. 270.)

On peut sourire. Et pour plusieurs raisons. Tout d'abord, parce que les sujets qu'a choisi de traiter Sartre dans ses romans et ses pièces ne seraient pas de nature à intéresser le prolétariat si celui-ci lisait ou allait au théâtre. Ensuite, s'il s'agit de combattre en faveur du prolétariat on peut le faire en façonnant les idées des fils des bourgeois et en modifiant les opinions des bourgeois eux-mêmes aussi bien qu'en s'adressant directement aux prolétaires. S'il n'existe pas pour la classe ouvrière, Sartre a travaillé pour elle en formant des disciples plus sensibles que leurs parents aux injustices sociales.

En se plaignant de n'avoir pas de public. Sartre regrettait de ne pouvoir agir sur le prolétariat. Mais l'intérêt d'avoir un public, c'est au contraire que ce public puisse agir sur vous. Ainsi l'entendait Gide dans sa conférence sur « l'importance du public ». Et Chardonne citait ce conseil, qu'il attribuait à Mozart, je crois : « Joue toujours comme si un maître t'écoutait. »

Quand il existait une société littéraire, un écrivain se sentait encouragé à donner le meilleur de lui-même, certain que ses mérites seraient reconnus par des connaisseurs. Aujourd'hui, il ne sait pas qui l'écoutera (qui le lira). Il ignore donc si l'on comprendra ses allusions, si ses intentions seront clairement perçues, et finalement si ses efforts ne sont pas vains.

Une *Histoire de la littérature française contemporaine* pourrait être le récit du passage de la société littéraire qu'ont connue Gide et Chardonne, à ce *bazar des lettres* dont le spectacle nous est offert aujourd'hui. Une telle *Histoire* serait pourtant un ouvrage de sociologie et non plus un ouvrage de critique. Or, ce qui compte, ce sont évidemment les œuvres qu'a produites une époque, en dépit de toutes les difficultés qu'ont pu connaître les créateurs.

Au cœur des années soixante, Mauriac estimait que nous vivions une « très pauvre période littéraire ». La preuve qu'il en donnait était curieuse : aucune œuvre, depuis celle de Sartre, n'apparaissait nettement au-dessus du flot de la production courante. Mauriac n'avait pas supposé un instant que des œuvres de premier ordre pouvaient avoir vu le jour sans avoir été suffisamment remarquées. Il oubliait que les conditions de la vie littéraire n'étaient plus celles qu'il avait connues quand il avait atteint la célébrité. Il ne voyait pas que plusieurs écrivains de l'époque méritaient un succès comparable à celui qu'il avait lui-même obtenu. Si ces nouveaux écrivains avaient débuté dans l'entre-deux-guerres, ils jouiraient d'une situation bien supérieure à celle qui est la leur.

LES GÉNÉRATIONS LITTÉRAIRES

On a souvent loué Thibaudet d'avoir utilisé, dans son *Histoire de la littérature de 1789 à nos jours,* un classement des auteurs par générations. On ne dit pas assez que le grand critique savait parfaitement ce que le procédé avait d'artificiel. Il fut contraint plus d'une fois à des truquages : il modifie à son gré la durée d'une génération et, souvent, préfère considérer la date de publication des œuvres plutôt que les dates de naissance des auteurs. Ainsi classe-t-il Stendhal, né en 1783, dans la génération de 1820 : il l'étudie après Hugo, d'une vingtaine d'années son cadet. Ainsi insère-t-il Maupassant dans la génération de 1850 et Anatole France dans la génération de 1885, alors que Maupassant avait six ans de moins que France.

On dira que, ce qui compte dans une *Histoire de la littérature*, c'est bien la date de publication des œuvres. Dès lors, la division des auteurs par générations perd beaucoup de son intérêt. 1° certains auteurs donnent le meilleur d'eux-mêmes à vingt ans et d'autres à cinquante ans. 2° certains auteurs meurent jeunes et d'autres poursuivent leurs œuvres jusqu'à un âge avancé. Quelques grands écrivains appartiennent à deux ou trois époques, et présentent plusieurs visages successifs comme ce fut le cas de Corneille, de Voltaire, de Hugo, de Gide. 3° la valeur de certains écrivains n'a été reconnue qu'après leur mort et la question se pose de savoir s'il faut considérer leur œuvre à la date de publication ou à la date où elle sortit de l'ombre.

Les générations ne se succèdent pas brutalement. Le paysage littéraire se modifie insensiblement parce qu'il y a toujours coexistence de plusieurs générations, ainsi que de diverses tendances. « La relève, observait Sartre, est assurée par l'infiltration continue dans les couches les plus anciennes d'éléments issus des générations nouvelles. » Les jeunes entrent dans la carrière quand les aînés y sont encore. Et les auteurs d'une même génération ne débutent pas au même moment. Aragon et Malraux nous semblent aujourd'hui avoir été illustres dès les années trente. Sartre le devint dans les années quarante. Beckett et Sarraute dans les années cinquante. Or, entre ces auteurs, l'écart d'âge est minime. Voici les dates de naissance : Aragon : 1897. Sarraute : 1900. Malraux : 1901. Sartre : 1905. Beckett : 1906. On peut rêver là-dessus et remarquer, pour commencer, que la carrière proprement littéraire de Sartre fut brève par rapport à celle d'Aragon ou de Malraux, qui publièrent avant lui et qui continuèrent d'écrire après qu'il eut abandonné la plume. Il est probable cependant que Thibaudet aurait vu un fossé entre la génération de Malraux et celle de Sartre. Et qu'il aurait étudié l'œuvre de Sartre avant l'œuvre de Sarraute.

Dans *Qu'est-ce que la littérature?* (en 1947), Sartre avait proposé l'esquisse d'une classification à la manière de Thibaudet. Il écrivait : « Si l'on voulait faire un tableau de la littérature contemporaine, il ne serait pas mauvais de distinguer trois générations. »

La première génération est celle des écrivains qui débutèrent avant la guerre de 1914 : « Ils ont achevé leur carrière aujourd'hui et les livres qu'ils écriront encore, fussent-ils des chefs-d'œuvre, ne pourront guère ajouter à leur gloire; mais ils vivent encore, ils pensent, ils jugent, et leur présence détermine des courants littéraires mineurs dont il faut tenir compte. » A vrai dire, si Gide et Claudel, Mauriac et Romains occupent encore la scène quand Sartre esquisse son *Tableau de la littérature contemporaine* un certain nombre d'écrivains disparus restent également très présents comme Proust et Giraudoux, et Sartre ne les oublie pas.

« La deuxième génération vient à l'âge d'homme après 1918. » Aussitôt Sartre précise que, dans cette génération, doit être inclus Cocteau qui fit ses débuts avant la guerre, au lieu que Marcel Arland appartiendrait plutôt à la précédente couvée. (Notons que Sartre qui n'a pas dû lire *L'Ordre,* se trompe complètement quant à la signification de ce roman.)

Cette génération de l'entre-deux-guerres est, avant tout, pour Sartre, celle des surréalistes, organisateurs d'un magnifique feu d'artifices : « Ces jeunes bourgeois turbulents (p. 214), ces fils de famille (p. 219) veulent ruiner la culture de papa », tout en restant des « écrivains-consommateurs ». On est surpris que Sartre ait ignoré les origines modestes d'un Breton, fils de gendarme, ou irrégulières d'un Aragon, enfant non reconnu par son père. Au demeurant, reprochant aux surréalistes de n'avoir pas été des révolutionnaires, Sartre oublie l'engagement d'Aragon pour ne retenir que les positions selon lui inefficaces de Breton.

Parmi les autres grand[illegible] écrivains de l'entre-deux-guerres, Sartre ne retient (dans le texte don[illegible] parlons) que Morand et Drieu, pour les stigmatiser comme fins de r[illegible]quidateurs d'une société, mais sans force pour en bâtir une autre.

« Reste do[illegible]roisième génération, la nôtre, qui a commencé d'écrire après la défait[illegible] un peu avant la guerre. »

Sartre dit « [illegible]re génération », il semble que ce soit un pluriel de majesté. Il ne cite pas [illegible]crivains de son âge qui partageraient ses préoccupations. En revanche, s'i[illegible] n'a pas mentionné Malraux et Saint-Exupéry parmi les écrivains de l'entre-deux-guerres, « c'est qu'ils appartiennent à notre génération ». On peut dire que c'est un truquage assez gros.

Sartre rend cet hommage à Malraux : « Alors qu'il nous a fallu, pour nous découvrir, l'urgence et la réalité physique d'un conflit, Malraux a eu l'immense mérite de reconnaître, dès son premier ouvrage, que nous étions en guerre... » (*Situations II*, p. 326.)

Quant à Saint-Exupéry, « il a su esquisser les grands traits d'une littérature du travail et de l'outil. Il est le précurseur d'une littérature de construction qui tend à remplacer la littérature de consommation ». On peut être amusé de voir Saint-Exupéry annexé ici par Sartre. Quant à Malraux, il ne cessa jusqu'à sa fin de se montrer hostile aux positions du directeur des *Temps modernes*. Il n'a jamais eu de conception utilitaire de la littérature, alors que Sartre souhaitait exercer par ses œuvres et pas seulement par ses articles une action sociale et politique. Au surplus, s'il avait fallu la guerre pour que Sartre prenne une nette conscience de vivre dans l'Histoire, l'événement avait modifié les prises de position de Malraux dans un sens qui surprit ses premiers admirateurs.

Bref, la division de l'histoire littéraire par générations que propose Sartre dans *Qu'est-ce que la littérature?* n'est pas le moins du monde satisfaisante.

Trois ans plus tard, en 1950, Roger Nimier ne pensait guère à Thibaudet en publiant *Le Grand d'Espagne* qui contient un essai intitulé *Vingt Ans en 1945*. Il se contentait de dresser un rapide inventaire de ce que sa génération avait reçu en héritage.

On peut considérer qu'une génération se définit essentiellement par cette notion d'héritage : c'est, en principe, sur la même société et le même univers que les garçons et les filles du même âge ouvrent les yeux au même moment. Toutefois la situation de chaque individu est particulière. L'héritage histotre le même. Mais l'expérience historique est en quarante-cinq, c'était tout différent suivant milieu vichyste ou gaulliste. A toute époque les, les inégalités sur le plan physique et sur le es dues à l'éducation et, par-dessus tout, le Aussi bien, quand on dit : « les jeunes pensent s clairement à quels jeunes gens il est fait énéral contestataires, mais les uns respectent tres prônent le changement et s'affirment par ration comprend toujours des réactionnaires orale, en politique et en littérature. Certains révolutionnaires en art, et des conservateurs iété.

nt-il représentatif d'une génération? C'est ès qu'il rencontre et des discussions qu'il tif n'est pas seulement un écrivain à gros discute. Il est une référence dans les e ses préoccupations et sa manière de les écho.

XIXe siècle créaient des personnages et s'en pour étudier des comportements nouveaux provoqués par des changements de société. Chateaubriand s'exprimait à travers René. Balzac est représentatif d'une jeunesse à travers un Rastignac ou un Rubempré. Stendhal, à travers Julien Sorel ou Lucien Leuwen. A la fin du XIXe siècle, c'est l'écrivain lui-même qui devient le représentant d'une génération. Barrès apparut au temps du *Culte du moi* comme « le prince de la jeunesse » et, en dépit de son passage au nationalisme, il conserva suffisamment de prestige pour que, dans leur jeunesse, Montherlant, Aragon, Drieu rêvent, chacun à sa manière, d'être son successeur.

Avec Barrès, nous avons un exemple d'écrivain partagé entre l'ambition littéraire et l'ambition politique. Il n'était pas le premier de cette espèce. Avant lui, outre Chateaubriand, il y avait eu Constant, Lamartine, Hugo. Et l'on peut remarquer qu'en France la tradition de l'engagement de l'écrivain dans les querelles du temps remonte à Voltaire et à Rousseau.

Il faut cependant établir une distinction essentielle entre les écrivains qui ont désiré le pouvoir pour lui-même afin de se persuader de leur importance, comme Barrès qui n'obtint pas mieux qu'un siège de député ou Malraux qui devint par la grâce du général de Gaulle ministre d'État, et les écrivains qui sont intervenus dans les affaires publiques à un moment de leur vie poussés par les circonstances : tel Zola prenant fait et cause pour Dreyfus, ou Gide dénonçant l'action des Grandes Compagnies françaises au Congo.

Tout cela n'a que peu à voir avec la littérature, nous en sommes bien d'accord. Remarquons seulement que l'affaire Calas explique mieux que *Candide* la gloire de Voltaire et que l'affaire Dreyfus transforma Zola de grand romancier en grand homme.

Entre 1920 et 1940, peu d'écrivains se sont contentés de s'exprimer au moyen de fictions. Parmi les « grands », Proust, Martin du Gard et Marcel Aymé sont des exceptions. Tous les autres ont voulu intervenir directement. Ils s'adressèrent à leur public à la première personne pour donner des conseils sur la manière de conduire sa vie. Certains s'en tinrent au domaine de la vie privée. D'autres abordèrent la vie publique et la haute politique (si la politique peut jamais être « haute »).

C'était leur droit. Peut-être leur devoir. Un artiste est un citoyen comme un autre. Il n'est pas sûr pourtant qu'ils furent écoutés. Ils découvrirent que leur public était rarement le public. En outre, il va de soi que leur œuvre littéraire en souffrit souvent, car ils furent exaltés ou honnis pour leurs idées et l'on oublia leur art. La littérature a rarement tiré profit de l'engagement des écrivains.

Au cours des années trente, on assista, à cause de la politique, à un effacement de la notion d'écrivain devant la notion d'intellectuel. Les écrivains participèrent à des réunions où ils furent confondus avec des idéologues, des philosophes, des sociologues, des essayistes de tout poil qui se souciaient du style comme d'une guigne. Hélas, les écrivains allaient bientôt céder le pas aux intellectuels. Aujourd'hui, l'écrivain n'est plus qu'une variété d'intellectuel, parmi bien d'autres.

Loin de gagner quoi que ce soit à cette alliance avec des non-littéraires, les écrivains y ont perdu leur ancien prestige. Ils sont devenus des bavards parmi d'autres, sans avoir droit à une considération particulière en raison de leur talent. Les jeunes gens étaient sentimentalement attachés à leurs écrivains préférés. Ils ne s'intéressent qu'intellectuellement à certains intellectuels. Or la sensibilité compte plus que l'intellect. Jamais le plus ingénieux des essayistes ne provoquera la passion, comme la suscitèrent avant-guerre Gide, Malraux ou Giono, tous trois des amoureux de la vie, des autodidactes et non des professeurs bardés de diplômes.

Certes, le mérite d'une œuvre ne se mesure pas plus à l'attrait qu'elle exerce sur la jeunesse qu'à l'importance de son tirage. On est inquiet pourtant quand les adolescents ne s'enthousiasment plus pour aucun livre : c'est l'avenir de la littérature qui semble en jeu. La passion — même la simple curiosité — pour la littérature s'affirme au début d'une vie. Qui n'a pas aimé la lecture à vingt ans ne l'aimera sans doute jamais.

Ne soyons pourtant pas pessimistes : puisque les jeunes gens lisent autant que jamais, on peut espérer que quelques-uns d'entre eux découvrent chaque année la littérature. Elle sera sauvée, aurait dit Gide, « par quelques-uns ».

UN TERRITOIRE MENACÉ

Un des dangers que court la littérature aujourd'hui est l'envahissement du domaine de la critique par des universitaires spécialistes des « sciences humaines ». On a pu observer cet assaut des non-littéraires contre la littérature dès la fin de la Seconde Guerre mondiale et il n'a cessé de s'amplifier jusqu'à ces dernières années. Au point qu'il nous paraît utile de rappeler qu'il fut un temps où la littérature jouissait d'une magnifique autonomie. Ce serait peu de dire que les hommes de science ne se mêlaient pas de son administration, ils éprouvaient pour elle une espèce de respect. Ainsi, le grand Sigmund Freud lui-même se contentait d'une alliance avec les écrivains. Dans son essai sur la *Gradiva* de Jensen, il écrit : « Les poètes et les romanciers sont de précieux alliés, et leur témoignage doit être estimé très haut, car ils connaissent, entre ciel et terre, bien des choses que notre sagesse scolaire ne saurait rêver. Ils sont, dans la connaissance de l'âme, nos maîtres à tous, hommes vulgaires, car ils s'abreuvent à des sources que nous n'avons pas encore rendues accessibles à la science. »

Depuis Freud, les choses ont bien changé. Les « hommes vulgaires », ayant lu Freud précisément, et Marx, ont estimé qu'ils avaient accès à la vérité et que c'était à eux de régenter la littérature. Gombrowicz a raconté comment un philosophe renommé (c'était Lucien Goldmann) avait proposé une symbolique psychanalytique compliquée à propos de son drame *Le Mariage :* « Ça devenait une pièce politique, avec surhomme, etc. Quand j'ai dit que je n'avais jamais pensé à tout cela, il a fait intervenir, péremptoire, mon inconscient. En somme, je ne comprends rien à ce que j'écris. »

C'est bien là ce que prétendent nos nouveaux docteurs. Les « créateurs » sont inconscients. Heureusement, les critiques sont là. Ils sont là pour observer les écrivains, comme Jean Rostand ses grenouilles, et pour se prononcer sur le sens de leurs gesticulations. On comprend que, dans ces conditions, la fonction critique soit tout à fait supérieure à la fonction créatrice. Les écrivains sont de pauvres irresponsables, des espèces de sismographes dont il s'agit d'analyser les tremblements. Le sismographe ne sait pas pourquoi il tremble : le critique le sait et c'est lui qui nous renseigne et qui mériterait le nom de créateur puisque sans lui nous ne saurions pas interpréter les données d'une œuvre. L'écrivain est possédé par des forces inconnues. Le critique analyse ce malade et ses délires.

Il n'y a pas si longtemps, la démarche inverse était concevable. Un artiste se permettait de juger les découvertes d'un savant ou d'un philosophe en se plaçant à un point de vue esthétique. Ainsi, Thomas Mann pouvait écrire à Freud, à propos de ses rêveries sur Joseph et Napoléon, qu'elles avaient une plausibilité frappante, en regard de laquelle la question de leur réalité historique est pour moi secondaire. » (Lettre du 13-12-36.) De même Mann avait-il fait l'éloge de Schopenhauer, sans se rallier fermement à sa philosophie, mais en publiant sa satisfaction de se trouver devant un système métaphysique cohérent et harmonieux.

Hélas! ce qui manque cruellement à nos modernes professeurs de littérature, c'est d'être harmonieux. Ils s'expriment généralement en jargon et c'est, dès l'abord, ce qui les exclut du domaine littéraire qu'ils voudraient annexer. L'on peut d'ailleurs trouver leur projet étrange : puisqu'ils s'intéressent plutôt à la sociologie ou à la politique, pourquoi viennent-ils cantonner à la porte d'un domaine où le bon plaisir doit rester roi? Mais peut-être est-ce une anarchie qu'ils veulent réduire? En tout cas, ils sont les barbares qui se donnent pour les représentants avancés de la culture. Le langage, selon eux, est un phénomène impersonnel. Ce n'est plus l'artiste qui a son langage : c'est le langage qui se sert de l'artiste pour exprimer l'époque. Cela n'empêche pas nos modernes docteurs de signer de leur nom leurs analyses divagantes. Pourtant, ce sont leurs analyses qui portent le plus visiblement la signature d'une époque.

Vous pourriez croire qu'il s'agit d'un phénomène français. Il n'en est rien. Saül Bellow, le célèbre auteur des *Aventures d'Audie March*, se plaint de l'influence grandissante des intellectuels professionnels, professeurs et critiques, dans la vie littéraire américaine. Saül Bellow déclare que les « intellectuels » veulent se rendre maîtres de la littérature et qu'ils ont décidé de la soustraire aux écrivains. Comment cela? En substituant au sentiment, à la sensibilité, des actes de l'intelligence. Les idées les intéressent plus que l'art, ils cherchent des significations et collent partout des étiquettes. Ils aboutissent à « une paraphrase par le bas » : « ils abaissent le présent et refusent à leurs contemporains tout horizon créateur ». Ils croient à un certain déterminisme et entendent démonter la « mécanique » humaine.

Qu'est-ce que la littérature devient dans tout cela? demande Saül Bellow. Qu'en font-ils, les intellectuels? « Ma foi, ils en parlent, c'est leur trésor, ils s'en parent, en font carrière. » Mais Bellow proteste : la littérature appartient à ceux qui l'écrivent. Elle est du côté de la vie et de la liberté.

Les professeurs d'autrefois cherchaient à faire aimer la littérature à leurs étudiants. Ceux d'aujourd'hui — du moins dans les universités — cherchent à briller en analysant des ouvrages pas toujours enthousiasmants. Le fait est là : les jeunes gens se passionnent moins pour la littérature que ceux d'hier.

Vous direz peut-être que c'est le cas du public tout entier. Cela se discute, puisque l'on n'a jamais tant vendu de livres. Mais on parle régulièrement de crise de la littérature et de crise du roman.

André Malraux était persuadé de la désaffection du public pour le roman. Pour sa part, il l'expliquait par le développement de la presse et par les découvertes de la psychanalyse.

Voyons son argumentation. Il note d'abord que le public est avide de sensations et de découvertes. Au début du XIXᵉ siècle, il trouvait sa pâture dans le roman. Il l'a cherchée depuis dans la presse. Malraux insiste sur le fait que les journaux, pour réussir, doivent donner une vision romanesque des événements. Non seulement les journalistes sont passés maîtres dans l'art de créer du sensationnel, mais ils en créent de manière continue. Tout journal contient aujourd'hui la matière brute de dizaines de romans : « Cette réalité quotidienne écrasante n'a pas de précédent », dit Malraux. Elle décourage ceux qui voudraient rivaliser avec elle. Si la fiction du XIXᵉ siècle était beaucoup plus romanesque que la réalité connue des lecteurs, les fictions d'aujourd'hui sont largement dépassées par les grands et petits faits quotidiens transmis par les journaux, la radio, la télévision. Le romancier a donc perdu le monopole du romanesque et la royauté en la matière.

Faut-il en conclure qu'il est battu sur son propre terrain par la vérité nue? On peut en discuter. Certains ouvrages présentés comme documents d'histoire sont, en fait, des montages dont la technique est empruntée à celle du roman et l'on y trouve une vérité fort habillée et, parfois, travestie. Les historiens considèrent d'ordinaire comme des romans les ouvrages de journalistes. Pour finir, romanciers et journalistes se trouvent d'ailleurs conjointement concurrencés par les cinéastes et les photographes : on se drogue plus facilement et plus vite avec des images qu'avec des mots.

Il est évident que, de nos jours, tout lecteur et l'amateur de littérature aussi bien, se trouve constamment sollicité par mille histoires que déverse sans arrêt l'actualité. Le désir d'être au courant de la marche du monde lui laisse peu de temps pour s'intéresser aux mondes imaginaires et à ce qu'on appelait autrefois la vie intérieure. Mais le roman est-il seulement le domaine de l'imaginaire? La vie intérieure est-elle négligeable?

Jusqu'à ces dernières années, la littérature était considérée comme un miroir de l'humanité. On y apprenait à s'y mieux connaître et à connaître autrui. De ce point de vue, les sciences de l'homme ont pris la relève. Nos romanciers psychologues, sous le rapport de la découverte sensationnelle, font piètre figure à côté des psychanalystes et des sociologues. Sans doute psychanalystes et sociologues bâtissent parfois eux aussi des romans, mais c'est à partir de l'observation méthodique de quelques cas précis et ils ont l'avantage de se réclamer des sciences.

De quoi va donc se réclamer le simple écrivain, sinon de sa petite expérience personnelle? Nous dirons qu'un important domaine lui reste, entre le fait divers journalistique et le cas clinique, entre le rapport de police et le rapport médical.

Le moment où l'on ouvre un livre d'écrivain, c'est celui où l'on dit *pouce* au milieu d'une vie harassante. La littérature ne serait-elle qu'une cour de récréation? Ce ne serait déjà pas si mal. On peut supposer que c'est aussi un refuge, et ce n'est pas mal non plus. Un lieu où réel et imaginaire font enfin bon ménage : le domaine de l'individu.

Il n'est pas sûr qu'un romancier veuille rivaliser avec la réalité et les faits divers. Il cherche à exprimer sa vérité à lui et ses rêves. Et ce que le lecteur cherche — et obtient si le livre est bon — c'est une présence singulière, une chaleur ou une ironie qu'on ne trouve ni dans les journaux, ni dans les ouvrages de psychiatrie.

Dans son essai *Roman des origines et origines du roman* (1972), Marthe Robert s'est interrogée sur le besoin de raconter des histoires et d'en lire. « Vous me racontez des histoires », le sens de cette phrase est clair : vous me racontez des mensonges. Qu'est-ce donc qui nous pousse à mentir? On ment pour tromper, bien entendu. Mais quelle curieuse tromperie que celle des romanciers! Qui lit un roman sait bien qu'il lit une histoire imaginaire, même lorsque l'auteur feint de présenter des mémoires. Non seulement le lecteur accepte d'être trompé, mais encore c'est ce qu'il recherche, c'est ce qu'il demande. Le besoin de mentir (de l'auteur) correspond à un besoin d'être trompé (du lecteur). Naturellement, c'est le même besoin sous deux aspects.

On ment parce que la réalité ne nous satisfait pas. On ment parce qu'on voudrait que les choses soient autres qu'elles ne sont. On ment pour se rattacher à des illusions sans lesquelles l'existence serait intolérable. On ment pour opposer au monde extérieur une exigence sentimentale.

Marthe Robert rappelle que Freud a très bien indiqué à quel moment le goût de la fabulation apparaît chez l'enfant. Le texte de Freud est connu sous le nom de *Roman familial des névrosés :* c'est sous ce titre qu'il parut en 1909 dans un livre d'Otto Rank, *Le Mythe de la naissance du héros.* Freud avait fait sa découverte en soignant des malades et c'est pourquoi il parle de névrosés, mais il comprit rapidement que le phénomène qu'il avait observé est une expérience normale et universelle de la vie infantile.

Quelle est cette expérience? A un certain moment, l'enfant découvre que ses parents ne sont pas les puissances supérieures exceptionnelles qu'il avait cru. Il s'était senti protégé par des êtres quasi divins dont la gloire ne manquait pas de rejaillir sur lui. Or, le voici qui découvre peu à peu qu'il y a des gens qui, à divers égards, sont supérieurs aux siens : par la bonté, par l'esprit, par la fortune ou par le rang. Et cette découverte, il la fait alors que les soins dont on l'entourait se relâchent, parce qu'il en a moins besoin désormais. L'enfant déçu se forge alors son roman familial : ses parents ne sont pas ses vrais parents. Il a été perdu, abandonné : c'est un enfant trouvé. Ses vrais parents sont évidemment d'une tout autre qualité que ses parents nourriciers. Mais il arrive aussi que l'enfant imagine seulement qu'il n'est pas le fils de son père. Il est un bâtard.

Marthe Robert nous montre comment ces deux types de héros : l'enfant trouvé et le bâtard, vont apparaître dans un grand nombre d'œuvres romanesques et comment ils se transforment en justiciers et conquérants, avec une contradictoire exigence : vivre un ancien rêve et dominer le monde. Dans les deux cas, il y a refus du monde établi, remise en question des valeurs et recherche d'un ordre neuf. Romantisme profond et réalisme apparent paraissent mêlés chez le romancier : Marthe Robert distingue ceux chez qui le rêve l'emporte, les romanciers de « l'autre côté » (Cervantès, Defoë) et ceux qui parfois prétendent nous donner des « tranches de vie » (Balzac, Flaubert). En fait, tous posent les fondements d'un empire dont ils seront rois.

Nous tous voulons être rois. La lecture est une opération magique par laquelle nous vivons d'autres aventures, plus belles ou plus tragiques, que celles que nous réserve la vie quotidienne. Si le roman séduit tant, c'est qu'il apporte des satisfactions (imaginaires, bien sûr) à de vieux désirs.

Marthe Robert indique très bien pourquoi les tentatives qui eurent lieu ces dernières années pour renouveler l'art romanesque étaient vouées à l'échec : c'est que les prétendus novateurs étaient des techniciens qui jouaient avec des formes et oubliaient à quels besoins (très réels) répond l'art romanesque.

Nous pourrions nous interroger maintenant sur l'origine des autres expressions littéraires. La poésie, forme suprême de la littérature, tend sans doute à élargir notre existence présente et à l'ennoblir. Celui qui écrit des souvenirs veut soit construire sa propre légende, soit revivre dans la clarté ce qu'il a vécu dans la confusion : dans les deux cas, c'est une autre vie qu'il raconte. La littérature est le meilleur moyen connu de vivre d'autres vies que la sienne, — d'autres vies qui sont aussi la nôtre.

2.
Les derniers maîtres

Le mot « maître » est tombé aujourd'hui en désuétude. Si les jeunes écrivains continuent à être subjugués par l'exemple de grands aînés, il ne leur viendrait pas à l'idée de les traiter avec respect et reconnaissance. Le mot « maître » pouvait s'entendre de deux façons : sur un plan en quelque sorte artisanal, il désignait un artiste qui avait manifesté sa maîtrise des moyens d'expression. Sur un plan moral, il désignait un homme dont la pensée ne s'était pliée à aucun mot d'ordre et dont l'attitude, en face des impératifs de la vie sociale, avait été exemplaire.

Un des derniers maîtres, reconnu pour tel par beaucoup, Gide, a dit lui-même que les notions de maître et même de « grand écrivain » le faisaient sourire. Car qui est sûr de rien? Qui se trouve à l'abri d'un faux pas? Pourtant, en ce qui concerne le plein exercice d'un métier littéraire supérieur, Gide et quelques autres restent les exemples d'une « maîtrise » insurpassée.

LE DEMI-SIÈCLE D'ANDRÉ GIDE

De sa quarantième année, en 1909, où avec quelques amis il fonda *La Nouvelle Revue française,* jusqu'à sa mort, en 1951, André Gide a dominé la vie littéraire en France. Cela s'explique par le double rayonnement d'une œuvre et d'une personnalité exceptionnelles, qui furent admirées ou décriées avec passion. Gide disait d'ailleurs qu'il devait sa célébrité beaucoup plus aux attaques dont il avait été l'objet qu'aux éloges qu'on lui avait décernés. Et que lui reprochait-on? « De remettre en cause la notion de l'homme sur laquelle nous vivons », déclarait un de ses plus remuants adversaires, le catholique Henri Massis. Gide est l'écrivain-contestataire-type, l'ennemi de toutes les orthodoxies, le champion du libre examen.

Au début de sa carrière, il répétait qu'il entendait n'être jugé que d'un point de vue esthétique. En réalité, cet immoraliste se passionnait tout autant pour les questions morales que pour les questions d'art. Et d'ailleurs, bien souvent, ses choix, en matière d'art, étaient fortement influencés par ses exigences morales : ainsi lorsqu'il entreprenait l'éloge de « l'honnêteté » de Roger Martin du Gard.

Gide exerçait sur ses lecteurs une influence intellectuelle qui dépassait de loin le plan de la littérature. Quel jeune homme irait aujourd'hui demander des conseils à un de nos auteurs à la mode sur la conduite de son existence? C'est le signe que la littérature a perdu quelques-uns de ses anciens prestiges.

François Mauriac, dans son *Bloc-Notes,* a rendu cet hommage à Gide : « Tant qu'il a vécu il y a eu encore en France une vie littéraire, une vie d'échange, une dispute toujours ouverte entre des écrivains qui n'étaient pas des philosophes de profession, qui parlaient le langage des honnêtes gens... La pierre scellée sur le tombeau de Gide l'a été aussi sur l'époque la plus excitante pour l'esprit que la France ait connue. »

Mauriac appelle ici « vie littéraire » les débats d'idées qui s'instauraient autour des livres. Il s'agissait de débats où chaque lecteur reconnaissait aussitôt quelques-unes de ses préoccupations. Ainsi, ce n'était pas du tout querelles de mandarins ni de spécialistes.

Pour savoir quels problèmes passionnaient les Européens de la première moitié du siècle, il faudra toujours se reporter au *Journal* de Gide. Ce livre est devenu, en raison des transformations de notre société, un document historique et l'on pouvait sourire quand, ces dernières années, on entendait Malraux déclarer que Gide était resté étranger à l'Histoire. Mais on comprend ce que voulait dire Malraux. Gide plaçait l'Homme avant l'Histoire et voyait en lui la fin dernière de l'univers, tandis que, pour Malraux, c'est l'Histoire qui, enfantant les sociétés, modèle le visage du citoyen. Malraux s'intéressait à la légende du siècle et Gide au siècle lui-même. Gide voulait agir sur les mœurs. Malraux voulait participer à l'Histoire. Tous deux croyaient aux héros, mais Gide, humaniste, concevait le héros comme un individu triomphant du destin, tandis que Malraux, romantique illuminé, voyait dans le héros l'incarnation de ce même destin.

L'opposition de Gide et de Malraux sur la notion d'œuvre d'art est également significative. Gide, à la recherche d'un nouveau classicisme, restait attaché à la mesure et à l'harmonie. Son souci du beau style explique la préciosité gênante de ses premières œuvres. Le même souci l'amena plus tard à qualifier de charabia certaines pages de Malraux qui préférait ses idées à son art. Gide et Malraux étaient à la recherche de formes nouvelles. Mais Gide ne voyait souvent que des curiosités dans les formes d'art étrangères à notre civilisation, il voulait toujours pouvoir parler de beauté. Malraux se montrait subjugué par la force créatrice qu'exprimaient les œuvres les plus étranges. Le génie brut qu'elles révélaient faisait leur valeur essentielle. Gide ne balaya jamais les vieilles règles esthétiques. Il croyait au chef-d'œuvre qui justifiait l'artiste.

Malraux note encore que Gide, passionné par les questions religieuses, n'avait pas le sens du sacré, ainsi que le prouve son attitude face aux religions orientales. C'est en moraliste qu'il parle du christianisme et pour montrer comment les églises ont dénaturé le message de Jésus. S'il s'incline devant Celui-ci, il ne veut finalement voir en lui que « le Fils de l'Homme ».

Gide n'a pas besoin de surnaturel parce que ce qui existe lui suffit amplement. Le problème de l'absurdité de la condition humaine lui est étranger. A Martin du Gard et à Jean Rostand, précurseurs de Sartre, qui ne trouvent aucune signification à l'existence et qui demandent : « A quoi tout cela rime? », il réplique : « A quoi voudriez-vous que cela rimât? » Il prône l'amour de ce qui est, l'*amor fati* de Nietzsche, et la volonté de bonheur. Il force même son optimisme foncier jusqu'à s'écrier, dans les *Nouvelles Nourritures :* « Que l'homme est fait pour le bonheur, certes toute la nature l'enseigne! » Il ne faut cependant accepter que ce qu'on ne peut changer. D'où l'autre affirmation excessive des *Nouvelles Nourritures :* « Il ne tient qu'à toi! » Il voulait insuffler de l'énergie à son lecteur et considérait comme ennemis personnels les démoralisateurs.

On a beaucoup dit que l'œuvre la plus réussie de Gide était Gide lui-même. C'est une façon de minimiser l'importance de ses œuvres proprement littéraires. Il aborda cependant tous les genres et, dans chacun, donna des ouvrages marquants. C'est envers *Les Faux-Monnayeurs* que l'on se montra longtemps le plus injuste.

Les Faux-Monnayeurs furent mal accueillis par la critique; même dans le groupe de la *Nouvelle Revue française*. Dans ce « premier roman », on ne retrouvait ni la grâce insinuante des récits précédents, ni le comique caricatural des soties... Mais, pour le jeune lecteur d'aujourd'hui, il faut sans doute expliquer cette distinction que faisait Gide entre récit, sotie et roman.

Le récit classique français, généralement écrit à la première personne, raconte une seule histoire sous un éclairage unique : *La Princesse de Clèves* et *Adolphe* sont les chefs-d'œuvre d'un genre où Gide à son tour s'imposa comme un maître avec *La Porte étroite* et cette *Symphonie pastorale* qui lui valut ses plus forts tirages.

La sotie est un avatar du conte philosophique : on n'y respecte pas la vraisemblance, on s'abandonne à la fantaisie qui recouvre pourtant une satire précise de certains comportements humains. Les premières soties de Gide comptent parmi ses œuvres les plus originales et les plus accomplies : *Paludes* et *Le Prométhée mal enchaîné* doivent quelque chose à Laforgue, mais sont des réussites éclatantes de l'ironie gidienne. L'art du dessin atteint ici un point de perfection. Avec *Les Caves du Vatican,* on se rapprocherait du roman traditionnel, si le grossissement du trait n'en faisait encore une œuvre parodique.

Le roman selon Gide n'est pas l'image exacte de la vie, mais son reflet dans le prisme d'une intelligence qui se veut impartiale. Comment atteindre cette impartialité, sinon en refusant d'élire des héros privilégiés et en multipliant au contraire les points de vue? L'ironie devait être mise de côté puisqu'elle est incompatible avec l'objectivité.

Écrivant *Les Faux-Monnayeurs,* Gide décide de supprimer l'histoire, c'est-à-dire qu'il refuse de faire tourner le livre autour d'un drame, habilement préparé, raconté et dénoué. La vie n'est pas le théâtre. Gide enchevêtre de nombreuses histoires, sans rapport les unes avec les autres, que vivent intensément ou que traversent incidemment de nombreux personnages, dont l'auteur s'approche ou s'éloigne, telle une caméra, avec une mobilité et une agilité saisissantes. Non, ce n'est pas du théâtre, mais parfois du cinéma, un cinéma qui se moque de l'intrigue. Ce sont les personnages qui importent et leurs rapports entre eux et avec eux-mêmes. Leurs aventures, à la dernière page, resteront « à suivre » (à quelques exceptions près, puisqu'il y a quelques vies qui se sont achevées tragiquement).

En ce qui concerne la composition romanesque, *Les Faux-Monnayeurs* est le roman le plus neuf du XXe siècle. Pour sa part, Proust s'inscrit dans la tradition des chroniques du XVIIIe siècle; où il est insurpassable, c'est dans l'analyse psychologique, le portrait, les scènes comiques. Remarquons que Proust avait entrepris une « recherche du temps perdu » quand Gide voulait restituer le moment présent. Proust a écrit le livre de sa vie, tandis que Gide a donné, avec *Les Faux-Monnayeurs,* le livre de sa maturité. Il avait cinquante ans quand il s'attaqua à ce premier et unique roman.

Souvent, il a répété que la France n'est pas le pays du roman; le roman était pour lui une spécialité anglaise ou russe. La France est un pays de moralistes et d'artistes. « Qu'est-ce que Lesage à côté de Fielding? demandait Gide, ou que l'abbé Prévost à côté de Defoë? » (il disait aussi : « Qu'est-ce que *La Princesse de Clèves* à côté de *Britannicus?* »).

Écrivant un roman, c'est donc avec les étrangers que Gide a voulu rivaliser. On a beaucoup parlé de l'influence sur lui de Dostoïevsky parce qu'il l'a lui-même signalée. On a moins insisté sur l'influence de Dickens, bien qu'il ait mentionné *Notre ami commun* parmi les livres qui l'aidaient à juger ses *Faux-Monnayeurs.* Il est bien certain que, au regard de Dickens et de Dostoïevsky, Gide reste très spécifiquement « français » : plus artiste que romancier. Mais justement, si on lui conteste au départ un « véritable tempérament de romancier », on devrait saluer avec d'autant plus de chaleur la réussite des *Faux-Monnayeurs,* où il a su faire entrer tout ce qui lui tenait à cœur et la totalité de son expérience.

Dans l'histoire du roman français — et même du roman occidental en général, — *Les Faux-Monnayeurs* occupent une place considérable. Gide avait-il eu raison de nous exposer longuement les problèmes techniques auxquels il s'était heurté? Beaucoup de jeunes gens ont cru que l'intelligence critique pouvait suppléer à l'absence de dons de conteur. Ils ont fabriqué des machines ingénieuses, mais privées de mouvement. Ils oubliaient que pour Gide le roman était moins une construction qu'une aventure.

Le *Journal 1889-1939* parut quelques mois avant le déclenchement de la Seconde Guerre mondiale. A ce moment, Gide était âgé de soixante-dix ans et il considéra que, pour lui, les jeux étaient faits. Sans doute ne pourrait-il plus qu'ajouter quelques pages à ses carnets : « Il y a déjà longtemps que j'ai cessé d'être, note-t-il le 10 mai 1942. Simplement j'occupe la place de quelqu'un que l'on prend pour moi. » C'était un jour de fatigue. Deux ans après avoir tracé ces lignes, il achevait le *Thésée* qui devait paraître en 1946. Ce court récit constitue le couronnement de son œuvre. On peut remarquer aujourd'hui qu'il inaugurait le genre des mémoires apocryphes qui allait se développer tant en France qu'à l'étranger. En fait, Gide avait voulu résumer dans une fable le sens de sa vie, comme dans l'opéra de *Perséphone*, il avait repris sur le mode poétique quelques thèmes essentiels de son œuvre.

Qu'est-ce qui poussait l'adolescent Thésée, fils de roi, vers les grandes aventures « alors qu'il se sentait si bien, assis à cru sur l'herbe fraîche ou sur une arène embrasée »? Les conseils de son père qui, lui rappelant que noblesse oblige, ajoutait : « Sache montrer aux hommes ce que peut être et se propose de devenir l'un d'entre eux. Il y a de grandes actions à faire. Obtiens-toi. » Et Thésée se mit à l'ouvrage : « C'est à cela que je dois tout ce que j'ai valu par la suite, d'avoir cessé de vivre à l'abandon, si plaisant que cet état de licence pût être. »

S'étant fait les muscles à rechercher les armes de Poséidon, Thésée fit la chasse aux brigands et libéra de leurs craintes les habitants de mainte contrée. Puis il décida de s'attaquer au Minotaure...

Les remarques de Gide sur la mythologie sont justement célèbres. Les mises au point qu'il fait ici, concernant la recherche des armes de Poséidon, l'erreur de Pasiphaé, l'oubli des voiles noires par Thésée, etc., ravissent l'esprit et le satisfont pleinement.

Pour Gide, le labyrinthe n'avait pas été construit de telle sorte qu'on n'en puisse pas sortir, mais qu'on n'ait pas envie d'en sortir. Autant que sur la multiplication des corridors, Dédale avait compté sur l'utilisation de fumées semi-narcotiques. Le labyrinthe, c'est la tentation du mysticisme, dont Icare fut une des victimes : pour sa part, il ne vit d'autre issue que le ciel (« l'azur m'attire, ô poésie ») et l'on sait quelle fut sa chute.

Thésée vainquit le Minotaure grâce sans doute à Dédale et à Ariane. Il fut ensuite infidèle à celle-ci, dont le fil l'avait certes aidé, mais qui aurait toujours désiré voir son amant avec ce fil à la patte. Et puis c'était Phèdre qu'aimait Thésée.

Quand Thésée revint à Athènes et qu'il y trouva son père mort, il s'attela à une nouvelle tâche. D'une bourgade sans grande importance, il allait faire cette fameuse ville d'Athènes, un foyer de la civilisation.

Considérant que le maudit appétit d'argent n'apporte pas le bonheur, car il est insatiable, mais les guerres, — Thésée décida le partage des terres. Ensuite il décréta que tout citoyen aurait un droit égal au Conseil et lui-même se démit de l'autorité royale. Enfin, pour augmenter la puissance de la ville, il attira les étrangers qui devinrent d'emblée des citoyens : on ne les jugerait qu'après services rendus.

Sans doute Thésée savait-il que l'égalité n'est ni naturelle, ni souhaitable, car le progrès peut venir de l'émulation, de la rivalité, voire de la jalousie.

Mais il pensait qu'une différence de situations renaîtrait et que la nouvelle aristocratie devrait ses avantages à la supériorité de son esprit.

Thésée savait aussi que l'homme n'est pas libre, qu'il ne le sera jamais et qu'il n'est pas souhaitable qu'il le devienne (faut-il parler en effet du piètre usage qu'il fait de ses loisirs?). Thésée laissa à son peuple l'illusion de la liberté et obtint facilement son assentiment pour le conduire dans la voie du progrès : « Ma grande force était de croire au progrès. »

Le sommet de la vie de Thésée fut sa rencontre avec Œdipe. Il rencontrait enfin un héros dont la gloire était égale à la sienne. Peut-être supérieure. Car Thésée n'avait pas quitté le plan humain, tandis qu'Œdipe avait osé s'opposer aux dieux. Et Thésée lui demande naturellement pourquoi il s'est crevé les yeux. Pourquoi? Nous le savons par l'*Œdipe* de Gide : ses yeux n'avaient point su l'avertir. Et ici même Œdipe précise : « A qui donc eussé-je pu m'en prendre? » Mais il ajoute maintenant qu'en perdant la vue il trouva la vraie lumière et que c'est là le sens de son cri fameux : « O obscurité, ma lumière! »

Les riantes peintures de la vie ne sont que des illusions qui nous abusent. Œdipe découvrit soudain un nouvel ordre de valeurs. Thésée demande s'il faut opposer cet autre monde au nôtre. Œdipe lui explique qu'il a pris conscience de l'étendue de sa première faute, qu'il a soupçonné qu'elle n'était qu'un rappel d'une tare originelle qui marque sans doute toute l'humanité et dont on ne peut se racheter que par la souffrance.

Mais Thésée refuse de se laisser convaincre : « Je reste enfant de cette terre et crois que l'homme, quel qu'il soit et si taré que tu le juges, doit faire jeu des cartes qu'il a. »

Thésée pourra mourir content : « J'ai fait ma ville. Après moi, saura l'habiter immortellement ma pensée. C'est consentant que j'approche la mort solitaire. J'ai goûté les biens de la terre. Il m'est doux de penser qu'après moi, les hommes se reconnaîtront plus heureux, meilleurs et plus libres. Pour le bien de l'humanité future, j'ai fait mon œuvre. J'ai vécu. »

Avant de publier *Thésée,* Gide avait livré un premier supplément à son *Journal :* le volume qui couvre les années 1939-1942. Ce volume parut à Alger en 1944. Gide apportait lui-même la preuve de ses flottements au moment de la défaite et il avait choisi le moment où des épurateurs fanatisés entreprenaient une chasse aux sorcières. Certains staliniens essayèrent alors de lui faire payer le crime d'avoir écrit *Retour d'U.R.S.S.* La campagne fut orchestrée à Paris par Aragon. Mais, une fois de plus, les attaques allaient servir Gide. On eut même la surprise de voir Bernanos prendre vigoureusement sa défense et saluer en lui « un homme seul » et un homme libre.

Gide allait bientôt voir affluer vers lui les honneurs officiels, dont le Prix Nobel, en 1947. Toujours protestataire, il provoqua encore quelque scandale en acceptant la divulgation de sa *Correspondance avec Claudel* (1949) et en publiant son *Journal 1942-1949* (1950). Dans ces deux volumes, on pouvait lire des pages relatives à son comportement sexuel. Les lettres à Claudel ne manquaient pas de pathétique, les notes du *Journal* se trouvaient passibles de poursuites judiciaires en raison de lois de Vichy qui n'avaient pas été abrogées. Leur publication nécessitait à l'époque un réel courage. Mais Gide ne fut pas traîné en correctionnelle. Il allait au contraire recevoir les félicitations du Président de la République lors de la création à la Comédie-Française d'une pièce tirée des *Caves du Vatican* (1950).

Il avait décidé de ne plus tenir de journal, mais il continua d'écrire dans un grand cahier, quand la fatigue lui en laissait le loisir. Là, il consignait pêle-mêle réflexions et souvenirs qui lui passaient par la tête. Il avait trouvé un titre pour la publication posthume : *Ainsi soit-il* ou *Les jeux sont faits.*

Il nous apprend, en commençant, qu'il vient de découvrir un mot qui l'enchante : *anorexie.* Ce mot désigne une absence d'appétit, laquelle ne s'accompagne nullement de dégoût. « Mon inappétence physique et intellectuelle est devenue telle que parfois je ne sais plus bien ce qui me maintient encore en vie, sinon l'habitude de vivre. »

Cet état n'engendre pas du tout le désespoir. Tout au contraire : une certaine satisfaction. Gide n'attend plus rien (« La partie que je jouais, je l'ai gagnée »), n'espère plus rien et précisément n'a-t-il pas souhaité dans sa jeunesse de « mourir complètement désespéré »?

Le mieux serait de mourir comme on s'endort. La mort se fait attendre. Parfois, ce qui retient Gide devant le suicide « c'est que certains chercheraient à voir dans cet acte une sorte d'aveu de faillite... » Pas du tout. Ce serait parce qu'il a fait son plein et que « c'est le tour à d'autres ».

Il avait dit aussi : « Si je ne rejoins pas la sérénité, ma philosophie fait faillite. » Il fallait donner la plus parfaite image de la sérénité et il l'a donnée.

Car Gide a composé sa figure. « On a parlé de ma coquetterie : le mot est avilissant à l'excès; mais je ne sais comment désigner autrement certain souci de ne pas tolérer en moi, ou que très fugitivement, les mouvements qui enlaidissent... » et plus loin : « ...vous pouvez bien qualifier de coquetterie le souci de ne point laisser de soi une trop désobligeante image ».

Mais il ne s'agit pas de paraître, il s'agit de devenir celui que l'on veut paraître. « Il faut suivre sa pente... mais en montant. »

PAUL VALÉRY, OU L'ESPRIT FRANÇAIS

La dernière œuvre de Paul Valéry (1871-1945) ne parut en édition courante qu'au lendemain de sa mort. C'est *Mon Faust,* qui prit ainsi une valeur testamentaire, comme le *Thésée* de Gide.

Dans l'adresse qu'il a placée en tête de son livre, « au lecteur de bonne foi et de mauvaise volonté », Valéry explique pourquoi il s'est permis de reprendre les personnages de Goethe : « Le créateur de ces deux-ci, Faust et l'Autre, les a engendrés tels qu'ils devinssent après lui des instruments de l'esprit universel : ils débordent de ce qu'ils furent dans son œuvre. Il leur a donné des « emplois », bien mieux que des rôles ; il les a voués à jamais à l'expression de certains extrêmes de l'humain et de l'inhumain ; et, par là déliés de toute aventure particulière. » Et puis : « Tant de choses ont changé dans ce monde, depuis cent ans, que l'on pouvait se laisser séduire à l'idée de plonger dans notre espace, si différent de celui des premiers lustres du XIXe siècle, les deux fameux protagonistes du *Faust* de Goethe. »

« Or, un certain jour de 1940, je me suis surpris me parlant à deux voix, et me suis laissé aller à écrire ce qui venait. »

Enregistrons cette phrase qui nous permettra de mettre au compte de Valéry les déclarations de Faust et de Méphisto car, en définitive, c'est en l'Homme que se touchent les extrêmes de l'humain et de l'inhumain. Qu'est-ce que le Diable ? Tout ce qui vient miner la force de l'homme. Le Diable est divers. A côté de Méphisto, Valéry a placé trois de ses valets et c'est une création scénique de premier ordre (comparable à celle des incubes dans *Saül*). Le conseil que soufflent ces démons, c'est : « Aime tes désirs » et Méphisto lui-même se définit ainsi : « J'instruis à aimer ce que l'on aime, à fuir ce que l'on n'aime pas. » Mais l'homme est libre et le Diable ne peut que tenter. Le thème éternel de la tentation, des tentations, est le sujet de *Mon Faust*. Il est simplement posé, car *Mon Faust* se trouve composé des trois quarts de *Lust*, comédie, et des deux tiers du *Solitaire*, féerie dramatique. En laissant ces deux pièces inachevées, Valéry a échappé à l'arbitraire des derniers actes.

Faust, c'est l'illustre écrivain que fut Valéry, et il exprime quelques-unes des idées les plus importantes de l'auteur. Il dit à Méphisto : « L'esprit de l'homme, déniaisé par toi-même !... a fini par s'attaquer au-dessous de la Création... Figure-toi qu'ils ont retrouvé dans l'intime des corps, et comme en deçà de leur réalité, le vieux CHAOS... » Et Méphisto a ce mot sublime : « Ils ont retrouvé le CHAOS... J'étais Archange ! » Faust poursuit : « Ils savent désormais ne plus s'égarer dans leurs pensées. Ils ont compris que l'intellect à lui seul ne peut conduire qu'à l'erreur et qu'il faut donc s'instruire à le soumettre entièrement à l'expérience... Écoute encore : rien de ce qu'ils découvrirent de la sorte ne ressemble à ce que l'on imaginait autrefois. Il ne demeure rien ni des vérités ni des fables qui leur venaient des premiers temps... Sais-tu que c'est peut-être la fin de l'âme ? L'individu se meurt. Il se noie dans le nombre. Les différences s'évanouissent devant l'accumulation des êtres. Le vice et la vertu ne sont plus que des distinctions imperceptibles, qui se fondent dans la masse de ce qu'ils appellent le « matériel humain ».

Méphisto : « Oh ! je voyais bien, dans mon rayon spécial, que tout allait... à la diable. »

Pourtant, le culte des grands hommes subsiste et nous voyons un disciple de Faust rendre visite à son maître, qui le désillusionne bien entendu. Et Méphisto se charge d'entraîner l'adolescent dans la bibliothèque pour lui montrer : « tous ces tomes en pénitence, le dos définitivement tourné à la vie ». « Ce qu'il fallut d'illusions, de désirs, de travail, de larcins, de hasards, pour accumuler ce sinistre trésor de certitudes ruinées, de découvertes démodées, de beautés mortes et de délires refroidis! » Voici les poètes, Pindare, Virgile : « de glorieux silences »; voici les historiens : « Voyez, aussi morts l'un que l'autre, le Héros et son Historien »; voici les philosophes : « solitaires bavards ». Qu'en conclure? que du seul fait que vous êtes vivant « quarante siècles d'écritures vous envient ».

Mais c'est Méphisto qui parle ainsi et qui ajoute, parlant de Faust, qui a tout lu et sait tout ce qu'un homme peut savoir : « Voyez comme il est triste et détaché. » Le disciple a raison de répondre : « Il le serait bien plus s'il avait quelque raison de l'être. »

Toutefois, Faust semble donner raison à Méphisto. Il confie à sa secrétaire, l'aimable Lust : « J'ai tout pesé. Le poids total est nul. J'ai fait le bien. J'ai fait le mal. J'ai vu le bien sortir du mal; le mal du bien... »

Mais : « JE SUIS, n'est-ce pas extraordinaire?... JE RESPIRE; et rien de plus, car il n'y a rien de plus. JE RESPIRE ET JE VOIS... Qu'importe ce qu'on voit?... Qu'est-ce donc que les visions exceptionnelles que les ascètes sollicitent auprès de ce prodige qui est de voir quoi que ce soit?... Mais ce qu'il y a peut-être de plus présent dans la présence, c'est ceci : JE TOUCHE... »

Mon Faust est sans doute l'œuvre la plus sensuelle de Valéry. Quel beau rôle Méphisto n'a-t-il pas ici : « Amour serait sans moi lueur brève, acte bête. » Il y mêle les jeux de l'esprit et du sentiment, heureux de pouvoir rire ensuite : « Amour, amour... Hi! hi! hi! Convulsion grossière... ha ha ha!... » Mais les hommes le laissent rire s'ils ont pris du plaisir. Ils n'y prennent pas que du plaisir...

Avec *Le Solitaire,* Valéry a apporté sa contribution à la littérature noire. Le solitaire, c'est l'homme supérieur dont l'esprit a trouvé trop peu d'emploi dans la vie : « Toutes mes connaissances, mes raisonnements, mes clartés, mes curiosités ne jouaient qu'un rôle, ou nul, ou déplorable, dans les discussions ou dans les actions qui m'importaient le plus. » Il a renoncé à l'art, car les œuvres ne sont que le moyen de nous délivrer de nos excès d'orgueil, de désespoir, de convoitise ou d'ennui. Il a dénoncé la pensée qui « gâte le plaisir et exaspère la peine. » Il n'aspire plus qu'à devenir un loup, une bête que le besoin de savoir ne tourmente pas.

Quand il a échappé à ses griffes, Faust reconnaît : « La seule et positive question : souffrir, ne pas souffrir. » Il déclare : « J'en sais trop pour aimer, j'en sais trop pour haïr » et les fées qui l'ont sauvé chantent : « Ton premier mot fut NON, — qui sera le dernier. »

Ainsi s'achève ce *Faust* inachevé, dernier ouvrage d'un prince de l'intelligence, qui semble avoir poussé très loin l'art de désespérer en divertissant.

Valéry avait-il écrit son *Faust* pour le théâtre? Peut-être n'y voyait-il qu'une œuvre dialoguée comme *Eupalinos, L'Ame et la Danse,* ou comme *L'Idée fixe*. Mais un intelligent organisateur de spectacles eut l'idée de tenter l'épreuve de la représentation et ce fut un succès. Un tel succès qu'un peu plus tard, *L'Idée fixe* fut elle-même portée à la scène et l'on constata que ces échanges de répliques spirituelles, pleines d'aperçus ingénieux, supportaient fort bien l'épreuve de la scène.

Pendant l'occupation, Paul Valéry n'avait publié que des recueils de textes et fragments déjà connus. Les autorités d'occupation avaient hésité à délivrer des bons de papier pour l'impression des *Mauvaises pensées et autres* (1942), extraites comme les deux volumes de *Tel quel,* des fameux et mystérieux *Cahiers* de l'auteur. « Mauvaises pensées? avaient-ils dit. Qu'il publie donc les bonnes! » Quand on avait rapporté ce mot à Valéry, il avait souri : « Ils ne savent pas que les mauvaises, ce sont les bonnes. »

Les *Mauvaises pensées* et *Tel quel* placent Valéry dans la descendance des grands moralistes français, de la lignée de La Rochefoucauld et de Rivarol. Ces passionnants recueils ne donnent aucune idée du grand traité en vue duquel Valéry avait commencé de prendre des notes. On remarquera qu'il continua d'écrire dans ses cahiers après avoir renoncé à en tirer une œuvre cohérente et l'on voit par là qu'écrire était une de ses fonctions vitales, bien qu'il se sentît une âme de scientifique et non pas de littérateur. Le fonctionnement de l'esprit l'intéressait plus que les produits de cet esprit. Mais il écrivait la prose la plus claire et la plus déliée qu'on eût lue en France depuis Voltaire. C'est un heureux hasard si le dernier grand texte qu'il composa est un *Discours sur Voltaire* qu'il prononça en décembre 1944 à la Sorbonne, mais, quand il dut s'aliter pour ne plus se relever, l'*Essai sur les mœurs* fut le livre où il rafraîchissait le plus volontiers son esprit.

La totalité des *Cahiers* a été maintenant publiée. Il en existe deux éditions : l'une en fac-similé (qui commença de paraître en 1957) et l'autre dans la Pléiade (1973-1974) où l'on a tenté de classer les réflexions et les pensées qui sont restées éparses dans les manuscrits. De tels regroupements par thèmes sont arbitraires et empêchent de bien voir comment, au fil des jours, l'esprit de Valéry pouvait être aux prises simultanément avec les sollicitations les plus diverses. Mais c'est un prodigieux document sur les ressources inépuisables d'un des cerveaux les mieux organisés et les plus agiles qui aient jamais existé.

Poète, Valéry a conservé aujourd'hui encore sa curieuse réputation d'auteur hermétique. Ses vers sont cependant d'un accès beaucoup plus aisé que ceux de son maître Mallarmé et un de ses derniers essais dans le genre rimé, *La Cantate de Narcisse* qu'il recueillit dans *Mélange* (1941) est même un exemple de poésie ouverte. Écrit pour être mis en musique, il a sa musique propre et nous allons prendre plaisir à en recopier trois vers :

Adieu, mon âme, il faut que l'on s'endorme.
Le temps finit d'être de forme en forme
Force, présence et noble mouvement...

Valéry reste une force et une présence.

PAUL CLAUDEL, LE MAGNIFIQUE

L'occupation fut une époque bénie pour Paul Claudel (1868-1955) qui vit les vertus de son théâtre définitivement reconnues et qui n'hésita pas à laisser représenter son *Soulier de satin* devant des parterres d'officiers nazis (il pensait peut-être pouvoir les convertir). Mais devant quoi hésitait-il? Après avoir écrit une *Ode au maréchal Pétain* sous l'occupation, il devait écrire une *Ode au général de Gaulle* à la Libération. Il savait rendre à César ce qui appartenait à César mieux encore qu'il ne rendait à Dieu ce qui appartenait à Dieu.

Beaucoup de ses admirateurs ont toujours été gênés par le désaccord évident entre sa vie et son œuvre, une œuvre ouverte et généreuse et une carrière de commis de l'État et d'homme d'affaires. La phrase de Bernanos est restée célèbre : « On ne gagne pas le paradis en sleeping. »

Toutefois Claudel fut longtemps victime d'une grande injustice. On a vite reconnu que son œuvre poétique se situait sur les sommets du lyrisme français, mais on considérait son théâtre, à l'exception de *L'Annonce faite à Marie,* comme injouable. Les sujets de ses pièces et leur style paraissaient trop particuliers pour intéresser le public moderne. Pour *Le Soulier de satin* (dont la première version fut publiée en 1918), on s'accordait à dire que c'était une œuvre réservée à des lecteurs, tout comme le *Cromwell* de Hugo. *Le Soulier* aurait demandé, pour être présenté sur scène, un budget bien supérieur à celui que nécessitait *Cyrano de Bergerac.*

Or ce fut précisément *Le Soulier de satin* que Jean-Louis Barrault, qui appartenait alors à la Comédie-Française, décida de monter en pleine occupation, à une époque de grande pénurie. Alors que les Français ne pouvaient plus sortir de chez eux, il leur présenta un héros voyageur, un grand navigateur, dont le but était de travailler « à la réunion de la terre ». Dans un Paris placé sous l'autorité d'un général ennemi, *Le Soulier* offrait aussi un exemple de dévouement à la collectivité : il mettait en scène un couple qui, pour le bien de l'État, renonçait au bonheur en ce monde avec l'espoir de se retrouver dans l'au-delà.

Cette œuvre baroque obtint un triomphe qui allait entraîner la reprise de toutes les pièces de Claudel et la création de celles qui n'avaient pas encore connu les feux de la rampe. (La rampe existait alors dans tous les théâtres.) Célèbre avant-guerre comme poète et comme essayiste chez les amis de la littérature, Claudel devint brusquement un dramaturge pour tous publics. On le joua aussi bien au T.N.P. qu'à la Comédie-Française et toutes les jeunes troupes voulurent elles aussi le servir. Des spectateurs résolument athées ou tout au moins indifférents en matière religieuse accoururent applaudir des œuvres qui stigmatisaient leur incroyance ou leur indifférence.

Mais Claudel avait un passé trouble. Grisé par le succès, il finit par accepter que Barrault monte *Partage de midi* où il avait exprimé la violence d'une passion toute sensuelle qu'il avait connue autrefois. Son confesseur ne le lui reprocha pas. Mais Claudel demeura ferme dans son refus d'autoriser la représentation de son grand drame de jeunesse, *Tête d'or*.

Cette pièce qu'il avait écrite à vingt et un ans, en 1889, ne fut créée qu'en 1960, cinq ans après sa mort. Elle lui redonna une nouvelle jeunesse. Elle offre un des plus saisissants exemples qu'on connaisse du génie adolescent et l'on comprend qu'elle ait pu troubler son auteur lui-même : « Dieu, que l'on peut être bête quand on a vingt ans! s'écriait Claudel dès 1911. Comment ai-je pu donner le jour sans frissonner à de pareilles extravagances! »

Voici l'argument de *Tête d'or*. Prologue. Un jeune homme, Simon Agnel, enterre la femme qu'il aimait et qu'il avait enlevée. Il paraît désespéré, mais le voici qui rencontre Cébès, un adolescent qui, lui aussi, a connu la disparue. Aussitôt, entre les deux personnages naît une amitié violente. Cébès est rempli d'admiration pour son aîné : Simon n'a-t-il pas osé braver le monde? Quant à Simon, il trouve touchant son petit admirateur. Ils en viennent rapidement à se faire des serments de fidélité.

Au premier acte, nous sommes au palais du roi. Le pays est en guerre et la guerre paraît perdue. Le roi est seul, abandonné. Les veilleurs dorment. Dans un coin de la scène, l'adolescent du prologue est étendu, il est malade, il agonise. Un messager survient. Nouvelle inattendue : l'armée est victorieuse. Le général vainqueur, c'est le jeune homme du prologue. Il arrive, on le fête, mais il renvoie tout le monde, le roi compris, pour rester seul avec l'adolescent. Hélas! l'adolescent en est à sa dernière heure. Impatient, il voudrait déjà savoir si l'âme est immortelle. Non, elle ne l'est pas, dit le général. L'adolescent se révolte, il ne veut pas mourir comme un quadrupède, puis il s'apaise : « O Tête d'or! je me donne à toi et je me livre entre tes mains! C'est pourquoi tiens-moi pendant que je suis avec toi. » L'adolescent trépasse. « Horreur! » dit le général. Il essaie de surmonter cette horreur : « Qu'est-ce que cela me fait? En vérité peu m'importe qu'il soit mort. Pourquoi nous lamenterions-nous? Pourquoi serions-nous émus de quoi que ce soit? Quel homme de sens se prêterait à cette bouffonnerie? » Mais la douleur est insupportable : « Pourquoi vivre? Il m'est indifférent de vivre ou d'être mort. — Cela me fait mal! » Il se lève, allons il faut vivre : « Seul! eux tous! Je marcherai, je meurtrirai le mufle même de la bestialité d'un poing armé! Je parlerai devant cette assemblée de saligauds et de lâches! ou je mourrai, ou j'établirai mon propre empire! » Dans sa brusque fureur de domination, il tue le roi pour devenir roi lui-même, il insulte les notables, et tout le monde vient s'incliner devant lui.

Au second acte, la fille du roi, dépossédée, erre dans la forêt. Un déserteur la reconnaît et la cloue à un arbre. Cependant le nouveau roi continue de faire la guerre et justement dans la région. Il est mortellement blessé. Avant de mourir, il aura le temps de délivrer la jeune fille et de la désigner pour lui succéder sur le trône. La révolte se termine par un retour à l'ancien régime. Les violences ne peuvent modifier qu'un instant la face du monde : tous les hommes meurent et le monde a ses lois immuables. L'absurde triomphe sous un ciel indifférent.

On voit bien les raisons qu'avait Claudel pour empêcher Barrault de monter *Tête d'or*. On est stupéfait quand certaines personnes nous disent que le vieux malin — c'est de Claudel qu'il s'agit — se moquait bien d'avoir écrit une pièce luciférienne, mais qu'il pensait que cette pièce ne supporterait pas l'épreuve de la représentation : c'était l'artiste, non le catholique qui refusait l'autorisation de jouer *Tête d'or*. Il n'en était rien et Barrault doit être félicité de s'être obstiné. Une pièce qui contient d'aussi superbes morceaux que la mort de Cébès et toute la fin du premier acte est une grande pièce. C'est ici Claudel à l'état sauvage, avec des maladresses, des longueurs, voire quelques ridicules inséparables sans doute de son génie.

La mise en scène de Barrault accentuait le côté pédérastique de la pièce. Très certainement le public aurait moins bien accepté toutes ces caresses et toutes ces protestations d'amour entre les deux jeunes gens si la pièce avait été signée Gide, Cocteau ou Montherlant. Mais Claudel, vous n'y pensez pas! Si, on était obligé d'y penser. Bien entendu, tout cela doit être symbolique et nous voulons bien croire que Cébès et Simon soient deux aspects du jeune Claudel. La misogynie de l'œuvre (« les femelles, sortez! ») n'en est d'ailleurs que plus effrayante. Maeterlinck, après avoir lu *Tête d'or*, écrivait à Claudel : « Êtes-vous le comte de Lautréamont ressuscité? *Tête d'or* est-elle la tragédie de Maldoror? »

Un saut de quatre-vingts ans, depuis l'époque où Claudel écrivait *Tête d'or*, nous amène à 1969 où parut son *Journal* dans la Pléiade, journal qu'il avait commencé de tenir en 1904. Mais *journal* est-il le mot qui convient?

Claudel n'était pas l'homme de l'analyse psychologique et du retour sur le passé. Il déclarait dans ses *Mémoires improvisés :* « Tenir un journal, se regarder, c'est le moyen le plus certain de se fausser complètement. » Lesdits « Mémoires », improvisés à la radio à la demande de Jean Amrouche, ont été publiés en 1954. Ils suffisent à prouver que Claudel ne considérait pas ses cahiers de notes comme un véritable journal. Il en parlait à Robert Mallet comme d'un « chaos » ou d'un « fourre-tout ». C'est le mot qui vient à l'esprit quand on les feuillette, mais il reste vrai quand on les lit plus attentivement.

Le « Journal » est devenu un genre littéraire, parmi les autres. On pourrait le définir comme des Mémoires immédiats. Pendant longtemps, ce fut un genre posthume. Mais les Goncourt estimèrent possible de publier de leur vivant des fragments de leur journal. Depuis, on a vu divers écrivains publier eux-mêmes des journaux qu'ils continuaient à qualifier d'intimes. Ce fut le cas d'André Gide et c'est toujours le cas de Julien Green. De tels « journaux », rédigés avec l'idée d'un lecteur possible, sont soigneusement médités et constituent en eux-mêmes des « œuvres ». Il n'en est pas du tout de même pour Claudel, bien qu'il ait prévu la publication de ses carnets. On peut lire sur un feuillet datant d'août 1911 : « Si ces cahiers sont imprimés après ma mort, supprimer tout ce qui regarde les tiers » (p. 203). Claudel ne considérait pas ses cahiers comme une œuvre, mais comme une mine de renseignements pour ceux qui s'intéressaient à ses œuvres. Et, bien entendu, il ne se trompait pas.

Ce « Journal » de Claudel n'est pas comparable aux « journaux » des Goncourt, de Gide, de Léautaud ou de Green. Il fait penser à ces dossiers que Victor Hugo appelait *Tas de pierres* ou *Océan* ou bien aux *Cahiers* de Barrès. On y trouve des notes qui devaient servir d'aide-mémoire, ou de matériaux pour une œuvre future. C'est au point que certaines sont franchement incompréhensibles pour tout autre que l'auteur. Et sans doute aurait-on pu les supprimer pour cette édition.

Les raisons pour lesquelles Claudel commença de tenir ces « cahiers » étonneront quelques admirateurs du poète. Il se sentit, en 1904, tout désemparé quand le quitta une femme mariée et mère de famille avec laquelle il vivait depuis quatre années. On nous laisse deviner qu'elle l'abandonna, fatiguée de l'entendre toujours parler de ses remords. Pour se consoler et se donner du courage, il se mit à aligner des citations des Écritures et des Pères. Ainsi commence le « journal ». Mais il s'étoffe rapidement de réflexions, d'impressions diverses, de réactions au fil des jours. Ce qui enchante, bien entendu, c'est le don de la formulation, une espèce de génie verbal qui l'apparente à Hugo, envers lequel il se montre d'ailleurs bien injuste.

Voici ce qu'il dit de Hugo : « Hugo est un grand poète si on peut l'être sans intelligence, ni goût, ni sensibilité, ni ordre, ni cette forme la plus haute de l'imagination que j'appelle l'imagination de la proportion. » En fait, c'est ce qu'on peut dire de Claudel lui-même en étant pareillement injuste.

L'injure lui sert d'argument, quand il écrit de Voltaire : « L'imbécile et dégoûtant Voltaire, pareil à un grand vieux singe pisseur » (encore lui reconnaît-il la grandeur). Goethe est comparé à un âne. Quant à Mozart, Claudel note après avoir écouté le début de *Don Juan :* « Incroyable qu'on ait pu faire des choses pareilles ! »

Il faut accepter Claudel avec son sectarisme et ses incompréhensions. Peut-être était-ce la rançon de son génie. Il reconnaissait son intolérance (*la tolérance, il y a des maisons pour ça*) et même qu'il était mené par un certain nombre de préjugés. Il savait qu'il était un pécheur lui-même, mais il avait de forts arguments en faveur de l'hypocrisie : « Hypocrite. » Mais que cacherais-je, sinon ce que j'ai de mauvais? Et souvent, en le cachant, je l'étouffe. « Moi, je suis incapable de dissimuler. » Tant pis.

Dans une fort intéressante introduction, le Père Varillon entreprend de défendre Claudel contre les accusations dont il fut l'objet : « Vaniteux, violent, maussade, insociable, égoïste, avare. » Il est dommage en effet que le personnage de Claudel n'ait pas toujours été à la hauteur du génie de l'artiste. Et c'est d'autant plus regrettable qu'il s'agissait d'un poète chrétien. Certes, Claudel n'était pas intransigeant au nom de sa vie, mais au nom de ses convictions. En 1934, il écrivait : « Je suis à un âge où l'on ne peut guère se faire d'illusions sur soi-même. Saint François dit que les jongleurs ne peuvent être mis sur le même pied que les combattants, et que les plus belles paroles ne sont rien à côté du plus mince acte de charité. » Hélas ! Claudel fut toujours plutôt du côté des belles paroles que de la charité.

Sur le plan laïque, certains lecteurs du *Journal* ont été choqués de lire : « Parmi mes années parfaitement heureuses, je trouve 1915 à Paris et à Rome. » (P. 343.) Cette année 1915 était une cruelle année de guerre en France et celle où Claudel écrivit ce poème : « Tant que vous voudrez, mon général ! » Bien au calme, il assurait qu'il ne fallait pas lésiner sur les sacrifices en vies humaines. « Tant que vous voudrez, jusqu'à la gauche ! Tant qu'il y en aura un seul ! Tant qu'il y en aura un de vivant ! »

La note sur le bonheur qu'il connut à Rome en 1915 justifie la première phrase de ce chapitre qui a pu vous paraître provocatrice.

UN DÉBUTANT DU NOM DE PROUST

Marcel Proust (1871-1922) ne saurait être absent d'une *Histoire de la littérature depuis 1940*, non tellement parce que sa gloire n'a pas subi d'éclipse depuis sa mort, mais surtout parce que notre après-guerre devait voir la publication de nombreuses pages inédites qui ont permis de reviser l'idée qu'on s'était faite de sa carrière d'écrivain. L'histoire de ces publications ne manque pas non plus d'un certain intérêt du point de vue des mœurs de l'édition.

Lorsqu'en 1952 on apprit la découverte d'un épais manuscrit inédit, on fut un peu sceptique. Et, en effet, lorsque des extraits de *Jean Santeuil* parurent ici et là, l'on put penser qu'il s'agissait seulement de brouillons de *A la recherche du temps perdu*, d'un premier état du grand ouvrage. Chose étrange : une revue se permit de publier le passage des amours de Jean et de Mme S. sans une note où il aurait été précisé que nous avions là une ébauche d'*Un amour de Swann.*

Jean Santeuil fut publié en trois volumes d'un prix fort élevé. Nous étions évidemment en présence d'une opération commerciale. Normalement, on aurait dû publier *Jean Santeuil* en un seul volume comme des fragments retrouvés, pouvant servir à une étude sur la genèse de *La Recherche*. On nous le présenta comme un roman indépendant.

On se rappelle que, dans une lettre à un jeune ami, Proust a écrit qu'il avait déjà entièrement rédigé son roman à la troisième personne lorsque la nécessité d'employer le « je » s'était imposée à lui, l'obligeant à tout reprendre au début. Ce roman à la première personne, c'est *Jean Santeuil*. De nombreuses pages ont été reprises (et travaillées) pour *La Recherche*. Une part resta cependant inemployée. Que pensait Proust de son travail préparatoire ? Quelle importance lui accordait-il ? On nous dit qu'il déchira soigneusement le manuscrit de *Jean Santeuil*, mais il recueillit les morceaux dans des caisses qui, au moment de sa mort, se trouvaient au garde-meuble.

De toute façon, il n'avait jamais considéré *Santeuil* comme une œuvre achevée. C'était un travail abandonné.

On voit cependant que tombait la légende d'une période strictement mondaine de la vie de Proust. La période 1896-1910 n'est pas une période entièrement consacrée au snobisme et à on ne sait quelles débauches. Marcel Proust écrivait et cherchait sa voie. D'ailleurs de 1900 à 1910, ce sont aussi les années où il traduit Ruskin dont l'influence sera si heureuse sur lui.

Jean Santeuil nous conte les aventures d'un jeune homme entre sa septième et sa vingt-cinquième année. Plus qu'un roman, c'est un album de souvenirs. « Ce livre n'a jamais été fait, il a été récolté », note Proust lui-même.

Les chapitres se succèdent, sans lien entre eux. Nous avons tantôt une scène, tantôt une simple anecdote. Tantôt un souvenir, tantôt une sensation. Des personnages apparaissent puis disparaissent sans retour. André Maurois, qui préfaçait le volume, expliquait que Proust avait peint une galerie de Caractères. Certes, il semble plus près ici de La Bruyère que de Balzac. Ses personnages sont des personnages de Mémoires plus que d'un roman.

A vrai dire, Proust n'avait pas encore trouvé son sujet et, dans une certaine mesure, il était encore trop jeune pour le traiter. Ce sujet, c'est la métamorphose d'un enfant sensible en artiste et le passage du temps perdu au temps retrouvé. *La Recherche*, c'est aussi le « roman d'un roman » (il est par ailleurs curieux que l'autre grand roman français du siècle, *Les Faux-Monnayeurs,* soit également le « roman d'un roman » mais la même étiquette recouvre des entreprises fort différentes).

Sur dix parties que comporte *Jean Santeuil,* il en est deux qui peuvent être dites « neuves » : la troisième où Proust nous entretient de son professeur de philosophie Darlu (qu'il appelle Beulier) et la cinquième partie, qu'il consacre à la vie politique (un scandale ministériel et l'affaire Dreyfus).

Ce roman politique n'est d'ailleurs pas développé. Mais que de beaux passages! « Certes depuis son enfance, et surtout depuis la mort de sa femme, Charles Marie était assez pieux. Mais, loin d'inquiéter sa conscience, la religion l'accommodait plutôt. Ne nous répète-t-elle pas à tout moment dans les lieux communs des sermons, dans les formules des prières, dans la signification des dogmes et des sacrements que le meilleur d'entre nous vit dans le péché? Tous les malaises de la conscience prirent quelque chose de moins obscur, de moins pénible, prirent quelque chose de touchant qui n'était pas désagréable, quand Marie les retrouva à chaque pas de la religion. Il fut plus à l'aise quand il vit que chacune des personnes qu'il fréquentait n'avait pas à lui jeter la pierre, mais à se frapper comme lui la poitrine pour des méfaits égaux. » (II, p. 87.)

Proust qui ne s'est jamais mêlé de condamner personne, montre beaucoup d'indulgence pour le ministre coupable, dont bien des vertus compensent d'ailleurs les faiblesses. (On pense au *Mari idéal* de Wilde.)

Il montre un détachement bien remarquable aussi dans son évocation de l'Affaire Dreyfus. Ce dreyfusard trace de saisissants portraits du colonel Picquart et du général de Boisdeffre, et c'est celui-ci qui a le plus d'allure incontestablement. Dans *La Recherche,* il sera beaucoup question encore de l'Affaire, mais sous un autre angle : on ne verra plus la Cour de Cassation, mais la répercussion des événements sur des consciences diverses.

A mesure que nous avançons dans *Jean Santeuil,* l'auteur de *La Recherche* apparaît de plus en plus nettement. Dans la huitième partie, voici le thème de la relativité de l'amour et de la dégradation des sentiments. Dans la neuvième partie, voici précisément la nette esquisse d'*Un amour de Swann.*

Proust écrit déjà : « ...bien des passions quand elles viennent sur la tige déjà grande, et en ayant porté plusieurs, de la vie, ne ressemblent pas plus à la passion primitive qu'aux églantines les roses cultivées, ou plutôt qu'aux plantes autochtones les mêmes plantes transplantées et affaiblies ». (III, p. 125.)

Et encore : « comme tout en nous a été adultéré par la vie, sensibilité, sincérité, mémoire même, et jusqu'au sentiment bien net de notre personnalité et de la réalité de nos sentiments, nous ne savons même plus parfois si nous sommes amoureux ou non. Nos actes seuls, restés en rapport avec l'instinct véritable que notre cerveau ne perçoit plus, témoignent de la survivance... »

Tout cela est admirable. Mais tout au long du chapitre intitulé *De l'amour,* il est certain que le romancier laisse toujours la première place au moraliste. Romancier et moraliste avanceront du même pas dans *La Recherche.*

Deux ans après la publication de *Jean Santeuil,* Bernard de Fallois révéla un autre inédit de Proust, qui parut sous le titre *Contre Sainte-Beuve* (1954). C'était un mélange de pages romanesques et de réflexions critiques. Cette fois, Proust employait la première personne et la partie qui relevait de la chronique romanesque avait le ton même de *La Recherche.*

Ainsi la légende était deux fois détruite qui voulait que Proust n'eût rien écrit entre *Les Plaisirs et les Jours* et *Swann.* La légende disparut au profit d'une autre légende : précisément celle qui voulait que Proust eût composé deux œuvres pendant cette période. Il fallut que Pierre Clarac avec la collaboration d'Yves Sandre prépare pour la Pléiade une édition critique des deux prétendus ouvrages pour que l'on apprenne la vérité : *Jean Santeuil* et *Contre Sainte-Beuve* ne sont pas des œuvres composées : ce sont des fragments publiés par l'éditeur dans un certain ordre qui n'est pas de Proust et c'est l'éditeur qui a choisi les titres. Proust ne parle nulle part d'un roman qui s'appellerait *Jean Santeuil* et c'est dans une lettre qu'il parle d'un essai « contre Sainte-Beuve ».

Bernard de Fallois peut prétendre qu'il n'a voulu tromper personne. Sa préface à *Contre Sainte-Beuve* s'ouvrait sur cette affirmation très nette : « L'œuvre inédite de Proust n'existe pas. » Fallois ne cachait nullement que les deux ouvrages qu'il révélait n'étaient que des brouillons ou plutôt des ébauches de *La Recherche.* Toutefois il leur donnait l'apparence de premières versions. *Jean Santeuil* avait été écrit de 1896 à 1904 et rédigé à la troisième personne. *Contre Sainte-Beuve* avait été écrit de 1908 à 1910 et cette fois à la première personne. On pouvait croire que le texte des deux œuvres serait toujours reproduit comme il nous était présenté. Or voici que l'édition de la Pléiade nous proposait une lecture assez différente pour *Jean Santeuil* et radicalement autre pour *Sainte-Beuve*.

Clarac et Sandre ont étudié les manuscrits que Fallois a eus en main et nous révèlent que celui-ci s'est livré à un travail de « jointoiement » combinant des fragments épars pour leur donner une apparence de romans suivis. En fait, Proust avait noté des souvenirs et brossé des portraits au hasard de l'inspiration ou du moins sans plan préconçu. Il amassait des matériaux. Il abandonna son chantier avant d'avoir esquissé la moindre mise en ordre.

S'appuyant sur quelques passages de la correspondance, Fallois avait cru pouvoir imaginer que, vers 1908, Proust avait eu l'intention de mêler chronique et critique dans un même roman. Pierre Clarac ne le suit pas du tout. Il pense que c'est seulement à la fin du roman que Proust aurait placé une justification critique de son entreprise. Vers 1908, il pensait sans doute à un essai sur Sainte-Beuve, mais cet essai était indépendant du grand roman projeté. Dans le livre publié en 1954 sous le titre *Contre Sainte-Beuve,* Pierre Clarac distingue donc les pages destinées à l'essai et celles qui sont des brouillons pour *La Recherche.* Les premières seules sont retenues dans le volume de la Pléiade. (En revanche, Pierre Clarac nous en propose qui ne figuraient pas dans le volume que nous connaissions.)

Le magnifique volume de la Pléiade (paru en 1971) contient toute l'œuvre d'essayiste et de critique de Proust. On peut penser que c'est cet ensemble imposant qui portera désormais le titre de *Contre Sainte-Beuve* (fâcheuse aventure pour l'auteur des *Lundis*). Proust, reconnu depuis longtemps comme le premier romancier de sa génération, est salué désormais également comme le précurseur des nouvelles méthodes critiques, qui étudient les œuvres en elles-mêmes sans s'appuyer sur l'étude de documents biographiques concernant les auteurs. En vérité, Proust s'intéressait fort à la vie des écrivains, mais il avait compris que ce genre d'approche est dangereux. Une vie explique, dans une certaine mesure, le caractère d'un homme. Elle ne nous apprend rien sur le génie d'un artiste. Reste que, lorsqu'on admire un artiste, on aime savoir quel homme il fut.

Les ouvrages consacrés à la vie de Proust n'ont pas manqué. Le plus connu est celui de George D. Painter, dont la traduction parut en 1966. Il représente un très considérable travail de mise en ordre d'un important fichier.

Tout ce qui concerne l'élaboration même d'*A la recherche du temps perdu* est passionnant. Painter estime que Proust ne se doutait pas, en écrivant le premier tome, des dimensions que prendrait son œuvre. Il ne pouvait en prévoir tous les épisodes, puisque beaucoup allaient lui être inspirés par des événements qui ne s'étaient pas encore produits. Painter montre comment des empêchements purement extérieurs reculèrent la publication des premiers volumes et entraînèrent la modification du projet initial. Proust maudit ces empêchements qui lui permirent en réalité de donner à *La Recherche* toute l'ampleur que nous lui connaissons. (en 1912, *La Recherche* devait tenir en deux volumes seulement). Pour l'affabulation de son livre, Proust n'utilisa pas moins de faits contemporains de la rédaction que de souvenirs anciens. De sorte que *La Recherche* est souvent un journal transposé, tout autant que des mémoires romancés. (Mais Proust donne souvent comme souvenirs ce qui était observation récente. Par exemple, pour tout ce qui concerne Balbec.)

Parmi les admirateurs de Proust figurent des adversaires du réalisme qui voudraient — contre toutes les apparences — que son œuvre soit une espèce de féerie où ne compterait que l'aventure intérieure. Ils disent que Proust apportait avec lui un monde d'idées et de sentiments, et que ce qu'il a vu n'est rien à côté de cela. On dira plus justement que Proust s'est efforcé de découvrir, au-delà de ce qu'il avait vu et senti, des lois valables pour tout et pour tous. Il ne négligeait nullement le réel. Il n'a même jamais cessé de se « documenter », comme les bons vieux naturalistes. Il lui est arrivé d'insérer ce qu'on peut appeler des « papiers collés » dans son livre; par exemple, des passages de lettres d'Agostinelli ou de sa propre correspondance. Il a emprunté plus largement à ses œuvres de jeunesse et à ses articles de journaux, qui étaient parfois des « reportages ». En fait, il puisait de tous côtés pour alimenter sa marmite. Aucune école ne peut l'annexer.

Quelques légendes sur la vie privée de Proust devraient être également rectifiées à la lumière du livre de Painter. Ainsi, dans *La Littérature et le Mal,* Georges Bataille tenait pour établi que Vinteuil et sa fille personnifiaient Mme Proust et son fils. Partant de là, il montrait Mme Proust se mourant de voir Marcel installer Agostinelli sous son toit. Or, non seulement Mme Proust était déjà morte quand son fils rencontra Agostinelli, mais c'est avec sa femme (car il était marié) que celui-ci vint par la suite habiter chez Proust (situation bien différente, comme on voit, de celle qui est exposée dans *La Prisonnière*).

Hélas! si Painter aide à détruire certaines légendes, il risque d'en accréditer d'autres. On doit regretter qu'il ait cru possible d'utiliser des témoignages fort contestables pour étayer une reconstitution hasardeuse de la vie sexuelle de Proust. Il y a, en particulier, un chapitre intitulé *Le Puits de Sodome* où certains paragraphes font sursauter. L'éditeur s'est d'ailleurs senti tenu de mettre une note pour nous assurer que Painter « ne prend pas parti sur le degré de certitude de faits qui relèvent d'une longue tradition écrite ou orale et qu'une biographie complète ne pouvait ignorer ». Parler de « faits » est déjà tendancieux, puisque, pour les plus scabreux, il s'agit d'anecdotes rapportées par Maurice Sachs qui les avait entendues de la bouche d'un tenancier de maison spéciale; mais Painter les accepte bel et bien comme des faits. Il s'autorise de passages du roman pour les authentifier, alors qu'il aurait dû penser, tout au contraire, que ces passages avaient pu donner naissance à la légende. Remarquons, au surplus, que, dans tous les morceaux sadiques de *La Recherche,* Proust a employé une forte dose de bouffonnerie qui aurait dû faire réfléchir Painter. Mieux aurait valu d'insister sur cette bouffonnerie que de se laisser aller à des divagations plus ou moins psychanalytiques.

Il reste que, si ce n'était pas en son pouvoïr, ce n'était pas non plus dans les intentions de Painter de porter atteinte à la noble figure de Marcel Proust.

On devait parler beaucoup aussi des souvenirs de Céleste Albaret, recueillis au magnétophone et publiés sous le titre respectueux de *Monsieur Proust* (1973). Céleste fut la servante de Proust durant les huit dernières années de la vie de celui-ci. Elle fait mentir le proverbe suivant lequel il n'y a pas de grand homme pour son valet de chambre, — mais son livre lui-même apparaît comme une belle imposture.

La publicité de l'éditeur affirmait que Céleste était « seule à détenir les vérités essentielles sur la personne, le passé, les amitiés, les amours, la genèse de l'œuvre de ce grand malade génial ».

On croyait rêver, car, bien entendu, Proust n'a jamais parlé à sa femme de chambre ni de la genèse de son œuvre, ni de ses amours. Il ne lui a confié aucun grand secret.

Tout le livre repose sur une affirmation incontrôlable : tous les jours, pendant huit ans, Proust aurait parlé à Mme Albaret de deux à six heures d'affilée. Cela se passait au petit matin, quand il rentrait de la ville ou avait fini de travailler.

Et dans quelles conditions ces tête-à-tête se déroulaient-ils? Proust assis sur un coin de son lit et Mme Albaret debout devant lui : « Je n'ai jamais senti une lassitude, dit-elle. S'il ne m'a jamais invitée à m'asseoir, je suis sûre que c'est qu'il n'y pensait pas. Et moi, j'étais si absorbée que je ne voyais même pas le fauteuil des visiteurs qui était à deux pas de moi. »

Qui croira sérieusement à ces longues veillées et à ces interminables confidences? *Monsieur Proust* est cependant un livre très amusant à lire pour les amateurs de petite histoire littéraire. Mme Albaret a fourni à Georges Belmont un canevas et celui-ci a brodé, utilisant mille anecdotes connues par ailleurs, et les développant ou les déformant à sa guise. Par exemple, Belmont n'aime ni Gide, ni Cocteau et leur décoche ici quelques flèches. Cela va contre ce que Proust a pu écrire de Gide et de Cocteau, mais certaines personnes croiront plus volontiers des racontars avalisés par une femme de chambre que les propos de Proust lui-même.

On surprend parfois Belmont au travail. Par exemple, quand Mme Albaret décrit Gide « main sortant de sa cape pour la tenir croisée sur lui, dans son attitude favorite quand il était en mouvement » : c'est ici la description d'une célèbre photographie de Gide au temps de *L'Immoraliste*. D'ailleurs, comment Mme Albaret qui n'a entrevu que deux ou trois fois Gide, entre deux portes, pourrait-elle avoir connu son « attitude favorite »? Mais Belmont lui fait imprudemment ajouter : « Ensuite, avec M. Proust nous nous amusions à imiter ses jeux de cape et de voix, et nous jouions aux *Nourritures terrestres :* Nathanaël, je te parlerai de ceci ou de cela... »

C'est que, voyez-vous bien, Mme Albaret était grande lectrice des *Nourritures terrestres* et les pastichait avec aisance.

On retrouve ici l'affirmation que, aux Éditions de la *Nouvelle Revue française* (qui deviendraient plus tard Éditions Gallimard), on n'avait pas ouvert le paquet qui contenait le manuscrit de *Du côté de chez Swann,* Nicolas Cottin, valet de chambre de Proust, avait un secret pour nouer les ficelles et personne n'avait touché à celles-ci quand le colis fut retourné.

On ne saura jamais l'entière vérité sur cette affaire. Il y a la version Gide. Celui-ci a expliqué qu'il s'était fait une certaine idée de Proust pour l'avoir rencontré en ville, vingt ans plus tôt : Proust était un snob, un mondain amateur, quelque chose d'on ne peut plus fâcheux pour notre revue. (Lettre de Gide à Proust, janvier 1914.) Aussi Gide avait-il « feuilleté le manuscrit d'une main distraite » et le hasard lui avait placé sous les yeux quelques phrases qui lui avaient déplu, notamment celle « où il est parlé d'un front où des vertèbres transparaissent ». Il avait rapidement refermé le livre.

Il y a la version Schlumberger (dans *Éveils*) : « Quand Proust nous offrit *La Recherche,* en 1913, nous dûmes écarter, sans même les ouvrir, les blocs de ses manuscrits, notre budget étant alors trop chétif. »

Cette explication du refus de *La Recherche* par peur de publier un ouvrage qui nécessitait un grand mouvement de trésorerie ne tient pas debout : Proust proposait de payer les frais d'édition. Non. *Du côté de chez Swann* fut bel et bien écarté parce que les dirigeants de la N.R.F. avaient des préventions contre « Monsieur Proust ».

Ouvrit-on ou n'ouvrit-on pas le paquet? De toute façon, on ne lut pas le manuscrit et cela est resté, selon le mot de Gide : « La plus grave erreur de la N.R.F. » Mais l'erreur eût été plus grande encore si l'on avait lu l'ouvrage.

D'autre part, tous les auteurs, dont un éditeur a refusé un livre, ont heureusement la consolation de se dire que Proust lui-même connut pareille aventure.

LES RICANEMENTS DE PAUL LÉAUTAUD

Paul Léautaud (1872-1956), qui n'avait publié que quelques ouvrages confidentiels, obtint brusquement, en 1951, la plus vaste audience quand la radio nationale diffusa la longue série de ses *Entretiens* avec Robert Mallet. La télévision n'avait pas encore détrôné la radio. L'ancien chroniqueur dramatique — qui signait Maurice Boissard — se révéla d'emblée un cabot de première grandeur et ses ricanements devant le micro enchantèrent le public.

Auteur de peu de livres, il passa de son vivant pour un auteur rare, mais ses publications posthumes l'ont transformé en auteur abondant. Rien que son *Journal* représente dix-sept gros volumes. Il est vrai qu'il n'a guère fait que tenir son journal. Les deux tomes de chroniques dramatiques, *Le Théâtre de Maurice Boissard,* sont eux-mêmes composés de pages de journaux : il arrive à ce singulier critique de parler de tout autre chose que des pièces dont il était censé rendre compte. Léautaud n'a jamais suivi que son humeur. Lu à haute dose, Léautaud peut lasser, mais on souscrira au jugement de Gide, qui disait : « Je ne suis pas sûr que j'aurais souhaité du Léautaud à mon menu quotidien; mais ainsi, de temps à autre, je dégustais ses écrits avec un plaisir sans mélange. »

Les limites de Léautaud sont évidentes. On aime sa liberté de jugement, mais on est agacé par ses dénigrements systématiques. Il avait trop bien conscience de son originalité. On le voit dans son journal se replier de plus en plus sur lui-même jusqu'à devenir, à certains moments, sa propre caricature. A la fin de sa vie, devenu personnage célèbre, il exagérait ses défauts parce qu'il savait que ses défauts mêmes faisaient partie de son personnage. On le voyait trancher de tout, en toute ignorance des causes débattues devant lui.

Dans le second tome de *Passe-temps* (paru en 1964) on trouvera des pages qui remettent les choses au point : « Sorti des livres, d'une certaine connaissance de la littérature et de l'art d'écrire, la quantité de choses que j'ignore est un monde. Défaut d'avoir vécu entre quatre murs, avec un objectif unique. »

Ces lignes sont extraites d'un texte intitulé *Voyage*. Il s'agit d'un voyage en Bretagne. Ces notes ne seraient pas d'un autre ton s'il s'agissait d'une expédition en Nouvelle-Zélande. Il en résulte une certaine cocasserie involontaire. Léautaud se sentait extraordinairement dépaysé dès qu'il quittait la région parisienne. Il ne l'a d'ailleurs guère quittée. C'est un pur produit parisien, bien qu'il lui soit arrivé d'écrire : « Je n'attends que quelque fortune par la littérature pour me retirer dans un village, loin du Paris nouveau style et de l'affreux progrès. » Et encore : « Paris est devenu hideux. Inhabitable également. Il n'inspire plus qu'un sentiment : fuir. »

Léautaud donne quelques-unes de ses raisons de fuir Paris : « Aujourd'hui, dans la rue, c'est le vacarme des automobiles et jusque dans les rues le bruit de ces affreux avions qui font lever le nez à tous les niais. »

Quand pensez-vous que ce texte a été écrit? Eh bien, il a paru dans la revue *L'Ermitage*, du 15 février 1906. Les bruits de la ville n'étaient cependant pas le pire pour Léautaud. Il nous dit ce qui lui paraît « le comble de l'horreur » : « des écrivains travaillent à la machine à écrire, en s'éclairant à l'électricité ». Il s'écrie : « Vivent ma plume d'oie et la jolie et douce lumière de mes bougies dans deux flambeaux à deux branches. »

Un des charmes de *Passe-temps*, il faut avouer que c'est cette jolie et douce lumière d'autrefois.

Le premier tome du *Journal littéraire* parut en 1954 et couvre les années 1893-1906. On y voit un Léautaud timide et sentimental, un Léautaud qui pleure en se récitant du Baudelaire ou en écoutant Marguerite Moreno jouer Aricie, un Léautaud qui, rencontrant Verlaine à une terrasse de café, lui fait porter des fleurs par un commissionnaire, un Léautaud qui pense au suicide deux ou trois mois chaque année. Son extrême délicatesse se manifeste dans des phrases de ce genre : « Il était si timide et si délicat que lorsqu'il disait à quelqu'un des paroles aimables, il y mélangeait toujours des mots un peu méchants. »

Ce Léautaud était poète. Il donnait Mallarmé comme son maître. Il lia amitié avec Paul Valéry sous le signe d'une commune admiration pour Mallarmé. Mais il s'avoua bientôt qu'il ne dépasserait jamais, ni même n'égalerait son maître, et se détourna de l'art des vers.

Il écrivit un roman, *Le Petit Ami.* Son ambition littéraire était immense. Léautaud pensait qu'un grand écrivain est celui qui transforme la sensibilité de son temps. Quand son livre paraît, il rapporte avec satisfaction les compliments qu'on lui fait et, avec intérêt, les critiques. Il ne peut pas s'empêcher de rêver du prix Goncourt et de la gloire, dont Renan a dit qu'elle était « ce qui a le plus de chance de n'être pas tout à fait une vanité ».

Léautaud voyait alors en Julien Sorel un modèle. Il abandonna vite ce modèle mais garda intacte son admiration pour Stendhal. Seulement le Stendhal de Léautaud est plutôt l'auteur d'*Henri Brulard* et des *Souvenirs d'égotisme* que le Stendhal de *la Chartreuse* et du *Rouge et Noir*.

Car le petit chef-d'œuvre qu'est *Le Petit Ami* fut un échec sur le plan commercial. Léautaud se détourna du genre romanesque. Il est probable que beaucoup des traits qui le dessinent aujourd'hui s'expliquent par le fait qu'il fut d'abord un poète, puis un romancier ratés. On nous pardonnera de parler de ratages à propos de Léautaud, justement parce que ses ratages se soldent enfin par une éclatante réussite sur le plan des souvenirs, de la chronique et du journal intime.

Le Petit Ami était d'ailleurs si peu un roman... Et Léautaud ne s'engagea pas plus avant dans la recherche du romanesque. Il avait pu estimer que les sentiments imaginés étaient « supérieurs aux sentiments sincères ». Il décida qu'il n'en était rien. Au surplus, une seule chose lui paraissait vraiment intéressante : lui-même. Il le note simplement : « Une seule chose m'intéresse : moi. Tout le reste ne m'intéresse que par rapport à moi. »

Il avait recommencé jusqu'à dix fois telle page du *Petit Ami.* Il décida que le mieux était d'écrire au courant de la plume. Il se moqua de Flaubert qui resterait pour lui un mauvais écrivain.

A ce moment, les jeux étaient faits. Léautaud avait décidé d'être simplement Léautaud et de n'être que Léautaud. Il ne chercherait pas à créer un monde, à bouleverser la sensibilité de son temps, mais il s'exprimerait lui-même avec une entière sincérité, sans recherche; du moins avec le seul souci de l'exactitude; son style serait celui de l'homme même qu'il était.

Il ne faut jamais oublier que Léautaud est l'homme des illusions perdues et des ambitions déçues. Si, après s'être longtemps interrogé, il s'est tourné vers les autres, c'est en grande partie pour se prouver qu'il valait bien autant que tous ces gens-là. Il s'est mis à rapporter ce qu'il voyait et entendait. Il éprouvait le même plaisir louche que son ennemi Flaubert à dénoncer partout la bêtise : « Il me semble que si je possède une certaine intelligence, c'est l'intelligence de la bêtise. Je veux dire que je connais assez bien ce que c'est que la bêtise. »

Cette déclaration n'est pas à opposer au : « La bêtise n'est pas mon fort », de Valéry. On peut cependant comparer les positions des deux écrivains. Valéry se plaisait aux jeux de l'intelligence et se détournait, quand il écrivait, des côtés pitoyables de la comédie humaine. Léautaud a construit son œuvre avec des scènes de cette comédie. Cet amoureux du silence et de la solitude a peuplé sa solitude avec les pantins qu'il connaissait et a reproduit leurs bavardages.

Léautaud a connu beaucoup d'écrivains, mais, comme il le reconnaît volontiers, il n'a jamais été grand lecteur d'auteurs contemporains. Il ignore donc généralement les œuvres des écrivains dont il parle. En ce sens, plutôt que journal littéraire, ce journal devrait s'appeler journal des milieux littéraires.

Ce titre ne serait pas non plus très exact. Le principal personnage du journal reste, bien entendu, Léautaud lui-même qui nous entretient beaucoup de sa vie privée, de ses amours, de son goût du silence et des promenades dans Paris. C'est souvent ici un Léautaud fraternel. Lisez ceci : « Je suis allé faire un tour sur la rive droite, dans les Passages Vivienne, des Panoramas, etc. Le faubourg Montmartre. La tristesse me prend quand je songe qu'un jour, je ne pourrai peut-être plus me promener ainsi, dans ce Paris qui m'est si cher, et qu'un jour aussi, il me faudra quitter ce monde, ces choses, cesser de vivre enfin... »

Toute la partie journal intime est merveilleuse. Autre citation : « On vit presque chaque minute en songeant à une petite joie prochaine, lendemain ou surlendemain, à des petits plaisirs de toutes sortes, petits changements, nouveautés, on ne sait quoi de fragile, mais qui vous changera, et qui, lorsqu'on l'a, n'est plus rien du tout. » Et beaucoup de pages sont de cette encre.

Pour la partie proprement littéraire, elle est presque entièrement anecdotique. Quelle mine aussi de discussions! Un exemple : on voit Valéry défendre Georges Ohnet, l'auteur du *Maître de forges* : « La littérature, la cuisine, c'est tout un. Il faut réussir un plat, n'y rien oublier. Ceux qui blaguent Ohnet seraient bien embarrassés d'être aussi habiles. » Oui, mais, en définitive, on écrit non pas les livres qu'on veut, mais les livres qu'on peut. Valéry aurait été aussi empêché d'écrire du Georges Ohnet qu'Ohnet du Valéry.

Léautaud s'était formé une idée du « bon langage français » et il s'y tient avec une fermeté un peu maniaque. Et c'est vrai aussi pour les idées : il est l'homme du bon sens comme pouvaient l'être les petits moralistes du XVIIIe siècle. Si l'on perd de vue l'un de ces deux points (le bon langage et le bon sens), les jugements littéraires de Léautaud peuvent paraître atterrants.

Le 15 octobre 1935, Léautaud rencontre Michaux chez Paulhan, qui les présente l'un à l'autre et qui ajoute à l'adresse de Michaux : « Je crois d'ailleurs que Léautaud trouve horrible ce que vous faites. » Henri Michaux rit. Je lui dis : « Horrible! Non. Ce que je pense est bien plus grave. » Je me suis retenu de lui dire ce que j'entendais : stupide complètement. »

Le 13 juin 1936, Léautaud fait cette prophétie à propos du *Voyage au bout de la nuit :* « Dans moins de cinq ans, on ne pourra plus lire un livre de ce genre. »

Quant à Toulet, c'est pièces à l'appui que Léautaud veut nous convaincre qu'il n'a jamais eu aucun talent. Léautaud donne comme exemple de « niaiserie entortillée » ces vers ravissants :

Ce n'est pas drôle de mourir
Et d'aimer tant de choses :
La nuit bleue et les matins roses
Les fruits lents à mûrir...

Il est vrai que Léautaud avoue à un certain moment (1er janvier 1937) : « Je me moque presque de la littérature. » Le « presque » signifie qu'il s'intéresse encore un peu à ce qu'il écrit lui-même.

Léautaud est un observateur souvent goguenard. Il lui arrive aussi de se montrer assez gobeur, rapportant sans précaution les propos les plus malveillants. On est parfois surpris que l'éditeur n'ait pas hésité à imprimer certains passages nettement diffamatoires. Mais Léautaud n'en est pas moins un précieux témoin et son *Journal* contient notamment une mine d'anecdotes concernant la drôle de guerre, l'occupation et la Libération. C'est un document de grande valeur pour servir à la petite histoire de ce temps-là.

On sera frappé de constater à quel point Léautaud était un homme d'une autre époque. La naïveté de ce faux cynique est souvent désarmante. Par exemple, le pillage d'une librairie, place de l'Odéon, au début de l'occupation, le remplit de stupeur : il ne croyait pas ça possible. Les sujets d'étonnement n'allaient pas lui manquer, au fil des jours.

Les deux grandes vertus de Léautaud étaient la pitié et l'indignation. S'il était misanthrope, les malheurs des autres ne le trouvaient pas indifférent. Mais c'est pour les animaux qu'il se montrait capable d'un dévouement peu commun. Son affection pour ses chiens et ses chats lui a dicté quelques-unes des plus belles pages de la littérature contemporaine. Grâce à son amour des bêtes, ce grand ricaneur présente quelques traits d'un saint homme. L'abbé Mugnier lui dit un jour : « Vous irez au paradis malgré vous. » — « Ah! répondit Léautaud, toujours la violence! »

Écrivons de Léautaud ce qu'il écrivait de Van Gogh le 24 mars 1905 : « Encore un de ces êtres comme je les aime, extraordinaire, un peu fou, en dehors de tout le cadre social, de toute la médiocrité de la vie courante. Ils ne sont pas si fréquents, ces êtres. Quand on en rencontre un, il ne faut pas se lasser de songer à lui et de l'aimer. »

JEAN SCHLUMBERGER, UN SINGULIER DISCIPLE

Comme il était un de ses familiers, et de quelques années son cadet, on a souvent fait de Jean Schlumberger (1877-1968) un disciple d'André Gide. En réalité, il était sur bien des points un anti-Gide. Séduit assurément par l'intelligence et la culture de son génial ami, mais loin de partager toutes ses idées et d'approuver toutes ses entreprises. Tous deux avaient des natures de moralistes, mais Gide ne s'est intéressé longtemps qu'à l'individu, tandis que Schlumberger s'occupa très tôt de problèmes sociaux. Gide n'avait souci que de devenir « le plus irremplaçable des êtres » tandis que Schlumberger était de ces hommes de bonne volonté qui se sentent des devoirs envers la communauté dont ils font partie.

Gide était à la recherche d'actes gratuits et se voulait disponible pour répondre à toutes les sollicitations du dehors. Il disait suivre ses instincts et s'estimait justifié du moment qu'il ne trichait pas avec lui-même : il se flattait d'être authentique. Schlumberger pensait que chacun de nous doit se choisir une ligne de conduite et s'y tenir, sous peine de voir s'émietter ses forces et de gâcher sa vie. La spontanéité a ses charmes, mais la sincérité n'excuse pas des actes irréfléchis. Elle n'est pas la preuve non plus qu'on place la vérité au-dessus de tout : Schlumberger l'a bien montré quand il a écrit sur *Madeleine et André Gide* (1956) pour réfuter *Et nunc manet in te*.

Gide disait : « Les extrêmes me touchent. » Schlumberger, au contraire, a prononcé l'éloge des « valeurs centrales », négligeant ce qu'il appelait les « valeurs périphériques ». Ce qui est commun à tous les hommes lui paraissait avoir plus d'importance que ce qui les singularise.

N'imaginons pas cependant un Schlumberger défenseur de l'ordre et de la tradition en face d'un Gide ennemi de toutes les lois. Ils n'auraient pas été amis comme ils le furent s'ils n'avaient eu des terrains d'entente. Gide était attaché à certaines traditions et Schlumberger était ouvert à toutes les revendications qui lui paraissaient justes. La différence essentielle venait des tempéraments. Gide s'accommodait fort bien de ses contradictions et pratiquait l'alternance, il ne se lassait pas d'expérimenter, tandis que Schlumberger préférait l'équilibre au balancement, il était plus réaliste et s'attaquait aux difficultés de la vie quotidienne, dont il entendait rendre compte.

Un livre comme *Histoire de quatre potiers* de Schlumberger me paraît significatif à ce propos. On y voit trois jeunes gens, dont l'avenir matériel se trouve très compromis, s'associer avec un vieux contremaître pour fonder une poterie et réussir leur rétablissement par le travail. Ce n'est pas que Gide ait ignoré l'effort, mais il ignorait le travail au sens où l'entend le commun des hommes. Le thème des *Potiers* lui est tout à fait étranger.

Dans aucun livre de Schlumberger, je ne vois d'ailleurs d'influence gidienne, ni dans les sujets, ni dans l'écriture. Pas de romans plus différents que *Saint-Saturnin,* livre de la fidélité à une maison, et *Les Faux-Monnayeurs,* livre de l'aventure perpétuelle. Pas de personnages plus opposés que l'oncle Nicolas, cultivant ses habitudes, et l'oncle Édouard, changeant comme Protée.

Quant à l'écriture, Gide est passé du symbolisme à un classicisme non exempt de préciosité. Schlumberger n'a cessé de perfectionner une langue précise et sobre.

Gide est aujourd'hui à sa juste place, qui ne lui sera pas ôtée. On aimerait que Jean Schlumberger trouve aussi la sienne. Il nous laisse une œuvre tonique, sans flatterie, mais non parfois sans malice.

Parmi ses livres d'après-guerre, on retiendra principalement *Éveils* (1950). Schlumberger ne s'est pas proposé de raconter des souvenirs d'enfance et de jeunesse pour le plaisir même de se souvenir. Il a voulu marquer les différentes étapes d'un itinéraire de formation, décrivant les milieux où il avait grandi, l'éducation reçue, les influences subies, les expériences déterminantes. Chaque chapitre s'organise autour d'un thème particulier et l'ensemble constitue un mémorial bien architecturé. Le souci de Schlumberger était également de renseigner sur une époque et sur une génération. On ne s'étonnera pas qu'il sache s'effacer au profit des parents et des amis qu'il met en scène. *Éveils* restera en outre comme un document irremplaçable sur la naissance de la N.R.F. et l'aventure théâtrale du Vieux-Colombier.

JEAN PAULHAN

Longtemps l'écrivain Jean Paulhan (1884-1968) fut entièrement occulté par la haute personnalité du patron de *La Nouvelle Revue française*. Paulhan fut en effet le directeur de cette revue de 1925 à 1940, à l'époque de son plus grand rayonnement sur nos lettres. On peut dire que la N.R.F. était le lieu où se retrouvaient les meilleurs écrivains de l'époque et où les débutants aspiraient à être admis. Paulhan joua donc un rôle considérable qui lui valut son surnom d'*éminence grise*. Il agissait par ses choix et non point par ses écrits. En 1940, il n'était encore l'auteur que de quelques plaquettes tirées à petit nombre. Et il avait cinquante-six ans.

La défaite de 1940 lui valut une mise à la retraite anticipée (comme directeur de revue) et lui permit de terminer un grand ouvrage critique auquel il travaillait depuis longtemps et qui parut sous le titre *Les Fleurs de Tarbes ou la Terreur dans les lettres* (1941). Cet ouvrage était attendu par les amateurs de littérature. On allait enfin savoir quelles étaient les préférences véritables d'un homme qui avait accueilli dans sa revue des auteurs de tendances très diverses. Se plaçait-il du côté des rhétoriqueurs ou des terroristes, du côté des classiques ou des romantiques?

Ces questions étaient naïves. Le propos de Paulhan n'était pas de prendre parti, mais d'examiner les raisons des uns et des autres. En publiant des auteurs très différents et même antagonistes, il avait prouvé que ce qui comptait pour lui, en littérature, ce n'était pas les théories mais les œuvres. En fait, toutes les théories sont valables, mais elles ne donnent de résultats probants que lorsque leurs partisans parviennent à les dépasser. Se fier aux mots ou se fier aux sentiments est également dangereux. On ne parvient à s'en tirer que lorsque les mots et les sentiments, le langage et la pensée se trouvent enfin alliés. Dans *Clef de la poésie* (1944), Paulhan montrera que la poésie apparaît quand la forme et le fond ne font plus qu'un, comme le corps et l'esprit. L'ennui est que l'on met toujours en doute les mots et les pensées de ceux qui ne partagent pas nos convictions.

La terreur dans les lettres n'est qu'une forme aiguë de la crise du langage — d'une mise en doute généralisée de la parole — et l'on peut se demander si, pour Paulhan, la littérature n'était pas d'abord un lieu privilégié où il pouvait observer sur des cas particuliers un phénomène de civilisation très général. (La croyance au Verbe allait de pair avec la croyance en Dieu.)

La première revue dont Jean Paulhan s'était occupé, avant la guerre de 1914, s'appelait *Le Spectateur*. Il ne s'agissait pas d'une revue littéraire, mais d'un recueil mensuel d'observations sur le fonctionnement du langage dans la vie quotidienne. De cette époque datent les premiers brouillons de ce qui deviendrait les *Entretiens sur des faits divers* dont une première version fut publiée en 1930, tirée à 350 exemplaires, et dont l'édition définitive parut en 1945.

En 1945, où la mode était à l'engagement, le mot spectateur pouvait être pris dans un sens péjoratif. Paulhan proteste dans son livre que chercher à comprendre le spectacle ne veut pas dire qu'on renonce à le transformer. Il est bien certain cependant que celui qui raisonne n'agit pas, mais que vaudrait l'action de quelqu'un qui n'aurait jamais raisonné?

Or Paulhan tient à la raison et montre très bien les avantages du bon sens : « Qui commence par le rêve ou la folie sait très bien où il va, mais le raisonnement nous jette en pleine aventure » et encore : « La vie est plutôt monotone quand on la regarde avec folie, mais purement fantastique dès qu'on tâche de la regarder avec raison. »

Paulhan appuie chacune de ses démarches sur le récit d'un fait divers, afin d'éviter d'être abstrait. Sa très sérieuse enquête sur les mécanismes de l'esprit nous est livrée en dialogues aussi pétillants de drôlerie que *L'Idée fixe* de Valéry.

Pour commencer, il dénonce facilement l'illusion de totalité. Dès que nos connaissances se font plus vastes, notre champ de vision s'élargit, mais nous ne sentons pourtant jamais un vide à combler en nous. A chaque instant, nous formulons des jugements définitifs sans penser que des données nous manquent probablement, — comme si nous étions des dieux. Le contenu de notre esprit ne se présente pas comme un liquide d'un volume donné, mais comme un gaz qui remplit tout espace libre. Et souvent nos jugements sont d'autant plus catégoriques que nous sommes plus ignorants.

Autre illusion : la prévision du passé. « Et l'effet qui s'en va nous découvre les causes », disait Apollinaire. Parce que nous voyons le résultat d'une action nous inventons le mobile qui aurait engendré celle-ci.

Puis voici le phénomène de compensation : nous nous forgeons des raisons de croire quand le doute semble s'imposer. Nous sommes d'autant plus affirmatifs que nous avons moins de raisons de l'être comme si, par un afflux de mots, nous voulions obliger les choses à devenir ce que nous disons qu'elles sont. Mais, en réalité, parce que les opinions que nous formons nous-mêmes sont celles qui nous convainquent (et, de fait, nous ne nous rangeons jamais aux idées d'autrui, nous nous les approprions, nous les reconstruisons à notre usage).

En définitive, Paulhan nous présente-t-il un homme absurde? Ce serait simplifier « car enfin, trouver le monde (et les autres hommes) absurdes, c'est simplement refuser de voir en soi-même cette part d'absurdité qui nous étonne en eux. Dès l'instant que l'on fait *coïncider* l'absurde — ou, si vous aimez mieux, le mystère — extérieur et l'intérieur, toute absurdité s'efface : elle ne tenait qu'à une différence de traitement ».

Nous vivons dans la contradiction, faute d'accepter le monde tel qu'il est. Nous voudrions le plier à notre raison, mais c'est là notre absurdité. Il faut au contraire se plier à sa folie.

L'ambition de Paulhan était considérable et ne s'est jamais mieux manifestée que dans ses écrits sur la peinture moderne. A travers le langage, qu'il s'agisse de mots, de lignes ou de couleurs, ce qu'il recherche, ce sont les signes d'une vérité qui aurait jusqu'ici échappé aux philosophes. Le langage est pour Jean Paulhan le lieu et le moyen d'une réflexion serrée sur le monde et l'existence. Aussi bien ne porte-t-il guère de jugements esthétiques et le voit-on parfois accorder plus de prix à des tentatives plus ou moins aberrantes qu'à des réussites incontestables. C'est que ces dernières se suffisent à elles-mêmes tandis qu'il faut trouver une raison aux autres. C'est à ce moment que Paulhan intervient : il essaie de trouver des clefs pour des portes qu'on déclare parfois un peu rapidement sans serrure.

Son essai sur *L'Art informel* (1962) est particulièrement représentatif de sa manière.

L'art informel a de quoi surprendre. Les anciens peintres commençaient par se donner un sujet de tableau. Ils partaient d'une pensée et trouvaient des signes pour l'exprimer : lignes, traits et pointes, auxquels ils ajoutaient des couleurs. Au contraire, les nouveaux peintres commencent par les couleurs et les signes, sans paraître soucieux que s'y devine un sens. Ils obéissent à des poussées mystérieuses qui ne sont pas sans rappeler l'inspiration des romantiques. Si la toile ressemble à quelque chose, c'est de manière vague et ambiguë. Elle peut, par exemple, évoquer à la fois une locomotive et un encrier. Ajoutons que ces tableaux sont généralement peints dans la précipitation : c'est une soudaine éclosion. On assiste à quelque chose comme un phénomène naturel, et les vieux critères n'ont plus cours pour apprécier de telles œuvres. On pense à Jean Cocteau s'interrogeant sur un poème :

« Est-il beau? est-il laid? » et répondant : « Il n'est ni beau, ni laid, il a d'autres mérites. » Mais quels mérites?

Les nouveaux peintres ne cherchent pas à représenter quoi que ce soit. En ce sens ils seraient des créateurs par excellence. Leurs toiles ne doivent pas être des spectacles, mais des événements. Ces peintres sont hostiles à toute idée parce que toute idée a quelque chose de rétrécissant, d'appauvrissant. Pour nous mettre en face d'une vie sans frontière, les peintres procèdent désormais par chocs, comme les médecins prétendent guérir certains malades par l'électro-choc.

Mais de quelle maladie sommes-nous atteints et quelle est cette vérité qui n'admet pas une approche raisonnable? La maladie, c'est l'habitude. Quant à la vérité, nous retrouvons ici une préoccupation majeure de Jean Paulhan : il pense que notre esprit n'est pas l'instrument que nous croyons, qu'il n'appréhende pas simplement le réel. Il accommode et c'est pourquoi nous ne percevons pas directement cette vérité : « La nature de cette vérité est difficile à connaître, plus difficile à exprimer. Comme si nous étions tout mêlés à elle, et que sa proximité nous empêchât de la voir. »

Comment fonctionne en effet notre esprit? Nous pensons pouvoir réfléchir posément sur le monde, comme si notre pensée nous en donnait l'exact reflet, alors qu'elle est un lieu où se mêlent des idées de formes différentes, les unes relatives au monde extérieur (bruits, odeurs, visions) et les autres à notre monde intérieur (sentiments, concepts, décisions). Les passages des unes aux autres expliquent nos erreurs : telle vue n'est peut-être qu'une hallucination, et ainsi de suite. La peinture informelle éviterait tout risque de ce genre, puisqu'il s'agirait pour elle « de s'unir à la réalité en esquivant toute idée distincte que l'on en puisse former ».

Quel en est le bénéfice? demandez-vous. C'est de nous débarrasser pour un moment de nos habitudes de pensée, lesquelles nous coupent du monde véritable. Car il s'agit bien d'un monde véritable. Le microscope, et en particulier le microscope électronique, fournit la preuve de l'identité de la peinture informelle et de la nature même de l'univers. Ce qu'on voit dans ces microscopes, c'est un monde de cristallisations et de fibrilles, ce sont bel et bien des tableaux informels. Mais il n'est pas besoin de microscopes : il suffit de se coucher dans la campagne, de plonger la tête dans l'herbe et de regarder autour de soi pour voir informel : les moindres brindilles révèlent un monde fabuleux de métamorphose.

Nous dirons que c'est un monde reposant, parce que plus rien n'y est perçu contradictoirement. Les problèmes qui nous tourmentent sont abolis. C'est notre esprit qui introduit dans le monde les catégories. Soudain nous sommes en vacances. Vous devinez maintenant que cet éloge de l'art informel par Jean Paulhan est aussi bien un essai de métaphysique.

Dans *Fautrier l'enragé,* Jean Paulhan, quittant un moment le domaine de la peinture, parle de l'enchantement où nous plonge certaine incertitude, quand nous ne savons plus si nous dirigeons nos passions ou si ce sont elles qui nous dirigent, comme cela se produit dans l'amour, dans la guerre ou dans le jeu. A ce moment, nous ne sommes plus en face du monde, mais mêlés à lui. Il n'y a plus ni dehors ni dedans : « Ici tombent d'un coup toutes les barrières entre le rêve et l'action à quoi tiennent nos malheurs, nos embarras, notre mauvaise conscience. » C'est à une même délivrance que nous convierait l'art informel. Son pouvoir serait d'ordre magique : il fait soupçonner, sinon percevoir, des identités que notre esprit ne peut directement saisir, car la logique nous trompe. Il est nécessaire d'accepter dans le fonctionnement de l'esprit un point d'ombre et c'est à partir de là que tout le reste devient clair et enfin satisfaisant.

Les deux essais dont nous venons de parler nous font assister moins à une démonstration qu'à une véritable invention. C'est une singulière aventure qu'il nous est donné de suivre. Car il est possible d'être convaincu par les raisons de Paulhan sans partager son admiration pour la peinture dont il nous entretient.

Paulhan souhaitait-il être considéré comme un linguiste ou comme un métaphysicien? Il s'appelait parfois grammairien. Mais il n'aurait certainement pas été fâché que nous le considérions d'abord comme un écrivain. En tête de ses œuvres complètes, qui commencèrent de paraître en 1966, il a placé, sous le titre général *Les Instants bien employés,* les divers courts récits qu'il a écrits tout au long de sa vie dont plusieurs sont des chefs-d'œuvre : *Guide d'un petit voyage en Suisse* (1947), *Les Causes célèbres* (1950).

Dans *Plaisirs perdus* (une des « causes célèbres ») le narrateur nous dit qu'enfant, le soir, il se couchait par terre près de son père : « Je pouvais étudier de près l'humus, bon à quoi? mêlé de peluche, de paille de fer, de moutons, d'on ne sait quelles graines, qui vient entre les lames du parquet... En dressant la tête je voyais d'en bas s'agiter la lèvre inférieure et parfois le nez de mon père, comme ceux d'une grande marionnette de chair. C'était un tremblement inhumain, je l'ai revu plus tard sur un bœuf assommé. Il semblait alors que mon père fût sur le point de prendre quelque décision extravagante, comme de briser les murs ou de traverser le feu. » Et le narrateur ajoute : « J'ai perdu bien d'autres plaisirs, depuis que je ne sais plus voir les choses comme elles sont. »

On devine que *Les Instants bien employés* sont ceux où le regard échappe — si j'ose dire — à la routine de la vision et découvre dans le monde quotidien un nouveau monde.

On parle parfois (avec agacement) de la fausse ingénuité de Paulhan et aussi (avec admiration) de son sens de l'humour. Je ne crois pas que son ingénuité soit feinte, ni son humour toujours concerté. Ce sont deux qualités inhérentes à son esprit. *Les Causes célèbres* pourraient bien occuper dans la littérature du XXe siècle une place analogue à celle des *Fables* de La Fontaine dans la littérature du grand siècle.

SAINT-JOHN PERSE

A l'envoyé d'un grand hebdomadaire qu'il recevait en 1972 dans sa retraite de la presqu'île de Giens, Saint-John Perse déclarait : « La littérature, je n'en suis pas. » Et encore : « J'écris pour moi, je ne suis pas un philanthrope. »

La première phrase montre que le poète n'a pas échappé au terrorisme qui règne sur les lettres depuis cent ans. Être un littérateur? Quelle horreur! Alors qu'il s'agit de vivre et non d'écrire. Saint-John Perse écrivait pourtant. A la page 1207 de ses « Œuvres complètes » dans la Bibliothèque de la Pléiade, il nous donne sa réponse à la vieille question : « Pourquoi écrivez-vous? » Il répond en trois mots : « Pour mieux vivre » et l'on pourrait ainsi penser qu'il n'y a pas antinomie entre vivre et écrire.

Quand on lit Saint-John Perse, on a l'impression que ses textes sont faits pour être lus à haute voix. Ses poèmes sont des célébrations de sa vie, sur un ton noble et majestueux. Maurice Saillet l'a appelé « Poète de gloire » et ce titre lui restera. Il s'agit d'une poésie hautement aristocratique où le réel ne cesse d'être magnifié. Pour la forme, on pense à un Mallarmé qui se serait défait de ses précieuses bandelettes et qui aurait appris à respirer largement en suivant l'exemple de Claudel. Par l'ampleur et la profondeur de son chant, il occupe une place de premier rang dans notre poésie. Il appartient à une constellation qui comprend également Victor Segalen et Jean-Paul de Dadelsen. Ses plus belles œuvres restent *Éloges* (1911) et *Anabase* (1924).

Pour l'état civil, Saint-John Perse s'appelle Alexis Léger, né à la Guadeloupe, le 31 mai 1887. Et c'est bien sous le nom d'Alexis Léger que le poète mena une carrière diplomatique brillante et controversée. Il fut secrétaire général du Quai d'Orsay dans les années qui précédèrent la Seconde Guerre mondiale et, à ce titre, un des principaux responsables de la désastreuse politique étrangère de la France. Il fut limogé le 14 mai 1940 par Paul Reynaud. Il est vrai que celui-ci lui proposa l'ambassade de Washington, mais il la refusa. C'est pourtant pour les États-Unis qu'il s'embarqua quelques semaines plus tard, renonçant à la vie politique.

Durant son séjour au Quai d'Orsay, il avait interdit la réédition de ses premières œuvres poétiques et n'avait, bien entendu, rien publié de nouveau. L'exil le rendit à sa condition de poète. Ce fut une nouvelle carrière, très brillante aussi : *Exil* (1942), *Pluies* (1943), *Neiges* (1944), *Vents* (1946), *Amers* (1957).

L'année où il reçut le Prix Nobel, il publia encore *Chronique* (1960) dont le ton est toujours superbe et majestueux : « Grand âge, nous voici. Fraîcheur du soir sur les hauteurs, souffle du large sur tous les seuils, et nos fronts mis à nu pour de plus vastes cirques... »

Pourquoi ce nom de Saint-John Perse? L'édition de la Pléiade nous renseigne mal à ce propos. Mais nous y apprenons que le nom véritable d'Alexis Léger est Alexis Saint-Leger Leger (sans accent sur le premier e de Leger). Si l'on sait que le premier poème de Saint-John Perse parut sous la signature Saintléger Léger (Saintléger en un seul mot) on se dira que notre auteur fut bien hésitant sur la marque qu'il entendait donner à son œuvre. Le nom même de Saint-John Perse fut d'abord simplifié en St-J. Perse. Nous supposons que Jean Starobinski, qui a écrit une si passionnante étude sur la pseudonymie chez Stendhal, aurait beaucoup à dire sur cette valse des noms.

Les « Œuvres complètes » ne nous offrent pas seulement le texte définitif de l'œuvre poétique. Elle rassemble les écrits en prose épars jusqu'ici dans des revues et nous donne un choix de lettres. L'œuvre critique de Saint-John Perse est assez peu connue. Elle se présente sous forme d'hommages. Ici aussi, il s'agit de célébrations et ce sont de belles pages, d'une émouvante noblesse de pensée. Signalons les grands textes consacrés à André Gide, Léon-Paul Fargue, Valery Larbaud, Paul Claudel.

Cette édition de la Pléiade présente enfin une originalité : tout l'appareil critique a été établi par Saint-John Perse lui-même. C'est lui qui a rédigé la biographie, les notices et les notes. Celles-ci sont très abondantes et y trouvent même place de longues études — comme les *Énigmes de Perse* de Jean Paulhan : Vingt et une pages bien serrées. Ainsi Paulhan faisait, lui aussi, son entrée dans la Pléiade.

PIERRE-JEAN JOUVE

Dans le beau livre qu'il a intitulé *En miroir* (1954), Pierre-Jean Jouve (1887-1975) a donné une chronique de sa vie et de sa pensée. Il y raconte comment l'amour de la musique précéda chez lui l'amour de la poésie — et comment d'ailleurs il n'a jamais cessé d'envier les musiciens — mais Baudelaire fut la rencontre décisive de son adolescence : « La Poésie fut visible, quand jusque-là seule la Musique était visible. »

Toutefois, c'est du côté de l'unanimisme qu'il fit ses débuts. Il s'explique ainsi : « Il y avait alors un besoin de protester, par une littérature de participation humaine, contre de nombreuses déliquescences; je tombai rapidement dans ce panneau. »

Jouve devait renier toutes ses publications antérieures à 1924. C'est que, à partir de cette date, il devint un nouvel homme, par son retour à la foi et par la découverte de la psychanalyse. Il présente cette originalité d'avoir mêlé une quête spirituelle et une exploration des ténèbres de l'inconscient. Quelques critiques n'ont retenu que ce dernier aspect de son œuvre et lui ont reproché d'avoir voulu « enfermer la Poésie dans les caves de l'instinct ». Or il s'intéressait à l'instinct parce que celui-ci représente les racines de l'être, mais l'arbre qui s'enfonce dans la terre s'élance aussi vers l'azur. Si l'homme est de même soumis à une double tension vers le haut et vers le bas, la mission du poète est de dégager une perspective de délivrance. La poésie de

Jouve est toute nourrie du sens du péché, de la sanie et de la sueur des corps, des révélations du rêve, mais elle est un appel vers la lumière. C'est une poésie rauque et rugueuse, compacte et peu soucieuse de charmer. On ne trouvera pas chez Jouve d'éclatantes réussites formelles, comme chez Saint-John Perse, dont il a essayé pourtant de se rapprocher dans un poème comme *Ode* (1951). Il n'a finalement cherché qu'à traduire avec rigueur une expérience difficile.

Si nous avons rappelé le « besoin de participation humaine » qu'il avait connu dans sa jeunesse, c'est qu'il le retrouva lors de la Seconde Guerre mondiale. Ce poète solitaire, réfugié en Suisse, devint soudain un écrivain combattant avec la publication de *L'Homme du 18 juin,* du *Processional de la Force anglaise* et de très émouvants poèmes, dont certains furent publiés dans la revue *Fontaine* avant de figurer dans le recueil *La Vierge de Paris* (1944). Tous ces textes furent inspirés par « la fureur de la liberté et la tendresse d'appartenir à un sol ».

Avant-guerre, Jouve avait publié de très remarquables romans et nouvelles. En particulier *Hécate* (1928) et *Vagadu* (1931). Il réunit ces deux volumes en 1947 sous le titre d'*Aventures de Catherine Crachat*. Dans le genre du roman freudien, on ne connaît pas de plus parfaite réussite. Il est permis de préférer chez Jouve le romancier au poète.

Le poète a cependant suscité plus de disciples que le romancier. Les plus notoires sont Pierre Emmanuel (né en 1916) et Yves Bonnefoy (né en 1923).

Dès *Tombeau d'Orphée* (1941), Emmanuel affirmait des dons surprenants de rhétoriqueur. Il possède une respiration ample et régulière. C'est un Jouve éloquent, et même trop éloquent. Le discours est souvent somptueux, mais on a l'impression que l'auteur use d'une forme poétique plutôt qu'il n'est habité par la poésie elle-même. C'est de l'art oratoire ou théâtral, comme on voudra, plus hugolesque qu'hugolien.

Chez Bonnefoy, dont le premier recueil *Du mouvement et de l'immobilité de Douve* (1953) fit sensation, on trouve plus de concentration que d'abondance. En ce sens, il est plus près de Jouve qu'Emmanuel et il lui arrive, au-delà de Jouve, de rappeler Baudelaire. C'est un Jouve classique et il n'est jamais meilleur que lorsqu'il utilise la rime et l'alexandrin.

Parmi les « derniers maîtres », nous n'oublions pas Roger Martin du Gard (1881-1958), Jules Romains (1885-1972), Georges Duhamel (1884-1966), Maurice Genevoix (né en 1890). Après 1940, Martin du Gard n'a publié qu'un volume de *Notes sur André Gide* (1951). Les derniers romans de Romains et de Duhamel sont hélas bien mauvais. Au contraire, les créations tardives de Maurice Genevoix comptent parmi ses meilleures. Après *Un jour,* livre testamentaire d'un ami des eaux et forêts, il a su retrouver la fraîcheur de l'adolescence pour écrire *Loreleï* (1978).

3.
Alentours du catholicisme

L'expression « écrivain catholique » a toujours agacé ceux auxquels elle s'appliquait. On serait écrivain d'un côté et catholique de l'autre. Cela ne paraît pas sérieux, car chaque homme est une totalité. Ni Mauriac, ni Jouhandeau, ni Bernanos, ni Green ne seraient les écrivains qu'ils sont, s'ils avaient eu d'autres convictions que celles qui furent les leurs. Le fait même que certaines de leurs œuvres en font de mauvais catholiques n'infirme en rien cette observation d'évidence.

Les problèmes qu'ils exposent ne sont pas tous nés de l'existence du catholicisme, mais les éclairages qu'ils leur donnent ne sont pas séparables de leurs croyances.

Dire qu'ils furent les derniers chrétiens est assurément excessif. Dans l'ordre du roman, nous avons aujourd'hui, un Gilbert Cesbron et un Michel de Saint-Pierre. Dans l'ordre des écrits intimes, un Jacques de Bourbon-Busset. Dans l'ordre de la poésie, un Jean-Claude Renard. Il serait difficile, quels que soient leurs mérites, d'affirmer qu'ils tiennent dans la littérature la plus récente une place équivalente à celle de leurs illustres aînés.

FRANÇOIS MAURIAC DANS UN RÔLE DIFFICILE

François Mauriac (1885-1970) tint avant guerre le rôle périlleux de « grand écrivain catholique », qui ne figure plus dans les emplois de la comédie littéraire. Le gênant pour lui, c'est que Bernanos était venu occuper la place de « grand romancier chrétien ». Bernanos écrivait dans un langage inspiré des drames dostoïevskiens, alors que Mauriac n'exposait que les cas de conscience de la bonne bourgeoisie française devant les problèmes de la chair (mot qui a disparu également de notre vocabulaire). Son œuvre ne propose qu'une série d'illustrations pour un traité de la concupiscence à l'usage des paroisses aisées. Ce qui le sauvera peut-être, c'est un style de poète traduisant de façon séduisante les évolutions des anges noirs au-dessus de la forêt landaise. A la veille de la guerre, Mauriac sut résumer le sens qu'il donnait à son œuvre dans un poème allégorique d'une tout autre portée que ses romans provinciaux : *Le Sang d'Atys* (1940). Il avait raison de considérer celui-ci comme un aboutissement, même s'il eut tort de tenir rigueur à Henri Thomas de le juger inférieur à la *Perséphone* de Gide. (Il s'employa à empêcher les académiciens Goncourt de couronner *La Dernière Année*.)

Pendant l'occupation, il ne publia qu'un roman, qui n'est pas de ses meilleurs, *La Pharisienne* (1941). Les autorités allemandes lui avaient refusé l'autorisation de faire jouer une nouvelle pièce, *Les Mal Aimés.* (Le succès d'*Asmodée* lui avait donné le goût du théâtre.) Cette interdiction lui permit d'intituler *Le Bâillon dénoué* un recueil d'articles qui parut en 1945.

Ce bâillon dénoué ne l'amena pas tout de suite à renouer avec le roman. On a dit que certaine attaque parue en 1939 dans la N.R.F. sous la signature d'un nommé Jean-Paul Sartre l'avait démoralisé. *Le Sagouin* (1951) est une nouvelle, d'ailleurs très réussie. Mais, l'année suivante, Mauriac proposa *Galigaï* qui mérite l'attention non seulement parce que c'est un bon roman, mais parce que l'auteur y expose, en supplément critique, ses sentiments sur le rôle et la justification d'un « grand écrivain catholique ». C'est un roman court, bien dessiné et fortement charpenté, — à vrai dire, schématique. Il se peut qu'en écrivant pour le théâtre, l'auteur ait pris le goût d'une simplification dramatique. La poésie se retire de plus en plus de son univers romanesque. Elle en avait longtemps caché la noirceur irrémédiable. Désormais plus de chant, et le sens olfactif prédomine : ce sont des relents de pourriture qui s'élèvent de la petite ville de Dorthe, dans le Sud-Ouest : « Les mouches exaspérées composaient la plainte qui montait jusqu'à Dieu de ce coin du monde. »

L'héroïne de ce roman, fille noble ruinée, sert comme gouvernante d'une jeune fille. Marie, dans la maison bourgeoise des Dubernet. Elle jouit d'un étrange prestige. On l'appelle Mme Agathe : elle a jadis épousé un baron qui, le soir même des noces, s'est enfui avec le fils du jardinier. Agathe joue de malchance : elle aime aujourd'hui Nicolas Plassac, tout entier pris par une amitié masculine, chaste d'ailleurs car le jeune homme a horreur de la chair. Et cette horreur, inexpliquée, peut-être inexplicable, est le centre même de l'œuvre. Mauriac songeait au titre : *Le Désir et le Dégoût.*

L'ami de Nicolas aime Marie, qui l'aime aussi, mais les Dubernet s'opposent à cette union. Agathe promet d'arranger les choses si toutefois Nicolas consent à l'épouser. Nicolas se sacrifiera-t-il pour son ami? Il a surnommé Agathe « Galigaï » en souvenir de celle qui, « pour dominer Marie de Médicis n'usa d'autre philtre que le pouvoir des âmes fortes sur les âmes faibles ».

Mais ce philtre sera finalement insuffisant.

Dans la postface, Mauriac s'en prend assez férocement à son œuvre.

Pour un religieux, ou un fervent laïc, nous dit-il, écrire signifie servir.

L'artiste est inutile qui, selon la formule de Gide, ne se soucie que de « bien peindre et de bien éclairer sa peinture ». L'œuvre d'un romancier chrétien, si Dieu en est absent, porte contre cet auteur un sévère témoignage.

Or la grâce, qui n'y a jamais été très visible, s'est faite de plus en plus rare dans les œuvres de Mauriac. « Quelle peinture noire! Cette humanité déformée, un peu grimaçante, sur laquelle la grâce n'a pas mordu, en faveur de qui ou de quoi porte-t-elle témoignage? » En fait, Mauriac a voulu rendre sensible ce qui l'a frappé dans son enfance et notamment, comme nous l'avons vu, « le drame sexuel du désir qui se heurte au dégoût ».

Pour parvenir à bien évoquer ses obsessions, Mauriac a incliné sa peinture : « Confessons que l'œuvre d'art déforme bien plus qu'elle ne renseigne. C'est une échappatoire hypocrite que de prétendre aider à la connaissance de l'homme par des peintures si noires et si outrées. »

Mauriac tient qu'il y a des planètes Balzac et Dostoïevsky, mais qu'entre un personnage de roman et une créature de chair et de sang « il n'existe aucun rapport réel que nous puissions utiliser pour une fin morale. »

« Tout ce que l'on peut concéder, c'est que le roman qui ne nous éclaire sur personne nous renseigne pourtant sur le romancier lui-même. » (Mauriac ajoute : « Mais cela est de peu de portée. »)

« Il faut donc que le chrétien, s'il est romancier, se résigne à n'avoir d'autre excuse que celle de sa vocation. » Mauriac s'acharna dès l'enfance à écrire des romans « comme ce danseur que je connais qui faisait déjà à six ans des entrechats et des pointes, comme mon frère l'abbé au même âge qui m'obligeait à demeurer en adoration devant son petit autel ».

Mais enfin toute vocation n'est pas voulue par Dieu. « La vocation du mal éclate aussi dans les jeunes êtres. » Alors? Mauriac pense qu'il est peut-être là pour témoigner justement de la culpabilité de l'homme et l'opposer à « l'innocence infinie de Dieu ».

Hélas! Mauriac ici se contredit. Il reconnaissait d'abord que la grâce manquait dans ses livres, qu'il présentait une humanité « sur laquelle la grâce n'avait pas mordu ». Dès lors cette humanité paraît-elle si coupable? Non. Mauriac peint bien le plus souvent une humanité abandonnée. « Je suis le peintre d'une créature déchue et souillée dès sa naissance. » Voilà qui est clair. Et la liberté manque furieusement.

Cette postface à *Galigaï* sous-entend la question qui fait périodiquement l'objet d'enquêtes dans les journaux spécialisés : pourquoi écrivez-vous? Mauriac se contente de mettre en avant un intime désir d'expression. Il pense qu'un écrivain se traduit (presque inconsciemment) et ne livre enfin qu'un portrait de soi (entendons : de ses sentiments, désirs et dégoûts, amours et haines). On ne saurait pourtant nier qu'un bon romancier nous instruit souvent en psychologie et que les livres ont une influence sur les mœurs. Si Mauriac ne le croyait pas, serait-il parti en guerre contre le *Bacchus* de Cocteau et *La Tête des autres* de Marcel Aymé?

Mauriac, d'ailleurs, cite un de ses critiques, R. M. Albérès, et reprend avec satisfaction une de ses phrases : il suppose que ses livres pourraient bien à une « littérature métaphysique » où l'homme se plaint de tout, opposer une « littérature psychologique » où l'homme n'a plus à se plaindre que de lui-même.

Cela n'est pas convaincant, mais nous aide à comprendre pourquoi la jeunesse de l'époque se tournait plutôt vers Camus ou Sartre. C'est que Mauriac condamne l'homme. Au contraire, Camus et Sartre lui font confiance contre toutes les raisons de désespoir. Et c'est bien dans la métaphysique qu'il faut, ici, chercher une explication : avec l'homme, c'est toute la création que rejette Mauriac. Camus et Sartre, qui n'ont pas l'espoir d'un autre monde que celui-ci, essaient de « faire jeu des cartes qu'ils ont ».

Mais ce monde-ci intéressait furieusement François Mauriac. Journaliste occasionnel depuis longtemps, il décida de devenir un professionnel incomparable. Et il le devint : personne n'a jamais eu l'esprit plus parisien, plus voltairien, que ce Bordelais catholique.

En juillet 1953, il définissait ainsi le danger qu'il courait en s'engageant dans la mêlée politique : « Jouer un personnage, penser à ma biographie. » Et, précisément, quelques jours plus tard, André Maurois lui disait : « Mais c'est parfait pour vous de vous occuper des indigènes. » Maurois parlait en biographe qui sait que la gloire de Voltaire serait moindre sans l'affaire Calas, ou la gloire de Zola sans l'affaire Dreyfus, ou la gloire de Gide sans l'affaire des grandes compagnies du Congo. Sans doute. Toutefois, on peut penser que ces grands écrivains et Mauriac à leur suite songeaient moins à sculpter leur statue qu'à répondre à une exigence de leur conscience. Mauriac affirme que ce sont des influences religieuses qu'il a subies principalement. Enfin, si la gloire est une belle chose, la tranquillité est une chose bien agréable. On ne niera pas qu'il faille du courage pour affronter la colère d'intérêts puissants. Mauriac a pesé les risques qu'il courait et n'a pas reculé. Comment ne pas noter que c'est au moment où le monde lui accorda sa suprême couronne, le prix Nobel, qu'il se sentit définitivement engagé? Il pouvait tranquillement vieillir dans les honneurs. Il a accepté qu'à ces honneurs fussent désormais mêlées les injures et les menaces.

Nous ne résisterons pas à la tentation de remarquer que Gide et Mauriac ne se sont totalement engagés dans l'action politique qu'au moment où ils eurent le sentiment que leur œuvre proprement littéraire était achevée et qu'ils avaient « remis leur copie ». Tolstoï lui-même ne se consacra-t-il pas strictement aux questions sociales ou religieuses qu'au moment où le génie créateur se fut retiré de lui? Mauriac se pose une question semblable et répond (15 avril 1955) : « Si nous sommes devenus journalistes, ce ne serait pas notre soif de justice qui se serait accrue, mais notre puissance de création qui aurait diminué. »

Il est vrai qu'il ajoute aussitôt : « Eh bien, non, je ne le crois pas. En ce qui me concerne, j'ai écrit, quand je l'ai voulu, *Le Sagouin, Galigaï, L'Agneau.* Je pourrais, aujourd'hui même, mettre en route un autre récit. Ce qui nous retient, ce n'est pas l'impuissance, mais plutôt cet « à quoi bon? » au-dedans de nous. »

Certes, et Gide a écrit pour sa part *Geneviève, Œdipe, Thésée,* mais on peut se demander si le « à quoi bon? » n'est pas exactement le signe d'un affaiblissement du génie créateur. Heureusement le génie d'écrivain reste intact : Mauriac n'a jamais mieux écrit. Pour tout amoureux de la langue française, le *Bloc-Notes* offre un plaisir constant.

Nous ajouterons encore que s'il arrive que des écrivains parvenus au faîte de leur carrière se détournent de la littérature et disent « à quoi bon? », tout au contraire, des hommes d'action, après une vie glorieuse et agitée, se transforment en écrivains : il leur semble sans doute que ce qui a été vécu doit être écrit pour avoir plus de chance de durée.

Le second tome du *Bloc-Notes* qui couvre les années 1958-1960 et fut publié en 1961 appelle d'autres remarques. Mauriac fut, jusqu'au 13 mai 1958, un écrivain de l'opposition à nos divers gouvernements, puis il est devenu, contre ses amis de la veille, le défenseur, sinon du nouveau régime, mais du moins de la personne du général de Gaulle. Il emploie, pour parler de lui, des accents proprement religieux : le général est un homme de Dieu, un homme providentiel. Jusqu'au 13 mai, Mauriac explique ce qui ne va pas. Après le 13 mai, il essaie de justifier toutes les décisions gouvernementales. On se rend aisément compte que la première attitude est celle qui convient le mieux à un écrivain : il s'appuie, dans ce cas, sur des faits. Dans le second cas, il fait état de ses espoirs et doit échafauder des suppositions : sa démarche devient alors hésitante. Du reste, Mauriac l'a bien compris puisqu'il a finalement renoncé au journalisme politique. Précisons que les remarques que nous venons de faire sont d'ordre strictement littéraire : quel que soit le régime, les bons écrivains sont toujours dans l'opposition ou ils cessent d'écrire sur la politique.

Pour publier ce qu'il pensait sur les problèmes d'Afrique du Nord, Mauriac avait dû abandonner *Le Figaro,* mais il ne l'avait pas quitté tout à fait : il y donnait des chroniques littéraires qui, réunies à leur tour en volume, devinrent les *Mémoires intérieurs* (1959). Beaucoup de bons juges tiennent cet ouvrage et sa suite pour le chef-d'œuvre de l'auteur. La manière dont il fut composé explique que les souvenirs de lecture y tiennent tant de place. Mais, pour un amateur de littérature, littérature et vie forment un tout indissociable.

A la fin de sa vie, Mauriac revint à l'art du roman. Il publia *Un adolescent d'autrefois* (1969) qu'il aurait pu donner comme une œuvre de jeunesse, composée par exemple en 1911, date où avaient paru ses poèmes *L'Adieu à l'adolescence.* L'action se situe au début du siècle et les dernières pages recoupent les premières de *L'Enfant chargé de chaînes,* son véritable premier roman, en 1913.

En 1911, Mauriac possédait déjà toute l'expérience, tous les souvenirs qui lui ont permis d'imaginer l'intrigue d'*Un adolescent d'autrefois,* qui se présente comme les cahiers, tenus irrégulièrement par un jeune homme qui cherche à savoir où il en est avec les autres et avec lui-même. En choisissant d'écrire à la première personne, Mauriac a peut-être voulu échapper aux reproches que lui adressait Sartre. En tout cas, dans *Un adolescent d'autrefois* on ne trouvera pas trace d'omniscience. Alain Gajac, le narrateur, ne cesse de se tromper quand il croit comprendre les autres, que ce soit sa mère ou sa maîtresse. Il s'apercevra de certaines erreurs : rien ne prouve qu'il ne se trompe pas une nouvelle fois, d'une autre façon. Rien ne prouve non plus que son histoire soit celle qu'il croit nous raconter honnêtement.

Alain Gajac est un fils de la riche bourgeoisie landaise (trois mille hectares...) Il vit sous la coupe d'une mère qui ne songe qu'à agrandir ses terres. Elle projette un mariage avec une future héritière, un petit laideron. Alain s'éprend d'une jeune fille — d'ailleurs bien plus âgée que lui et d'une condition sociale bien inférieure — et qui prétendra le libérer de l'esclavage familial. Mais elle n'y parviendra pas, car chacun doit se libérer soi-même. Alain portera bientôt la chaîne supplémentaire de se croire responsable de la mort de la petite héritière qu'on lui destinait : le fuyant à travers bois, elle est victime d'un détraqué qui la viole et l'étrangle. Ce jour-là, Alain venait de découvrir que la fillette était devenue jolie. Il découvrira aussi que sa mère était sincèrement attachée à cette enfant et qu'elle ne complotait pas seulement un mariage d'argent.

Il est beaucoup question de religion dans ce livre. Cependant, Alain nous communique surtout le dégoût qu'il éprouve pour la manière dont les possédants ont dénaturé le message du Christ. Lui-même suit-il mieux l'enseignement des Évangiles? Il se borne à se mettre à genoux quand il se trouve malheureux. Et il écrit ces lignes : « Toute ma religion ne tenait qu'à ce geste d'enfant malheureux qui pour tant d'autres serait à la fois une absurdité et une lâcheté : comme si le cerf aux abois était lâche d'entrer dans l'étang pour y échapper aux chiens! Et moi je savais qu'il allait se faire un grand calme, et que, vivrais-je un siècle, et même si tous les philosophes et les savants reniaient le Christ, et même s'il ne restait plus personne avec lui, moi j'y serais encore; non pour servir les autres, comme les vrais chrétiens, non parce que j'aime les autres comme moi-même; mais seulement parce que j'ai besoin de cette bouée pour flotter, pour me maintenir à la surface de ce monde atroce, pour ne pas couler. »

La religion ainsi conçue n'est qu'illusion dont se bercent l'égoïsme et la peur d'un enfant geignard. Pas la moindre générosité n'y perce. Alain reconnaît d'ailleurs qu'il n'est pas un « vrai chrétien », mais à quoi sert d'avoir la foi si elle ne nous transforme pas?

Mauriac, certes, n'épargne pas son héros. Il lui fait avouer que, s'il est chaste, c'est pour avoir vu certaines images sur les maladies vénériennes dans un musée Dupuytren de foire. Là encore, la peur le mène et non pas la vertu. L'amour charnel serait merveilleux s'il était sans danger. Alain se rappelle que sa grand-mère répétait qu'elle eût mieux aimé devenir un crapaud sous une pierre que de mourir, et il ajoute : « Comme si être un crapaud sous une pierre n'était pas le bonheur, comme s'il y avait d'autres bonheurs en ce monde que d'appeler doucement sa femelle et que de se rejoindre sous les pierres ou dans l'herbe enchevêtrée! »

Cette référence au crapaud est inattendue. Mauriac s'est toujours plu à comparer les êtres humains à des bêtes. Seulement, il n'aime pas les animaux et les appelle d'ordinaire à la rescousse pour abaisser l'homme. Le mystère de la création lui paraît résider en ceci, que l'homme possède une double nature : « Une âme dans un corps de chien. » Saint François d'Assise ne lui a jamais soufflé qu'un chien pouvait, lui aussi, avoir une âme. (Et quel autre saint a dit que les chiens étaient des anges déguisés? Un « vrai chrétien », probablement.)

En revanche, les arbres du domaine de Maltaverne inspirent à notre auteur des sentiments proprement religieux : l'adolescent d'autrefois rend un culte secret à un grand chêne du parc. Il faut dire que l'attachement de Mauriac à la forêt landaise a été fort bien récompensé : il y a puisé le meilleur de son inspiration poétique.

Mort après le renoncement du général de Gaulle au pouvoir, il ne devait pas avoir des funérailles nationales comme Valéry, mais du moins des obsèques officielles. A défaut d'un testament politique, il laissait les premiers chapitres de la suite qu'il comptait donner à *Un adolescent d'autrefois* et qui ont paru sous le titre de *Maltaverne* (1972).

Il a pris beaucoup de précautions pour que le lecteur ne le confonde pas avec son héros : certes, le narrateur est un romancier, mais il n'a écrit qu'un seul livre; certes, il s'est fait une brillante réputation de chroniqueur journaliste, mais il n'a jamais parlé de politique; enfin et surtout, il ne s'est pas marié, n'a pas eu d'enfant et *Maltaverne* devait précisément raconter l'histoire d'une adoption, celle d'un jeune homme de dix-neuf ans, grand admirateur du vieil écrivain.

Le premier chapitre nous montre Alain Gajac, le vieil écrivain, décidé à envoyer ses dernières confessions à l'expéditeur inconnu d'une lettre enthousiaste. Les trois suivants chapitres racontent les débuts parisiens de Gajac — avant la guerre de 1914. C'est un garçon mondain, avec une vie intérieure bien cachée et des fréquentations voyantes. Il apprend avec terreur qu'on dit de lui qu'il est « un couci-couça — mais plutôt couça que couci ». Pour échapper à la médisance, il décide de se marier avec une jeune fille qu'il connaît à peine. Un soir, après avoir repoussé les avances d'une nymphomane qui l'avait attiré dans une sorte de guet-apens, il reçoit un télégramme l'appelant dans les Landes, où sa mère est au plus mal. Il la reverra vivante et aura même le privilège de pouvoir adoucir ses derniers moments, en la délivrant des doutes qu'elle avoue sur ses chances d'avoir mérité la miséricorde divine. Elle meurt rassurée. Alain Gajac éprouve sur le moment une forte tristesse et accueille dans l'indifférence la nouvelle que la petite Parisienne qu'il voulait épouser ne veut plus de lui, la famille ayant accordé trop d'attention à des « ragots ». Puis, la tristesse s'envole, si vite que notre héros en a honte : le voici devant une vie toute neuve qu'il va consacrer aux voyages et aux aventures.

Le grand tourment d'Alain Gajac n'a nullement été d'ordre religieux. Alain Gajac n'a jamais douté de l'existence de Dieu. Non, ce dont il a souffert, c'est de se sentir de jour en jour moins jeune. Il se décrit épiant les moindres signes de vieillissement, pour en analyser les conséquences dans ses rapports avec les autres : « Tourment dont je me suis senti guéri, non certes par la vieillesse qui fut un enfer, mais par le grand âge qui, parce qu'il n'a d'autre perspective que la mort, apporte une paix propice à la vie avec Dieu. »

Voilà l'affreuse confession que Gajac adresse à son jeune admirateur. Nous ne saurons pas ce que le jeune homme en aura pensé. Mais Mauriac a la cruauté de nous montrer que le vieil écrivain mentait en s'affirmant guéri par le grand âge. La scène est belle : elle raconte la première rencontre de Gajac avec son correspondant. « Tous les visages me blessent... » avait-il écrit autrefois. Et maintenant : « Celui-ci, ce visage, je le reçus, je le subis, comme si une fine lame m'avait frappé. » C'est sur soi-même que Gajac pleure : « Moi aussi j'ai eu dix-neuf ans, j'ai été un jeune être comme celui-là. C'est fini! C'est à jamais fini! Jamais plus! Jamais plus! »

Ce désespoir n'a rien d'édifiant et Mauriac, une dernière fois, n'a pas craint de scandaliser les bien-pensants.

Du moins n'avait-il pas l'intention de pousser Gajac au suicide. Dans son idée, le jeune Jean de Cernès devait mourir avant le vieil écrivain, tué dans un accident d'automobile... Mais, de toute façon, ce n'aurait pas été une œuvre de patronage. Le Diable aura collaboré jusqu'au bout avec « le grand romancier catholique ».

MARCEL JOUHANDEAU, UN HOMME HEUREUX

En 1940, Marcel Jouhandeau (né en 1888) se trouvait l'auteur d'une trentaine d'ouvrages qui constituaient déjà une œuvre originale et forte. Il n'avait jamais connu que de petits tirages et le grand public ignorait son nom, mais sa valeur était reconnue par les meilleurs écrivains de l'époque. Il était auréolé aux yeux de nombreux jeunes gens d'une gloire secrète.

Son existence était soigneusement compartimentée. Écrivain qui ne vivait pas de sa plume, il était professeur de sixième dans un pensionnat religieux. Il avait épousé une ancienne danseuse, fréquentait le beau monde et trouvait encore le temps d'avoir de nombreuses aventures particulières.

Son œuvre, comme lui-même, se trouvait divisée. Il distinguait en lui trois personnes : à Théophile, il avait délégué la fraîcheur et les aspirations de son enfance et de son adolescence; il avait prêté à M. Godeau des expériences que Théophile eût condamnées; quant à Juste Binche, il était l'image de ce que Jouhandeau avait été près de ses parents.

Chacun de ces personnages se trouvait à l'origine d'un cycle particulier, bien que l'œuvre n'eût jamais obéi à un plan préétabli. Sous le signe de Théophile et de Juste, Jouhandeau est tourné vers les autres. Il est le créateur d'une comédie humaine qu'il a fait tenir dans le cadre d'une petite ville de province, baptisée par lui Chaminadour. Ses personnages sont tous hauts en couleurs et leur destin se trouve toujours magnifié, dans le grotesque ou dans le sublime, ou dans les deux à la fois, car Jouhandeau ne doute jamais de la grandeur de la personne humaine.

Avec le personnage de M. Godeau, il avait entrepris d'exalter sa propre majesté. Sa condition lui paraît merveilleuse, dans la mesure où Dieu a créé l'homme éternel et libre. Si cet homme abuse de la situation qui lui a été faite, c'est Dieu qui se trouve le plus malheureux, privé de sa créature. Sous le couvert de cette étrange théologie, Jouhandeau se consolait d'être lié à ce qu'il appelait alors son vice.

Car, après une jeunesse pieuse (il songea même à devenir prêtre), Jouhandeau avait reconnu que le culte qu'il avait le plus envie de célébrer était celui, tout profane, du corps masculin. Mais il ne s'abandonna pas à ses penchants sans éprouver le sentiment de sombrer dans l'abjection. S'il se maria, ce fut dans l'espoir de guérir et de rentrer dans l'ordre. Les lecteurs de *M. Godeau marié* (1933) ne soupçonnèrent pas tous quelle était l'histoire qu'on leur racontait. N'aurait-il pas été tenu à la discrétion par son métier de professeur, Jouhandeau avait alors sa mère qu'il ne voulait pas attrister (elle mourut en 1936).

M. Godeau dit qu'il s'était marié en renonçant à l'amour, puisque l'amour tel qu'il le concevait était un crime. Jouhandeau était cependant de nature trop heureuse pour considérer longtemps comme un crime des plaisirs qui ne causaient de tort à personne. (Il oubliait le serment de fidélité qu'il avait fait à Élise.) A la veille de la guerre, au moment même où il publiait *De l'abjection* (sans le signer), il vivait un nouvel amour et ne le considérait plus du tout comme criminel.

Durant l'Occupation, Jouhandeau fit lui-même le point sur son œuvre en écrivant *Essai sur moi-même,* un de ses livres essentiels qui ne devait paraître qu'en 1946. Il avait cinquante-huit ans et se préparait à une seconde carrière littéraire qu'il pourrait mener librement, après avoir pris sa retraite de professeur (1949). Il allait bien encore publier quelques récits et nouvelles, mais il les sortait de ses tiroirs (c'est ainsi que *Les Argonautes*, composés en 1929, ne parurent qu'en 1958). Tout ce qu'il écrirait désormais serait d'ordre autobiographique. Plus de Godeau : Marcel se présenterait à visage découvert. Il lui est même arrivé de dire que, si cela lui avait été possible, il n'aurait, dès le début de sa carrière, publié que des pages de journal. Heureusement, un écrivain ne peut prétendre publier son journal qu'après s'être fait connaître par des œuvres structurées.

La seconde carrière de Jouhandeau culmine d'ailleurs dans la série du *Mémorial* où certains souvenirs ont donné prétexte à de nouveaux contes très élaborés. Le *Mémorial* comprend sept volumes : *Le Livre de mon père et de ma mère* (1948), *Le Fils du boucher* (1951), *La Paroisse du temps jadis* (1952), *Apprentis et Garçons* (1953), *Le Langage de la tribu* (1955), *Les Chemins de l'adolescence* (1958) et enfin *Bon an, mal an* (1973) qui, à lui seul, couvre autant d'années que les six premiers réunis, lesquels étaient consacrés à Guéret-Chaminadour. *Bon an, mal an* raconte à grands traits la vie de l'auteur, de son arrivée à Paris, à vingt ans, en 1908, jusqu'à 1928, où il devait rencontrer Élise. Ce n'est pas que Jouhandeau considère que ces années 1908-1928 furent moins riches que celles qui avaient précédé; mais il en avait déjà raconté tous les événements marquants, en les transposant plus ou moins dans des récits et chroniques. Il nous les présente ici tels qu'ils se produisirent dans la réalité.

Le *Mémorial* est un des grands livres de la littérature contemporaine. Ce n'est pourtant pas grâce à lui que Jouhandeau devint un écrivain célèbre...

Parenthèse Grasset.

Dans une *Histoire de la littérature,* il n'est pas déplacé de consacrer une parenthèse au rôle que joua l'éditeur Bernard Grasset dans la carrière de Jouhandeau (et dans la vie littéraire en général).

De Bernard Grasset (1881-1955), il faut lire la *Lettre sur les conditions du succès en librairie* (1951), où il explique que le talent ne suffit pas à un écrivain pour pouvoir être lancé. Il faut un fait sur quoi établir la publicité et « le talent n'est pas un fait, étant toujours discutable ». « Il y faut ajouter, pour lancer une œuvre, une chose indiscutable comme est sa publication dans une collection recherchée, le fait que l'auteur a seize ans ou qu'il est sourd-muet ou qu'il se trouve en constante dispute avec sa femme. » Grasset donne les exemples précis de *Maria Chapdelaine* publié dans *Les Cahiers verts* et du *Diable au corps.* « Quand j'ai lancé Radiguet, je n'ai pas dit ce mot que l'on me prête : " Il a du génie. " J'ai dit : " Il a seize ans. " La chose parut une provocation. " Est-on capable d'écrire un roman à seize ans? " C'est là-dessus que l'on discuta... Et je dus retirer l'ouvrage dans la semaine où il parut. »

Certes, Bernard Grasset était un grand éditeur. Ses deux dernières grandes opérations de librairie furent l'opération Bazin et l'opération Jouhandeau. Hervé Bazin fut lancé grâce à deux faits : sa proche parenté avec l'académicien René Bazin et la haine qu'il affichait pour sa mère (c'était *Vipère au poing*, le petit cheval n'était pas mort). Hervé Bazin fut célèbre du jour au lendemain pour un livre de début ni meilleur ni moins bon que beaucoup d'autres. « Il y a trente mille Bazin, il n'y a qu'un Bernard Grasset », écrivait Roger Nimier.

L'opération Jouhandeau mérite de retenir davantage l'attention parce que nous sommes ici en présence d'un très grand écrivain. Marcel Jouhandeau avait une soixantaine d'années. Il avait publié, depuis 1920, une trentaine d'ouvrages. On le lisait régulièrement dans la *Nouvelle Revue française et* son éditeur était Gaston Gallimard qui passe souvent, lui aussi, pour un grand éditeur. Eh bien, Jouhandeau n'avait l'admiration que d'une chapelle. Enfin, Grasset vint.

Donnons des dates : en 1948, Jouhandeau publia à la N.R.F. un livre intitulé *Scènes de la vie conjugale I. Ménagerie domestique.* Le livre passa inaperçu. Il n'apportait rien de nouveau dans l'œuvre d'un auteur qui nous avait d'ailleurs donné quelques mois plus tôt le premier tome de l'extraordinaire *Mémorial.* Nous attendions la suite du *Mémorial.* Cette *Ménagerie domestique* nous paraissait un petit supplément aux *Chroniques maritales* (lesquelles avaient déjà été suivies de *Nouvelles chroniques maritales*).

Or, en 1950 : *L'Imposteur* parut chez Grasset, dans une nouvelle série des fameux *Cahiers verts.* Il parut comme un roman, l'édition ordinaire sous couverture illustrée. Rien n'indiquait qu'il s'agissait de *Scènes de la vie conjugale II.* La publicité annonçait seulement « le plus mauvais ménage de Paris ». Comme par hasard, les journalistes s'intéressèrent brusquement à la vie privée du couple Jouhandeau, on demanda des interviews à Madame, à Monsieur, aux amis, aux amies. On publia des reportages abondamment illustrés. Toutes ces indiscrétions de presse firent connaître Marcel Jouhandeau jusqu'à Romorantin. Dix chefs-d'œuvre n'avaient point obtenu précédemment ce résultat. Il avait fallu l'exploitation de ce fait : le ménage Jouhandeau est un ménage terrible.

JOURNALIERS.

Jouhandeau a toujours tenu des carnets. Il en répartissait les notes en divers volumes. Il en tirait des livres anecdotiques : *Ma classe de sixième* (1949), *Carnets de l'écrivain* (1957) ou *L'École des filles* (1961), ou bien encore des ouvrages de moraliste : *Réflexions sur la vieillesse et la mort* (1956) ou *Réflexions sur la vie et le bonheur* (1958).

A partir de 1961, il décida de livrer ses cahiers tels quels, toutes préoccupations mêlées, sinon confondues. Le premier volume des *Journaliers* couvrait la période 57-59. Vingt-cinq autres ont suivi qui nous mènent jusqu'en 1971, date de *La Mort d'Élise* (titre du dernier volume paru, 1978). On n'a pas manqué de dire que Jouhandeau écrivait trop. Il répondait qu'il écrivait comme on fait oraison, sans penser au lecteur, et qu'après tout le lisait qui voulait bien.

Dans ces *Journaliers* on trouve quelques-unes de ses meilleures pages. Nous donnerons comme exemple celles où il évoque l'histoire d'un homme qui fut Adonis dans sa jeunesse et que la vie changea en une espèce de sanglier : « Et voilà ce que deviennent les objets de notre adoration, quand Dieu les abandonne à eux-mêmes. » (*La Vertu dépaysée*, p. 205-210.)

Or il existe une version différente de ces pages, dans la N.R.F. de mai 1968. Le texte paru en revue constitue le premier texte et probablement le premier jet. On y trouve des phrases dont la construction grammaticale n'a rien à envier au désordre de Saint-Simon : « Oui quand j'avais de treize à quatorze ans, à 8 heures du matin, je me revois toujours au moment où, accompagné par Chimène, j'entrai à la Celle-Dunoise dans une maison où quelqu'un était mort. » Dans *La Vertu dépaysée,* on lit : « Toujours je me reverrai, je me revois (j'avais de treize à quatorze ans), quand j'entrai dans cette maison inconnue dont le maître venait de mourir. »

Mais il y a plus curieux que les corrections de style. Dans la revue, Jouhandeau décide d'entreprendre un dernier voyage « pour consoler le monstre » : « il y a un mystère là que je veux éclaircir ». Dans le volume, il dit : « Non, je me ferai un devoir d'y renoncer par discrétion. Le mot de l'énigme peut-être est là : Sanglier signifie singulier. »

On s'étonne parfois que certains hommes soient favorisés par d'étonnantes rencontres. En réalité, ces rencontres paraissent étonnantes parce que ce sont ces hommes-là qui les font. Dans la revue, l'homme de la Celle-Dunoise « a l'air d'un sanglier ». Dans le livre, il est « changé en sanglier ». Par ce léger coup de pouce, nous entrons dans le domaine des métamorphoses. Dans son texte définitif, Jouhandeau n'a plus besoin d'évoquer Ovide : le lecteur a été conduit à le faire de lui-même.

Le héros des *Journaliers* est l'auteur lui-même dont les déboires divers ne compromettent jamais son parti pris de bonne humeur car il soutient que la vie est une fête et que, en dépit de tout, c'est à nous de décider qu'elle doit continuer de l'être. On peut saluer une espèce d'héroïsme dans cette attitude et l'on doit reconnaître qu'elle constitue une leçon pour nous tous. Jouhandeau est un héros cornélien. La haute idée qu'il se fait des autres et de lui-même l'empêche de jamais capituler devant l'adversité. Voilà qui nous change de tant de pleureurs et de gémisseurs. Le secret de l'éternelle jeunesse de Jouhandeau, c'est sans doute cet amour de la vie et de soi-même contre lequel le diable lui-même est impuissant.

Il a inventé un style de vie auquel s'accorde son style d'écrivain. Rien n'est plus souple que la langue française dont use Jouhandeau en brisant la syntaxe traditionnelle et en multipliant les inversions. De la place où il les situe dans la phrase, les mots tirent leur valeur et, sinon une signification inattendue, du moins un poids particulier. Nous ne pensons pas que les partisans du langage parlé aient inventé un langage plus neuf. Du reste, nous ne serions pas surpris que Marcel Jouhandeau n'essaie ses périodes à voix haute, afin de vérifier si leur mouvement musical correspond exactement au déroulement de sa pensée. Ce langage écrit est le langage que parle l'artiste Marcel Jouhandeau.

GEORGES BERNANOS

En 1940, exilé au Brésil depuis septembre 1938, Bernanos (1888-1948) a presque achevé son œuvre romanesque. Il lui reste à terminer *Monsieur Ouine* qui paraîtra à Rio en 1943 et que nous ne connaîtrons en France qu'en 1946. Mais, dans le domaine des essais et des textes politiques, il a une activité débordante dont témoignent notamment *Lettre aux Anglais* (1942), *Le*

Chemin de la Croix-des-Ames (1943-1945), *La France contre les robots* (1944). De son activité de journaliste et de conférencier sortiront encore, après sa mort, plusieurs volumes : *Les Enfants humiliés* (1949), *La Liberté pour quoi faire?* (1953), *Le Crépuscule des vieux* (1956), *Français si vous saviez* (1961). Cependant, avant de mourir, le hasard d'une commande de dialogues pour un film, lui a permis de faire vivre une dernière fois des personnages pathétiques et de composer une œuvre qui a pris figure de testament spirituel : *Dialogues des Carmélites*.

Le scénario était dû au R.P. Bruckberger qui s'était inspiré d'une nouvelle de Gertrud von Le Fort. D'où des disputes sur la propriété littéraire des *Dialogues,* mais il ne fait aucun doute que Bernanos s'est approprié les personnages et leur a confié son angoisse et son espérance. La petite Blanche de la Force triomphe de sa peur et s'offre au sacrifice : Bernanos lui-même trouva le courage d'offrir sa mort et de mourir consentant.

Paulhan parlait de Bernanos comme d'un « écrivain plein de fumée et qui semble inconsistant dès qu'on l'analyse ». Ce jugement paraît juste si l'on considère en Bernanos l'essayiste. Dans ses *Regards sur Bernanos* (1976), Henri Guillemin a bien montré l'apparente incohérence de sa trajectoire politique, ses contradictions, ses ignorances et ses illusions. Mais Bernanos n'était assurément pas un être de raison, il était un être de passion et il se laissait guider par ses fameuses colères. Celles-ci étaient toujours provoquées par de graves atteintes à l'honneur et à la dignité de l'homme.

Bernanos était un violent qui s'abandonnait à ses passions, et sa première passion était la haine du mal. On risque peu de se tromper en disant de lui ce que l'abbé Menou-Segrais dit de l'abbé Donissan : que ses excès vertueux prouvent qu'il était exceptionnellement tenté et que le Diable était entré dans sa vie. On ne peut en tout cas comprendre autrement ses romans. Bernanos se défendait comme un furieux contre la tentation. Sa fureur lui était si essentielle qu'il en était venu à considérer le calme de l'esprit comme le suprême péché. Voyez ce qu'il dit de Satan : « Si loin qu'il pousse la ressemblance de Dieu, aucune joie ne saurait procéder de lui, mais, bien supérieure aux voluptés qui n'émeuvent que les entrailles, son chef-d'œuvre est une paix muette, solitaire, glacée, comparable à la délectation du néant. » Bernanos n'a jamais connu aucune sorte de paix. Peu gâté par la vie, il se réfugie dans l'espérance et combat au nom du catéchisme de son enfance. Il va de soi qu'il ne relisait pas ce catéchisme dans le texte, mais dans son cœur.

Les romans de Bernanos pèchent souvent par des défauts de construction. Mais, chez un écrivain de génie, il arrive que les défauts deviennent des mérites. Si *Monsieur Ouine* était un roman moins confus, aurait-il autant d'épaisseur? Cette confusion qu'on ne peut nier est celle-là même de la vie, où tout n'est pas simple ni compréhensible. Et tant pis si *Monsieur Ouine,* qui commence comme un roman policier, s'achève sans qu'on sache qui a tué le petit berger qu'un matin on a trouvé par hasard « juste au ras de l'étang, sous les ronces, nu ».

Dans *Monsieur Ouine,* Bernanos a fondu deux romans, dont l'un était annoncé depuis longtemps sous le titre *La Paroisse morte*. Nous avons ainsi le tableau d'un village sans Dieu, dont, après l'assassinat du berger, le Démon va tenter de faire son fief. On sait quelles sont les armes des suppôts de Satan : la dénonciation, la calomnie, la lettre anonyme. Et nous assistons à deux suicides, à un lynchage. Le village s'est réveillé, mais son unité ne se refera pas : il est impossible — selon Bernanos — de se rassembler sous le signe du mal. Voici quelques-unes des paroles que prononce le prêtre à l'enterrement du petit mort : « Vous vous sentez tout transis, tout froids. On parle toujours du feu de l'enfer, mais personne ne l'a vu, mes amis. L'enfer, c'est le froid. Hier encore, les nuits n'étaient pas assez longues pour épuiser votre malice et vous vous leviez, chaque matin, la poitrine encore pleine de poison. Et voilà que le diable lui-même s'est retiré de vous. Ah! que nous sommes seuls dans le mal, mes frères! Les pauvres hommes, de siècle en siècle, rêvent de rompre cette solitude-là — peine perdue! Le diable, qui peut tant de choses, n'arrivera pas à fonder son Église, une église qui mette en commun les mérites de l'enfer, qui mette en commun le péché. D'ici la fin du monde, il faudra que le pécheur pèche seul, toujours seul — nous pécherons seuls, comme on meurt. Le diable, voyez-vous, c'est l'ami qui ne reste jamais jusqu'au bout. » (P. 166.)

Le second roman concerne cette « délectation du néant » que nous évoquions tout à l'heure. Si Bernanos a donné à son livre le nom de M. Ouine, c'est que cet homme étrange, un professeur en retraite, personnifie le péché sans remède, qui vient obscurcir la conscience moderne : le péché d'ennui. De même que le seul vrai blasphème est le silence, l'ennui est le principe de la mort du corps et des âmes. Ses séductions paraissent considérables, car l'homme ennuyé se trouve au-dessus de la création qu'il méprise. Le jeune Philippe dit à M. Ouine : « Vous me faites peur. Je vous suivrais au bout du monde. » Mais M. Ouine ne bougera pas. Philippe garde des chances d'être sauvé parce qu'il ajoute : « Demain, peut-être, vous me ferez rire. »

Écoutez pourtant comme il parle de son maître : « ... Il ne dit jamais de mal de personne, et il est très bon, très indulgent. Mais on voit au fond de ses yeux je ne sais quoi qui fait comprendre le ridicule des gens. Et ce ridicule ôté, ils n'intéressent plus. Ils sont vides. La vie aussi est vide. Une grande maison vide, où chacun entre à son tour. A travers les murs, vous entendez le piétinement de ceux qui vont entrer, de ceux qui sortent. Mais ils ne se rencontrent jamais. Vos pas sonnent dans les couloirs, et si vous parlez, vous croyez entendre la réponse. C'est l'écho de vos paroles, rien de plus... » (P. 218.)

S'il évoque comme personne la vie intérieure (pleine ou vide) de ses personnages, Bernanos est également un prodigieux peintre de paysages. Le Boulonnais de *Monsieur Ouine* est inoubliable.

JULIEN GREEN

Toute œuvre riche permet de nombreuses interprétations. Ainsi l'œuvre de Julien Green (né en 1900) a-t-elle pu être saluée d'abord comme une œuvre réaliste dans une tradition balzacienne, puis comme une œuvre fantastique, enfin comme une œuvre témoignant d'une vérité supérieure et d'ordre religieux. Il est probable que toutes ces explications sont acceptables. D'ailleurs, si l'on cite Balzac comme maître du réalisme, on sait assez que ce grand auteur fut salué aussi comme un visionnaire.

Ce qui semble avoir le plus frappé José Cabanis, préfacier des *Œuvres complètes* dans la Pléiade, c'est que Julien Green, qui connut une enfance heureuse et une carrière facile, nous ait offert une œuvre romanesque angoissée et angoissante. En somme, Julien Green se montrerait bien ingrat envers la vie. C'est qu'il a toujours cru à une autre vie, future, auprès de laquelle celle-ci ne serait rien et à laquelle il n'était pas certain de pouvoir prétendre. Car ce qui fait les délices de la terre est peut-être ce qui empêche de mériter le bonheur éternel. Julien Green a connu une existence apparemment enviable, mais troublée par une tempête de sentiments hostiles, qui devinrent la matière même de ses livres.

On en arrive à se demander si les gens qui n'ont aucune foi ne sont pas plus favorisés que ceux qui ont des croyances (et des doutes).

Le journal de Julien Green n'offre guère de surprises. Il est cependant très attachant, et jusque dans sa monotonie.

Le 10 juin 1928, Green écrivait : « Cette journée qui s'achève a été solitaire et assez triste. Il me semble que depuis quelque temps ma vie n'est plus qu'un renoncement continuel à tout ce qui m'attire. » Relisant ces phrases le 21 juillet 1950, Green déclare : « En 1950, écrirais-je autre chose? Et tous ces pauvres papiers ne me crient-ils pas que je tourne en rond? A la longue, cette espèce de guerre contre une partie de moi-même me lasse et me déprime. »

Le thème principal du journal est la lutte d'un homme pris entre les tentations sensuelles du monde et la séduction d'une foi qui libère de tous les problèmes. Ce thème est, paraît-il, beaucoup plus développé qu'il ne le paraît dans le journal publié. Julien Green, à la manière de Montherlant, réserve les pages qu'il estime trop fortes pour le lecteur d'aujourd'hui : « Dans l'état actuel du monde, ce journal paraîtrait effarant à ceux-là mêmes pour qui il est fait. Ce n'en est pas moins mon meilleur livre. (Je parle, bien entendu, du texte intégral.) »

Julien Green ne craint-il pas qu'à travers ce qu'il nous en laisse supposer, nous n'imaginions ce journal intégral beaucoup plus effarant qu'il n'est en réalité? A une époque où des œuvres comme celles de Sade, de Genet ou de Pauline Réage ne se vendent pas sous le manteau, mais sont exposées dans les vitrines des libraires, on se demande bien ce qui pourrait nous effarer.

A vrai dire, ce qui est un peu agaçant, ce n'est certes pas que Julien Green nous cache certaines pages de journal, c'est qu'il nous rappelle si fréquemment qu'il nous cache quelque chose qu'il nous révélera un jour.

Un autre tic de Julien Green est de répéter qu'il ne sait jamais, au moment où il écrit un roman ou une pièce, où ses personnages le mèneront. Il plaide une complète irresponsabilité : ses personnages sont libres et, d'ailleurs d'autant plus révélateurs, comme sont les rêves. Les romans de Julien Green sont des rêves éveillés. On imagine la surprise de l'auteur quand il lut dans le journal de Gide que celui-ci le soupçonnait de ne parler d'irresponsabilité que pour lui faire plaisir : « Il faut savoir que Gide venait de me faire cadeau d'un bel exemplaire de son *Journal des Faux-Monnayeurs* où il disait qu'il suivait ses personnages et que ses personnages le menaient, mais ce qu'il ne savait pas, c'est que je ne lisais pas souvent ses livres et que je n'avais pas lu celui-là parce que je n'avais jamais lu (et n'ai encore jamais lu) *Les Faux-Monnayeurs*. »

Green note que cette déclaration « scandalisera » certains. Mais non, elle ne scandalise pas : simplement, elle étonne. Voilà un curieux cas d'incuriosité. Julien Green explique que Gide lui avait paru beaucoup plus étonnant dans sa conversation que dans les pages qu'il avait lues de lui.

On apprend aussi que Green n'avait pas lu Dostoïevsky : « Pendant trente ans, j'ai hésité à lire Dostoïevsky. Je me méfiais de lui et j'avais raison. Si je l'avais lu plus tôt, toute une partie de mon œuvre eût été différente ». On se demande alors si c'est par incuriosité ou par crainte que Green a négligé *Les Faux-Monnayeurs*.

Quels sont, demanderez-vous, les grands auteurs de Julien Green? On verra, dans ce journal, l'intérêt qu'il porte à Hawthorne et aussi à Platen, poète allemand dont on ne connaît guère, en France, que le poème intitulé *Tristan* (« Qui jamais a vu la beauté, le voici promis à la mort »).

La séduction du journal de Green vient enfin de ce qu'il nous entretient d'un monde préservé, comme celui de Henry James. On n'y souffre que des tourments de l'âme. On nous y promène de Salzbourg à Megève, d'Anvers à Venise. Et les gens que rencontre Green, c'est Colette, c'est Malraux, c'est Cocteau. Certes, il s'agit d'un document spirituel souvent émouvant, mais c'est aussi le produit d'une civilisation menacée.

Et l'on comprend les réserves que, dans son *Bloc-Notes,* Mauriac formulait sur un style de vie religieuse qui s'allie si bien à un hédonisme inguérissable : « Il y a là je ne sais quoi de retranché, d'indifférent à la condition des autres hommes. Les ponts sont coupés. Que le monde se perde! Nous sommes, nous autres écrivains dévots devenus ermites, austèrement enfermés dans le *Nautilus* de notre bibliothèque... »

Les plus puissants tourments de Green, il faut les chercher dans ses romans et dans son théâtre. On sait que ses débuts furent salués par Bernanos qui assura que *Mont-Cinère* (1926) était un livre « marqué du signe de la vérité. »

On se demande bien ce que Bernanos entendait par le signe de la vérité : c'est une vérité très particulière à Green qui éclaire (et par éclairs) ces livres.

Le premier mérite de Green est d'avoir créé un monde bizarre et obsédant, tragique conséquence d'une inadaptation foncière à celui que nous vivons. Julien Green ne s'évade pas : il matérialise au contraire ses cauchemars. Nous présentant un monde très personnel, il parvient à paraître très objectif. Il prend ses distances vis-à-vis de lui-même. Les orages planent dans ses livres, mais tardent à éclater : quand la violence se déchaîne, Green garde son impassibilité. Dans sa période d'après guerre, ses grandes réussites romanesques s'appellent : *Moïra* (1950), *Le Malfaiteur* (1956), *Chaque homme dans sa nuit* (1960).

Le monde de *Moïra* (qui se situe vers 1920) est aussi lointain que celui de *La Lettre écarlate*. Il existe certes une parenté Green-Hawthorne. L'inquiétude de Green est métaphysique. C'est au reste ce qui a permis à certains critiques de situer malgré tout son œuvre parmi les courants de l'époque : on trouve ici l'angoisse qui sourd du quotidien, l'étouffement devant l'absurde.

Voyons l'intrigue de *Moïra :* voici un jeune et joli garçon, Joseph Day, rouquin à la peau laiteuse, qui quitte son village pour venir à l'Université apprendre à lire le Nouveau Testament dans le texte grec. Assurément c'est un étudiant exceptionnel : il baisse les yeux devant les statues, lacère un exemplaire de *Roméo et Juliette* où il a découvert un passage nettement obscène. Il pousse le puritanisme jusqu'à se dévêtir chaque soir dans l'obscurité, jusqu'à refuser qu'un tailleur prenne sur lui les mesures d'un pantalon. « Et quant à l'acte impur par lequel on l'avait conçu, un garçon honnête n'y pensait jamais. »

La première partie nous montre Joseph et ses camarades : Bruce Praileau qui devine qu'en cet orgueilleux fanatique il y a un assassin, le petit Simon qui s'en éprend d'une façon désespérée (mais Joseph ne comprend même pas de quoi il s'agit), le sage David qui veut aider l'étudiant pauvre (mais son austérité n'est guère engageante).

Un « innocent », Joseph? Il est très tourmenté. Il succombe un soir solitairement. Et puis ce sera la rencontre de Moïra, que des camarades, agacés par tant de vertu, lui enverront pour le déniaiser. Joseph connaîtra la jeune fille puis la tuera. Bruce Praileau proposera au jeune assassin de l'aider à fuir, mais ce roman américain finit à la manière de quelques romans russes.

Les critiques bien-pensants voient volontiers dans *Moïra* un drame de la pureté, un combat entre l'âme et la chair. Les critiques mal-pensants trouvent que l'auteur décrit un cas qui relève de la psychiatrie. Qui a raison et s'agit-il d'avoir raison? Si ce roman est édifiant, il témoigne contre la plupart des convictions avouées de Green. Mais peut-être en est-il ainsi et avons-nous là un roman d'une étrange ironie noire.

Le *Journal* nous permet de suivre les différentes phases de la construction du roman. A la date du 18 octobre 1949, Green écrivait : « Joseph sera lancé contre elle (Moïra) comme contre un mur. Pour s'y fracasser. »

Remplaçons les noms de Joseph et de Moïra par ceux de Ian Wiczewski et d'Érick Mac Lure, nous aurons le sujet de *Sud* (1953). Cette pièce est une grande réussite théâtrale et tient dans l'œuvre de Green la place d'*Asmodée* dans celle de Mauriac. Mais, après ce début sensationnel, Green fut moins bien inspiré dans *L'Ennemi* (1954) et dans *L'Ombre* (1956). De même, Mauriac ne retrouva jamais au théâtre la force d'*Asmodée*.

Green revint au roman et termina un ouvrage qu'il avait commencé en 1937 et qui lui paraissait alors trop audacieux. C'est *Le Malfaiteur*.

L'action se passe en province où Jean, un intellectuel passionné d'art, vit chez ses cousins, les Vasseur. Ceux-ci ont recueilli d'autre part une jeune nièce orpheline, qui répond au prénom d'Hedwige. Cette jeune fille très pure est la seule personne pour laquelle M. Jean se sente de la sympathie dans la maison. Hedwige s'éprend d'un jeune homme à la fois vulgaire et attirant, Gaston Dolange. Ici se vérifie encore la terrible phrase de Thomas Mann : « L'esprit est éperdument épris de ce qui n'est pas intellectuel, ce qui est vivant est beau dans sa stupidité. » Quand on fera remarquer à Hedwige que Gaston n'est pas digne d'elle, elle répondra : « Je ne demande pas qu'il soit digne de moi, je demande qu'il m'aime. » M. Jean essaie de la mettre en garde contre une telle passion, mais la passion, si elle n'est pas aveugle, est sourde. Hedwige ne veut rien entendre. Elle est du reste si naïve que, lorsqu'on lui parlera des mœurs de Gaston, elle croira qu'il est impuissant. (Et Green réussit à ce propos d'extraordinaires scènes de tragi-comédie.)

Contraint de quitter la ville pour éviter un scandale, M. Jean se suicidera non sans avoir adressé une dernière lettre à Hedwige. Celle-ci devra enfin connaître la vérité : Jean était lui-même très attaché à Gaston qui l'exploitait. Gaston est le plus méprisable des êtres : à la fois veule et sûr de soi. Hedwige doit renoncer à l'aimer, mais n'en ressent pas moins une forte attirance vers lui. Comment faire? Elle se suicide à son tour. Elle n'est pas victime de telle forme de la sexualité, mais de la sexualité en général.

Le Malfaiteur a eté conçu par un homme qui se détournait du monde et de ses prestiges. Julien Green reconnaît que son roman porte les traces de son retour à l'Église : « Sans doute, le passage le plus significatif (écrit-il) est-il celui où l'héroïne voit en rêve un homme qui essaie de la faire renoncer d'abord à tous ses biens terrestres, puis à un amour voué à l'échec; or, cet homme est le Christ, mais elle ne le sait pas. »

Nous pensons que c'est dans cette optique qu'il convient de lire ce beau livre.

Ah! pourquoi « Le Malfaiteur »? Le malfaiteur n'est pas le petit Dolange, mais bien le pauvre Jean : « J'ai senti que j'étais un malfaiteur aux regards de la société, aux vôtres, Hedwige. »

Jean, qui éprouve le besoin de se confesser, va une nuit trouver la jeune fille. Il lui confie, seulement, qu'il a failli être arrêté sur la voie publique, « comme un voleur pris sur le fait ». C'est de cette scène que parle Green dans son Journal, à la date du 20 mai 1937 : « J'ai voulu donner l'impression de quelque chose de sinistre qui rampe autour de mon personnage; il sent bien qu'il est traqué et perdu, et que sa liberté n'est qu'illusoire. Pourquoi veut-il se confesser à Hedwige? Parce qu'il sait qu'elle ne comprendra rien à son histoire. Elle s'imaginera qu'il a été pris en flagrant délit de vol. »

Il y a autre chose : on s'accuse parfois d'un grand crime pour en dissimuler un moindre qui nous semble pourtant moins avouable. Diderot a écrit des pages bien intéressantes là-dessus, dans ses lettres à Sophie Volland.

Chaque homme dans sa nuit est également un roman spécifiquement greenien. Son jeune héros, Wilfred Ingram, sous ses allures de jeune homme sage, est obsédé par l'idée du plaisir. Mais c'est la pureté qu'ils supposent à Wilfred qui subjugue ceux qui l'approchent. Le jeune homme est le tentateur malgré lui, bien qu'il joue parfois de sa séduction ambiguë. Il ne comprend pas la force des passions qu'il suscite et il faudra que la passion le courbe lui-même pour que la grâce véritable le visite enfin. On le considérera comme sauvé, aux yeux de Dieu comme aux siens propres, quand il pardonne à celui qui vient de le blesser mortellement. C'est un salut in extremis et l'on se demandera s'il ne faut pas mourir pour être sauvé, dans l'univers de Julien Green. Quant à la vie, elle n'est qu'un long combat douteux.

Le style de Green agit sur le lecteur comme la beauté de Wilfred agit sur son entourage. On ne sait jamais si c'est au pire ou au meilleur de nous qu'il s'adresse. Mais la leçon du livre, si elle doit en comporter une, c'est qu'il arrive que le chemin du meilleur passe parfois par le pire (l'inverse doit se produire aussi).

Il est arrivé jadis à Jouhandeau de reprocher à Green sa prudence et son souci de respectabilité. La même critique fut adressée à Montherlant et à bien d'autres. Elle est justifiée dans la mesure où Green et Montherlant ne se sont pas contentés de nous proposer des romans ou des pièces de théâtre, mais où ils ont prétendu nous raconter leur propre vie en publiant des journaux intimes. Or il est fâcheux pour un écrivain de publier des journaux intimes où se trouve supprimée ou travestie toute trace d'aventures qui tiennent une place essentielle dans son existence véritable.

Montherlant est mort sans être passé aux aveux. Julien Green au contraire nous a donné une autobiographie d'une scrupuleuse honnêteté. Le premier volume a paru en 1963 sous le titre *Partir avant le jour*. Suivirent : *Mille chemins ouverts* (1964) et *Terre lointaine* (1966). Ces trois ouvrages constituent un chef-d'œuvre du genre et c'est peut-être même le plus bel et le plus émouvant ouvrage de Julien Green. Il nous y raconte sa vie jusqu'à sa vingt et unième année — âge qui fut jusqu'en 1974 celui de la majorité légale. Histoire d'un jeune garçon de souche américaine et protestante, mais élevé en France et converti au catholicisme. Son grand drame fut d'être le théâtre d'un combat entre les exigences de la sensualité et celles de la vie spirituelle.

Beaucoup diront que si les désirs de Julien Green l'avaient poussé vers des filles au lieu de s'adresser à des garçons, ses cas de conscience auraient été simplifiés et, en tout cas, ne se seraient pas posés en termes si tragiques. Mais Julien Green le nie et se trouve ici mettre en cause l'éducation religieuse. Green fut de ces jeunes gens auxquels « la chair » fut présentée comme un épouvantail et, croyait-il, les ravages de la syphilis précédaient les feux de l'enfer. Aujourd'hui encore, s'il ne pense pas, comme Gide, « qu'un amour où il se mêle du désir ne peut prétendre à durer », il est persuadé que l'accomplissement du désir tue l'amour.

A la fin de la trilogie dont nous rappelions les titres, nous quittons le jeune Green encore vierge — vierge et martyr de sa sexualité. Mais enfin nous savions tout de ses penchants. Y succomberait-il ou non? La question était posée. Ou plutôt : y avait-il succombé? Ce grand écrivain catholique, membre de l'Académie française, était-il ou non un « pauvre pécheur »? Il a tenu à nous répondre par l'affirmative dans un supplément intitulé *Jeunesse* (1974).

Aussi bien, dans une émission télévisée, Marcel Jouhandeau a déclaré à Bernard Pivot : « Aujourd'hui, Julien Green lève le masque. » Et Jouhandeau semblait très heureux de l'avoir précédé sur cette voie. Le grand devancier est évidemment André Gide qui publia *Si le grain ne meurt* en 1926, à l'âge de cinquante-sept ans. C'est anonymement que Jouhandeau publia *De l'abjection* en 1939 à l'âge de cinquante et un ans. Nous avons vu qu'il lui avait fallu attendre l'âge de sa retraite en qualité de professeur pour parler sans fard. Quant à Green, il a donc attendu d'être académicien et d'avoir soixante-quatorze ans pour oser braver les bienséances. Encore qu'il n'en soit pas à nous dire sa manière de pratiquer l'amour : on sait seulement qui furent ses partenaires, de son propre aveu des gens parfois très laids alors qu'il nous assure d'autre part avoir toujours été victime de son admiration pour la beauté classique.

Quelques pages m'ont laissé perplexe. Celles où Julien Green raconte un voyage en Normandie avec son ami Mark. Il avait déjà évoqué ce voyage dans *Terre lointaine* où nous lisons : « Je rejoignis Mark à Rouen. » (P. 307.) Or, dans *Jeunesse,* nous le voyons accompagner ledit Mark au Mont-Saint-Michel, à Dol-de-Bretagne, à Caen, avant de se rendre avec lui à Rouen « où la place du Marché fut explorée dans tous les sens. » (P. 173).

Détail, direz-vous. Sans doute. On peut néanmoins se demander si ces souvenirs en apparence si sincères ne sont pas des souvenirs romancés. Je crains qu'à tous ses péchés, Julien Green n'ajoute le péché de littérature. Mais c'est une littérature admirable.

Dans *Mille chemins ouverts,* Green nous dit que ce qui, adolescent, le distinguait le plus de ses camarades, c'était son sentiment du peu de réalité du monde extérieur. Ce sentiment-là n'est pas forcément d'origine religieuse, mais Green en voit pourtant la justification dans la parole du Christ : « Mon royaume n'est pas de ce monde. » Chaque fois que Green éprouva la tentation de se prendre aux apparences du monde, il eut la sensation de céder au paganisme. Ce monde serait le domaine du Démon. C'est toujours sa conviction et ainsi s'explique le titre qu'il a donné à son dernier roman, quelque peu caricatural : *Un mauvais lieu* (1977). Le mauvais lieu, nous y sommes.

4.
Les poètes de la prose

Valéry disait un jour que la poésie se distingue de la prose en ceci qu'il n'est pas possible de changer un mot dans un vers sans que le poème entier perde son équilibre. Gide répondit qu'il en va de même dans la bonne prose. Et il le savait bien, lui qui avouait avoir laissé parfois ses idées se laisser infléchir par la musique de ses phrases.

Nous rassemblons dans ce chapitre quatre écrivains dont la prose a tous les prestiges de la poésie. Trois d'entre eux ont partie liée avec leur terre natale : Bellac pour Giraudoux, Barbezieux pour Chardonne, Varennes pour Arland. Morand fut un Parisien du Champ de Mars.

Ces quatre hommes ne se ressemblent pas. On a reproché à Giraudoux un excès de cabrioles et de préciosités et à Marcel Arland, au contraire, son refus d'apprendre à danser. (Gide : « Avec vous, on ne sait sur quel pied danser ». Arland : « Pourquoi faudrait-il danser ? ») Chardonne est un modèle d'élégance et fuit les éclats, et Morand un prodige de rapidité qui ne craint pas d'éblouir. Mais ils ont tous quatre éprouvé une même passion pour la langue française et l'on pourrait parler de passion respectueuse, car s'ils se permettent bien des hardiesses, ils s'interdisent toutes les vulgarités à la mode. Leur prose est pure et claire. Tout amateur de littérature goûte un vrai bonheur à s'y désaltérer.

JEAN GIRAUDOUX

Au début de la Seconde Guerre mondiale, Jean Giraudoux (1882-1944) occupait le poste de haut commissaire à l'Information. Son fils a dit qu'il fut « le Goebbels français ». Une telle comparaison ne paraît pas flatteuse et, bienheureusement, elle est fausse, car Giraudoux ne fut jamais guidé par la haine. Mais c'est pourquoi les diverses allocutions officielles qu'il prononça n'étaient pas de nature à galvaniser les masses. Les deux discours qu'il écrivit en 39 pour célébrer l'anniversaire du 11 novembre 18 sont particulièrement représentatifs. Dans l'un, il évoque le *futur armistice,* et ne cache pas qu'après avoir conjuré le péril hitlérien, il restera à réformer la France. Les paroles réconfortantes qu'il adresse au pays sont tout à fait irréelles. Il dit : « Dans les cartes, dans le marc de café, il y a encore des succès pour Hitler, il n'y en a plus dans les yeux des Allemands et des Allemandes, il n'y en a plus dans les astres... » Dans le second discours, *Alsace et Lorraine,* il rend hommage au dialecte alsacien : « C'est par lui que les Alsaciens ont pu résister à ce point à l'emprise allemande pendant leur annexion. Il a été le voile sous lequel, invisible aux Allemands, ils ont entretenu leur indépendance et leur mémoire. Ils l'émaillaient de mots français, jamais de mots allemands, car par une magie certaine, le français s'intercale à merveille dans cette langue germanique et l'allemand y jure. »

Il s'agissait de faire honte aux Français de l'intérieur de reprocher aux réfugiés alsaciens et lorrains de parler allemand. Mais on ne peut affirmer que les propos de Giraudoux étaient très convaincants.

L'état de la France l'angoissait depuis longtemps et il avait, à la veille de la guerre, souhaité un sursaut national dans son livre *Pleins pouvoirs.* La débâcle le remplit certes de tristesse, mais ne le découragea pas. Retiré à Cusset, il reprit ses réflexions sur les conditions d'une rénovation de la France : une suite à *Pleins pouvoirs* serait publiée après la Libération sous le titre *Sans pouvoirs* et l'on y voit que, pour lui, le régime de Vichy était condamné, quelle que fût l'issue de la guerre.

Pour lui, la période de création romanesque était close. Mais il continua son œuvre théâtrale et aborda le cinéma. Il ne lui restait guère que trois ans à vivre. Il acheva trois pièces, en ébaucha deux autres et composa les dialogues de deux films : *La Duchesse de Langeais* (1942) et *Les Anges du péché* 1943).

Jouvet, qui avait monté toutes ses pièces d'avant-guerre, avait quitté la France. Giraudoux pensa d'abord devoir attendre son retour pour faire jouer ses nouvelles pièces. *L'Apollon de Bellac,* comédie en un acte, où l'on retrouve tout le charme des *Provinciales* et d'*Intermezzo,* fut d'ailleurs créé par Jouvet à Rio de Janeiro en juin 42. Mais Giraudoux se décida à faire jouer *Sodome et Gomorrhe* à Paris en octobre 1943. Ce fut la dernière de ses pièces qu'il vit représentée. Il n'y est pas question de sodomites ou de gomorrhéennes : Giraudoux y parle des difficultés de la vie des couples habituels. Il nous présente des scènes de ménage auxquelles seule pourra mettre un terme la fin du monde. On retrouva tous les chatoiements de son style, mais l'on découvrit une amertume et un pessimisme auxquels l'enchanteur ne nous avait pas habitués. Son propre ménage n'allait pas bien et Giraudoux préférait vivre à l'hôtel (où il est mort) que chez lui.

La Folle de Chaillot qui fut représentée en décembre 1945 nous révéla également de nouveaux aspects du génie de Giraudoux. On peut dire aujourd'hui qu'il s'agit d'une « farce écologiste » où la vieille société française va être sauvée par des marginaux qui s'opposent aux « mecs », c'est-à-dire les hommes d'argent et de profit dont les dieux sont l'or et le pétrole. L'admirable Aurélie fera disparaître les « mecs » dans la trappe, comme aurait dit Jarry, et elle pourra ensuite aller nourrir tranquillement les animaux perdus : « Aux affaires sérieuses, mes enfants! Il n'y a pas que les hommes ici-bas. Occupons-nous un peu maintenant des êtres qui en valent la peine! » La pièce se termine sur cette déclaration.

A l'époque, certains prétendirent qu'il s'agissait d'une œuvre de normalien, ami des canulars, et qu'elle devenait incompréhensible si l'on s'éloignait à plus de 20 km de la rue d'Ulm. Or cette pièce a fait le tour du monde. Elle a été jouée trois ans de suite à New York. Elle est aujourd'hui une pièce plus actuelle encore, si l'on peut dire, qu'au jour de sa création. Chaque reprise a démontré que Giraudoux restait présent parmi nous.

Les deux pièces inachevées, *Les Gracques* (dont il n'existe qu'un premier acte) et *Pour Lucrèce* (dont une version « arrangée » fut jouée en 1953) sont des œuvres mineures. Mais nous eûmes après-guerre la révélation d'un roman inédit qui est du meilleur Giraudoux : *La Menteuse* (écrit en 1936).

Nous eûmes cette révélation en deux étapes. On nous donna d'abord les six premiers chapitres, présentés comme le début d'un roman inachevé (1958). La fin paraissait perdue, si jamais elle avait été composée. Elle n'était qu'égarée : elle se trouvait « camouflée », nous dit-on, dans un cahier sur la première page duquel on lisait : « Première version de *Bella.* » Il a fallu qu'un jeune universitaire britannique ait la curiosité — que n'avaient pas manifestée les héritiers — de connaître cette première version de *Bella* pour que l'ensemble de *La Menteuse* pût être reconstitué.

Comme Stendhal se métamorphosait, quand il écrivait, en ces séduisants jeunes hommes qui s'appellent Fabrice del Dongo ou Lucien Leuwen, Giraudoux a toujours aimé faire vivre des représentants d'une « humanité déliée », en parfait accord avec le monde, et dont l'aisance à vivre constitue le charme incomparable. La différence avec Stendhal, c'est que Giraudoux apparaissait dans sa vie même comme un de ses personnages. On croirait qu'il a réussi à se voir de l'extérieur pour peindre un homme comme Reginald, le héros de *La Menteuse.* « Il était vis-à-vis des dons du monde civilisé ce que les sauvages sont vis-à-vis de la nature. L'intelligence, l'émotion, la caresse lui étaient données, non par des succédanés, mais directement, comme l'arbre à pain, l'arbre à viande, l'arbre à vin donnent pain, viande et vin aux sauvages. Les fluorescences, les irisations, les scintillements, il les comprenait juste. Il puisait de la vue de la campagne juste ce qu'elle pouvait en donner en couleur et en pittoresque; d'une tempête juste ce qu'elle a d'horrifiant, si l'on songe que c'est seulement un mouvement du globe et non une manœuvre céleste; de la mer tranquille, par les pointes d'écume, les goélands, la fumée des navires, juste ce qu'elle comporte de grandeur et de paix... »

Qui donc a mieux parlé de Giraudoux que Giraudoux? Lisez encore ceci : « Parfois, il doutait. Il pensait : " Je suis comme les autres. " Il allait essayer cet instrument humain qu'il était aux points de résonance du monde, à ses plus beaux paysages, ou à ses points de résistance ou de faiblesse maxima, à Schubert, à Poussin. Mais toujours, il devait convenir qu'entre lui et l'univers il y avait la même réussite qu'entre le meilleur appareil de radio et les ondes. »

C'est ce Réginald, si semblable à l'image idéale de son créateur, qui va s'éprendre d'une jeune femme dont d'abord il ne sait rien et dont il ne veut rien savoir. Puis il lui prête un passé qu'elle confirme point par point, par jeu et par gentillesse. Elle en vient à broder elle-même. Ses mensonges ne sont pas innocents, puisqu'ils lui permettent de poursuivre une autre liaison. Bien entendu, elle ment aussi à son autre amant. Quand elle sera démasquée, elle acceptera la demande en mariage d'un troisième homme, que connaissent déjà les lecteurs de Giraudoux : l'aimable Fontranges.

Le sujet tient du vaudeville, mais si Giraudoux nous amuse, il sait aussi nous faire sentir ce que ses jeux de l'amour et du hasard comportent d'amertume.

Les pages les plus émouvantes concernent un vieux cheval rencontré dans la rue, que l'on mène à l'abattoir et qui fait prendre conscience à un personnage du gâchis qu'est sa propre vie. Ces pages 156 à 173 de *La Menteuse* comptent parmi les plus réussies de Giraudoux et l'on constate qu'il n'est pas seulement un romancier du bonheur.

Il est vrai qu'il aurait voulu pourtant ne nous communiquer que quelques recettes de beauté et de bonheur. Il n'eût pas été mécontent de voir un critique progressiste déclarer sur un ton légèrement supérieur : « Je ne crois pas qu'on puisse attendre autre chose de la lecture de Giraudoux que les effets d'un bon bain et d'une séance de gymnastique. » Les écrivains d'aujourd'hui sont rares qui nous procurent une telle détente.

Pour le plaisir, nous citerons deux exemples parfaits de la fantaisie de Giraudoux. D'abord un bref dialogue. Nelly et Lucienne sont assises dans un parc. Réginald passe et ne reconnaît pas Nelly (pour la bonne raison qu'ils ne se connaissent pas encore, contrairement à ce que croit Lulu) : — « Quel ingrat, dit Lulu. Les hommes sont tous ainsi? » — Oui, dit Nelly, excepté justement celui-là. »

Plus loin, Nelly s'aperçoit que sa vie passée n'est pas un chant comme celle de Réginald. Elle regarde des photos et s'aperçoit que presque toutes représentent des mascarades, non des souvenirs vrais : « Photographiée au pied de la cathédrale de Bourges, sur l'emplacement du bûcher de Jeanne d'Arc, devant le plus grand barrage du monde, elle semblait y être pour prouver qu'il y a des êtres qui n'ont rien à voir avec la beauté, la sincérité et l'électricité. »

Giraudoux, tout au contraire, a ennobli ou donné un surcroît de noblesse à tous les décors devant lesquels il a posé.

JACQUES CHARDONNE

Il est arrivé à Chardonne (1884-1968) de dire que de toute son œuvre ne resterait qu'une seule phrase : « L'amour, c'est beaucoup plus que l'amour. » Il ajoutait aussitôt : « Tout le reste y sera mystérieusement accroché. »

Sous ce même titre *L'amour, c'est beaucoup plus que l'amour,* il a publié deux recueils assez différents de phrases et de pages choisies, en 1936 et en 1957. Chardonne est un moraliste, mais il n'a heureusement aucune thèse à défendre. S'il n'hésite pas à tirer de son expérience des idées générales, il reconnaît volontiers que ces idées peuvent être mises en échec. Du reste, il ne donne pas ses réflexions et ses rêveries comme des pensées : « J'ai choisi dans mes livres, dit-il, des phrases qui ont l'air d'une pensée. » Il a choisi aussi « des pages qui me plaisent parce qu'elles me rappellent des images qui furent ma découverte. »

C'est aux images que Chardonne tient le plus. Il est un poète et se méfie de la psychologie : on n'est sûr de rien et d'abord on n'est pas sûr de soi, on se connaît très mal. On n'est pas (et personne n'est) un type bien dessiné. En cela la vie enseigne le contraire des plus fameux romans. Toute la vérité est dans des nuances et change comme des reflets sur l'eau. C'est à peindre ces nuances et ces reflets que Chardonne s'est efforcé.

Chardonne est un de nos meilleurs peintres de l'amour. Mais il écrit : « J'ai fait sur l'amour quelques études sans rien apprendre, et je ne sais pourquoi je m'y suis intéressé. Est-ce la vie que l'on veut toujours ranimer dans l'amour, sans croire à l'amour? Je me demande pourquoi je me pose ces questions; pourquoi je voudrais encore apprendre quelque chose sur l'amour. »

« L'amour, c'est beaucoup plus que l'amour. » Chardonne nous explique ce qu'il entend par là : « Il y entre toujours autre chose, l'esprit après les sens, l'âge, la douleur... »

Ce qui ressort le plus nettement de ce livre, c'est un éloge de la fidélité. Mais sans fidélité, il n'y a pas d'amour, car l'amour est une création de tous les jours : « L'amour est un parti pris. Non pas résignation, ni habitude, mais renoncement en faveur du choix, active concentration analogue à celle de l'artiste. Rien n'est donné, rien n'est bon à cueillir sur la branche. L'amour, l'art, le bonheur sont des produits d'alambics. A l'état brut, de première main, la vie n'offre que des choses sans valeur ou qui se décomposent vite; même la souffrance. »

Il s'ensuit que : « Ce n'est pas le premier amour qui compte, ni le second, ni le dernier. C'est celui qui a mêlé deux destinées dans la vie commune. »

Aussi bien, Chardonne a-t-il pu donner ce conseil à une jeune fille : « L'amour ne ressemble pas aux auberges espagnoles, comme le prétendait Chamfort. Ce que tu apporteras ce n'est rien. L'amour, c'est une chose de maison, il demande toute une vie; quand tu seras vieille, tu le connaîtras. Alors, la dernière à la maison, tu pourras le mesurer à la solitude. »

Mais *L'amour, c'est beaucoup plus que l'amour* ne contient pas que des pages sur l'amour. Et l'amour même n'est pas seulement l'amour entre deux êtres : « Il n'y a pas de vie perdue quand on a aimé... ne fût-ce que ses outils. Cet attachement aux êtres et à de petites choses de rien, assurément périssables, et que la vie même, avant la mort, nous retire, je voudrais savoir ce qu'il signifie; ce que signifie l'amour si vivace, rebelle à toute raison, et cette espérance qui est au fond de l'amour, cette espérance qui est au fond de tout. »

Nous citerons encore ces phrases : « De la vie, en somme, je n'ai retenu que l'inexplicable, l'amour quelquefois, et avec méfiance : la beauté, toujours; les « plaisirs » quand ils sont l'ombre du bonheur; « l'art pour l'art », au sens profond, qui n'est pas sur le plan strictement terrestre, du moins qui est un peu dégagé de la substance humaine la plus éphémère... »

C'est au lendemain de l'autre guerre que Chardonne conquit la célébrité, avec *L'Epithalame,* qui traitait de l'amour dans le mariage. Le sujet était neuf et l'auteur fut surnommé « le romancier du couple », réputation qu'il soutint brillamment avec d'autres œuvres, dont *Claire*, qui obtint un beau succès de librairie. Puis, du couple, Chardonne passa à la famille et donna *Les Destinées sentimentales* où il fit revivre des dynasties bourgeoises qu'il avait connues de près. Le livre tranche sur les autres fresques romanesques de l'époque qui, toutes, sont une violente critique et parfois une caricature de la société bourgeoise. Les bourgeois avaient leurs torts et leurs bassesses, comme tous les hommes, pensait Chardonne, mais ils avaient aussi des vertus que l'on a un peu oubliées. Chardonne essaya de les présenter de manière équitable. Cependant son éloge d'une bourgeoisie disparue s'accompagne d'une condamnation du capitalisme « entraînant toute une société dans son génie de lutte mercantile et desséchée ». (*L'Amour du prochain*).

En 1938, il entreprit de raconter ses souvenirs d'enfance et de jeunesse. Ce fut le merveilleux *Bonheur de Barbezieux,* évocation d'un petit monde bien policé, où chacun s'appliquait à sa tâche avec le sens de la qualité et le goût du travail bien fait. On y était heureux autant qu'on peut l'être sur la terre : « On n'y souffrait que de maux éternels. » Beaucoup de critiques décidèrent que Chardonne était un amoureux du passé. Ce n'était pas le cas : il se méfiait seulement des merveilles du progrès. Quant au bonheur, il n'était pas sûr du tout qu'il se trouvait là où ses contemporains le cherchaient.

Après *Le Bonheur de Barbezieux,* miracle de grâce soutenue, Chardonne écrivit de libres chroniques, qu'il appelle des « mélanges ». Il nous donna des recueils de réflexions, souvenirs et choses vues. (En 1932, il avait déjà publié un ouvrage de ce genre : *L'Amour du prochain.*)

La première *Chronique privée* portait en surtitre : *Autour de Barbezieux* et parut au début de 1940. On y lisait dès les premières pages : « Tout ce qui est contraire à la haute société charentaise m'est ennemi. C'est ma règle en politique. »

La politique allait causer bien des ennuis à Chardonne. En juin 40, quand la France fut vaincue et occupée, il crut avec la majorité des Français que l'Allemagne avait gagné la guerre. La sagesse lui parut d'accepter le fait. Il eut ensuite la malchance de rencontrer des Allemands qui lui donnèrent l'impression que leur pays avait été calomnié dans les années précédentes. Il lui parut possible de travailler avec eux à la construction d'une Europe qui dresserait un rempart pour nous protéger du danger asiatique. Dans *Chronique privée de l'an 40* (qui parut au début de 1941), il écrivit à chaud quelques pages imprudentes sur la situation nouvelle qu'il entrevoyait.

Gide lut le livre, et y découvrit un reflet de ses propres flottements au moment de la défaite, mais il s'était ressaisi et, pour rassurer ses lecteurs habituels sur ses sentiments, il composa pour *Le Figaro* qui paraissait alors à Lyon un article où, une fois de plus, il se définissait par opposition — cette fois opposition au livre de Chardonne : « Devant sa fluidité, son inconsistance (si j'en juge par moi) nous sentons mieux notre solidité et, devant tant d'acquiescements indistincts, notre constance. » (12 avril 1941)

Ce reproche d'inconsistance heurta Chardonne : il voyait bien que Gide ne lui reprochait pas le « vague » de ses pensées mais au contraire quelques affirmations claires. Néanmoins, Chardonne voulut préciser sa position et il écrivit *Voir la figure* (1941) où il ne craignit pas de dire que la « révolution européenne » ne compromettrait pas les hautes valeurs charentaises. Le livre est si bien une réponse à Gide que Chardonne donna en appendice l'article du *Figaro* qui n'avait pas été diffusé en zone nord. (Pour sa part, Gide ne reproduisit cet article que dans *Attendu que...* qu'il publia en 1943 à Alger.)

Ce titre de *Voir la figure* était mal choisi, car Chardonne se méprenait complètement sur la réalité du système nazi. Un voyage en Allemagne ne fit que l'enfoncer dans son erreur, car on ne lui montra, bien entendu, que ce qu'il pouvait y admirer. Il inventa naïvement une Allemagne selon ses vœux et lui consacra même un livre, terminé en mai 43 et qui heureusement ne parut pas : *Le Ciel de Nieflheim*. Ses amis allemands l'avaient eux-mêmes mis en garde et lui avaient assuré qu'ils ne reconnaissaient pas leur pays dans le tableau qu'il en faisait.

Le dernier livre que Chardonne ait publié sous l'occupation resta ainsi *Attachements* qui parut en 1942 et qui est un regroupement des meilleures pages des trois volumes de chroniques précédents : la plupart des réflexions politiques avaient disparu. Le livre a été réimprimé tel quel dans les *Œuvres complètes* en 1955.

A la Libération, Chardonne devait pourtant connaître des mois difficiles, et d'abord les trois mois passés dans la prison de Cognac en qualité de suspect. On le relâcha sans qu'il ait été jugé et il ne devait d'ailleurs jamais comparaître devant une juridiction quelconque, les diverses commissions qui étudièrent son dossier n'ayant pas trouvé matière à inculpation. Mais il fut l'objet de menaces de ce qu'on appelle aujourd'hui des groupuscules incontrôlés et il ne put regagner tout de suite sa maison de la Frette.

En 1945, il écrivit *Détachements* où il raconte son séjour en prison et apporte son témoignage sur une des périodes les plus troublées de notre Histoire. Il ne devait publier ce texte qu'en 1961 (50 exemplaires) et la première édition courante parut en 1969, après sa mort. Ce récit, d'un style souverain, mêle souvenirs et réflexions. Dans l'œuvre de Chardonne, c'est le livre charnière : peu après, l'auteur allait faire peau neuve et inaugurer sa seconde manière avec *Chimériques* (1948), qui est un sommet de la prose française.

Suivirent : *Vivre à Madère* (1953), *Lettres à Roger Nimier* (1954), *Matinales* (1956), *Le Ciel de la fenêtre* (1959), *Demi-jour* (1964). Tous ces livres s'organisent autour d'un narrateur qui invente de petites histoires, relate des souvenirs, nous livre des méditations. Chardonne nous parle de personnages qu'il a connus, de voyages qu'il a faits, de brèves rencontres ou de longs commerces. En trois ou quatre pages, il sait donner un récit parfait, chef-d'œuvre de l'art du dessin.

De 45 à 54, Chardonne se montre amer et pessimiste. Ses souvenirs d'une société livrée à l'anarchie et aux passions brutales ne le quittent pas. Lui, à qui l'on avait souvent reproché de balancer entre des opinions contradictoires, se raidit et il lui arrive de porter des jugements tranchants. Les *Lettres à Roger Nimier* contiennent dans leur première édition des passages qui pouvaient heurter de nombreux lecteurs. Il les supprima l'année suivante quand il incorpora l'ouvrage à ses œuvres complètes.

A partir de *Matinales,* nous retrouvons un Chardonne détendu. Par-delà les épreuves des années noires, il a retrouvé une sagesse sans aigreur, il est sans doute parfaitement désabusé mais goûte un mélancolique plaisir à la succession des jours. Et, oui, il est heureux quand il contemple les fleurs de son jardin. La légèreté reconquise et maintenue lui apparaît comme une nouvelle jeunesse.

Par ailleurs, il a publié ses Œuvres complètes et il a l'assurance réconfortante d'être un maître de la prose française. Il continue à prendre plaisir à écrire. Il a plus le souci de la belle page que du volume à composer : l'unité du livre sera d'abord dans son style. *Matinales* est une succession de textes brefs dont les sujets sont fournis par les circonstances. Textes où chaque phrase limpide est un modèle d'élégance : « Si l'on a du goût pour les contes et les romans, on en trouvera ici de la graine; d'autres choses encore, et même un peu de fantaisie dans le mélange. »

C'est à la fin de *Matinales* qu'on peut lire : « Je me sens plus humble encore, plus ouvert à tout le possible, plus confiant dans le doute, à mesure que vient l'heure de l'oubli; et si le Dieu qui m'a créé doit me recevoir, je lui rendrai sa créature telle qu'il l'a faite, l'esprit aveugle et que je n'ai pu changer. »

La sérénité affichée par Chardonne était plus volontaire que réellement ressentie. Cet homme aux passions violentes ne pouvait trouver une paix véritable, mais il savait parfaitement se dominer quand il écrivait. « Deviens qui tu es », disait Nietzsche. Chardonne voulait s'obtenir en se dominant et non en s'abandonnant aux impératifs de ses humeurs et de son sang.

Ses derniers livres, *Le Ciel dans la fenêtre* et *Demi-jour*, allaient nous faire assister à l'accomplissement d'une vie et d'une œuvre. Ils sont le couronnement d'une sagesse et d'un art, parmi les plus admirables qu'ait jamais offerts la littérature française.

Ce sont là des œuvres que l'on peut dire assez sombres, mais on ne pourra pas leur adresser le reproche d'être désespérées. « J'ai vieilli, dit Chardonne, ce n'est plus le jour d'être ingrat. » Il nous dispense mille images consolantes qui sont le signe que le monde est plein de choses qui nous dépassent et nous interdisent de porter des jugements définitifs. « L'étonnement sera le dernier mot, s'il en faut un. »

Dans *Demi-jour,* Chardonne a repris tous les fils conducteurs de ses œuvres précédentes et il les a redisposés dans un ordre nouveau, composant une nouvelle tapisserie dont le sujet serait sa vie même. Chardonne nous donne son portrait, non pas en nous offrant des mémoires composés dans l'ordre chronologique, mais en nous livrant des souvenirs en apparent désordre. C'est qu'il obéit à des règles de composition extrêmement subtiles. La chronologie est un ordre extérieur et imposé : au contraire, dans *Demi-jour,* c'est la rêverie, phénomène tout intérieur, qui est respectée. Les thèmes vont et viennent comme dans une symphonie bien orchestrée. C'est un diamant à facettes. Dire que souvenirs, nouvelles et réflexions se succèdent ne serait pas exact : les différents éléments se nouent et se mêlent. Et l'on reste sous l'enchantement d'une voix.

Nous pouvons indiquer en quoi consiste le miracle de la prose chardonnienne, il repose sur un paradoxe : ce style est essentiellement bondissant, car Chardonne supprime les transitions, et pourtant tout semble ici d'une seule coulée heureuse. Ce style aristocratique est un style très simple. Voilà un grand écrivain. C'est sa voix que l'on n'oublie pas, et sa manière d'appréhender le réel.

Nous ne croyons pas qu'il ait été très sensible aux vers, sinon à ceux de quelques chansons légères. Pourtant, si je voulais essayer de définir son art, c'est à Verlaine que j'aurais recours. « De la musique avant toute chose », disait celui-ci. Les phrases de Chardonne chantent, sans rien en elles « qui pèse ou qui pose ». Chardonne fuit tout éclat, son art est un art de l'allusion et de la suggestion : « Rien de plus cher, disait encore Verlaine, que la chanson grise où l'indécis au précis se joint. » Les pages de *Demi-jour* frémissent comme feuilles au vent léger du matin : « Et tout le reste est littérature. » Non, tout cela, c'est la littérature quand elle parvient à son point de perfection.

PAUL MORAND

Personne n'a mieux défini que Chardonne dans *Demi-jour* les deux versants de la carrière littéraire de Paul Morand (1889-1976) : « Avant 1944, c'est l'époque qui triomphe chez Morand; après 1944, il triomphe de l'époque. Jadis explorateur de la surface, il use aujourd'hui de l'espace et du temps pour atteindre le permanent. »

Paul Morand avait conquis très tôt, dès 1922 (*Ouvert la nuit*) une exceptionnelle notoriété. Il fut le premier à exprimer certaines formes nouvelles de la sensibilité et de nouvelles façons de voir le monde. Mais c'est qu'il assista à la naissance d'un monde nouveau. Il en saisit le rythme, ou l'inventa (c'est un peu la même chose). Il créa un style qui, pour paraphraser une formule publicitaire, fut souvent imité, jamais égalé. En retour, il bénéficia d'une légende : grand voyageur, homme pressé, écrivain cosmopolite, etc. Qu'il ait été un peu de tout cela, et qu'il le soit toujours resté un peu, nul doute. Mais, après la Seconde Guerre mondiale, il allait préférer les voyages dans le temps aux voyages dans l'espace. Parurent alors *Le Flagellant de Séville* (1951), fresque historique où, à travers l'Espagne des guerres napoléoniennes et de leurs séquelles, il évoque des souvenirs encore proches, *La Folle amoureuse* (1956), non moindre réussite dans le genre de la nouvelle, *Fouquet ou Le Soleil offusqué* (1961) dans l'ordre de l'essai biographique.

Entre les deux grandes périodes de Morand se situe une espèce de passage à vide. On croit généralement que c'est un effet de la mise à l'index dont l'ex-ambassadeur de Vichy fut victime à la Libération. En réalité, Morand avait clos la première partie de son œuvre en 1936, avec la publication d'un de ses chefs-d'œuvre, *Milady,* histoire d'amour entre un cavalier et sa jument.

Entre 1936 et 1947, il ne publia qu'un seul de ses livres marquants : *L'Homme pressé* (1941). Si le livre était réussi, il était terriblement inactuel. Dans la France occupée, privée d'automobiles et de machines de toutes sortes, cette condamnation de la frénésie du monde moderne, cette dénonciation de l'ivresse de la vitesse n'émut guère les lecteurs. Ce n'était plus la précipitation qui empêchait les hommes de goûter la vie. On décida que Morand portait bien son millésime 1925. Il resterait comme le témoin d'une époque révolue. On ne se doutait pas que *L'Homme pressé* était un livre d'anticipation plutôt qu'un livre du passé.

Aussi Morand était assez oublié quand se termina la guerre. A son égard, il n'y avait pas conspiration du silence, mais plutôt désintérêt. Il avait en outre décidé de rester en Suisse où il avait occupé son dernier poste diplomatique. C'est là qu'il publia d'abord quelques nouvelles de sa deuxième manière, dont *Le Bazar de la Charité* (1944) et *Parfaite de Saligny* (1947) ainsi que son *Journal d'un attaché d'ambassade* (1948). Ces diverses publications parvinrent jusqu'à Jacques Chardonne qui s'enthousiasma et qui les fit bientôt lire à Nimier. Toute la génération des hussards allait choisir Morand comme un de ses maîtres. A partir de la soixantaine, Morand retrouva sa place dans la littérature contemporaine (il ne retrouva son titre d'ambassadeur qu'un peu plus tard et pour être immédiatement mis à la retraite). Quand il se présenta pour la première fois à l'Académie française en 1958, il rencontra l'opposition de vieux confrères qui lui pardonnaient moins ses succès d'avant-guerre que d'avoir servi le gouvernement de Vichy. Le général de Gaulle lui demanda de retirer sa candidature. Morand ne serait élu qu'en l'année de grâce 1968.

C'est entre ses deux candidatures qu'il fit paraître un bref roman, *Tais-toi* (1965), une de ses œuvres les plus significatives.

Bref roman, disons-nous. Ne serait-ce pas une longue nouvelle? Pas du tout. Ce qui distingue un roman d'une nouvelle, ce n'est pas la longueur, c'est la texture, la construction. Il s'agit bien ici d'un roman, mais auquel Morand a appliqué son art du raccourci. Rien de flou dans ce livre qui fait pourtant une large place au mystère et, comme le titre l'indique, au silence.

Tais-toi est le portrait indirect d'un homme silencieux, Frédéric Lahire. C'est son jeune héritier, un Canadien qui ne l'a pas connu de son vivant, qui essaie de peindre ce portrait, en juxtaposant les témoignages de quelques personnes qui l'ont approché à différents moments de sa carrière, et même avant qu'il ne s'engage dans une carrière : nous avons, entre autres, les confidences réticentes d'une vieille bonne de la famille. La construction du livre rappelle un peu celle qu'avait adoptée Sigfried Siwertz dans *Six billets de faveur,* très remarquable ouvrage que traduisit naguère Marcel Schneider. Comme chez Siwertz, six personnages, dans le roman de Morand, contribuent à ressusciter un disparu.

Pourquoi un homme a-t-il choisi de se taire, alors que la plupart d'entre nous sont enclins à être tellement bavards? Une des complexités du héros de Morand c'est que chacune de ses connaissances attribue une raison différente à son mutisme. Aussi bien le livre se déroule-t-il sur plusieurs plans. Saint-Broc, le journaliste, dira qu'à ses débuts dans le métier, Lahire avait au contraire l'envie de clamer partout la vérité. On lui expliqua que c'était insensé, que c'était plus qu'imprudent : les gens n'ont pas envie d'entendre la vérité. Il faut l'accommoder avant de la présenter. Onésime Roussillon, un Président de la IIIe, abonde dans ces vues, mais il a connu un Lahire justement très habile à se taire sur l'essentiel dès qu'il s'agissait d'affaires importantes. Et c'est ainsi que Lahire fut engagé par la *Standard Fuel,* une de ces puissances secrètes qui gouvernent réellement le monde moderne. Il devient un de ces technocrates qui préfèrent agir utilement dans les coulisses quand les bavards se dépensent en vaines paroles sur les estrades. Mirna Katzensteg est précisément un technocrate comme Lahire, mais il préfère mettre les silences de Lahire sur le compte d'une noblesse de caractère répugnant à l'exhibitionnisme.

Saint-Broc, Roussillon, Katzensteg nous parlent de la vie professionnelle de Lahire. La vieille bonne Philomène et la belle Corinne, qui fut la maîtresse du disparu, nous parlent de sa vie privée. Le témoignage de Philomène nous fait comprendre que le jeune Lahire était d'une sensibilité très vive et que la conduite de sa mère provoqua en lui une crise sentimentale dont il eut du mal à se remettre : « Se taire était devenu sa façon d'être méchant.»

Quand il rencontre Corinne, le bâillon semble se dénouer, mais ce n'est qu'au début de leur liaison qu'il essaie de s'extérioriser. Peu après, il s'enlise à nouveau dans le silence : « Si je disais ce que je pense, je vous ferais peur. »

Et encore (je cite de mémoire) : « Vous m'êtes nécessaire, mais je ne vous aime pas. » (Vérification faite, Lahire disait : « Je ne vous aime pas : je tiens à vous. »)

Refuser d'essayer de parler est le signe d'une solitude effroyable. La question qu'on se pose alors est : peut-on vivre entièrement replié sur soi-même? Il semble que le roman de Morand montre que c'est impossible. L'homme vit d'échanges avec ses semblables, et la damnation est de croire qu'on n'a pas de semblables. C'est l'histoire d'une réussite sociale et d'un échec sentimental que nous raconte Paul Morand.

Il s'agit là d'un sujet très moderne. On n'y retrouve pas le Morand à cymbales des années vingt, mais un Morand parfaitement maître de ses moyens et qui essaie discrètement de nous faire profiter de sa sagesse.

Pour ses quatre-vingt-deux ans, il se réservait de tirer son plus beau feu d'artifices en publiant *Venises* (1971). Oui, Venises avec deux s.

S'il existe deux *Londres* de Morand, le « s » de Londres relève simplement d'une bizarrerie orthographique, comme celui de Paris. Le « s » du « Venises » dont nous parlons s'explique par la multiplicité des notations prises à des époques diverses, au cours de soixante années, et accompagnées, comme en prime, de précisions historiques — aussi bien d'ordre politique que d'ordre artistique — qui témoignent d'une étourdissante érudition. Ce n'est d'ailleurs pas l'érudition en soi qui peut nous étonner dans un livre, c'est son utilisation : ici, tout paraît jaillissement naturel. Pas la moindre trace du travail de l'artiste.

La surprise que nous réserve le livre, ce n'est pas cependant que Morand ait réussi des variations nouvelles sur un sujet, sur une ville, qui inspira tant d'illustres écrivains. C'est qu'il nous donne le plus personnel de ses ouvrages, tout au moins le plus autobiographique. *Venises* aurait pu s'intituler *Venise et moi.*

Paul Morand nous avait fait jusque-là très peu de confidences. Son *Journal d'un attaché d'ambassade,* passionnant comme tableau d'époque, ne contient rien de véritablement intime. On n'attendait pas de lui des « Mémoires » et voici pourtant qu'il en a écrit, non pas dans la forme habituelle, mais mémoires quand même. Morand montre plus que le nez dans son tableau de Venise. Du reste, s'il prend ici Venise comme témoin et point de repère, il nous entraîne dans bien d'autres voyages, et jusqu'au Siam (désormais Thaïlande) où Bangkok, il est vrai, est une Venise asiatique.

On s'interroge sur la façon dont ce livre a été écrit. Mises à part les quinze premières pages, il se présente comme un journal, daté de manière plus ou moins précise. Mais il n'est pas rédigé comme un journal. Si la précision de certaines notations relève du journal, Morand survole toujours ses souvenirs d'assez haut et propose des vues générales qui nécessitent un recul évident. Nous croirions assez volontiers qu'il a, dès sa jeunesse, pris des notes dans de petits carnets et qu'il a repris et développé ces notes dont il disposait. Une phrase de la page 165 permet cette hypothèse. Elle vient à la fin d'un morceau consacré à une fête donnée par le fameux Bestegui en septembre 1951. Morand écrit : « Depuis que ces lignes furent écrites, l'animateur d'une Venise resurgie ce soir-là a passé lui aussi du côté des ombres... »

Ainsi donc, *Venises* serait un mélange de pages anciennes et nouvelles. Le tour de force est d'en avoir fait une œuvre d'une seule coulée, en dépit du morcellement des chapitres. Cette coulée correspond à l'écoulement des années. Ces mémoires sont l'œuvre de toute une vie et finissent sur des pages testamentaires. Morand nous confie qu'il a choisi le lieu où reposer « après ce long accident que fut ma vie ». A Venise, tout comme Stravinski, direz-vous. Non, pas à Venise, mais à Trieste.

Morand avait dit autrefois : « Je ne crois pas à l'homme éternel, je ne crois qu'à l'homme actuel. » Ayant voulu vivre dans le présent, avec son temps (ou : « vivre son temps »), il devint un nostalgique de sa jeunesse. N'est-ce pas ce que signifie la phrase : « Je suis veuf de l'Europe? »

La grande cassure eut lieu avec la guerre de quatorze (« cette honteuse période », comme osa dire Valéry Larbaud) : tout alla ensuite de mal en pis sur le plan international. L'Europe s'était suicidée dans cette lutte fratricide et Morand n'a cessé de regretter un ancien équilibre. Bien qu'il se sentît d'un tempérament anarchiste et retrouvât chez les jeunes gens d'aujourd'hui beaucoup de ses propres élans d'autrefois, il était aussi un ami de l'ordre par goût de la paix et un Occidental attaché à une culture qui l'avait formé et qu'il estimait condamnée.

A-t-il choisi Venise comme symbole d'une civilisation qui va bientôt disparaître? Tantôt il pensait que Venise sera sauvée. Tantôt il remarquait : « Venise se noie; c'est peut-être ce qui pouvait lui arriver de plus beau. » Homme bien élevé, Paul Morand se veut souriant. Il sourit doucement et, aurait dit son ami Giraudoux, « on ne sait pas très bien à quoi... mais cela n'a pas d'importance, car c'est ou à la vie, ou à la mort ».

MARCEL ARLAND

Marcel Arland (né en 1899) a toujours souhaité publier non pas de simples recueils, mais des « ensembles » de nouvelles. Si l'on peut parler d'une deuxième manière à son propos, c'est en pensant au soin de plus en plus grand qu'il a donné à la construction de ces ensembles.

La Grâce (1941) est encore un rassemblement d'histoires écrites indépendamment les unes des autres. Au contraire, chacune des nouvelles qui composent *Il faut de tout pour faire un monde* (1947) a été conçue par rapport au livre où elle devait prendre place. Ces nouvelles sont « les images d'un vitrail pour une église de campagne ».

Le titre du livre indique bien la variété de ses différentes parties. Mais ces parties réunies composent un tout. Et en effet, il y a d'abord unité de lieu (le village de Clermont), de temps (pour l'essentiel) et même, en un certain sens, d'action : le monde dont il s'agit est « en attente ».

Dire que le monde formé par ces personnages est sombre, leurs aventures et leurs destins, amers, serait trop peu. Ce monde est un des plus noirs que nous connaissions, et d'autant plus noir que nous le connaissons et le reconnaissons vrai. Personne mieux que Marcel Arland n'a parlé des villages. Sans y mettre de romantisme, avec une si grande simplicité que les ressources de son art apparaissent à nu (le mystère du style, en pleine lumière). Un art spécifiquement français, un art du dessin où la moindre incertitude gâterait tout.

Arland a été le premier sensible à ce désespoir qui se dégage de son livre, c'est pourquoi il insiste tant sur la part de la grâce qui se manifeste sous « sa forme la plus discrète » : « Un regret, un espoir, une acceptation, un soudain accord du cœur et de la vie, et surtout peut-être une intime innocence. »

Un seul des personnages paraît avoir connu une vie heureuse : l'instituteur Gaston Giraud. Son bonheur reposait sur un malentendu : « Il me regardait, des fois même, il se mettait à pleurer : « Mais, Gaston, tu n'as pas de raison. Qu'est-ce qui te prend? » Il répondait : « Je ne croyais pas que la vie pouvait être si belle. Est-ce que j'en serai digne! » Digne, c'est ça, il avait peur de ne pas être digne. La veille de mourir, il m'a dit encore : « Je n'ai qu'un regret, Céline, c'est de ne pas avoir été digne de toi. » (P. 29.) Céline raconte cela au conducteur du chariot qui ramène au village le corps du défunt — et elle se laisse déjà conter fleurette. Mais ce n'est pas de ce dernier trait que naît la cruauté du récit, ni de l'incompréhension de la femme : c'est du malentendu même sur quoi s'édifiait le bonheur du mari — et sur quoi s'édifie peut-être tout amour humain romantique.

Sans doute *Il ne faut pas trop en demander,* titre d'une autre nouvelle où, moins d'un an après la mort de son jeune fiancé, Lucie se marie avec un gendarme, non sans avoir tenté de se suicider. Cette nouvelle est contée de sorte que le lecteur se trompe trois fois sur la fin : d'abord on s'étonne que la fille songe déjà à se marier, puis on devine qu'elle va se suicider, mais enfin elle se rate et se marie.

Notons aussi (à propos du titre *Il ne faut pas...*) l'usage que fait ici Arland de formules toutes faites, de ces locutions courantes dont on voit trop que l'ensemble ne forme pas la sagesse mais la médiocrité des nations.

Si Gaston Giraud a connu une vie heureuse, les autres personnages ont connu des moments qui justifiaient leur existence. C'est un des secrets de Marcel Arland de nous faire si bien sentir à quels insaisissables fils tiennent ces minutes de bonheur.

Lui-même, en marge de *Terre natale,* nous parle du miracle de ses dimanches d'enfance. (*Mais le dimanche...*) : « Il me semble que j'ai surtout aimé certains silences. » Celui du dimanche matin quand la mère se coiffait : « Humble miracle; mais il me semble que tout ce que j'ai reçu depuis s'y trouvait déjà. » (P. 88.)

Citons cet autre « humble miracle » : celui d'*Une soirée d'août* (qui est la nouvelle où l'espoir et le désespoir, le ciel et l'enfer s'équilibrent le mieux) : « Et soudain, du cœur de la vallée, le ruissellement de la rivière lui parvint. Le meunier avait ouvert ses vannes et l'eau libre roulait sur les graviers. Ce n'était rien qu'un bruit cent fois entendu, un bruit vif et clair : on eût dit mille cris d'oiseaux. Mais il résonnait en elle (Gervaise), il la comblait, c'en était trop. Debout contre le tronc du noyer, les bras pendants sans force, la bouche entrouverte, la gorge nue, elle se dit que tout était bien et qu'elle n'avait jamais été plus heureuse. » (P. 255.)

Les moments de plénitude sont presque toujours liés chez Arland à une communion avec les choses, avec la nature. Il remarquait dans *Terre natale* (p. 149) : « ... aujourd'hui, si j'évoque un arbre, un grenier ou une fontaine, il me faut résister à mon plaisir, je crains de donner à mon enfance l'apparence d'une longue idylle, alors qu'elle fut à peu près l'opposé. »

Dans *Il faut de tout...*, quelques souvenirs vécus se mêlent aux histoires imaginées. Dans *La Consolation du voyageur* (1952), c'est le phénomène inverse qui se produit.

Un homme vient passer quelques jours chez sa mère, dans son village natal. Ces quelques jours seront l'occasion d'un retour sur le passé. Cet homme s'interroge sur la vie, sur ce qu'il est et sur ce qu'il aime. Il bavarde, il se promène, il fait des rencontres, il rêve. Il écrit par nécessité intérieure et pour donner forme à son existence, il écrit aussi pour sa femme, qui ne l'a pas accompagné, mais qui reste présente près de lui : peut-être ne lui aura-t-il jamais mieux parlé.

L'auteur se penche sur son passé : les souvenirs viennent en foule et s'organisent en nouvelles. L'auteur évoque des personnages qu'il a connus. Mais une nouvelle en appelle une autre, et certains personnages revivent plusieurs fois dans le livre : leur vrai visage apparaît peu à peu.

Marcel Arland a choisi de nous raconter les histoires qui l'ont le plus ému. C'est en ce sens qu'on peut voir ici une confession indirecte.

Il y a dans *La Consolation du voyageur* tout un monde de personnages. Il y a aussi la part des paysages qui est considérable. On sera particulièrement sensible à la correspondance qui existe ici entre les paysages qu'évoque l'auteur et le ton général du livre. Marcel Arland confie qu'il a si bien senti sa secrète ressemblance avec certains paysages qu'il n'avait plus que le désir de s'anéantir en eux.

Un tel accord ne saurait durer. Marcel Arland ajoute qu'à Paris et entouré pourtant de ses amis, il se sent rarement « vraiment à l'aise », car cette part de lui n'est pas là « qui garde le souvenir de mes lieux secrets ». C'est cette part intime de l'être qui est véritablement la consolation du voyageur.

La part de souvenirs personnels et des confidences est de plus en plus importante à mesure que l'on avance dans le livre, mais pourquoi le ton changerait-il? Dans cette œuvre merveilleusement accordée, tous les éléments se répondent — journal intime, souvenirs, essai, nouvelles — et chacun est comme une confirmation de l'authenticité des autres.

On peut saluer dans *La Consolation du voyageur* une forme littéraire toute neuve. Elle est assez proche de celle qu'avait inventée Chardonne dans *Chimériques* et qu'il ne cesserait d'utiliser ensuite.

Les livres d'Arland qui suivirent s'inscrivent soit dans la ligne d'*Il faut de tout...* (ainsi *L'Eau et le Feu,* 1956; *A perdre haleine,* 1960; *Le Grand Pardon,* 1964; *Attendez l'aube,* 1970), soit dans la ligne de *La Consolation (La Nuit et les Sources,* 1963; *La Musique des anges,* 1967; *Proche du silence,* 1973; *Avons-nous vécu?* 1977), suivant qu'il s'agit de nouvelles regroupées ou d'un mélange de fiction et de souvenirs. La frontière est pourtant incertaine entre les deux séries d'œuvres, car Arland, dans un livre comme *Le Grand Pardon,* où il met en scène tout un monde, intervient parfois à la première personne. Ce n'est pas pour commenter ses récits, mais pour ajouter un nouvel instrument de musique à tous les autres qui composent l'orchestre chargé d'interpréter sa rhapsodie.

Inversement, dans les ouvrages qu'il donne lui-même comme « écrits intimes », il intercale toujours des nouvelles. Ainsi, dans *Avons-nous vécu?,* trouvons-nous l'histoire d'un petit garçon malheureux du remariage de sa mère. Quelques critiques et de nombreux lecteurs ont cru que ce récit était autobiographique, alors que la mère d'Arland ne s'est jamais remariée.

Mais est-il nécessaire de distinguer chez un artiste ce qu'il a vécu et ce qu'il a imaginé? Tout se fond chez lui en une même réalité qui est celle de sa vie intérieure.

La Nuit et les Sources est la réunion de deux recueils de lettres, dont le premier parut en 1960 sous le titre *Je vous écris.* Il ne s'agit pas d'extraits d'une correspondance générale. Ces lettres ne relèvent pas du genre épistolaire traditionnel et n'ont pas été expédiées par la poste. Certaines sont même adressées à des morts et l'une à la solitude. Arland a pensé que le genre de la lettre convenait bien pour l'expression de certaines confidences qui ne peuvent être faites que dans l'intimité. Il nous donne notamment les pages les plus révélatrices qu'il ait écrites sur son enfance et sur son adolescence.

Nous voyons un enfant fier, ombrageux, blessé d'un rien. J'entends bien que sa vie n'était pas facile, mais je crois aussi que le caractère a autant d'importance que les événements extérieurs. Il est évident que, placés dans la même situation, deux personnes réagiront différemment. On dit que les événements n'ont que l'importance qu'on leur donne. Peut-être, mais nous ne sommes pas libres de leur accorder plus ou moins d'importance : nous réagissons précisément en obéissant aux lois de notre nature. Celle d'Arland le portait à voir le côté tragique (et aussi le côté poétique) de la vie. Ce qu'il entr'apercevait de l'existence quotidienne des habitants de Langres s'organisait en drames latents (qui eurent parfois des dénouements effectivement spectaculaires). Il projetait dans le monde sa sensibilité et, par sympathie, se chargeait des malheurs des autres quand ses difficultés personnelles auraient pu suffire pour l'accabler.

Les adolescents voient souvent le monde d'autant plus noir qu'ils le confrontent à leur idéal de pureté. En eux-mêmes, ils voient aussi cet idéal se heurter à des fatalités du caractère, à d'irrépressibles mouvements du sang. Ainsi, devient-on intolérant, bourreau des autres et de soi-même. Du meilleur de soi naît parfois le pire de soi-même. Nos plus hautes exigences nous apportent rarement le bonheur. Elles nous transforment plutôt en écorchés vifs. Et pourtant, comment saurions-nous y renoncer? Ce serait la plus abominable défaite. « Il n'y a pas moyen de s'en sortir », comme dirait Ionesco.

Marcel Arland ne s'est jamais libéré des pensées de son enfance et de son adolescence. Il est resté, sous des apparences polies, une espèce de furieux, ou du moins, il n'a cessé de connaître des périodes de crise, à des intervalles plus ou moins espacés. C'est d'ailleurs pourquoi il voyage tellement, se fuyant et se cherchant tout à la fois.

Certes, dans *La Nuit et les Sources,* Arland maîtrise sa sensibilité romantique et s'exprime dans un style d'une parfaite limpidité. « Le classicisme, disait Gide, est un romantisme dompté. » Mais les phrases transparentes d'Arland sont souvent agitées d'un tremblement annonciateur d'orages ou qui garde le souvenir d'une récente tempête. Il arrive aussi qu'Arland donne dans l'humour noir, quand l'ironie essaie de faire obstacle aux forces mauvaises qui ne désarment pas. Cependant, la grâce finit par triompher : de ce chaos de sentiments violents monte un chant qui sanctifie tout.

Si la lettre « sur une éducation sentimentale » évoque les premiers souvenirs, les autres lettres du recueil se rapportent à des années plus récentes, au cours desquelles Arland put craindre de perdre la vue. Avec l'évocation retenue des épreuves qu'il traversa, Arland nous donne ses plus belles pages. Parlant du chapitre « Un hiver dans la nuit », Jacques Chardonne a pu écrire : « Peut-être que ces pages touchent au sublime. »

On ne comprend que par la maladie combien le physique et le moral ont partie liée. Convalescent, l'auteur soudain s'émerveille de tout. Les vieilles hantises n'ont pas disparu, mais les nouvelles menaces qui pèsent sur lui l'amènent à accorder un nouveau prix à tout ce qu'il avait pensé perdre. La moindre fleur au bord du chemin prend une valeur incalculable. « Voici les choses les plus humbles qui rayonnent à leur tour, celles qu'on ne regarde jamais : ce sentier, ces creux et ces bosses, ces traces de pas humains, ces étonnantes figures qui se dessinent sur la terre, est-ce que je sais?... Tout me comble. »

Après *La Nuit et les Sources* devait venir *Le Grand Pardon.* Il existe pour Marcel Arland quelques terres privilégiées. La Bretagne est de celles-ci. Il lui doit, sans doute, l'idée de la composition de ce livre, qui se présente comme une procession, entrecoupée de repos. Des êtres, des *âmes en peine,* sont ici en marche. En tous, on peut discerner l'espoir d'un salut. De quelle sorte de salut s'agit-il? On en discutera. Ce qui est certain, c'est qu'à plusieurs reprises, le conteur cède la place au poète, et que le poète invoque « le divin silence » et « le regard d'au-delà du ciel ».

Le salut, Arland lui-même l'a trouvé dans la littérature : il a souvent répété que c'était une grâce que d'avoir la possibilité d'écrire. Non point qu'il considère l'écriture comme une prière : elle est plus que cela, elle est délivrance. Mais délivrance momentanée. Comment conserver le bonheur qu'elle a pu dispenser?

Une chose demeure cependant : toutes les petites lueurs et parfois les grandes flammes qui ont percé la nuit sont des signes d'une réalité que ne peut nier la médiocrité du quotidien. Au demeurant, par une démarche inverse, la description réaliste de nos aventures de chaque jour peut faire sentir la réalité d'une autre vie. Si l'on sait que *la vraie vie est absente,* c'est qu'il y a un creux en nous qui ne peut s'expliquer autrement. Par un curieux paradoxe spirituel (que l'on retrouve chez Green) l'absence prouve l'existence. Arland n'a cessé de peindre un monde « en attente ».

Le livre se compose de trois parties : *La Porte de l'ombre, La Jeune Fille et la Mort, La Vie nouvelle.* Entre les trois parties sont intercalés des textes brefs réunis sous le titre *Chronique des passants.* Les mêmes thèmes reviennent. C'est l'éclairage qui change. Arland a eu la tentation de comparer son œuvre à un grand jeu de lumières et d'ombres. Existe-t-il une progression? Qu'est-ce que cette vie nouvelle qui apparaît longtemps après qu'on a franchi la porte de l'ombre? « Simplement, dit l'auteur, il m'a semblé que ces notions de lumière et d'ombre changeaient peu à peu de valeur, presque de sens, et qu'elles tendaient à se résoudre en un accord. » Il est bien difficile de ne pas penser au curé de campagne qui murmurait enfin : « Tout est grâce. »

5.
Alentours du surréalisme

Personne n'a été plus sévère que Raymond Queneau pour la poésie surréaliste. Dans *Le Voyage en Grèce* (1973), on peut lire : « Loin d'être un méandre du cours tourmenté de la poésie française, le surréalisme ne fut qu'un canal de dérivation qui va se perdre dans un champ d'épandage. Toutes les acquisitions qu'a revendiquées le surréalisme étaient acquises bien avant lui, et par Apollinaire, et par Max Jacob et par André Salmon. »

Queneau ne cite pas de noms de poètes surréalistes et l'on ne manquera pas de remarquer que lui-même appartint au groupe et que certains de ses premiers poèmes sont d'inspiration surréaliste. Queneau en avait non tant aux poètes qu'aux théoriciens du mouvement et aux tristes suiveurs qui ont cru pouvoir appliquer des recettes.

On peut observer aussi que les « grands poètes surréalistes » ont donné leurs plus belles œuvres après avoir rompu avec Breton : c'est le cas pour Éluard, Aragon et Artaud. A l'inverse, des poètes qui n'ont jamais appartenu au groupe et qui même ont été honnis par lui sont considérés maintenant comme surréalistes par des lecteurs non prévenus : c'est le cas pour Cocteau et Michaux. Cela tient à ce qu'ils ont subi les mêmes influences qui circulaient dans l'air de l'époque. Mais l'époque agit diversement sur des tempéraments eux-mêmes divers. En définitive, il y a peu de points communs entre Aragon et Eluard, entre Char et Prévert, et non plus entre Cocteau et Michaux.

Pour beaucoup d'historiens de la littérature, à commencer par Maurice Nadeau, le surréalisme en tant que mouvement appartient à l'entre-deux-guerres. En 1940, Breton s'exila aux U.S.A. Quand il revint en France, de nombreux jeunes gens l'entourèrent et un nouveau groupe se reforma, mais, parmi les noms des derniers surréalistes, un seul a réussi à s'imposer : celui de Jean-Pierre Duprey.

En 1978, la gloire posthume d'Antonin Artaud éclipse complètement celle de Breton. Toutefois les œuvres complètes de celui-ci sont annoncées dans la Pléiade où celles de Paul Éluard ont déjà paru. D'autre part, la publication des œuvres complètes de Reverdy se poursuit (une douzaine de volumes parus). Il s'agit là d'éditions critiques. Les surréalistes sont aujourd'hui en proie aux professeurs.

Queneau s'étonnait qu'ils aient tant attaqué la littérature au nom de la poésie alors que, s'ils doivent laisser un nom, ce sera dans l'histoire de la littérature parce que certains d'entre eux surent écrire et, parfois, très bien écrire. Mais, assure Queneau, ils furent terrorisés par les politiques et par les scientifiques qui entendaient les persuader qu'ils étaient des bouches inutiles.

Reverdy, Artaud ni Prévert ne se laissèrent pas intimider. Breton qui ne voulut jamais renoncer à sa liberté de jugement ne se trompa guère dans ses choix politiques. Éluard et Aragon se compromirent gravement. Éluard ne vécut pas assez longtemps pour comprendre l'étendue de ses erreurs. Nous verrons dans un autre chapitre Aragon face à ses illusions perdues.

PIERRE REVERDY

Pierre Reverdy (1889-1960) occupe une place considérable dans l'histoire de la poésie française. François Mauriac écrivait en 1967 dans son *Bloc-Notes :* « Pierre Reverdy? Vous chercheriez en vain son nom dans les anthologies récentes — lui qui fut le plus grand de nous tous. Non certes un imitateur de Rimbaud; mais alors qu'après *Les Illuminations*, il n'y eut plus pour l'enfant Rimbaud qu'à mourir ou qu'à se faire chercheur d'or, sinon marchand d'esclaves, en Pierre Reverdy, Rimbaud devient un homme et reste Rimbaud : voilà le miracle. »

Cet hommage ne manque pas de poids. On pourra cependant être surpris de voir Mauriac décerner le titre de « plus grand de nous tous » à un poète dont il a peu parlé par ailleurs. En réalité, ce sont les surréalistes qui considérèrent Reverdy comme un maître. Dans ses *Mémoires,* parus en 1952 sous le titre et la forme d'*Entretiens,* André Breton cite l'ouverture d'un des recueils réunis dans *Plupart du temps* (1945) et la commente merveilleusement.

Voici la phrase de Reverdy : « En ce temps-là le charbon était devenu aussi précieux et rare que des pépites d'or et j'écrivais dans un grenier où la neige, en tombant par les fentes du toit, devenait bleue. »

Et maintenant le commentaire de Breton : « Une telle façon de dire n'a pour moi rien perdu de son enchantement. Instantanément, elle me réintroduit au cœur de cette magie verbale, qui, pour nous, était le domaine où Reverdy opérait. Il n'y avait eu qu'Aloysius Bertrand et Rimbaud à s'être avancés si loin dans cette voie. Pour ma part, j'aimais et j'aime encore — oui, d'amour — cette poésie pratiquée à larges coupes dans ce qui nimbe la vie de tous les jours, ce halo d'appréhensions et d'indices qui flotte autour de nos impressions et de nos actes. »

Dans son *Premier Manifeste du Surréalisme,* Breton reconnaît Reverdy comme le fondateur de la théorie surréaliste de l'image et cite un texte de 1918 où le poète écrivit : « L'image est une création pure de l'esprit. Elle ne peut naître d'une comparaison, mais du rapprochement de deux réalités plus ou moins éloignées. » (On trouvera ce texte dans l'appendice de la réédition de 1967 de *Plupart du temps.*

De son côté, Aragon a témoigné : « Reverdy était, quand nous avions vingt ans, Soupault, Breton, Éluard et moi, toute la pureté pour nous du monde. Notre immédiat aîné, le poète exemplaire. »

Il est bien évident qu'un poète qui a provoqué de tels enthousiasmes devait posséder un talent peu commun. De fait, on est toujours dans l'enchantement quand on nous cite quelques vers de lui ou simplement des notes de carnets. Mais il nous paraît éminemment un auteur de fragments. Ses livres rassemblent de précieux éléments pour une grande œuvre, le problème se pose de savoir pourquoi la grande œuvre n'a pas été construite. Chez lui, les beaux vers abondent; les beaux poèmes (les poèmes entièrement réussis) sont rares.

Par là, Reverdy est d'ailleurs représentatif d'une époque où l'on a dissocié la notion de poésie de la notion de poème. Reverdy est constamment un pur et vrai poète par la qualité de son esprit et de ses rêveries. Mais il n'est pas un habile constructeur de beaux objets comme Hugo ou Baudelaire. Ce qui lui manque aussi et que possédaient éminemment ces poètes, c'est un chant. Reverdy est évidemment descendant de Rimbaud, qui entendait « noter des silences et fixer des vertiges » : cependant Rimbaud était un musicien non moins qu'un peintre.

ANDRÉ BRETON

Tantôt André Breton (1896-1966) acceptait qu'on parlât d'une « histoire » du surréalisme qui avait eu ses grands moments et ses périodes d'occultation; tantôt il estimait qu'on ne pouvait assigner au surréalisme pas plus une fin qu'un commencement puisqu'il était « la codification d'un état d'esprit qui s'est manifesté sporadiquement à toutes les époques et dans tous les pays ».

Il nous faut insister sur le mot « codification ». C'est André Breton qui inventa le surréalisme comme « mouvement organisé » et c'est ainsi qu'il survivra dans la mémoire des hommes. Son nom est commode dans les débats d'idées pour désigner l'état d'esprit qu'il codifia.

Breton fut un étonnant rassembleur d'hommes et d'idées. Il commença par se trouver de grands ancêtres et, ce faisant, mit en pleine lumière une tradition poétique jusqu'alors négligée. Des écrivains anciens, restés en marge, occupèrent avec lui la pleine page.

Il se trouva ensuite des compagnons. Ce fut son don le plus admirable peut-être que d'avoir su attirer à lui tant d'esprits de tout premier rang. Toutefois, il entendait être le guide et décider toujours de la marche à suivre. Il aimait pouvoir dire « nous ». En réalité, il pensait toujours « je » et tolérait mal qu'on ne pensât pas comme lui. Certains compagnons s'éloignèrent, d'autres furent exclus du groupe.

Il est vrai que, si Breton ne s'était pas montré intransigeant sur quelques principes de base, le surréalisme, comme mouvement, n'aurait pu durer que quelques années, au mieux. Mais l'intransigeance de Breton eut comme autre effet qu'il se trouva presque seul à la fin de sa vie. N'empêche : il pouvait se féliciter d'être resté fidèle à sa jeunesse.

La vie d'André Breton ne fait pas que se confondre avec le mouvement surréaliste : elle est le mouvement surréaliste lui-même. On en suivra le cours dans le volume *Entretiens* (1952) : il s'agit, pour l'essentiel, de dialogues tenus devant un micro, mais Breton, se fiant peu à l'inspiration, avait rédigé préalablement les questions et les réponses. Ces *Entretiens* sont ses « Mémoires ».

Au début du livre, on le voit faire l'éloge des symbolistes et reprocher à notre époque d'être injuste envers eux. Certes, dit-il, le surréalisme s'est opposé à eux, « historiquement c'était inévitable. Mais la critique n'avait pas à emboîter le pas ». Soit. Disons que, dans d'autres circonstances, Breton a refusé, avec raison, les « nécessités historiques ».

Breton lui-même commença par écrire des vers dans le sillage de Mallarmé. Sans aucun doute, il eût souhaité d'être un grand poète en vers. Il n'était pas très doué sur ce plan-là. L'abandon de la musique au seul profit des images, l'emploi de l'écriture automatique (ou soi-disant telle) n'ont pas donné non plus les résultats qu'il avait espérés.

André Breton est en revanche un grand prosateur français dans une tradition classique. Avec parfois une pompe à la Bossuet, parfois un romantisme à la Chateaubriand. Comme écrivain, on retiendra de lui tous ses essais critiques et ses pages autobiographiques. Les uns et les autres sont souvent mêlés. Se défendant d'être un littérateur, André Breton n'a cessé de tenir le journal de bord de son « aventure humaine » et c'est par là qu'il est très attachant.

Certains jeunes gens nous disent aujourd'hui que Breton fut surtout un grand metteur en scène et que son influence s'est surtout manifestée dans le domaine de la décoration et de la publicité, une certaine manière de concevoir les affiches ou de présenter les vitrines des grands magasins. Bref, qu'il lança des modes comme un grand couturier.

Breton a marqué notre époque d'une manière plus profonde. Briseur d'idoles et propagandiste d'une espérance nouvelle, il n'a pas modifié l'histoire, mais il a infléchi les sensibilités, il a cherché les grands secrets, il nous a invités à trouver la poésie dans le quotidien, il a décelé partout l'insolite et défendu une certaine idée de la liberté.

Dans les années cinquante, on le vit avec surprise invoquer parfois « le plus élémentaire bon sens » : c'est que cet homme qui s'était élevé jadis contre la tyrannie de la raison, n'en avait qu'à la raison froide et figée. Ce théoricien de l'irrationnel n'avait au fond désiré qu'agrandir le domaine de la raison. Il était d'autre part épris d'ordre et de morale, et parfois sacrifiait même à de vieux préjugés. Qui n'a pas ses contradictions? L'important est de ne pas se laisser écraser par elles.

Breton n'était pas un être d'abandon. Il s'était pris une fois pour toutes pour André Breton et, non sans raideur, joua parfaitement ce rôle intéressant.

Parmi ses règles de morale (qu'il n'a peut-être pas toujours appliquées), il en est une qui mérite d'être rappelée : « La fin ne justifie jamais les moyens. »

PAUL ÉLUARD

Paul Éluard (1895-1952), longtemps considéré par ses amis comme un poète charmant, mais mineur, prit soudain figure de grand poète durant l'occupation quand il publia son *Choix de poèmes* (1941) et que Drieu révéla son *Blason des fleurs et des fruits* dans la *Nouvelle Revue française*.

Paul Éluard est incontestablement l'inventeur d'une poésie nouvelle, qui crée des associations d'images ou de mots ne se justifiant qu'outre raison, dans un domaine purement sentimental ou sensuel. Un esprit logique s'y trouve parfaitement dépaysé : il faut s'abandonner au charme de ces vers légers où se voit niée la séparation entre le réel et l'imaginaire. On dit parfois qu'ils se retiennent difficilement. Lisez donc le poème qui commence par *Je fis un feu, l'azur m'ayant abandonné* ou celui qui commence par *Chargée de fruits légers aux lèvres...*

Éluard est essentiellement un poète de l'amour. Il n'est pas sans intérêt de savoir que le poème *Liberté* que Benjamin Péret qualifia de « litanie civique » et que l'on fait apprendre maintenant aux enfants des écoles, s'intitula d'abord *Une seule pensée :* « Je pensais révéler pour conclure le nom de la femme que j'aimais, à qui ce poème était destiné », confie Paul Éluard (tome II, p. 941). Mais la « seule pensée » se transforma sous la pression des circonstances extérieures, et le nom de Nusch qu'Éluard faisait attendre fut remplacé par celui de Liberté : « Ainsi, explique curieusement le poète, la femme que j'aimais incarnait un désir plus grand qu'elle. »

Ainsi devient-on un « classique de la liberté ».

Drôle de liberté d'ailleurs, puisqu'Éluard s'était rallié au stalinisme. Cette religion lui inspira d'exécrables *Poèmes politiques* (1948).

Non sans naïveté, dans son dernier grand poème, *Le Château des pauvres* — (qui fut publié dans le volume *Poésie interrompue II* en 1953), Éluard écrivait :

Il ne faut pas de tout pour faire un monde il faut
Du bonheur et rien d'autre.
Pour être heureux il faut simplement y voir clair
Et lutter sans défaut.

Dans le même volume, on le voit renouer avec les vers réguliers :

Je t'aime, je t'adore, toi
Par-dessus la ligne des toits,
Aux confins des vallées fertiles,
Au seuil des rires et des îles
Où nul ne se noie ni ne brûle.
Dans la foule future où nul
Ne peut éteindre son plaisir,
La nuit protège le désir,
L'horizon s'ouvre à la sagesse,
Le cœur aux jeux de la jeunesse
Tout monte, rien ne se retire.

Deux vers reviennent :

Une longue chaîne d'amants
Sortit de la prison dont on prend l'habitude.

C'est contre l'habitude que s'écrit toute poésie, pour rendre au monde ses couleurs et aux hommes la fraîcheur des sentiments. La générosité d'Éluard est d'avoir voulu écrire pour tous, d'avoir voulu partager avec tous ses richesses.

Ce monde je le veux éprouver sur mon cœur.

ANTONIN ARTAUD

Antonin Artaud (1896-1948) fut toujours indifférent à la politique. Il estimait sans intérêt « du point de vue de l'absolu, de voir changer l'armature sociale du monde ou de voir passer le pouvoir des mains de la bourgeoisie dans celle du prolétariat ».

La libération de l'homme ne se situait pas pour lui à ce niveau. Lors de sa participation à *La Révolution surréaliste,* c'est au pape et au Dalaï-Lama qu'il s'adressait. A celui-ci il écrivait : « Enseigne-nous, Lama, la lévitation matérielle des corps et comment nous pourrions n'être plus tenus par la terre.

« Car tu sais bien à quelle libération transparente des âmes, à quelle liberté de l'Esprit dans l'Esprit, ô Pape acceptable, ô Pape en l'esprit véritable, nous faisons allusion. »

Artaud estimait que notre vieux monde souffrait d'une pourriture : de la pourriture de la Raison : « L'Europe logique écrase l'esprit sans fin entre les marteaux de deux termes, elle ouvre et referme l'esprit. Mais maintenant l'étranglement est à son comble, il y a trop longtemps que nous pâtissons sous le harnais. »

Il observait une victoire de la Raison sur la vie, et par cette victoire nous étions tous vaincus. C'était donc que notre civilisation avait fait fausse route. Il fallait, sinon revenir en arrière, du moins considérer toutes choses autrement qu'on n'en avait pris l'habitude.

Il affirme : « La vérité de la vie est dans l'impulsivité de la matière. L'esprit de l'homme est malade au milieu des concepts. »

Artaud finit par s'opposer à toute intellectualité. On a naturellement remarqué qu'une pensée hostile à toute intellectualité est aussi une pensée. Il est vrai, mais Artaud ne voulait pas d'une pensée isolable du corps qui la concevait. Dans les dernières années, il voulait être « un corps pur et non un pur esprit ».

Le mouvement est parfaitement indiqué dès le *Manifeste en langage clair* où l'on peut lire d'abord : « Je ne crois plus qu'à l'évidence de ce qui agite mes moelles, non de ce qui s'adresse à ma raison. » Mais tout aussitôt après : « Je ne renonce à rien de ce qui est l'Esprit. Je veux seulement transporter mon esprit ailleurs avec ses lois et ses organes. »

Attiré par le théâtre, il considérait la représentation d'une pièce comme une sorte de cérémonie d'exorcisme : « A partir du Théâtre Jarry, le théâtre ne sera plus cette chose fermée, enclose dans l'espace restreint du plateau. mais visera à être véritablement un acte, soumis à toutes les sollicitations et à toutes les déformations des circonstances et où le hasard retrouve ses droits. Une mise en scène, une pièce, seront toujours sujets à caution, à révision, de telle sorte que les spectateurs venant à plusieurs soirs d'intervalle n'aient jamais le même spectacle devant les yeux. Le Théâtre Jarry brisera donc avec le théâtre, mais, en plus, il obéira à une nécessité intérieure où l'esprit a la plus grande part. »

L'échec de ses entreprises théâtrales le poussa à chercher, dans la vie même, des rites sacrés qui pourraient le délivrer de son tourment existentiel. Il crut les trouver dans une tribu indienne du Mexique qui cultivait le peyotl (*Les Tarahumaras*), mais il revint en Europe où il allait être interné pendant neuf ans (1937-1946) dans divers asiles psychiatriques.

Au lendemain de la guerre, quelques amis se dépensèrent généreusement pour obtenir sa libération. Ils y réussirent après avoir réuni la somme qui permettrait au poète de subvenir à ses besoins. Artaud reparut à Paris et fut reçu dans les milieux littéraires d'avant-garde (mais aussi chez Gide) avec tous les égards dus à un génie foudroyé. Un prix littéraire fut décerné à l'unanimité à son essai *Van Gogh le suicidé de la société* (1947) où il s'identifiait à son modèle. Il y exposait sa haine des psychiatres — ce qui était bien naturel — et aussi sa croyance aux sorciers de toutes sortes, envoûteurs et autres jeteurs de sort.

Usé par les privations et les drogues, miné par un cancer, il était à la poursuite d'une santé et d'une pureté perdues. Il voulait vivre et ne concevait pas de vie sans corps dans un quelconque au-delà. Alors il exigeait un corps libéré de toutes lois, tant naturelles que sociales. Il attendait un miracle.

Il n'est pas possible à la fin que le miracle n'éclate pas
J'ai été trop supplicié
Je me suis trop ennuyé au monde
J'ai trop travaillé à être pur et fort
J'ai trop pourchassé le mal
J'ai trop cherché à avoir un corps propre.

Son combat contre les démons pour conserver son intégrité lui inspirait des textes d'une extrême violence où, paradoxalement, l'exigence de pureté lui soufflait de rudes obscénités. Parfois, ne trouvant plus de mots dans notre langue, il inventait une langue nouvelle, faite de cris, dont on peut se demander s'ils étaient inhumains ou surhumains. Dans un cas comme dans l'autre Artaud aura été notre dernier grand voleur de feu. Henri Thomas a pu comparer ses derniers fragments publiés — *La Magre* ou *Paris-Varsovie* — à ces « phrases sauvées » de la philosophie grecque présocratique dont l'éclat continue de nous stupéfier.

Les *Œuvres complètes* d'Artaud ont commencé de paraître en 1956. Correspondance comprise, elles représentent une quinzaine de forts volumes. De son vivant, on ne connaissait d'Artaud que quelques minces plaquettes, tirées à peu d'exemplaires.

RENÉ CHAR

Camus, qui disait n'avoir jamais vraiment aimé qu'un seul poème — *Le Lac* de Lamartine — s'enthousiasma au lendemain de la Libération pour son aîné René Char (né en 1907), qui venait de publier *Seuls demeurent* (1945) et dont il accueillit les *Feuillets d'Hypnos* (1946) dans la collection *Espoir* qu'il dirigeait alors.

Char était un poète résistant, non pour avoir publié des textes dans des revues clandestines, mais pour avoir dirigé un maquis. Cela lui conférait un prestige particulier. « Ces notes (dit-il de ses *Feuillets d'Hypnos*) marquent la résistance d'un humanisme conscient de ses devoirs, discret sur ses vertus, désirant réserver l'*inaccessible* champ libre à la fantaisie de ses soleils, et décidé à payer le prix pour cela. »

Citons aussi les feuillets 62 et 63 qui nous paraissent se compléter : « Notre héritage n'est précédé d'aucun testament. » — « On ne se bat bien que pour les causes qu'on modèle soi-même et avec lesquelles on se brûle en s'identifiant. »

Char n'a pas écrit beaucoup de véritables poèmes : moins encore que Reverdy. Et il écrit plus volontiers en prose qu'en vers, mais dans une prose ramassée où fait merveille son sens de la formulation. De même que pour Artaud, on a comparé les fragments qu'il nous a livrés aux sentences de la philosophie présocratique. Peu d'œuvres ont suscité autant de commentaires, d'ailleurs contradictoires. Pourtant Char, qui n'est nullement philosophe, ne nous offre pas des « pensées » à déchiffrer, il nous assène des affirmations bien frappées qui résument les divers moments de son itinéraire spirituel et sentimental.

Dans l'ordre sentimental, on retiendra *Evadné* qui commence ainsi :

L'été et notre vie étions d'un seul tenant
La campagne mangeait la couleur de ta jupe odorante

et qui se termine par :

C'était au début d'adorables années
La terre nous aimait un peu je me souviens.

Dans l'ordre spirituel, on citera l'une des cinquante-cinq affirmations de *Partage formel :* « A chaque effondrement des preuves le poète répond par une salve d'avenir. »

Ce n'est point par dédain des développements, c'est par tempérament que Char pratique le « raccourci fascinateur ». La poésie se perdrait dans le discours. Chez Char, elle tient tout entière dans l'inattendu des images : « Comment me vient l'écriture? Comme un duvet d'oiseau sur ma vitre en hiver. Aussitôt s'éleva dans l'âtre une bataille de tisons qui n'a pas encore à présent pris fin. »

S'il a choisi le titre de *Fureur et Mystère* (1949) pour coiffer son plus important recueil poétique, Char refuse d'être un auteur pour initiés. Il a même tenté de renouer avec la tradition populaire en composant des pièces pour des théâtres de verdure, où il proteste contre l'intrusion de la technique industrielle dans l'univers rural : *Claire* (1949), *Le Soleil des eaux* (1951). A côté du poète d'inspiration surréaliste, il y a chez Char un poète du terroir en accord avec les quatre éléments. Il a choisi de vivre dans son village natal de l'Isle-sur-Sorgue, dans le Vaucluse. Si la vraie vie est restée pour lui celle de l'enfance, il n'a cessé, adulte, de saluer la beauté du monde.

JACQUES PRÉVERT

Quand, vers 1930, il écrivait *Tentative de description d'un dîner de têtes à Paris-France* et *La Crosse en l'air*, qui furent alors publiés dans des revues sans être beaucoup remarqués, Jacques Prévert (1900-1977) ne se doutait pas que quinze ans plus tard ces jongleries verbales lui vaudraient un grand succès populaire. Il les avait exécutées pour le plaisir. Pour gagner sa vie, il comptait sur le cinéma et il signa (et parfois écrivit sans signer) le scénario et les dialogues de nombreux films, parmi lesquels *Le Crime de M. Lange, Drôle de drame, Quai des brumes, Le jour se lève*.

Le premier recueil de poèmes de Prévert que l'on connaisse est une plaquette ronéotée par les élèves de philo du lycée de Reims, en 1943. Le professeur qui les avait incités à ce travail était le futur fondateur du *Collège de pataphysique* et l'on peut penser que ce qui l'avait enchanté chez Prévert c'était son irrespect pour toutes les vieilles valeurs bourgeoises.

Au lendemain de la guerre, un jeune éditeur, René Bertelé, reprit la plaquette de Reims et l'étoffa avec nombre d'autres poèmes que Prévert avait négligemment publiés ici et là, ou distribués à des amis. Il réunit la matière d'un assez épais volume. Prévert accepta que ce volume paraisse et choisit comme titre général *Paroles* (1946). Il voulait indiquer qu'il s'agissait de poésie parlée et non pas écrite. Poèmes improvisés, au gré de l'inspiration, des indignations et des attendrissements. Poésie de chansonnier génial, au tempérament d'anarchiste blagueur et sentimental.

Le succès fut immédiat et assez prodigieux. Depuis *Toi et Moi* de Géraldy, aucun poète français n'avait connu de pareils tirages et les poètes de la Résistance pouvaient aller déposer leur panoplie au vestiaire de l'Histoire. Il fallait remonter à Béranger pour trouver un pareil cas de gloire populaire. Et cette gloire populaire impressionna de graves critiques comme celle de Béranger avait ébloui Sainte-Beuve.

Prévert eut la chance de trouver tout de suite des compositeurs pour mettre en musique ses paroles. *Les Feuilles mortes, Barbara, Les Enfants qui s'aiment* furent vite inséparables de la musique de Kosma et perdent beaucoup à être simplement lus dans un livre. Le fameux *Inventaire* gagne à être détaillé par les frères Jacques.

Dans un poème *Pour rire en société* (recueilli dans *Spectacle*, 1951) Prévert parle du succès qu'il a obtenu dans le beau monde :

Le dompteur a mis sa tête
dans la gueule du lion
moi
j'ai mis seulement deux doigts
dans le gosier du Beau Monde

Et il n'a pas eu le temps
de me mordre
Tout simplement
Il a vomi en hurlant
un peu de cette bile d'or
à laquelle il tient tant
Pour réussir ce tour
utile et amusant
se laver les doigts
soigneusement
dans une pinte de bon sang.
Chacun son cirque.

Le beau monde n'a jamais eu l'intention de mordre Prévert. Tout au contraire, il paie volontiers pour se faire mordre, il fait couler un peu de cette bile d'or. Il aime à être battu.

Entendons-nous pourtant. A l'époque où triompha Prévert, il existait encore des milieux bien-pensants qu'il sut scandaliser. Cette bonne société n'était pas le beau monde. La bonne société se définit par ses beaux sentiments et le beau monde par son bon argent. La bonne société assure la continuation et la permanence des saines traditions, tandis que le beau monde voit le déluge pour la génération suivante, de sorte qu'il pactise facilement avec ses ennemis.

Voici quelques fragments du discours que Prévert prête à Poincaré à l'inauguration du monument aux morts de Fontenoy : « Soldats tombés à Fontenoy, soldats tombés à Fontenoy, sachez que vous n'êtes pas tombés dans l'oreille d'un sourd et que je fais ici le serment de vous venger, de vous suivre et de périr... Soldats tombés à Fontenoy, le soleil d'Austerlitz vous contemple... A la guerre comme à la guerre! Un militaire de perdu, dix de retrouvés! Il faut des civils pour faire des militaires! Avec un civil vivant on fait un soldat mort! Et pour les soldats morts on fait des monuments, des monuments aux morts... »

Une telle tirade tournant en dérision la phraséologie officielle indignait autrefois les gens sérieux. On accusait Prévert d'insulter les morts, alors que, de toute évidence, il essayait de défendre les vivants.

Son pouvoir de scandale est fortement émoussé aujourd'hui. Son antimilitarisme et son anticléricalisme paraissent aussi primaires que son éloge de l'amour libre paraît fleur bleue. Mais cela plaisait à Prévert d'être primaire et fleur bleue. Il ne voulait surtout pas être pris pour un intellectuel (« le monde intellectuel ment — monumentalement »). Lui ne ment pas, il s'abandonne à sa verve. Avec les mots de tout le monde et de tous les jours, il parle comme personne. Ce qui domine en lui, c'est finalement la joie de vivre. Il revient toujours à l'amour, à la jeunesse, aux fleurs et aux petits oiseaux. Il affirme : « Tout est perdu, sauf le bonheur » ou encore : « De deux choses l'une — l'autre c'est le soleil. »

On ne peut dire que le soleil brille beaucoup dans les films auxquels il a collaboré. Mais c'est là qu'il a donné son chef-d'œuvre, avec *Les Enfants du paradis* (1945) qui reste un des plus beaux films du monde. Chose curieuse : le découpage et les dialogues n'en ont été publiés qu'en 1967, et encore était-ce dans la revue *L'Avant-Scène* et non pas en volume. Pourtant on trouvait dans le commerce des « volumes de cinéma » tout comme des volumes de « théâtre » : Marcel Pagnol et René Clair avaient fait imprimer le texte de leurs films.

La brochure de *L'Avant-Scène* contient des précisions intéressantes sur la naissance des *Enfants du paradis*. Tout commença dans un restaurant de Nice, en 1943. Ce soir-là Prévert et Carné dînaient avec Barrault, qui leur raconta la vie de Deburau. Celui-ci, surnommé Baptiste, avait renouvelé le type traditionnel de Pierrot, sur la scène des Funambules, boulevard du Crime. Il avait débuté vers 1816, en même temps que Frédérick Lemaître. Le 16 avril 1836, Deburau assassinait dans la rue un jeune apprenti, Viélin, qui l'avait plaisanté sur son infortune conjugale. Traduit en justice, Deburau fut acquitté.

Le récit de Barrault intéressa Carné, enthousiasma Prévert. Carné partit pour Paris à la recherche de documents d'époque et d'estampes. Prévert lut tous les ouvrages qu'on lui signala où il était question de Deburau, de Frédérick Lemaître et aussi de Lacenaire. Ce dernier, un illustre assassin, a eu la chance posthume de retenir l'attention des surréalistes : André Breton lui a réservé une place dans son *Anthologie de l'humour noir*.

Prévert n'était assurément pas un homme à tenter une reconstitution historique exacte dans ses moindres détails. Ce qui lui plaisait était de donner corps aux rêveries qui lui étaient venues en lisant de vieux livres. Ni son Deburau, ni son Frédérick, ni son Lacenaire ne sont des personnages « historiques », mais ils ont une puissante vérité poétique. Notons d'ailleurs que, dans le découpage original, pour bien préciser leurs intentions, les auteurs du film avaient affublé de noms imaginaires les principaux personnages : ainsi Leprince pour Lemaître, Mécenaire pour Lacenaire, Tabureau pour Deburau. Ils ont rétabli les noms de leurs modèles au tournage et ils ont certes bien fait.

Dans le scénario original de Prévert, Deburau qui, de reste, n'était nullement malheureux en ménage, mais malheureux dans son amour pour Garance, assassinait le marchand d'habits. C'est Carné qui refusa que Baptiste devienne un assassin. Mais, comme le disait Albert Camus, il existe très peu d'assassins qui, en se rasant le matin, savaient qu'ils tueraient dans la journée. En particulier, tous les crimes qui ne sont pas crapuleux sont des explosions des forces du destin.

Ce qui est le plus beau, dans *Les Enfants du paradis,* ce sont les amours de Baptiste et de Garance : la timidité et la sentimentalité de Baptiste qui ne comprendra que bien trop tard que « c'est simple l'amour ». Mais justement, au moment où il comprendra, ce ne sera plus simple du tout.

Après avoir perdu une première fois Garance par sa faute, il ne la retrouvera que pour la perdre une seconde fois et pour toujours.

Frédérick Lemaître, Lacenaire, le comte de Monteray sont également des personnages inoubliables. Tout le film dans ses moindres détails est une réussite absolue.

JEAN-PIERRE DUPREY

Jean-Pierre Duprey, né à Rouen en 1930, prit volontairement congé de cette vie en 1959. Il nous a laissé une œuvre de poète, de peintre et de sculpteur.

Toute son œuvre poétique tient en trois volumes. Le dernier s'intitule *La Forêt sacrilège* (publication posthume en 1971) et c'est lui qu'il convient de lire d'abord. Il nous donne à la fois le point de départ de Duprey et son point d'arrivée. Le point de départ, c'est la série de poèmes publiés en 1948 dans le recueil *Fauteurs de paix*. Voici le début du tout premier poème, intitulé *Seize ans :*

J'ai dominé toute une station de vie
Ma première enfance est entrée dans la pierre
Mes premières larmes sont parties avec les passereaux
J'ai vu Dieu, j'ai vu les hommes
Et mes yeux ne se cherchent même plus.

La séduction de ces poèmes d'adolescence est immédiate. Elle convainc de l'authenticité d'œuvres plus difficiles, comme cette *Forêt sacrilège,* pièce en deux actes dont Breton avait publié deux scènes dans son *Anthologie de l'humour noir* (édition de 1950).

En adoptant la forme théâtrale, Duprey tentait de nous rendre spectateurs de son univers intérieur. De même devint-il sculpteur pour donner corps aux créatures étranges qui le visitaient en rêve. Il ne nous propose pas des énigmes mais l'expression bouleversante de sa sensibilité déchirée.

Je nage en mon ombre
Trop de noir dedans
Mon ombre est la tombe
Pénétrable au vent.

6.

Laboratoires secrets

Certains auteurs semblent susciter d'autant plus de passion de la part d'un petit nombre de lecteurs que le grand public les ignore. Il s'agit généralement d'auteurs qui racontent une aventure intérieure et qui refusent farouchement les conventions du monde habituel. Ils violent la notion de tabou mais, entraînés par leur élan, ils se laissent emporter par leur passion dans des domaines où c'est une imagination noire qui règne.

Michel Leiris s'est tenu au plus près de sa vérité. Maurice Blanchot s'est réfugié dans l'allégorie. Georges Bataille est partagé entre le journal intime et le délire érotique. Quant à Gilbert-Lecomte et à Daumal, ils ont pris tous les risques de l'aventure au péril de leur vie.

MICHEL LEIRIS

Le premier ouvrage autobiographique de Michel Leiris (né en 1901), *L'Age d'homme,* est considéré déjà comme un classique. Cet ouvrage, écrit de 1930 à 1935, fut publié en 1939. N'attendez pas un récit suivi. C'est un inventaire de souvenirs déterminants groupés sous un certain nombre de rubriques. L'auteur n'est pas parti à la recherche du temps perdu, mais à la recherche de lui-même. Freud l'a bien aidé dans cette entreprise. Toutefois, on ne cesse jamais d'être un problème pour soi-même. Si l'on a le goût de l'analyse, on est promis au sort de Sisyphe. Après *l'Age d'homme,* Michel Leiris commença *La Règle du jeu.* C'était en 1940. *La Règle du jeu* comprend maintenant quatre tomes : *Biffures* (1948), *Fourbis* (1955), *Fibrilles* (1966), *Frêle bruit* (1976). Disons que *Fibrilles* se terminait par un constat d'échec et que *Frêle bruit* est un ensemble de fragments d'un édifice ruiné. Mais l'échec était inévitable. C'est que Leiris demandait beaucoup à la littérature : une transformation radicale de son existence, l'abolition de ses contradictions, l'union du mythe et du réel, le triomphe de la poésie.

Maurice Saillet appelle *La Règle du jeu* « la reine des autobiographies ». Leiris peut ainsi provoquer des enthousiasmes, alors même qu'il se déclare déçu par son travail. Qu'il n'ait point trouvé ce qu'il cherchait n'empêche pas que, chemin faisant, il n'ait construit une œuvre passionnante. On considérera *La Règle du jeu* comme un « essai sur moi-même » doublé d'un historique de cet essai. Il serait vain de regretter que la composition n'en soit pas plus claire. Leiris explique le désordre de son livre par son goût du baroque et son antipathie pour « la régularité de la ligne droite », mais il s'accuse aussi d'avoir « jeté presque en vrac descriptions, évocations de personnages, récits de rêves et d'événements réels, notations d'états d'âme et aperçus très divers ». Ce désordre rappelle celui des essais de Montaigne.

La Règle du jeu mérite-t-elle le titre que lui confère Saillet? Dans le domaine de l'autobiographie, des *Confessions* de Rousseau au *Si le grain ne meurt* de Gide, en passant par les *Mémoires d'outre-tombe* de Chateaubriand, pour s'en tenir au domaine français, bien des ouvrages pourraient prétendre à cette royauté. Mais peut-être aucun écrivain n'a-t-il su, comme Leiris, nous donner l'illusion de se tenir au plus près de sa vérité et même de la vérité (c'est la règle du jeu : dire toute la vérité et rien que la vérité). On voit bien en quoi réside l'illusion : c'est que Leiris applique à sa vie les mêmes grilles que nous avons aujourd'hui la tentation d'appliquer à notre propre vie. Leiris cherche moins à dessiner son personnage qu'à découvrir comment s'est formé ce personnage, les raisons qui l'ont fait agir. Les grandes autobiographies classiques sont ou bien des justifications, ou bien des tentatives pour se dresser une honorable statue. De nos jours, les écrivains semblent plus modestes : ils s'efforcent de « faire le point en eux-mêmes », pour reprendre une expression de Leiris.

Le désir d'être « vrai » conduit à insister sur les obsessions, les déficiences et les lâchetés, qu'on aurait honte d'avouer de vive voix. On risque évidemment de se tromper en croyant que le plus difficilement avouable est ce qui est fondamental en soi (« ces petites misères que chacun connaît par soi », disait Valéry, ennemi des confessions). De son côté, le lecteur ferait erreur en voyant de la complaisance dans tout aveu d'écrivain : pour Leiris, se livrer sans masque dans une autobiographie était un moyen de rendre sa dignité à l'acte d'écrire en le rendant dangereux. Leiris tenait beaucoup à l'estime de certaines personnes. Certes, nous avons enregistré de telles surenchères dans l'impudeur, ces derniers vingt ans, et le public semble si blasé, que les dangers paraissent dérisoires que fait courir un livre à son auteur. Mais le scandale ne réussit pas à tout le monde, et il n'est pas dans la nature de tout écrivain de le braver sans hésitation. Le courage de Leiris n'est pas d'ailleurs de faire l'aveu de grands vices : il avoue, c'est plus dur, de petites faiblesses. Elles n'ont pas empêché de hautes exigences poétiques et morales. Et ce sont bien celles-ci qui fondent la valeur de *La Règle du jeu*.

Mais peut-on jamais dire la vérité, en matière d'autobiographie? Michel

Leiris note que « se remémorer n'est, après tout, qu'une façon plus terre à terre d'imaginer » : les souvenirs ici sont enrichis, non seulement par d'autres souvenirs, mais par toutes les ressources d'une vaste culture.

Chacun connaît différents plans d'existence. Michel Leiris sait passer d'un niveau à l'autre. Dans la dernière partie de *Fourbis* qui concerne les approches de l'amour, il nous raconte une aventure dont il nous laisse penser qu'elle put être une banale liaison de sous-officier dans un bled d'Algérie ou, au contraire, une illustration exemplaire des rapports amoureux. Ces pages sont sans doute les plus belles qu'il ait écrites. Elles ont une épaisseur proustienne.

Nous voudrions vous conseiller aussi les courts récits — de trois lignes à six pages — que Michel Leiris a réunis sous le titre : *Nuits sans nuit et quelques jours sans jour* (1961). Il ne s'agit jamais de récits imaginaires, bien qu'ils soient souvent fantastiques. Vous avez peut-être déjà deviné que Michel Leiris nous livrait quelques-uns de ses rêves, mais il y a joint les récits de quelques événements réels qui lui ont semblé baigner dans la même lumière de seconde vie. (L'expression « seconde vie », pour parler du rêve, est de Gérard de Nerval.)

Voici le premier récit de *Nuits sans nuit*. Il s'intitule *Rêve très ancien :* « Devant une masse de badauds — dont je suis — l'on procède à une série d'exécutions capitales et cela m'intéresse au plus haut point. Jusqu'au moment où le bourreau et ses aides viennent à moi parce que c'est mon tour d'y passer, ce à quoi je ne m'attendais guère et qui m'horrifie grandement. »

Ce bref récit vous permet de voir que Michel Leiris semble n'avoir voulu que noter des rêves, mais vous pressentez que la valeur du recueil sera essentiellement d'ordre poétique. Tous ces récits, où l'auteur est attentif à raconter exactement les événements dont il a été le lieu (ou parfois le témoin), sont, en effet, des poèmes en prose. L'éditeur propose cette autre définition du rêve : « Mirage qui scintille sur un fond de ténèbres. »

Depuis que Freud nous a proposé sa moderne clé des songes, le rêve a fait l'objet d'études scientifiques très sérieuses. A ce propos, l'éditeur de *Nuits sans nuit* avertit que le rêve n'est ni une évasion, ni une révélation. Il n'est pas une évasion : « Nos pensées de la nuit — jusqu'aux plus saugrenues — viennent du même creuset que nos pensées du jour. Désirs, peurs ou simple tour d'esprit qui marquent de leur griffe chaque phase de notre existence, en vain nous compterions leur échapper dans les illusions du sommeil. » C'est même le contraire : le rêve nous met en contact direct, sur le plan de l'affectivité, avec des préoccupations que, parfois, nous voudrions ignorer. Il semble nous révéler des pans entiers de nous-même. Toutefois, il n'est pas une révélation : « Qu'un songe apporte au dormeur quelque clarté sur lui-même, ce n'est pas l'homme aux yeux clos qui fait la découverte mais l'homme aux yeux ouverts, assez lucide pour enchaîner des réflexions. »

C'est l'éditeur qui parle ainsi, mais si nous le citons, c'est que Michel Leiris lui a prêté sa plume.

MAURICE BLANCHOT

Maurice Blanchot (né en 1907) est, de tempérament, un écrivain précieux. Il débuta dans les lettres sous le signe de Giraudoux avec *Thomas l'obscur* (1941). Dès l'année suivante. *Aminadab* marquait un changement de cap et se plaçait dans la lignée de Kafka.

Ces deux premiers romans furent suivis d'un recueil d'essais critiques, *Faux pas* (1943), où Blanchot se montrait un remarquable et clair analyste. L'éventail des auteurs présentés était assez large, mais des préférences se trouvaient nettement soulignées. On lisait : « Le roman semble s'être perdu dans un goût puéril du réalisme, par un souci exclusif de fidélité à une observation extérieure. »

Blanchot ne pèche assurément pas par un excès de réalisme et s'est consacré à l'étude d'aventures purement intellectuelles, où le doute sur la réalité du langage devient un doute sur la réalité du monde. Blanchot est devenu le romancier de l'absence dans des ouvrages comme *Celui qui ne m'accompagnait pas* (1953) ou *L'Attente l'oubli* (1962), qui sont, aurait dit Artaud, « écrits sur du vide. » Mais Blanchot est le contraire d'un écrivain à éclats. Il tend à une écriture aussi impersonnelle qu'élégante.

Dans son activité critique, on le vit peu à peu s'éloigner de la critique traditionnelle pour s'attacher aux seules œuvres où il retrouvait l'écho de ses propres préoccupations (*La Part du feu,* 1949) puis, dans ces œuvres mêmes, il ne retint que certains passages qu'il interpréta à sa façon (*L'Espace littéraire,* 1955). Sa critique devint quasi philosophique et abstraite.

GEORGES BATAILLE

Georges Bataille (1897-1962) est un homme à curiosités multiples qui s'est illustré dans divers secteurs des sciences humaines. Mais il était aux prises avec une angoisse de vivre et une obsession de la mort qui l'ont amené à s'exprimer aussi dans des œuvres littéraires.

Son livre le plus fameux reste le premier qu'il ait publié au grand jour : *L'Expérience intérieure* (1943), suite de notes et de fragments qui ne posent pas les jalons d'un système philosophique, mais au contraire tendent vers une ivresse proche de la folie où les contradictions de l'existence seraient abolies. Ainsi ne s'agit-il pas réellement d'une expérience : Bataille relate une aventure et elle n'est intérieure que dans la mesure où il a recours à l'imagination pour lui donner corps.

Bataille veut ressentir sa « souveraineté » face au néant. Il a souvent recours à l'érotisme pour manifester sa révolte et sa puissance. Il a mis à la mode chez les étudiants des années soixante les mots « transgression » et « consumation », l'un n'allant pas sans l'autre. Il cherchait la réalisation d'une « extase » considérée comme fin en soi.

L'érotisme chez Bataille est agressivement obscène et répugnant. Sa fascination pour l'ordure en tant qu'ordure laisse supposer que l'auteur dut être un puritain à ses débuts. Les saints ont souvent cherché à se rouler dans la fange et Bataille, qui avouait se diriger vers une « sainteté désordonnée », mérite sans doute sa réputation de « mystique à l'état sauvage » que lui a faite Sartre.

Des récits comme *Histoire de l'œil* ont rencontré un vif succès auprès des lycéens travaillés par la puberté. Jean Paulhan disait des œuvres érotiques de Bataille qu'elles étaient dangereuses comme celles de Sade : elles pouvaient, selon lui, pousser des adolescents au cœur tendre à se réfugier dans des couvents.

LE GRAND JEU

Dans le temps où le surréalisme s'éloignait, on a vu se manifester un regain d'intérêt pour le groupe rival du *Grand Jeu.*

A l'origine du « Grand Jeu », on trouve, en 1922, la réunion de quatre élèves de troisième au lycée de Reims : René Daumal, Roger Gilbert-Lecomte, Roger Vailland et Robert Meyrat. Ils s'appellent entre eux « les Phrères simplistes » et constituent une espèce de société secrète. Ils sont en état de révolte contre le faux sérieux de la société bourgeoise qu'ils moquent avec les armes qu'avait fourbies Jarry et sa pataphysique. Ils sont aussi à la recherche de la vraie vie. Ils se livrent à des expériences diverses qui ne vont pas sans danger.

Quand ils ont quitté le collège, les trois premiers « phrères » vont à Paris poursuivre des études, mais bien décidés à conquérir une place dans le monde littéraire et à imposer leur conception de la recherche poétique et de la révolution permanente. Une revue sera l'expression du groupe, un groupe qui s'est naturellement élargi peu à peu. Cependant, c'est Gilbert-Lecomte, dit « papa », qui l'inspire; c'est Daumal, dit « le Phils », qui la met en forme; c'est Vailland, semble-t-il, qui trouve le titre.

Nous sommes en 1928. Le troisième et dernier numéro du « Grand Jeu » paraîtra en 1930. La grande aventure paraît alors avoir échoué. Et sa fin semble d'autant plus triste que les trois « Phrères », Daumal, Gilbert-Lecomte et Vailland, se trouvent bientôt brouillés. Ils ne se réconcilieront jamais. Ils prendront des voies très différentes : Gilbert-Lecomte s'enfoncera dans l'enfer de la drogue, René Daumal passera sous l'influence de Gurdjieff, et Roger Vailland deviendra stalinien. Il est assez normal que Michel

Random dans son essai sur *Le Grand Jeu* (1970) se montre très sévère pour Vailland, qui renia ses amitiés d'adolescent et considéra comme réactionnaire leur activité poétique (son pamphlet, *Le Surréalisme contre la révolution,* est représentatif de ses options d'après-guerre).

André Breton ne fut pas pour rien dans la fin du « Grand Jeu ». Il craignait d'être débordé sur sa gauche et mit en procès les nouveaux venus. A vrai dire, Daumal et Gilbert-Lecomte estimaient que le pape du surréalisme se prenait trop au sérieux, tout en manquant de vrai sérieux. Il restait dans le domaine des farces et attrapes, tandis que les écrivains du « Grand Jeu » avaient misé sur une « métaphysique expérimentale », où ils s'engageaient véritablement, sans souci de leur figure dans le siècle.

Si le « Grand Jeu » a toutes chances d'obtenir bientôt dans les histoires de la littérature la place qui lui fut refusée jusqu'ici, elle le devra au génie de « Papa » et de son « Phils », deux grands esprits et deux grands poètes. Rolland de Renéville les a réunis dans une étude de son recueil *Univers de la parole* (1945), et il les qualifie de « poètes de la connaissance » : « Ils prétendaient retrouver dans leur propre expérience une vérification de la grandiose hypothèse d'après laquelle une identité d'essence et de structure existe entre l'homme et l'univers, de sorte que rien ne s'oppose à ce que le premier accède à la connaissance de la réalité du Monde. »

Ce ne serait pourtant rien si Daumal (1908-1944) et Gilbert-Lecomte (1907-1943) n'avaient été que des philosophes de la poésie, au lieu d'être également de magnifiques poètes. Des poèmes comme *La Guerre sainte* de Daumal (qu'on trouvera dans *Poésie noire, Poésie blanche*, publié en 1954) ou comme *La Halte du prophète* de Gilbert-Lecomte (qu'on trouvera dans ses *Œuvres poétiques complètes,* publiées en 1977) comptent assurément parmi les plus beaux de ce temps.

BERNARD NOËL

Bernard Noël (né en 1930) se place à la fois dans la descendance de Bataille (dont il a réuni et présenté en 1968 les textes jadis parus dans la revue *Documents*), de Blanchot (sur lequel il a écrit des pages très denses) et de Daumal (qu'il cite en épigraphe du monologue dramatique intitulé *Les premiers mots,* 1973).

Son livre le plus connu est le roman *Le Château de Cène* qui lui valut de comparaître en correctionnelle. On peut préférer ses poèmes, telles les pages d'*Extraits du corps* (1958) où la vie qu'il présente est celle des organes. L'homme de mots se met à l'écoute de l'homme de chair. L'œil se tourne vers l'intérieur de l'être. La conscience devient connaissance de son support physique qui est sa réalité première.

Un autre recueil de Bernard Noël s'appelle, de façon significative, *La peau et les mots.* Ah! si les mots pouvaient prendre la consistance des os...

7.
Trois poètes de la vie profonde

Dans la génération qui suivit celle de Claudel et de Valéry, les œuvres poétiques les plus originales et les plus accomplies sont celles de Cocteau, de Supervielle et de Michaux. Les plus indépendantes aussi, bien qu'elles soient tributaires et représentatives de leur époque. Chacun de ces poètes est immédiatement identifiable sur quelques vers comme un grand musicien l'est sur quelques mesures.

Tous trois ont des préoccupations de moraliste. Ils ont entendu plier leur vie et leur œuvre à des règles exigentes. Ils ont partagé l'ambition baudelairienne d'être de parfaits chimistes et d'avoir une âme sainte.

Les critiques les ont parfois considérés comme des fantaisistes. Grâce au ciel, ils savent s'abandonner à la fantaisie. C'est la vie elle-même qui mêle les genres et la fantaisie peut cacher le tragique. La fameuse « profondeur » qu'on prête aux grands écrivains est-elle autre chose que la réceptivité aux souffrances du monde? Nos trois poètes ont connu l'angoisse et la souffrance morale, mais ils ont refusé de se complaire dans la tristesse. Ils nous ont donné des leçons de courage.

JEAN COCTEAU

De quelque manière qu'on s'y prît, on était toujours sûr de parler mal de Jean Cocteau (1889-1963). Déclarait-on qu'il était le poète le plus connu de notre époque, il répondait qu'il était caché sous un manteau de fables et qu'il gardait ainsi le privilège de l'invisibilité. Assurait-on qu'il était terriblement solitaire, il répondait qu'il recevait des témoignages de solidarité qui venaient du monde entier et que, dans toutes les universités, on écrivait sur lui des thèses ruisselantes de compréhension. Bref, cet écorché aurait voulu être à la fois Rimbaud et Victor Hugo, un poète maudit et un poète populaire.

Bien entendu, on peut être célèbre et incompris, mais si l'on est incompris, on doit se sentir un peu seul.

Il disait n'être que l'organisateur apparent de mystères qui le dépassaient, l'instrument de forces obscures qui l'habitaient. Il n'en était pas moins extraordinairement sensible aux critiques et même les plus favorables trouvaient rarement grâce à ses yeux : elles lui paraissaient toutes inexactes. Mais dénoncer des erreurs d'interprétation ne sous-entendait-il pas que l'auteur avait parfaitement su ce qu'il avait voulu faire et que ses œuvres étaient tout à fait concertées? Précisément, ses ennemis lui reprochaient de n'être qu'un habile fabricant. Il n'est pas d'accusation dont il ait davantage souffert, alors qu'il aurait pu la considérer comme un hommage à l'ouvrier — ou à l'artisan — qu'il se flattait d'être.

Dans un poème posthume, il dit :

Je ne fus que maladresse
Et ils me crurent tous adroit
Gauche est ma seule maîtresse
On me met du côté droit.

Si maladresse il y eut, ce ne fut pas dans l'art d'écrire. Son style rapide et nerveux, son génie des images frappantes et des brusques raccourcis ne cessent d'émerveiller. Mais la maladresse venait peut-être d'un excès d'adresse. On appelait Cocteau magicien, funambule, acrobate. Sa virtuosité était telle qu'on oubliait que, malgré des dons exceptionnels, il n'avait pas dû l'acquérir facilement. On le trouvait trop brillant pour être sincère. Or il ne voulait pas être aimé pour ses qualités superficielles. Il disait même : « Je ne veux pas être aimé, je veux être cru. » En vérité, il voulait à la fois être cru et être aimé.

Le malentendu à son sujet remonte loin. Ah! comme il aurait voulu pouvoir gommer ses premiers écrits! Il renia vite ses recueils de débutant qui ne furent jamais réédités, mais il ne parvint jamais à faire oublier le titre de l'un d'eux : *Le Prince frivole* (1910). Cinquante ans plus tard, il lui est arrivé de dire : « En somme, Proust était comme moi : il a commencé sa vie dans un grand conformisme de salon, comprenez-vous? C'est ce qui l'avait rendu très suspect à Gide... »

Dès sa vingtième année, Cocteau fut un personnage de la comédie parisienne et il devait le rester jusqu'à la fin de sa vie. Ce personnage cacha sa personne véritable et empêcha qu'on lût ses œuvres sans préjugé comme nous pouvons le faire aujourd'hui, où nous savons bien qu'il occupe dans la poésie française une place aussi importante que celle de Proust dans le roman.

Nous ne comprenons même plus qu'il ait pu être accusé de suivre toutes les modes et d'avoir « piqué ses trucs » à droite et à gauche. Ce qui nous apparaît en revanche, c'est qu'il a été merveilleusement sensible à tous les grands courants de l'époque. S'il s'est placé à tel moment dans tel ou tel courant, c'était pour y prendre ce qui convenait à sa nature. Il ne subissait que les influences qui le poussaient dans son sens. Comme Montaigne, il aurait pu se comparer à l'abeille qui va butinant de fleur en fleur. Après quoi, elle fait son miel qui n'est ni thym ni marjolaine. Le miel de Cocteau n'est comparable à nul autre. Ce poète a finalement mis au jour une mythologie qui n'appartient qu'à lui, aussi bien dans la forme que dans le fond. Sa vérité, Cocteau l'a mise dans son œuvre et cette œuvre n'a cessé de grandir depuis sa mort.

A vrai dire, les noms de magicien, de funambule et d'acrobate que nous rappelions tout à l'heure ne nous paraissent nullement de nature à diminuer les mérites de Cocteau. Au contraire : qui ne souhaiterait posséder de tels pouvoirs? Mais les critiques qui ont le plus attentivement étudié son œuvre nous ont prouvé que Cocteau n'a cessé de serrer au plus près les problèmes de sa vie intérieure. De ce point de vue, son meilleur exégète est Milorad dont il faut lire les études parues dans les *Cahiers Jean Cocteau.* Milorad nous a montré comment Cocteau, rebelle au freudisme, n'en partit pas moins à la recherche de son inconscient psychanalytique, utilisant l'écriture automatique bien avant les surréalistes. Tout ce qu'a écrit Cocteau — presque tout — relève d'une nécessité intérieure.

Le lecteur se moque des nécessités intérieures. Et l'art aussi (bien que Milorad nous dirait qu'il y a poésie quand une parfaite adéquation se produit entre la vérité d'un poète et la forme qu'il lui donne). Pour notre part, nous penserions plutôt que la grande poésie exprime des sentiments très généraux. En ce sens, il y a un Cocteau qui est la voix de l'inquiétude et des tourments de tous les hommes (dans des poèmes d'une forme aisément accessible) et un Cocteau plus particulier, exposant son drame personnel. Le génie poétique est peut-être la faculté d'allier le personnel au général. Nous ne voulons pas opposer *L'Ange Heurtebise* à *Plain-Chant*. Ou l'inverse. Le génie propre de Cocteau est d'avoir écrit ces deux poèmes.

Au demeurant, la gloire de Cocteau dans le siècle n'a pas dépendu de ses poèmes. Cette gloire fut une fusée à plusieurs étages. Auteur de poèmes, Cocteau n'aurait pu jouir que d'une célébrité limitée, même si *Plain-Chant* a une perfection égale à celle du *Mal-aimé* d'Apollinaire. Le public des poètes est très limité. Auteur de romans, son audience s'étendit : *Les Enfants terribles* (1929) lui fit connaître ses premiers gros tirages. Son théâtre lui procura une renommée tapageuse. Sa *Machine infernale* (1934) est peut-être sa plus belle réussite dramatique, mais il ne connut le grand succès qu'avec *Les Parents terribles* (1938), qui tient du drame et du vaudeville. Et c'est finalement par le cinéma qu'il obtint un véritable succès populaire : *L'Éternel Retour* (1943) et *La Belle et la Bête* (1945).

Les Parents terribles avaient été écrits pour un jeune comédien du nom de Jean Marais. Dans *Histoires de ma vie* (1975), Marais a raconté avec une belle franchise les débuts de son amitié avec le poète. C'était en 1937 et il avait vingt-quatre ans. Il fut enchanté de voir un homme célèbre s'intéresser à lui. Quand Cocteau le prévint : « Si vous jouez ma pièce (il s'agissait des

Chevaliers de la Table ronde), on vous dira mon ami », il répondit : « J'en serai fier », mais il fut tout étonné de s'entendre prononcer ces mots. Plus tard, quand Cocteau lui déclara : « Catastrophe, je suis amoureux de vous », il répliqua : « Moi aussi, je suis amoureux de vous. » Or, nous avoue-t-il, ce n'était pas vrai. L'admiration n'est pas l'amour. « Je n'étais qu'un petit arriviste. » Toutefois, il pensa que ce serait un beau rôle, à jouer dans la vie, que de rendre un poète heureux. Il décida de jouer honnêtement ce rôle et nous assure qu'il fut rapidement pris à son jeu. Vivre auprès de Cocteau transforma sa vie et le transforma lui-même. Son livre est pour l'essentiel un hymne de reconnaissance.

De l'alliance entre le comédien et son poète sont nés les pièces et les films qui permirent à Cocteau d'être connu du grand public.

Pour toi je veux écrire et vivre
Je veux prolonger mon matin
C'est par la pièce et par le livre
Que l'avenir saura notre rêve enfantin.

Le livre de Marais contient de nombreux inédits de Cocteau : des lettres qui témoignent d'une rare noblesse de caractère et une centaine de poèmes improvisés qui manifestent que ses élans amoureux entraînaient Cocteau vers une sorte de religiosité panique qui n'a certes rien à voir avec le désolant érotisme des sociétés « permissives ».

Les dix années où le comédien et le poète vécurent ensemble furent une période de grande création pour Cocteau. On peut parler aussi d'une « époque Montpensier ». En effet, au début de 1940, il s'était installé au Palais-Royal, dans un petit logement de la rue Montpensier, qui devait rester son domicile parisien jusqu'à sa mort.

De cette époque Montpensier, datent, au théâtre, *La Machine à écrire* (1941), drame psychologique et policier, *Renaud et Armide* (1943), tragédie amoureuse en vers représentée à la Comédie-Française, *L'Aigle à deux têtes* (1946), mélodrame romantique, qui précéda de peu une adaptation cinématographique de *Ruy Blas* (écrite elle aussi pour donner un grand rôle à Marais). Au cinéma, après *L'Éternel Retour, La Belle et la Bête*, et des adaptations des *Parents* et de *L'Aigle*, Cocteau donna son *Orphée* (1949).

Cet *Orphée*, comme la pièce du même nom (jouée en 1926) se situe à notre époque. S'il emprunte le nom du chanteur de Thrace et utilise quelques-unes de ses aventures, c'est évidemment son propre destin de poète qu'entend évoquer Cocteau. En 1954, il a donné des indications à un jeune homme qui devait présenter le film dans un ciné-club. Par-dessus tout le public doit savoir qu'il s'agit d'une œuvre *réaliste* : « 1° parce que c'est mon univers. comme *Faust* est l'univers de Goethe. 2° parce que le cinématographe permet de rendre réel l'irréel — de montrer à tous ce qui se passe en un. »

On voit que ces deux propositions sont complémentaires et qu'elles contestent la définition habituelle du réalisme. Les images qui hantent un poète ont leur poids de réalité puisqu'elles conditionnent sa sensibilité. Mieux encore : elles la traduisent. La merveille du cinéma est de pouvoir les rendre visibles à tous, dans leur mobilité. « C'est la projection des choses qui m'importe », disait encore Cocteau.

Toutefois, le spectateur, s'il accepte sans broncher la donnée fantastique de *La Belle et la Bête,* s'avoue parfois dérouté dans un film comme *Orphée* quand il voit un homme traverser un miroir pour gagner le royaume des morts. Y a-t-il plus d'invraisemblance ici que là? Non, mais le spectateur est plus ou moins familiarisé avec les mythes qu'illustre le poète. Avec *La Belle et la Bête,* Jean Cocteau nous avait replongé dans les contes de notre enfance. Avec *Orphée,* il entreprend d'éclairer les mystères de la création poétique. Le film a deux versants : le premier nous montre la vie terrestre du poète (les scènes de comédie n'y manquent pas) et l'autre, ses rapports avec l'invisible (le drame y devient angoissant).

Pour aimer ce film, il faut accepter de croire le poète sur parole et ce n'est pas difficile puisqu'il s'agit de croire à ce que l'on nous montre et, par conséquent, à ce que l'on voit. Il faut s'abandonner au rythme des images, se laisser envahir par le mythe.

Dix ans plus tard, Cocteau devait nous offrir un troisième *Orphée,* film où il jouerait lui-même le rôle du poète : *Le Testament d'Orphée* (1959).

Théâtre et cinéma ne détournèrent jamais Cocteau de l'art des vers. Il publia régulièrement des recueils d'admirables poèmes : *Allégories* (1941), *Léone* (1945), *La Crucifixion* (1946), *Clair-Obscur* (1954). Le couronnement de son œuvre et de sa vie fut *Le Requiem* (1962).

Le Requiem fut écrit au cours d'une longue convalescence, alors que le poète attendait que ses globules rouges se reformassent. « Étendu sur le dos, j'obéissais à un moi qui semblait vouloir survivre et à une vague cadence de mes rythmes familiers. » Ce poème se distingue des autres œuvres de l'auteur « par l'absence de contrôle d'un malade dont le corps flotte à la dérive ». Les mécanismes du poète semblent en effet fonctionner tout seuls, et la rhapsodie se déroule sur un rythme que l'on peut dire respiratoire. Paul Eluard aurait parlé de « poésie ininterrompue ». Cocteau était évidemment habité par la poésie, et c'est pourquoi il nous parle d'expiration au lieu d'inspiration. Ce n'est pas à une voix qui viendrait de quelque ciel qu'il prête l'oreille : il obéit à une poussée intérieure. Cocteau appartient à la race d'écrivains « qui laissent couler leur sang par le bec de leur plume ».

Le manuscrit du *Requiem* ne fut pas facile à relire. Il fallut un véritable décryptage. Cocteau nous assure qu'il sut résister à la tentation de corriger ce qui lui apparaissait comme faiblesses ou comme fautes : « Je me décidai à passer outre la logique et, aujourd'hui, je m'aperçois que ces fautes ressemblent fort aux imperfections qui inclinent l'indulgence des mères jusqu'à la préférence, les font secrètement chérir les fils insupportables et s'attacher moins à ceux qui ne leur donnent aucun souci. »

Dans ce poème apparaissent en apparent désordre les thèmes et les personnages des autres œuvres de Cocteau. Cocteau nous offre là un de ses portraits les plus ressemblants.

Halte pèlerin mon voyage
Allait de danger en danger
Il est juste qu'on m'envisage
Après m'avoir dévisagé.

Cocteau a également donné, dans sa période d'après-guerre, quelques-uns de ses plus beaux livres en prose et ses plus graves : *La Difficulté d'être* (1947), *Journal d'un inconnu* (1952), *La Corrida du 1er mai* (1957). Reste inédit *Le Passé défini,* les carnets qu'il tint de 1951 à sa mort. On peut regretter que les exécuteurs testamentaires d'un grand écrivain se découvrent des raisons de ne pas publier les posthumes qu'ils détiennent. Mais cela est une autre histoire.

JULES SUPERVIELLE

Dans les années vingt, alors que la poésie devenait catastrophe, orage confus traversé de rares éclairs, Supervielle (1884-1960) a maintenu la tradition du chant. Il était suffisamment riche pour se permettre d'être simple. On parlerait trop facilement de grâce spontanée : Supervielle a su patiemment élaborer son univers et l'a étayé d'une mythologie. (Un de ses recueils s'appelle *La Fable du monde.*) D'un côté, il humanisait le fantastique tandis que, de l'autre, il faisait sourdre le merveilleux du quotidien. Il abattait les cloisons, celles qui séparent l'homme de la nature et des divers degrés de la création — et celles qui séparent l'homme de lui-même. On voyait le conscient et l'inconscient tenter de collaborer.

L'état poétique, disait-il, est un état de confusion magique, où la cloison cède entre les mondes intérieur et extérieur, où les idées et les images s'animent, se prêtent à des échanges, voire à des métamorphoses. C'est également un état d'émerveillement : « On s'est parfois étonné de mon émerveillement devant le monde, il me vient autant de la permanence du rêve que de ma mauvaise mémoire. Tous deux me font aller de surprise en surprise et me forcent encore à m'étonner de tout : “ Tiens, il y a des arbres, il y a la mer, il y a des femmes. Il en est même de fort belles... ” »

Dans la poésie, Supervielle admet qu'il entre une part de délire, mais il veut celui-ci décanté. On doit disposer quelques lumières dans la confusion primitive « sans faire perdre sa vitalité à l'inconscient ». Il s'agit d'acclimater l'étrange. Supervielle affirme qu'il existe des explications « submergées dans le rêve » et qui restent ainsi poétiques. Une sourde inquiétude n'a d'ailleurs jamais cessé d'habiter ce grand poète : « S'il est quelque humanité dans ma poésie, dit-il encore, c'est peut-être que je cultive mes terres pauvres avec un engrais éprouvé, la souffrance. »

Sa technique est très mouvante. Le poème lui-même fait son choix : vers réguliers, blancs, libres ou versets. Là encore, ce poète de l'accueil et de la sympathie fut un conciliateur et un réconciliateur. Un conciliateur entre l'ancien et le nouveau lyrisme, un réconciliateur des poésies ancienne et moderne.

Parmi ses recueils d'après-guerre, figurent *Oublieuse mémoire* (1949), *Naissances* (1951), *Le Corps tragique* (1959).

Supervielle appelle l'oubli « ce créateur à rebours » : il veille à la circulation de nos images et fait le choix entre celles qui nous conviennent et les autres. La mémoire surgit tout d'un coup « avec la violence et le pathétique de ses obsessions ».

Mais de quoi me plaignais-je, ô légère mémoire...
Qui avait soif? Quelqu'un ne voulait-il pas boire?

Supervielle est ami du mystère, s'il est ennemi de l'obscurité. Il lui est arrivé de déclarer en souriant : « Je suis un poète cosmique », mais il énonce là une simple vérité, dont on ne s'est peut-être pas encore rendu suffisamment compte. Sa poésie n'a pas recherché l'éclat et l'on a souvent cru qu'elle se cantonnait dans la chanson. C'est que la démarche de Supervielle, qui procède par images, est en effet une démarche heureuse et musicale. Il nous a confié cependant : « Il m'arrive souvent de me dire que le poète est celui qui cherche sa pensée et redoute de la trouver, d'où sa tragédie et celle de son corps, écartelé avec lui. Trouve-t-il sa pensée qu'il pourrait bien cesser d'être un poète pour devenir un logicien, un prosateur, quelqu'un qui use d'abstraction pour s'exprimer. » Comme les poètes surréalistes, c'est à l'image que Supervielle fait confiance. Mais il n'en use pas à la manière des disciples de Rimbaud comme d'un stupéfiant. Supervielle serait plutôt un oiseleur. Il apprivoise les mystères de la vie.

« C'est dans une image, à l'avant-garde de lui-même, que le poète éprouve le besoin de fixer son esprit toujours en mouvement. Elle lui sert de relais jusqu'à ce que s'élève dans sa nuit personnelle une autre image qui se précise peu à peu. Ainsi se forme la chaîne de tout le poème. » Supervielle ne veut rien dire d'autre que son aventure, mais son aventure ne cesse d'être la nôtre.

Une de ses caractéristiques est sa fraternité avec les animaux et son goût des métamorphoses. Peut-être les deux choses sont-elles liées? Écoutons-le parler de son chien et se questionner à son propos :

Sort-il de moi ce chien avec sa langue altière
Effaré comme s'il improvisait la Terre,
Est-ce encore un peu moi qui se couche à mes pieds
Et regarde parfois si je suis satisfait

De lui et de moi-même
Et de tout ce que j'aime?
Je l'entends respirer, heureux et respectable,
Ce moi plus malchanceux coupé de ses vocables.
Il cherche une sortie à tant de sentiments
Et de confusion qu'il en est haletant...

La prose de Supervielle n'est pas moins délicieuse que ses vers. Il faut lire *Premiers pas de l'univers* (1950), courts récits dont les personnages sont pour la plupart issus de la mythologie grecque. Dans la *Création des animaux* vous apprendrez pourquoi le chien est aujourd'hui « coupé de ses vocables » (il n'est pas seul dans son cas). Ce qu'il faut savoir d'abord, c'est que le dernier animal créé fut l'homme : « C'était le premier ténor, le premier allumeur, le premier tourneur, le premier jongleur, le premier tailleur de pierres. Le premier sans vergogne, le premier blasphémateur. Il tua une vipère sous prétexte qu'elle était venimeuse et une couleuvre parce qu'elle ne l'était pas. Il maniait aussi bien la mort que la logique et la chanson sentimentale. Si bien que les bêtes interloquées en perdirent l'usage de la parole, mais cette aphasie ne fut pas totale. Elles gardèrent, comme on sait, le droit de rugir, barrir, aboyer, hennir et braire, duquel, encore de nos jours, elles ne se privent point. » (p. 157.)

Il n'est pas facile de définir le genre d'humour qui a dicté à Supervielle un tel morceau. On se rappellera qu'un de ses premiers recueils de vers s'appelait *Poèmes de l'humour triste.*

Nous avons employé l'adjectif « délicieux » au sens fort. Il ne convient pas aux grands poèmes qui sont d'un grand ton tragique. Donnons en exemple le poème qui ouvre le recueil *Naissances.* En voici les derniers vers :

Dormir! ne plus savoir ce qu'on nomme la Terre,
Ce cercle de sommeil est le frère des cieux?
J'ignore ces pays et ces à peine lieux,
Cette géographie étrange et salutaire
Où vont couler sans fin les rêves, leurs rivières,
Où la métamorphose affine ses pinceaux
Sous un ciel de passage et toujours jouvenceau
Le long de l'océan où se défait la vie
Après sa méandreuse, aveuglante insomnie.

HENRI MICHAUX

Personne n'a jamais mieux tenu ses distances vis-à-vis des autres et vis-à-vis de soi-même que Henri Michaux (né en 1899). Ce poète a une attitude scientifique et une parfaite objectivité. On ne peut guère le rapprocher que de Lautréamont, dont il retrouva même le grand ton dans ses textes de la période 1940-1944, publiés sous le titre *Épreuves, Exorcismes* (1946).

« Je n'ai pas vu l'homme répandant autour de lui l'heureuse conscience de la vie. Mais j'ai vu l'homme comme un bon bimoteur de combat répandant la terreur et les maux atroces.

« Il avait quand je le connus à peu près cent mille ans et faisait aisément le tour de la terre. Il n'avait pas encore appris à être bon voisin... »

Ou encore : « Son nez était relevé comme la proue des embarcations Vickings, mais il ne regardait pas le ciel, demeure des dieux ; il regardait le ciel suspect, d'où pouvait sortir à tout instant des machines implacables, porteuses de bombes puissantes. »

Ce ton est unique dans les lettres contemporaines : « Le colonel fier, l'obus l'a stoppé. Le colonel dur, la fumée de l'orgueil s'échappe par sa blessure. La pellicule de la vie est mince, colonel. Comme elle est mince. Tout le monde le sait. Mais on peut l'oublier, la pellicule de la vie... »

Lautréamont et Michaux ont en commun de penser par images : « Mes pensées-images » dit Michaux, définissant du même coup l'univers de Lautréamont. Et celui-ci ne cherchait-il pas, lui aussi, à « tenir à distance les puissances hostiles du monde environnant ? »

Ce n'est pas si simple. Michaux a précisé pourquoi il écrivait : « J'écris pour me parcourir. » Et il a déclaré encore : « Tout ce qui ne sert pas à mon perfectionnement zéro. » Cette dernière phrase doit se trouver dans *Un barbare en Asie*, qui est un journal de voyage.

Michaux a parcouru le monde avant de se parcourir lui-même. Il a voyagé aussi en Équateur. Et d'Équateur il a rapporté un autre livre aux notations rapides et sobres.

L'œuvre de Michaux comporte encore d'autres relations de voyage, cette fois des pays imaginaires : la Grande garabagne, Poddéma, le pays de la Magie. De ces pays, Michaux nous a décrit la faune, la flore et les mœurs bizarres. Mais toutes les mœurs sont bizarres et l'on est d'ailleurs bientôt pris dans un réseau de correspondances.

On passera du reste aisément des pays réels qu'a visités Michaux aux pays qu'il a inventés, en lisant les aventures de Plume. C'est en Europe que se déroulent les aventures de Plume. Mais nos mœurs semblent décrites par un observateur venu d'ailleurs (d'où, on ne le sait pas) et qui marque leur invraisemblance en poussant à bout les situations dans lesquelles un homme quelconque peut à chaque instant se trouver. La condition de Plume est la condition humaine. La condition de l'homme est d'être dépaysé dans sa condition même.

Puis, il n'y a pas que le monde extérieur, il y a le monde des rêves où chaque nuit nous sommes transportés. Et rien ne prouve que ce monde des rêves soit moins réel que le monde quotidien.

Lisons dans *Nouvelles de l'Étranger* (1953) ce

FAIT DIVERS

« Je rêvais que je dormais. Naturellement, je ne me laissais pas prendre, sachant que j'étais éveillé, jusqu'au moment où, me réveillant, je me rappelai que je dormais. Naturellement, je ne me laissais pas prendre, jusqu'au moment où, m'endormant, je me rappelai que je venais de me réveiller d'un sommeil où je rêvais que je dormais. Naturellement je ne me laissai pas prendre jusqu'au moment où, perdant toute foi, je me mis à me mordre les doigts de rage, me demandant malgré la souffrance grandissante si je me mordais réellement les doigts ou si seulement je rêvais que je me mordais les doigts de ne pas savoir si j'étais éveillé ou endormi et rêvant que j'étais désespéré de ne pas savoir si je dormais, ou si seulement je... et me demandant si...

« Et ainsi d'insomnies en inutiles sommeils, je poursuis sans m'abandonner jamais un repos qui n'est pas un repos, dans un éveil qui n'est pas un éveil, indéfiniment au guet, sans pouvoir franchir la passerelle quoique mettant le pied sur mille, dans une nuit aveugle et longue comme un siècle, dans une nuit qui coule sans montrer de fin. »

Dans ce poème le mélange d'humour et de pathétique est saisissant. Le pathétique l'emporte très vite et règne sans mélange dans le deuxième paragraphe.

Le titre *Nouvelles de l'étranger* pourrait s'entendre de deux manières. Nouvelles de pays imaginaires, mais nouvelles aussi que nous donne cet Étranger à notre monde qu'est le poète.

Les évocations de Michaux peuvent paraître d'abord gratuites, elles donnent toujours l'impression d'être exactes. C'est que Michaux ne nous propose pas une évasion : c'est au cœur de ses obsessions qu'il nous transporte. Les conditions de vie se trouvent brusquement aggravées, mais nous reconnaissons vite notre vie. Notre vie, certaine et improbable.

Nous citerons encore un autre poème significatif. Les sentiments y sont très mélangés : la difficulté de vivre, le mal de vivre, l'attachement à la vie et le dégoût de la vie y sont inextricablement liés.

C'est encore un

FAIT DIVERS

« Qui a dormi avec un boa, sent mauvais, néanmoins, il se révèle content. Ah! La vie, la vie quoi qu'on dise, la vie...

« Elle se noue, elle se dénoue. Quels plaisirs dans ses mille dénouements!

« Mêlée, la fête, bien sûr!

« Rire quand on est poussin? Mais on a faim.

« Rire quand on est mort? Mais on est loin.

« Voici venir la vague, la vague qui vient me soulever, je l'entends. Ou est-ce le vent qui va m'arracher mon chaume?

« Difficile de voir, les yeux incrustés de chaux. Difficile de savoir, le nez dans les senteurs.

« Ou serait-ce que tu viens, ma chienne d'été? »

On voit que, dans ce texte, le fait de vivre est comparé au fait de dormir avec un serpent de grande dimension — et la vie comparée à un boa. Celui-ci se déplace de manière onduleuse : il y a des hauts et des bas. Mais il ne faut pas le nier : il y a des hauts avec le boa! Pourtant nous sommes mal préparés à vivre : d'abord trop jeunes pour savoir (et les adolescents sans argent sont des poussins affamés), ensuite trop vieux pour pouvoir. Où est l'instant de la réalisation? La mort s'annonce : c'est la mer qui soulève ses vagues. Et pourtant il y a un charme dans tout cela : le charme des couleurs et des odeurs. On se laisse prendre, on s'enlise. Pourquoi la vie ne continuerait-elle pas? Malgré tout, on voudrait bien ne pas cesser de vivre et l'on regrette un passé qui n'a pourtant pas été — chienne d'été — ce qu'on aurait voulu qu'il fût.

Vous ne voyez pas d'idées neuves dans tout cela : mais il n'est pas question d'idées. Quelle idée! Il est question d'un style. Il est question d'imagination poétique.

C'est dans le domaine de l'imagination que l'on peut, enfin, plus agir que subir : le poète est libre dans sa création. D'où l'impression finale et réconfortante d'une certaine liberté — une fois encore : malgré tout.

Cette liberté du créateur, Henri Michaux n'a pas craint de la risquer dans une exploration des paradis et des enfers artificiels. Dans le récit de ses aventures mescaliniennes, il apparaît comme un expérimentateur-voyeur, et non comme un homme abandonné. Il prend soin d'indiquer qu'il n'y a rien de commun entre ses recherches personnelles et celles qui visent « aux excitations collectives, trépignements, danses hystériques, bagarres ou viols : On ne parle pas la même langue, on ne vise pas aux mêmes effets ».

A quels effets vise Michaux? Sans doute faut-il rappeler qu'il ne s'est jamais senti à l'aise dans sa peau et qu'il a toujours été à la recherche d'un ailleurs où il ne serait plus problème à lui-même. La drogue aussi est un voyage, plus dangereux que les autres. Il faudrait insister sur le pessimisme de Michaux. Du moins, avec la drogue, c'en serait fini des contradictions : tout l'être se trouverait rassemblé dans une seule direction. Il participerait à la circulation générale. Tout serait parfait. Les extases de la drogue sont voisines des extases mystiques. Mais combien de temps durent-elles et à quel prix les obtient-on? Michaux parle lui-même de *misérable miracle* (c'est le titre du volume paru en 1956).

Ses livres sur la mescaline nous renseignent davantage sur ce que la drogue nous fait perdre que sur ce qu'elle nous fait gagner. Avec la drogue, le monde des apparences habituelles explose. On ne sait plus où l'on se trouve : le lieu, ni l'heure, ni même comment on est bâti (on éprouve, par exemple, l'impression que l'on a l'oreille sous l'épaule). Toute la part consciente de l'intelligence s'abolit, et l'on est privé de merveilleuses qualités d'équilibre auxquelles on n'accordait aucune importance parce qu'elles semblaient aller de soi : « On pourrait presque dire, assure Michaux, que le penser est inconscient. Il l'est sans doute à 99 pour cent. » Ainsi l'anormal a permis à Michaux de mieux connaître le normal. Mais pour le reste?

Ainsi qu'il le notait dans *L'Infini turbulent* (1957), le drogué risque d'être « catapulté dans l'universelle fornication » et c'est « l'avilissement de la condition humaine ». Une bonne illustration de ce catapultage est fournie par le célèbre *Festin nu,* de Burroughs. Certes, pour sa part, Michaux a toujours eu souci de rester « maître de sa vitesse », il lui est arrivé pourtant de se trouver transporté aux frontières de la folie.

Aux deux titres que nous avons cités doivent s'ajouter, concernant la pratique des hallucinogènes, *Connaissance par les gouffres* (1961) et *Les Grandes Épreuves de l'esprit et les Innombrables Petites* (1966).

L'univers du rêve est-il moins éprouvant que celui de la drogue? Michaux nous a confié ses réflexions sur le rêve dans *Façons d'endormi, façons d'éveillé* (1969). On y lit : « Peut-être est-ce encore plus contre mes rêves de nuit que contre ma vie, que je faisais mes dynamiques rêves de jour, rêveries que je savais rendre fascinantes, exaltantes. »

Michaux avoue avoir été, dans l'ensemble, déçu par ses rêves qui lui paraissent pâles, sans couleur. En outre, il a connu peu de « beaux » rêves, ce qui l'amène à donner la définition suivante : « Rêve : amas de faits divers, des petits faits divers de la personne répétés en vrac en vitesse, faits divers qui renvoient à d'autres faits de toute date, de faits passés où l'on trouva à redire, par quoi on fut attaqué, troublé. Rêve-réponse qui renvoie la balle. » Et Michaux demande : « Alors pourquoi vouloir à tout prix interpréter? »

Il dit encore : « Le rêve sera incongru, énigmatique plutôt que mystérieux. »

On voit que Michaux conserve ses distances vis-à-vis du freudisme comme vis-à-vis du surréalisme. Il semble reprocher aux tenants de ces deux écoles de ne chercher que ce qu'ils ont décidé de trouver.

Pour sa part, il prête au rêve une fonction singulière dans la vie de l'individu. Il pense en effet que tout homme tient par-dessus tout à une certaine idée qu'il se fait de son honneur; ou plus précisément tout homme veut éviter le déshonneur. « Or, du pas reluisant, il y en a beaucoup et quotidiennement. » Il faut donc sans cesse dissimuler et c'est de ce « dissimulé » que le rêve s'occupe principalement. Il nous met le nez dans ce qu'il y a de pire en nous. Et pourquoi le fait-il? Pour briser notre orgueil. L'homme est tellement prétentieux et menteur qu'il deviendrait impossible à fréquenter si les rêves ne venaient lui rappeler quelques vérités sur sa nature. « Si le rêve n'existait pas, dit Michaux, il faudrait sans doute, afin d'éviter le gonflement et la tendance à la satisfaction mégalomaniaque de l'homme, il faudrait lui trouver un substitut. »

Cette théorie est assez séduisante et vaut sans doute pour la plupart des hommes. On dira seulement que leurs rêves dépréciateurs ont rendu d'autant plus enragés certains conquérants et chefs d'État.

Mais il est vrai que certains poètes, pour s'être vus misérables dans l'aquarium de la nuit, ont inventé d'admirables parades dans le soleil du jour. Ainsi Hugo, dont l'univers nocturne était lugubre, devint un poète de l'espérance. Michaux n'a pas voulu se leurrer et sans doute peut-il répéter les paroles qu'il prêtait à un personnage de *La Vie dans les plis :* « La sagesse n'est pas venue, dit Pollagoras. La parole s'étrangle davantage, mais la sagesse n'est pas venue... A l'aurore de la vieillesse devant la plaine de la Mort, je cherche encore, je cherche toujours, dit Pollagoras, le petit barrage lointain en mon enfance par ma fierté édifié... » (P. 237.)

8.
Les vies légendaires

Quelques œuvres doivent à la personnalité de leur auteur, à la figure qu'il a offerte au monde, non pas un supplément d'importance ou de grandeur, mais un rayonnement particulier. Nous disons bien : « la figure », car on ne sait pas toujours si c'est l'homme ou le personnage qui a retenu l'attention de ceux qui l'ont approché. On nous a beaucoup répété qu'un livre doit exister par lui-même, et que, publié, il est détaché de son créateur et doit être examiné sans référence à son auteur. Est-il possible de soutenir cette thèse quand il s'agit d'ouvrages autobiographiques ou, tout au moins, d'ouvrages qui reposent sur une expérience particulière? Peut-on parler des *Confessions* ou des *Mémoires d'outre-tombe* sans référence à l'homme Rousseau ou à l'homme Chateaubriand? Or nous avons vu qu'une des caractéristiques de l'époque contemporaine, c'est que les écrivains ont entendu intervenir en tant que personnes privées dans les débats du temps. Pour certains, une légende est née à partir de leur personnage et l'éclat de la légende a parfois empêché que l'œuvre soit vue dans sa juste lumière.

Chez Malraux, il y avait volonté d'enjolivement d'un destin. Chez Céline, volonté de noircir ce qui ne manquait pas de laideur ou d'horreur en soi. Saint-Exupéry a été transformé par ses admirateurs en moderne chevalier sans peur et sans reproche. Drieu a dû à son aveu d'échec de devenir un personnage exemplaire d'une époque difficile. Herbart, qui aurait pu se flatter d'avoir servi de nobles causes, dénonce tout engagement comme tragique foutaise. Delteil avait eu très tôt la sagesse de suivre le conseil de Candide et, après un tumultueux séjour parisien, il était allé cultiver son jardin.

On voit que tous ces écrivains sont bien différents entre eux. Ils sont tous des héros de notre temps.

DRIEU LA ROCHELLE

Le plus beau texte de Drieu la Rochelle (1893-1945) est probablement son *Récit secret*, rédigé à la veille de sa dernière tentative de suicide (12 août 1944) et où il nous confie avoir essayé de se tuer, pour la première fois, alors qu'il n'avait que sept ans. L'ange du suicide a rôdé autour de lui tout au long de sa vie. Sa présence donne à son œuvre une violente coloration romantique.

Drieu n'a jamais été en accord avec lui-même, avec son mode d'existence, avec son époque. Mal à l'aise dans son milieu familial qu'il a peint dans *Rêveuse bourgeoisie* (1937). Mal à l'aise dans sa peau, dans ses ambitions et dans ses amours mêmes. Mal à l'aise enfin dans ses choix politiques. On peut dire que c'est à la guerre seulement qu'il avait trouvé un équilibre, comme le montre *Gilles* (1939), son meilleur roman.

La plupart de ses romans d'avant-guerre sont une peinture de ce qu'il appelle la décadence et la décomposition. Il n'était pas seulement un témoin, il était lui-même atteint par le mal qu'il dénonçait. Il était un habitué des bars à la mode et des bordels de toutes sortes. La vie luxueuse qu'il avait menée pendant les années folles, il l'avait due à de riches mariages et non à ses livres, ce qui déjà le distingue de Fitzgerald dont on l'a parfois rapproché. Et le mariage — les mariages — ne l'avait pas mené à une vie régulière. Mais ses aventures amoureuses ou sensuelles ne l'avaient jamais satisfait. Il était un instable, bon représentant de la fameuse « génération perdue » et il n'aurait été qu'un dandy si les questions politiques ne l'avaient très tôt attiré. Dès le lendemain de la trompeuse victoire de 1918, il fut persuadé que la France était devenue une puissance de deuxième ordre et qu'il fallait faire l'Europe ou se résoudre à dépendre d'un impérialisme étranger. C'était une vue très sage. Elle devait l'amener peu à peu à prendre des positions folles.

Ce qui est intéressant, c'est de voir comment Drieu a confondu sa faiblesse intime et celle de son pays. La vie de jouisseur qu'il menait lui déplaisait et il y voyait l'image d'une France qui se complaisait dans la facilité et les illusions. Il voulut se transformer lui-même et transformer la France en prenant comme idéal la discipline que s'imposaient l'Italie, l'Allemagne et l'U.R.S.S. Toutefois entre le fascisme et le communisme, si proches parents, il choisit le fascisme qui lui permettait de ne pas renoncer aux valeurs nationales (le communisme était certes nationaliste en Russie, mais en France à la solde de l'étranger).

Il faut insister sur le fait que le fascisme de Drieu — déclaré dès 1934 — s'explique pour des raisons morales plus que politiques. Drieu définit le fascisme comme « une crispation autour de l'idée de vertu virile », comme « le mouvement qui va le plus radicalement dans le sens de la restauration du corps — santé, dignité, plénitude, héroïsme ».

Cet homme qui avait mis d'abord ses espoirs dans la S.D.N. adhéra au P.P.F. en 1936. Si bizarre que ce soit, c'était par un réflexe nationaliste. Mais, au début de 1939, Drieu rompit avec Doriot. Ses déceptions politiques l'amenèrent à se tourner vers l'étude des religions. Hélas! le désir de jouer un rôle devait le reprendre après la débâcle de nos armées.

Parce qu'il était un vieux partisan de l'union européenne, il se rallia à l'Allemagne, seule capable de faire l'Europe. Il comptait sur le sens politique des chefs nazis pour surmonter leur victoire et mener à bonne fin un grand dessein fédéraliste. Il devait vite comprendre que les nazis n'avaient aucun projet de ce genre. Il cessa de croire à la collaboration bien avant de cesser de croire à la victoire allemande. Par orgueil, il ne voulut pas laisser apparaître son désenchantement et ne se désengagea pas. Cependant, dans ses carnets, il notait qu'il souhaitait maintenant la victoire des communistes. Toujours cet amour de la force...

Il ne quitta pas la France ainsi qu'il l'aurait pu. Il ne voulait pas faire figure de déserteur. Il finit par se donner lui-même la mort.

Pendant l'occupation, il avait publié deux nouveaux romans : *L'Homme à cheval* (1943) et *Les Chiens de paille* (1944). Toutefois ce dernier roman, paru en juillet 1944, fut saisi et détruit dès le mois suivant, à la Libération de Paris. Il ne devait être remis dans le commerce qu'en 1964.

Ce sont deux livres bien différents. Le premier peut passer pour un livre heureux. Drieu s'offre des vacances dans une Bolivie imaginaire et y accomplit, par personnage interposé, une de ces hautes destinées dont il avait rêvé : celle du lieutenant de cavalerie Jaime Torrijos, qui devient dictateur dans le dernier tiers du siècle dernier. Drieu s'inspirait ici de récits que lui avait faits Borges avant-guerre. Le narrateur est un ami du chef, un « guitariste-théologien-poète », qui s'appelle Felipe. Nous avons ainsi le couple de l'homme d'action et de l'homme de rêve, le premier vu par le second. Certes, le conquérant ne parvient pas à fédérer les pays d'Amérique du Sud, mais c'est son combat même qui lui confère sa grandeur. Vivre, c'est lutter. Pour finir, l'homme à cheval marchera cependant à pied : il abandonnera son grand jeu et se retirera au désert pour y vivre en ascète. « Je serai l'homme qui aura essayé tous ses rêves. » On voit que c'est un sujet qu'aurait pu traiter Montherlant au théâtre.

Les Chiens de paille est au contraire un livre désespéré qui se situe à l'époque même où il fut écrit. On y voit un prisonnier évadé. Constant Trubert, chargé par un mystérieux personnage de garder une maison isolée dans un pays de marais, près de la mer. Trubert est un aventurier blasé qui voudrait maintenant mettre en pratique le sagesse de Lao-Tseu. Il apprend bientôt qu'un dépôt d'armes est caché dans la propriété et il comprend que plusieurs groupes — de tendances politiques diverses — convoitent ce trésor. C'est le jeune chef (nationaliste) d'un Chantier de Jeunesse, Caumont, qui s'en emparerait si Trubert ne s'y opposait. Il a été lui-même nationaliste jadis, mais le nationalisme lui paraît maintenant une passion vaine et impossible. Il imagine un « meurtre-sacrifice » : il fera sauter le dépôt où il se trouvera lui-même avec Caumont. Mais son projet sera déjoué, car c'est une bombe, larguée au hasard par un avion anglais, qui viendra mettre un terme au roman en tombant sur le dépôt d'armes.

Ce roman engagé paraît confus : trop abstrait et intellectuel.

SAINT-EXUPÉRY

Un héros humaniste, on ne saurait peut-être pas qu'il puisse en exister encore, si l'on n'avait à proposer l'exemple de Saint-Exupéry (1900-1944). Cet aviateur avait l'amour de la terre des hommes, le sens à la fois de la communauté et de l'effort individuel, le goût des valeurs supérieures, un courage qui force le respect.

Alors que la plupart des écrivains ne vivent que dans un univers de mots et sont dépaysés devant les problèmes matériels, Saint-Exupéry avait à nous proposer une expérience bien concrète et à nous communiquer le sens un peu perdu du « service public ». C'est par le métier que l'on choisit que l'on a prise sur le monde. Et c'est notre responsabilité qui fonde notre dignité.

Saint-Exupéry devait normalement enthousiasmer la jeunesse parce qu'il ne lui proposait pas un idéal vague, mais la réalisation de tâches précises. Il n'offre pas un type d'homme à l'admiration du jeune lecteur, mais à son ambition. Il ne dit pas : « Deviens qui tu es », il dit : « Voilà ce que tu peux devenir ». Il est un poète de l'action qui sut admirablement « donner à voir » son expérience.

Il adorait sa patrie et détestait son époque. Passionné de mécanique, il ne dénonçait pas une société mécanicienne, mais la société industrielle et la perte de cette vie spirituelle qu'il avait su si bien préserver pour son compte. La patrie, pour lui, c'était de vieilles coutumes irremplaçables, des manières d'être, la musique d'un langage, les couleurs d'un paysage. Son sens de l'humain se résumait dans un sourire de connivence.

Quand vint la guerre, il lui parut que le seul devoir était de se battre. La guerre ne se termina pas pour lui en juin 1940, mais il réprouva violemment les intrigues politiciennes que nouait le général de Gaulle. Il souffrait de sentir la France divisée et prêchait en 1942 la réconciliation de tous les Français.

Pendant son séjour aux U.S.A. où il s'était rendu après l'armistice, il publia trois livres : *Pilote de guerre* (1942), récit d'un vol de reconnaissance sur Arras en juin 1940, mission absurde et dangereuse qui fut loyalement accomplie, parce qu'aucun service n'est finalement inutile s'il se transforme en un sacrifice consenti pour une certaine idée que l'on a de l'Homme et de la Communauté humaine. Le livre fut d'abord autorisé par la censure allemande et parut en novembre 1942, mais il fut interdit dès le mois suivant. Il se termine ainsi : « Les vaincus doivent se taire. Comme les graines. » L'appel à la résistance était net.

La *Lettre à un otage* et *Le Petit Prince* parurent à New York en 1943. La lettre est un bref essai sur ce qui fonde notre civilisation. *Le Petit Prince* est un conte pour enfants, sur le thème de l'amitié et sur l'art d'apprivoiser les êtres. Il devait connaître un succès extraordinaire.

Dès le débarquement en Afrique du Nord, Saint-Exupéry voulut reprendre du service alors qu'il avait atteint la limite d'âge. Il parvint quand même à se faire confier plusieurs missions. De la dernière, il ne devait pas revenir. On n'a jamais su où son appareil s'est écrasé. Quelques jours plus tôt, il avait écrit à Pierre Dalloz : « Si je suis abattu, je ne regretterai absolument rien. La termitière future m'épouvante et je hais leurs vertus de robots. Moi, j'étais fait pour être jardinier. »

Il laissait un gros manuscrit inachevé, *Citadelle,* où l'on voit un vieux seigneur oriental éduquer un nouveau Nathanaël. Il n'y a pas d'intrigue, mais une suite de paraboles et d'apologues. Ici, Saint-Ex laisse parler en lui le moraliste aux nostalgies religieuses. Il illustre le proverbe de son maître, ami et préfacier André Gide : « C'est avec les beaux sentiments qu'on fait la mauvaise littérature. » Mais on pourra toujours relire *Vol de nuit, Terre des hommes, Pilote de guerre,* qui sont de l'excellente littérature, avec de très bons sentiments.

ANDRÉ MALRAUX

Les jeunes gens d'avant 1940 admiraient en Malraux (1901-1976) un écrivain révolutionnaire qui, après avoir participé à la révolution chinoise (*Les Conquérants,* 1928. *La Condition humaine,* 1933), avait dénoncé le péril hitlérien (*Le Temps du mépris,* 1935) et pris part à la guerre civile espagnole (*L'Espoir,* 1937). On le situait très près du parti communiste, — bien qu'il n'eût jamais demandé sa carte. Dans la préface du *Temps du mépris,* il avait conseillé d'« approfondir sa communion plutôt que de cultiver sa différence », ce qui était une façon de prendre ses distances avec Gide, qu'il avait cependant désigné comme le « contemporain capital ».

Pendant l'occupation, il s'abstint de publier en France. C'est en Suisse que parurent *Les Noyers de l'Altenburg* (1943), où l'on trouve le compte rendu d'un colloque réunissant des intellectuels qui opposent les diverses conceptions que l'on peut avoir de l'homme. Mais que sait-on de l'homme? « La culture ne nous enseigne pas l'homme, elle nous enseigne tout modestement l'homme cultivé, dans la mesure où il est cultivé. » On ne peut d'ailleurs plus parler de « la » culture. Chaque civilisation sécrète la sienne et les civilisations sont incompatibles entre elles : « La structure mentale qu'implique la civilisation cosmique est aussi exclusive de celle qu'implique la religion que la foi chrétienne est exclusive du rationalisme voltairien. » Ces civilisations, avec les structures mentales qu'elles impliquent, se succèdent pour rejeter à la fin l'homme au néant : « Car l'homme est un hasard et, pour l'essentiel, l'homme est fait d'oubli. »

Aucune de ces phrases ne peut être attribuée à Malraux lui-même puisqu'elles sont toutes prononcées par des personnages de roman. Mais sans doute prenait-il à son compte l'affirmation que, le plus étonnant chez l'homme, c'est qu'il soit capable « de tirer de lui-même des images assez puissantes pour nier son néant ». Ce n'est certes pas le cas de la plupart des hommes, mais seulement des héros et des artistes qui se manifestent et s'imposent par des actes. Toutefois chaque homme sera jugé sur son action. A quelqu'un qui prétend que, pour l'essentiel, « l'homme est ce qu'il cache », il est répondu avec force que « l'homme est ce qu'il fait ». C'était là une idée chère à Jean Schlumberger qui l'avait souvent exprimée.

On ne fait pas que parler dans *Les Noyers de l'Altenburg*. Deux chapitres furent rapidement célèbres : celui qui est consacré au camp de prisonniers de Chartres en 1940 et celui qui décrit la première utilisation des gaz asphyxiants sur le front russe en 1915. Dans le chapitre de Chartres, on voit que l'homme privé de l'appui d'une société qui lui donne sa colonne vertébrale n'est plus qu'un être végétatif et s'évanouit dans le troupeau. Dans le chapitre germano-russe, l'homme face à une mort abominable retrouve la solidarité de l'espèce, et les antagonismes nationaux ne jouent plus. Ici apparaît le fondamental, qu'on ne retrouve ou découvre que dans des situations extrêmes.

Le livre, qui ressemble plutôt à un recueil de récits qu'à un roman, était présenté comme le premier tome d'une œuvre qui devait en comporter trois et porter le titre général de *La Lutte avec l'ange*. Mais Malraux abandonna son entreprise, comme il avait abandonné *Les Puissances du désert*, après en avoir publié le premier volet sous le titre de *La Voie royale* (1930).

A la Libération, Malraux n'eut pas besoin de publier d'œuvres nouvelles pour se trouver au premier rang de l'actualité. Ses romans d'avant-guerre, pleins de violences, de combats, d'exécutions, de tortures étaient à l'image des temps que l'on venait de vivre. La Chine qu'il avait décrite paraissait une préfiguration de l'Europe. Avec beaucoup de naïveté, Gaëtan Picon affirmait : « Son monde est celui des choses vues, il a donné sa dignité d'art à la simple expérience, au reportage. » Malraux, annotant le texte de Picon, se gardait bien de démentir. En 1944, il était réapparu en uniforme de colonel de la Brigade Alsace-Lorraine et bénéficiait une fois de plus, chez les intellectuels, du prestige de l'homme d'action.

Ce fut au contraire comme grand intellectuel qu'il retint l'attention du général de Gaulle, qui le nomma ministre de l'Information. Quand le général démissionna, Malraux devint délégué à la propagande du R.P.F. Un nouveau Malraux était né, farouchement anticommuniste, lui qui avait essayé neuf ans plus tôt de dissuader Gide de publier son *Retour d'U.R.S.S.* (Cela prouve seulement que sa perspicacité politique était moindre que celle de Gide.)

En 1947, *Les Conquérants, La Condition humaine* et *L'Espoir* parurent en un volume de la Pléiade. Par cette publication, Malraux enterrait brillamment sa carrière de romancier : il n'écrirait plus de romans. La même année, il inaugura sa grande série d'études sur l'art avec *Le Musée imaginaire*, somptueusement édité par Skira. Pendant vingt ans, il ne publiera que des ouvrages sur la peinture et la sculpture. Ceux qui l'avaient connu à vingt ans racontent qu'il n'avait alors aucune intention d'être romancier, mais qu'il rêvait de composer une *Histoire de l'Art*. Il réalisait donc un projet de jeunesse.

Parmi cent autres choses, il nous dit que tout artiste commence par le pastiche, car toute œuvre nouvelle naît de l'admiration éprouvée pour une œuvre antérieure et, quand la chaîne s'interrompt, le génie se tait pour longtemps : « on ne marche pas sur le vide ». Cette remarque est valable aussi pour la littérature.

Dans les années 50, on pouvait imaginer que Malraux y avait renoncé, — à la littérature — et l'on en fut à peu près persuadé quand il fut à nouveau ministre, par la grâce du général de Gaulle en 1958. On se trompait. La satisfaction de retrouver le Pouvoir, ou du moins ses apparences, lui donna un nouvel élan et il décida d'entreprendre « son vrai livre », celui sur lequel il entendait être jugé. Là aussi plusieurs tomes furent prévus. Le premier, et le plus important, parut sous le titre d'*Antimémoires* (1967).

Si Malraux a choisi ce titre, ce n'est pas sans nombreuses raisons. La plus évidente est que l'on n'y trouve pas le récit de sa vie : seulement l'image qu'il a choisi de nous offrir de son destin. C'est beaucoup. C'est même l'essentiel. On pourra penser cependant à la réponse que faisait Aragon à un journaliste qui lui demandait pourquoi il n'écrivait pas ses mémoires : « Je préfère le roman. Avec lui, au moins, il est permis de mentir. » Malraux a prouvé que, dans des mémoires, on peut prendre avec ses souvenirs la même liberté que dans un roman. Il nous a offert le roman de sa vie.

Le début des *Antimémoires*, c'est un départ pour l'Asie, en 1965. Sur cette indication s'ouvre le livre : « 1965, au large de la Crète. » Malraux aime commencer par une date. Ainsi, *Les Conquérants* : « 25 juin 1925. La grève générale est décrétée à Canton. » Ou bien *La Condition humaine* : « 21 mars 1927... »

Ne croyez pas pourtant que les premières pages des *Antimémoires* soient les premières de l'œuvre à avoir été rédigées. Une note de la page 141 nous apprend que Malraux a commencé ses *Antimémoires* dès avant 1960. Et il y a incorporé de nombreuses pages écrites de vingt à trente ans plus tôt. Les pages 23 à 50, ainsi que les pages 294 à 321, sont reprises des *Noyers de l'Altenburg*. Les pages 94 à 98 (l'épisode de l'avion dans la tempête) figuraient déjà dans *Le Temps du mépris*. Il se pourrait que tout le scénario farfelu concernant l'aventurier Mayrena (pp. 382 à 472) soit un écrit de jeunesse retrouvé dans un tiroir.

L'auteur reprend-il à ses romans ce qui appartenait directement à sa biographie ou mêle-t-il à celle-ci des éléments imaginaires? C'est selon, et sans importance dans une œuvre de ce genre : « En face de l'inconnu, certains de nos rêves n'ont pas moins de signification que nos souvenirs. » Les *Antimémoires* sont un mélange de vécu et d'imaginaire. A la question :

« Vérité d'abord? », posée à l'entrée du livre, c'est un personnage sorti de *La Condition humaine,* Clappique, qui répondra plus loin : « Vous pensez bien que la vérité, je m'en fous. » Ce qui est façon de parler.

Malraux observe que les Mémoires du XXe siècle sont de deux natures : témoignages sur des événements et récits de l'exécution d'un grand dessein (ainsi *Les Sept Piliers de la Sagesse*) ou bien l'introspection conçue comme étude de l'homme (*Si le grain ne meurt*). Dans ce deuxième genre, la forme romanesque peut relayer la forme de la confession : *Ulysse* et *A la recherche du temps perdu.* Malraux nous offre des Mémoires d'une troisième nature, où l'auteur trouve une image de lui-même « dans les questions qu'il pose » beaucoup plus que dans les connaissances qu'il expose, que celles-ci soient d'ordre historique ou d'ordre individuel.

Un portrait, nous dit Malraux, ne doit pas être, en art, soumission aux apparences du modèle : il ne doit pas être simple imitation. D'un autre côté, les petits secrets d'un homme ont moins d'intérêt que les combats qu'il a pu mener ou qu'il a seulement rêvés, pour échapper aux servitudes de notre condition humaine.

On a beaucoup parlé, depuis Stendhal, des « petits faits vrais » : Malraux préfère les « grands faits vrais » qui existent aussi. Ici, toutefois, doit intervenir la notion de jeu. La « grandeur » relève plus ou moins du théâtre. Ainsi Malraux fait-il une distinction entre de Gaulle et le personnage symbolique que le général appelle de Gaulle dans ses *Mémoires,* « plus exactement, dont il a écrit les Mémoires, où Charles ne paraît jamais ».

On pourra dire, de la même façon, qu'André n'apparaît pas dans les *Antimémoires,* mais seulement Malraux ou le colonel Berger, ou M. le ministre d'État, malgré une forte dose d'humour dans certains passages, et la phrase répétée : « Il n'y a pas de grandes personnes... »

André n'apparaît pas : ainsi vous ne saurez pas où il est né, qui était son père, ce que furent ses études, ses amours, comment il découvrit la Chine. Ce qu'il a retenu, ce sont de grands moments, quelques grandes « rencontres », avec le destin, la guerre, la mort, l'art; et aussi quelques personnages illustres. Il nous livre plusieurs longs dialogues : notamment avec Nehru et avec Mao, assurément fort saisissants, mais ce sont de nouveaux « dialogues de l'Altenburg ». On ne croit pas un instant qu'ils aient été réellement tenus (surtout quand les interlocuteurs ne parlaient pas la même langue et qu'un interprète était nécessaire). Mais ils permettent à Malraux d'exposer de manière vivante et dramatique, hautement littéraire, ses vues sur le monde actuel. Ils sont émaillés de formules dont l'auteur a le secret. Par exemple, il disait à Nehru que, dans le domaine des loisirs, « nos dieux sont morts, et nos démons bien vivants. La culture ne peut évidemment pas remplacer les dieux, mais elle peut apporter l'héritage de la noblesse du monde ».

C'est à cette noblesse que Malraux tient par-dessus tout. Parlant des camps nazis, il écrit que l'Enfer, ce n'est pas l'horreur, mais l'avilissement de la personne humaine : abjection pitoyable de la victime, abjection mystérieuse du bourreau.

Dans une bizarre formule, il déclare qu'il a « épousé la France » en 1940. On pense forcément à certain maréchal qui, à la même époque, fit « don de sa personne » au pays. Avant cette date, Malraux avait embrassé diverses causes étrangères à la nation française.

Il note qu'il y a trente ans, « l'aventure géographique exerçait une fascination qu'elle a perdue ». Il ne doit pas en être tellement persuadé puisque les *Antimémoires* donnent tant de place à ses voyages ministériels à travers le monde et certains contiennent des aventures. De toute façon, le grand reportage devient souvent, avec lui, poème lyrique dont les envolées s'inscrivent dans la lignée romantique de Chateaubriand. Et l'on sait assez aujourd'hui la part d'imaginaire que Chateaubriand incorpora dans ses Mémoires, qu'il s'agisse de rencontres avec des chefs d'État ou de visites de pays.

La composition même des *Antimémoires* est calquée sur celle des *Mémoires d'outre-tombe* qui se présentent comme des évocations du passé intercalées dans un journal. La manière dont Malraux ajuste les divers « morceaux » qu'il rassemble est fort ingénieuse. Par exemple, le récit de l'arrestation du colonel Berger par les Allemands, à la fin de l'Occupation, vient à la suite des réflexions de Nehru sur l'expérience des prisons. Il est certain qu'un récit chronologique n'aurait pu donner l'impression de bilan qu'imposent ces *Antimémoires*. Le désordre du livre est un ordre supérieur, un ordre de l'esprit opposé à la confusion du monde. Les divers souvenirs rapportés sont confrontés les uns aux autres. D'où un grand emploi du verbe « je pense » au sens de « je me rappelle » ou « je songe ». Malraux est baudelairien par son amour des correspondances.

Ce qu'il recherche inlassablement, c'est la preuve de la dignité de la condition humaine. Il n'a aucune foi dans laquelle se réfugier, mais il nourrit des exigences qui donnent à sa voix des résonances religieuses. Ce grand ton, plus que rare dans la littérature d'aujourd'hui, le place dans la tradition cornélienne de la France.

On dira — comme on le disait à propos de ses romans — qu'il ne se sent vivre que dans le drame, dans la tragédie et les conversations d'idées. On ajoutera qu'il fait bon marché des sentiments simples qui donnent à la vie quotidienne sa vraie saveur. Il ne nous dit rien des femmes qui ont compté pour lui. Sur ce point il est très loin de Chateaubriand.

Peut-être n'y aurait-il pas eu de second tome des *Antimémoires* si le général de Gaulle, désavoué par le pays, n'avait quitté le pouvoir en 1969 et n'était mort un peu plus tard. Malraux prit sa retraite au château de Verrières chez les Vilmorin et composa coup sur coup *Les Chênes qu'on abat* (1971), *La Tête d'obsidienne* (1974), *Lazare* (1974), *Hôtes de passage* (1975), quatre récits où la forme dialoguée domine, et qui furent réunis, dans un ordre différent, sous le titre *La Corde et les Souris*.

A la fin de sa vie, Malraux était devenu un écrivain officiel, grand dignitaire du régime, enfant chéri des chaînes de radio et de télévision, où on le voyait dans des numéros de qualités inégales. Les tics dont il était affligé et sa diction d'acteur de l'ancien Odéon gâchaient certaines de ses improvisations. Rien ne dépasse le ridicule de son petit discours sur la réforme de l'enseignement pendant la campagne présidentielle, où il intervenait en faveur de Chaban-Delmas. Le brave peuple se disait qu'on n'est sans doute pas grand écrivain sans être un peu cinglé. Mais Malraux pouvait être étourdissant certains soirs.

Sa mort coïncida avec la publication dans la Pléiade du *Miroir des limbes* (1976), version remaniée et définitive de tous ses livres de souvenirs. Ce n'est pas un hasard si le dernier mot du livre est le mot « mort », comme le dernier mot du livre de Proust est le mot « Temps ». Le titre d'*Antimémoires* a beaucoup de chance, malgré la volonté de l'auteur, de l'emporter sur celui de *Miroir des limbes*.

Les lecteurs qui préfèrent la vérité à la légende et ceux qui s'intéressent aux sources des œuvres pourront lire les cinq volumes du *Bruit de nos pas*, les souvenirs de Clara Malraux. Le volume intitulé *Nos vingt ans* (1966) fit sensation parce qu'il contredisait tout ce qu'on avait raconté jusque-là sur la jeunesse d'André. On y apprenait notamment qu'il n'avait pas connu la Chine avant 1931 : voilà qui empêchait désormais de croire avec Gaëtan Picon que *Les Conquérants* (1928) ont « valeur de mémoires ». Il est vrai que Trotski lui-même s'y était trompé. Et l'on admire bien sincèrement Malraux d'avoir pu faire prendre pour un reportage ce qui était du pur roman.

Mais quelle fut la jeunesse de Malraux? Quand Clara le rencontra, il n'était pas célèbre. C'était un curieux garçon qui n'avait pas encore vingt ans. Il avait pourtant commencé à vivre par ses propres moyens. Sans fortune, sans diplôme (pas même le bac), il accomplissait des travaux de librairie, il s'occupait notamment d'ouvrages érotiques. Il avait beaucoup lu et il avait écrit un petit livre farfelu : *Lunes en papier*. Il parlait merveilleusement bien et la jeune Clara fut fascinée par son intelligence, la richesse de ses idées, sa compréhension des choses de l'art. Certes, il fabulait beaucoup, confondant ses rêves et la réalité. Il reconnaissait à l'occasion : « Je mens, mais mes mensonges deviennent des vérités. » Et c'était vrai qu'il était capable de devenir celui qu'il voulait être...

Le mariage fut célébré en 1921. Et c'est ce qu'il faut ne pas perdre de vue en lisant *Nos vingt ans* : les deux héros, Clara et André, sont des adolescents, des enfants terribles. Ils vécurent tout d'abord deux ans « d'irréalité merveilleuse, de réalité merveilleuse aussi ». Ils s'étaient installés dans l'hôtel particulier que possédait à Auteuil la mère de Clara : ils le quittaient souvent pour des voyages à travers l'Europe. Ils n'avaient pas de soucis d'argent, puisque Clara, en se mariant, avait reçu sa part d'héritage. André convertit les billets en titres et se mit à jouer à terme à la Bourse. Oui, cela dura deux ans. Puis, un triste jour, au retour d'une promenade sur les bords du Rhin, les jeunes époux découvrirent qu'ils étaient ruinés.

« Qu'allons-nous faire? demanda la jeune femme.

— Vous ne croyez tout de même pas que je vais travailler? » répondit le jeune mari. (Précédemment, hostile au service militaire, il avait réussi à se faire réformer.) Et c'est alors qu'il eut l'idée d'une expédition au Cambodge. Elle lui était sans doute venue au Musée Guimet : « Nous allons dans quelque petit temple, nous enlevons quelques statues, nous les vendons en Amérique, ce qui nous permettra de vivre ensuite tranquilles pendant deux ou trois ans. » C'était témoigner d'une âme aventureuse, et Clara Malraux peut dire que « notre comportement dans ces années de jeunesse ne fut pas sans grandeur ». Il ne fut pas, en tout cas, sans courage et sans audace. Mais l'expédition devait avoir les suites judiciaires que l'on connaît bien maintenant. Et les démêlés du jeune explorateur avec les autorités entraîneraient son adhésion à un mouvement révolutionnaire... (« Il y a au fond de moi de vieilles rancunes qui ne m'ont pas peu poussé à me lier à la Révolution », dit Garine dans *Les Conquérants.)*

Les tomes suivants du *Bruit de nos pas* contiennent d'autres récits bien intéressants, notamment sur le Front populaire et la guerre d'Espagne. Le couple était déjà séparé quand Malraux fut fait prisonnier en 40. Clara nous explique comment elle organisa son évasion. Sa version des faits contredit du tout au tout celle des *Antimémoires.*

La question restera posée de savoir si Malraux mentait consciemment quand il se livrait à des « embellissements pathétiques » ou s'il n'était pas sa première dupe. Cet homme rêvait sa vie et en même temps savait très bien l'organiser. De la petite épicerie de Bondy au château de Verrières, quel chemin il a parcouru... En tout cas, sa mythomanie fait indissociablement partie de son génie.

PIERRE HERBART

Bernard Frank, qui était en train de lire les *Antimémoires,* demanda : « Est-ce que *La Ligne de force*, ce n'est pas mieux? » Chacun connaît l'auteur des *Antimémoires.* On peut craindre que la publication de *La Ligne de force* soit passée presque inaperçue. Il est vrai que c'était en mai 1958. Mais enfin... L'auteur s'appelle Pierre Herbart (1903-1974.)

Malraux et Herbart sont tous deux originaires de Dunkerque. Ils sont nés dans les premières années du siècle. Dans leur adolescence, ils parurent appartenir à la bohême littéraire parisienne. Ils aimaient cependant les voyages et le hasard orienta leur vie vers les questions politiques. Tous deux voyagèrent en Indochine et en revinrent sympathisants du communisme. Herbart s'inscrivit même au parti et alla vivre un an à Moscou, où il fut de 1935 à 1936 directeur de la *Revue internationale,* et en revint un peu échaudé. Lors de la guerre d'Espagne, Malraux s'engagea dans l'armée républicaine. Il semble avoir eu l'occasion de sauver la vie d'Herbart, qui s'était chargé d'une imprudente mission à Madrid. Puis ce fut la Seconde Guerre mondiale. La dernière année, on retrouve les deux hommes chefs de maquis. Malraux devint colonel Berger et, sous le nom de général Le Vigan, Herbart fut le libérateur de Rennes. Puis Herbart devint rédacteur en chef de *Terre des hommes,* tandis que Malraux commençait la carrière officielle que l'on sait.

Le parallélisme que nous signalons est bien réel. Toutefois, les caractères sont entièrement différents. *Je ne m'intéresse guère,* dit Malraux, tourné vers les grandes questions philosophiques et qui ne cesse de s'interroger. *Finalement, je ne m'intéresse qu'à moi*, aurait pu dire Herbart, qui vers la cinquantaine a balayé tous les problèmes politiques et autres, en nous assurant qu'on y perdait son temps et qu'on ne faisait rien progresser.

Malraux est résolument muet sur ce qu'on est convenu d'appeler la vie privée, tandis qu'Herbart ne se lasse pas de brosser de petits tableaux de sa vie sentimentale et sensuelle : on ne s'en étonnera pas, puisque c'est pour lui la vraie vie. Son premier roman s'appelait *Le Rôdeur* (1931) et l'on peut dire qu'il est resté fidèle à un certain genre d'existence marginale.

Si l'on compare *La Ligne de force* aux *Antimémoires,* ce sera donc pour opposer les deux entreprises. Malraux n'en finit pas de situer son personnage (qui ne l'intéresse pas) par rapport aux grands hommes et aux grands événements de l'Histoire, Herbart fait tenir son propre témoignage en moins de deux cents pages, d'une concision, d'une désinvolture et d'une insolence sans égales. Il évoque le système colonial en Indochine vers 1935, le régime bureaucratique à Moscou en 1936, l'activité de la police soviétique en Espagne pendant la guerre civile, la Résistance en Bretagne, sa rencontre avec le général de Gaulle. Il déclare ne pas être fier de s'être si souvent trouvé « sur les lieux du crime » : voilà qui est aussi rare chez les écrivains que chez les hommes d'action.

En dehors de La *Ligne de force*, Herbart a donné deux autres livres autobiographiques : *L'Age d'or* (1953) et *Souvenirs imaginaires* (1968) qui sont d'un genre tout différent. Dans *L'Age d'or,* on le voit vivre de seize à trente ans, mais il ne rapporte que ses souvenirs d'amour heureux. De sorte que l'on a un peu l'impression qu'il fut toujours favorisé par le dieu des rencontres (on doit savoir qu'il bénéficiait d'un physique à la Lafcadio). Il marque pourtant à deux reprises son souci d'écarter le souvenir des heures noires (p. 96 : « Je ne dirai rien de cette période. Cinq ans passèrent... », et p. 133 : « Je ne parlerai pas des mois qui suivirent... ») Il a voulu évoquer le bonheur. D'où vient que ce livre semble baigner tout entier dans un climat tragique? Mais c'est de cette contradiction qu'il tire sa beauté.

Le monde est beau mais, plus encore que des paysages, ce sont des visages qui sont le plus bel ornement de la terre. Pierre Herbart dit qu'il peut être « follement captivé par un visage, par la façon dont un corps se meut ». On voit parfois l'auteur de *L'Age d'or* à la merci d'un être qui l'a séduit; on le voit partir sur une péniche, ouvrier bénévole, ou s'installer dans tel village où travaille tel garçon.

Car c'est de l'amour des garçons que nous parle Pierre Herbart. Et l'originalité du livre sur ce point est qu'on ne trouvera pas le moindre passage théorique : Pierre Herbart ne se soucie point de justifier des sentiments qui sont naturels et donnés. Comme les jeunes gens qu'il nous présente sont la santé même, on a l'impression de voir des enfants qui jouent dans la fraîcheur du premier matin du monde. Albert Camus, craignant un peu « les ricanements qui servent de contre-chant, chez nous, aux choses de l'amour », écrivait, en présentant le livre : « *L'Age d'or* est un livre pur qu'on ne voudrait mettre qu'entre des mains nettes. »

L'Age d'or, c'est évidemment la jeunesse. C'est surtout l'état d'innocence avant l'heure de l'intelligence et de la vie sociale, l'âge où l'entente entre deux êtres se fait naturellement sans qu'intervienne nulle autre considération que le plaisir de se voir. « J'aimerais d'autres êtres et je serais aimé sans doute, écrit Herbart à la fin du livre (à ce moment, il a trente ans), mais c'en était fait de cette grâce qui avait jusqu'à présent ensoleillé ma vie. »

Les garçons dont fut épris Herbart, sauf le premier, qui est un ami de collège, sont un fils de mariniers, un jeune paysan, un petit acrobate, un apprenti maçon. On ne pense pas que ce soit un hasard : l'âge d'or, par ce qu'il implique de liberté et de franchise naïve et, dans un certain sens, d'inculture, se concevrait mal dans des villes ou dans des milieux d'education bourgeoise. Ce n'est pas un hasard non plus sans doute si les pères n'apparaissent pas ou que très peu dans ce livre, alors que le rôle des mères y est très important.

Puis, voici : le camarade de collège meurt d'une crise d'appendicite aiguë, le fils de mariniers se fait tuer dans une rixe, l'apprenti maçon est victime d'un accident de moto. La mort joue ainsi un des rôles principaux dans *L'Age d'or*. C'est le grand ennemi, avec le Temps.

Pierre Herbart écrit : « Tout ce visage, enfin, je ne pouvais le contempler sans un incompréhensible déchirement, un sentiment de paradis perdu. Était-ce l'idée qu'il se flétrirait, ou que je le perdrais, que je cesserais de l'aimer? » Il y a autre chose encore. Herbart poursuit : « Est-ce la brusque certitude que la beauté ne se possède pas, qu'aucune étreinte ne peut vous la livrer, qu'il faudrait la saisir autrement qu'en jouissant d'elle mais que les hommes ne disposent d'aucun autre moyen d'entreprendre sa conquête? »

Pierre Herbart a clairement exposé la faillite de tout désir amoureux : « La plus harmonieuse entente physique ne change rien à ceci que l'essentiel de ce qui compose le désir demeure inassouvi. On ne peut posséder un sourire, mais seulement l'écraser avec sa bouche. »

La plus parfaite entente ne va jamais jusqu'à supprimer le sentiment que l'autre reste un autre. La jalousie peut apparaître ici : « Ce qui me torture, c'est l'idée que d'autres pourraient réussir là où j'échoue, saisir l'insaisissable, et surtout, l'ayant appréhendé, le réduire, le domestiquer. »

On dira que ce sont là des sentiments d'adolescents. En tout cas, c'est assurément une malédiction d'être pareillement sensible à la séduction des visages. « Qu'est-ce donc? Il me semble que je voudrais toucher du bout des doigts ce visage, m'assurer de sa réalité, et en même temps la certitude qu'il existe m'emplit de désespoir. » Tel est le pathétique de *L'Age d'or*, récit balancé entre la joie parfaite et le parfait désespoir.

La première partie des *Souvenirs imaginaires* est rédigée à la troisième personne et a paru deux fois dans des revues, d'abord sous le titre *Nous l'appellerons Guillaume*, puis sous celui de *Ravachol*. Herbart nous raconte ici ses origines familiales. Le petit Guillaume est né dans un ménage bourgeois désuni : son père selon la loi n'est probablement pas son père suivant le sang. Il ne connaîtra bien ni l'un ni l'autre. Le père véritable disparaîtra et le père légal lui-même abandonnera sa situation et prendra la route, vivant en vagabond et ne reparaissant qu'à intervalles irréguliers, pour peu de temps. Guillaume aime ce clochard et voudrait bien le suivre. Cela n'est pas du domaine des choses possibles.

On regrette qu'Herbart n'ait pas poursuivi son récit au-delà des dimensions d'une longue nouvelle. Ces pages comptent parmi ses meilleures. La seconde partie des *Souvenirs imaginaires,* écrite à la première personne, est au contraire décousue et mal composée. L'auteur consacre deux pages au « plus grand amour de sa vie » (pour une prostituée de Pigalle, surnommée Peau d'Ange) et trente pages à un voyage en Afrique noire. Herbart avait pourtant entrepris le récit de ses amours avec la petite prostituée, mais il l'abandonna comme il avait abandonné *Nous l'appellerons Guillaume. Peau d'Ange* (récit inachevé) figure au nombre des *Histoires confidentielles* (1970), recueil de récits et nouvelles.

Ces textes ont été composés paresseusement au cours d'une trentaine d'années. Les premiers figuraient déjà dans *Contre-Ordre* (1935) et les derniers doivent être contemporains de *La Licorne* (1964). Plusieurs sont des merveilles d'étrangeté poétique, tel *Le Sacrifice,* où une scène de la rue, décrite avec précision, devient sans effort une scène de mythologie. Herbart est toujours habile à suggérer un arrière-plan fabuleux aux histoires souvent très simples qu'il raconte. C'est grâce à notre regard que la banalité se transfigure et c'est parce que notre sensibilité s'y intéresse que le saugrenu s'organise en féerie.

Dans le domaine de la longue nouvelle, l'œuvre la plus accomplie de Pierre Herbart reste *Alcyon* (1945), qui suffirait à lui donner rang de grand écrivain.

Alcyon raconte le drame d'une fatalité acceptée et même voulue. Dans une île où se trouve une maison de correction maintenant désaffectée, un vieux gardien vit avec le souvenir d'un garçon qui a été tué lors de la répression d'une révolte collective. Il croit le reconnaître dans divers adolescents et l'un de ceux-ci, Fabien, décide d'assurer la vengeance de la jeune victime.

Fabien s'est lui-même évadé d'une maison de redressement. C'est par solidarité de condition qu'il accepte d'être celui que le gardien croit qu'il est. C'est aussi qu'on ne peut vivre complètement seul : dans sa solitude, Fabien parle au jeune mort qu'il n'a pas connu, qui lui répond pourtant et devient son guide. Parvenant à croire à la présence d'un autre, Fabien devient un couple à lui tout seul. D'où sa force. Le vieux gardien ne lui veut que du bien. Mais on ne peut pactiser avec les complices des représentants de l'ordre. Fabien organisera toute une mise en scène pour amener le gardien, dans un accès de démence, à se servir de son fusil et à « tuer ce qu'il aime. »

Alcyon s'achève sur quelques pages situées dans un asile de vieillards où nous retrouvons le père Jules en proie toujours à sa chimère. Seulement, la musique s'est tue et le poème s'achève en prose. Le charme est volontairement rompu ; cette rupture donne au livre toute sa résonance.

Pierre Herbart est mort à Grasse en 1974. Les derniers temps, il était paralysé et dénué de tout, sauf de l'affection fidèle d'un jeune homme qui veilla sur lui jusqu'à la fin.

JOSEPH DELTEIL

Les jeunes générations ignorent que Delteil (1894-1978) fut un de nos écrivains les plus célèbres dans les années vingt. Il connut une espèce de gloire qui partit en fumée vers 1930, tandis que lui-même se retirait dans les garrigues de Montpellier, pour « rejoindre la nature » et « redevenir le premier homme », en toute simplicité.

C'était dire adieu à la foire littéraire et non pas à la littérature. Delteil n'a cessé de donner des signes de vie. Dès 1934, s'ouvrit un premier procès en révision, à l'occasion de la publication d'une anthologie, *En robe des champs.* Deuxième procès en 1947, à l'occasion de *Jésus II.* Troisième procès en 1961, quand parurent les *Œuvres complètes* (en fait, Delteil ne retenait que six ouvrages qu'il réunissait en un gros volume). *La Deltheillerie* ouvrit le quatrième procès, en 1968.

Qui dit procès, sous-entend condamnation, ou acquittement. C'est façon de parler. La question est de savoir si Delteil n'est qu'un nom dans l'histoire de la littérature (avec ses tics d'écriture, son style arts décoratifs) ou si sa voix continue de nous parvenir.

Elle nous parvient, cela ne fait aucun doute. On lit dix, vingt, quarante pages de *La Deltheillerie* avec ravissement. Comment ne serait-on pas enchanté par cette faconde méridionale et par cette « santé paysanne », qui se trouve être une protestation du bon sens contre les folies de la civilisation mécanicienne? Autrement dit, Delteil est un homme qui provoque la sympathie. Ce n'est pas rien. Mais il y a un mais. « Dieu me garde de raconter, de rédiger (affaire de scribes) », dit Delteil qui veut s'en tenir aux sensations. Mais il a besoin que son flot de paroles soit endigué par un propos suivi pour que nous l'écoutions avec plaisir. C'est épatant, son récit d'une soirée chez André Breton. C'est drôle, ses évocations des confrères de 1925, tel ce jeune Mauriac qui « sentait la résine fraîche et la vache landaise en rut ». Quand il nous expose sa « Weltanschauung », comme il dit, cela devient ennuyeux, parce que l'anecdote manque et que, pour les idées et les bons sentiments, on est cent fois d'accord dès le début. Donc, pas de surprise. Et les jongleries stylistiques finissent par lasser.

« Au jeu de l'art, je jouais l'image », dit Delteil. Et il donne, comme phrase delteillenne type, la première de sa *Jeanne d'Arc :* « Elle vint au monde à cheval, sous un chou qui était un chêne. » Phrase qui, selon lui, rend certaines gens malades. Il n'y a pas de quoi. Mais ce n'est certes pas du grand art.

Delteil assure qu'il ne faut pas s'appesantir : « A ne pas lire par petites phrases, mais à grandes enjambées. » Ce n'est pas vrai : quand Delteil est bon, on peut le lire sans hâte.

Le malheur de Delteil est peut-être d'avoir engendré Céline. Les meilleurs de ses procédés ont été repris par celui-ci pour exprimer un délire visionnaire. Le soleil noir de Céline fait pâlir le soleil d'or de Delteil. Comme homme, on préfère Delteil. Comme artiste, on préfère Céline.

Les influences agissent comme des autorisations. Ce que Céline retint surtout de Delteil, c'est qu'on pouvait se laisser aller à sa verve sans souci des règles du beau langage. Cette leçon de Delteil, de nombreux jeunes écrivains d'aujourd'hui l'ont reçue de Céline. Telle jeune romancière déclare que *Le Voyage au bout de la nuit* « lui a donné une impression de libération, parce qu'elle s'est dit qu'elle pouvait s'abandonner à son envie d'écrire, même sans savoir écrire ».

La phrase est amusante. Delteil et Céline savaient, bien entendu, parfaitement écrire. C'est par décision qu'ils décidèrent de planter un bonnet rouge sur la syntaxe, comme les romantiques l'avaient fait sur le dictionnaire. Il s'agissait de casser la raideur du français écrit et d'utiliser les ressources du français parlé : « Désormais voici la grosse cavalerie verbale, les instincts de poil et de plume, les fabuleuses trouvailles, les jeannedarqueries, la shakespearisation générale... »

Ce « lâcher-tout » du langage, les surréalistes le pratiquaient à leur façon avec l'écriture automatique. Et l'on ne s'étonne pas qu'Aragon se soit passionné pour Delteil et que Breton l'ait accueilli avec enthousiasme avant de le rejeter quand il eut découvert son « goût maniaque de la vie en ce qu'elle a de plus moche ». (« Vous ne rêvez jamais. ») Il est bien certain que la conjonction Breton-Delteil n'avait été possible qu'à la suite d'une méprise. La vérité, c'est que Breton était encore à la recherche de lui-même et n'avait pas énoncé les dogmes de sa religion.

Delteil s'y reprend à plusieurs fois pour nous raconter la révolution littéraire des années vingt. D'abord, il distingue les stylistes, les littéraires (tels Morand, Montherlant, Giraudoux, Mac Orlan, Cocteau) et, d'un autre côté, les idéologues, hommes de tête et de pensée (dadaïstes, surréalistes). Il désigne les premiers comme des Girondins et les seconds comme des Montagnards, « l'esprit de saveur contre l'esprit de rigueur ». Il est pourtant permis de considérer les meilleurs des écrivains surréalistes comme des stylistes : mais Breton feignait de mépriser la littérature, considérait le terme littérateur comme une injure. Delteil n'hésite pas à l'appeler « cet Hitler des Lettres, menant ses gens au knout, *perinde ac cadaver* ».

Pour ce qui concerne les « littéraires », Delteil note très bien qu'ils se voulurent « plus écrivains (style d'abord!) que romanciers (roman d'abord!) » et il précise : « Le romancier c'était Pierre Benoit, peu farouche sur le style. » Dans les romans d'un Morand ou d'un Cocteau, d'un Giraudoux ou d'un Mac Orlan, il est certain que la manière de raconter l'emporte sur l'intérêt de l'histoire contée. La manière de raconter, c'est une manière de voir : l'écrivain des années vingt ne prétend pas à l'objectivité; il ne s'efface pas devant son sujet; il est son principal sujet, avec une parfaite franchise.

Comme Delteil dans sa *Deltheillerie*...

LOUIS-FERDINAND CÉLINE

Qui n'admire Céline? Aucun écrivain ne jouit en France, à l'heure actuelle, d'une situation littéraire mieux assise. Seul, Marcel Proust lui dispute la première place au hit-parade des génies de l'écriture; mais Proust peint un monde qui nous paraît presque aussi lointain que celui de Saint-Simon. Avec Céline, (1894-1961) nous plongeons dans une misère que Proust ne semble pas avoir même soupçonnée. L'homme n'est plus ici que de la « pourriture en suspens », un « mort à crédit ».

Le *Voyage au bout de la nuit* est le *Candide* de notre siècle. Voltaire n'était pas moins sensible que Céline aux misères et aux horreurs du monde, mais il ne voyait quand même pas la laideur et la pourriture partout. Il existait pour lui des jardins où l'on pouvait vivre. Le monde romanesque de Céline est au contraire inhabitable : c'est partout la complète débâcle physique et morale. Céline écrit pour conjurer sa panique. Par les mots, il essaie de se défendre contre l'inévitable liquéfaction visqueuse des êtres et des choses, contre la vacherie et l'évanescence universelles. Mais son langage est contaminé. Céline est atteint de diarrhée verbale, il a brisé les digues du classicisme et il est emporté par un torrent apocalyptique, à l'image du monde comme il le voit. Pour sa part, le lecteur est frappé par l'outrance, par des exagérations qui permettent un rire libérateur. Au vrai, l'univers de Céline n'est pas plus réaliste que celui de Giraudoux. Il est cependant mieux accordé au désarroi de notre époque.

La part de comédie est considérable chez Céline et il a entretenu sa réputation avec autant de soin qu'un Montherlant. Une première légende voudrait qu'il ait été un écrivain maudit. Pensez donc : les Goncourt lui ont préféré Mazeline en 1932, quand parut le *Voyage*. Oui, mais ce fut un beau scandale, de sorte que le *Voyage,* qui avait obtenu le Renaudot, se vendit beaucoup mieux que le Goncourt. Lucien Descaves put écrire : « La chance de Céline fut de n'avoir pas eu le prix Goncourt. »

Le livre fut aussitôt traduit dans de nombreux pays. Aragon et Elsa Triolet se chargèrent de la traduction en russe. On avait retenu que Céline condamnait la guerre impérialiste, le colonialisme, le capitalisme américain.

On oubliait que rien ne trouvait grâce à ses yeux et que tout espoir lui était étranger.

En 1936, il se rendit en U.R.S.S. pour toucher ses droits d'auteur qu'il était tenu de dépenser sur place. Ce voyage-là lui inspira un premier pamphlet, *Mea culpa,* contre le communisme soviétique. La presse d'extrême-gauche lui devint alors hostile, tandis qu'à droite on se réjouissait. Mais, en décembre 1937, tous les honnêtes gens furent éberlués quand parut *Bagatelles pour un massacre,* où les juifs se trouvaient dénoncés comme un fléau métaphysique, cause de tous les malheurs que connaissait l'humanité. L'antisémitisme de Céline ne s'appuyait sur rien de rationnel : pas un seul argument dans *Bagatelles*, seulement des imprécations haineuses. Céline avait trouvé un bouc émissaire pour se délivrer de ses propres démons. Et voilà comment ce persécuté devint persécuteur.

Gide, devant l'énormité du pamphlet, déclara qu'il s'agissait d'une plaisanterie : « Et si ce n'était pas une plaisanterie, alors il serait, lui, Céline, complètement maboul. »

Alors naquit une seconde légende : si Céline avait l'esprit dérangé, c'était à la suite d'une blessure de guerre et de la trépanation qu'il avait subie, à vingt ans, en novembre 1914. Or Céline ne fut jamais blessé à la tête. Jean Ducourneau en a fourni les preuves : « On a attribué à l'auteur, dit-il, un événement qui ne concerne que son héros. » L'éclat de balle dans la tête, c'est le Robinson du *Voyage* qui l'a reçu. Céline, lui, avait été blessé au bras droit. Cela ne veut pas dire qu'il n'ait pas souffert de violentes migraines, mais sa blessure n'y était probablement pour rien.

Aux *Bagatelles* succéda en 1938 *L'École des cadavres.* Céline allait encore un peu plus loin dans l'abjection raciste. « On ne prétend pas que Céline soit responsable des camps, à écrit Roger Nimier. Il a exprimé les passions qui menaient aux camps. » (*Journées de lecture,* p. 88.) Le livre fut interdit. Céline devait le faire réimprimer en 1943.

Une de ses biographes, Erika Ostrovsky, nous assure qu'en épousant la cause hitlérienne, Céline savait qu'il jouait perdant. C'est son goût de la catastrophe qui le poussait. Si c'était vrai, on pourrait écrire avec Jean-Pierre Richard que « l'histoire allait se montrer bonne fille avec Céline » : fuyant la France à la veille de la Libération, il se trouverait dans son élément. Son « rigodon » à travers l'Allemagne en feu serait son véritable voyage au bout de la nuit.

Après un bref séjour à Baden-Baden, il devait parcourir en zig-zag le grand Reich livré à l'Apocalypse. Avec sa femme Lili et son chat « Bébert », il recherchait une sortie tantôt vers la Suisse, par Siegmaringen, tantôt vers le Danemark, où ce pauvre possédait un compte en banque. Ces mouvements de panique de rats pris au piège — « Par ici! Vite! Non! Par là! » — un pas en avant, un pas en arrière — c'est ça, le *Rigodon.* Céline dansa ainsi pendant une douzaine de mois. Le rigodon devait prendre fin avec l'arrivée au Danemark.

Les malheurs de Céline, emprisonné quelques mois au Danemark, ne sauraient cependant se comparer à ceux des martyrs de Dachau et d'Auschwitz. D'autant qu'il fut bientôt rendu à la liberté, amnistié, et l'on prépara l'édition de ses romans dans la Pléiade. Et c'est ce qui rend agaçante la nouvelle légende qu'il inventa dans son exil : on ne lui reprochait pas, voyez-vous bien, d'avoir demandé l'extermination d'une race, mais d'avoir écrit un des grands romans de la littérature moderne. Il était victime de confrères malveillants. Toujours victime.

Si *L'École des cadavres* fut jadis interdit par le pouvoir, ce sont aujourd'hui tous les pamphlets que les héritiers de Céline refusent de laisser rééditer. On nous permettra de le regretter car, si on ne les a pas lus, il est impossible de comprendre toutes les passions que leur auteur a déchaînées. Il est choquant d'autre part que l'on cache au public trois œuvres essentielles d'un écrivain désormais classique.

Sans les pamphlets, Céline n'aurait rien eu à craindre des épurateurs. Il n'aurait pas connu l'exil et... nous n'aurions pas eu les superbes chroniques, *D'un château l'autre, Nord* et *Rigodon.*

Le vent d'Apocalypse qui soufflait sur l'Allemagne en 1944, comme il sait le faire siffler à nos oreilles! On croit y être. Et ç'aurait été vraiment dommage pour la littérature que Céline ne se soit pas trouvé là pour l'enregistrer. Il aurait mis le point final à *Rigodon,* le jour même de sa mort, le 1er juillet 1961. En écrivant ce livre, il entendait aussi le grondement d'une autre Apocalypse : allez donc! Il imaginait et souhaitait le déferlement de hordes chinoises sur l'Europe, balayant tout sur leur passage comme les Huns autrefois. Ce grand poète épique avait fini par avoir lui-même le souffle coupé par ses visions. Dans les œuvres de sa dernière période, les phrases sont de plus en plus courtes, parfois sans verbe principal, avec une extraordinaire abondance de points d'exclamation et de points de suspension. Style que beaucoup d'écrivains médiocres croiront pouvoir imiter, mais Céline jusqu'à présent est le seul qui ait réussi à faire du Céline.

Cette « dernière période » s'était ouverte en 1952, avec *Féerie pour une autre fois,* un essai de justification plein de verve, où l'on trouve des raccourcis superbes : « Tous les lâches sont romantiques, ils s'inventent des vies à reculons, pleines d'éclat. » Ou bien : « Le loup crève sans hurler, pas moi! » Très peu de critiques et de journalistes se risquèrent à parler de cet ouvrage. L'opinion générale voulait que Céline fût « fini » (non point qu'il n'ait jamais eu de génie). Mais peu à peu, l'opinion changea. La chronique de la vie à Siegmaringen dans *D'un château l'autre* (1957) força l'admiration des lecteurs les plus réticents. Quand parut *Nord* (1960), Céline se retrouva à la place qu'il continue d'occuper aujourd'hui et qu'il occupera sans doute longtemps encore.

9.
Les splendeurs du verbe

Giono, Aragon et Montherlant appartiennent à la même génération (ils sont nés à un an d'intervalle). Ils se sont construit chacun un royaume par la puissance de leur verbe. Tous trois sont des princes incontestés de la langue française.

GIONO LE CONTEUR PRODIGIEUX

On parle habituellement de deux manières de Jean Giono (1895-1970) et l'on divise son œuvre romanesque en deux parties : l'œuvre d'avant-guerre, d'inspiration paysanne, et l'œuvre d'après-guerre, d'inspiration stendhalienne. Jean Giono aurait été transformé par l'expérience des prisons : la prison qu'il connut en 1939 pour son action en faveur de la paix et la prison où on l'enferma à la Libération (admirez la rencontre des mots prison et libération) parce que des épurateurs communistes étaient jaloux de son influence sur des jeunes gens qu'ils auraient voulu attirer à eux.

Certes, les événements donnèrent à réfléchir à Giono sur le danger de s'exprimer librement, mais ils ne changèrent rien à ses convictions fondamentales. Pour l'essentiel, Giono ne se situe pas en face des problèmes posés par l'histoire, mais par rapport à la nature et à la condition humaine en général. Sans doute a-t-il cru naïvement, à un moment de sa vie, qu'il pourrait infléchir le cours de l'histoire, mais son œuvre romanesque en porte peu de traces et reste dans un domaine beaucoup plus vaste.

Pour comprendre Giono, il semble qu'il faille tenir compte d'un immense pessimisme foncier que contrebalance une très exigeante sensualité. C'est là ce qui donne à son œuvre sa principale ambiguïté.

La légende de Giono, poète pastoral et auteur de bergeries, ne repose sur rien. Pas trace de régionalisme ou de folklore chez lui. Il a commencé d'écrire sous le signe d'Homère et de Virgile, à mille lieues du moulin d'Alphonse Daudet. La Provence sauvage qu'il a décrite, il l'avait inventée. Ou plutôt, comme il disait, il n'a jamais présenté « la Provence pure et simple ». Il nous a offert un pays vu à travers une des imaginations des plus lyriques et des plus fécondes : un « Sud imaginaire ». Ses premiers romans peuvent être qualifiés de mythiques. Leur écriture, ramassée dans la série de *Pan* (qui comprend *Colline,* 1929, *Un de Baumugnes,* 1929, *Regain,* 1930), devient torrentielle dans des romans épiques comme *Le Chant du monde* (1934), *Que ma joie demeure* (1935), *Batailles dans la montagne* (1937). Giono est hanté par les forces naturelles, par les puissances de la terre, dont l'homme moderne se croit souvent délivré (et qu'il redécouvre quand un tremblement de terre ou une avalanche provoque de grandes catastrophes). L'homme n'est pas en face de la création, il est de la même pâte originelle non seulement que les animaux, mais que les plantes et que les pierres. Un homme, c'est de la chair rouge, comme les animaux. Et c'est de la vie comme les plantes : « Il ne peut donc pas couper un arbre sans tuer? Il tue quand il coupe un arbre, il tue quand il fauche... Alors il ne peut plus lever le doigt sans faire couler des ruisseaux de douleur? » (extraits de *Colline,* p. 138 de la Pléiade).

Nous sommes dans un univers tragique, fort loin de toute idylle. Si l'on détourne les yeux de la douleur, ce que l'on rencontre, c'est la solitude universelle. Le titre de *Solitude de la pitié,* donné par Giono à un recueil de nouvelles (1932), est révélateur à ce propos. Giono pensait que la civilisation moderne ne fait qu'aggraver cette solitude et il rêvait d'une catastrophe à la suite de laquelle les villes seraient abandonnées et où l'on verrait, à Paris, des sangliers sortir du métro de la place de la Concorde (*Destruction de Paris*).

Ceux qui pensent que l'expérience de la prison amena l'idéaliste Giono à plus de réalisme, oublient aussi que les débuts de notre auteur dans la vie ne furent pas si faciles : il connut une enfance de petit pauvre, un emploi subalterne dans une banque et surtout, expérience auprès de quoi la prison n'est rien, la guerre de tranchées. Rien là qui vous destine à l'optimisme. Répétons que, cependant, Giono adorait la vie. Il acceptait la vie telle que la nature nous l'impose, il s'indignait que les hommes y ajoutent des malheurs inutiles. Et c'est pourquoi, de 1936 à 1939, il se transforma en apôtre du retour à la terre et en professeur de désobéissance. (*Les Vraies Richesses*, 1936, *Refus d'obéissance,* 1937).

La vie courante est cependant menacée par l'ennui. Dans son excellente introduction à l'édition de la Pléiade, Robert Ricatte insiste avec raison sur le sentiment d'évanescence qu'éprouve Giono devant le réel. C'est un sentiment assez voisin de celui que Breton et les surréalistes appelèrent « le sentiment du peu de réalité ». On est devant le réel comme devant le néant : un trou à combler. Comment le combler autrement que par l'imagination? Ainsi devient-on artiste, par goût du mensonge, qui n'est que divertissement. On sait (ou l'on ne sait pas) que l'homme Giono était un menteur, fabulant sans cesse à propos de tout et de rien : c'est l'origine de son don de conteur, et lui-même nous en a prévenus, mettant toute son œuvre sous le patronage du fameux menteur Ulysse, héros de sa première œuvre *Naissance de l'Odyssée.*

Le passage du cycle « mythique » au cycle « historique » ou « stendhalien » s'effectua par un curieux petit roman intitulé *Pour saluer Melville* (1941) qui devait primitivement servir de préface à une traduction de *Moby Dick*. Giono avait rassemblé quelques renseignements biographiques sur Melville, mais, en chemin, il se mit à rêver, c'est-à-dire à fabuler et c'est un Melville de sa façon qu'il présenta au public français, sans avertissement d'ailleurs et en assurant au contraire qu'il avait eu en main des documents inédits.

Comment fonctionne l'imagination d'un grand romancier? C'est ce que Giono entreprit de nous montrer dans *Noë* (1947) alors qu'il venait de finir d'écrire *Un roi sans divertissement* et qu'il avait en chantier une vingtaine de volumes. On y découvre que si, en toutes circonstances, la frontière était floue pour lui entre vérité et poésie, les personnages qu'il inventait avaient à ses yeux une présence réelle. Nous parlions peut-être à tort de mensonges : Giono ne voyait pas les choses dans leur nudité, mais revêtues des ornements et des significations que lui fournissait sa riche fantaisie.

L'action d'*Un roi sans divertissement* se déroule au milieu du XIXe siècle et qui oublierait ce village du Dauphiné, coupé du monde pendant l'hiver et que terrorise un mystérieux assassin? Cette évocation se suffirait parfaitement à elle-même, grâce au double envoûtement créé par la magnificence des descriptions et par l'angoissante restitution du drame. Mais Giono a imaginé de singuliers rapports (et comme une correspondance) entre le tueur qui rôde inconnu et le capitaine qui le recherche. Celui-ci dira d'ailleurs d'une façon générale (p. 148) : « Rien ne se fait par l'opération du Saint-Esprit. Si les gens disparaissent, c'est que quelqu'un les fait disparaître, c'est qu'il y a une raison pour qu'il les fasse disparaître. Il semble qu'il n'y a pas de raison pour lui, mais il y a une raison pour lui. Et, s'il y a une raison pour lui, nous devons pouvoir la comprendre. Je ne crois pas, moi, qu'un homme puisse être différent des autres hommes au point d'avoir des raisons totalement incompréhensibles. Il n'y a pas d'étrangers. » Ces dernières phrases sont les seules en italique dans le livre. L'objection qu'on peut leur faire est formulée dès l'introduction, à la page 13, où, parlant du tueur, un personnage déclare : « On est assez sûr de soi pour savoir qu'on ne va pas se mettre, du jour au lendemain, à arrêter les cars sur la route, mais on n'est jamais sûr qu'à un moment ou à un autre on ne sera pas poussé à quelque extravagance. Tant vaut qu'on ne parle pas de ces choses-là, qu'on n'attire pas l'attention là-dessus. » Mais c'est le rôle des poètes de la nuit.

L'ennui nous apparaît comme la première explication de la folie du tueur, qui sera appelé Monsieur V... Quant à Langlois, il aura comme divertissements la recherche de ce tueur, la chasse aux loups, plus tard quelques fêtes mondaines. Tout cela ne suffira pas pour endormir ses propres démons. Il se suicide en fumant une cartouche de dynamite : « Et il y eut, au fond du jardin, l'énorme éclaboussement d'or qui éclaira la nuit pendant une seconde.

C'était la tête de Langlois qui prenait, enfin, les dimensions de l'univers. »

Au *Roi sans divertissement* succéda *Mort d'un personnage* (1949), où la tendresse d'un petit-fils permet à une vieille femme malade de conserver la dignité d'une personne, alors que l'accablent les infirmités de l'âge. C'est un des livres les plus émouvants de Giono et l'un des plus classiques dans sa forme.

Dans *Les Ames fortes* (1950), chronique d'un village provençal, Giono utilise la technique du roman dialogué. Quelques très vieilles femmes se sont réunies pour veiller un mort. Elles se sont confortablement installées et parlent. Elles adorent parler et on le sent. De réflexions sur le café ou les harengs saurs, on passe à des petites histoires. Toute une galerie de personnages cocasses nous est présentée, puis les anecdotes prennent de l'ampleur et c'est enfin l'histoire de Thérèse.

Thérèse raconte la première, et nous avons un récit picaresque, un peu conventionnel et charmant. Mais une interlocutrice intervient et s'inscrit en faux. Thérèse ne proteste pas mais reprend la parole pour corriger à son tour ce qui vient d'être dit. Nous assistons à un jeu pirandellien sur le thème de la vérité. Mais nous devinons bientôt que, pour Thérèse, « la vérité ne comptait pas. Rien ne comptait que d'être la plus forte et de jouir de la libre pratique de sa souveraineté ». Thérèse a toujours joué la comédie, elle a roulé tout le monde et ne s'est jamais laissé retenir ni par la reconnaissance, ni par la crainte du sang. Aussi cette comédie prend-elle les dimensions d'un drame effrayant : « Être terre à terre était pour elle une aventure plus riche que l'aventure céleste pour d'autres. Elle se satisfaisait d'illusions comme un héros. Il n'y avait pas de défaites possibles. C'est pourquoi elle avait le teint clair, les traits reposés, la chair glaciale mais joyeuse, le sommeil profond. »

Après le roman à voix alternées, le monologue : *Les Grands Chemins* (1951) est entièrement écrit à la première personne. Dans ce livre, il se passe beaucoup de choses et peu de choses. Comme dans la vie. « La vie (j'y pense) c'est mille riens. Il y en a qui en font une affaire. Non. C'est peut-être le premier narcisse qui compte. Et pas forcément en beau. » (P. 141.)

Voici donc Giono dans la peau d'un trimardeur. Ce robuste gaillard parcourt la Provence, se loue ici ou là et puis repart. Il est parfaitement à l'aise dans la nature dont il aime et savoure les beautés. Les gens aussi l'intéressent et il est bâti de sorte qu'il ne craint ni l'effort ni la bagarre. De temps à autre il éprouve un franc besoin de présence humaine. Il avoue, à un moment : « J'ai du vague à l'âme. Comme partout, les routes qui partent d'ici vont partout. Il est impossible de garder qui que ce soit, ni personne. On s'attache, on n'attache pas. » (P. 57.)

Mais, à propos de qui notre ami parle-t-il ainsi? A propos d'un petit guitariste ambulant, bien peu sympathique. Il a le mauvais œil et vit assez malhonnêtement en trichant aux cartes. N'importe. On a besoin d'un compagnon et celui-ci est bien étonnant. Et comment nierait-on le prestige du mal, la beauté d'une « belle tricherie »? Le narrateur pourtant s'écriera : « J'ai su qui tu étais dès le premier jour. Tu es un petit fumier. L'amitié? Tu crois que je marche? J'ai vu clair vingt ans avant toi. Sais-tu où j'en suis? A ce que le toc me suffit amplement. J'achète du toc. J'en suis là. Je me goberge avec du toc, etc. »

En compagnie de son ami-ennemi, le narrateur continuera sa route. Mais il se révèle finalement que l' « artiste » est un assassin. Le narrateur l'abattra lui-même quand une chasse à l'homme sera organisée par la gendarmerie. « Je lui lâche mes deux coups de fusil en pleine poire. Je les vois faire mouche. C'est beau, l'amitié. »

Un peu plus tard : « Je descends à pied vers la route nationale. J'oublierai celui-là comme j'en ai oublié d'autres. Le soleil n'est jamais si beau qu'un jour où l'on se met en route. »

Et le livre, le poème plutôt, s'achève sur ces lignes. Il pourrait continuer longtemps et nous lasserions-nous? Il y a des pages étonnantes comme celles où l'artiste triche et empoche tout l'argent de son compagnon, non point furieux, mais au contraire plein d'admiration devant le savoir-faire de l'autre. « J'en bave », note-t-il. Il y a la scène de la saoulerie et combien d'autres.

Le Hussard sur le toit (1951) commence un peu comme *Les Grands Chemins*. Nous voyons un homme courir les routes de Provence. Mais cet homme est un cavalier et se trouve désigné par un joli prénom italien : Angelo. Nous ne saurons pas d'où il vient ni où il va avant des douzaines de pages, mais nous apprendrons très vite à le connaître par ses actes. Il pénètre dans une région ravagée par une épidémie : les villages sont morts, les cadavres sont la proie des rongeurs et des charognards. Giono a entrepris de raconter le choléra de 1838.

On n'aura pas l'occasion de penser à *La Peste,* de Camus, mais peut-être à un roman picaresque comme le *Simplicissimus,* de Grimmelshausen. Giono raconte et se contente de raconter.

Un jeune homme traverse donc la Haute-Provence dévastée par le choléra. Il fera cent rencontres et connaîtra cent aventures. La mort sera toujours présente. Une mort affreuse car le choléra vide son homme et ne laisse au cadavre puant que la peau sur les os. La plupart des gens, sous cette menace, s'abandonnent complètement à leur égoïsme et à leur rapacité. Ils ne craignent plus de donner leur peur et leur lâcheté en spectacle. Ce n'est pas seulement du choléra qu'Angélo devra se défendre : certains voudront le dépouiller et d'autres le tuer. A Manosque, on l'accusera d'empoisonner les fontaines et c'est là qu'il devra se réfugier sous les combles d'une maison abandonnée et deviendra le hussard sur le toit.

Car Angelo est réellement hussard, et même colonel de hussards. « Sa mère avait acheté son brevet de colonel. » (P. 111.) Il est le fils naturel de la duchesse Ezzia Pardi. Mais il est aussi carbonaro et c'est à la suite d'un duel politique qu'il avait dû quitter l'Italie. Oui, il a tué en duel régulier un mouchard quand les ordres étaient d'assassiner, ou de faire assassiner « si la chose elle-même le répugnait ».

Nul personnage de roman n'est plus sympathique qu'Angelo, pas même le jeune Fabrice del Dongo. Giono lui a conféré toutes les qualités. Angelo est la jeunesse, la beauté, la générosité, le courage incarnés. « Il était de ces hommes qui ont vingt-cinq ans pendant cinquante ans. Son âme ne comprenait pas tout le sérieux du social, et qu'il est important d'être en place, ou tout au moins du parti qui distribue les places. Il voyait toujours la liberté comme les croyants voient la Vierge. Les plus sincères des hommes sur lesquels il comptait la voyaient comme une chose à modalité... Il ne se rendait pas compte que, parmi ceux qui ont toujours le mot de liberté à la bouche, certains commençaient à arborer des croix. » (P. 111.)

A Manosque, il devient l'aide d'une vieille nonne qui, la nuit, parcourt les rues et lave les morts : « La nonne ne soignait jamais. » « J'approprie, disait-elle. Ce sont mes clients, j'en suis responsable. Le jour de la résurrection, ils seront propres. »

— Et le Seigneur vous dira : « Parfait, sergent », répondait Angelo.

Elle répliquait :

— Si Dieu dit « Parfait », pauvre idiot, qu'est-ce que tu as à dire, toi, créature?

— Mais on peut en sauver, dit Angelo, du moins je le crois.

— Et qu'est-ce que je fais? disait-elle. Bien sûr qu'on les sauve.

— Mais, dit-il, leur rendre la vie.

— Il y a bien longtemps qu'ils sont morts, dit-elle, tout ça n'est plus qu'une formalité.

— Mais, ma mère, dit Angelo, moi aussi je suis rempli de péchés.

— Cache-toi, cache-toi, dit-elle. » (P. 160.)

Et un peu plus loin, cet autre dialogue entre les mêmes personnages :

« Est-ce qu'ils s'aimaient? dit Angelo.

— Mon Dieu non, dit la nonne.

— Dans une ville comme ici cependant il y a bien des gens qui s'aimaient?

— Non, non, dit la nonne. » (P. 163.)

Car si le tableau que nous présente Giono est fort noir, le choléra n'explique pas tout. Un personnage déclare : « Il paraît qu'en temps normal on est accueilli par ici de façon fort hospitalière. Remarquez que c'est possible. Reste à savoir si ce qu'on appelle normal n'est pas ce que nous voyons maintenant. » (P. 333.)

Angelo cependant ne fait pas que de mauvaises rencontres. Au début du livre se place l'épisode du « petit Français » qui sera souvent rappelé par la suite. Le « petit Français » est un jeune médecin qui tentera désespérément de sauver quelques malades avant d'être emporté lui-même par le choléra. « J'avais pour lui plus que de l'amour, de l'admiration », dira Angelo.

A Manosque, Angelo est secouru par une jeune héroïne. Plus tard nous saurons que c'est Pauline de Théus. Nous sommes contents de la retrouver là (c'est elle qui était l'héroïne de *Mort d'un personnage*). Angelo et Pauline cheminent ensemble dans la dernière partie du volume. Ils s'évadent de concert du château de Vaumeilh où on les a mis « en quarantaine » et quittent la contrée mortelle.

L'idée centrale du livre, c'est qu'il y a des êtres de bonne qualité et d'autres de mauvaise qualité. « Tout revient à : « Vive moi! » (p. 167), mais chacun cherche à s'affirmer de manière particulière. Angelo et le « petit Français » ont besoin « de faire quelque chose qui les classe », « Ils font enregistrer leurs lettres de noblesse », « ils travaillent à leur propre estime ». Ils n'ont pas besoin de spectateurs. Et quelque chose compte pour eux au-dessus de la puissance, de l'argent et du plaisir.

Le héros de Giono est assez stendhalien quand il raisonne ainsi : « Il est incontestable qu'une cause juste, si je m'y dévoue, sert mon orgueil. Mais je sers les autres. Par surcroît seulement. Tu vois bien que le mot peuple peut être enlevé du débat sans inconvénient. Je pourrais même mettre n'importe quoi à la place du mot liberté, à la seule condition que je remplace le mot liberté par un équivalent. Je veux dire un mot qui ait la même valeur générale, aussi noble et aussi vague. Alors, la lutte? Oui, ce mot-là peut rester. La lutte. C'est-à-dire une épreuve de force. Dans laquelle j'espère être le plus fort. » (P. 167.)

Mais cette volonté de puissance, s'allie ici à une volonté du bien. Parce qu'Angelo est un beau caractère et une belle âme. C'est aussi pourquoi, en plus de toutes ses qualités, *Le Hussard sur le toit* est un livre réconfortant.

On ne saurait en dire autant du *Moulin de Pologne* (1953) qui n'est pourtant pas, sur le plan de l'art, une moindre réussite. Giono nous y raconte l'histoire d'un domaine maudit. Le narrateur est un homme de loi, prudent et conformiste, mais curieux de la comédie humaine. Avant de rapporter les événements dont il a été témoin, il rapporte ce que lui a appris la chronique locale.

Tous les possesseurs du moulin de Pologne ont vu fondre sur eux la catastrophe, la folie ou la mort violente. Tout a commencé avec le père Coste, un homme que « Dieu n'oubliait pas ». Il a bien essayé de ruser avec la fatalité mais tous ses calculs ont échoué. Le personnage principal de ce roman, c'est le destin. Parfois il paraît se détourner, s'éloigner mais ses retours sont d'autant plus terribles. La fatalité ne s'acharne pas seulement sur les propriétaires, mais sur leurs alliés, leurs voisins. Finalement la ville entière se sent visée. Et c'est pourquoi la jeune Julie de M... (qu'a bien connue le narrateur) a été si maltraitée par ses compagnes de classe. Elle est devenue nerveuse, malade, un peu folle. Au cours d'une crise, elle est devenue louche et sa bouche s'est tordue.

A la fin du XIXe siècle, Julie est la propriétaire du Moulin de Pologne. Le domaine est en mauvais état. La ville tient Julie à l'écart. Pourtant un soir de bal, Julie se rend à la salle des fêtes et danse seule. C'est un beau scandale. Julie fuit dans la nuit et va se réfugier chez le personnage le plus étrange de la ville, M. Joseph, qui vit lui aussi un peu à l'écart, mais volontairement. On ne sait qui il est ni d'où il vient. On lui prête des pouvoirs cachés. On le soupçonne d'être général des jésuites. Bien. Il décide d'épouser Julie.

Monsieur Joseph et sa femme s'installent au Moulin de Pologne, qu'on restaure et qu'on agrandit. Julie embellit : il lui suffisait d'être heureuse pour redevenir belle. Son mari lui offre en spectacle les hobereaux du pays. Puis un fils naît : un splendide garçon. La malédiction semble être vaincue. Un soir Julie dit : « Je ne veux pas être plus heureuse que les autres. » (P. 201.) Alors le narrateur commente : « C'était à mon avis une si imprudente déclaration de bonheur qu'il me sembla entendre siffler l'enfer dans la profondeur des sycomores. »

En effet, dès que Monsieur Joseph meurt, le destin rentre en scène et s'abat à nouveau sur le Moulin de Pologne. Le livre s'achève sur une course dans la nuit. « J'eus, naturellement, une crise de rhumatismes qui me tint au lit pendant plus de trois semaines (conclut le narrateur). Quand elle fut finie — porte fermée — je me remis à mes fleurs. »

Considérant les hommes en général comme des animaux malfaisants, Giono a la nostalgie de deux sortes de héros : d'abord le héros de grand format qui a pour lui la puissance, se dresse contre le sort et méprise et domine les esclaves rampants. Ensuite Giono a la nostalgie du héros pur, qui a pour lui le charme, la beauté, la générosité, la jeunesse et le reste.

Le Hussard était un bel exemple de héros pur. Et certains n'ont pas envoyé dire à Giono que sa pureté était excessive, que l'on n'y croyait pas, que c'était trop beau. Giono a dû triompher. Cependant, dans *Le Moulin,* il nous présente un frère d'Angelo Pardi. Il s'appelle Léonce. « Le garçon était, il faut le dire, de toute beauté. Secret et noir, élancé et d'un visage qui respirait à la fois la bonté et l'ardeur, il était irrésistible (si j'en juge par l'attrait qu'il exerçait même sur moi). A la lettre, des yeux de biche, tout luisants à la moindre émotion. Fort comme un Turc, visiblement toujours sur le point d'être emporté par la plus folle audace mais toujours courtois, poli et d'excellente compagnie. » (p. 219)

Mais Léonce brise son foyer à la dernière page et fuit avec une gourgandine. Non, Giono ne croit pas qu'il puisse exister deux Angelo.

Quant au héros de grand format, il a fait une première apparition dans *Un roi sans divertissement*. Ce héros est au-delà du bien et du mal. Il rappelle le Vautrin de Balzac. Mais, quand Vautrin est empereur de la vie et que nous le voyons agir, le héros du *Moulin de Pologne* tire son prestige de son mystère et de ses dédains. Il est aussi un rêve de Giono, bien que suspect : certain jour, le narrateur découvre qui peut être Monsieur Joseph : « Le ton cynique était particulièrement inquiétant. J'avais déjà entendu cette voix, vu des regards et des bouches ironiques semblables à notre poste de police chez des rebuts de la société. Ici, certes, ils me venaient du haut de ses un mètre quatre-vingts, d'entre la barbe et les cheveux les plus candidement blancs qu'on pût arborer, mais ils découvraient en raison même un danger bien plus grand. » (p. 146) Oui, comment ne pas penser à Vautrin?

Le Moulin de Pologne est écrit dans un style curieusement dépouillé après les déchaînements lyriques du *Hussard* (qui n'étaient rien du reste à côté de certains délires verbaux d'avant-guerre). C'est un livre nu où les faits et gestes des personnages tiennent la première place. Mais quels deuxièmes plans! Il y a notamment la somptueuse description d'un parc éclairé par des flambeaux.

Dans un registre tout différent, Giono sait évoquer en trois répliques les derniers jours de Monsieur Joseph : « Julie ne lâchait pas sa main et lui parlait de la vie éternelle. « Ah! certes non », dit-il. — « Pourquoi? » dit-elle à voix basse. « Tu verras », dit-il en souriant avec indulgence. » (P. 219.)

Angelo Pardi nous revint dans *Le Bonheur fou* (1957). En vérité, il doit dans ce livre se contenter de quelques moments de bonheur, soit qu'il éprouve une intime satisfaction à se sentir simplement vivre, soit qu'il ait eu la bonne fortune de rencontrer quelques hommes fraternels. Il dira d'ailleurs : « Je ne veux rien sauf vivre avec de petits bonheurs de vingt-quatre heures et même de douze. »

C'est l'auteur lui-même qui a dû connaître un bonheur fou à composer ce livre, à créer tous ces personnages si divers, à inventer tant de scènes si variées, à faire marcher ces régiments, à faire comploter tout ce monde et à démonter les rouages du cœur humain.

Près de dix ans ont passé depuis *Le Hussard sur le toit*. Giono a choisi comme épigraphe à cette suite une phrase d'une lettre de Mérimée à Mme de Montijo, en date du 19 février 1848 : « Le choléra n'est plus épidémique, il est devenu constitutionnel. » De même que *Le Hussard sur le toit* était une chronique du choléra de 1838 en Haute-Provence, *Le Bonheur fou* est une chronique des diverses agitations patriotiques et révolutionnaires de 1848 dans le Nord de l'Italie.

Des esprits optimistes ont appelé 1848 le « printemps de l'Europe ». Pour ce qui concerne l'Italie, ce fut une guerre de libération accompagnée d'une insurrection spontanée qui s'assortit de particularités locales.

Rappelons les faits : les libéraux, inspirés par le carbonaro Mazzini, et encouragés par les révolutions de Paris et de Vienne, tentèrent de réaliser l'unité italienne. D'abord, tout sembla devoir se passer assez bien : l'insurrection populaire contraignit le vieux feld-maréchal Radetzky, commandant des troupes autrichiennes, à quitter Milan et à se retrancher à Vérone. Mais Charles-Albert, roi de Piémont et chef de la coalition italienne, indécis, tergiversa. Quelques mois plus tard, il se fit battre sur l'Adige et les armées autrichiennes imposèrent l'armistice.

De même que la prière d'insérer du *Hussard sur le toit* nous parlait de Stendhal, celle du *Bonheur fou* nous parle de Tolstoï et, c'est-à-dire, de *Guerre et Paix*. On voit bien que Giono n'est nullement écrasé par ces rapprochements. On voit aussi que ces rapprochements sont un peu faciles.

Où l'auteur de la prière d'insérer du *Bonheur fou* bat la campagne, c'est lorsqu'il ose écrire : « Cette guerre communique à Angelo les sentiments les plus délicieux. L'amitié y prend quelque chose d'exalté et d'admirable, bien propre à transporter l'âme la plus noble du Piémont. Les combats eux-mêmes n'ont rien de honteux, car c'est l'amour de la patrie qui les anime, ainsi qu'un prodigieux goût de vivre. »

Le Bonheur fou nous montre à peu près le contraire. Certes, Angelo se lance dans la bataille avec entrain, mais c'est par jeu, et s'il risque la mort, c'est pour le plaisir. D'ailleurs, bien qu'il soit ancien colonel de hussards et célèbre chez les carbonari par son exil, il agit en solitaire et il ne cesse, au cours du livre, d'approfondir sa solitude. Déjà, lorsque ses nouvelles aventures commencent, les intrigues du milieu carbonaro lui ont fait perdre sa foi sociale. Bientôt, il ne croit plus à aucune idée. Et voici, par exemple, une de ses réflexions : « Tu ne crois plus à la liberté? Bon. Mais, le jeune homme blessé (surtout si c'est un archiduc) ne croyait certainement plus à son sang bleu bien avant de voir, qu'en effet, il était rouge. Il est allé cependant dans les endroits où l'on risque de perdre une jambe. Et il l'a perdue. »

Angelo s'est persuadé que la liberté n'était pas une conquête à faire, mais un état personnel à préserver. Et, pour la fraternité, s'il fait quelques rencontres (qui sont ses moments de bonheur fou), il doit se résigner le plus souvent au pire et, à l'avant-dernière page du livre, on le voit tuer en duel son frère de lait, oui, l'ami Giuseppe, qui le trahissait depuis longtemps.

L'intérêt guide la plupart des personnages du livre. La noblesse d'Angelo est d'agir par luxe. Giono est devenu dédaigneux et, comme on dit, « aristocratique ». Du reste, il s'efforce surtout de paraître serein. Derrière l'artiste triomphant, on n'en sent pas moins l'homme désabusé. A la fin du *Bonheur fou,* Angelo quitte l'Italie. Il va tenter de gagner la France pour y retrouver, espère-t-il, avec Pauline de Théüs, « une main amie ».

Dans *Le Bonheur fou,* nous ne suivons pas toujours Angelo. Giono nous promène sur le front où l'on se bat et à l'arrière où l'on trafique... Tantôt il procède par vues panoramiques, tantôt par plans rapprochés et tantôt par gros plans. Qu'il s'agisse d'une patrouille ou d'une embuscade, qu'il s'agisse d'une halte chez des paysans, de Radetsky et de son entourage, des conspirateurs de châteaux, Giono est parfaitement à l'aise et va bon train. Ce gros livre est un livre rapide.

En 1965, Giono se décida à nous offrir *Les Deux cavaliers de l'orage,* qu'il avait commencé dès 1934, dont il avait publié le début dans la N.R.F. en 1940 et qu'il avait terminé vers 1950. C'est donc un livre où se rejoignent ses deux « manières » et c'est peut-être son chef-d'œuvre.

Les Deux Cavaliers raconte l'histoire d'une passion. Cette histoire est d'une violence folle, mais Giono nous assure que les caractères qu'il nous présente ne sont pas rares du tout dans ce haut pays de Provence où il nous entraîne. La première partie nous fait faire connaissance de la famille Jason. C'est une famille où l'on est maquignons de mulets. A la veille de la Première Guerre mondiale, il y a trois fils : Marceau, Marat et Ange. Les aînés ont deux ans de différence d'âge. Le petit Ange est né dix-sept ans après Marat. C'est un gamin quand la guerre éclate. Marat est tué, en 1917, « dans les boues près de Suippes ». Voici la fin du prologue : « Retournant de la guerre, Marceau retrouva sa terre chargée d'arbres, haute dans le ciel, muette d'un grand silence. Son premier travail fut de débaptiser Notre Cadet. Il l'appela : “ Mon Cadet ”. Après, il se maria. »

La suite du livre nous raconte le violent amour entre Marceau et Mon Cadet. Giono nous avait prévenus : « Un Jason ne peut avoir de passion que pour un Jason. » A ce moment, Mon Cadet a seize ans. Marceau, trente-cinq. Rien de plus différent, au physique, que ces deux frères : Mon Cadet a toutes les grâces de l'adolescence (et sans doute n'est-ce pas pour rien qu'il s'appelle Ange, comme le hussard s'appellera Angelo. Il arrive même qu'Ange soit appelé Angelot, avec un t). Il est svelte et élégant. Marceau, pour sa part, ressemble à un ours. Il pèse plus de cent kilos, « sans une pincée de graisse ». Un ours, « mais alerte et vif ». Il a une force singulière. Mon Cadet est fier de la puissance tranquille de son aîné, Marceau est « ivre d'orgueil » quand il voit la beauté de son cadet.

Quand vient le moment du service militaire, Marceau ne peut se résoudre à être séparé de son frère. Mais il a une idée merveilleuse (et ici, c'est une idée que doit lui souffler l'auteur des *Chroniques*), il se propose pour assurer la « remonte » de la caserne de cavalerie où doit servir Mon Cadet. Il est agréé et il obtient que Mon Cadet soit « détaché » auprès de lui pour mener à bien cette importante affaire. Nouvelle époque de « bonheur fou ». Il faut lire tout ce prodigieux chapitre intitulé *Tendresses,* où éclate une joie de vivre contagieuse. Jean Giono a réussi la peinture d'une passion totale et pourtant exempte de toute la chiennerie qui s'attache d'ordinaire, dans les romans contemporains, à la sensualité. Marceau et Mon Cadet, c'est Achille et Patrocle. C'est la parfaite santé d'âmes primitives et naturelles.

Le sujet exposé, Giono se livre ensuite à une série de variations à travers lesquelles un drame se prépare. Oui, Marceau est une force de la nature. Oui, Mon Cadet l'admire. Mais Mon Cadet grandit et il voudrait secouer la domination de son aîné. Cela, Marceau qui lui est tout entier dévoué, ne le comprend pas. Et voilà que Mon Cadet provoque Marceau : il veut se mesurer avec lui. Il est d'abord battu, bien sûr. Mais Marceau vieillit et, un jour, c'est Mon Cadet qui a le dessus. Marceau ne supporte pas cela. Il tue Mon Cadet, puis se suicide. La fin des deux frères est évoquée par un chœur paysan, qui place l'œuvre dans un climat de tragédie antique et cependant familière.

La violence n'est pas moindre dans *Ennemonde et autres caractères* (1968) où Giono nous ramène en Haute-Provence (et nous entraîne dans une expédition en Camargue). Les personnages sont des émanations du paysage, au même titre que les bêtes et les plantes. Nous voyons un berger assiégé pendant huit jours par une nuée d'abeilles, un mort entraîné par deux chiens enchaînés qui lui ont dévoré la tête. Vous assisterez à un combat dans le maquis et aussi à un duel entre un oiseau et une couleuvre. Quant à son héroïne, Giono résume ainsi son destin : « Ennemonde connaîtra le plaisir, après un crime parfait. Elle vit toujours, vieille, énorme, mais très propre et elle écoute s'il pleut. »

L'année où il mourut, Giono publia un dernier roman, *L'Iris de Suse* (1970), qui se clôt sur une note de tragique apaisé. Un repris de justice, au début du siècle, fuit à la fois les gendarmes et ses anciens compagnons. Il se cache d'abord parmi les bergers des hauts plateaux puis dans le château d'un village où résident de fiers originaux. Il subira peu à peu une transformation morale, qui le fera restituer le trésor qu'il avait dérobé et devenir un sédentaire pour veiller sur une femme qu'il aime et qui a perdu la raison.

Dans les œuvres posthumes de Giono : *Les Récits de la demi-brigade* (1972) et les nouvelles de *Faust au village* (1977), le pessimisme s'allie à la bonne humeur. Sur un fond tragique, Giono joue la comédie de la désinvolture. Ce roi des conteurs n'aura finalement jamais manqué de divertissements.

LES JEUX DE MIROIR D'ARAGON

S'il existe deux périodes dans l'œuvre de Giono, on peut en distinguer quatre ou cinq chez Aragon (né en 1897). Il fut d'abord un surréaliste de choc (*Le Paysan de Paris*, 1926, *Traité du style*, 1928); il adhéra au parti communiste et milita pour un « réalisme socialiste » (*Les Cloches de Bâle,* 1934, *Les Beaux Quartiers,* 1936); il devint ensuite, pendant l'occupation, le poète de la France et d'Elsa (*Le Crève-Cœur,* 1941, *Les Yeux d'Elsa,* 1942); à la Libération, il reparut en fougueux stalinien (*Les Communistes,* 1949-1951); enfin, les Soviétiques ayant eux-mêmes lâché Staline, il entra dans une période de désarroi et finit en écrivain désengagé et désenchanté (*La Mise à mort,* 1965, *Blanche ou L'Oubli*, 1967).

En 1968, Aragon accepta de parler de sa vie avec Dominique Arban. Ces « Mémoires improvisés » ont été publiés sous un titre bizarre : *Aragon parle,* — comme s'il avait jamais été muet.

D'entrée de jeu, il nous apprend qu'il fut à sa naissance un poids pour sa famille, ses parents n'étant pas mariés et son père ne l'ayant pas reconnu. C'est son père, cependant, qui inventa pour lui le nom d'Aragon, qu'il ne peut considérer comme un nom de famille, « mais il m'appartient en propre et par jugement ». Le jeune Aragon, élevé par sa mère, n'était pas présenté comme le fils de celle-ci, mais comme son jeune frère. Profession de la mère : elle tenait une pension de famille... Aragon ne dit rien de son père. Dans une monumentale biographie parue en 1975, Pierre Daix a révélé qu'il s'agissait d'un homme politique, nommé Andrieux, et qui fut un temps préfet de police.

Aragon ne renseigne pas non plus Dominique Arban sur la profession des parents d'André Breton (lequel était si discret sur son enfance et ses origines familiales), mais il lui signale qu'ils habitaient route d'Aubervilliers, à Pantin. « Il faut comprendre ce que c'est, précise Aragon. Géographiquement, André Breton était au départ beaucoup plus près que moi d'un parti communiste... » La formule est curieuse, mais elle contient une part si évidente de vérité qu'il n'est pas nécessaire de la commenter.

Aragon, lui, habitait les beaux quartiers : la pension de famille était située avenue Carnot, une avenue qui débouche sur la place de l'Étoile. Mais il se défend d'avoir eu une enfance douillette et bourgeoise. A divers points de vue, il se sentait en marge de l'honorable société qui hantait le coin et toute sa jeunesse a été empoisonnée, dit-il, par les soucis d'argent autour de lui.

Aragon et Breton entreprirent tous deux des études de médecine, non point par goût, mais pour être aimables envers leurs mères que des projets de vie littéraire auraient effrayées. Pourtant, ils devaient bientôt abandonner les cours pour mener ce que l'on aurait appelé autrefois la vie de bohème. Ils n'allaient d'ailleurs pas connaître une vie facile, malgré leurs dons exceptionnels.

A quel âge Aragon a-t-il commencé à vivre de sa littérature? Il nous assure que c'est à partir de sa soixante et unième année, en 1959. Dominique Arban lui objecte qu'il a été célèbre dès son *Paysan de Paris.* Il répond que lorsque son éditeur lui a présenté ses comptes, en octobre 1944, il a pu voir qu'on avait vendu de ce livre quinze cents exemplaires depuis la publication en 1926.

Dominique Arban remarque alors que la célébrité n'a rien à voir avec le chiffre de vente. — « Disons que cela suppose une célébrité limitée. » Aragon précise que quelques personnes, André Gide, notamment, s'intéressaient à ses écrits. Mais cela ne permettait pas de vivre.

De quoi vivait-il? Au début de son union avec Elsa, il y eut une bonne époque, financièrement, parce qu'Elsa fabriquait des colliers pour la haute couture, colliers qu'Aragon allait vendre, dans une petite valise, chez les exportateurs de la rue de Provence ou de la rue Poissonnière. Après la période des colliers, il y eut l'époque où Aragon fut journaliste à *l'Humanité* (1400 F par mois) tandis qu'Elsa faisait du secrétariat ou de la figuration au cinéma.

En littérature, le passage d'Aragon du surréalisme au réalisme socialiste entraîna une chute verticale de sa réputation. On disait : « Quel dommage, après *Le Paysan de Paris*! » Aragon raconte que s'il donna deux livres à Denoël, éditeur alors en marge, c'est que Gallimard lui avait refusé deux manuscrits. Il doit s'agir des *Cloches de Bâle* et des *Beaux Quartiers.* Il fallut la guerre et les poèmes du *Crève-Cœur,* pour qu'Aragon soit à nouveau pris en considération par Gide et par la N.R.F. La gloire vint avec les poèmes de la Résistance.

Dans l'intervalle, Aragon avait fait son chemin dans le journalisme. Ayant commencé par les faits divers, à *l'Humanité,* il devint, en 1937, directeur d'un nouveau quotidien, *Ce soir :* « Mais, comme directeur d'un journal qui a fait trembler ses concurrents, cela pourrait s'appeler n'être pas payé. A l'époque où mon excellent collègue, M. Lazareff, dirigeait *Paris-Soir* et devait avoir dans les cent et quelque mille francs de frais par mois, j'avais un salaire (je n'ai jamais fait de notes de frais) de cinq mille francs par mois. » (Il reconnaît ensuite que, de toute façon, ce n'était pas si mal.)

C'est encore du journalisme, de la Libération à 1959, qu'Aragon tira l'essentiel de ses ressources.

Si *Ce soir* faisait trembler ses concurrents, Aragon lui-même, à cause du poids de son parti, exerçait une pression de mauvais aloi sur nombre d'intellectuels. Passé de l'anarchie au service de la révolution, il avait conservé un ton tranchant et comminatoire. On sentait qu'il ne lui aurait pas été désagréable de régner par la terreur. Il s'y essaya d'ailleurs dans les mois qui suivirent la Libération. Il ne fait aucun doute que son activité de journaliste engagé, pour qui la fin justifie les moyens, lui a porté tort en tant qu'écrivain. Si son génie de poète force l'admiration, ses œuvres ont rarement obtenu l'adhésion sentimentale du lecteur. Sa virtuosité de styliste est apparue à certains comme un signe d'inauthenticité : Paulhan et Drieu ne voulaient voir en lui qu'un jongleur de mots, capable de réussir n'importe quel tour sur commande.

Il reste difficile aujourd'hui de considérer sereinement le cas Aragon. Si l'on se reporte à ses débuts dans la vie, il faut reconnaître que c'est l'époque elle-même qui poussait les meilleurs éléments de la jeunesse à protester contre une forme de société qui avait conduit à la guerre. La participation d'Aragon aux activités de Dada et du surréalisme fut son « merveilleux printemps ». C'est la politique qui amena la rupture avec les amis de jeunesse. Il serait trop facile d'ironiser en écrivant que le bâtard allait trouver en Staline un père. Trop facile parce que, dans les années où Aragon adhéra au Parti communiste, la Russie soviétique apparaissait à beaucoup de bons esprits comme porteuse de grands espoirs. Seulement, Aragon resta communiste et stalinien quand il prit connaissance de la réalité soviétique.

Il objecterait que la réalité capitaliste n'était pas plus brillante. Mais n'avait-on le choix qu'entre la peste et le choléra? Et l'espoir de lendemains meilleurs justifie-t-il qu'on travestisse avec tant d'audace les réalités du présent? Il y a là un total mépris de ceux que l'on veut convaincre. Peut-être est-ce le mépris d'Aragon pour son lecteur qui empêche qu'on se sente jamais en confiance avec lui. Et pourtant ce mépris s'accompagne d'un irrésistible besoin de séduire. Dans son goût de la domination, Aragon charme et terrorise tour à tour : il ne connaît pas de moyenne attitude (comme on parle de « moyen terme »).

Sans doute connut-il les pires moments de sa carrière quand, à la veille de la guerre de 39, il dut approuver dans *Ce soir* l'alliance entre Staline et Hitler. Il n'hésita pas à la présenter comme la dernière chance de la paix. Peu après, il fut mobilisé. C'est de la drôle de guerre que datent les premières pièces du *Crève-Cœur,* publiées dans la N.R.F. (le recueil complet parut en 1941). On y voit un Aragon qui reprend l'instrument d'Apollinaire pour chanter la tristesse des amants séparés. Le poète d'Elsa demande :

Parlez d'amour car tout le reste est crime

Le poète combattant n'est pas encore né.

Il serait faux toutefois de prétendre qu'Aragon dut attendre — comme la plupart des communistes — la rupture du pacte germano-soviétique pour se découvrir patriote. La croix de guerre lui fut décernée en juin 1940. La défaite eut sur lui le même effet que sur Malraux : elle provoqua un retour aux valeurs françaises.

Il est un temps pour la souffrance
Quand Jeanne vint à Vaucouleurs
Ah coupez en morceaux la France
Le ciel avait cette pâleur.

Aragon utilise le vers régulier, les rimes, les allusions historiques. Il se révèle un grand poète traditionnel et se fait l'interprète des sentiments du grand nombre. Des poèmes comme *Le Médecin de Villeneuve* et *Il n'y a pas d'amour heureux* furent des poèmes de circonstance, mais ils sont riches d'un pouvoir évocateur qui reste intact, aujourd'hui que les circonstances ont changé.

Pendant l'occupation, Aragon poursuivit son cycle du *Monde réel* avec deux nouveaux romans, beaucoup moins engagés que les précédents, et même pas engagés du tout. Il publia *Les Voyageurs de l'impériale* en 1942 et se mit ensuite à *Aurélien,* qui devait paraître avant la fin de la guerre, en 1944. C'est une nostalgique histoire d'amour dans le cadre du Paris mondain des années vingt. L'auteur y rapporte des souvenirs de sa jeunesse surréaliste et son roman se lit un peu comme une chronique pleine de verve. On a beaucoup dit que, pour peindre son héros, Aragon s'était inspiré de Drieu la Rochelle, avec lequel il avait autrefois été très lié. (Il lui avait dédié *Le Libertinage* en 1924.) Cette conjonction des noms d'Aragon et de Drieu paraissait bien surprenante quand fut publié *Aurélien.*

A la Libération, Aragon connut une espèce de gloire officielle quand parurent en librairie ses poèmes de la Résistance dont certains avaient été imprimés déjà dans des feuilles clandestines. Dans le dernier poème de *La Diane française* (1945), il assure que c'est à son parti qu'il doit d'avoir su chanter sa patrie malheureuse :

Mon parti m'a rendu les couleurs de la France.

Hélas! le parti l'inspira fort mal dès qu'il put le chanter au grand jour. La *Chanson du siège de La Rochelle* est laborieuse. Le poème qui célèbre le retour en France de Maurice Thorez franchit les limites du grotesque. *Le Nouveau Crève-Cœur* (1948) réunit des poèmes de combat et des chansons d'amour. Ces dernières sont souvent bien venues et rappellent les *Valentines* de Nouveau :

Tu vas sortir quelle aventure
Sortir sans moi le vilain jeu
J'ai la terreur des voitures
Je crains l'eau comme le feu.

Son combat, Aragon entendit le poursuivre dans le roman : il entreprit un vaste cycle intitulé *Les Communistes,* qui devait primitivement couvrir la période qui va de février 1939 à janvier 1945. Ce cycle prendrait place dans la série du *Monde réel.* Les deux premiers volumes parurent en 1949. Quatre autres nous furent proposés dans les deux années suivantes. Mais, après avoir raconté la drôle de guerre et l'effondrement de quarante, Aragon mit brusquement fin à son entreprise. Nous verrons plus loin que Sartre lui aussi abandonna ses *Chemins de la liberté* après avoir conduit ses héros jusqu'au fatal mois de juin 1940. Sans doute les raisons de l'abandon d'Aragon et de Sartre ne sont pas les mêmes. Sartre renonçait à s'exprimer dans des romans, tandis qu'Aragon reviendrait bientôt à l'art romanesque. Il reprendrait même le texte publié de ses *Communistes* et en donnerait une version revue et corrigée (celle que l'on trouve en livre de poche). Naturellement, c'est un ouvrage de propagande et à maints égards un faux témoignage, mais le savoir-faire d'Aragon y est souvent éclatant. Les passages satiriques sont particulièrement bien venus. Sans doute est-ce une sorte de guignol, mais quelle maîtrise dans le jeu de massacre!

Au cours des années cinquante, Aragon sembla cependant fatigué de son rôle de chantre du stalinisme. Avant même le XXe Congrès, il parut un peu écœuré de son rôle de menteur professionnel. Il n'était plus si sûr que la cause qu'il défendait fût une si bonne cause. Méritait-elle tous les sacrifices qu'il lui avait consentis? Un certain désenchantement amena un certain désengagement, lequel allait lui permettre d'écrire ses deux plus beaux livres : *Le Roman inachevé* et *La Semaine sainte.*

Le Roman inachevé (1956) est une autobiographie où se succèdent poèmes réguliers, vers libres, poèmes en prose. Tout le livre chante avec une simplicité prenante et merveilleusement évocatrice. Plusieurs des pièces qu'il contient ont connu un vrai succès populaire, après avoir été mises en musique, comme l'avaient été certaines *Paroles* de Prévert. C'est dans *Le Roman inachevé* que vous trouverez le poème dont Léo Ferré a tiré la chanson *Est-ce ainsi que les hommes vivent* (Et leurs baisers au loin les suivent — Comme des soleils révolus), *Après l'amour* dont le même Ferré a tiré *L'Étrangère* (J'aimais déjà les étrangères — Quand j'étais un petit enfant), celui qui commence par *Il n'aurait fallu...*

Si réussies que soient les musiques dont on les a ornés, on peut préférer les textes originaux avec la seule musique des mots, — et d'autant plus que les chansons n'utilisent pas le texte complet des poèmes et ne respectent pas toujours l'ordre des strophes.

En 1958, se détournant de l'époque présente, Aragon nous lança sans crier gare en pleine semaine sainte de l'année 1815. Après Giono, il venait de se convertir au roman historique. Grâce à ce subterfuge, ces écrivains qui avaient jadis confié leur peu de goût pour l'armée, pouvaient se laisser aller à leur amour des uniformes plus ou moins chamarrés. De même que Giono avait inventé l'irrésistible Angelo Pardi, Aragon proposa à notre admiration le jeune Théodore Géricault : « un peintre, charmant, athlétique et génial, sous-lieutenant aux Mousquetaires de la Maison du Roi ». Ce Géricault est un héros qui vit dans une époque indigne de lui, mais le propre des héros est d'être supérieurs à leur entourage et de se dévouer pour la beauté du geste.

Si Giono s'amusait parfois à pasticher Stendhal, Aragon semble se recommander d'une tradition plus nationale (Stendhal, rappelons-le à ceux qui l'auraient oublié, se prétendait Milanais). Aragon se trouve ici dans la tradition du père Hugo et de Dumas père. Notons tout de suite que c'est par humour qu'il se place dans cette tradition nationale car, comme il l'a lui-même indiqué, son livre a ceci de subversif qu'il remet en question la notion même de national, justement. Qu'est-ce que la fidélité et qu'est-ce que la trahison en 1815? Selon qu'on est royaliste, bonapartiste ou républicain — et, dans chacune de ces catégories, il y a des sous-divisions — on a des positions et des élans bien différents. *La Semaine sainte,* grande cavalcade historique, est également une belle bouffonnerie philosophique. Et c'est aussi, si l'on veut, un poème épique.

L'éditeur nous assure que le livre est impossible à résumer. Il le résume pourtant assez bien. Jugez-en : « Cette semaine sainte est celle du 19 au 26 mai 1815. Le débarquement de l'île d'Elbe a eu lieu et « Bonaparte » a déjà dépassé Lyon. Louis XVIII est en fuite. Une indescriptible cohue l'accompagne, une foule de gens qui courent aussi vite qu'ils peuvent de Paris à Béthune. C'est la Maison du Roi, la Cour, les dignitaires, des maréchaux, les troupes qui sont restées loyales. La France, encore une fois, se trouve partagée en deux. Il y a la France du passé qui fuit avec Louis XVIII, et celle du présent, ses aspirations, ses espoirs, qui regarde du côté de Napoléon. L'empereur est-il plus proche de la Révolution, plus proche du peuple que les Bourbons? »

En fait, Révolution et peuple, ce sont des mots pour gobe-mouches. Aragon soulève le couvercle d'un panier de crabes : chacun travaille pour soi et ne fait allusion aux grands principes qu'à des fins stratégiques. Seuls quelques bons petits jeunes gens ont des idées nobles qu'ils appelleront plus tard illusions.

La Semaine sainte est-elle un ouvrage réaliste? Aragon, contre toutes les apparences, se défend d'avoir écrit un roman historique. Il écrit en avertissement : « Ceci n'est pas un roman historique. Toute ressemblance avec des personnages ayant vécu, toute similitude de noms, de lieux, de détails, ne peut être que l'effet d'une pure coïncidence, et l'auteur en décline la responsabilité au nom des droits imprescriptibles de l'imagination. » Ce serait en effet une grave erreur que de croire qu'il faut moins d'imagination pour écrire un roman d'après des Mémoires et des documents que d'après sa seule fantaisie.

Aragon était entré dans sa période de plus grande fécondité et de plus grande liberté poétique. *Les Poètes* (1960) et *Le Fou d'Elsa* (1963) ne sont pas des recueils, mais chaque ouvrage un seul long poème, le premier de plus de 200 pages, le deuxième qui en a plus de quatre cents grand format et représente une évasion de l'auteur dans la Grenade du XVe siècle où il se déguise en chanteur maure.

Dans le domaine du roman, Aragon abandonna le cycle du *monde réel,* auquel *La Semaine sainte* pouvait encore être rattaché. *La Mise à mort,*

Blanche ou L'Oubli et *Théâtre-Roman* constituent une espèce de trilogie du désespoir.

Jean Cocteau a écrit un jour que les miroirs feraient bien de réfléchir avant de renvoyer les images. Mais imaginez que les miroirs ne renvoient plus les images ou qu'ils renvoient d'autres images que celles qu'on leur présente. Voilà, direz-vous, un thème de roman fantastique. Eh bien, c'est une série de variations sur les diverses sortes de miroirs que nous offre Aragon, dans *La Mise à mort* (1965). Miroirs de Venise, miroirs Brot, miroirs tournants, miroirs de Lewis Caroll, miroirs de Stendhal, glaces sans tain « et je pourrais multiplier les jeux contradictoires ». Aragon ne se prive pas de les multiplier. Son roman est un labyrinthe : on ne sait jamais très bien où on en est, on revient souvent sur ses pas, on glisse de la fiction à la réalité, on passe à des digressions critiques, on s'engage dans des histoires secondaires qui contiennent peut-être ce qui tient le plus au cœur de l'auteur. Mais on ne s'égare jamais vraiment puisque la voix du poète ne faiblit pas un instant au cours de ces quatre cents pages : on se laisse porter par elle.

Cela commence par l'histoire d'un homme qui a perdu son image. Il n'a pas perdu seulement son image, mais aussi son nom. Il s'appelait quelque chose comme Alfred et il est devenu Antoine. Une femme est responsable : « Tout cela est parti d'une plaisanterie d'elle, enfin drôle de plaisanterie! J'ai cru d'abord que c'était une plaisanterie, qu'est-ce que tu as fait, Antoine... Antoine est d'ailleurs un nom qu'elle m'a donné, et qui a pris sur moi, voilà... qu'est-ce que tu as fait de tes yeux, Antoine? Comment qu'est-ce que j'ai fait de mes yeux? Qu'est-ce que tu as fait de tes yeux bleus, ils sont devenus noirs! »

Elle, c'est la cantatrice Ingeborg d'Usher, qu'il appelle Fougère : « Elle chante, et j'ai cessé d'être pour ne faire que suivre. Elle chante, et je l'écoute à en mourir. Je ne saurais dire quelle fut la durée du charme, et si cela se prolongea toute une vie ou rien que l'instant d'une blessure... » *La Mise à mort* est un hymne d'amour à Fougère. Alfred ou Antoine n'existe plus que par elle. Fougère l'a fait sortir de lui-même : il est devenu un autre et, en même temps, les autres ont commencé d'exister pour lui. C'est alors qu'a commencé sa période réaliste.

Va pour le réalisme. Mais en même temps a commencé autre chose : le tourment de la jalousie. Aimer, c'est être jaloux. Un poème du *Nouveau Crève-Cœur* nous le disait déjà (parmi d'autres) : « jaloux en toute saison. Traversé de mille clous. A perdre toute raison. Jaloux comme un chien jaloux ».

Ce dernier vers est justement cité dans *La Mise à mort* et l'auteur précise que Jean Paulhan n'aime pas cette image. Nous avons pensé à ce poème parce qu'on y lit aussi : *Jaloux, jaloux des miroirs.*

Alfred devient jaloux du personnage d'Antoine qu'il a créé. Si Alfred est fou de Fougère, n'est-ce pas Antoine qu'aime Fougère? C'est-à-dire une certaine image qu'elle se fait d'Alfred et qu'elle appelle Antoine. Ah! vous voyez que ce n'est pas simple. C'est même « à perdre toute raison » : et Alfred la perdra en effet, la raison. Un jour qu'Antoine lui apparaît dans un miroir, il brise la glace pour en finir. Et voici comment finit le livre. Le médecin qui a examiné Alfred déclare à Fougère : « Il vivra, bien entendu, mais... comment vous dire? Il vous a... oui, c'est tout ce qu'il faut dire : il vous a aimée, Madame, comprenez bien, il vous a aimée à la folie. »

La Mise à mort est un roman d'amour fou, au sens fort et au sens exact de l'expression. Mais ce roman d'amour contient bien d'autres romans. « Ce pourrait être aussi, dit l'auteur, le roman de la pluralité de la personne humaine, celui de la création romanesque ou le roman du romancier. Choisissez vous-même. »

Choisissons. Ce qui nous a paru le meilleur, ce sont les fragments de ses propres souvenirs que l'auteur a prêtés à son personnage. Au hasard des pages, voici un jeune médecin-auxiliaire au lendemain de l'autre guerre, dans l'Alsace reconquise, voici un jeune intellectuel déboussolé dans le Paris des années vingt, ah, un jour il rencontre l'amour et voici que la vie trouve un sens, une orientation. Oui, le monde réel, la Russie, le Front populaire... Mais le ciel redevient « lourd de nuages ». Même en U.R.S.S. il se passait de drôles de choses, ou plutôt pas drôles du tout, mais la guerre venait... Ce fut en France la débâcle, après : la Résistance, ensuite : la Libération. Ensuite encore... eh bien, le monde que nous avons maintenant sous les yeux est tellement différent de ce qu'on avait pu penser qu'il serait. Et le passé, pour quelqu'un qui paria pour Staline, le passé n'est pas non plus ce qu'on croyait qu'il avait été. Tout se brouille dans les miroirs : « Qu'est-ce que vous voulez que je voie quand je regarde la glace? Ce monde vide, comme une chambre à la hâte abandonnée, le livre par terre, déchiré, déchiré... »

Nous n'avons donné qu'une faible idée de la complexité de ce roman. Vérité et poésie y sont inextricablement mêlées, mais tout semble y être taillé dans le même tissu dont sont faits nos songes. Nous avons rêvé, peut-être.

La complexité n'est pas moindre dans *Blanche ou L'Oubli,* qu'Aragon publia pour son 70e anniversaire (1967).

Le narrateur de ce roman n'est pas Aragon lui-même, c'est un personnage d'Aragon, né le même jour que son auteur et s'exprimant comme lui, mais là, nous dit-il, s'arrête la ressemblance. La preuve : ce personnage, Geoffroy Gaiffier, est linguiste, fume la pipe et n'est pas communiste; du moins n'est-il pas inscrit au parti. Et puis, surtout, il continue d'être amoureux d'une femme qui l'a quitté depuis des années. Le nom de cette femme? Blanche. Et c'est pour essayer de se distraire de la pensée obsédante de Blanche que Geoffroy se met à devenir romancier comme Aragon et à réfléchir sur les rapports de la vie et du roman, en prenant ses exemples chez Flaubert ou Hoelderlin.

Geoffroy invente le personnage d'une jeune fille d'aujourd'hui, Marie-Noire de son prénom, libre de mœurs, mais qui s'est attachée récemment à un jeune reporter de la télévision, Philippe, parce que celui-ci a su lui dire une fois « je t'aime », ce qui ne se dit plus de nos jours. On trouvera dans ce livre une réflexion sur la jeunesse contemporaine à laquelle Geoffroy compare sa propre jeunesse.

Mais l'auteur de *Blanche* se demande soudain si ce n'est pas Marie-Noire qui a inventé Geoffroy, au lieu que ce soit l'inverse. Va pour Marie-Noire. Mais non, il s'en moque bien, de Marie-Noire, le narrateur de ce livre, qu'il s'appelle Geoffroy ou autrement. Blanche, Blanche seule l'intéresse. Enfin, une femme qui s'appelle Blanche, ou autrement.

Car, voyez-vous, Blanche, ce n'est pas son nom. Il a pris ce nom dans un roman d'Elsa Triolet, *Luna-Park,* où il est question d'une Blanche Hauteville. Ah! peu importe. Ce qui importe, c'est la femme qu'il a aimée, qu'il aime et qui a disparu non de sa vie, mais de sa vue. Il en rêve, il en vit et il en meurt. C'était, c'est le seul être qui donne une certaine consistance à un monde qui se défait de tous côtés.

Aussi l'auteur de *Blanche* congédie-t-il Marie-Noire. Nous la retrouverons à la fin du livre où elle se fait étrangler par le jeune Philippe qu'elle repousse après avoir eu un enfant de lui. Et voilà la vie de Philippe fichue elle aussi, comme celle de Geoffroy, lequel, son livre achevé, se retrouve seul au milieu des décombres de sa mémoire. L'auteur termine en assurant : « Jusqu'ici, les romanciers se sont contentés de parodier le monde. Il s'agit maintenant de l'inventer. » Ce qui semble une promesse pour l'avenir et non pas la conclusion de ce que nous venons de lire.

Au fait, qu'avons-nous lu? Il faut parler d'un monologue d'auteur qui raconte, invente, bavarde, embrouille. Il se définit à un certain moment comme « un Docteur Faust au tréfonds du silence qui joue une incompréhensible partie de cartes sans partenaire ».

C'est un des paradoxes du livre. L'auteur semble jouer avec le lecteur comme le chat avec la souris. Mais ne serait-il pas le chat et la souris?

Car qu'est-ce que le lecteur pour celui qui écrit? « De quoi a-t-il l'air? il me ressemble, autant dire qu'il n'existe pas, que je me parle dans le miroir. Si je dis vous, pourtant, c'est que j'ai besoin d'un vous. Pour penser. Pour me souvenir. Pour parler. »

Se souvenir? Mais c'est un roman qu'on nous propose... « Et l'imagination ne saurait se confondre avec la mémoire, nous dit Aragon. Elle est le plus souvent fille de l'oubli. » Il nous donne plus loin une définition de l'imagination : « Imaginer, c'est le contraire de voir. »

Sans doute. Toutefois on imagine à partir de ce qu'on a vu. C'est une manière de redistribuer autrement les éléments de son expérience. Une démarche qui réfute le réalisme et manifeste la liberté de l'esprit.

Au demeurant, on sait bien que le réalisme ne peut exister en littérature, parce qu'il y a une différence de nature entre les mots et les choses. Michel Foucault, cité par Aragon, a écrit : « ... on a beau dire ce qu'on voit, ce qu'on voit ne loge jamais dans ce qu'on dit... »

La littérature crée une nouvelle réalité, laquelle n'est pas sans exercer une action sur l'auteur lui-même et le lecteur.

Aragon nous assure que, dans son roman, ce sont les romans qui sont le sujet du roman. Et c'est un fait que Flaubert, Hoelderlin, Elsa Triolet, sont appelés à la rescousse pour éclairer la fiction qui se construit sous nos yeux. Toutefois nous sommes en pleine ambiguïté, parce que d'une part le narrateur établit des parallèles entre la vie et l'œuvre de ces auteurs, et que, d'un autre côté, il montre comment une œuvre, ainsi que le voulait Proust, n'a pas de rapport avec la vie anecdotique de son créateur. Ce qui est n'a pas tellement d'importance : « Ce qu'on cherche est tout », disait Hoelderlin.

Que cherche-t-on? C'est le secret de chacun. Ce qui est peut-être vrai pour tout créateur, c'est l'aspiration à autre chose. « On ne saura jamais combien il a fallu être triste pour entreprendre de ressusciter Carthage », confiait Flaubert.

On ne saura pas non plus pourquoi Aragon a écrit *Blanche*. Nous saurons seulement pourquoi il a semé son livre de tant de pièges. Il nous le dit carrément vers la fin : « Parce qu'il tient, c'est d'évidence, à ce que le lecteur ne le confonde pas avec son personnage. » Cependant, il nous avait assuré d'abord : « Celui qui écrit est nu. On lui voit ses plaies, ses cicatrices, sa force et sa faiblesse, son sexe et son âme. »

Bien entendu, ce n'est pas vrai. Le roman peut être un masque et le narrateur de *Blanche* proclame qu'il n'aime pas la vérité. Heureusement, ce qui importe au lecteur n'est pas de savoir si l'auteur est heureux ou malheureux en amour, c'est de savoir s'il se retrouve, lui, lecteur, dans les personnages qu'on lui montre et si leurs aventures vont éclairer sa propre existence.

Toute la première partie du livre (la longueur d'un roman ordinaire) est passionnante : le thème de l'oubli y est traité superbement. Par la suite, les effets se répètent un peu et l'on se lasse des tours de cartes.

Le meilleur, comme dans *La Mise à mort,* ce sont les passages qui paraissent autobiographiques. Aragon a prêté à Gaiffier quelques-uns de ses souvenirs et, par exemple, avec très peu de modifications, ses errances au début de l'occupation, de Carcassonne où il rencontrait Joë Bousquet (appelé ici Jim Labadie) au château rose en Corrèze de Renaud de Jouvenel (appelé ici Bernard de Jumièges). Or ça, disait Aragon, je n'ai pas écrit un roman à clefs. La preuve est qu'il cite par leurs noms Léon Moussinac ou Maxime Alexandre ou Léon-Paul Fargue. Mais, voyez-vous bien, pour Fargue, il nous dit ensuite que c'est un personnage imaginaire parce que lui, Aragon, n'a jamais rencontré Fargue. Allez vous y retrouver! Eh bien, on peut s'y retrouver : l'imagination, nous l'avons dit, utilise le réel et le joint au possible qui n'a pas eu lieu. Et la littérature n'est pas la vie : elle est une rêverie sur la vie.

La tentation de voir dans *Blanche* un livre à clefs, c'est, bien entendu, Aragon lui-même qui la suscite. C'est un des pièges qu'il nous tend et l'on aurait tort aussi bien d'y succomber que de la refuser. Car Aragon, le véritable Aragon, est à mi-chemin sans doute de la vie qu'il a vécue et de la vie qu'il a rêvée.

Le style est une imitation du langage parlé, avec des phrases et parfois des mots en suspens. Aragon n'imite pas Céline. Ce serait plutôt Céline qui, au temps du *Voyage,* avait subi l'influence du *Libertinage* et du *Traité du style* d'Aragon. De même, s'il procède à des collages et à des jeux typographiques, l'auteur de *Blanche* n'est pas le suiveur de Le Clézio ou d'un autre : c'est un retour aux trucs de sa jeunesse surréaliste.

Le dernier tome de la trilogie du désespoir s'appelle *Théâtre-Roman* (1974) et n'est pas du théâtre, n'est pas un roman : c'est la fuite éperdue d'un homme traqué par ses souvenirs et qui a peur que son passé ne dessine de lui une figure qu'il récuse : « Ce livre-ci, au bout du compte, avec ses deux personnages principaux, son désordre apparent, comme son désordre réel, n'est de bout en bout qu'une tentative d'en désorienter l'analyse et l'interprétation. » (p. 408) Curieux projet. Insensée entreprise.

Les deux personnages en question sont un comédien d'une quarantaine d'années et un homme plus âgé, appelé « Le Vieux » (trente ans de plus) qui est celui que le comédien deviendra, à moins que ce ne soit l'auteur lui-même. Peu importe et finalement Aragon semble en avoir assez de ces jeux de miroir : il prend la parole et il écrit ses meilleures pages. Nous disons « ses meilleurs pages ». Il est certain que ce livre contient des pages splendides. Indéfendable comme roman, *Théâtre-Roman* est passionnant si on le considère comme un recueil de pages décousues où un auteur se débat dans la toile d'araignée de sa vie (mais il n'est pas l'araignée : il est la mouche prise au filet).

Le personnage du comédien est là pour évoquer la vie considérée comme une immense comédie, à la fois réelle et irréelle : « Qu'on m'entende bien quand je dis le Théâtre, le Théâtre est le nom que je donne au lieu intérieur en moi où je situe mes songes et mes mensonges. » (P. 345.)

A suivre l'auteur, il n'y aurait ici que songes et mensonges, jamais aucune vérité. Aragon ne croit pas qu'il existe de vérités. Il n'y a que fantasmagorie : « L'histoire de ma vie aura été celle d'un autre qui n'existe pas plus que moi (p. 330). » Avec pourtant cette réserve d'importance : « Un acteur, moi? Touche un peu mon corps d'homme, où le sang est autrement proche que les mots. »

Ah! tiens, voilà qui soudain émeut. Mais, ajouterait l'auteur, c'est seulement par les mots que je peux communiquer avec vous, ou plutôt que je ne peux pas communiquer. « Qu'est-ce que je raconte, mais qu'est-ce que je raconte? Tout cela n'est qu'un livre gribouillé qu'il faudrait entièrement récrire, autrement en tout cas (p. 439). »

Disons-le tout net : un tel désarroi ne peut faire l'objet d'un roman de cinq cents pages. Il est possible que nous vivions dans un monde de bruit et de fureur et qui ne signifie rien, mais nous lisons dans l'espoir de comprendre quelque chose. Or Aragon, ici, ne s'adresse pas aux jeunes gens de son parti bien-aimé pour leur apprendre l'espérance et la joie. Il s'adresse aux jeunes générations pour leur faire entendre que la vie est absurde et n'aurait jamais dû être : « Je crie à toi les injures de survivre, je t'enseigne, ô mon petit, les mathématiques du malheur, je t'interdis d'oublier jamais où tu vas comme moi tomber au bout du compte, d'oublier la folie étrange de nier l'horreur, je t'interdis d'oublier la leçon du désespoir. » (P. 388.)

Un peu plus haut, nous avions pu lire ceci : « Je n'ai pas d'autre objet que de vous détourner du droit chemin » et « je vous défends de porter la main sur moi. De comprendre, ou prétendre le faire. » (P. 371.)

Dans ces conditions, resterait à tirer l'échelle. Mais il faut répéter qu'il y a des pages splendides. A commencer par les poèmes intercalés dans les chapitres en prose. De merveilleux passages descriptifs (la rue de la Chaussée-d'Antin) et des passages d'humour irrésistibles (le téléphone). Des fragments de Mémoires, avec des erreurs plus ou moins voulues et, par exemple, quand Aragon parle (p. 383) de la rue de Villersexel où il a rendu visite à Valéry, c'est la rue de Villejust qu'il veut dire. Il est vrai que dans son *Introduction aux littératures soviétiques* (p. 32), il attribuait *Boubouroche* à Anatole France. Ça fait plaisir de voir que les grands écrivains ne sont pas à l'abri des lapsus.

Les générations futures oublieront sans doute le Grand Inquisiteur que fut Aragon dans sa période stalinienne. Elles ne verront en lui que l'homme foudroyé par l'époque. Son génie de poète et de romancier ne sera, en tout cas, contesté par personne.

On sait qu'il a voulu que son œuvre soit à jamais liée à celle de son épouse Elsa Triolet (1896-1970) : ainsi naquit la grande édition des *Œuvres croisées* d'Elsa et de Louis, où sont mêlés des ouvrages de l'un et de l'autre.

Elsa est beaucoup moins déconcertante que son poète. Elle ne nous a pas donné l'occasion d'être ahuris par l'adoption d'opinions contradictoires. On n'a pas oublié les agréments du *Cheval blanc* (1943), ni les solides qualités du *Premier accroc coûte deux cents francs* (1944). Elsa Triolet écrit d'une manière familière et reste toujours en contact avec nos problèmes quotidiens, même lorsqu'elle se permet des embardées dans l'anticipation. *Le grand jamais* (1965) est un beau livre où le désenchantement entraîne d'émouvants développements sur la relativité de toutes choses.

Aragon a établi lui-même un choix de ses meilleures pages : *Elsa Triolet choisie par Aragon* (1960).

LA GRANDE PARADE DE MONTHERLANT

Dans *Tous feux éteints,* carnets posthumes publiés en 1975, Montherlant (1896-1972) cite un certain M. qui donne ces définitions de quelques grands auteurs contemporains : « Malraux, une aventure; Mauriac, une carrière; Montherlant, une œuvre; Sartre, une influence. » On voit tout de suite que Malraux, Mauriac et Sartre sont ici considérés comme des phénomènes extra littéraires puisque, en littérature, seules les œuvres comptent, au bout de quelque temps. Mais le commentaire de Montherlant ne va pas du tout en ce sens. Le voici : « Interloqué, je me dis, une fois de plus, que ce qui est important a été ma vie, vraiment extraordinaire, non mon art. »

Montherlant veut-il dire qu'il a toujours attaché plus d'importance au fait de vivre qu'au fait d'écrire? Non, il estime qu'il a eu une vie hors du commun. Est-ce pourtant autre chose qu'une vie d'homme de lettres doublée d'une vie d'homme de plaisir? En quoi est-elle extraordinaire? Nous ne le saurons que lorsque Montherlant aura trouvé son Pierre Daix. Mais la vie secrète de Montherlant risque de n'être qu'une variante de « La vie amoureuse de M. de Guiscard » (qui se trouve dans *La Rose de sable)*.

Montherlant s'est toujours cru un incompris : en tout cas, il se trompait du tout au tout quand il écrivait en 1965 : « Lorsque je mourrai, on trouvera encore des raisons pour montrer que je ne suis pas mort comme il le fallait. » On sait au contraire que la manière courageuse dont il quitta la vie, a forcé le respect de tout le monde et que nul n'a nié qu'à ce moment il avait rejoint ses chers Romains. Cette phrase de 1965 est cependant révélatrice du souci qu'il avait de sa figure : même lorsqu'il songeait à se suicider, il se souciait encore de l'opinion du monde. Tout au cours de sa vie et de sa carrière, il s'est beaucoup trop occupé du « qu'en-dira-t-on » et aura trop sacrifié à la parade. Par là il ne fait pas du tout figure d'homme libre, encore que ce soit précisément l'image qu'il aurait aimé donner de lui.

Avant-guerre il s'était voulu un prince de la jeunesse, dans la lignée de Barrès. Il l'était même à peu près devenu, en exaltant les vertus viriles et en tonnant contre ce qu'il appelait « la morale de midinette », c'est-à-dire une sensiblerie de mauvais aloi. Il chantait les joies physiques qu'il avait connues à la guerre, dans le sport et la tauromachie, tout autant que dans l'exercice de sa sexualité. Il ne refusait rien que l'amollissement dans le confort et les préjugés bourgeois. Au nom de quoi prononçait-il ses jugements et condamnations? Au nom d'une certaine idée de la dignité de la personne humaine — ce qu'il appelle la qualité de l'individu et dont il fait un absolu : « l'essentiel est la hauteur. Elle vous tiendra lieu de tout ». Cette morale qu'il devait en partie à son éducation catholique n'était cependant soutenue par aucune croyance religieuse. Montherlant était même persuadé que l'agitation des hommes n'a aucun sens au regard de l'éternité. Ce nihilisme ne le décourageait nullement de prôner un certain héroïsme et il avait écrit *Service inutile*. Par là, il rappelait le Cyrano de Rostand, qui s'écrie à peu près : « C'est encore plus beau lorsque c'est inutile. »

La volonté de tout accueillir, hors la vulgarité, amène des difficultés dans la pratique. On ne peut être à la fois un hédoniste et un stoïcien, concilier l'abandon au plaisir et la discipline de l'âme. Montherlant s'en tirait en recommandant l'alternance. Remarquons que la plupart des hommes connaissent l'alternance, non pas qu'ils en fassent une règle de vie, mais parce qu'elle est la vie même : il y a un temps pour travailler et un temps pour se divertir, un temps pour être sérieux et un autre pour rire. Toutefois Montherlant, quand il parle d'alternance, ne pense pas aux activités diverses d'un même homme dans sa vie courante : il imagine qu'on peut être alternativement un jouisseur, un moine, un sportif. Il prétend passer une saison à Olympie, une autre à Capri, une troisième à Port-Royal. Ce refus du choix est normal chez quelqu'un qui n'a pas de conviction profonde. Il n'est pas sûr qu'il vous prédispose à devenir un bon directeur de conscience.

Ah! direz-vous, Montherlant a souvent protesté qu'il ne voulait être la règle de personne et qu'il ne pouvait pas l'être. C'est vrai. Pourtant, il a généralement l'air de se poser en modèle. Ici, l'on pourrait esquisser un parallèle entre Gide et lui. Gide, lui aussi, entendait concilier des aspirations contradictoires et il avait voulu connaître les aventures les plus diverses, mais, sur le plan des idées, il se contentait d'exposer et, à la rigueur, de proposer sans élever la voix. Ce qui distingue Montherlant, c'est le ton péremptoire qu'il emploie. Il apparaît sur le devant de la scène dans de nobles attitudes, piaffe pour attirer l'attention et tranche de tout avec autorité. Cela devait lui jouer un mauvais tour, entre équinoxe et solstice.

Il avait violemment critiqué la démission des démocraties au moment de Munich dans *L'Equinoxe de septembre* (1939). On eut la surprise de le voir se résigner à la défaite quand il publia *Le Solstice de juin* (1941), dont le mot d'ordre était « acceptation » (P. 312.) Certes, il ne se mettait pas au service de la collaboration ni n'apportait même son soutien au gouvernement de Vichy, mais il s'inclinait devant le jugement des armes et n'imaginait pas que celui-ci pût être remis en cause avant des décennies. Or, on attendait de l'auteur du *Songe* et de *Service inutile* qu'il choisît le parti de la Résistance et que, lui qui avait exalté les vertus guerrières, il s'écriât, continuant à jouer les Cyrano : « Je me bats! Je me bats! » Ses lecteurs déçus allaient lui reprocher de n'avoir pas autant de caractère que ses écrits avaient pu le donner à croire. A quoi il avait répondu à l'avance, non sans ironie, dans un passage du *Solstice :* « Le caractère? Il est vrai, j'y brille parfois, du moins sur le papier : on met sans peine sur le papier ce qu'on échoue à mettre dans ses actes. » (P. 277.)

Héros de papier, il confectionna un volume de pages choisies à l'usage de la jeunesse : *La Vie en forme de proue* (1942). Ce fut sa dernière publication « civique ». Il laisserait la place de prince de la jeunesse à Saint-Exupéry, dont *Pilote de guerre* venait d'être interdit par la censure et qui avait su mettre sa vie en accord avec son œuvre.

1942 n'en fut pas moins une grande année pour Montherlant. C'est alors qu'il fit de sensationnels débuts au théâtre avec *La Reine morte*. Dans cette pièce, comme dans la plupart de celles qui allaient lui succéder, on voit un personnage de qualité (pour employer le vocabulaire de l'auteur) en lutte contre un entourage médiocre. Mais ces personnes de qualité ne défendent aucune grande cause ou plutôt ne croient pas vraiment à la cause qu'ils défendent. Dans *La Reine morte* et dans *Fils de personne* (1944), des pères satisfaits d'eux-mêmes s'en prennent à leurs propres fils, « coupables de médiocrité », et les envoient en prison ou à la mort. Le public parut très bien comprendre cette sévérité. Montherlant la trouvait peut-être excessive, puisqu'il devait donner plus tard à *Fils de personne* une suite où le père va si loin dans l'égoïsme qu'il apparaît méprisable et lâche. (*Demain il fera jour*, 1949).

A la Libération, des confrères jaloux obtinrent que Montherlant fût arrêté quelques heures et interdit de publication un peu plus longtemps, — car c'était assurément servir les intérêts de la France, que d'empêcher un grand écrivain français de publier ses œuvres. Sa rentrée n'en fut que plus éclatante, en 1947, avec *Le Maître de Santiago.*

La scène est en Espagne au début du XVIe siècle, au moment de la conquête du Nouveau-Monde. Écœuré par l'époque où il vit et désireux seulement de sauver son âme, don Alvaro refuse un poste qui lui permettait de doter sa fille, puis persuade celle-ci, subjuguée par la noblesse de son père, de le suivre au couvent.

Donc peu d'action extérieure, mais c'est ici que Montherlant est servi par son sens de la parade. Don Alvaro se donne en spectacle. Quelle science des belles attitudes et des phrases à effet! On remarque particulièrement le couplet sur la résistance, d'une habileté consommée : « Un jour, l'Espagne fut affreusement vaincue, envahie tout entière par les Mores. Tandis que la majorité de la population acceptait le joug de l'occupant, une poignée d'hommes de l'armée défaite, réfugiée dans la montagne, commençait contre les envahisseurs une lutte qui, gagnant pied à pied, au cours de huit siècles, aboutissait il y a vingt-sept ans à la libération totale du territoire. Etc... » (P. 39 et sq.) Saurait-on mieux rappeler que si la France avait dû se libérer seule (« Paris, Paris soi-même délivrée ») elle eût dû sans doute attendre longtemps elle aussi.

C'est Obregon qui parlait et l'on ne contestera pas ses paroles. Mais voici comme s'exprime ensuite Alvaro : « La gloire de l'Espagne a été de réduire un envahisseur dont la présence insultait sa foi, son âme, son esprit, ses coutumes. Mais des conquêtes de territoires?... Vouloir changer quelque chose dans des territoires conquis, quand il est si urgent de reformer la patrie elle-même, c'est comme vouloir changer quelque chose dans le monde extérieur, quand tout est à changer en soi. Et tellement vain... Les colonies sont faites pour être perdues. » (P. 46.)

Voyons la signification générale. Montherlant s'est fait d'ailleurs son propre commentateur et *Le Maître de Santiago,* tout comme *Fils de personne,* a paru dans un volume où les deux tiers du texte imprimé sont des commentaires de la pièce. Commentaires excellents, il va sans dire, mais parfois on s'impatiente : on sait bien que d'ordinaire un auteur n'écrit de préface (ou de postface) que lorsqu'il n'est pas sûr d'avoir dit dans son œuvre ce qu'il voulait.

« Je n'ai pas fait d'Alvaro un chrétien modèle, et il est par instants une contrefaçon de chrétien : presque un pharisien. » (P. 135.) Nous nous en étions bien aperçus... Et nous rappellerons à ce propos en quels termes Montherlant refusa, en août 1941, de collaborer à Radio-Jeunesse : « Aux garçons qu'aurais-je vanté? L'adhésion aux « valeurs chrétiennes »? Je crois, jusqu'à l'angoisse, au mal qu'elles ont fait à la France. » (texte recueilli dans *Le Solstice)*. Il aurait été amusant de voir Montherlant effectuer sa rentrée avec une pièce qui exaltât lesdites valeurs. On lui aurait demandé en plaisantant s'il voulait faire du tort au pays.

Montherlant dit très bien de son Alvaro : « son personnalisme » est tel qu'il affirme : « Si je fais mon salut et si tu fais le tien, tout est sauvé et tout est accompli, alors que le chrétien, au contraire, sacrifiera le cas échéant son salut à la glorification de Dieu, et dira avec saint François-de-Sales : « Si je ne peux Vous aimer dans l'autre vie, qu'au moins je Vous aime dans la présente. » (P. 136.)

Le chrétien se distingue avant tout par la charité (l'amour), l'Alvaro de Montherlant invente une nouvelle vertu : « Mon pain est le dégoût. Dieu m'a donné à profusion la vertu d'écœurement. » (P. 53.) Il s'agit peut-être d'une vertu, mais peut-être pas d'une vertu chrétienne.

Cette vertu d'Alvaro se tourne d'abord aussi bien contre sa propre fille et il prononce quelques phrases aussi rudes que les vers que Corneille fait dire à Suréna (« que m'importe — Qui foule après ma mort la terre qui me porte » et la suite sur les enfants des héros qui « Peut-être ne feront que les déshonorer — Et n'en auront le sang que pour dégénérer. »)

Montherlant est un des rares auteurs dramatiques d'aujourd'hui à n'être pas écrasé par l'évocation d'un Corneille.

Pendant une quinzaine d'années, il allait se consacrer au théâtre et beaucoup pensent qu'il a donné là le meilleur de lui-même, avec des pièces aussi différentes de ton et d'esprit que *Malatesta* (1948) et *Port-Royal* (1954), *Don Juan* (1958) et *Le Cardinal d'Espagne* (1960). On s'accorde à dire que son chef-d'œuvre est *La Ville dont le prince est un enfant* (1951). Il présentait cette œuvre comme la seconde des trois pièces à sujet catholique qu'il avait annoncées dans sa postface au *Maître de Santiago*. Il la nommait « une seconde *Relève du matin* » et la dédiait à un prêtre. Cependant : « Il n'entre pas dans les intentions présentes de l'auteur que *La Ville dont le prince est un enfant* soit représentée. » Seize ans s'écoulèrent avant qu'elle fût créée au Théâtre Michel, où elle remporta un triomphe.

Montherlant définit très bien sa pièce comme une « tragédie de palais » et note : « elle montre la réalité dont *La Relève du matin* donnait une transposition lyrique ». Nous sommes dans un collège catholique d'Auteuil. Ce sont des sortes d'« îles » que certains collèges religieux, mais aussi des serres chaudes où les sentiments sont poussés à l'extrême. Montherlant glorifie ici un « climat » : « Même ce qui, chez nous, peut sembler être sur un plan assez bas est encore mille fois au-dessus de ce qui se passe au-dehors. Ce qui se passe chez nous bientôt n'existera plus nulle part, et déjà n'existe plus que dans quelques lieux privilégiés. »

Le sujet de *La Ville dont le prince est un enfant* est une lutte d'influences. Le préfet de la division des « moyens », l'abbé de Pradts, et André Sevrais, brillant élève de philosophie, se sont épris tous deux d'un mauvais élève de troisième, Serge Souplier, dont ils veulent assurément le bien, mais ils sont d'abord des rivaux. Les amitiés entre élèves de divisions différentes sont interdites : Pradts dénonce ouvertement Sevrais qui lui offre alors de renoncer à Souplier si vraiment l'on doute du genre d'influence qu'il prétend exercer. Pradts ne le prend pas au mot et feint au contraire de changer d'avis : il accepte leur liaison mais, quand il les surprend seuls dans la resserre, il exige le renvoi de Sevrais. Il ne triomphe pas longtemps : le Supérieur décide que Souplier sera également renvoyé.

Quoi, direz-vous, c'est cela une « tragédie de palais »? N'en doutez pas. Lorsque Montherlant, alors élève de philosophie, fut renvoyé de l'école Sainte-Croix de Neuilly, le P. de la Chapelle lui dit : « Vous sourirez de tout cela quand vous aurez vingt ans. » Montherlant n'en a jamais souri et a toujours considéré comme déterminants les souvenirs de Sainte-Croix. Aussi bien, *La Ville* est une œuvre qui lui tient à cœur. Il commença de la composer à l'âge de dix-sept ans, en 1913. Il ne sut alors la mener à bonne fin. Il renonça. Il la reprit en 1929 et renonça encore. En deux mois de l'été 1951, il l'écrivit enfin.

Cette fois, il s'agit bien d'un hommage aux valeurs chrétiennes, dont l'auteur avait dit tant de mal, et aux éducateurs religieux. « Les prêtres ne donnent pas toujours la foi. Mais ils donnent le sens de la vie intérieure — avec ou sans Dieu. Comme cette musique d'église que nous venons d'entendre. Elle n'est pas faite pour donner la foi et il serait insensé qu'elle suffît à la donner. Mais elle nous parle d'un autre monde, qui est en nous-mêmes, et qui est le monde d'où nous avons créé Dieu. Ce collège, cette musique, ces offices, cette action des prêtres, c'est cela leur rôle : maintenir vivante en nous la partie de nous-mêmes de laquelle nous avons tiré l'idée du divin. »

On sait néanmoins de quel roman fameux on ne manqua pas de rapprocher *La Ville*. Montherlant note à ce propos : « Il est curieux et pénible de constater que tous les romans consacrés au sujet qui nous occupe ici sont dirigés, en fin de compte, que leurs auteurs l'aient voulu ou non, contre les éducateurs catholiques... On ne trouvera pas ici cet esprit. »

Nous ne sommes pas sûr pour autant que l'esprit dans lequel a travaillé Montherlant soit celui des éducateurs catholiques. Il est seulement certain qu'on n'y trouverait pas trace d'anticléricalisme.

La Ville est une pièce magistralement construite, d'un extrême dépouillement : une des grandes réussites de Montherlant. Si personne n'a contesté cette réussite, quelques critiques de la bonne presse progressiste se transformèrent soudain en moralistes sourcilleux. Ces honnêtes gens qui se pâment devant les œuvres de Jean Genet sont scandalisés par les personnages de Montherlant. « Rien ne peut empêcher que la sensualité la plus criante l'emporte sur les élans spirituels destinés à la cacher », s'écriait le critique dramatique du *Nouvel Observateur* (20/XII/67). Et il poursuivait : « Il y a quelque chose de profondément risible ou de profondément révoltant dans cette démarche hypocrite... Je n'accepte pas (*sic*) que Montherlant veuille faire passer pour la meilleure éducation possible celle qui naît (*resic*) de ces mélanges d'embrassements furtifs et de confessions, de chapelles et de dortoirs... »

Faut-il taxer d'hypocrisie l'expression de sentiments qu'on est incapable de ressentir? Qu'il y ait de la sensualité dans *La Ville,* cela n'est pas douteux. Mais que les personnages éprouvent sincèrement et réellement les élans spirituels qu'ils expriment, cela est également certain. Du reste, tout sentiment amoureux qui ne se traduirait pas bestialement serait hypocrite, si l'on voulait suivre le critique de *L'Observateur* jusqu'au bout. Car comprenez bien qu'il n'aurait pas été choqué par l'étalage d'une sexualité aberrante. Ce qui le heurtait, c'étaient les sentiments et c'était la chasteté des héros.

Or, en 1951, au moment où *La Ville* paraissait en librairie, Montherlant publiait de curieuses *Notes* dans la revue *La Table ronde.* On y lisait : « La possession charnelle me donne la plus forte idée qui me soit possible de ce qu'on appelle l'absolu... Une chose ronde et simple, définie et définitive comme le cercle géométrique. » Et encore : « M'inspirant de la phrase célèbre, je dirai qu'il n'est pas une douleur de ma vie qu'une demi-heure de cuissage tendre n'ait pu ou n'eût pu me faire oublier. »

On se persuade aisément que ni le jeune Sevrais ni l'abbé de Pradts de *La Ville* n'auraient contresigné ces *Notes* un peu simplettes. Elles auraient dû en revanche réconcilier nos modernes professeurs de morale avec un auteur qui n'a jamais été un petit saint.

Montherlant devait revenir au thème des amitiés particulières dans *Les Garçons* (1969), qui est la version romanesque de *La Ville.* L'œuvre, très réussie, est précédée d'une de ces préfaces maladroites qui indisposent le lecteur. Nous y apprenons que les cinquante premières pages furent écrites en 1929.

Pourquoi, en 1929, Montherlant n'était-il pas allé au-delà de la cinquantième page? Il nous dit : « Je remis l'achèvement à un temps où mon esprit et mon expérience seraient plus mûrs, surtout pour faire la peinture des prêtres. » Nous avouons que ce « surtout pour faire la peinture des prêtres » nous paraît d'un haut comique. Il va sans dire, en effet, que Montherlant ne pouvait espérer que la maturité lui apporterait une expérience nouvelle des émois juvéniles. Son jeune héros, qui s'appelle ici Alban de Bricoule, est vrai dans la mesure où, pour le peindre, Montherlant a utilisé ses propres souvenirs d'adolescence. Ayant attendu d'être un vieux monsieur pour se pencher sur ses années de collège, il risquait d'enlever de la fraîcheur à l'évocation de ses sentiments.

Les précautions prises par Montherlant nous amènent à penser qu'en 1929, son sujet lui paraissait trop hardi. Pensons aux avanies qu'essuya André Gide quand il publia *Si le grain ne meurt.* Les amis de Gide décidèrent alors de publier un recueil d'articles pour l'assurer de leur admiration et de leur attachement. Le volume parut en 1928, avec la collaboration de Montherlant qui assurait avoir été longtemps gêné par les louvoiements de Gide : « *Si le grain ne meurt* a réparé cela. Maintenant on est tout à fait à l'aise pour lui serrer la main. »

Cette dernière phrase me paraît également comique : le grand seigneur Montherlant accordait le pardon au manant Gide, qui avait usé, dans ses débuts, de tant de prudence et d'hypocrisie.

Gide rit-il ou fut-il mécontent? Ce qui est certain, c'est que, vingt ans après, en avril 1948, il écrivit dans son journal, parlant de Montherlant : « Décidément, je ne peux maintenir mon estime pour un homme aussi précautionneux, si excellent écrivain qu'il puisse être. Il a beau se camper en héros : à travers la pourpre, je reconnais sans cesse un froussard qui se tient à carreau. »

Vous pensez bien que, depuis, Montherlant n'a plus parlé de Gide qu'avec mépris. Et sans doute Gide s'était-il montré un peu injuste. Mais qu'aurait-il pensé de la préface aux *Garçons,* laquelle se termine par un extraordinaire paragraphe où l'auteur parle « des grand-mères, des mères et même des jeunes filles » qui forment la majorité des spectateurs de *La Ville :* « Puissent-elles être fascinées par *Les Garçons* comme elles le seraient, à ce qu'il semble, par le double dramatique de cette œuvre ! »

Cette comédie que joua Montherlant à propos des *Garçons* n'est cependant rien à côté de celle qu'il organisa autour de sa *Rose de sable*, roman rédigé en 1930-1932 et dont le texte intégral ne parut qu'en 1968.

A partir de 1932, il ne cessa de faire allusion à ce roman. Dès 1935, il en publiait quelques pages dans *Service inutile,* et l'on pouvait se demander si c'était là tout ce qu'il sauvait d'un roman raté. En réalité, c'est un très beau roman d'un excellent observateur qui réussit à merveille la scène et le portrait et les commente avec verve. Pourquoi donc l'avoir conservé si longtemps dans ses tiroirs?

Montherlant nous assure qu'il ne voulait pas desservir les intérêts français dans nos colonies et particulièrement au Maroc, où se situe l'histoire. Dans ce cas, le silence parfait sur ce roman aurait été bien préférable. Qu'est-ce que Montherlant pouvait raconter de si terrible que les intérêts français au Maroc en eussent été menacés? On pouvait penser qu'annoncer que l'on détenait une vérité trop affreuse pour être dite, était bien pire que de dire cette vérité. Ensuite, on a le droit d'estimer, avec Péguy, que celui « qui ne gueule pas la vérité, quand il sait la vérité, se fait le complice des menteurs et des faussaires ». André Gide ne songeait pas à desservir la cause de la France quand il publiait son *Voyage au Congo.* C'est le contraire.

Dans les années 50, Montherlant se décida à livrer les pages de son roman qui n'abordaient pas directement les problèmes politiques. Parurent en librairie divers volumes intitulés : *La Cueilleuse de branches, La Vie amoureuse de M. de Guiscart, Les Auligny, L'Histoire d'amour de La Rose de sable.* Nous fîmes ainsi connaissance avec le lieutenant Auligny et le peintre Guiscart, personnages dans lesquels s'incarnent deux aspects opposés de l'auteur lui-même. Il se moque d'ailleurs bien souvent de l'un et de l'autre, tout en les tenant pour bien supérieurs aux lecteurs éventuels de son œuvre.

Le lieutenant Auligny est un jeune homme d'excellente famille, pas très intelligent, mais d'un naturel très droit. Le voici dans un petit bled marocain.

Tout d'abord, c'est le désir seul qui le pousse vers Ram, une petite prostituée. Puis, la tendresse naît du plaisir et enfin on peut parler d'une histoire d'amour. Toutefois, Auligny est loin de faire de Ram son égale et il est bien naïf dès lors de s'étonner qu'elle ne lui donne pas sa confiance. Auligny refusera désormais de se battre contre les Arabes, mais, quand il demande son changement de poste et l'obtient, Ram ne le suivra pas, préférant rester près des siens.

Pour finir, Auligny périra de la main des Arabes lors d'un soulèvement dans la médina de Fez.

Quant à Guiscart, en lequel l'auteur voit le roi des dragueurs, c'est un insupportable beau parleur qui vit dans une frousse perpétuelle : drôle de « féerie ». Si c'était là l'idéal de vie de Montherlant à l'époque des *Fontaines du désir,* on conçoit que l'ennui et le dégoût soient venus assez vite. (Révélons que Roger Martin du Gard pensait que les aventures de Guiscart sont la transposition des aventures pédérastiques de l'auteur. Si on les considère ainsi, il faut avouer qu'elles gagnent en vraisemblance.)

Et les problèmes coloniaux, demanderez-vous? Eh bien, n'attendez pas de grandes révélations. Montherlant a été surpris et scandalisé par l'attitude des colons envers les indigènes comme l'avaient été bien des gens avant lui. Il remarque, avec raison, que plus on est un pauvre type et plus on a la tentation de se croire supérieur à un peuple vaincu. Mais l'Histoire réserve les retours de bâton que l'on sait. D'ailleurs, la roue de l'Histoire ne s'arrête jamais et la justice est toujours pour demain.

C'est peut-être dans *Le Chaos et la Nuit* (1963) qu'on trouvera les pages les plus fortes de Montherlant. Par miracle, il publia ce roman sans trop l'alourdir de commentaires. Il y trace le portrait d'un pseudo-anarchiste espagnol, réfugié en France et qu'il appelle Celestino. C'est un lointain descendant de Don Quichotte qui exerce sa verve sur les bassesses du monde moderne. Montherlant exerce aussi la sienne sur les faiblesses de son héros. Le récit est un peu dans la manière des *Célibataires,* roman commenté où le moraliste ne perd jamais ses droits : les formules bien frappées abondent. C'est un livre riche, presque trop riche, car sa richesse paraît souvent extérieure. Elle fait contraste avec la réalité des petites aventures contées.

Mais toute la fin est admirable, parce que soudain, on se met à croire et à vivre ce qu'on nous raconte. Celestino est retourné en Espagne pour une question d'héritage. Ce sera son dernier voyage. Il le craint, il le sait. Montherlant brosse alors une peinture inoubliable de la peur. Il y a chez Celestino, avec un dégoût du monde, un attachement à la vie. C'est cet attachement contre lequel il lutte, qui va l'amener à adopter une attitude de dénigrement envers tout ce qu'il a aimé. Ici se place une sordide évocation de corrida, sous une neige fondue et qui prend figure de lamentable boucherie. Plus tard, dans sa chambre solitaire, Celestino mourra des mêmes coups de poignard qui avaient été infligés au toro. Montherlant fait une embardée dans le fantastique, mais ce fantastique correspond à quelque chose de vrai et, dans le mouvement de la lecture, nous y croyons.

Dans un de ses carnets publiés sous le titre *La Marée du soir,* Montherlant dit que *Le Chaos et la Nuit* lui a permis « d'expulser l'horreur de la mort, ou si on veut il l'a mise derrière moi ». On voit la place importante que ce livre tient dans son œuvre et dans sa vie.

Quoi qu'il en soit, le courage que Montherlant montra en 1972 quand il refusa des conditions de vie qui lui paraissaient indignes de lui (il devenait aveugle) fera oublier aux lecteurs de l'avenir les petites prudences et les nombreuses comédies qui incommodèrent nombre de ses contemporains. On ne cessera de louer son style princier dont l'ample registre va de la ligne classique et du ton le plus noble, à la ligne baroque et au ton le plus familier, qui rappelle parfois ce Saint-Simon dont il savourait les négligences grammaticales et la verve.

10.

Puissance du roman

Les favoris du public ne sont pas les écrivains dont les critiques parlent le plus. Parfois même, ce sont des romanciers que les critiques boudent. Mais il arrive que le plus grand romancier d'une époque soit un romancier populaire.

GEORGES SIMENON, ROMANCIER-NÉ

Dans son *Histoire de la littérature française contemporaine,* à la veille de la dernière guerre, René Lalou écrivait : « Les livres de Simenon, malgré des négligences de style, attestent qu'il possède le talent de constructeur et d'animateur, la faculté de faire concurrence à l'état civil qui sont les dons du vrai romancier. » René Lalou terminait par une question intéressante : « Reste à savoir s'il pourra se libérer de cette hypothèque de la mort violente qui a pesé jusqu'à présent sur tous ses récits, ou s'il a besoin de cette secousse initiale pour déployer sa puissance de visionnaire. »

On pourrait dire que les morts violentes sont nombreuses chez tous les grands romanciers. Seulement, si les critiques y attachent plus d'importance quand il s'agit de Simenon (né en 1903), c'est que celui-ci a commencé de se faire connaître en publiant des romans policiers.

René Lalou distinguait trois périodes dans l'œuvre de Simenon. Une première, dominée par la figure de Maigret, auquel étaient déléguées les fonctions de maître du jeu. Une seconde période, de transition, où Simenon prenait à son compte les intuitions de son commissaire : cette période allait des *Fiançailles de M. Hire* (1933) aux *Demoiselles de Concarneau* (1936). Puis une troisième période s'amorçait avec deux longs romans : *Long-Cours* et ce *Testament Donadieu* (1937) que Simenon nommait lui-même son premier « vrai roman ». René Lalou définissait ainsi *Le Testament :*

« Annales d'une famille d'armateurs de La Rochelle et vaste fresque sociale. »

Cette évolution de Simenon était fort bien vue. Mais elle ne s'est pas poursuivie dans le sens que l'on pouvait prévoir. Après *Le Testament Donadieu,* Simenon ne s'est point consacré à l'élaboration d'un « roman total ». Il a continué de nous offrir des œuvres nombreuses qui semblent relever de l'une ou l'autre des trois périodes que distinguait René Lalou. Il ne devait jamais renoncer à écrire des « policiers » et le dernier livre qu'il ait publié avant de renoncer à écrire des romans était un Maigret : *Maigret et Monsieur Charles* (1972). Mais il a écrit vingt ou trente chefs-d'œuvre de romans « sans étiquette » et l'on peut penser que l'ensemble de son œuvre constitue le « grand roman » qu'on attendait de lui. La postérité ratifiera sans doute le jugement de Gide qui considérait Simenon comme le plus grand romancier de notre époque.

Certes, Giono ou Marcel Aymé sont de meilleurs écrivains, mais ils sont plutôt de prodigieux conteurs que des purs romanciers. Simenon donne une impression de vie brute et immédiate, sans transposition lyrique ou ironique. Il se moque du beau style et n'entend employer que les mots compris par tout le monde et facilement traduisibles dans les langues étrangères. Il veut un style efficace et, de ce point de vue, il est imbattable. Il possède un tempérament assez fort pour ne pas craindre de paraître banal et il triomphe puisque, à la fois nous croyons à la réalité de ses personnages et des milieux qu'il nous décrit, et que nous sommes amenés à constater l'existence d'un univers de Simenon, aussi personnel que celui de n'importe quel grand artiste.

Ce qui caractérise Simenon, c'est un don de sympathie pour les hommes et les femmes qu'il nous présente et il faudrait même parler de compassion, cachée sous des apparences d'objectivité. De même est-il extraordinairement sensible au temps qu'il fait et ses livres sont tout imprégnés des divers climats dans lesquels ils se déroulent. En outre, qu'il parle de la France ou des États-Unis, de la Turquie ou de Panama, des îles du Pacifique ou des pays d'Afrique noire, il est partout chez lui : il est un citoyen du monde et semble pouvoir être compris partout dans le monde.

Simenon doit à son personnage de Maigret une part non négligeable de sa célébrité mondiale. Il y a même de nombreux lecteurs qui pensent d'abord à lui comme à un auteur de romans criminels. On lui a demandé quelle différence il établissait lui-même entre ses romans « commerciaux » et ce qu'il appelle ses « romans durs ». Il a répondu qu'il écrivait ses Maigret pour son plaisir. « Ils se font dans une sorte d'enjouement. C'est une joie, un repos. Je suis un peu comme un musicien qui commencerait à jouer des ritournelles pour s'amuser. Cela devait arriver à Bach. »

Il existe d'excellents Maigret comme *La Tête d'un homme, Maigret a peur* ou *Maigret tend un piège*. Il en existe de médiocres comme *La Danseuse du gai Moulin*. Pendant longtemps nous avons cru que le meilleur était *Le Pendu de Saint-Pholien*. En le relisant, on s'aperçoit que l'intrigue policière ne tient pas debout. Maigret n'a vraiment pas la moindre chance de découvrir à qui avait appartenu le vieux costume taché de sang qu'il trouve à Hambourg dans une valise. Les anciens amis du mort n'ont aucune raison de tant s'inquiéter et ils sont fous d'essayer à deux reprises de tuer Maigret. Pour finir, d'ailleurs, ce n'est pas Maigret qui découvre la vérité : ce sont les amis qui la lui révèlent.

Ce qui reste intéressant, dans *Le Pendu de Saint-Pholien,* c'est qu'on y voit utilisé pour la première fois un souvenir de jeunesse qui devait être repris dans *Les Trois Crimes de mes amis. Le Pendu* est de 1931 et *Les Trois Crimes* de 1938.

Quand on lit à la suite un certain nombre de livres de Simenon, on est surpris de voir reparaître fréquemment des personnages à peu près identiques et les mêmes situations. Mais ce sont des points de départ : les romans si variés de Simenon découlent de quelques souvenirs, moins nombreux qu'on ne l'imaginerait. Le génie (et génie il y a) consiste à tirer de ces souvenirs les développements les plus divers et, tous, parfaitement logiques.

Au demeurant, Simenon nous a donné la clef de tous ses premiers livres en publiant *Je me souviens* et *Pedigree.* Ces deux œuvres autobiographiques auraient pu être publiées en tête des *Œuvres complètes.* Toutefois, il est intéressant de noter que, après avoir publié *Pedigree,* Simenon n'utilisa plus les souvenirs qu'il avait racontés directement.

L'édition des *Œuvres complètes* contient une préface inédite aux *Gens d'en face.* Simenon y déclare : « Les gens d'en face existent tous sans exception, car je n'ai jamais été capable d'inventer un personnage, ni un décor, ni même une aventure. »

Il ajoute « seulement, mes personnages n'existent pas tels qu'ils sont dans mes histoires, à l'endroit où je les place, avec telle profession, telle nationalité, ni même avec tel nez ou tel chapeau ».

On comprend que Simenon veut expliquer à ses lecteurs ce que c'est qu'un roman. « Les gens sont vrais, l'histoire est vraie, ou plutôt, chaque détail est vrai, mais l'ensemble est faux... Non! l'ensemble est vrai et chaque détail est faux... Ce n'est pas encore ce que je veux dire. C'est un roman, voilà! et, pour ma part, j'aime mieux l'écrire que l'expliquer. » Il nous semble que Simenon l'explique bien mieux que les critiques professionnels.

A l'époque où il publiait quatre ou cinq romans chaque année, Simenon s'est toujours défendu d'être un monstre littéraire. Le rythme de sa production lui paraissait tout à fait normal. Il estimait que ses confrères manquaient de santé par rapport aux grands ancêtres : Balzac, Hugo, Dickens, Dostoïevsky.

Beaucoup d'écrivains écrivent des romans sans avoir la vocation : étonnez-vous qu'ils n'en écrivent que deux ou trois dans leur vie. Cela n'est pas chez eux une activité naturelle. Et c'est pourquoi ils ont inventé tant de « problèmes du roman » : parce qu'inventer est déjà pour eux un problème. Ils se demandent quelle technique et quel style ils doivent employer, prouvant par là qu'ils se livrent à une activité intellectuelle et non instinctive.

Le vrai romancier, dit Simenon, est « un monsieur qui écrit parce qu'il a besoin d'écrire, qui ne se demande pas si la phrase doit avoir trois lignes, une ligne et demie ou dix lignes, qui, simplement, perfectionne son outil au jour le jour ».

Pour Simenon, jusqu'à sa soixante-dixième année, raconter des histoires était une nécessité quasi physique. Périodiquement, il ne se sentait pas très bien dans sa peau. Il se lançait alors dans la création de vies imaginaires, pour se débarrasser de son malaise, comme un névrosé se rendrait chez un psychanalyste. C'est lui qui a fait le premier cette comparaison. Écrire était pour lui une mesure d'hygiène.

Il est vrai qu'il a déclaré aussi que le romancier est « un artisan qui écrit tous les jours, comme travaille un artisan ». Voilà qui se trouve en contradiction avec la légende qu'il a accréditée quant à ses habitudes de travail. Dans le *Portrait-Souvenir* que Roger Stéphane lui a consacré à la télévision, en 1963, il disait : « En général, un roman me prend très peu de temps : l'écrire prend sept à huit jours, la révision de trois à quatre jours. » Loin de mener une vie d'artisan, Simenon se serait trouvé en vacances plus de dix mois de l'année.

A vrai dire, nous ignorons comment travaillait Simenon. Si nous parlons de légende, c'est en pensant à la préface de 1937 à la *Marie du port* (cette préface figure dans les *Œuvres complètes*). Simenon protestait alors contre sa « légende de l'homme au roman par mois ». Il expliquait que certains de ses livres publiés à une cadence rapide avaient été écrits des années plus tôt. Il n'écrivait que deux ou trois romans par an, « sans me presser, quoi qu'on dise ».

Simenon publiant des romans assez courts (sauf exceptions comme *Le Testament Donadieu* et *L'Aîné des Ferchaux*), on ne peut s'étonner qu'il en ait composé deux ou trois par an, puisqu'il n'avait d'autre activité que d'écrire. On croira facilement que certains Maigret furent écrits en huit jours. Ce ne fut certainement pas le cas pour ses grands romans. Et puis le temps où des personnages imaginaires commencent à naître, où le sujet prend forme, ce temps n'est pas négligeable. Certains livres s'écrivent vite parce qu'ils sont déjà tout formés dans la tête de l'auteur quand il commence à rédiger.

Simenon s'est très bien expliqué sur la brièveté de la plupart de ses romans : il voudrait qu'on les lise en une soirée, que leur lecture soit l'équivalent de la représentation d'une tragédie. La fonction d'une tragédie était aussi de nous purger de nos passions.

Simenon a commencé par utiliser dans ses romans la forme impersonnelle classique. On la retrouve dans tous ses ouvrages antérieurs à 1938. Cette année-là, il employa pour la première fois la première personne du singulier. Ce fut dans *Les Trois Crimes de mes amis,* mais c'étaient des souvenirs qu'il évoquait. Il reprit la première personne en 1940, dans *Il pleut, bergère* et *Malempin.* Cette fois, le « je » n'était plus celui de l'auteur, mais le « je » de personnages imaginaires. Cependant, c'est surtout après sa cinquantième année que Simenon aima se mettre dans la peau de tel ou tel de ses héros et rapporter les confessions de ceux-ci en leur prêtant sa plume. Il est rare que le narrateur de ces romans raconte simplement ses souvenirs dans l'ordre chronologique. Tantôt les récits se présentent sous forme de lettres, à une femme, à un fils ou à un juge, et plus souvent sous forme de journal. Parmi les récits de Simenon à la première personne, citons : *Lettre à mon juge, En cas de malheur, Le Fils, Le Passage de la Ligne, Le Train, Les Autres, L'Homme au petit chien* (1965). *La Chambre bleue,* qui parut la même année 1965, est écrit à la troisième personne. Il peut être intéressant de comparer ces deux derniers livres du point de vue de la technique. On verra tout de suite que Simenon utilise dans les deux cas un truc.

Dans les romans à la première personne, le narrateur commence par nous cacher certaine circonstance de sa vie qui explique comment, parti d'une situation qui nous est connue, il est arrivé à une autre situation qui nous est également connue, mais qui contraste fortement avec la première. Il y a comme une devinette : que s'est-il passé de dramatique à un moment de cette vie? Le truc est de cacher quelque chose. Dans *L'Homme au petit chien,* histoire d'un riche entrepreneur devenu petit commis de librairie, il y a rebondissement dans l'explication finale : Félix Allard était-il un de ces jaloux forcenés comme Simenon nous en a peint quelques-uns? Non, il livre au lecteur son vrai secret : s'il a tué son associé, devenu l'amant de sa femme, c'est pour avoir surpris quelques propos de celui-ci qui concernaient ses capacités d'homme d'affaires. « Ce n'est qu'un imbécile vaniteux », avait dit l'associé. Et le narrateur commente : « Voilà le fond de l'affaire, j'ai compris que c'était la vérité. Seulement, il n'avait pas le droit de la dire. Il n'avait pas le droit de me voler ma dignité, l'estime de moi-même. Personne n'en a le droit, car, sans cette estime, un homme cesse d'être un homme. »

Dans *La Chambre bleue,* la devinette ne manque pas non plus. Quand le livre commence, le crime a été commis. On ne saura qu'au dernier chapitre quel a été ce crime, dans quelles circonstances il a été commis, mais la tension dramatique vient de ce qu'on sait que l'aventure racontée s'est très mal terminée. Passé et présent s'entremêlent au cours du livre : du point de vue de la technique romanesque, c'est éblouissant. Mais l'on ne peut pas croire que Simenon ignorait, en commençant son histoire, comment elle s'achèverait. Il aime pourtant à dire : « Si je savais comment finira le roman que je commence, cela ne m'intéresserait plus de l'écrire. »

Ce qui est le plus intéressant, dans *La Chambre bleue,* c'est de voir un homme pas du tout intellectuel et qui a vécu sans réfléchir sur sa vie, être soudain contraint par la police d'expliquer sa conduite. Il s'étonne des mobiles qu'on lui prête, de l'explication qu'on cherche à des gestes tout simples. Une même histoire peut apparaître sous des jours bien différents suivant la psychologie qui est supposée être celle des personnages.

Nous avons parlé de vingt à trente chefs-d'œuvre. Retenons-en trois dans ce chapitre. Tout d'abord le roman autobiographique *Pedigree* (1949), où l'auteur apparaît sous le nom de Roger Hamelin. Il nous y raconte son enfance et son adolescence à Liège du début du siècle à l'armistice de 1918.

Mais Liège n'est pas seulement une toile de fond car Simenon raconte parallèlement à la vie de son héros celle d'un quartier de la ville et des familles de petits bourgeois qui l'habitent. Dans cette fresque à l'ampleur balzacienne, il s'impose comme le romancier d'une société et peintre d'une époque. Que ce soit dans l'évocation d'une grève générale, de la vie sous l'occupation, de l'agitation de l'Armistice, il s'égale aux maîtres du genre et nous impose un genre à lui.

Dans *La Neige était sale* (1948), il a mêlé ses souvenirs des deux occupations qu'il avait connues : celle de la Belgique dans son adolescence, celle de la France dans son âge mûr. Son jeune héros, Franck, est une petite crapule, mais on lui découvre vite des circonstances atténuantes et il est presque sympathique pour finir parce qu'infiniment pitoyable. S'il abat à la première page un sous-officier de l'armée d'occupation, il n'est pas le moins du monde patriote et ne s'occupe que de combines lucratives et d'affirmer sa force. C'est un garçon qui n'a pas eu de vraie famille et que ses mauvaises fréquentations ont formé. Il aurait pu être sauvé sans un goût du malheur qu'il ne faut pas confondre avec des penchants au masochisme, mais où il faut voir le retournement de bons sentiments qu'il n'a pas eu l'occasion d'employer.

La description des milieux du trafic clandestin ou celle de la « maison de manucure », ainsi que les pages sur les services policiers de l'armée d'occupation (qui font irrésistiblement penser à Kafka, bien sûr) sont absolument prodigieuses.

En 1963, Simenon, qui ne se dérangeait plus depuis longtemps pour le service de presse de ses livres, vint à Paris pour le lancement des *Anneaux de Bicêtre*. Il signa les exemplaires destinés aux critiques et assista à plusieurs grands déjeuners organisés par son éditeur. Ces circonstances expliquent que ce roman ait obtenu un nombre d'articles exceptionnel. Mais c'est une des œuvres les plus amples de Simenon, qui avait eu raison d'attirer sur elle l'attention.

C'est l'histoire d'un homme, René Maugras, devenu l'un des personnages les plus importants de la presse parisienne : il dirige le plus grand journal de la capitale et deux hebdomadaires, il fait partie de quelques conseils d'administration. Tous les mois, il se rend au Grand-Véfour pour déjeuner avec quelques amis qui ont également très bien réussi dans leur partie : un chirurgien, un avocat, un auteur dramatique, etc. C'est pendant une de ces réunions qu'il est victime d'une attaque : il se retrouve hémiplégique sur un lit d'hôpital.

Ici s'ouvre le livre, au moment où Maugras commence à sortir de la nuit où il s'est trouvé brusquement plongé. Nous assisterons à sa lente remontée vers une vie que l'on appelle normale. Mais croyez-vous que le premier mouvement qu'éprouve Maugras, en revenant à lui, soit un mouvement de révolte contre l'injustice dont il est la victime? Non. C'est plutôt comme s'il se voyait libéré d'un gros fardeau qu'il portait. Cette attaque, il la sentait venir depuis longtemps. Enfin, elle est passée. Et maintenant qu'arrivera-t-il?

Ce n'est pas cela qui préoccupe Maugras. Ce qu'il voudrait, c'est être en paix avec lui-même. Il est pris d'un grand besoin de lucidité qui l'amène à revoir tout son passé.

Le livre se déroule sur deux plans : celui du présent, celui de Bicêtre, et celui des souvenirs qu'évoque le malade. La juxtaposition et l'entremêlement des deux plans donne à l'histoire de Maugras un relief peu commun.

Peu à peu nous devinons un Maugras très différent de ce que sa situation sociale pourrait laisser supposer. Ce sont les circonstances qui ont construit le personnage qu'il joue et auquel il est resté étranger. Il est le fils d'une très modeste famille de Fécamp, et n'a même pas pu pousser ses études jusqu'à son baccalauréat : il a dû, très jeune, travailler, mais il ne se sentait nullement poussé par une ambition à la Rastignac. Le hasard lui a été favorable. Mais est-ce que la réussite extérieure suffit à rendre un homme heureux? Non. Et l'échec secret de sa vie, Maugras le lit clairement dans l'histoire de ses relations avec les femmes. Il s'est marié deux fois, et qu'a-t-il pu pour les femmes auxquelles il avait souhaité apporter sécurité et tranquillité? Où en sont ses rapports avec sa compagne actuelle? Il s'accuse d'être un faible. Et toute l'activité qu'il a déployée dans l'exercice de sa profession ne lui servait qu'à masquer un vide : il fuyait ce vide par le travail. La maladie le met face à face avec lui-même.

Sa solitude est totale : il n'a jamais pris racine dans la société parisienne, et il se sent coupé de ses origines. « Pas de contact », note-t-il en pensant aux malades des salles communes de Bicêtre. Mais la solitude est partout. La plupart des questions, que se pose Maugras, resteront sans réponse. S'il guérit, que fera-t-il? « Il fera comme avant, s'agitera pour n'y pas penser. »

Simenon semble avoir hésité sur la manière de terminer son livre. Il a finalement laissé filtrer un peu d'espoir. Pour sa femme Lina, Maugras éprouve une pitié qui se transforme en tendresse : deux naufragés peuvent faire cause commune. Voici la dernière phrase : « Un jour, il ira voir son père, à Fécamp, avec Lina. » Certes, on ne pense pas que Maugras puisse retrouver « le contact » avec le monde de sa jeunesse, mais peut-être Lina le comprendra-t-elle mieux après ce voyage.

Les Anneaux de Bicêtre montre bien que Simenon n'est pas un romancier de l'ambition déçue ou comblée, mais un romancier de la difficulté de vivre, laquelle peut se révéler aussi forte dans la réussite que dans l'échec. Et peut-être même l'échec peut-il apporter le repos quand il entraîne l'évanouissement des faux-semblants. C'est sans doute ce que sous-entendait Simenon quand il confiait qu'il ne lui déplairait pas de finir en clochard.

Il est aussi un romancier de la solitude humaine. Mais on devine le paradoxe : c'est leur propre solitude que les lecteurs viennent oublier en lisant ses romans où sont exposés leurs tourments.

FRÉDÉRIC DARD

Frédéric Dard (né en 1921) a écrit divers romans policiers comme *Les Salauds vont en enfer, Toi le venin, Le Dos au mur*. Mais il est surtout célèbre sous le pseudonyme de San Antonio, auteur d'une série d'ouvrages burlesques, parodies de romans de mœurs et d'aventures, qui commencèrent de paraître en 1950 à une cadence tout à fait comparable à celle du Simenon des années 30. Le premier San Antonio s'appelait *Laisse tomber la fille*. L'originalité de ces livres, qui ont pulvérisé tous les records de vente, ne tient pas aux intrigues, mais à la fantaisie verbale que l'auteur déploie.

En 1965, le professeur Escarpit a réuni diverses autorités universitaires à la Faculté des lettres et sciences humaines de Bordeaux pour examiner « le phénomène San Antonio ».

M. Escarpit est, notamment, l'auteur de *La Révolution du livre,* ouvrage où il traite du phénomène littéraire contemporain à tous ses niveaux, de l'élaboration à l'utilisation, c'est-à-dire de l'auteur au lecteur, en passant par l'éditeur et les libraires.

A Bordeaux, M. Escarpit a entrepris de nombreuses enquêtes dont les résultats sont bien intéressants. Ainsi a-t-il découvert que San Antonio (alias Frédéric Dard) est « le plus connu des écrivains français et le plus lu dans toutes les couches de la société ». Cet auteur méritait bien que les spécialistes se penchent sur son œuvre.

M. Paul Burguière est professeur de philosophie classique. Il a bien voulu étudier l'argot chez San Antonio. Il souligne que l'argot peut être une transposition cocasse de phrases courantes. Ainsi : « Cloquer sa menteuse au greffier » pour « donner sa langue au chat ». Mais l'argot peut devenir création pure. Exemple : « Se téléphoner un whisky. »

M. Yves Lefebvre, professeur de philologie romane, étudie les images de San Antonio. Des rapprochements inattendus ont, comme chez Voltaire, mission de dérider le lecteur. Exemple : « Il rit lourdement comme un bombardier qui décolle. »

M. Aguilar, sociologue, assure que la langue de San Antonio est en accord avec le langage populaire. Ses jongleries langagières touchent le grand public. Et sans doute Rabelais avait-il voulu trouver autrefois un pareil accord avec le peuple, mais c'est la langue d'Amyot qui a prévalu. Quel Amyot aura raison de San Antonio ?

M. Haag qui, lui, est professeur à Tübingen, pose la question de savoir si, avec San Antonio, on se trouve dans le domaine de la littérature. Il reconnaît aussitôt que *la vraie littérature,* c'est une notion vague. Il rappelle que Schiller n'était pas sûr que le genre romanesque appartînt réellement à la littérature. Ce qui est certain, c'est qu'un auteur qui a vendu douze millions d'exemplaires de ses livres n'est pas un auteur négligeable dans un pays démocratique.

M. Pomeau, professeur de lettres françaises à la Sorbonne, se plaît à remarquer que les livres de San Antonio sont riches d'allusions littéraires qui révèlent beaucoup de lectures chez l'auteur. Il salue aussi en lui un moraliste de la descendance de Vauvenargues. Exemple : « Les hommes, c'est comme les haricots secs, il faut les mettre à tremper dans leurs souvenirs, pour les attendrir. »

Frédéric Dard assistait au séminaire qui lui était consacré. Il retrace sa carrière d'écrivain. Il débuta à Lyon comme secrétaire de Marcel Grancher, qui dirigeait une revue humoristique. Il monta à Paris à la Libération et essaya, sans succès, de trouver un emploi dans un journal. Puis sa femme lui dit : « Pourquoi ne pondrais-tu pas des romans policiers? » Il « pondit » donc un premier livre qu'il signa San Antonio, parce qu'il voulait réserver son nom intact pour le Nobel. Le livre parut au Fleuve Noir que venait de fonder Armand de Caro. Celui-ci lui commanda d'autres « policiers » qui furent écrits sans joie, sans y croire, avec gêne. Mais le succès arriva vite. Le premier San Antonio fut tiré à 7 000 exemplaires. Tout nouveau San Antonio se tire désormais à 250 000. Quant à *L'Histoire de France,* elle a dépassé le demi-million d'exemplaires.

S'adressant aux éminents professeurs qui venaient d'étudier son œuvre : « Ce qui me surprend, dit Frédéric Dard, ce n'est pas de gagner, grâce à mes livres, un nombre respectable de millions, mais d'être parmi vous aujourd'hui. » Il dit aussi : « Je ne sais pas si vous vous en rendez compte, mais désormais je vais écrire avec le stylo entre les jambes. »

11.
Une grande époque poétique

Pendant les heures noires de l'occupation, la poésie française connut sa dernière époque de gloire éblouissante. Le phénomène est probablement inséparable de l'existence de revues littéraires telles que *Poésie* de Pierre Seghers et *Confluences* de René Tavernier en zone sud, que *Fontaine* de Max-Pol Fouchet à Alger et, il faut bien le dire, la *Nouvelle Revue française* de Drieu à Paris.

Car nous ne faisons pas tellement allusion à la poésie de la résistance, qu'illustrèrent un Éluard, un Aragon et un Jouve, qu'à l'éclosion ou au développement d'œuvres très singulières et d'une force admirable, comme celles d'Audiberti, de Jean Tardieu, d'Henri Thomas, d'Armand Robin, de Jean Follain, de Maurice Fombeure ou de Patrice de la Tour du Pin (pour celui-ci, ses meilleurs poèmes resteront cependant ceux de *La Quête de joie* parus à la veille de la guerre).

On eut également la révélation d'une « poésie matérialiste », poésie de la description ou de l'évocation des objets, avec Francis Ponge (né en 1899) et de Guillevic (né en 1907). Leurs meilleurs et plus significatifs recueils datent de l'occupation : *Le Parti pris des choses* de Ponge (1942) et *Terraqué* de Guillevic (également 1942).

Georges Braque a rendu un singulier hommage à Ponge : « poète qui, évitant toutes spéculations aléatoires, a la sagesse de partir du plus bas, gardant ainsi pour lui la chance de s'élever ». (N.R.F. de septembre 1956) Ponge décrit les choses les plus banales avec une précision qui les rend bientôt extraordinaires. Il nous rend sensible à notre environnement quotidien sur lequel glisse d'ordinaire le regard blasé de l'habitude. Ses courtes proses sont d'une saveur extrêmement originale. Guillevic pour sa part écrit en vers irréguliers, très brefs, qui semblent devoir une partie de leur pouvoir de suggestion à la poésie d'Extrême-Orient. Un poème comme *Fait divers* figurera sans doute dans toutes les anthologies de la poésie contemporaine.

Au contraire de Ponge et de Guillevic, André Frénaud (né en 1907) écrit d'abondance. Il aurait pu composer des poèmes réguliers, comme le prouvent les alexandrins qui parsèment ses poèmes en vers libres, mais il préfère l'épanchement naturel de son inspiration à la construction méditée. Il se fit connaître par *les Rois Mages* (1943). Son recueil le plus important s'appelle *Il n'y a pas de paradis* (1962).

Dans ce chapitre, nous parlerons d'Audiberti, de Tardieu, de Follain et de Fombeure. D'autres poètes de l'époque ont trouvé ou trouveront place sous d'autres rubriques.

Dans les années qui suivirent la Libération, la poésie perdit peu à peu la place privilégiée qui était redevenue la sienne pendant la guerre. Il faut bien avouer que, souvent, ce qu'on appelle poésie en 1978 n'a plus rien à voir avec ce qu'on entendait par ce mot autrefois. Sous le titre de poèmes, on publie ici et là des recueils de notes, souvent philosophiques, présentées dans une disposition typographique fantaisiste.

C'est là un des ridicules de notre temps. La véritable poésie n'en reste pas moins faite de rythmes et d'images. Divers poètes révélés depuis la guerre ont assuré la continuité d'une grande tradition, en la façonnant à leur sensibilité propre.

Georges Schehadé (né en 1910) a une grâce légère qui rappelle parfois la fantaisie de Supervielle, mais qui est liée au souvenir d'une enfance passée dans un pays des Mille et Une Nuits. Il appelle tous ses recueils *Poésies* (le premier parut en 1952). On y lit :

Qui habite les songes ne meurt jamais

(c'est un peu l'envers de la fameuse déclaration de la Tour du Pin : « Les pays sans légendes seront condamnés à mourir de froid »).

Schéhadé est aussi, au théâtre, l'auteur de pièces cocasses et féeriques, telles que *Monsieur Bob'le* (1951), *La Soirée des proverbes* (1954) et *Les Violettes* (1960).

Philippe Jaccottet (né en 1925) a publié de minces et précieux recueils de poèmes : *L'Effraie* (1954), *Airs* (1967). Il y a ici un mariage de la légèreté de la forme et de la gravité du fond. Jaccottet nous offre un chant d'attente dans un monde menacé. Les figures de l'Amour et de la Mort s'approchent et s'éloignent et toujours plane on ne sait quel regret :

O premiers jours de printemps
Jouant dans la cour de l'école
Entre deux classes de vent !

Alain Bosquet (né en 1919) a écrit ses meilleurs poèmes dans une forme classique : il a su y couler une sensibilité d'avant-garde, aux ambitions cosmiques tempérées par un scepticisme né de l'expérience. (Il a publié sous le titre *Une mère russe* (1978) un très impressionnant ouvrage autobiographique, d'une sincérité intrépide et baroque.) On est émerveillé par la passion qu'il éprouve pour les mots. Même s'il en connaît la fragilité, il attend du langage la révélation de son être véritable, car, si le poète écrit son poème, « le poème écrit son poète ». (*Verbe et vertige*, 1961.)

Voici un extrait du *Premier testament* (1957) :

Des mots! Je croule sous le poids de mes paroles.
Des mots! des mots ont pris la place de ma chair.
Des mots! Lequel de vous est celui qui m'immole,
Mots carnivores dont j'ai fait mon univers?

La sensibilité poétique de Bosquet est parente de celle de Max Jacob, possédé lui aussi par le démon des jongleries langagières.

Jean-Philippe Salabreuil (né en 1940) est mort trop tôt pour devenir le grand poète dont il avait l'étoffe. Dans son premier recueil, *La Liberté des feuilles* (1964), il se demandait : Chercherai-je un sens, ou bien le sens me cherchera-t-il? » La question a dû plaire à Bosquet. Salabreuil se répondait avec un plaisant orgueil : « S'il est arrivé à quelques-uns de mes poèmes de trouver parfois leur mesure, aucun d'eux jamais n'a par contre su trouver la mienne. »

Maintenant l'oiseau crie sur l'or des temps qui fane
Et la neige qui tombe élève la lucarne
Lentement vers le ciel comme une étoile en moi.

Parmi les poètes d'aujourd'hui, on doit saluer également Claude Michel Cluny, Frédéric Kiesel, Jacques Berne, Pierre Oster. Non, la poésie n'est pas près de mourir. Des centaines de plaquettes de vers continuent de paraître chaque année.

AUDIBERTI, ATHLÈTE COMPLET

Jacques Audiberti (1899-1965) est un athlète littéraire complet : son œuvre comprend une dizaine de recueils de poèmes, une vingtaine de romans, une trentaine de pièces de théâtre, sans compter les essais, les souvenirs, les chroniques. Longtemps journaliste, il n'entra que tardivement dans la carrière des lettres : à la veille de la guerre. Mais dès lors il y déploya une activité extraordinaire. Il put sans forfanterie intituler un de ses recueils de poésie : *Des tonnes de semence* (1941).

S'agit-il d'un homme en proie au langage? Il parle en torrent qui charrie autant de diamants parfaits que de pierres mal taillées. Le spectacle est prodigieux. Un homme ne cesse d'inventer devant nous : tout ce qui lui passe par la tête, il le dira. Et au besoin il créera une nouvelle syntaxe aussi bien que de nouveaux mots.

A-t-on jamais rapproché Jacques Audiberti d'Antonin Artaud? Ces deux grands poètes nous semblent deux exemples de ce qu'on peut appeler le génie verbal. Et le miracle se produit souvent : le verbe se fait chair et vient habiter parmi nous.

Artaud, de son propre aveu, parlait souvent pour se libérer de l'intolérable sentiment de vide intérieur qu'il éprouvait. Quant à Audiberti, il prétendait n'être qu'un manieur de mots. Mais ces deux modeleurs du langage nous empoignent finalement d'une manière totale. C'est qu'ils nous font partager leur angoisse, leur insécurité. A certains moments, nous parvenons à nous débarrasser de notre gêne par d'énormes éclats de rire.

Mais Antonin Artaud s'était résolument placé au-delà de la littérature quand au contraire, Jacques Audiberti donne en poésie un nouvel éclat à tous les genres traditionnels. Et ce n'est pas le moins étonnant chez lui que de le voir endiguer son torrent créateur dans des formes fixes. Il semble que certaines inventions viennent précisément de cette décision de faire tenir, coûte que coûte, ce flot d'images et d'idées dans un moule poétique classique, préalablement choisi.

Son long poème de plus de cent pages, *Rempart* (1954), prouve surabondamment que tout grand poète peut réinventer pour sa part les mètres réguliers, se les approprier, leur donner une neuve apparence.

Voici, dans *Rempart,* des vers dorés, d'amples alexandrins :

Le temps ne compte pas les siècles qu'il débourse.
Mais l'homme, vieux jeune homme en quête encor de soi
Révère le passé sitôt qu'il s'y perçoit.

Voici les vers légers d'une chanson composée sur un rythme cher à Marceline et à Verlaine :

Mon âme, si belle
Quand je n'y suis pas,
Chérit qui l'appelle
Du haut de là-bas...

Le *Rempart* dont il est question est celui d'Antibes. Et c'est une évocation de sa ville natale que nous propose Audiberti, puis une méditation sur notre condition, sur la Mort et l'Amour. Tous les grands thèmes défilent dans un splendide désordre, bien que le poème soit organisé en une vingtaine de parties qui nous présentent et nous font entendre à l'occasion le citoyen, le meunier d'huile, le figuier de la tour, l'âme, le Christ au vitrail, la Crèche, la montagne, la vieille du cimetière, l'enfant Septentrion et finalement « le jeune homme serrant la jeune fille ». Cette dernière partie devra être rapprochée de la pièce d'Audiberti, *Les Naturels du Bordelais,* où notre poète dit son dégoût de la vie avec une telle cocasserie et avec un tel étalage de ses obsessions érotiques qu'il donne une pièce excitante dont le pessimisme s'avère paradoxalement réconfortant.

Audiberti fait parler les morts et les vivants, les grands et les petits, la mer et la montagne. L'adjectif cosmique semble vouloir s'imposer et l'on dira que le poète a la tête épique.

Certes il parle pour tous :

Votre route est ma route et mon âme votre âme.

Mais l'ordre des mots doit ici être étudié : le poète prend notre route, mais nous demande de prendre son âme pour nôtre.

Et naturellement on hésite :

En haut s'étend le ciel. En bas grouille le crabe.
Il nous fera parler crabe et ciel, pauvres nous!
Un homme ne vit pas dessus, non, ni dessous.
Un homme, c'est du mitoyen. Ça titre douze.
Ça se marie afin qu'une femme le couse.
Ça navigue sur cinq litres de sang, bon poids.
L'homme a des dents comme les chiens s'il a des doigts
Comme les saints. Qu'il meure, il pue, étant de mèche
Avec les quatre pans de fumier de la crèche.

Audiberti trouve de grands accents religieux. Mais pour constater une faillite.

Il fait d'abord dire au chœur des habitants d'Antibes :

Deux mille ans nous avons la croix regardé croître.
Elle n'a pas passé les toits du premier cloître.

Il reprend plus loin en son propre nom :

Sian pouli! Le bon Dieu, vexé, nous rend ses clous.
Qui lui reprocherait de ne plus croire en nous?

C'est le début d'un puissant poème qui se termine pourtant ainsi :

Grande cause des fleuves forts, sois l'oraison
De mon cœur implorant la vivante raison.

Dans le monde chaotique d'Audiberti, on ne trouve guère de raison. Lui-même doit se contenter de la splendeur des images et du bercement des caresses. Il est tout naturel que la mer, en tant que symbole, aussi bien qu'en réalité, joue un rôle considérable :

La mer sans fin boit son remord.
Pour elle, il n'est pas de port.
La mer m'entraîne.

Cet abandon est l'envers ou la rançon d'une force déchaînée. Et tant de cris n'appellent peut-être que le silence :

Du signe nous ne voulons plus
qu'il nous écrase
Dans nos cris mûrit le refus
de toute phrase

Tout doit se résoudre en silence. Et rien n'est important sans doute puisque la mort existe :

Tous nous allons faire le bond
pâle et nocturne

On n'imaginait pas cependant Audiberti réduit au silence, mais il était hanté par l'idée de la mort, la sienne et celle des autres. Il a inventé plusieurs intrigues de romans pour la nier : notamment *Marie Dubois* (1953) et *Les tombeaux ferment mal* (1963).

Marie Dubois commence dans un commissariat de police de banlieue. A Greugnies (Seine), petite ville qui ressemble à Villejuif ou à Bicêtre. Dans ce sordide commissariat, un inspecteur débutant répond au nom de Loup-Clair. C'est un homme gros, sans grâce et qui n'a pas d'amitié pour soi. Il est timide, tremblant devant son chef et ses camarades. Il vit avec sa mère. Il n'a point d'aventures : il a peur des femmes, le sort des filles publiques le bouleverse. Il est sentimental, secourable envers les miséreux : aux « clients » du commissariat, il donne des paroles d'encouragement et des billets de cent francs (ce n'est pas mal : on est dans les années trente).

Un jour, dans un hôtel, Loup-Clair doit constater le suicide d'un chauffeur de taxi et d'une ouvrière d'usine. Ici commence le roman, car l'inspecteur s'éprend de la morte, qui s'appelle Marie Dubois. Marie est la femme dont Loup-Clair a toujours rêvé. Séduit, il va mener une enquête pour son propre compte sur le passé de Marie.

Par cette enquête vont venir au jour une suite d'images dont aucune ne rend compte, bien sûr, de la vérité. L'ensemble des images est lui-même insuffisant. Qu'a été Marie? Loup-Clair la voit successivement comme une fille de famille bourgeoise, une collégienne, une femme d'affaires, une femme du monde, une amoureuse, une intellectuelle qui est allée au peuple, a renoncé à sa classe et s'est faite ouvrière. Enfin Marie a été une prostituée. Au cours de son enquête, c'est à la fois de la surprise et de la douleur qu'éprouve Loup-Clair. La dernière révélation est la plus terrible, mais Loup-Clair triomphera de tout. Aussi bien entre la vie de Marie et la sienne, il sait découvrir des correspondances, des interférences : le monde est un (et complexe). Marie appartient désormais à Loup-Clair et à lui seul. Dans une maisonnette de banlieue, tous deux règnent sur le monde.

En lisant ce roman déchirant, on ne pense point à Pirandello ni à Nabokov : nous sommes entrés dans l'univers d'Audiberti.

Les tombeaux ferment mal est dédié à trois de ses amis « qui font semblant de ne plus être là ». Et Audiberti explique : « La barrière entre la vie et la mort peut se franchir dans l'autre sens, c'est-à-dire de l'au-delà vers ici-bas. Tel est le dessein de notre livre et le cri profond de notre espoir. » Armide refuse d'identifier comme le corps de son mari le cadavre défiguré qu'on lui présente. Elle continue de rechercher la trace du disparu. Elle sera finalement récompensée : son mari reparaîtra.

Parmi les autres romans d'Audiberti, tous flamboyants, nous retiendrons encore *Les Jardins et les Routes* (1954). Il nous conte la vie d'un acteur et nous jette aussitôt dans ce monde extraordinaire des comédiens où la vie et la fiction se chevauchent, se confondent même parfois sans parvenir à se compléter harmonieusement.

Cet acteur, Jeandé, a une fille qu'il retrouve un jour et dont il s'éprend comme s'il pouvait ressaisir sur elle les rêves du passé. C'est un amour chimérique et si Jeandé épouse finalement Armène, ce n'est point sans doute comme jadis Molière épousa Armande puisque ce mariage reste blanc. Il faut qu'Armène se fasse enlever par un milliardaire américain pour que Jeandé se mette à la désirer rétrospectivement. Pour lutter contre la solitude, il se rue dans le travail. Il invente des pièces dont les dialogues se mêlent à ceux du roman : entre autre un apocryphe de Molière. Audiberti nous donne l'impression d'une course folle où son héros s'épuise sans parvenir à se sauver. Et comment se sauverait-il puisque c'est de lui-même qu'il devrait se libérer?

Nous avons employé l'adjectif « flamboyant » : au vrai, il est probable que les romans d'Audiberti sont trop riches pour ne pas dérouter l'habituel lecteur de fictions romanesques. Au lieu de suivre fermement les intrigues qu'il imagine, Audiberti accueille tous les prétextes de diversion qui se présentent en chemin.

Le théâtre l'obligeait à discipliner son imagination, sinon son langage. *Le mal court* (1947) est même une pièce de facture classique, où l'on voit une jolie princesse, promise à un monarque qu'elle n'a jamais rencontré, découvrir qu'elle n'est qu'un jouet dans les manœuvres que commande la raison d'État. La pièce se situe dans l'Europe du XVIIIe siècle et l'on pense aux débuts dans la vie de Catherine de Russie.

La pièce n'obtint qu'un succès limité à sa création, mais connut un triomphe lors de sa reprise, dix ans plus tard.

Quand nous parlons d'imagination disciplinée, nous pensons à la conduite de l'action et non certes au choix des sujets. Audiberti n'obtint d'ailleurs un succès comparable à celui de la reprise du *Mal court* qu'avec un extravagant (et savoureux) vaudeville intitulé *L'Effet Glapion* (1959).

Ses deux meilleures pièces sont probablement *Le Cavalier seul* et *La Hobereaute*.

Le Cavalier seul, publié en 1955, ne fut représenté qu'en 1965, et encore par une compagnie lyonnaise. L'action se situe au XIe siècle et le chevalier Mirtus part pour la Croisade. Arrivé bon premier chez les Infidèles, il ne sera pas mal traité. Au contraire, on l'adopte. Mais, à Jérusalem, il refusera de prendre la place d'un misérable couronné d'épines que l'on va empaler en dépit des belles paroles qu'il prononce. Mirtus est bien troublé. C'est difficile d'être un homme seul. Il sera bien content, quand les Croisés arriveront enfin à Jérusalem, d'être libéré de ses cas de conscience. Il dira : « Le sépulcre nous appartient, mes amis! Or nous avons à cravacher pas mal, pour nos enfants, pour nos parents. Hardi! secouons-nous! Nous sommes les chrétiens. »

Dans *La Hobereaute* (créée en 1958) nous sommes au Moyen Age, après l'hégémonie romaine, quand s'opposent le jeune christianisme et le vieux paganisme celtique. La hobereaute est une jeune fée, une espèce d'ondine amoureuse du beau chevalier Lotvy. Le Maître des Druides l'oblige à épouser l'affreux baron Massacre, défenseur de l'Église. Cette union doit entraîner la faillite de la religion nouvelle. Elle poussera du moins le chevalier Lotvy au désespoir et il deviendra incendiaire et pilleur de couvents. Quand il sera arrêté et supplicié, la hobereaute se jettera à ses pieds et elle sera étranglée par son vilain mari.

Cette pièce mêle le sublime au grotesque, le rire à l'émotion dans un mouvement irrésistible. On ne sait si Audiberti avait voulu faire un pied de nez à Claudel, mais *La Hobereaute* est une magistrale riposte au *Soulier de satin.*

En réalité, Audiberti se voulait ouvert à tous les courants de pensée et il était sensible à toutes les croyances. Dans l'essai intitulé *L'Abhumanisme* (1955), son idée centrale est que toutes les idées sont bonnes à examiner et à essayer. Il faut l'écouter parler de la guerre et de l'amour, de la cuisine et du cinéma, de la littérature et du langage.

Le dernier chapitre est tout entier consacré à Giordano Bruno : « Il dévouait une identique ardeur non seulement à chacun des arts, mais à chacune des croyances qu'il pratiquait. Par exemple, s'il révérait la grandeur, la valeur, la beauté du dogme catholique, qu'il ne tentait en aucune façon de réformer, il était en même temps un panthéiste passionné. Mathématicien rationnel, professant dans les chaires les plus cotées de l'Europe, Paris, Wittenberg, Oxford, il s'adonnait avec non moins de succès à la poésie et à la comédie. Dominicain de son métier, il allait faire l'imprimeur à Genève, sous Calvin. On finit par le brûler pour cause de fanatisme varié, multiple, contradictoire et coexistant. »

Les reflets du bûcher ont-ils éclairé quelques consciences? Loin des partis pris, Audiberti nous invite à flâner et à attendre « au large de toutes les vérités prétendument justifiées, car une vérité qui montre ses preuves prouve, par là, qu'elle n'est pas la vérité ».

JEAN TARDIEU

Deux recueils de poèmes de Jean Tardieu (né en 1903) portent le même titre : *Le Fleuve caché.* Le premier est une plaquette parue en 1933. Le second, publié en 1968, rassemble l'essentiel de son œuvre poétique de la période 1938 à 1961. Tardieu n'a pas retenu ses premiers vers, mais il a conservé un titre qui lui paraît bien désigner une constante de son inspiration : « Toute ma vie est marquée par l'image de ces fleuves, cachés ou perdus au pied des montagnes. Comme eux, l'aspect des choses plonge et se joue entre la présence et l'absence. Tout ce que je touche a sa moitié de pierre et sa moitié d'écume. »

On a souvent décrit l'évolution de la poésie de Tardieu, passant d'une forme classique à des fantaisies parodiques et bouffonnes. C'est beaucoup simplifier. Il existe une unité de l'œuvre à travers la diversité de son inspiration. S'il y a certainement évolution, c'est dans le sens de l'enrichissement constant. Il n'y a jamais eu abandon d'un art poétique : quelques-unes des *Histoires obscures* (1961) sont de la même veine et de la même facture que plusieurs poèmes d'*Accents* (1939).

Je suis né sous de grands nuages
Et toi aussi, sous les nuages
Et nous voilà.

Ainsi commencent les *Notes d'un homme étonné.* Jean Tardieu chante l'étonnement de vivre, les joies et les douleurs, la cocasserie et le tragique, l'incertitude sur le sens et la réalité de tout cela. L'humeur du poète varie. Ses interrogations restent les mêmes. Pour les exprimer, il a une seule voix et mille accents.

La réalité est changeante ou, du moins, ses reflets en nous. Tout d'abord, Jean Tardieu l'étudia sous ses aspects graves. Après *Le Témoin invisible* (1943) ce fut *Jours pétrifiés* (1947). Puis un esprit farceur s'empara du poète et ce fut la naissance de *Monsieur Monsieur* (1951).

Le temps marche si vite
qu'au moment où je parle
(indicatif présent)
je ne suis déjà plus
ce que j'étais avant.
Si je parle au passé
ce n'est pas même assez
il faudrait je le sens
l'indicatif néant.

Jean Tardieu, en parfaite possession de toutes les ressources d'une langue classique, se lança dans des exercices verbaux, où il se révéla d'emblée d'une virtuosité éblouissante. On peut s'étonner que *Monsieur Monsieur* n'ait pas connu le même succès que *Paroles* ou que *Si tu t'imagines.*

Il nous est arrivé de dire que Jean Tardieu était un Paul Valéry, dont le M. Teste était le professeur Froeppel. Valéry se voulait pur intellectuel, attentif aux opérations de l'esprit. Tardieu a laissé parler sa sensibilité et l'a vue aux prises avec les incertitudes du langage. Son professeur Froeppel est un spécialiste de toutes les formes balbutiantes et non fixées de la parole, ce qu'il appelle les « infra-langages ». Il s'intéressa particulièrement d'abord aux « infiniment petits » du langage. Il en dressa un dictionnaire.

Ah? : Marque l'étonnement, exige une explication ou signifie l'incrédulité : Ex. : « C'est Corneille, vous savez, qui a écrit les pièces de Molière! » Réponse : « Ah? »

Ah! : Satisfaction de voir se produire un événement espéré, attendu avec impatience et inquiétude. Ex. : « Ah! Voilà le coureur de Marathon! »

Ah! Ah! (ton ascendant) : Confirmation d'un fait que l'on soupçonnait. Ex. : « Le grand Pan est mort! » Réponse : « Ah! Ah! »

Ah! bah! Réponse polie, mais incrédule et, au fond, indifférente. Ex. : « Ma mère Jézabel devant moi s'est montrée. » Réponse : « Ah! bah. »

L' « infra-langage » va du claquement de la langue sur la paroi antérieure du palais, dz, dz (impatience et réprobation) au simple emploi du cure-dent (qui indique la rêverie) car l'attitude d'un homme parle tout autant que cet homme même.

Le professeur étudia aussi les « langages familiaux » : adultération du langage national ou régional à l'intérieur des groupes familiaux.

Bibi : 1. — Première personne du singulier du pronom personnel. Moi, je, ma pomme, mézigue. — 2. — Petit chapeau féminin. — 3. — Petit baiser.

Le lexique du professeur Froeppel, très exact, est à la fois burlesque et angoissant. Il nous fait mettre le doigt sur l'absurdité de notre langage.

Le professeur en vint pour sa part à faire l'éloge des coquilles où il vit une source de poésie. « A force de vouloir être métriculeux, l'esprit risque de mourir d'onanition. »

C'était la route de la révolution anarchiste du langage. « Tout langage convenu entre les hommes est une duperie; chacun de nous, lorsqu'il lit un texte, ne fait que le « traduire » dans les termes de ses propres habitudes de pensée, qui ne recouvrent jamais exactement celles des autres. » En conséquence, il fallait construire la LANGUE MOI. « Stréphon, loès grèvorax n'alou fannfaru geomadill... »

Le professeur Froeppel dut entrer en clinique. Mais, quand il en sortit, ce fut pour se mettre à son extraordinaire *Dictionnaire de la signification universelle.* Il avait remarqué que, en dehors du langage parlé et catalogué, il y avait un langage secret connu de la nature entière. Jean Tardieu nous dit la mort héroïque du professeur qui attrapa un mauvais rhume en essayant d'apprendre d'un jeune bouleau le langage des arbres.

Parmi les œuvres posthumes du professeur, on trouve une comédie en un acte qui fut créée avec grand succès chez Agnès Capri.

On sait qu'à Paris, vers 1900, une épidémie s'abattit sur la population. « Les misérables atteints de ce mal prenaient soudain les mots les uns pour les autres, comme s'ils eussent puisé au hasard les paroles dans un sac. »

Madame accueillait une de ses amies par ces mots : « Chère, très chère peluche! Depuis combien de trous, depuis combien de galets n'avais-je pas eu le mitron de vous sucrer! » Le curieux, c'est que l'on n'est pas du tout dérouté et, si j'ose dire, que l'on comprend très bien.

D'où ces remarques : « que nous parlons souvent pour ne rien dire, — que si, par chance, nous avons quelque chose à dire, nous pouvons le dire de mille façons différentes, — que les prétendus fous ne sont appelés tels que parce que l'on ne comprend pas leur langage, — que dans le commerce des humains, bien souvent les mouvements du corps, les intonations de la voix et l'expression du visage en disent plus long que les paroles, et aussi que les mots n'ont, par eux-mêmes, d'autres sens que ceux qu'il nous plaît de leur attribuer ».

Le volume où fut présenté le professeur Froeppel et où parut la petite comédie *Un mot pour un autre* parut en 1951. Tous les textes concernant le professeur ont été réunis dans le volume *Le Professeur Froeppel* (1978).

Tous les jeux de Tardieu avec les mots n'empêchent pas qu'il soit un de nos meilleurs serviteurs du Verbe. Si le langage dont nous usons nous paraît quelquefois miné, il n'en reste pas moins que seule « la parole prête à nos hasards la forme d'un destin » et voilà qui justifie la poésie.

Le recueil, *Une voix sans personne* (1954), s'ouvre sur de beaux poèmes romantiques. Ces poèmes sont romantiques dans l'inspiration, mais, dans leur forme, peuvent être classiques ou libres.

Il y a d'abord la suite *Comme si*... (Comme si j'étais là pour toujours.)

Notons quelques vers de *Quand bien même*...

Quand bien même je verrais de mes yeux
Grouiller l'autre côté des choses
— Je croirais toujours à la sainte Réalité
Qui partie de nos mains s'enfonce dans la nuit.

« Les femmes de ménage » :

... Car le ciel c'est moi. Il faut attendre et se
taire comme tout se tait, je vous le dis.

« Les portes de l'Inanimé » :

Écoute à ton tour silence du monde inanimé
C'est ta propre voix qui te parle à voix basse.

« Lettre d'ici » :

Ici je suis bien, j'écoute, on cause
Dans la pièce à côté
Et c'est toujours cette voix même si elle change
C'est toujours vous, c'est toujours moi qui parle.

« Exorcismes » :

Je sais que l'ennemi ce soir
Ne prendra pas pour me terrasser
Les traits de mon propre visage.

Une deuxième suite, plus tragique, s'appelle *Médium anonyme.* On y trouve notamment un *Portrait de l'auteur* qui fait penser à la fois à Nerval et à Mallarmé :

Le soleil qui ne luit n'est jamais apparu.

Puis *Clairières* nous restitue parfois, dans *Notes d'un homme étonné,* la note « humoureuse » de *Monsieur, Monsieur :*

Souvent elle est ici
Tout comme je vous vois
L'instant d'après elle est plus loin
Elle chante dans une rue voisine
C'est l'étendue, Monsieur, l'étendue!

C'est un hasard qui semble pousser telle notation vers le genre léger ou le genre grave. Et c'est assez dire que cette distinction des genres doit être assez futile pour ce poète. Au fond, Jean Tardieu est toujours grave, même quand il ne paraît pas sérieux du tout. On retrouve toujours l'accent unique de sa voix.

Jean Tardieu intitulait son recueil de 1939 : *Accents,* au pluriel. Et c'était alors quelques-uns seulement de ses accents qu'il nous faisait entendre. Aujourd'hui que son registre s'est étendu (au point que l'on n'en connaît pas de plus vaste dans la poésie contemporaine), il nous fait entendre, par un apparent paradoxe, cette « voix sans personne ». Ce sont les innombrables voix du monde qui passent à travers la voix unique de Tardieu.

Sa démarche semble avoir été celle-ci : à la recherche de la vérité, et plus modestement de sa vérité, le poète adopte tour à tour toutes les voix et tous les visages, et bientôt, découvre qu'il est aussi bien lui-même sous chacun de ces différents aspects. Est-ce alors qu'il ne s'agit que d'une comédie et que la sincérité n'est jamais qu'un rôle? Le poète s'amuse alors à parodier mais, dans la parodie même, il est encore sincère et vrai. La vérité est la somme des rôles que nous assumons.

La deuxième partie du recueil a donné son titre à l'ensemble. C'est une pièce sans personnages que l'auteur appelle « poème à jouer et à ne pas jouer ». La scène représente le salon d'une maison de campagne et la seule animation visible vient du changement et du mouvement des éclairages.

Je vois une pièce...
Une pièce où je sais
Que j'ai vécu il y a très longtemps
Et que pourtant je ne reconnais pas.

C'est, dira-t-on, un poème du souvenir sans mémoire (ou de la mémoire sans souvenir). C'est plutôt un poème du souvenir impersonnel et général. (On le rapprochera du sonnet : *J'ai longtemps habité sous de vastes portiques.*)

Il m'est délicieux d'avoir des souvenirs obscurs
Et comme antérieurs à ma vie !
Il y avait ceci et cela, il y avait la vie
Et il y avait mon enfance
Qui a duré jusqu'à ma mort.

Et au fond de tout, il y a l'absence, il y a la paix.

Ce « poème à jouer » rejoint la poésie pure. C'est aussi le cas de *La Sonate et les trois Messieurs,* poème sous-titré : « Comment parler la musique ». Les trois messieurs racontent « ce qui s'est passé » dans un morceau de musique qu'ils ont entendu au concert.

Ça commençait par une grande étendue
Oui, par une grande étendue d'eau.
Une grande étendue d'eau dans le soir...

Il s'agit ici d'un poème à entendre et à voir plutôt qu'à lire. Il fait partie de l'œuvre dramatique de Jean Tardieu, qui a publié aussi deux volumes de *Théâtre,* sous le titre *Théâtre de chambre* (1955 à 1960).

C'est sans doute son attention à toutes les possibilités de la voix humaine qui amena Tardieu au théâtre. Les petites comédies comme *Un mot pour un autre* (contemporain de *La Cantatrice chauve* de Ionesco) relèvent du cabaret ou du café-théâtre, les poèmes dramatiques semblent faits pour des salles de concert. Dans les deux cas, il s'agit d'œuvres brèves et aucune ne suffit à « meubler une soirée », mais diverses compagnies ont monté des « spectacles Jean Tardieu » qui ont remporté de vifs succès. Notre poète a figuré à l'affiche de nombreux « spectacles coupés » (faits de pièces en un acte de divers auteurs) en compagnie de Ionesco, Beckett et Obaldia. On peut avancer qu'il a tenu un rôle important dans la révolution dramatique des années 50. Il fut l'un des premiers à renoncer à l'intrigue et au sujet pour leur substituer des thèmes et des arguments : il ne raconte pas une histoire, il nous donne des variations sur une situation.

Jean Tardieu est également un critique d'art très original et il convient de lire, dans cet ordre, *Les Portes de toile* (1969). Jean Tardieu ne nous offre pas des commentaires de Poussin ou de Rubens, de Cézanne ou de Picasso, de Rameau ou de Satie, il nous en propose des interprétations. Ce faisant, il nous dit s'être engagé sur les traces de Baudelaire qui, dans son poème *Les Phares* (« Delacroix, lac de sang hanté de mauvais anges, ombragé par un bois de sapins toujours vert »), inaugurait une façon nouvelle de parler de la peinture en établissant, sous la forme d'images verbales, des termes d'équivalence entre le modèle plastique et sa traduction poétique.

Peut-être convient-il de signaler que le père de Jean Tardieu était peintre, et sa mère, musicienne. Notre poète confie qu'il a toujours éprouvé « une passion envieuse et jalouse pour le langage particulier des arts — des sons et des couleurs surtout — pour la désinvolture avec laquelle, sautant par-dessus la parole, ils établissent un contact direct entre les perceptions et la pensée ».

Poursuivant ses confidences, Jean Tardieu évoque ses rapports avec les mots de notre langue : « Ils me parvenaient éclatants et sonores, mais souvent vidés de toute signification et toujours prêts (même les plus simples) à exprimer autre chose que l'usage : poreux et disponibles, ils étaient faits pour être traversés, beaucoup plus que pour contenir, beaucoup plus pour l'explosion que pour la fixation des sens — bref, des fluides en mouvement plutôt que des « termes » imposés. »

Ces propos éclairent toute l'œuvre de Tardieu. On écrira sur lui bien des études savantes. L'important est qu'il ait su s'adresser directement à notre sensibilité, comme un musicien ou un peintre. Comme un grand poète.

JEAN FOLLAIN

Jean Follain (1903-1971) a d'abord été l'explorateur de son pays natal. Il est un Normand de Canisy, dans la Manche. En ouvrant l'un ou l'autre de ses recueils, on a même l'impression qu'il ne veut que rassembler des notations réalistes et précises. Follain parle de gens et de choses simples. Il aime décrire les objets et les plus humbles. Il évoque le temps qui passe et le temps passé. Mais ce n'est pas le sentiment de l'éphémère qu'il éveille en nous : c'est au contraire le sentiment de l'éternel. En ce sens, il s'agit d'une poésie magique. Toutes ces petites scènes quotidiennes, ces portraits familiers, ces tableaux modestes sont finalement les témoins, non pas de ce qui meurt, mais de ce qui demeure. Alain Bosquet a pu dire, dans une heureuse formule, que c'était des « tranches de survie ».

C'est pourquoi la nostalgie, toujours ici, se nuance d'espoir. Jean Follain a écrit, dans *Chef-lieu* (1950) : « La rêverie se déroulait, le soulier rencontrait un caillou qu'il poussait au long de la ruelle en pente et le ciel parfois changeait de couleur, une voix de femme se brisait dans un jardin. Tout durait et restait peuplé d'attente et cette impression de toujours voir les choses durer et attendre ne m'a pas quitté. »

Jean Follain a su parler aussi de Paris et de la terre entière. *Espaces d'instants* (1971) s'ouvre sur un poème qui évoque la Tour de Silence de Bombay. Grand voyageur, notre poète avait parcouru les cinq continents. Partout il avait retrouvé l'attente et l'espoir.

Son dernier livre est un recueil de souvenirs de jeunesse : *Collège* (publié en 1973). Il s'agit du collège de Saint-Lô. Follain avait tout d'abord rédigé ses souvenirs au passé simple, suivant l'usage. Mais le passé, pour lui, était décidément quelque chose qui durait. Les souvenirs étaient très présents : aussi est-ce au présent de l'indicatif qu'il décida finalement de les restituer. Seules, les trois premières pages du volume ont échappé à ce parti-pris.

Pas la moindre complaisance dans ces souvenirs. Follain s'est toujours méfié de l'imagination et du lyrisme. Il commence ainsi : « Les journées d'angoisse du collège, il faudra que je les vive toute ma vie. » Et c'est dire qu'il n'avait pas connu que des occasions d'émerveillement.

Le poète dresse un constat de ce qui fut parce qu'il se sent un héritier. Bien plus, il se veut comptable de ce qu'il lui a été donné de vivre et de voir. « Le collège avec ses entours, sa vie lente, ses songes, dure en moi ancré dans son épaisseur de temps, temps qui coule comme eau vive à tremblants reflets. »

Ce temps qui coule, il l'immobilise et nous en restitue le mystère.

MAURICE FOMBEURE

Maurice Fombeure (né en 1906) remarquait dès 1930 dans une petite revue de Bordeaux, *Jeunesse* : « Il faudrait donner à la poésie une nouvelle virginité. Aujourd'hui, elle a mal à la tête. Avec le surréalisme, c'est devenu une névralgie aiguë et continuelle. »

La voie à suivre, il la voyait dans certaines complaintes d'Apollinaire et dans les poèmes bretons que Max Jacob signait Morven le Gaëlique. Il aurait pu citer encore Supervielle. C'est bien dans cette triple lignée que son œuvre poétique se situe. Elle est d'une irrésistible fraîcheur et bien plus savante qu'on n'est enclin à le penser d'abord : Fombeure a réalisé une subtile alliance entre la poésie populaire et la poésie des orfèvres du langage. Il aimait les mots rares s'ils étaient amusants et n'hésitait pas plus que Fargue à en créer. Il est malicieux dans sa bonhomie et tendre derrière sa jovialité, il sait à l'occasion utiliser la note grave. Paul Claudel ne s'est pas trompé sur ses dons, qui l'a désigné en 1947 comme son poète préféré parmi les nouveaux venus.

Cette année-là, Fombeure venait de publier *Aux créneaux de la pluie*, où l'on peut lire :

Charme secret des villages sans âge
Aux seuils usés par les pas d'autrefois
Tout est solide, tout est solide et sage
Est-ce aujourd'hui ou bien au temps des rois?

Ou, sur un rythme léger :

Prenez-moi la main la belle
Et parcourons en chantant
Les moissons fraîches du ciel
Où fauchent les hirondelles.

De ses premiers recueils *A dos d'oiseau* (1942) et *Arentelles* (1943) jusqu'à ses derniers : *Quel est ce cœur?* (1963) et *A chat petit* (1967), Fombeure a cultivé un domaine bien à lui, où l'on se promène toujours avec ravissement. Le poème *Je dis : je t'aime* dans *Les Étoiles brûlées* (1950) n'est pas inférieur à *Liberté* d'Eluard. Il commence ainsi :

Je dis : je t'aime
Comme le lierre l'arbre,
Je dis : je t'aime
Comme la rose l'eau...

Et se termine par :

Je dis : je t'aime
Un peu plus que toi-même.

Dès qu'on aime, c'est la création tout entière que l'on est contraint d'accepter, puisque l'être aimé, comme soi-même, en est une expression particulière mais liée à la totalité du monde.

12.

La comédie sartrienne

Sartre a prétendu, dans *Les Mots,* que tout ce que l'on écrit sur les hommes n'est jamais « ni vrai, ni faux ». Peut-être donne-t-il l'explication de cette phrase dans son premier essai littéraire, demeuré inédit, qui porte le beau titre de *La Légende de la vérité.*

En tout cas, c'est bien la légende de son enfance qu'il nous a livrée dans *Les Mots,* souvenirs qui s'arrêtent vers sa onzième année. Pour nous renseigner sur le reste de sa vie, nous avons les *Mémoires* de Simone de Beauvoir qui ne nous rapporte pas tout ce qu'elle sait, mais nous permet de suivre les grandes lignes de l'itinéraire sartrien. Simone de Beauvoir a connu Sartre lorsqu'il était élève de l'École normale. Entre *Les Mots* et les *Mémoires* se placent les années décisives du début de l'adolescence, sur lesquelles le texte du film d'Astruc et Contat (publié en 1977) nous donne quelques lumières.

Né en 1905 et vite orphelin de père, Sartre a vécu jusqu'à onze ans avec sa mère chez les parents de celle-ci. Pour n'être plus à charge de sa famille — et peut-être parce qu'elle était jeune encore — sa mère se remaria : ce fut un choc pour l'enfant et Sartre n'hésite pas à dire qu'il « rompit avec sa mère ». Façon de parler, puisqu'il dut la suivre à La Rochelle où le nouvel époux avait été nommé directeur de chantiers. Sartre assure que cet homme était « fort bien » et même « parfait », à ceci près : « cet ingénieur ne me comprenait guère » et « ma mère qui avait été longtemps ma meilleure amie, était prise entre deux feux ». — « Mon beau-père, évidemment, à cette époque-là, je le considérais mal, comme un intrus. » Tout cela n'a pas empêché Sartre de déclarer, à un autre moment, qu'il n'a eu « aucun conflit de famille dans son enfance ». Il est pourtant permis de penser que si Sartre, peu attiré par la poésie, devait s'intéresser plus tard à la vie de Baudelaire, c'est que celui-ci avait eu lui-même « un beau-père qui ne le comprenait guère ». Quand, en 1848, le dandy Baudelaire revêt une blouse d'ouvrier et se noue une cravate rouge autour du cou pour se rendre aux barricades, il part en guerre contre le général Aupick. Quand il est arrivé à Sartre d'écrire : « Je vouai à la bourgeoisie une haine qui ne mourra qu'avec moi », on peut se demander si cette haine n'est pas née en lui lorsque, venant de Paris, il découvrit le milieu où il lui faudrait vivre à La Rochelle.

Ses études n'en furent pas compromises. Au contraire. Il fut un brillant lycéen, un brillant normalien. « C'est à l'École normale que j'ai été vraiment on peut dire heureux. » C'est là que Paul Nizan l'initia à la littérature contemporaine et qu'il fit ses délices de Proust (qu'il traita fort mal par la suite), mais la philosophie le passionnait au premier chef. Après son agrégation, il sollicita un poste à l'Institut français de Berlin pour étudier Husserl que Raymond Aron lui avait révélé. A ce moment, Hitler était au pouvoir. Mais Sartre ne s'intéressait pas à la politique; il estimait d'ailleurs que le président français Doumergue était un dictateur comparable au chancelier allemand. Il ne pensait pas du tout qu'un intellectuel témoin des premiers ravages de la peste brune pourrait être un jour accusé de les avoir favorisés en ne les dénonçant pas. (Sartre écrirait plus tard qu'il tenait Flaubert pour responsable de la répression qui suivit la Commune, parce qu'il n'avait rien écrit pour l'empêcher.)

Rentré en France, il devient professeur en province, notamment au Havre, qu'il évoquerait bientôt sous le nom de Bouville. Ses premiers textes publiés sont des études philosophiques. Puis, en 1938, il envoya le manuscrit de *Melancholia* à la N.R.F. Paulhan le refusa pour la revue, Gaston Gallimard l'accepta pour la maison d'édition, ne formulant des réserves que sur le titre. Il en suggéra un autre, *La Nausée,* auquel Sartre souscrivit malgré l'opposition de Simone de Beauvoir. Elle jugeait que c'était un titre de roman naturaliste et qu'il ne convenait pas pour une tentative tout à fait neuve de roman métaphysique. La publication de *La Nausée* fut saluée comme un événement littéraire par une critique presque unanime, allant d'Edmond Jaloux à André Billy.

Jacques Laurent a prétendu que Sartre utilisait le roman quand il voulait exposer des idées dont il aurait été bien en peine d'établir le bien-fondé dans un essai. Pour ce qui concerne *La Nausée,* Sartre lui a donné raison dans le film d'Astruc et Contat. Il confie : « Si je n'avais pas rendu *La Nausée* sous une forme romanesque, l'idée n'était pas assez solide encore pour que j'en fasse un livre philosophique; c'était plutôt quelque chose d'assez vague qui me tenait à la peau. » (P. 58.)

Sartre admet qu'on « pourrait presque appeler pathologique » la forme d'intuition que connaît son héros Roquentin. Celui-ci découvre que choses et gens — et lui-même — se trouvent là sans signification ni nécessité. Intuition si vive et si désagréable qu'elle provoque chez lui des nausées. Ceux qui nient la contingence et s'insèrent sans problème dans la société, sûrs d'eux-mêmes et de leurs droits sont traités de « salauds » (le mot fit fortune). Roquentin se réfugiait à la fin dans la croyance que l'art permet d'échapper à l'absurdité du monde. (Croyance que Sartre qualifierait plus tard de foutaise.)

La force de *La Nausée* vient de ce que l'auteur n'expose pas une thèse, mais relate une expérience, raconte une aventure avec des détails très concrets. Beaucoup de scènes de genre relèvent du naturalisme — n'en déplaise à Simone de Beauvoir — mais l'originalité du livre vient des morceaux où, sous le regard de Roquentin, ce qu'on appelle le réel prend des formes inattendues et saugrenues. C'en est fini des apparences rassurantes : l'angoisse métaphysique nous amène aux lisières du fantastique.

Le vigoureux dégoût de la vie qui s'exprime tout au long de cet ouvrage se retrouva dans les nouvelles du *Mur* (1939). *Intimité* causa une espèce de scandale par le réalisme de certaines scènes, mais l'auteur, loin d'inciter à la débauche, semblait vouloir nous dégoûter des jeux amoureux. On loua beaucoup *L'Enfance d'un chef*, satire allègre d'une éducation bourgeoise.

Sartre était devenu un collaborateur régulier de *La Nouvelle Revue française*. Il consacra ses premiers articles à des romanciers américains et salua John dos Passos comme le plus grand écrivain de notre temps. En février 1939, son article sur *François Mauriac et la liberté* fit sensation.

Tous ces textes critiques préparaient le lancement du premier roman de Sartre (car avec sa forme de journal, *La Nausée* ne prétendait pas être un véritable roman). Mais Sartre allait avoir à s'occuper d'autre chose que de littérature et de philosophie. La guerre mit fin à son existence tranquille de fonctionnaire aux nombreuses vacances. Jusqu'ici spectateur, il allait devenir acteur ou du moins figurant dans la farce tragique de 1940. Dans le camp de prisonniers où il échoua après la défaite, il oublia un peu les vertiges de la contingence pour réfléchir au poids de l'Histoire. Il se promit d'écrire plus tard sur les questions politiques qui ne lui avaient pas paru jusqu'alors du ressort de l'écrivain et du philosophe. Il avait trente-cinq ans et se trouvait vierge de tout engagement.

Il eut la chance exceptionnelle d'être libéré assez vite et de pouvoir regagner Paris. Fût-il resté derrière les barbelés avec les camarades jusqu'à la fin de la guerre, l'histoire littéraire de la France dans les années quarante à cinquante eût été toute différente.

Professeur dans la capitale, il termina un gros traité philosophique *L'Être et le Néant* qui parut en 1943 et, la même année, sa première pièce, *Les Mouches*, fut créée par Charles Dullin au Théâtre Sarah-Bernhardt, rebaptisé Théâtre de la Cité.

L'Être et le Néant est un ouvrage pour spécialistes avec jargon obligé, mais il est agrémenté de portraits et de descriptions qui peuvent plaire au profane. Ce livre sévère se vendit bien et la phrase qui en formait la conclusion : « L'homme est une passion inutile » fut aussi célèbre que l'expression « les salauds » que l'on avait trouvée dans *La Nausée*.

Les Mouches furent reçues comme une pièce antireligieuse. Sartre y opposait la liberté des hommes à la puissance des dieux, comme l'avait fait déjà Gide dans son *Œdipe*. La construction de la pièce, avec ses trouvailles baroques (la présence des mouches et l'apparition de Jupiter lui-même), devait beaucoup à Giraudoux : on ne s'en apercevait pas tout de suite parce que le langage brutal de Sartre n'a jamais la grâce et les chatoiements poétiques des dialogues de son aîné.

Cette pièce marque une étape importante dans l'œuvre de Sartre. Oreste échappe à une condition humaine qu'on lui disait donnée une fois pour toutes et il décide de devenir son propre maître. Ainsi nie-t-il la fatalité et son cortège de malheurs. Sartre qui s'est montré sensible au reproche que lui a adressé Malraux de s'être fait jouer avec la bénédiction de la censure allemande, a protesté que sa pièce était animée d'un esprit de Résistance. Et il est vrai que les gens de Vichy, avec la bénédiction de hautes autorités du clergé, présentaient notre défaite comme la punition de nos fautes (Hitler était sans doute récompensé pour ses vertus) et prêchaient l'humilité et la repentance : l'Oreste des *Mouches* nous invitait à retrouver notre fierté.

La deuxième pièce de Sartre, sa fable de *Huis Clos*, présentée à la veille de la Libération, nous ramenait pourtant à un pessimisme absolu. Elle mettait aux prises un déserteur, une lesbienne et une infanticide. Elle affichait comme programme : « l'enfer, c'est les autres » (chacun refusant l'image que les autres se forment de lui et où il se sent trahi et mutilé). Ce brillant jeu intellectuel semblait l'œuvre d'un esthète décadent et désabusé, vivant en marge des événements.

Trompeuses apparences. Après la Libération, on apprit que Sartre avait appartenu à la Résistance, non certes dans les maquis, comme Malraux ou Jean Prévost (« qu'est-ce que Sartre aurait fait avec un fusil? » demande Simone de Beauvoir), mais dans des réunions d'intellectuels où, entre amis, on affirmait son opposition à l'occupant et où l'on rédigeait parfois des tracts que de courageux imprimeurs tiraient à quelques milliers d'exemplaires. Sartre commença de collaborer aux journaux. Ses premiers articles dans la presse nouvelle développent avec brio des paradoxes de normalien : « Jamais nous n'avons été plus libres que sous l'occupation allemande. » Il peut dire n'importe quoi, car la gloire a « fondu sur lui » (pour reprendre une autre expression de Simone de Beauvoir). Sartre explique modestement sa prodigieuse ascension en affirmant que la scène littéraire était vide après la mise à l'écart des écrivains collaborateurs. Si l'on peut se demander de quelle scène il parle, il faut reconnaître qu'à lui seul il était capable de donner un spectacle permanent et constamment renouvelé. Il allait déployer pendant cinq ou six ans une activité multiple et impressionnante.

Dès 1945, il fonde la revue *Les Temps modernes* où il donne des manifestes provocants. Il ouvre la querelle de l'engagement, en déclarant que tout écrivain a le devoir de prendre parti dans les grands débats politiques et sociaux. On aurait pu penser à la rigueur que c'était le devoir de tout citoyen, mais l'on ne voyait pas pourquoi l'écrivain se trouvait particulièrement visé : c'est que ses livres peuvent exercer une influence. Aussi bien est-ce dans ses livres qu'il doit exprimer ses convictions. Adieu la gratuité de l'art, vive la littérature de propagande. On ne manqua pas de demander à Sartre si la musique elle aussi devait être engagée et si un homme engagé pouvait rester un homme libre. Mais il avait réponse à tout : évidemment les musiciens n'ont pas les mêmes obligations que les écrivains qui sont des créateurs de sens et pas seulement de sons. Quant à l'engagement, c'est notre liberté même qui devait le choisir. La liberté du choix n'annule pas l'obligation de choisir, car c'est encore choisir que de ne choisir pas.

Les Temps modernes n'occupent qu'une petite part du temps de Sartre. Il prononce une conférence de vulgarisation : *L'existentialisme est un humanisme* (d'où le bon peuple retint que « l'existence précède l'essence »). Il fait paraître les trois premiers tomes du cycle romanesque *Les Chemins de la liberté;* cinq volumes d'essais : *Situations I, II, III, Réflexions sur la question juive* (où l'on apprend qu'un juif est un homme que les autres appellent juif) et un *Baudelaire,* remarquable texte où il n'est pas question de poésie. Il fait jouer quatre pièces : *Morts sans sépulture, La Putain respectueuse, Les Mains sales, Le Diable et le Bon Dieu.* Il signe le scénario du film *Les jeux sont faits* (où il réintroduit le destin qu'il avait nié ailleurs). Il écrit même une chanson pour Juliette Gréco, afin de justifier le mot d'Audiberti : « les camions de Sartre campent partout », — même aux portes des cabarets.

En plus de tout cela, il intervient directement dans les réunions politiques. Il participe au lancement du R.D.R. (Rassemblement Démocratique Révolutionnaire), qui espérait créer sur le plan français une troisième force entre le gaullisme et le communisme et, sur le plan international, une chance de médiation entre les deux blocs Est-Ouest. A ce moment, Sartre est violemment attaqué par les communistes et il a des mots amusants contre nos staliniens.

Sur le plan privé, un fait doit être signalé. Son beau-père étant mort en 1945, Sartre décide de retourner vivre chez sa mère qui s'est acheté un appartement au-dessus du café Bonaparte à Saint-Germain-des-Prés. Ce sera son port d'attache pendant toute sa grande époque. Tel qu'il apparaît sur les photos de ce temps-là, Sartre est un professeur de type classique (bien qu'il eût abandonné sa carrière de fonctionnaire). Il porte des complets sombres, de coupe sévère, avec des chemises au col blanc et des cravates discrètes. Les journalistes qui le décrivaient vivant le jour dans des cafés et la nuit dans les fumées des caves dites existentialistes se trompaient du tout au tout sur sa vie véritable. Et comment, malgré tout son génie, aurait-il tant écrit sans se réserver des heures de tranquillité dans le foyer maternel? (Sa mère le protégeait aussi contre ses petites amoureuses, car il était un homme beaucoup cajolé par les femmes.)

Sans doute était-ce pour lui la vie rêvée. Pour cela même, il n'en est pas satisfait. Il sent qu'il est un intellectuel bardé de privilèges. L'échec du R.D.R. et diverses circonstances extérieures le poussent, aux alentours de 1950, à se rapprocher des communistes. Non qu'il ait jamais été marxiste, mais parce que le marxisme lui paraît soudain « le mouvement vrai de ce que Hegel appelait l'esprit objectif ». C'est par souci d'objectivité, c'est par devoir qu'il abandonne ses positions personnelles. Il s'impose de devenir compagnon de route des communistes parce qu'ils lui semblent marcher dans le sens de l'Histoire. Eux seuls liquideront l'État capitaliste et ses privilèges (dont lui-même se trouve bénéficiaire). Dans une formule saisissante, il a déclaré : « J'ai toujours pensé contre moi-même. »

C'était bien la peine de s'être dressé contre Jupiter pour en arriver à servir les intérêts de Staline. Il refusa d'ouvrir les colonnes des *Temps modernes* à la dénonciation du Goulag (« il ne faut pas désespérer Billancourt ») et fit représenter une amusante bouffonnerie *Nekrassov* (1956) où il tournait en dérision les campagnes de presse antisoviétiques.

A mesure que les questions politiques le passionnaient davantage, la littérature perdait de son lustre au profit de l'Histoire. Sartre renonça définitivement au roman sans avoir achevé ses *Chemins de la liberté*. La philosophie tint mieux le coup, mais il l'utilisa surtout pour tenter de justifier son évolution. Après 1959 où fut jouée *Les Séquestrés d'Altona* (où le nazi Franz, dans un huit clos volontaire, connaît des hallucinations comme un vulgaire Roquentin), Sartre renonça même au théâtre.

Les Mots ne furent publiés qu'en 1964, mais leur rédaction remontait à 1953-1954. Sartre avait décidé que la notion d'art était bourgeoise, — (comme si l'art n'avait pas existé bien avant la bourgeoisie). La littérature ne méritait aucun respect : il ne s'agissait que d'écriture et l'on n'avait que faire du beau style. Toutefois, *Les Mots,* conçus comme un adieu à la littérature, devaient être écrits dans un beau style, afin de se présenter comme « une contestation de la littérature par la littérature elle-même ». Ils valurent le Prix Nobel à leur auteur qui refusa cette distinction, considérée par lui comme une tentative de récupération.

Nous ne pouvons signaler ici toutes les interventions brouillonnes et contradictoires de Sartre dans les affaires du Temps. Il est sans doute le contemporain qui a signé le plus de pétitions et d'articles de protestation contre ci ou ça. Il devait connaître une nouvelle illumination en 1968. Dans un beau sursaut de liberté, il abandonna les communistes qu'il s'était obligé à soutenir, et rallia le jeune anarchiste Cohn-Bendit dont il alla pieusement recueillir les paroles sur les barricades du Quartier latin. (L'interview parut dans *Le Nouvel Observateur.*) La répression du printemps de Prague lui donna l'occasion de rompre vertueusement avec les Soviétiques. Il sympathisa avec les maoïstes, sans imaginer que la dictature de Mao pouvait n'être pas plus favorable à la liberté que celle de Staline. Depuis, il est resté gauchiste et anticommuniste.

Ayant fait ses adieux à la littérature, il décida pourtant de terminer *L'Idiot de la famille,* sa monumentale étude sur Flaubert, entreprise depuis longtemps. La maladie devait l'empêcher d'aller au-delà des trois premiers tomes consacrés aux débuts de l'écrivain et qui parurent en 1971 et 1972.

Cette étude inachevée est révélatrice : prenant son élan en citant textes et documents, Sartre se laisse vite aller à son imagination et brasse fiction et réalité. Sans doute est-ce la pente naturelle d'un biographe qui connaît bien son sujet : en toute bonne foi, il ajoute des détails qui lui paraissent non seulement vraisemblables, mais vrais. Sartre admet parfois qu'il fabule : « Rien ne prouve qu'il en fut ainsi », reconnaît-il, mais l'absence de preuves ne le gêne pas pour poursuivre sa démonstration. Il est de ces fanatiques qui pensent posséder la vérité. Homme de vérités successives, Sartre a toujours défendu la dernière en date avec l'assurance de qui ne se serait jamais trompé. En cela, il ressemble un peu à Aragon.

SARTRE CRÉATEUR

Malraux niait qu'il existât un univers romanesque de Sartre, alors qu'il en existe un de Mauriac. Cela voulait dire que Sartre s'était contenté d'appliquer des recettes quand Mauriac avait créé des œuvres qui reflétaient son tempérament. Le véritable romancier ne cherche qu'à peindre ses passions en inventant des situations et des personnages. Le théoricien reste un fabricant plus ou moins habile.

Il nous faut revenir sur l'article que Sartre avait consacré à Mauriac en 1939 et qu'il recueillit dans *Situations I* (1947). Sartre s'y révélait brillant polémiste, l'éclat du style et des formules cachait la faiblesse du fond. Et d'abord pourquoi s'en prendre à Mauriac en particulier, alors que l'article visait la quasi-totalité des romanciers français? Sartre reprochait à Mauriac d'intervenir dans les histoires qu'il racontait, de lire dans les cœurs et les pensées, de juger les intentions et les actes, et, pire encore, de mener ses personnages où il voulait, les privant ainsi de liberté.

Mauriac fut vivement affecté par cette attaque. Il se demanda s'il était vraiment un romancier. Il aurait dû se consoler en lisant l'article de Paul Nizan sur *Des souris et des hommes,* dont la traduction venait de paraître. Nizan dénonçait la duplicité essentielle de la littérature de comportement : « L'objectivité du romancier américain par rapport à ses créatures paraît se réduire à une fiction technique et son refus d'écrire : « Lennie pensait que... » ou « Georges se dit... » ne l'empêche pas de savoir ce qu'en fait Lennie pensait et ce que Georges se disait. Car c'est ce que Steinbeck ou Caldwell ou Hammett sait par l'intérieur de ses personnages, qui commande les gestes et les mots qu'il feint de découvrir avec une candeur absolue. »

Toutefois on peut penser que Steinbeck ou Hammett utilisent des procédés avec innocence, comme Mauriac. Leur art est instinctif. La théorie est venue chez eux après la pratique. Au contraire, en écrivant ses *Chemins de la liberté,* Sartre s'est donné des règles du jeu, qui limitent sa liberté d'action et qu'il ne parvient d'ailleurs pas toujours à observer, ou bien c'est par distraction qu'il se laisse aller à des interventions d'auteur.

Parmi les règles qu'il s'impose : s'en tenir à décrire des actions sans jamais les commenter et à rapporter les phrases des personnages en refusant de les styliser par souci d'art. Or parmi les faits, gestes et paroles de ses personnages, le romancier est toujours obligé de choisir ceux qu'il rapportera. Rendre compte de la totalité d'une existence est impossible et le choix équivaut à un jugement et à une stylisation. D'autre part, Sartre ne refuse pas les « il se dit » ou « il pensa », à condition qu'une scène ne soit vue qu'à travers la conscience d'un seul personnage. Curieuse licence. Car enfin lire dans l'esprit d'autrui, ne serait-ce que d'une seule personne, n'est-ce pas déjà jouer le rôle de Dieu? Au surplus, si Sartre ne lit jamais que dans l'esprit d'un seul personnage, le personnage « privilégié » change suivant les scènes et l'on finit par connaître tous les héros du livre par l'intérieur, comme chez Mauriac. Inutile de préciser que nous ne connaissons jamais une personne réelle, un être vivant, de cette façon-là.

Les deux premiers tomes des *Chemins de la liberté* parurent en 1945. Un lecteur non prévenu estimera sans doute que *L'Age de raison* est écrit dans une forme traditionnelle. Le fond non plus ne surprend pas : c'est un roman de mœurs étudiant la faune plus ou moins intellectuelle du Montparnasse d'avant-guerre.

Le Sursis est plus ambitieux et l'on passe du plan des petites histoires individuelles à un drame collectif. Pour raconter la crise européenne qui aboutit aux accords de Munich, Sartre utilise méthodiquement les techniques américaines, il procède à un éclatement et à un éparpillement des diverses actions dans des lieux divers, pour donner l'impression d'une saisie globale de l'époque. Toutefois la diversité des scènes reste insuffisante pour imposer l'idée d'une totalité. Ce gros roman fragmenté reste fragmentaire. D'autant que certaines séquences (comme les séquences tchèques) introduisent brusquement des personnages nouveaux qui n'apparaîtront plus dans la suite du roman. Il faut signaler aussi quelques fantaisies dans l'entremêlement des aventures contées : à l'intérieur d'une même phrase, on change de lieu et l'on passe d'un personnage à un autre. Sartre veut nous faire sentir la simultanéité des actions qui s'accomplissent sous nos yeux de lecteurs. Mais un cinéaste seul peut vraiment montrer plusieurs séries d'actions à la fois. Dans ce tohu-bohu on se sent parfois un peu perdu et, lorsqu'on a réussi à s'intéresser à un personnage, on connaît la tentation de sauter des pages pour le retrouver plus loin quand l'auteur l'a dérobé à notre vue. On se demande aussi si l'auteur a composé son roman dans l'ordre où nous le lisons ou s'il n'a pas entremêlé des récits écrits séparément.

La Mort dans l'âme (1949) reprend les procédés du *Sursis* mais d'une manière assagie : il y a de nouveau des personnages centraux (Mathieu Delarue le prof de philo et Brunet le militant communiste) et la caméra ne bouge plus si souvent ni ne se déplace aussi vite. Le livre raconte l'effondrement de 1940 et contient des pages très fortes, d'un lyrisme noir, à la Zola. Plus question de réalisme métaphysique. Nous sommes bien dans le naturalisme pur et simple, parfois visionnaire, à la Céline. Aux dernières pages, Mathieu Delarue est pris d'un désespoir furieux et, perché dans un clocher d'église, tire sur les soldats ennemis en s'écriant naïvement : « Le monde sautera, moi avec. »

Sartre n'a jamais achevé ni donc publié le quatrième tome qu'il annonçait sous le titre *La Dernière Chance*. Il s'ensuit que l'on comprend très mal pourquoi son cycle s'appelle *Les Chemins de la liberté*. Il semble que *Les Chemins de la défaite* conviendrait mieux. Quand nous quittons ses personnages, aucun n'a eu l'occasion de manifester qu'il avait vraiment trouvé cette fameuse liberté (la révolte de Mathieu dans son clocher est dérisoire). Tous sont empêtrés dans les situations où le hasard les a placés. Dans les tourmentes de Munich et de quarante, ils sont les jouets du vent de l'Histoire.

Sartre aurait voulu remplacer la notion de « nature humaine » par celle de « condition humaine » et montrer que, différents par suite des circonstances dans lesquelles ils sont nés, les hommes se retrouvent identiques par la nécessité de choisir telle ou telle voie, mais qu'ils redeviennent différents par leur choix. C'est celui-ci qui importe avant tout. Parler de déterminisme est le fait de « salauds ». Sartre n'a malheureusement pas réussi à nous rendre sensibles à une évolution décisive de ses personnages, à une modification de leur nature. Ses romans sont pleins de pages d'un talent éblouissant, mais ils témoignent contre leur ambition avouée. Sartre nous peint constamment des individus englués dans un monde hostile et plus fort qu'eux. « Pensant contre lui-même », il a souhaité montrer que l'homme pouvait se sauver par l'exercice de son libre arbitre, mais il est trop persuadé au fond de lui-même que le monde est mauvais, et la vie, sale et abominable. Son tempérament rendait sans doute irréalisable son projet romanesque.

On aurait tort cependant de lui reprocher sa vision désespérante du monde et, en particulier, sa conception de l'amour qui a toujours chez lui une odeur de sueur et de vomissement. Il n'est que trop vrai que la vie sent souvent mauvais et que souvent l'homme est condamné à « se boire sans soif ». Sartre exprime avec puissance et honnêteté son intime conviction. Par là, il cesse d'être un théoricien et devient un créateur. Ce qu'on peut dire, c'est que, malgré toute sa bonne volonté, il est le contraire d'un romancier de la liberté. L'abandon des *Chemins de la liberté* fournit peut-être la preuve qu'il a fini par se l'avouer à lui-même.

Après son renoncement au roman, il continua quelque temps d'écrire pour le théâtre où il pouvait satisfaire son goût des débats d'idées. Pour l'action dramatique, il ne cherche pas à innover, il se sert des ficelles du théâtre bourgeois traditionnel. *Morts sans sépulture* relevait d'un Grand-Guignol de mauvais goût, mais *Les Mains sales* sont un drame bien bouclé et *Le Diable et le Bon Dieu* une grande machine bien huilée. Les personnages ne vivent que pour illustrer des thèses contradictoires : pour Sartre, les conflits doctrinaux sont l'essence même du théâtre. Les hommes l'ont toujours moins intéressé que les idées. Il n'est vraiment heureux que dans un univers abstrait où ses capacités intellectuelles jouent à plein.

LES MOTS

Après avoir prétendu obliger tous les écrivains à s'engager dans les luttes du temps, Sartre découvrit que le monde littéraire était terriblement étroit par rapport au monde tout court. Nous avons vu qu'il fut pris pour la littérature de la même haine qu'il vouait à la bourgeoisie. Comment pouvait-il avoir été transformé en littérateur? Il écrivit *Les Mots* pour répondre à cette question.

Est-ce Sartre lui-même qui a choisi la bande publicitaire de ce livre? Sur cette bande publicitaire, on lit : « Une enfance. » Cela doit s'entendre d'une manière ironique. Sartre pense qu'il n'a jamais été un enfant. Il ne nous raconte pas ses dix ou douze premières années comme ont pu le faire tant d'écrivains avant lui, il nous offre un essai d'interprétation des années où s'est dessinée sa vocation. *Les Mots* sont une entreprise originale. On n'y trouvera pas la moindre évocation attendrie du vert paradis des amours enfantines. Rien de vert dans ce texte magnifique. Presque tout se passe ici au sixième étage, à la fois réel et symbolique, d'un immeuble parisien où l'on respire l'air raréfié des belles-lettres : « Je n'ai jamais gratté la terre ni quêté des nids, je n'ai pas herborisé ni lancé des pierres aux oiseaux. Mais les livres ont été mes oiseaux et mes nids, mes bêtes domestiques, mon étable et ma campagne... »

Non, n'attendez pas un récit semé de gentilles anecdotes. *Les Mots* sont une analyse que l'on qualifiera d'impitoyable. Vers la moitié du livre, l'auteur s'écrie soudain : « Et puis le lecteur a compris que je déteste mon enfance et tout ce qui en survit. » Certes, cette haine est sensible dès le début. Sartre déteste son enfance parce qu'elle lui paraît une comédie. Son tempérament le porte à poursuivre, à dénoncer et à détruire la comédie chez les autres et chez lui. On se demandera seulement si son goût pour la destruction des comédies ne le pousse pas parfois à en inventer, à seule fin de pouvoir ensuite en démonter les rouages. C'est ainsi que *Les Mots,* précisément, se lisent comme une histoire symbolique : Sartre nous donne L'Enfance d'un écrivain comme il nous avait donné autrefois L'Enfance d'un chef. Ce sont deux récits imaginaires.

En empruntant à Sartre certaines de ses expressions, il est aisé de résumer *Les Mots* comme une aventure religieuse. Pour commencer, le jeune Jean-Paul, « plutôt que le fils d'un mort » se trouve être « l'enfant du miracle ». Il n'a pas de père. Il vit avec sa mère chez les parents de celle-ci. Mais cette mère est plutôt elle-même « une sœur aînée » : c'est « une vierge en résidence surveillée ». Jean-Paul, vous le voyez, est fils d'une vierge. Étrange maison : le grand-père est un patriarche : « il ressemblait tellement à Dieu le Père qu'on le prenait souvent pour lui ». Ce grand-père avait été destiné à être pasteur, il était devenu professeur : il avait opéré un transfert du Divin de la Religion à la Culture. Jean-Paul s'éprouva rapidement comme « petit-fils de prêtre ». Il grandit dans le Temple : c'est-à-dire au milieu des livres. Les mots furent sa nourriture : à peine sut-il lire qu'il les considéra comme « la quintessence des choses ». Telle fut sa croyance : il crut que les mots étaient les choses elles-mêmes. La littérature devint religion. C'est par elle que Jean-Paul serait sauvé : l'immortalité terrestre remplacerait la vie éternelle.

Enfant gâté, salué comme petite merveille par sa famille, Jean-Paul était poussé à croire qu'il était attendu. Sa fin glorieuse justifierait son commencement hasardeux. Il écrirait : c'était à dire que, par ses livres, il ferait le don de lui-même à l'humanité. Plus encore : à l'homme de chair, il substituerait l'homme de mots; il remplacerait sa chair par le style; il deviendrait livre. Et entendez bien que ce n'était pas la gloire, c'était le salut qu'il attendait de cette métamorphose, il ne pensait pas obtenir la gloire de son vivant. Ce qu'il visait était la postérité. Simone de Beauvoir a raconté dans *La Force des choses* comment ce fut une catastrophe pour Sartre d'obtenir la gloire en 1945 : la littérature s'en trouva désenchantée. « Ce fut pour Sartre la mort de Dieu. »

Oui, l'on pourrait résumer ainsi *Les Mots*. En vérité, il y a bien d'autres choses dans ce livre serré. Par exemple, le grand-père patriarche n'était pas un vrai croyant : il jouait un rôle, c'était un acteur. Le petit Jean-Paul lui-même était un comédien, tantôt le sachant, et tantôt pris à son jeu. Il essayait d'échapper à sa propre et « sourieuse inconsistance » : l'auteur lui reproche d'y être parvenu. Moins naïf, il ne serait pas devenu écrivain. Avec quelle violence Sartre dénonce ses anciennes illusions quant au pouvoir des mots! En même temps, il reste écrivain jusqu'à la moelle et c'est l'ambiguïté de ce livre. La dénonciation de la littérature est encore une comédie. L'auteur sait bien que, sans la littérature, on n'aurait jamais entendu parler de Jean-Paul Sartre et qu'il n'en aurait pas été plus heureux pour ça.

SIMONE DE BEAUVOIR

L'école existentialiste se limite aux deux noms des professeurs Sartre et Beauvoir (rapidement surnommée par les chansonniers Notre-Dame-de-Sartre ou la Grande Sartreuse) et c'est assez curieux quand on pense à la formidable machine de guerre qui avait été mise en place par leurs soins, aux *Temps modernes* et dans la presse. Cette machine a très bien fonctionné comme instrument de publicité, elle n'a pas suscité de vocations.

Beaucoup lue comme historienne du *Deuxième Sexe* (1949) et comme mémorialiste : *Mémoires d'une jeune fille rangée* (1958), *La Force de l'âge* (1960), *La Force des choses* (1963), Simone de Beauvoir (née en 1908) a connu aussi un succès de romancière avec *L'Invitée* (1943) où l'on trouve le vivant portrait d'un nouveau type de jeune fille, *Les Mandarins* (1954) qui fut considéré comme un documentaire sur la vie et les querelles des intellectuels de gauche au lendemain de la Libération, *Les Belles Images* (1966), habile évocation de la société de consommation à la veille de la révolution étudiante de 1968.

Les critiques ont cependant toujours montré plus d'intérêt pour les idées de Simone de Beauvoir que pour son talent d'écrivain. Dans le quatrième tome de ses mémoires, *Tout compte fait* (1972), elle s'en inquiète, car elle n'a jamais feint de regretter, comme Sartre, d'avoir consacré sa vie à la littérature. Ce qu'elle refuse, c'est que ses livres soient des « œuvres d'art » : elle prétend que c'est là un mot de consommateur. En quoi il est bien difficile de la suivre. L'œuvre d'art ne peut être dite produit de consommation du moment que sa valeur est nulle ou infinie suivant le degré d'admiration qu'on lui porte. Elle n'a aucune utilité pratique. Le plaisir qu'on y prend est désintéressé. L'utilisation du snobisme artistique par les commerçants est une autre affaire. D'ailleurs, il se trouve que, commercialement, les œuvres de Simone de Beauvoir sont une excellente affaire; elle nous confie qu'à une amie un peu aigre qui lui demandait pourquoi elle écrivait, elle répondit : « Parce que ça me rapporte beaucoup d'argent. »

Elle reconnaît n'avoir pas été « une virtuose de l'écriture », tels Virginia Woolf, Proust ou Joyce. « Mais tel n'était pas mon dessein » : « Je voulais me faire exister pour les autres en leur communiquant, de la manière la plus directe, le goût de ma propre vie : j'y ai à peu près réussi. »

La littérature, telle que la conçoit Simone de Beauvoir, peut ainsi être considérée comme une affirmation de personnalité. C'est une littérature de combat : il s'agit de justifier ses actes et de faire partager ses opinions. Chacun reconnaît la belle vitalité de cet auteur. Quant à être ou non « virtuose de l'écriture », nous dirons que cela ne relève pas d'un choix ou d'un dessein, mais d'un tempérament. Ce qui manque peut-être à Simone de Beauvoir, c'est un grain de folie, lequel ne fait pas défaut à Sartre. En revanche, il arrive à Sartre d'être fumeux, tandis que Simone de Beauvoir est toujours parfaitement claire. Elle ne recule pas devant les clichés et les lieux communs : c'est sans doute par ce qu'elle appelle souci de vérité. Quand elle pense des banalités, elle nous le dit.

Elle excelle dans la littérature de constat. Par exemple, le portrait de la mère de Sartre et le récit des dernières années de « Camille », l'amie de Charles Dullin, sont de parfaites réussites. Et il en est beaucoup d'autres.

A côté de cela, on est surpris par la platitude des récits de voyages, — voyages privés ou quasi officiels en de nombreux pays étrangers. Le guide Michelin n'est pas un artiste, Simone de Beauvoir non plus.

13.

Destin et liberté

A leurs débuts, *Les Temps modernes* affichèrent un souci de s'intéresser à la littérature. Leur récolte fut mince en ce domaine. On pensait que Sartre voudrait jeter les bases d'une nouvelle littérature prolétarienne. Il se contenta de tirer Genet du luxueux ghetto des publications clandestines. Quant à Simone de Beauvoir, sa grande découverte fut Violette Leduc, amie de ce Maurice Sachs dont les mêmes *Temps modernes* révélèrent *La Chasse à courre*.

Sachs, Genet, Leduc, avec des tempéraments bien différents, appartiennent un peu à la même famille. Sachs se considérait comme « un mauvais exemple dont on pouvait tirer de bons conseils ». Genet préfère les mauvais conseils et a parlé d'une sainteté du mal. Violette Leduc avait trop à faire avec ses complications personnelles pour s'arrêter aux problèmes moraux.

On ne peut penser que *Les Temps modernes* aient voulu proposer aucun de ces trois brillants auteurs comme des spécimens de l'homme nouveau qu'ils appelaient de leurs vœux. Mais leurs vies et leurs œuvres pouvaient illustrer le débat entre destin et liberté.

C'est aussi le cas pour Julien Blanc, qui a laissé une autobiographie saisissante.

MAURICE SACHS

Maurice Sachs (1906-1944) termina *Le Sabbat* au début de l'année 1939 et en vendit le manuscrit à des éditeurs qui ne purent le publier qu'en 1946. Ces souvenirs d'une jeunesse « orageuse », comme dit le sous-titre, connurent un vif succès de scandale. Le scandale ne vint pas tellement de ce que Sachs racontait des aventures scabreuses, mais de ce qu'il mettait en cause des vivants célèbres.

Toutes réserves peuvent et doivent être faites sur la façon dont Sachs parle des uns et des autres, et sur l'indécence qui consiste à imputer à autrui les responsabilités de ses erreurs (du moins quand on est intelligent comme Sachs l'était). Il n'en reste pas moins que la chronique de cette vie de bohème se lit avec le même amusement que certains Mémoires du XVIIIe siècle.

Le chef-d'œuvre de Sachs est cependant *La Chasse à courre* qu'il écrivit ensuite : chronique de la drôle de guerre, de la débâcle et des débuts de l'occupation. Pour parler du marché noir, du trafic des bijoux et de l'or, de tous les commerces clandestins, Sachs est imbattable. Il restera comme l'historien de cette faune étonnante des trafiquants venus des milieux les plus divers. Sachs est ici un coquin qui raconte ses friponneries avec une prestesse digne de Figaro. Il y joint le récit de ses amours irrégulières — et dans l'ensemble malheureuses — sur un ton de franchise auquel on se laisse prendre.

Les affaires de Sachs tournèrent mal et il est curieux que, juif, il n'ait rien trouvé de mieux pour échapper à ses difficultés que de se porter travailleur volontaire pour l'Allemagne. Les *Lettres de Hambourg,* données en supplément à *La Chasse à courre,* constituent un témoignage de premier ordre sur la situation et l'état d'esprit des ouvriers étrangers dans l'Allemagne en guerre. L'évocation des bombardements alliés est également saisissante.

Comment mourut Maurice Sachs? On sait aujourd'hui de façon à peu près sûre que Maurice Sachs entra au service de la Gestapo, à Hambourg, au début de l'été 1943. Bientôt, son activité d'apprenti-policier parut louche à tout le monde et il fut envoyé lui-même en prison. Lors de l'avance anglaise, certains détenus furent évacués. Sachs faisait partie de la colonne. Le 14 avril, il se déclara incapable de marcher plus longtemps et fut abattu par un SS. « Avant la prison, rien ne me suffisait ; je sens qu'après la prison tout me suffira et n'importe quoi, tant la moindre chose aura de goût... »

En prison, Sachs eut tout loisir de beaucoup écrire. Parfois il se disait heureux. La geôle lui paraissait un refuge. Et si nous pensons à Sade, Sachs pensait à Cervantès : « Blessé à la bataille de Lépante, il resta cinq ans prisonnier des pirates barbaresques. De retour en Espagne, il se consacra à la littérature. » Sachs avait recopié cette notice dans le petit Larousse.

Sachs projetait — entre mille autre projets — de raconter ses souvenirs de prison qu'il appellerait : *Derrière cinq barreaux.* Sous ce titre, on a publié en 1952 le carnet des notes qu'il prenait tandis qu'il rédigeait son *Tableau des mœurs de ce temps,* un recueil de portraits à la manière de La Bruyère (édité en 1954).

Derrière cinq barreaux, c'est une suite de réflexions, de maximes, d'anecdotes, de citations, de projets. Le livre relève de plus d'un genre : journal, correspondance, mémento. La variété du ton et des sujets fait que la lecture n'en est jamais ennuyeuse. On trouve à réfléchir. Il arrive même qu'on s'instruise.

Dans une excellente « présentation », Yvon Belaval s'essaie à définir l'auteur. Sachs aurait voulu être tous ceux qu'il admirait et ne rien rejeter : il en arriva à être un personnage flottant et à ne rien posséder. Près des écrivains qu'il admirait, il aurait voulu être à la fois un des leurs et un de leurs héros. Par exemple : être Gide et Lafcadio. Tentative impossible. Finalement, trop peu sûr d'être un écrivain, mais certain de ses dispositions à briller dans la comédie sociale, il décida non d'écrire, mais de vivre un roman. De le vivre pour l'écrire, mais enfin il s'accordait un sursis, quitte à noter : « Je vis mon livre, c'est ce qui m'empêche de l'écrire. » (P. 193.) Notons que Sachs faisait là preuve de clairvoyance : il ne raconte bien que ce qu'il a vécu. Ses essais romanesques sont médiocres, alors que *La Chasse à courre* est un récit étincelant. Étonnant mémorialiste, Sachs n'était pas romancier. Mais il était tout entier un littérateur.

Une seule chose lui paraissait importante : écrire un beau livre. Cet être amoral croyait ferme aux valeurs esthétiques. La vie lui paraissait une gratuité bouffonne, il insistait sur les mœurs contradictoires des nations, sur le retour périodique des mêmes calamités, mais brusquement un beau livre rachetait tout.

Sceptique, Sachs a une nature souple. Il est capable d'éprouver tous les sentiments qu'éprouvent les autres. Il apparaît comme un fripon sensible, un garçon spirituel qui s'empêtre dans des réflexions morales, un écrivain original qui ne se retient pas de pasticher. Attiré par tous et retenu par personne, c'est un volage qui souffre d'un complexe d'abandon.

Yvon Belaval dit que Sachs a vécu « en miroir », miroir des autres et spectacle pour lui-même. Il est vain dès lors de se demander si Sachs était bon ou mauvais : « Il n'a voulu nuire à personne : mais il n'y avait plus de personnes, il ne restait plus dans son monde que des thèmes à exploiter. »

Il disait : « Si vous croyez que c'est drôle d'être moi. Vous encore, vous pouvez rire de mes folies, mais moi, il faut bien que j'en souffre... » Et encore : « J'aurais bien voulu ne pas être moi, être un autre, mais je ne sais pas qui. »

JULIEN BLANC

La voix de Julien Blanc (1908-1951) s'élève presque tranquille par-delà le malheur. Les trois tomes de *Seule la vie...* sont écrits dans un style dépouillé, précis et sans complaisance. Julien Blanc résiste presque toujours à la tentation d'expliquer ou de commenter les faits, qui doivent, comme on dit, parler d'eux-mêmes.

Le premier tome, *Confusion des peines,* parut en 1943. On y voit un jeune orphelin, confié à des « œuvres charitables », publiques ou privées, être condamné neuf fois par les tribunaux. Et ce fut d'abord pour n'avoir pas su « ruser avec la société », par droiture de caractère. A chaque tournant de sa vie, le jeune garçon est victime des institutions et peut croire qu'une fatalité s'acharne sur lui.

Dans *Joyeux, fais ton fourbi* (1946), Blanc nous raconte ses années aux Bataillons d'Afrique. Il n'a certes pas eu à rechercher le pittoresque, le grotesque ni le tragique. Il compose un tableau de mœurs aussi puissant que le *Biribi* de Darien et plus sobre.

Le troisième tome s'appelle *Le Temps des hommes* (1948). Rendu à la vie civile, l'ancien joyeux ne peut vivre à Paris : il est « triquard ». Il part pour l'Espagne et chez les Catalans s'éprend de Paquita, qu'il essaiera de sortir de son milieu et dont il aura une fille. Là-dessus, la guerre civile éclate...

Julien Blanc annonçait un quatrième tome qui aurait eu pour titre *Le Suicide*. Nous ne savons à quel suicide il pensait. C'est la maladie qui eut raison de son courage et l'emporta prématurément.

Le courage est bien la première vertu qu'on lui reconnaîtra. On admire qu'il ait pu surmonter tant d'épreuves en conservant un cœur pur. Mais il n'aurait écrit qu'un émouvant document, s'il n'avait su trouver un ton bien à lui qui fait que *Seule la vie* appartient à la littérature. Nous avons été heureux que l'on ait réédité *Joyeux, fais ton fourbi* en 1977. Cela prouve que Julien Blanc reste présent pour quelques-uns d'entre nous.

JEAN GENET

A l'en croire, Jean Genet aurait écrit ses premières œuvres en prison où l'avaient conduit divers larcins : *Notre-Dame des Fleurs* est daté de Fresnes, 1942 et *Miracle de la rose* de la Santé, 1943. Sont contemporains de ces romans les *Chants secrets*, et notamment *Le Condamné à mort*, qui fit l'objet d'une plaquette dès 1943, tandis que *Notre-Dame* fut imprimé en 1944, au lendemain de la Libération, et *Miracle* en 1946. L'année suivante parurent coup sur coup *Pompes funèbres* et *Querelle de Brest*, également des romans.

Toutes ces œuvres se vendaient sous le manteau, et non pas tant parce qu'elles « chantent le mal », qu'en raison des scènes savamment érotiques qu'elles contiennent et sur lesquelles comptait l'auteur pour trouver des clients. Elles constituent une invitation tout à fait avouée à la masturbation. (« Et maintenant bandez dans vos frocs de velours! » arrive-t-il à l'auteur de s'écrier au cours d'un passage où il s'échauffe lui-même solitairement.) Ces scènes-là sont presque exclusivement masculines : « Puisque vous n'êtes pas homosexuel, comment pouvez-vous aimer mes livres? » demandait Genet à Sartre. A quoi Sartre répondait qu'il pouvait les aimer précisément parce qu'il n'était pas homosexuel : « Les pédérastes ont peur de cette œuvre violente », affirme l'auteur des *Chemins de la liberté*. Rien n'est moins sûr et c'est Cocteau qui le premier parla du génie de Genet. Toutefois, si l'homosexualité est glorifiée dans ces livres, elle l'est en tant que « vice » et Genet veut qu'elle soit liée à la trahison et au vol, lesquels se voient également célébrés par ses soins. Sans doute jusque-là n'existait-il aucune œuvre qui louât le mal pour le mal et dont l'auteur n'ait eu le moindre souci de justification. On assiste chez Genet à une inversion généralisée de toutes les valeurs de la morale courante. Tous les préjugés sont bousculés et parfois de manière inattendue : par exemple, les représentants de l'ordre ne seront pas méprisés, ils seront admirés par les criminels dans la mesure où ils sauront les dominer. Genet ne se déclarait pas du tout pour une amélioration du sort des prisonniers et pour l'abolition de la peine de mort. Au contraire, il regrettait un relâchement de la rigueur du Code et de l'appareil judiciaire et, par exemple, la fermeture du bagne de Cayenne. Le Mal devait avoir ses martyrs comme le Bien a les siens. Dans le Mal comme dans le Bien, on peut aspirer à un absolu qui s'appelle la sainteté. Ce n'est pas la même sainteté, voilà tout. Sainteté tout de même.

Genet nous décrit un univers qui ressemble à une jungle. Ce ne sont qu'oppresseurs et opprimés, persécuteurs et persécutés; costauds et efféminés. Et l'on dira que cette vision du monde n'est pas originale en soi, mais Genet s'attache à une frange de la société que la littérature présente rarement — et jamais dans cette lumière de gloire — : la faune des pénitenciers, le monde des prostitués et des voleurs, celui des marins qui se livrent au trafic de la drogue. Dans *Pompes funèbres,* il met en scène, à côté de petits voyous français, un beau S.S., le bourreau de Berlin et un Hitler inattendu, nouveau Minotaure amateur de jeunes garçons.

Pour Genet, la tendance homosexuelle est recherche de la virilité. Ce qui n'est pas une lapalissade : il éprouve une fascination devant la force physique des mâles, alors qu'un Gide était attiré par la grâce adolescente et même enfantine. Genet voudrait être les féroces malabars qu'il admire et, d'une manière primitive, il imagine qu'il pourrait acquérir un peu de leur pouvoir en se faisant accepter par eux. Genet pose l'équation arbitraire : le mâle = le mal. Mais Baudelaire, qui n'était certes pas exclusivement pédéraste, avait noté pour sa part que le plaisir de faire l'amour est le plaisir de faire le mal. C'est là une réflexion d'âme religieuse. Genet a le sens du péché et, en particulier, de la faute charnelle : simplement, il a décidé de célébrer le péché comme la vertu même.

S'il nous a parlé de son apprentissage dans les maisons de redressement et dans les prisons, il ne nous a rien dit sur sa formation littéraire. Comment et où ce repris de justice a-t-il appris à si bien écrire? Comment a-t-il découvert les écrivains contemporains qui lui donnèrent le goût de créer lui-même une œuvre?

Né en 1910, il semble n'avoir rien conservé de ce qu'il a pu composer avant sa trente-deuxième année. Si réussis que soient ses premiers poèmes, on est bien obligé de les considérer comme des pastiches de Cocteau :

O viens mon beau soleil, ô viens ma nuit d'Espagne
Arrive dans mes yeux qui seront morts demain.
Arrive, ouvre ma porte, apporte-moi ta main,
Mène-moi loin d'ici battre notre campagne.

Le ciel peut s'éveiller, les étoiles fleurir
Et les fleurs soupirer, et des prés l'herbe noire
Accueillir la rosée où le matin va boire,
Le clocher peut sonner : moi seul, je vais mourir...

Le premier roman de Genet, *Notre-Dame des Fleurs,* est un chef-d'œuvre, mais l'influence de Jouhandeau y est évidente. Genet ne songe pas à la cacher : quand il intitule *Divinariane* les espèces d'intermèdes où il rapporte les propos de son héros, il adresse même un clin d'œil au lecteur.

Ce qu'il a retenu de Jouhandeau, outre des leçons de style, c'est l'orgueil luciférien, la satisfaction de se considérer comme une créature unique et admirable, quelle que soit la pente où on se laisse glisser, du moment que l'on conserve la conscience de sa grandeur innée.

Nous sommes chez Genet à cent lieues du réalisme. Ce qu'on appelle la vérité objective ne l'intéresse pas du tout (mais existe-t-il une vérité objective?), il nous communique ce qu'il a ressenti au cours de son existence, la manière dont sa sensibilité a transfiguré des scènes qui, bien souvent, auraient pu paraître banales ou misérables à tout autre que lui. Il ne nous dit pas ce que les choses furent, mais ce qu'elles furent pour lui. Il expose clairement sa méthode dans une page du *Miracle de la rose*. La scène se passe à Fontevrault, dans la cour de la prison : « Nous étions alignés pour être rasés par un détenu. » Harcamone sortit de sa cellule de condamné à mort, c'était un bandit célèbre qui exerçait un prestige considérable sur les autres internés. Genet nous raconte comment la chaîne du bandit se transforma en une guirlande de roses blanches et comment il put couper l'une d'elles. Puis : « Voilà donc le ton que je prendrai pour parler de Mettray, d'Harcamone et de la Centrale. Rien ne m'empêchera, ni l'attention aiguë, ni le désir d'être exact, d'écrire des mots qui chantent... Mais que l'on ne parle pas d'invraisemblance... La scène fut en moi, j'y assistai et ce n'est qu'en l'écrivant que j'arrive à dire le moins maladroitement ce qu'était mon culte porté à l'assassin. »

1947 fut la grande année de Genet. Outre les romans déjà cités, il publia sa première pièce, *Les Bonnes,* qui obtint le Prix de la Pléiade (décerné par un jury où se côtoyaient Arland, Eluard, Malraux, Paulhan, Sartre, etc.) et que Jouvet accueillit à l'Athénée (elle partagea l'affiche avec *L'Apollon de Bellac* de Giraudoux). Genet y montre deux servantes possédées par l'amour-haine qu'elles vouent à leur patronne. Elles jouent à « être Madame » et ne trouvent d'autre moyen d'échapper à leur passion que de tenter d'en supprimer l'objet. Ainsi sont-elles promises à la gloire des Assises et du bagne.

Écrivain désormais célèbre — pas du tout maudit — Genet donna en 1949 ses deux premiers volumes non clandestins : une deuxième pièce, *Haute-Surveillance,* et le *Journal du voleur*.

La pièce fut jouée aux Mathurins et fit beaucoup parler d'elle. François

Mauriac lui consacra un article dans le très bourgeois *Figaro* : « Un beau dimanche de Carême, je « séchai » le sermon du R.P. Riquet pour aller entendre aux Mathurins celui de M. Jean Genet. »

Jean Genet nous introduit dans une cellule de Maison centrale. Il résume ainsi son sujet : « Un assassin presque fabuleux en domine un autre de moindre éclat qui, lui-même, éblouit un voleur. » Genet explique : « Le prestige tire sa force de l'origine même de la séduction : le Mal où une hiérarchie criminelle s'ordonne. »

Il s'agit donc bien de métaphysique et d'un drame de la prédestination. Yeux-Verts est un élu du crime, il bénéficie d'une grâce à rebours qui manque à ses deux codétenus. Lefranc pourra bien tuer le petit Maurice : il « triche » parce qu'il a « choisi » de devenir criminel, il ne rejoint pas Yeux-Verts parce qu'il ne portait pas « naturellement » le même « signe de la poisse ».

Mauriac écrit à ce propos : « Le mystère du mal, et de ce mal essentiel : la damnation dès ici-bas des enfants et des adolescents, leur prédestination à l'excellence dans l'infamie, reconnaissons, nous, Chrétiens, avec une humble franchise, que nous ne trouvons rien à y opposer, que nous sommes réduits au silence devant ce scandale qui calomnie l'amour increé. Ils sont ce qu'ils sont. Ils ne peuvent pas être différents de ce que Jean Genet nous montre. Ces garçons qui sont des filles, ces anges qui naissent prostitués! »

Et Mauriac, angoissé, va plus loin, il cite l'Évangile : « Les prostituées et les femmes de mauvaise vie entreront avant vous dans le royaume du Ciel... » et il parle du mystérieux « ce qui était perdu ». Il évoque aussi Rimbaud : « Encore tout enfant, j'admirais le forçat intraitable... » et il ne trouve rien à objecter sinon que l'utilisation littéraire du vice est pire que le vice même. Genet l'espérait bien.

La publication du *Journal du voleur* marquait la fin de la première époque de Jean Genet. Le livre s'achève sur la promesse d'un second tome, *Histoire de mœurs,* qui n'a jamais paru. Genet n'a plus écrit un roman ou un récit depuis 1949.

En 1952 parut le premier tome de ses *Œuvres complètes*. Ce tome a ceci de particulier qu'il est entièrement constitué par une préface de Jean-Paul Sartre. Genet avait demandé quelques lignes de présentation à Sartre. Celui-ci a pris sa plume et a écrit une étude de près de six cents pages grand format. C'est un essai magistral. Il est intitulé *Saint Genet, comédien et martyr*.

Sartre résume l'histoire de Genet dans un conte pour une Anthologie de l'humour noir. « Un enfant trouvé, dès son plus jeune âge, fait preuve de mauvais instincts, vole les pauvres paysans qui l'ont adopté. Réprimandé il persévère, s'évade du bagne d'enfants où il a bien fallu le mettre, vole et pille de plus belle, par surcroît, se prostitue. Il vit dans la misère, de mendicité, de larcins, concluant avec tout le monde et trahissant chacun, mais rien ne peut décourager son zèle : c'est le moment qu'il choisit pour se vouer délibérément au mal : il décide qu'il fera le pire en toute circonstance et, comme il s'est avisé que le plus grand forfait n'était pas de mal faire, mais de manifester le mal, il écrit en prison des ouvrages abominables qui font l'apologie du crime et tombent sous le coup de la loi. Précisément à cause de cela, il va sortir de l'abjection, de la misère, de la prison. On imprime ses livres, on les lit, un metteur en scène décoré de la Légion d'honneur, monte dans son théâtre une de ses pièces, qui excite au meurtre; le président de la République lui fait remise de la peine qu'il devait purger pour ses derniers délits, justement parce qu'il se vantait dans ses livres de les avoir commis, et lorsqu'on lui présente une de ses anciennes victimes, elle lui dit : " Très honorée, Monsieur. Prenez seulement la peine de continuer. " »

Oui, c'est une image possible de la vie de Genet. Le metteur en scène dont parle Sartre est Jouvet et le Président, c'est M. Auriol. Mais si Sartre s'est tellement intéressé à Genet, c'est qu'il avait découvert une autre manière de raconter cette vie, une manière qui illustre sa philosophie : « Montrer les limites de l'interprétation psychanalytique et de l'explication marxiste et que seule la liberté peut rendre compte d'une personne en sa totalité, faire voir cette liberté aux prises avec le destin, d'abord écrasée par ses fatalités puis se retournant sur elles pour les digérer peu à peu, prouver que le génie n'est pas un don, mais l'issue qu'on invente dans les cas désespérés, retrouver le choix qu'un écrivain fait de lui-même, de sa vie et du sens de l'univers, jusque dans les caractères formels de son style et de sa composition, jusque dans la structure de ses images, et dans la particularité de ses goûts, retracer en détail l'histoire d'une libération : voilà ce que j'ai voulu. » (P. 536.)

Sartre montre le petit Genet, vivant dans l'innocence, être soudain coupé du monde habituel. Un mot « vertigineux » le sépare brusquement de la communauté : « voleur! » Or le premier délit était sans importance. Le sens de la propriété est un sens social : par nature, on ne peut pas savoir qu'il ne faut pas voler. Les parents donnent ce sens à leurs enfants. Mais le petit Genet est Enfant de l'Assistance, il n'a rien et ne peut rien prendre qu'il ne vole : son aventure est d'avoir été nommé voleur. Dès lors, il est seul, terriblement particulier. Ce mot voleur le désigne pour les autres, mais pour lui, il ne désigne rien de fondamental. Néanmoins, il se sent transformé en objet par ses accusateurs. La première partie de son étude, Sartre l'appelle : *La Métamorphose*. Il étudie ensuite la conversion de Genet au mal. La révolte de Genet se traduit par la décision d'être un voleur : « j'ai décidé d'être ce que le crime a fait de moi ». Mais c'est par deux autres métamorphoses que le voleur Genet trouvera la délivrance : une métamorphose en esthète, puis une métamorphose en écrivain. Chaque fois Genet parvient à dominer ses fatalités. Il finit par prendre sa revanche sur la société qui l'avait condamné au départ. A ce moment, une nouvelle vie commence pour lui.

Bien des pages de cet essai comptent parmi les meilleures de Sartre, mais il nous présente un Genet en grande partie imaginaire. A propos des premiers tâtonnements sexuels, il observe très justement : « Selon que l'individu s'engage définitivement dans une voie ou dans une autre, « l'illusion rétrospective » y décèle les signes avant-coureurs d'une anomalie ou décide de n'y voir que des égarements sans portée. » (P. 80) On est tenté de dire, de la même façon, que selon que les écrits de Genet illustrent ou non sa philosophie, Sartre décide de les prendre pour argent comptant ou de ne leur accorder que peu de crédit.

Il va de soi qu'une pièce comme *Haute Surveillance* se situe aux antipodes d'une philosophie de la liberté. Yeux-Verts déclare superbement : « Ce n'est rien savoir du malheur si vous croyez qu'on peut le choisir. Je n'ai pas voulu le mien. Il m'a choisi. Il m'est tombé sur le coin de la gueule et j'ai tout essayé pour m'en dépêtrer... » De même Sartre prétend, contre toute évidence, que Genet ne nous présente pas la pédérastie comme un destin (ainsi que faisait Proust), mais comme un choix. S'il est une chose qu'on ne choisit pas, c'est bien ses goûts sexuels. On peut les refouler ou s'y abandonner, c'est tout. Genet a choisi de s'accepter, il ne s'est pas fabriqué une nouvelle nature.

Jean Genet fut cependant impressionné lui-même par l'analyse sartrienne et s'est gardé de la contester. Aux yeux de certains critiques, ses dernières œuvres marqueraient sa conversion à une littérature de combat en faveur des minorités opprimées. Il s'agit de trois grandes pièces — grandes en ce sens que chacune peut figurer seule à l'affiche. Dans *Le Balcon* (1956), les meilleures scènes se passent dans un bordel où de sérieux personnages, des notabilités, viennent jouer les rôles qu'ils aimeraient tenir dans la vie. Dans *Les Nègres* (1958), des Noirs portent des masques de Blancs pour assister à un spectacle que donnent d'autres Noirs. *Les Paravents* (publiés en 1961, joués en 1966) évoque la fin de la présence française en Algérie. Le héros n'est pas un combattant arabe, mais bien une petite canaille qui se moque de la lutte de son peuple pour conquérir l'indépendance. On voit très mal en quoi l'auteur de l'une ou l'autre de ces pièces pourrait être appelé « écrivain engagé », même s'il y est question de révolte et de révolution. Dans *Les Paravents,* la vie est présentée comme une obscène bouffonnerie dont tous les acteurs finiront de la même façon : ils traverseront les paravents pour se retrouver égaux dans la mort. (La traversée des paravents, imitée de Cocteau, est une belle idée de théâtre.)

Avec cette pièce, Jean Genet semble avoir mis un point final à son œuvre. Depuis qu'il vit de ses rentes, auteur de renommée internationale, il a mis sa plume au service des Black Panthers, des Fedayin et autres terroristes : en 1977, *Le Monde* a publié de lui un texte provocateur sur les activités de la « bande à Baader ». Genet reste un apologiste du crime comme il l'était à ses débuts. Mais il prétend maintenant défendre de justes causes.

VIOLETTE LEDUC

La quasi-totalité des ouvrages de Violette Leduc (1907-1972) sont d'ordre autobiographique et les titres en sont très parlants : *L'Asphyxie* (1946), *L'Affamée* (1948), *Ravages* (1955). Titres interchangeables qui coiffent les confidences d'une femme qui poursuit une quête amoureuse exaltée. Elle est martyre et bourreau. Elle pousse à bout des sentiments que beaucoup de lecteurs ont pu connaître sous des formes plus tempérées. Et toutes ces larmes, tous ces cris, tous ces reproches, toutes ces prières peuvent bien finir par devenir lassants, la sincérité du témoignage n'en est pas moins souvent bouleversante. Surtout quand Violette Leduc écrit en phrases courtes et haletantes, avec de brusques flambées d'images. Elle paraît moins bien inspirée quand elle s'abandonne au lyrisme. Elle ne craint pas le ridicule quand elle écrit des scènes érotiques (l'enfer et le paradis de Lesbos n'avaient pas de secrets pour elle).

Elle devint brusquement célèbre quand Simone de Beauvoir lui écrivit une belle préface pour *La Bâtarde* (1964). Dans ce livre, elle reprend le récit de sa vie, sans la moindre transposition romanesque, et le mène jusqu'à la libération de Paris. L'évocation de ses difficultés matérielles est plus réussie encore que celle de ses amours maudites ou malheureuses. Dans un cas comme dans l'autre, Violette Leduc ne se flatte pas et prend un sombre plaisir à exposer ses plaies et ses petitesses, et à les décrire minutieusement. Son avarice donne lieu à des scènes tragi-comiques. C'est absolument prodigieux le nombre de petits faits qu'a pu engranger sa mémoire. Elle nous les restitue avec une indifférence remarquable à tous les jugements moraux qu'on pourra porter sur elle. Nous y voyons moins du courage qu'une expression d'un tempérament : Violette Leduc veut être connue pour ce qu'elle est, elle ne joue pas de comédie. Au fond, telle qu'elle est, elle se plaît (même si elle se plaint d'un visage ingrat).

La Bâtarde contient dans sa dernière partie un vivant portrait de Sachs qui prit Violette Leduc sous son aile en 1943 et qui l'entraîna dans le village de l'Orne où il séjourna avant de partir pour l'Allemagne. Il l'y abandonna un jour sans prévenir (abandonna aussi le petit Gérard qu'il semblait avoir adopté). On se demande si Sachs n'avait pas fini par être excédé par la présence de cette femme qui s'était éprise de lui. Au demeurant, elle se débrouilla très bien dans le marché noir, trouvant chez les paysans le beurre et la viande qu'elle sut revendre avec de jolis bénéfices. Elle ne cache pas que les derniers temps de l'occupation furent pour elle une excellente période sur le plan financier.

Sachs l'avait poussée à écrire. Elle nous raconte, dans *La Folie en tête* (1970), ses débuts d'écrivain et la haute protection que lui accorda tout de suite Simone de Beauvoir, à qui elle ne cessa de vouer une espèce de culte et dont elle parle avec une exaltation de jeune pensionnaire. Elle s'enthousiasma aussi pour l'œuvre et la personne de Jean Genet. Elle trace un parallèle entre Sachs et Genet, en s'adressant au fantôme du premier : « Vous n'étiez que méandres, il est sans fluctuations. Vous étiez l'onction, c'est une friction. Vous flottiez, vous étiez infiniment arrangeant, crédule. C'est un dur. Vous brûliez vos ailes. Il se tient à distance. » (P. 128.)

Le portrait qu'elle trace de Genet et les scènes qu'elle rapporte de sa vie privée sont de premier ordre. Nous ignorons ce que Genet en a pensé.

Le mot de folie qui se trouve dans le titre conviendrait encore mieux pour le dernier tome de sa biographie, *La Chasse à l'amour* (posthume, 1973), qui s'achève ou plutôt s'arrête à la veille de la publication de *La Bâtarde*. Elle y relate une crise de grave dépression où elle fut habitée par le délire de la persécution. Quand elle sortit de la maison de santé où elle avait dû être soignée, elle fit la miraculeuse rencontre d'un maçon qui l'aida à se rétablir : pour la première fois elle connut le bonheur dans l'amour. Mais le maçon lui aussi devait disparaître. On aurait aimé savoir comment la réussite matérielle transforma Violette. Il semble que sa passion possessive se fixa sur une maison qu'elle put s'acheter dans le Vaucluse.

Parlant de *La Bâtarde,* Simone de Beauvoir déclare : « Ce récit montre avec une exceptionnelle clarté qu'une vie, c'est la reprise d'un destin par une liberté. » Cela serait sans doute plus vrai pour un Julien Blanc ou un Jean Genet qui ont en effet dominé le destin qui leur semblait promis. Violette Leduc et Maurice Sachs n'ont cessé au contraire d'être ballottés par les divers courants d'une existence irrégulière. La grâce d'écrire les a sauvés. Sachs est mort sans savoir que ses livres allaient connaître de gros tirages. Violette Leduc a eu *la chance* de trouver des lecteurs de son vivant. Dans la préface à *La Bâtarde,* Simone de Beauvoir écrit : « La réussite dépend la plupart du temps d'un coup de chance. » Sans la chance de rencontrer Sachs et Beauvoir, la liberté de Violette Leduc n'aurait pu reprendre en main son destin, quel qu'ait été son appétit de vivre. Il paraît difficile d'en faire une héroïne existentialiste.

LOUIS CALAFERTE

« Le génie, disait Sartre, n'est pas un don, mais l'issue qu'on invente dans les cas désespérés. » Il reste naturellement à se demander pourquoi plus de gens n'inventent pas d'avoir du génie. Mais que le génie puisse être une issue, on n'en doutera guère. Louis Calaferte (né en 1925) en a donné une preuve, tout comme Genet, dans son *Requiem des innocents* (1952) et dans *Partage des vivants* (1953).

A propos du *Requiem,* il explique : « Un livre comme celui-ci exige moins de la raison que de la sensibilité de son auteur, ce qui me laisse embarrassé de définir les motifs qui m'ont conduit à l'écrire. A l'époque de cette entreprise, je frôlais de trop près la grande misère, j'envisageais trop souvent la déchéance, je croyais depuis trop longtemps déjà que mon avenir ne me réservait que le pire, pour que les pages ne soient pas, par certains côtés, comme une révolte et une libération agressive. »

Ce *Requiem,* issue, libération agressive, peut faire penser au film de Luis Buñuel, *Los Olvidados.* Mais il ne s'agit pas ici de l'exotique banlieue de Mexico : il s'agit de la zone de Lyon. Que Calaferte, qui a grandi dans cette zone, ait pu devenir l'écrivain que nous connaissons, voilà qui ne doit pas nous détourner de penser aux autres enfants de cette société marginale. Si le génie est une issue libératrice, il en est d'autres : dans le crime ou dans le vin, par exemple. Oui, décidément, pourquoi certains choisissent-ils le génie de préférence?

14. *Les derniers grands classiques*

Des écrivains qui n'ignoraient rien de la révolte moderne estimèrent qu'une pensée hardie pouvait parfaitement s'exprimer dans un style d'artiste. Sur le plan proprement littéraire, Albert Camus et Marguerite Yourcenar s'inscrivent dans la tradition gidienne. Avec Jean Grenier, ils sont nos derniers classiques.

LES REFUS D'ALBERT CAMUS

Pendant l'occupation et au lendemain de la Libération, les journalistes rapprochaient souvent les noms de Sartre et de Camus (1913-1960). Chez ces deux écrivains, ils découvraient une dénonciation de l'absurdité de la vie. Il était pourtant assez clair que Sartre et Camus n'étaient pas sensibles aux mêmes aspects de cette absurdité. Sartre voyait le monde comme un informe grouillement sans signification, où l'homme se sentait « de trop ». Camus constatait la coupure entre l'homme, qui aspire à trouver un sens à sa vie, et la nature indifférente à ses tourments, mais l'homme lui-même a une signification parce qu'il exige d'en avoir une et il s'affirme dans une révolte contre sa condition. Camus croit à une nature humaine et Sartre la nie. Camus croit à des valeurs qui s'imposent d'elles-mêmes, tandis que Sartre ne parvient guère à fonder une morale sur une liberté qui n'a pas de raison de s'exercer dans un sens plutôt que dans un autre.

Camus disait que l'absurde était une idée qu'il avait trouvée dans les rues de son temps. Les jeunes lecteurs aimaient qu'il traitât des problèmes de l'époque en s'appuyant principalement sur son expérience quotidienne, tandis que Sartre était un professeur et un spécialiste : peut-être était-il un intellectuel d'une plus grande envergure que son cadet, mais sa maîtrise dans le maniement des concepts ne prouvait pas qu'il raisonnât toujours juste.

Et puis Sartre n'aimait pas la vie, alors que c'était surtout contre l'organisation de la société que protestait Camus. Il n'oubliait jamais le radieux soleil de sa jeunesse quand Sartre n'utilisait d'aventure un décor méditerranéen que pour y faire pulluler les mouches sous un « soleil sinistre ». Camus était un écrivain de grand air et Sartre un auteur de huit clos. On pourrait parler de l'encre bleue de Camus et de l'encre noire de Sartre. « Avec tant de soleil dans la mémoire, comment ai-je pu parier sur le non-sens? » devait se demander Camus en 1950. On n'imagine pas Sartre se posant la même question.

Camus est né en 1913, en Algérie, alors département français, dans une famille d'ouvriers. Son père meurt à la guerre de quatorze et il est élevé par sa mère, d'origine espagnole, qui gagne de quoi vivre en faisant des ménages. Il grandit ainsi dans la pauvreté et, c'est une autre grande différence avec Sartre, élevé dans une moyenne bourgeoisie sans soucis financiers. Il a été confronté tout enfant à l'injustice sociale qui ne retiendrait durablement l'attention de Sartre que passée sa quarantième année.

Si Camus a pu entreprendre des études secondaires, il le doit à un instituteur qui décida sa mère, non sans mal, à lui faire passer l'examen des Bourses. En classe de philosophie, il eut la chance — qu'il ne cessa de rappeler — d'avoir comme professeur Jean Grenier. La première image qu'a gardée Grenier de Camus est celle d'un adolescent intraitable : révolté et fier, refusant l'espérance et ne voulant que des certitudes. Excellent élève, il se rendait bien compte que les postes auxquels il pourrait prétendre par son travail seraient peu de chose par rapport aux places que certains condisciples favorisés par la naissance obtiendraient sans effort. L'injustice lui apparaissait en tous domaines. L'injustice sociale était celle qui pouvait sembler la plus facile à combattre.

Mais Camus eut à lutter d'abord contre une autre injustice : la maladie. Il était guetté par la tuberculose, qui l'obligea à interrompre ses études à la Faculté. A peine guéri, le voici talonné par la nécessité de gagner un peu d'argent : il donne des leçons particulières, exerce un modeste emploi à la météorologie régionale, devient représentant d'accessoires pour autos, participe en tant que comédien à des tournées théâtrales avec la troupe de Radio Alger.

En 1934, sur le conseil de Jean Grenier, il adhère au parti communiste. Grenier avoue s'être trompé alors sur la politique du P.C. qui allait, pour des raisons de tactique, désavouer bientôt le parti populaire algérien. Quand ce lâchage se produit, Camus rend sa carte. Jamais il n'acceptera que la fin puisse justifier les moyens.

Durant son passage au P.C. il a fondé une compagnie théâtrale, le Théâtre du Travail, qui devient ensuite Théâtre de l'Équipe. Avec l'intention de jouer lui-même le rôle principal, il écrit une première version de *Caligula* en 1938.

Cette année-là, il devient le collaborateur de Pascal Pia au journal *Alger républicain,* né des espoirs du Front populaire. La rencontre avec Pascal Pia est capitale, parce que Camus n'avait pas à l'origine une vocation pour le journalisme. *Alger républicain* subsiste avec de petits moyens. Camus est employé comme journaliste à tout faire, mais il a l'occasion de publier certaine enquête sur la Kabylie, véritable réquisitoire contre l'administration coloniale. *Alger républicain* devait disparaître au début de la Seconde Guerre mondiale, après des démêlés avec la censure.

En 1941, nous retrouvons Camus professeur dans une école libre, à Oran. Repris par la tuberculose, on l'envoie se soigner en Auvergne. Le débarquement des Alliés en Afrique du Nord l'empêche en 1942 de regagner Alger. Il vient de publier *L'Étranger* et *Le Mythe de Sisyphe* et Gaston Gallimard lui propose un poste de lecteur dans sa maison. Le voici parisien. Sa pièce *Le Malentendu* est créée aux Mathurins au début de l'été 1944, entre le débarquement en Normandie et la Libération de Paris.

Si Camus ne s'était trouvé en France un peu malgré lui, il n'aurait pas pu être appelé par Pascal Pia pour le seconder à *Combat,* quotidien dont le premier numéro parut le jour même de la libération de Paris, avec cette manchette : « De la Résistance à la Révolution. » Pendant une dizaine de mois, Camus y donna des éditoriaux qui assurèrent sa réputation tout autant que ses œuvres.

Les espoirs nés de la Résistance retombèrent vite et Camus fut bientôt accusé de ne plus vouloir de Révolution. La vérité est qu'il était effrayé par les régimes politiques qu'avait engendrés la révolte moderne. A une époque où les intellectuels français s'inclinaient devant la Russie soviétique parce qu'elle avait largement contribué à abattre l'Allemagne hitlérienne, Camus était presque seul à voir dans le stalinisme une perversion des idéaux révolutionnaires et il en dénonçait l'impérialisme colonisateur. Il montrait plus généralement les dangers du marxisme et de la croyance en un « sens de l'Histoire » : « L'absolu ne s'atteint ni surtout ne se crée à travers l'Histoire. La politique n'est pas la religion, ou alors elle est inquisition. Comment la société définirait-elle un absolu? Chacun peut-être cherche, pour tous, un absolu. Mais la société et la politique ont seulement la charge de régler les affaires de tous pour que chacun ait le loisir, et la liberté, de cette commune recherche. »

C'est à propos des camps de concentration soviétiques que Camus et Sartre se heurtèrent. Leur brouille devint publique lors de la publication de *L'Homme révolté* (1951). Sartre s'en prit à l'esprit du livre tout entier et accusa l'auteur de renier sa jeunesse : « Vous avez fait votre Thermidor. » Camus, au contraire, se trouvait en avance sur son temps : ses thèses contre le marxisme seraient reprises avec un énorme succès en 1977 par le mouvement des « nouveaux philosophes » alors que Sartre, ayant changé de cap, considérerait à son tour le régime soviétique comme désastreux.

Dans *L'Homme révolté,* Camus dresse l'inventaire des lectures qui l'ont marqué et des influences qu'il a subies. Il considère d'un côté les prises de position théoriques des écrivains, poètes et philosophes, et, de l'autre, les conséquences pratiques qui en ont découlé. Au grand scandale des Prométhées en chambre et des révolutionnaires de cabinet, il eut le courage de déclarer qu'il y a des limites que l'homme ne doit pas dépasser. Contrairement à l'idée admise, tout ce qui est exagéré n'est pas insignifiant : l'exagération peut être mortelle.

La révolte moderne sacrifie l'homme au profit d'on ne sait quelle abstraite Humanité. La violence, qui est parfois nécessaire, finit par être considérée comme une vertu en soi. On ne s'en prend plus seulement aux responsables des injustices, on n'épargne pas les innocents. Camus a célébré dans *L'Homme révolté,* et aussi dans sa pièce *Les Justes,* le terroriste russe Kaliayev qui, en 1905, renonça à jeter une bombe sur la voiture d'un grand-duc quand il s'aperçut qu'y avaient pris place également deux enfants. Nos violents d'aujourd'hui ont moins de scrupules. Certains intellectuels traitèrent Camus de « belle âme » pour s'être permis de le regretter. Durant toute la guerre d'Algérie, on le somma d'adopter une vue manichéenne de la situation, comme si la justice se trouvait jamais tout entière dans un seul camp. Il se contenta de publier un recueil de ses principales chroniques algériennes, dont la plus ancienne remontait à 1939. Ses insulteurs avaient mis du temps à s'intéresser à des problèmes qu'il connaissait depuis toujours et qu'il traitait avec plus de prudence qu'eux parce qu'il était mieux informé.

Camus a dit que son *Homme révolté* peut se lire comme une confidence, « le seul genre de confidence dont je sois capable ». Il nous a donné cependant d'autres sortes de confidences avec les textes brefs recueillis dans *Noces* (1938) et dans *L'Été* (1954), qui tiennent dans son œuvre la place des *Fontaines du désir* et de *Service inutile* dans l'œuvre de Montherlant, dont il est parfois proche par le balancement entre le plaisir de vivre et la fatigue de s'agiter pour rien. Toutefois son lyrisme est toujours retenu et se manifeste dans des phrases d'une beauté classique, que l'on n'a pas manqué de dire académique. Loin de se défendre d'écrire des « œuvres d'art », il ne cachait pas son désir d'être reconnu comme un artiste. Il a cité *Le Retour de l'enfant prodigue* comme exemple de perfection littéraire et salué en Gide « le gardien, fils de roi, du domaine où nous aimerions vivre ». Il n'en était pas moins attiré par des génies plus tumultueux et il enviait la liberté d'un Calderon, d'un Dostoïevsky, d'un Faulkner, trois auteurs qu'il a très bien servis en tant qu'homme de théâtre. Il a adapté et fait jouer *La Dévotion à la Croix* (1953), *Requiem pour une nonne* (1956), *Les Possédés* (1959).

Ses propres pièces reposent sur des données intellectuelles un peu schématiques : elles restent des exercices de brillant étudiant. La première d'entre elles, *Caligula,* est sans doute la meilleure. *L'État de siège* (1949) est la plus ambitieuse.

Il semble que le théâtre était la forme d'art que Camus préférait ; mais ce n'était pas tant d'écrire des pièces que de monter des spectacles qui le passionnait. Et nous l'aurions peut-être vu diriger une compagnie théâtrale régulière s'il n'avait trouvé la mort dans un accident de la route le 6 janvier 1960.

Il avait reçu le Prix Nobel en 1957.

CAMUS ROMANCIER

En édition courante, l'œuvre romanesque d'Albert Camus tient tout entière en quatre volumes — en cinq, si l'on veut tenir compte de *La Mort heureuse,* roman de jeunesse et publication posthume.

Un seul de ces ouvrages a paru sous l'appellation « roman ». Encore était-ce sans doute à la demande de l'éditeur, car Camus a toujours parlé de *L'Étranger* (1942) comme d'un « récit ». Il utilisait ainsi la terminologie gidienne. On sait en effet que Gide estimait n'avoir écrit qu'un seul roman, *Les Faux-Monnayeurs.* Ce qui distingue le roman du récit, c'est la multiplicité des points de vue, la complexité de l'action. Un récit, au contraire, est raconté par un narrateur privilégié. En ce sens, *La Peste* (1947), malgré ses dimensions, est encore un récit, puisqu'elle est donnée comme l'œuvre du docteur Rieux, personnage du livre. Enfin, une dizaine d'années plus tard, *La Chute* (1956) est encore un récit, et *L'Exil et le Royaume* (1957) sont des nouvelles.

Quand il a été victime d'un accident de la route, Camus travaillait à un roman qu'il comptait appeler *Le Premier Homme,* dont les ébauches ne nous ont pas été révélées. On ne sait pas si elles annonçaient un renouvellement de son art romanesque, comme pouvait le laisser prévoir sa longue préface aux *Œuvres complètes* de Martin du Gard dans la Pléiade.

Le récit est la forme romanesque la plus proche du théâtre. Un récit comme *La Chute* se présente même comme un monologue dramatique. C'est un genre qu'illustrèrent jadis, en Angleterre, Robert Browning et plus près de nous, en France, Jean Schlumberger dans ses *Yeux de dix-huit ans.* Le rapprochement entre Camus et Schlumberger semble s'imposer et l'on serait surpris que personne ne l'ait fait, si l'on ne savait pas que les tirages de Schlumberger n'ont jamais atteint ceux de Camus.

L'Étranger est également un monologue dramatique : il en existe d'ailleurs un enregistrement phonographique par Camus lui-même où la montée du pathétique est admirablement soulignée.

L'Étranger a obtenu un grand succès dès son apparition et c'est un des livres qui, jusqu'à présent, ont su conserver la faveur des générations successives, comme en témoigne son persistant succès en éditions de poche (le plus fort tirage de la collection *Folio*). Il ne devait rien aux circonstances. Paru en pleine Occupation, il ignorait tous les problèmes posés par la guerre. Il dénonçait la convention des existences cohérentes et des sentiments fixés une fois pour toutes, il montrait l'absurdité de la vie sociale et glorifiait la vie instinctive.

On a souvent dit que c'était une œuvre truquée : le personnage dit « je » mais semble, presque jusqu'à la fin, n'éprouver aucun sentiment et ne rien savoir de soi-même. Meursault se décrit à la première personne, mais comme un romancier américain décrirait, à la troisième personne, le comportement d'un personnage qui lui serait tout à fait extérieur. On voit ses gestes, on ignore tout de ce que nous appelons sa vie intérieure. Ses actes sont donnés sans les raisons qui ont pu les déterminer. C'est que cet homme vit au présent et que la vie intérieure, en grande partie imaginaire, n'existe qu'en relation avec le passé et le futur. Meursault voudrait vivre sans complication et sans donner d'explication. Par suite de malheureuses circonstances, cela le conduit à l'échafaud. Nous saurons alors qu'il aimait la vie.

Après ce récit d'une sécheresse classique, Camus entreprit une vaste chronique qu'une épigraphe empruntée à Daniel Defoë nous invitait à considérer comme une allégorie. Cette fois, il allait être question des années d'occupation.

La Peste connut aussitôt un grand succès public. Toutefois, dans les milieux littéraires, on se mit à relire ou à lire le *Journal de l'année de la peste* (l'œuvre de Defoë) pour affirmer que Camus restait bien intellectuel et n'avait su donner une impression de vie à l'état brut. On peut en discuter. En vérité, Camus ne visait pas le réalisme et, cependant, il n'est pas du tout impossible de se laisser prendre aux événements qu'il invente. Un élément nouveau apparaissait dans *La Peste.* C'est l'humour. Cet humour devait triompher dans *La Chute.* Il fait également le prix de *Jonas, ou L'Artiste au travail.* Gide aurait appelé ce récit une « sotie », mais l'humour de Camus s'apparente davantage ici à celui de Michaux dans *Plume* qu'à celui de Gide dans *Paludes.*

Jonas est un peintre dévoré par son succès. Il finit par mourir près d'une toile blanche, au centre de laquelle il avait seulement écrit, « en petits caractères, un mot que l'on pouvait déchiffrer, mais dont on ne savait s'il fallait y lire *solitaire* ou *solidaire* ».

Ces deux mots (qu'Hugo avait déjà rapprochés : solitaire solidaire) sont une des explications possibles du titre *L'Exil et le Royaume.* L'exil, c'est la solitude; et la solidarité, c'est le royaume. Mais ce n'est pas lorsqu'il est le plus entouré que Jonas est le moins seul. Ce n'est pas lorsqu'il essaie de s'échapper, qu'il se sent le moins solidaire. Il veut retrouver son étoile sans laquelle il n'est plus rien. La solidarité ne saurait être la servitude. Le royaume de l'homme est aussi la liberté. Solidarité et liberté, autour de ces deux notions et de leurs implications souvent contradictoires, sont construites les six nouvelles de *L'Exil et le Royaume.* Tous les personnages sont en exil, aspirant à une autre vie, qui serait celle-ci dans d'autres conditions matérielles ou morales. Parfois, comme dans *Les Muets,* il semble au héros qu'il suffirait de partir « de l'autre côté de la mer ». Le royaume ne fait que s'entr'apercevoir à la dernière page du dernier récit, *La Pierre qui pousse,* mais il en est la raison d'être.

On sait que *La Chute* devait d'abord faire partie de *L'Exil et le Royaume,* mais *La Chute* prit des proportions imprévues et ce récit fut publié isolément. Il surprit beaucoup après les conclusions de *L'Homme révolté.* C'est que l'on n'attendait pas de Camus l'humour noir qui est le moteur de cette œuvre ambiguë. On a certainement raison de saluer en Camus l'homme de l'équilibre méditerranéen, mais une de ses plus belles réussites d'artiste n'en est pas moins ce récit nordique, apparenté aux *Mémoires écrits dans un souterrain* de Dostoïevsky. L'équilibre méditerranéen n'est qu'un idéal et Camus fut d'abord un homme de son époque. Il se livre ici à une description clinique de la conscience contemporaine, bien qu'elle soit aux antipodes des aspirations de son cœur.

Dans un bar à matelots d'Amsterdam, un homme s'adresse à l'auteur qui se contente d'enregistrer ses propos. Nous lisons une longue confession qui n'est coupée par aucun commentaire. Camus pense que c'est au lecteur de faire des commentaires. Et qu'importe si ce lecteur croit qu'il s'agit d'un examen de mauvaise conscience : en vérité, Camus nous tend un piège savant. Sur le plan moral, nous nous jugeons nous-mêmes en jugeant *La Chute*. La confession, commencée dans le bar, se poursuit dans des endroits divers et Camus a très bien su, par quelques notations précises, évoquer Amsterdam, son ciel et ses canaux, et transformer cette ville en une nouvelle allégorie. Mais quel est cet homme qui parle? Il finit par étaler son jeu. Il expose ainsi sa méthode de confession publique : « Je mêle ce qui me concerne et ce qui regarde les autres, je prends les traits communs, les expériences que nous avons ensemble souffertes, les faiblesses que nous partageons, le bon ton, l'homme du jour, enfin, tel qu'il sévit en moi et chez les autres. Avec cela, je fabrique un portrait qui est celui de tous et de personne. Un masque, en somme, assez semblable à ceux du carnaval, à la fois fidèles et simplifiés et devant lesquels on se dit : " Tiens, je l'ai rencontré, celui-là! " »

Cet homme n'a donc pas tant le désir de se peindre, que de présenter à ses contemporains un portrait qui devienne pour eux un miroir. Récapitulant ses hontes, il passe du « je » au « nous » pour arriver au « voilà ce que nous sommes ». Il retire aux autres le droit de le juger. C'est lui, au contraire, par son intelligence critique, qui devient juge : « Plus je m'accuse et plus j'ai le droit de vous juger. » Selon Camus, ce qui distingue l'homme moderne serait, notamment, la prétention de juger les autres et de n'être jamais jugé.

Cet homme qui parle est un ancien avocat. Il a vécu longtemps avec la certitude d'avoir un beau rôle et d'être du bon côté. Puis il a découvert, en lui-même, la duplicité de tout être. Effectivement, il avait un beau rôle, mais ce n'était qu'un rôle : ainsi jouait-il au généreux, parce qu'il y goûtait un vif plaisir et seulement pour cela. Cet homme est un comédien. Mais tout homme n'est-il pas comédien? « Si tout le monde se mettait à table, hein, affichait son vrai métier, son identité, on ne saurait plus où donner de la tête! Imaginez des cartes de visite : Dupont, philosophe froussard, ou propriétaire chrétien, ou humaniste adultère : on a le choix, vraiment... »

Certes, on peut décider de mettre ses actes en accord avec ses principes affichés. Il arrive alors qu'on découvre en soi d'obscurs désirs qu'on réprouve. Ainsi, un banal incident de rue amène le héros de *La Chute* à découvrir en lui de doux rêves d'oppression : « La vérité est que tout homme intelligent, vous le savez bien, rêve d'être un gangster et de régner sur la société par la seule violence. Comme ce n'est pas aussi facile que peut le faire croire la littérature des romans spécialisés, on s'en remet généralement à la politique, et l'on court au parti le plus cruel... »

La pente est glissante où nous entraînent de telles considérations. Notre homme en arrive à comprendre que la modestie l'aidait à briller, l'humilité à vaincre et la vertu à opprimer : « Je faisais la guerre par des moyens pacifiques et j'obtenais enfin, par les moyens du désintéressement, tout ce que je convoitais. »

La vie se place alors sous le signe de la dérision. Mais il y a autre chose encore. Le héros de *La Chute* n'est jamais parvenu à croire profondément que les affaires humaines soient chose sérieuse : « Où était le sérieux, je n'en savais rien, sinon qu'il n'était pas dans tout ceci que je voyais et qui m'apparaissait seulement comme un jeu amusant ou importun. Il y a vraiment des efforts et des convictions que je n'ai jamais compris. Je regardais toujours, d'un air soupçonneux, ces étranges créatures qui mouraient pour de l'argent, se désespéraient pour la perte d'une « situation » ou se sacrifiaient, avec de grands airs, pour la prospérité de leur famille... »

L'événement central de *La Chute* est tout simple. Une nuit, le héros, qui rentre chez soi, croise une jeune femme sur un pont de la Seine. Il n'a pas fait cinquante mètres qu'il entend la chute d'un corps dans le fleuve, et des cris. Il s'arrête, puis : « Trop tard, trop loin... » et il poursuit son chemin sans prévenir personne. Il ne pourra pas oublier son abstention et sa prière sera désormais : « O jeune fille, jette-toi encore dans l'eau, pour que j'aie une seconde fois la chance de nous sauver tous les deux! » Ce sont les thèmes de *L'Exil et le Royaume* qui apparaissent ici. Il est vrai que le héros de *La Chute* poursuit : « Une seconde fois, hein, quelle imprudence! Supposez, cher Maître, qu'on nous prenne au mot? Il faudrait s'exécuter. Brr!... l'eau est si froide! »

Il n'est pas très utile d'ajouter que Camus, pour sa part, ne craignait pas trop l'eau froide. Il y aurait eu moins de mérite s'il n'avait pas connu toutes les bonnes et mauvaises raisons du nihilisme contemporain pour se détourner de tout engagement.

Le héros de *La Chute* est un personnage très « humain ». Cet adjectif agaçait beaucoup Camus quand on l'employait pour le qualifier lui-même. « Humain », qu'est-ce à dire? Tout ce qui concerne l'homme est humain. On se rappelle comment, dans *Le Malentendu,* Martha, qui était près de renoncer à tuer, se reprend quand le voyageur fait appel à ses sentiments humains : « Ce que j'ai d'humain, c'est ce que je désire, et pour obtenir ce que je désire, je crois que j'écraserais tout sur mon passage. »

Quant à *La Mort heureuse,* elle nous a révélé un Camus adolescent si avide de vivre pleinement qu'il inventait l'histoire d'un jeune homme qui tuait pour devenir riche. Par un curieux parallélisme que personne n'a signalé, Roger Nimier, lui aussi, devait laisser dans ses tiroirs un premier roman où un jeune homme songe à un crime pour se procurer de l'argent. Ce roman a été publié et il s'appelle *L'Étrangère,* évident clin d'œil aux lecteurs de Camus.

Camus recherchait un accord entre la Nature et la Justice. Lui a-t-on assez reproché de glorifier la mesure? Pour l'auteur de *L'Étranger,* de *La Chute* et de *Jonas,* la mesure devait être réellement éprouvée comme une « pure tension ». Il fallait dominer tantôt la frénésie romantique, tantôt la lassitude. Il est bien possible que ses œuvres de fiction aient été pour Camus des exorcismes. Leur écriture classique donnait le change.

JEAN GRENIER

La reconnaissance que Camus voua à son professeur Jean Grenier (1898-1970) fait également honneur aux deux hommes. A Grenier, pour l'avoir inspirée. A Camus, pour l'avoir ressentie et proclamée. On aime entendre Camus nier que « chaque conscience poursuit la mort de l'autre » et affirmer que « l'histoire des hommes se bâtit sur l'admiration autant que sur la haine ».

Rappelons ce que Camus disait devoir à Jean Grenier : la découverte du domaine de l'art et la confirmation de sa vocation d'écrivain; mais d'abord une remise en cause de ses certitudes. Un garçon de dix-sept ou dix-huit ans, vivant sur les bords de la Méditerranée, avait comme unique royaume la réalité sensible et des dieux de jouissance qui s'appelaient le Soleil, la Nuit et la Mer. Grenier lui révéla le sens de ses inquiétudes en parlant de la fugacité des jours, de la finitude de l'homme, de l'amour impossible... Grenier ne lui enseigna rien de certain : « Je lui dois, au contraire, un doute qui n'en finira pas et qui m'a empêché d'être un humaniste au sens où on l'entend aujourd'hui, je veux dire un homme aveuglé par de courtes certitudes. » *Les Iles* (1933) amenèrent Camus à intégrer le sens du mystère et du sacré à sa religion du soleil. L'*Essai sur l'esprit d'orthodoxie* (1938) n'exerça pas sur lui une moindre influence : Grenier posait l'amour de la vérité comme supérieur à tous les accommodements que l'action paraît pouvoir justifier. L'Histoire est présentée comme une fable mystificatrice et l'intellectuel est invité à chercher sa route en dehors de toute pensée collective qui devient vite une prison.

L'amitié de Grenier et de Camus nous paraît d'autant plus exemplaire que les deux hommes avaient des tempéraments tout différents et qu'ils étaient même opposés sur des points fondamentaux. S'il a su chanter les pays du soleil, avec leurs lumières vives et les lignes nettes de leurs paysages, Jean Grenier est toujours resté un enfant de la Bretagne, aux contours indéterminés. Camus entendait se limiter à la nature humaine et au royaume de cette terre : il refusait de penser à l'inconnaissable. Jean Grenier restait attaché à un « arrière-monde » où chercher le salut, il gardait le souvenir d'instants privilégiés, révélateurs d'une réalité intemporelle et qu'il a évoqués dans son livre de souvenirs, *Les Grèves* (1957). Les grèves dont il nous parle sont les plages bretonnes où il a éprouvé, jeune homme, le sentiment de sortir de lui-même pour se perdre dans une réalité plus vaste et qui ne lui paraissait cependant pas étrangère. Enfin le monde et le moi ne se posaient plus en réalités distinctes.

Cette impression d'avoir atteint une totalité — qui ne peut s'obtenir sans renoncement à son individualité — explique la conclusion des *Entretiens sur le bon usage de la liberté* (1948). Tout choix entraîne des déchirements, puisqu'il nous engage sur une seule route et nous prive de tout ce que nous n'avons pas choisi. Le plus sage est ainsi de ne faire aucun usage de cette fameuse liberté et de tendre à un idéal d'indifférence.

Quand Grenier publia une apologie du taoïsme, Camus pour une fois se tut sur un livre de son ami : il considérait non seulement que cette doctrine du non-agir tournait le dos à la vie, mais qu'elle était inapplicable. Or Camus tenait à la vie de toutes ses forces et il ne s'intéressait qu'au champ du possible.

Jean Grenier aimait aussi la vie, mais il ne parvenait jamais à oublier comment toute vie finit. De ce point de vue, l'admirable petit livre *Sur la mort d'un chien* représente peut-être la meilleure introduction à son œuvre. Aux premières pages, Grenier évoque un « Goya » qui représente plusieurs médecins au chevet d'un malade et dont la légende est : « De quel mal mourra-t-il? » Grenier commente : « Il mourra, c'est certain, mais il faut donner un nom à cette mort. C'est le souci des médecins : n'est-ce pas le souci de tous les hommes? Après une issue qu'ils déclarent fatale et dont la fatalité devrait couper court à tout désir de recherches, ils commencent une enquête pour découvrir l'assassin. Mais l'assassin, c'est la nature, c'est elle qui, avec notre premier jour, nous a fait cadeau du dernier. »

Selon Grenier, l'homme n'a pas à se demander s'il doit être optimiste ou pessimiste. Sa situation est proprement désespérante. Pascal disait qu'il est jeté sur une île déserte et qu'il y est abandonné. « La culture, la civilisation dont l'homme est si fier paraissent ridicules : ces toiles d'araigné sont à chaque instant déchirées. »

Face à la cruauté de la nature, l'homme, suivant son tempérament, peut adopter une de ces deux attitudes : l'indifférence ou la révolte. Les sages stoïciens ont choisi l'indifférence. Les fous couronnés, comme Néron ou Caligula, ont voulu faire consciemment ce que le monde fait inconsciemment. Dans *A propos de l'humain* (1955) Grenier écrit : « L'homme éprouve le plaisir noir que cause le spectacle de la destruction de cet humain qu'il avait tant aimé : il veut collaborer à cette destruction, conformément au vœu ardent de la nature qui, sous les apparences de la jeunesse, tend avec obstination au néant. »

Où que nous nous tournions dans la nature, nous rencontrons le mal. Certains diront que l'on rencontre aussi le bien : mais bien et mal sont indissolublement liés, ils sont frères siamois.

Dans *L'Existence malheureuse* (1957) Grenier parle de la possibilité d'un monde surnaturel. Mais cette idée, observe-t-il, nécessite la foi et échappe à la raison et à l'expérience : si elle satisfait la conscience, elle n'empêche ni la souffrance ni la faute. Quant à l'idée d'une évolution historique, elle remplace l'au-delà par un avenir et déplace seulement le problème. De toute façon : « Le pessimisme, issu de la considération du sort de l'individu, l'emporte sans aucune discussion sur l'optimisme né de la considération du Tout ou de l'Un. »

Un petit livre confidentiel, *Mémoires intimes de X,* paru au lendemain de sa mort (1971) nous a appris que Jean Grenier n'avait jamais atteint son idéal d'indifférence et qu'au contraire il connaissait des moments de dépression où il vivait dans la crainte et le tremblement, bourré de scrupules et de superstitions, n'étant jamais parvenu à faire s'accorder son intelligence et sa sensibilité, partagé entre ce qu'il pensait par raison et ce qu'il croyait contre toute logique (le catholicisme dans lequel il avait été élevé lui collait à la peau).

Ainsi partagé et déchiré, il n'a jamais cherché à imposer ses idées ou ses sentiments. Il s'est contenté de les exprimer à travers le récit d'expériences familières et d'incidents de la vie quotidienne. Un de ses derniers livres s'appelle précisément *La Vie quotidienne* (1968). Aucun désir chez lui de briller ou d'éblouir. Il use d'une langue simple et souple qui épouse parfaitement ses propos. De tempérament romantique, il écrit avec l'élégance d'un vrai classique.

S'étant refusé de nous communiquer brutalement ses angoisses, il nous aide à dominer les nôtres. Il éveille notre curiosité, en poète aussi bien qu'en philosophe, et sait mettre en mouvement ce que nous possédons d'intelligence et d'imagination. Il nous procure ainsi des instants de bonheur littéraire parfait.

MARGUERITE YOURCENAR, HISTORIENNE ET ROMANCIÈRE

La carrière littéraire de Marguerite Yourcenar se divise en trois époques. Avant la guerre, Marguerite Yourcenar apparaît comme un auteur pour amateurs lettrés. Elle débuta par un récit dans la ligne gidienne : *Alexis ou le traité du vain combat* (1929), qui semblait d'ailleurs né d'une interrogation sur ce qu'avait pu être le mariage de Gide. Vinrent ensuite, dans le domaine de la fiction, *La Nouvelle Eurydice* (1931), *Denier du rêve* (1934), situé dans l'Italie de Mussolini, *La Mort conduit l'attelage* (1935), où apparaît pour la première fois le personnage de Zénon, *Feux* (1935), notes et nouvelles sur la passion amoureuse, *Nouvelles orientales* (1938), *Le Coup de grâce* (1939), épisode de la lutte antibolchévique dans les pays baltes. Dans le domaine des essais parurent : *Pindare* (1932) et *Les Songes et les Sorts* (1938).

La deuxième époque s'ouvrit avec la publication des *Mémoires d'Hadrien* (1951) qui firent sensation. Marguerite Yourcenar n'inventait pas le genre des Mémoires apocryphes, mais elle avait réussi, dans cette œuvre monumentale, à marier l'érudition et le romanesque. Le seul roman historique français dont *Hadrien* pourrait être rapproché est *Le Lion devenu vieux* (1924) où Jean Schlumberger s'est transformé en témoin des dernières années du cardinal de Retz. Toutefois Schlumberger n'a pas entrepris de compléter directement les Mémoires de Retz, tandis qué Marguerite Yourcenar tient la plume de l'empereur Hadrien. On pensera à André Fraigneau qui a parlé du romancier comme médium et qui a écrit les journaux apocryphes de Louis II de Bavière (*Le Livre de raison d'un roi fou,* 1947) et du janséniste Ponchâteau (*Journal profane d'un solitaire*) avant de proposer celui de Julien l'Apostat (*Le Songe de l'empereur,* 1952). En raison même de la forme utilisée, ces livres excellents ne sont pas des reconstitutions historiques et ne se proposent pas de faire revivre toute une civilisation disparue. Ce sont les rêveries d'un poète sur des figures avec lesquelles il s'est senti des parentés.

La part de la rêverie est importante aussi chez Marguerite Yourcenar mais celle de l'Histoire ne l'est pas moins. Les *Mémoires d'Hadrien* sont d'ailleurs suivis d'une dizaine de pages de références et de notes bibliographiques assez intimidantes. On peut être sûr que tous les faits rapportés par Marguerite Yourcenar s'appuient sur des documents qu'elle a consultés. En ce sens, ce roman est bien un livre d'Histoire.

Hadrien avait très réellement écrit des Mémoires. Il ne nous en reste que trois lignes et nous savons du reste qu'il ne s'agissait que d'un testament politique. Hadrien a laissé d'autre part quelques poèmes, un manifeste aux armées et une trentaine de lettres administratives. Marguerite Yourcenar l'a imaginé, vieilli et malade, retiré dans sa villa de Tibur et écrivant à l'intention de Marc-Aurèle, jeune héritier de l'empire. Hadrien était un Romain de bonne famille, né en Espagne, élevé en Grèce. Il fit une honorable carrière de fonctionnaire et de militaire jusqu'au jour où Trajan se décida à l'adopter sur son lit de mort. A force de vigilance et de travail, Hadrien sut donner à l'empire un demi-siècle de paix. Il sut imposer des réformes économiques et sociales. Il voyagea beaucoup. D'une extrême lucidité, il fut aussi le plus remarquable représentant du monde classique finissant. Sa culture humaniste était immense. Mais il fut aussi « l'homme le plus ondoyant et divers qui fut jamais ».

Marguerite Yourcenar lui fait dire : « Les trois quarts de ma vie échappent à cette définition par les actes : la masse de mes velléités, de mes désirs, de mes projets mêmes, demeure aussi nébuleuse et aussi fuyante qu'un fantôme. Le reste, la partie palpable, plus ou moins authentifiée par les faits, est à peine plus distincte, et la séquence des événements, aussi confuse que celle des songes. Par exemple, il me semble à peine essentiel, au moment où j'écris ceci, d'avoir été empereur. »

L'intérêt principal du livre est d'ordre psychologique. Si l'on s'intéresse tant à quelques points d'histoire, c'est qu'ils sont les jalons d'une aventure personnelle. De même d'ailleurs tant de réflexions sur la politique, l'amour ou la mort auraient moins de force si elles n'étaient consignées par un grand personnage.

Le centre du livre est l'amour de l'empereur pour Antinoüs. Depuis longtemps personne n'avait aussi bien parlé de l'amour. De quoi s'agit-il? Au faîte de sa carrière, cet empereur sage, mais joueur; égoïste, mais juste et raffiné; ce Grec lucide et fier se laisse surprendre et conquérir. « Il avait d'un jeune chien les capacités infinies d'enjouement et d'indolence, la sauvagerie, la confiance. Ce beau lévrier avide de caresses et d'ordres se coucha sur ma vie. » Et plus loin : « Si je n'ai encore rien dit d'une beauté si visible, il n'y faudrait pas voir l'espèce de réticence d'un homme trop complètement conquis. Mais les figures que nous cherchons désespérément nous échappent : ce n'est jamais qu'un moment... » (P. 163.)

Tout devient alors pour Hadrien « d'une aisance presque divine ». Le voyage devient jeu et le travail un nouveau mode de volupté. Mais Antinoüs disparaît prématurément et Hadrien pénètre « dans les étranges labyrinthes que contient la douleur ». Il décidera de faire d'Antinoüs un dieu et son souvenir nous est parvenu à travers les cultes et les légendes. En vérité, Antinoüs fut « le dieu qu'est enfin pour tous ceux qui l'ont aimé tout être mort à vingt ans ».

Tout au cours du livre, nous avions vu Hadrien se passionner pour les sacrifices, les rites étrangers, les initiations. Mais la douleur sera surmontée. Il mourra bien plus tard, se disant à soi-même : « Un instant encore, regardons ensemble les rives familières. Les objets que sans doute nous ne reverrons plus... Tâchons d'entrer dans la mort les yeux ouverts... »

Les *Mémoires d'Hadrien* fut, semble-t-il, le dernier livre contemporain qui enthousiasma Thomas Mann. Dans une lettre à Charles Kerenyi du 19 janvier 1954, il écrit : « Je suis en ce moment (à retardement) sous l'influence des *Mémoires d'Hadrien* de Yourcenar, une œuvre poétique pleine d'érudition qui m'a enchanté comme aucune lecture ne l'avait fait depuis longtemps, de sorte que je n'admets pas tout à fait le mot de la fin de votre ouvrage, sur les empereurs et les tyrans déments qui en tant que porteurs de l'histoire, se voulaient dieux. Je crois en effet qu'Hadrien, qui n'avait rien d'un fou, non seulement se tenait pour « divin » dans l'acception courante, mais se sentait très sérieusement un dieu, ordonnateur du monde, et s'est entièrement identifié à Jupiter en déifiant son Ganymède de Bythinie. Certes, ce n'était qu'un jeu, digne, sagace et conscient, mais on ne saurait dire qu'il n'avait plus rien à voir avec la divinité. »

Après *Hadrien,* Marguerite Yourcenar publia quelques pièces de théâtre (*Électre ou la chute des masques,* 1954), des essais historiques et littéraires (*Sous bénéfice d'inventaire,* 1962) et un recueil de « Negro Spirituals » sur lequel nous reviendrons.

L'Œuvre au noir parut en 1968. Ce deuxième roman historique ne se présente pas comme les Mémoires imaginaires d'un personnage ayant réellement vécu, mais comme une fresque couvrant les années 1510-1569 et d'où se détache un personnage fictif, Zénon, médecin, alchimiste et philosophe.

Si le personnage de Zénon est fictif, chacun de ses gestes et chacune de ses paroles sont empruntés à des personnages réels : ainsi peut-il faire penser tantôt à Érasme, tantôt à Paracelse, tantôt à telle ou telle autre grande personnalité de l'époque. Les autres personnages du livre ont également leurs répondants et même une bonne moitié ont été empruntés tels quels à des chroniques contemporaines.

On pourrait craindre que Zénon, personnage synthétique, manque de vie et que l'ensemble du livre ait quelque froideur pédante. Il n'en est rien. Une note que Marguerite Yourcenar joint à son roman nous fait comprendre les raisons de ce miracle. *L'Œuvre au noir* n'est pas un livre qu'elle a entrepris, après le succès d'*Hadrien* et alors qu'elle était en pleine possession de son érudition et de sa sagesse. Les premières ébauches de *L'Œuvre au noir,* comme celles des *Mémoires d'Hadrien,* remontent à sa dix-huitième année. Ainsi les deux livres ne sont pas nés du désir de ressusciter des époques disparues, mais d'une rêverie juvénile sur des destinées exemplaires et, à travers elles, sur le destin universel.

Hadrien et Zénon furent de fidèles compagnons, rencontrés dans l'adolescence, et qui, en tant que personnages romanesques, ont mûri avec l'auteur. Elle ne les a pas délibérément fabriqués à l'aide de documents, ils se sont tout naturellement enrichis, à travers les années, des connaissances que la romancière accumulait. Pour nous en tenir à Zénon, lorsque Marguerite Yourcenar lisait Léonard ou telle chronique flamande, elle se disait : « Zénon n'aurait-il pas pu penser à cela? Tenter telle expérience? Telle aventure n'aurait-t-elle pas pu lui advenir? » Et quant à l'aspect physique des personnages, au cadre même du livre, à son décor, ils étaient offerts à Marguerite Yourcenar quand elle parcourait les musées : Dürer, Rembrandt, Jacopo de Barbari et cent autres lui apportaient tous les éléments descriptifs dont elle avait besoin.

Ce roman ne s'est pas construit d'après un plan précis. On pourrait parler de formation de lentes stratifications géologiques plutôt que d'architecture : c'est là une image que Marguerite Yourcenar employait, dans *Sous bénéfice d'inventaire,* à propos de certaines œuvres de Thomas Mann.

Au début du livre, nous voyons Zénon quitter sa province natale : « Un autre m'attend ailleurs. Je vais à lui. » Et cet autre, il le désigne : « Moi-même. » Marguerite Yourcenar, en le suivant, est elle aussi à la recherche d'elle-même. Si la Renaissance l'a passionnée c'est, bien évidemment, en raison des recherches en tous sens qui marquent cette époque où, dans certains milieux, l'intérêt pour la réalité biologique et l'obsession métaphysique vont de pair. Son Zénon est partagé entre l'audace et le compromis (mais il finira en héros). Son humanisme n'est pas la conservation d'une sagesse : il est « tourné vers l'inexpliqué ». De même le classicisme de Marguerite Yourcenar est toujours subversif par sa réinterprétation de la pensée et de la conduite humaines.

Le titre de *L'Œuvre au noir* est emprunté à une formule alchimique désignant la phase de séparation et de dissolution de la substance, expression qui pouvait s'appliquer à des expériences sur la matière, mais aussi aux épreuves de l'esprit se libérant des routines et des préjugés. L'histoire de Zénon illustre les deux sens de l'expression. C'est un homme avide de connaissance, curieux de tout et merveilleusement inventif. La science lui apparaît d'abord instrument de libération. Il a l'optimisme de penser que les hommes pourraient se transformer. A la fin, il a des doutes sur ses entreprises et prédit que les hommes tueront l'homme. On voit que ses craintes le font notre contemporain.

Disons encore que ce livre, qui peut être considéré comme un livre de sagesse, est toujours concret, voire réaliste dans ses développements. Il s'agit de ce réalisme supérieur qui abrite les mythes et les songes de l'humanité.

L'émotion n'est jamais absente, mais toujours maîtrisée. Pas d'abandon aux nerfs, aux cris, au vocabulaire ordurier qui trahissent les désordres de la sensibilité. On est tout surpris de redécouvrir une littérature virile : et c'est une femme qui nous l'offre.

Alors commença la troisième époque de la carrière de Marguerite Yourcenar. De grand écrivain, elle allait devenir un de ces « monstres sacrés » que sont les auteurs reconnus de leur vivant comme des classiques. Cette métamorphose fut accomplie après la publication des *Souvenirs pieux* (1974).

Marguerite Yourcenar classe ses œuvres sous cinq rubriques : romans et nouvelles, essais et autobiographie, théâtre, poèmes et poèmes en prose, traductions. Les *Souvenirs pieux,* au titre légèrement ironique, relèvent de la rubrique « essais et autobiographie » et il serait assez difficile de les ranger dans une catégorie littéraire plus précise : l'œuvre n'appartient pas à un genre déterminé, mais à plusieurs. L'auteur y apparaît tour à tour sous les apparences de l'historien, du romancier, de l'essayiste, du moraliste et du poète.

Le livre commence comme la plupart des livres de souvenirs : « L'être que j'appelle moi vint au monde un certain lundi 8 juin 1903, vers les huit heures du matin, à Bruxelles, et naissait d'un Français appartenant à une vieille famille du Nord, et d'une Belge dont les ascendants avaient été durant quelques siècles établis à Liège, puis s'étaient fixés dans le Hainaut. » Voilà bien une ouverture qui semble annoncer un récit classique, mais ce n'est pas sur sa propre vie que Marguerite Yourcenar va promener son projecteur. Elle va essayer de comprendre dans quelle histoire le petit être « qu'elle appelle moi » venait s'insérer : histoire d'une famille (ou plutôt de deux familles), histoire d'une race et, en remontant plus loin encore, histoire même de l'homme. On voit qu'il s'agit d'un projet qui pourrait donner le vertige et qui ne peut être traité que fragmentairement.

L'épigraphe du livre, empruntée à un Koan Zen, résume l'entreprise : « Quel était votre visage avant que votre père et votre mère se fussent rencontrés? » Tout être est un héritier, qu'il en soit ou non conscient. Mais de quoi héritons-nous au juste? Des influences diverses se conjuguent ou se contrarient. Nous sommes généralement plus sensibles à ce qui semble nous distinguer de nos ascendants qu'à ce qui nous lie à eux. Pourtant, ce serait sans doute une erreur de croire que nos révoltes mêmes ne font pas partie de l'héritage.

Comment faut-il entendre le titre *Souvenirs pieux?* Marguerite Yourcenar apprend à plus d'un d'entre nous que l'on appelait autrefois « souvenir pieux : un feuillet de format assez petit pour qu'on pût l'insérer entre les pages d'un missel, où l'on voit au recto une image de piété, accompagnée d'une ou plusieurs prières... ; au verso, une demande de se souvenir devant Dieu du défunt ou de la défunte, suivie de quelques citations tirées des Écritures ou d'ouvrages de dévotion... »

Le livre de Marguerite Yourcenar est en grande partie consacré à l'évocation de la figure de sa mère. Mais répétons que ce n'est pas un livre de souvenirs : Marguerite Yourcenar n'a pas connu sa mère, celle-ci étant morte peu après l'avoir mise au monde. Ce n'est pas en mémorialiste, mais en historienne que notre auteur a reconstitué la vie de la jeune femme précocement disparue. Signalons entre parenthèses qu'elle ne croit pas avoir elle-même pâti d'avoir été orpheline, de sorte que ce n'est point par sentimentalisme qu'elle a mené son enquête, mais par légitime curiosité. Les images qu'elle nous donne de sa famille maternelle, des petits aristocrates terriens, sont des images objectives qui ne sacrifient jamais à la piété. La grande Histoire côtoie parfois la petite, comme dans les pages qui contiennent un saisissant portrait de Saint-Just. Ajoutons aussi que la « petite Histoire » quand elle est celle des mœurs d'un temps est celle qui intéresse le plus les historiens contemporains.

Les *Souvenirs pieux* nous présentent la famille du côté maternel. *Archives du Nord* (1977) serait consacré à la lignée paternelle. On remarquera que des deux côtés, Marguerite Yourcenar a eu des ascendants tentés par l'expression littéraire. Son père comme sa mère s'étaient essayés à la forme romanesque et nous apprenons avec amusement que Marguerite Yourcenar publia jadis sous son nom le début d'un récit qui était l'œuvre de son père (elle le fit à la demande de celui-ci).

Cependant, il faut noter surtout que le quart des *Souvenirs pieux* est consacré aux grands-oncles Pirmez, qui ont laissé un nom dans les lettres belges. C'est avec eux surtout, dans le souvenir, que l'auteur se sent en famille. En particulier avec Rémo, le libre penseur ami des communards et qui termina sa vie par un suicide que l'on camoufla en accident.

Dans *Souvenirs pieux,* Marguerite Yourcenar remonte le cours de l'histoire. Dans *Archives du Nord,* elle a adopté la démarche inverse. Le livre commence dans l'anonymat de la « nuit des temps » par une rêverie sur les origines de l'humanité. Ensuite, c'est sur des documents précis que l'auteur s'appuie pour ressusciter le passé. Les souvenirs interviennent seulement quand le personnage du père vient occuper le devant de la scène. Mais, pour la plus grande part, le récit de la vie du père relève lui-même de la reconstitution historique et romanesque.

Le père de Marguerite Yourcenar n'était déjà plus un bourgeois de type traditionnel. Loin de là. On le voit, jeune homme, s'engager dans l'armée, déserter par deux fois et devoir s'exiler. Il avait la passion du jeu et l'auteur nous dit avoir pensé que son dieu aurait dû être le hasard : cependant il avait fait tatouer à la saignée de son bras gauche le mot *Ananké* (le *Fatalitas* des romans populaires).

Le portrait du grand-père est peut-être le plus réussi du livre. Après avoir décrit l'amour qu'il portait à sa chienne Misca, Marguerite Yourcenar note : « Il est décidément mon grand-père » (p. 155). C'est un trait significatif de l'œuvre de Marguerite Yourcenar que les animaux, et aussi les plantes, ont droit à autant de considération que les humains. Une même vie anime les uns et les autres. Dans un passage de *Souvenirs pieux* est évoqué le souvenir horrifié d'une partie de tir aux pigeons à laquelle la jeune Marguerite assista chez des cousins. Bien plus tard elle apprit que l'homme qui se divertissait à ce jeu de massacre était mort en déportation. On éprouve parfois l'illusion qu'il existe une justice.

Souvenirs pieux et *Archives du Nord* constituent maintenant les deux premiers tomes du *Labyrinthe du monde*. Un troisième volume devrait rassembler les souvenirs déterminants de l'auteur lui-même. Pour sa formation littéraire, nous savons déjà quels maîtres l'ont éblouie dans son adolescence. Elle les appelle ses « contemporains » (*Souvenirs pieux,* p. 174) et ils ont noms Proust, Gide, Rilke, Thomas Mann. Ce sont tous là auteurs d'une génération précédente, mais le nom de Yourcenar peut être désormais prononcé après les leurs. Ce qui les caractérise est un mélange de classicisme et de nouveauté, c'est-à-dire une hardiesse contrôlée.

Le nom de Yourcenar restera par ailleurs lié à celui du grand poète grec Cavafy (1863-1933) et aux *Spirituals,* — cela montre une fois de plus l'étendue de ses curiosités. La *Présentation critique de Constantin Cavafy* parut en 1958 et *Fleuve profond, sombre rivière* en 1964.

On voit bien ce qui chez Cavafy a pu séduire l'auteur de *Patrocle ou le destin* et de *Phédon ou le vertige* (les deux plus belles des proses poétiques recueillies dans *Feux*). La présentation de Cavafy est suivie de remarquables traductions, établies en collaboration avec Constantin Dimaras. Les traductions des *Spirituals* sont dues à Yourcenar seule et ce sont des réussites quasi miraculeuses.

Mais tout est de premier ordre dans ce livre. L'étude qui précède l'anthologie est un modèle de précision et de clarté. On n'est plus habitué à lire des essais critiques qui éclairent les textes au lieu de les obscurcir. Si cette étude est si bonne, c'est que Yourcenar est un grand écrivain qui s'efface devant les œuvres qu'elle aime. Elle ne cherche pas à briller à leurs dépens.

Cette introduction est historique et littéraire. Les Negro Spirituals sont nés de l'esclavage. C'est à partir de la découverte du Nouveau Monde que la traite des nègres, qui remonte par ailleurs à la plus haute antiquité, prit les proportions des grandes entreprises. Yourcenar écrit : « Du moment que la Couronne d'Espagne et plus tard celle d'Angleterre distribuaient aux aventureux et aux bien-en-cour des milliers d'hectares dans des régions à peine exploitées, sauvages et souvent malsaines, l'importation en masse d'une main-d'œuvre servile devenait nécessaire : dans ce commerce si profitable, Portugais et Français, Anglais et Hollandais allaient énergiquement se concurrencer durant près de trois siècles, sans distinction de religions ou de régimes politiques, les pieux catholiques comme les austères protestants, les citoyens de l'Angleterre et de la Hollande si épris de libertés civiques comme les sujets soumis des monarchies absolues. Trois continents se trouvaient impliqués dans un négoce où l'Afrique fournissait la matière première, l'Europe les capitaux et les moyens de transport, et le Nouveau Monde les acheteurs. La phase américaine de l'esclavage noir avait commencé. »

Yourcenar retrace l'histoire de la servitude noire aux États-Unis. Elle prend le soin de préciser que l'esclavage fut limité aux États du Sud, parce que c'était les seuls où régnât la grande propriété. Elle rappelle aussi que c'est une erreur de croire que la guerre de Sécession eut comme origine la question de l'esclavage. Cette guerre s'engagea pour ou contre l'autorité du pouvoir central. Toutefois, c'est pour obéir à un mouvement d'opinion populaire que Lincoln, en 1863, proclama l'abolition de l'esclavage. Hélas! on sait assez que le problème noir n'était pas résolu et que, cent ans après, il est loin de l'être encore. Yourcenar note à ce propos : « Jusqu'à la guerre de Sécession, le Blanc avait méprisé le Noir plutôt qu'il ne l'avait haï : on hait rarement ses sujets. » C'est une fois que le Nègre a été affranchi que la passion raciste, à base de peur, s'est emparée d'une partie de la population.

De quand datent les Spirituals? « Tout bien pesé, dit Yourcenar, l'immense majorité des Spirituals semble se situer entre les années 1810 et 1860 qui coïncident à la fois avec les premiers espoirs de liberté, et avec les tournées revivalistes des grands prédicants noirs, hommes extraordinaires, tenant du prophète biblique et du conteur africain, exhortant leur peuple, débitant les récits de l'Histoire sainte avec une ferveur de témoins oculaires... »

Les nègres des plantations avaient adopté la religion de leurs maîtres. Et quelle religion aurait mieux convenu à leur situation? Ils retrouvaient dans la Bible leurs peines et leurs espoirs. L'émouvant est qu'ils traitent les grandes figures sacrées d'une manière affectueuse et familière. Et l'on pense aux artistes du Moyen Age qui introduisaient eux aussi ces grands personnages dans le décor de leur vie quotidienne et les habillaient à la mode de l'époque.

Tous les Spirituals groupés ici ne sont pas religieux, mais les cantiques religieux sont en majorité et ce sont les plus beaux. Un des plus émouvants montre Jésus enfant. C'est un Jésus parmi les Docteurs, « étrangement juxtaposé (remarque Yourcenar) au Christ de Gethsémani et du jour de l'Ascension ». Ne résistons pas au plaisir de citer :

— P'tit garçon, quel âge avez-vous?
— J'ai douze ans, Monsieur.
Et le p'tit garçon leur apprit
Qu'un vingt-cinq décembre il naquit.
Les avocats et les docteurs,
Ils étaient comme frappés d' stupeur.
— P'tit garçon, quel âge avez-vous?
— J'ai douze ans, Monsieur.
Au Mont-Olive, dans un vert bois,
On vit l' petit une dernière fois.
Après qu' la foule il congédia,
Dans un nuage il s'en alla.
— P'tit garçon, quel âge avez-vous?
— J'ai douze ans, Monsieur.

Il y a dans l'anthologie de Yourcenar vingt ou trente poèmes aussi beaux et dans des registres divers. Ce sont tous des poèmes anonymes. Bien entendu, ils sont l'œuvre de quelques poètes seulement, de même que notre grande poésie est l'œuvre de quelques-uns. Mais ces quelques-uns témoignent pour l'humanité tout entière. Expression d'un moment de l'histoire d'un peuple, ils chantent aussi les souffrances et les espérances de tous les hommes.

Les opprimés ne sr'ont plus dans la peine,
Descends, Moïse, parle au nom d' Jéhovah;
C'est l' Seigneur Dieu qui va briser nos chaînes,
Dis au vieux roi que not' peuple s'en va...

15.

Les francs-tireurs

Les quatre auteurs dont nous parlons dans ce chapitre ont obtenu des triomphes et l'on ne peut dire que le public les a méconnus. Ce sont les critiques dans le vent de la rive gauche qui n'ont pas toujours pris leurs justes mesures.

Aymé et Marceau sont romanciers et nouvellistes aussi bien que dramaturges. Anouilh et Roussin n'ont guère écrit que pour le théâtre. Qu'ont-ils tous en commun? De n'entrer dans aucune catégorie, de ne se recommander d'aucun grand principe, tant sur le plan littéraire que sur le plan politique. On en a donc fait des amuseurs et des écrivains de droite. Des amuseurs, grâce au ciel oui. Ils n'ont appartenu à aucune école, n'ont jamais pris d'attitudes avantageuses. Quant à la droite, elle n'est pas toujours ce qu'un vain peuple de critiques universitaires peut penser.

Nous ne voulons pas dire qu'elle n'existe pas : on la trouvera sous sa forme la plus réactionnaire dans les essais et pamphlets de Jacques Perret (né en 1901). Mais cet écrivain de tempérament vaut surtout par la verve langagière de ses contes et récits, où il apparaît parfois comme un cousin de Marcel Aymé. Il a brossé un vif tableau de ses aventures de militaire dans *Le caporal épinglé* (1947) et de maquisard dans *Bande à part* (1951). On lira toujours avec amusement les nouvelles qu'il a recueillies sous des titres tels que *La Bête Mahousse* (1951), *Le Machin* (1955) ou *L'oiseau rare* (1959), d'un joyeux anticonformisme.

MARCEL AYMÉ, L'INCLASSABLE

De son vivant, Marcel Aymé (1902-1967) a connu de gros succès en librairie et au théâtre, mais il fut considéré généralement comme un simple amuseur, un écrivain pas très sérieux. Son éditeur n'avait pas pour lui d'admiration particulière et son nom n'a dû figurer qu'une fois au sommaire de *La Nouvelle Revue française* — encore était-ce la nrf de Drieu. De même que celui de Simenon, son cas ne paraissait pas très clair. *La Jument verte* n'avait-elle pas été destinée aux amateurs de gaudrioles et *Les Contes du chat perché* n'étaient-ils pas écrits pour les enfants? Marcel Aymé avait d'ailleurs pris plaisir à se mettre à dos « l'intelligentsia » en publiant *Le Confort intellectuel* (1949). Alors que ce livre se présente sous forme de dialogues de comédie et que l'auteur n'y affirme rien en son propre nom, on confondit Marcel Aymé et le philistin qu'il avait mis en scène. On ne voulut retenir que les propos de M. Lepage, moderne Alceste, et l'on oublia de remarquer que la personne à laquelle il s'adresse, Anaïs Coiffard, est le prototype de nos nouvelles précieuses ridicules. Au lieu de saluer Aymé comme notre moderne Molière, on décréta que le père de *La Vouivre* n'avait jamais éprouvé le moindre frisson poétique et que l'inventeur du *Passe-muraille* avait horreur de toute bizarrerie qui mettait le bon sens en échec.

La génération des hussards le plaça parmi ses auteurs préférés, mais on ne parlait plus de « maîtres » comme avant-guerre et Marcel Aymé fut plutôt salué par ses jeunes disciples comme un professeur d'école buissonnière. Ce n'est qu'après sa mort que l'on a découvert peu à peu la vraie dimension de son œuvre. Pourquoi une si tardive consécration? Jeune homme, Marcel Aymé avait dû interrompre ses études, pour cause de maladie alors qu'il se trouvait dans la classe préparatoire de mathématiques spéciales : « Si j'étais devenu ingénieur », disait-il, « l'idée ne me serait sans doute pas venue d'écrire et c'est pourquoi je ne me compte pas au nombre des vrais écrivains, ceux-ci répondant à l'appel d'une vocation qui leur est révélée dès l'adolescence, parfois beaucoup plus tard, mais se manifestant alors de façon irrésistible, ce qui n'aura pas été mon cas ».

Adolescent, il avait bien éprouvé de temps à autre le désir d'écrire : « Loin de viser au chef-d'œuvre, je ne cherchais qu'à me faire plaisir. »

Ces deux déclarations lui auront causé un certain tort. Qu'est-ce qu'un écrivain sans vocation et qui ne vise pas au chef-d'œuvre? demandent nos jeunes génies. Nous répondrons que le talent ne dépend pas de la prétendue vocation et que certains écrivent des chefs-d'œuvre sans afficher l'ambition de révolutionner la littérature. Ce fut le cas de Marcel Aymé, modeste artisan, qui laisse une des œuvres les plus originales, les plus plaisantes et les plus fortes de notre temps. Au demeurant, si Marcel Aymé feignait d'ignorer ce qu'est la vocation, sa précocité et sa fécondité n'en sont pas moins remarquables. Il n'avait que vingt-trois ans quand il écrivit son premier roman, *Brûlebois*. Dès lors, il publia chaque année un nouvel ouvrage : un roman, un recueil de contes ou de nouvelles, un essai ou (à partir de 1944) une pièce de théâtre.

On distingue, dans son œuvre, la veine réaliste et la veine fantaisiste, mais Marcel Aymé utilise indifféremment l'une et l'autre, souvent dans le même ouvrage. S'il est un peintre minutieux de la réalité, il se plaît à y introduire des éléments qui relèvent du merveilleux. Il le fait avec un tel naturel que, le premier moment de surprise passé, nous nous mettons à croire à tout ce qu'il nous raconte. Le merveilleux ne met pas le réalisme en évidence, il se laisse absorber par lui et devient vraisemblable à son tour. C'est sans doute que Marcel Aymé ne s'étonne pas plus des caprices de son imagination que des incohérences du monde réel. Il accueille les uns et les autres avec la même naïveté savante et une identique conviction. Il y a parfois du Buster Keaton dans son cas et on l'imagine comique avec étonnement de l'être tant, et original sans l'avoir vraiment cherché. Il est d'ailleurs bien possible que la vraisemblance ne préoccupe que les écrivains qui ne sont pas sûrs de leur fait. Marcel Aymé ne doutait pas qu'au-delà de ses inventions les plus surprenantes, nous serions sensibles à quelque vérité. De même, s'il caricaturait parfois ses personnages, il restait fidèle à ses modèles : il force le trait, mais le trait est toujours juste.

Ses romans strictement réalistes révèlent un puissant dégoût — mêlé de tristesse — pour le monde comme il va et les hommes tels qu'ils sont. La fantaisie qu'il introduit dans ses écrits vise à rendre supportables le dégoût et la tristesse.

« Ma matière, ce n'est ni le merveilleux ni la réalité, a-t-il dit un jour. C'est ce qui change de la vie. » Admirons la modestie de la formule. Marcel Aymé ne prétend pas « changer la vie ». Il nous propose seulement une évasion.

Ne le croyons pas tout à fait cependant. Il entendait sans doute se divertir lui-même et nous amuser, mais il n'était pas mécontent lorsqu'on lui disait que la trilogie qui comprend *Travelingue* (1942), *Le Chemin des écoliers* (1946) et *Uranus* (1948) constitue le meilleur témoignage sur la vie en France, du Front populaire à la Libération.

Travelingue emprunte son titre au vocabulaire technique du cinéma. Ce n'est pas que Marcel Aymé utilise des procédés du 7e art : c'est que ses héros principaux sont des snobs fous d'avant-garde et d'ailleurs aussi bien en matière de littérature que de cinéma. Marcel Aymé peint ici la bourgeoisie progressiste de l'immédiat avant-guerre et, parallèlement, il nous montre une France « au ventre heureux » qui glisse vers la décomposition, se berçant des bonnes paroles de ses dirigeants, dont un coiffeur de quartier — aussi fertile en lieux communs que Sancho l'était en proverbes — nous est donné comme l'inspirateur.

Le Chemin des écoliers, sous son titre idyllique, décrit le Paris de l'occupation et nous introduit notamment dans la famille de l'honnête et besogneux Michaus qui découvre les activités clandestines de ses fils : l'un appartient à la Résistance et l'autre, qui a seize ans, gagne des fortunes au marché noir (ce qui lui permet d'entretenir une maîtresse). Le livre est agrémenté de biographies-éclairs données en notes et c'est une des heureuses innovations techniques de l'auteur. En effet, dans tout roman passent de nombreux figurants : le personnage principal croise une femme dans un escalier, heurte un piéton dans la rue, et cette femme, ce piéton, nous n'en entendrons plus parler. Marcel Aymé a eu l'idée dans des notes en bas de page de nous renseigner en quelques phrases sur ces figurants. Ces biographies-express nous révèlent des destins drôlatiques ou tragiques, — le plus souvent tragiques.

Uranus évoque la vie dans les ruines d'une petite ville normande, au lendemain de la Libération, alors que certains se livrent aux délices de la chasse aux collabos. Parmi les personnages, le professeur Watrin, commotionné par un bombardement, s'endort chaque soir « d'un sommeil redoutable qui le transporte jusqu'au matin dans l'univers désolé de la planète Uranus », de sorte qu'au réveil il s'émerveille de la terre comme d'un Eden. Aymé explique que ce portrait de l'explorateur d'Uranus pourrait bien être le sien, « c'est-à-dire celui d'un homme facilement heureux et inaltérablement optimiste ». Malheureusement le nom d'Uranus donné au livre nous avertit que c'est notre monde même, cette terre, que l'auteur considère comme un univers désolé et condamné. Ça ne l'empêche pas d'imaginer des épisodes qui nous font pleurer de rire. On se console comme on peut.

Cette trilogie romanesque d'histoire contemporaine se trouve flanquée par deux recueils : *Le Passe-muraille* (1943) et *Le Vin de Paris* (1947) qui contiennent chacun quelques nouvelles qui restituent parfaitement le climat d'une époque. Ainsi *Le Passe-muraille* se clôt sur *En attendant,* où l'on entend les confidences qu'échangent des gens qui, pendant l'occupation, font la queue devant un magasin d'alimentation. Dans *Le Vin de Paris,* on trouve cette fameuse *Traversée de Paris* qui passe pour un récit très drôle et qui nous paraît aussi oppressant que les plus brumeux et désespérés récits de Mac Orlan ou de Carco.

Trois thèmes courent à travers tout le recueil : marché noir, sous-alimentation et assassinat. *L'Indifférent* s'inscrit en marge de l'affaire Petiot. Mais une heureuse détente nous est offerte par *La Bonne Peinture* où Marcel Aymé invente des « toiles nourrissantes » qui lui permettent des variations aussi brillantes que « la carte de temps » (carte de rationnement parmi d'autres) dans *Le Passe-muraille.* Parmi les autres nouvelles qui relèvent du merveilleux, il faut citer *La Grâce* où un homme se voit soudain affligé d'une auréole dont il fait tout pour se débarrasser, mais en vain (ce qui prouve la gratuité des dons de Dieu). Un autre personnage est transformé par diverses révolutions intérieures : il devient *Le Faux Policier* parce qu'il estime que la morale ne veut pas que des enfants crèvent de faim et de tuberculose et le voici entraîné vers des exploits très particuliers.

On a souvent essayé de situer politiquement Marcel Aymé. Il a été tiré à hue et à dia par ses admirateurs. N'était-il pas de gauche puisqu'il prenait la défense des faibles et des exploités? N'était-il pas de droite puisqu'il protesta contre les horreurs de l'épuration? On crut finalement lui faire honneur en l'appelant un « anarchiste de droite », mais il n'était pas de droite ni non plus anarchiste. Il avait simplement horreur des mensonges et des injustices. D'une neutralité narquoise vis-à-vis des partis politiques jusqu'à la Libération, il voua brusquement une haine immortelle au général de Gaulle quand celui-ci refusa la grâce de Robert Brasillach. Il le considéra désormais comme responsable de tous les crimes et emprisonnements qui marquèrent son règne. Il exprima aussi son mépris pour les magistrats qui, après avoir prêté serment au maréchal, n'hésitèrent pas à se mettre aux ordres du général. Est-ce être réactionnaire que de souhaiter des juges indépendants et vertueux?

Il serait aisé de présenter un choix de pages de Marcel Aymé qui entreraient dans la rubrique « littérature engagée ». Lisez dans *Le Puits aux images* (1932) la nouvelle intitulée *Pastorale* où il a traité le thème du péril démographique. Lisez dans *Derrière chez Martin* (1938) la nouvelle intitulée *Rue de l'Évangile* où il décrit le sort misérable des Nord-Africains à Paris.

Le dernier inédit dont il ait pu corriger les épreuves et qui parut après sa mort dans *Enjambées* (1967), s'appelle *La Fabrique*. C'est l'histoire d'une petite fille à laquelle ses parents ont dit qu'elle ne recevrait pas de cadeaux à Noël si elle continuait à se ronger les ongles. Elle accomplit donc un énorme effort de volonté pour ne plus porter les doigts à sa bouche. Mais, horreur, au matin du 24 décembre, elle s'aperçoit que, au cours de la nuit, elle a repris ses mauvaises habitudes. Elle a un tel mouvement de recul en découvrant le désastre qu'elle fait un saut d'un siècle en arrière et se retrouve dans une pièce où vivait, vers 1845, une famille nombreuse dont tous les membres travaillaient dès le plus jeune âge à la fabrique voisine. Il y a là notamment un petit garçon de cinq ans, visiblement épuisé. Pourtant, on le ferait travailler jusqu'à ce qu'il rende l'âme. Il n'y a pas d'autre alternative pour les malheureux : travailler ou mourir.

Marcel Aymé nous décrit la dernière journée du petit garçon, le travail à l'usine, la surveillance du contremaître, la visite du patron, les démarches enfin du père pour trouver quelques planches de bois qui lui épargneront l'achat d'un cercueil. Quand, le soir, le père commencera de clouer les planches, le petit garçon dira : « C'est papa qui cloue mon arbre de Noël. »

La petite fille aux ongles rognés aura à ce moment un nouveau mouvement de fuite. Empoignant le petit garçon par la main, elle effectuera un nouveau bond dans le temps qui la ramènera dans sa propre maison qu'elle n'aurait pas dû quitter.

L'arbre de Noël est dressé. Il est couvert de jouets et la petite fille voudrait tout offrir au petit garçon, mais, quand elle se retourne pour les lui tendre, elle s'aperçoit qu'il n'a pas suivi. Elle éclate alors en sanglots et son père s'exclame : « Ces enfants sont incroyables. On leur offrirait la lune qu'ils ne seraient pas encore contents. »

Il est douteux que Marcel Aymé ait destiné ce conte au journal *L'Humanité* pour son numéro de Noël, mais il est certain qu'on ne trouverait pas facilement dans toute notre littérature contemporaine des pages d'une sensibilité populaire aussi vive, sans le moindre larmoiement. Sans doute n'y a-t-il plus chez nous d'enfants de cinq ans qu'on fasse travailler dans les usines, mais il n'est pas mauvais d'avoir une pensée pour ceux qui existèrent. Et l'on peut sans doute deviner ce qui, dans nos mœurs d'aujourd'hui, paraîtra aussi monstrueux à nos petits-enfants.

Les romans de Marcel Aymé ont été rassemblés par son éditeur en deux volumes : *Romans de la province* et *Romans parisiens*. Cette division n'est pas très satisfaisante, parce que la province devrait elle-même se diviser en ville et campagne. Les mœurs des ruraux ne sont pas celles des citadins. On a félicité Marcel Aymé de très bien connaître les paysans. Il nous les présente souvent comme des personnages de fabliaux. Ainsi devait-il les voir dans sa jeunesse. Son cycle campagnard prit fin avec *La Vouivre* (1943) où il use des charmes de la mythologie tout autant que des épices d'une honnête gauloiserie.

Rat des champs devenu rat des villes (comme l'a appelé Nimier), il n'évoquerait plus le plein air que dans de nouveaux *Contes du chat perché.* Ces contes où les animaux parlent avaient paru d'abord dans des albums illustrés pour enfants, mais ils enthousiasmèrent si fort les parents qu'on les réunit ensuite dans des volumes pour grandes personnes. Ils font partie des pages immortelles de la littérature française.

Vers la fin de la guerre, Marcel Aymé fut découvert par les gens de théâtre et décida de travailler pour eux. Il prétendait qu'une pièce est bien plus facile à écrire qu'un roman (ce qui n'est pas vrai pour tout le monde). Ses trois premières pièces furent de parfaites réussites : *Vogue la galère* 1944), puissante fable politique dont Buñuel retrouverait la tonalité et la morale désenchantée dans *Viridiana, Lucienne et le Boucher* (1948), farce sur la violence criminelle de la sexualité; *Clérambard* (1950), où, à la suite d'une apparition miraculeuse, un châtelain fervent de la chasse (« un tueur de bonne famille », dit l'auteur) se transforme en impétueux disciple de saint François, tant il est vrai que nos défauts et nos vices peuvent aussi bien se mettre au service du bien que du mal.

La Tête des autres (1952) relève de la littérature engagée, puisque Marcel Aymé y règle ses comptes avec les magistrats et les affairistes véreux. La pièce démarre magnifiquement, mais il faut reconnaître que la fin (refaite plusieurs fois) ne vaut pas le début. N'empêche : c'est une pièce forte et qui provoqua un beau scandale, peut-être le dernier scandale qu'on ait connu au théâtre.

Parmi les autres pièces de Marcel Aymé, citons encore *Les Quatre Vérités* (1954) qui, malgré son titre, doit très peu au pirandellisme, et surtout *Les Oiseaux de lune* (1956) où Marcel Aymé a recours au merveilleux comme dans ses contes : un jeune homme se découvre le don de métamorphoser en oiseaux les gens qui lui déplaisent ou l'importunent. Naturellement, les métamorphoses se multiplient très vite. C'est un joli divertissement.

Devenu homme de théâtre, Marcel Aymé ne publia plus qu'un seul recueil de contes : *En arrière* (1950) et un seul roman : *Les Tiroirs de l'inconnu* (1960), dont il allait rapidement tirer une pièce.

Les Tiroirs de l'inconnu est écrit avec une technique et une nonchalance qui ne sont pas sans rappeler l'art de Diderot dans *Jacques le Fataliste. Les Tiroirs* se présentent exactement comme un récit à tiroir. Il commence comme un livre de souvenirs (les souvenirs d'un nommé Martin) mais le narrateur, en cours de route, nous livre une petite comédie de son frère sur l'amour, et aussi l'étonnante confession d'un inconnu, lequel avait choisi d'écrire au dos des tiroirs d'un bureau. Le « suspense » est créé grâce à cette confession, car il s'agira pour Martin d'en identifier l'auteur. Au vrai, ces confessions se révéleront imaginaires. Toutefois, leur auteur, un nommé Faramon, en les rédigeant, a inventé « la littérature appliquée ». Qu'est-ce que la littérature appliquée? Eh bien, il s'agit, un caractère étant donné, de prêter à celui qui le possède des aventures qui dessineront son portrait le plus vrai. Ainsi Faramon s'est-il intéressé à un nommé Hermelin : « Mon récit est imagné d'un bout à l'autre, dit-il. Mais je crois avoir réussi un assez bon portrait d'Hermelin. »

On se dit que toute l'œuvre de Marcel Aymé pourrait entrer dans la catégorie de la « littérature appliquée », mais une étiquette si austère lui conviendrait mal.

Un des sujets du livre, c'est l'amour, tel qu'il apparaît dans nos sociétés capitalistes. Marcel Aymé s'appuie sur une remarque du docteur Alexis Carrel dans son fameux essai intitulé *L'Homme, cet inconnu.* Le docteur Carrel remarquait que les jeunes filles appartenant à la classe privilégiée ne tombent jamais amoureuses de garçons d'un milieu inférieur. En revanche, le narrateur note que les hommes perdent la tête (un quart d'heure ou toute la vie) pour le premier jupon venu, et cela sans aucun préjugé d'aucune sorte. Ce sont les femmes qui doivent s'arranger pour les mettre au pas. Elles y arrivent d'ordinaire fort bien : les hommes, en définitive, sont assez semblables à « ces bourdons poilus qui font irruption dans une pièce, rebondissent de vitre en vitre et sur tous les meubles jusqu'à ce que la maîtresse de maison les abatte d'un coup de torchon ».

Sur le thème de l'amour, *Les Tiroirs de l'inconnu* vous réservent un grand nombre d'historiettes croustillantes. Certains lecteurs trouveront peut-être excessive la place qui leur est accordée, comme si l'auteur voulait justifier sa réputation d'auteur gaulois. Il est vrai qu'il la justifie ici ou là un peu trop.

Plusieurs livres de Marcel Aymé sont restés des années sans être réimprimés. Quand *Le Moulin de la Sourdine,* qui date de 1936, fut repris en collection de poche en 1973, ce fut pour de nouveaux lecteurs une révélation. Ils proclamèrent avec raison que c'était là un des meilleurs romans de la littérature contemporaine. Il fait partie des « romans de la province » et a pris déjà la saveur d'un roman historique, car nos petites villes, comme nos campagnes, ont bien changé en quelques dizaines d'années. Mais la fraîcheur de la peinture que nous offre Marcel Aymé reste intacte. C'est volontairement que nous employons le mot « fraîcheur », alors que toute l'histoire tourne autour d'un crime effroyable : l'assassinat d'une petite bonne par un notaire.

Marcel Aymé utilise ici le crime comme ailleurs le fantastique : comme un catalyseur qui va permettre des réactions significatives et la mise en valeur de caractères. Parmi les personnages, on trouve une petite bande d'enfants et c'est sans doute de là que vient l'impression de fraîcheur : Marcel Aymé a de toute évidence une sympathie particulière pour ses jeunes héros, qui ne sont pas de petits saints mais qui ont encore des élans gratuits et de belles espérances. Dans ce livre, Marcel Aymé est souvent assez proche de l'Alexandre Vialatte des *Fruits du Congo* (livre qui ne devait d'ailleurs paraître que quelques années plus tard).

Qu'est-ce qui fait du *Moulin de la Sourdine* une extraordinaire réussite? D'abord, l'évocation de toute une petite ville, en une suite de scènes à la fois réalistes et drôlatiques, car Marcel Aymé est habile comme pas un à saisir la psychologie secrète de ses personnages, à quelque milieu social qu'ils appartiennent. Il sourit de l'importance que se donne chacun et montre ce qui se cache derrière les attitudes sérieuses et dignes. Cependant, il n'est guidé par aucune volonté de démonstration : il se veut conteur et rien d'autre. Et c'est un conteur unique, avec une langue juteuse, fertile en inventions de toutes sortes, parfaitement accordée au rythme de la narration, si bien qu'elle évite les morceaux de bravoure et que l'auteur a l'air d'écrire tout simplement les choses comme elles sont. C'est du très grand art.

Le tranquille non-conformisme de Marcel Aymé est particulièrement évident dans son portrait du brigadier Maillard, bon serviteur de l'ordre, que se permettent pourtant de railler certains notables, pour son zèle et sa rudesse. Maillard pense toutefois que ces notables auraient mieux à faire en essayant d'établir une meilleure justice sociale. D'ailleurs, c'est eux qui tenteront de charger du crime un vagabond innocent, alors que Maillard réussira, aidé par la chance, à découvrir le véritable coupable.

En même temps que *Le Moulin de la Sourdine,* était réédité l'essai intitulé *Silhouette du scandale.* On y trouve un véritable catalogue des diverses sortes de scandales qui peuvent alimenter la chronique privée ou publique. Il est agrémenté d'exemples qui sont autant de petites histoires savoureuses (et vraies).

On y voit Marcel Aymé s'inquiéter que le public en arrive à ne plus se scandaliser de rien. « La surdité au scandale, écrit-il, est sans doute l'une des plus grandes menaces qui pèsent sur le monde. Le scandale est la fontaine de jouvence où l'humanité va rincer la crasse de ses habitudes, le miroir où la société, la famille, l'individu découvrent l'image violente de leur vie. Si ces enseignements venaient à manquer, ce serait l'asphyxie de toute morale et le monde entrerait dans un état de somnolence et d'abrutissement. »

On peut craindre en effet qu'aujourd'hui où l'on ne se scandalise plus de rien, la morale soit mal en point. Mais le rire est une bonne protection contre la somnolence et l'abrutissement. Les livres de Marcel Aymé sont de ceux qu'il est bon de garder à portée de la main.

JEAN ANOUILH, BOULEVARDIER D'AVANT-GARDE

Lorsqu'il publia ses premières pièces, en 1942, Jean Anouilh les classa en deux séries : *Pièces roses* et *Pièces noires.* Pour ses œuvres suivantes, il devait trouver de nouvelles étiquettes : *Pièces brillantes, Pièces grinçantes, Pièces costumées, Pièces baroques.*

Pièces roses, pièces noires : l'opposition est nette. Vous savez que les premières permettent un peu d'espoir et que les secondes traduisent une vision très pessimiste du monde. On peut dire en effet que tantôt Anouilh nous expose une réalité brutale et tantôt sacrifie au rêve, qu'il s'accorde une récréation et nous propose un simple jeu. Ajoutons pourtant que, quant à la couleur de ses pièces, il n'y a pas eu évolution de Jean Anouilh. Il a fait, dès ses débuts, alterner les pièces roses et les pièces noires. Mais il faut convenir que les pièces noires sont les plus nombreuses.

Le thème de la mémoire est sans doute le plus important de tous les thèmes d'Anouilh. Si la vie est difficile, c'est que nous traînons toujours derrière nous le poids du passé et que ce poids ne se laisse pas oublier : il peut s'agir aussi bien de souvenirs heureux que de souvenirs malheureux. Les fautes anciennes viennent gâcher le moment présent. Quant aux joies passées, elles ne permettent pas d'accepter que le présent n'ait pas l'éclat d'autrefois. Autrement dit, les héros d'Anouilh sont victimes de certaines idées, d'obsessions nées de certaines expériences qu'ils ne peuvent oublier, dont ils ne peuvent guérir.

Pendant longtemps, les critiques ont considéré *La Sauvage* (1938) comme la pièce la plus typique d'Anouilh. On y voyait une petite héroïne têtue, une fille pauvre, qui renonçait au bonheur que lui offrait un jeune homme riche parce qu'il y aurait toujours un chien perdu quelque part pour lui rappeler son passé misérable et pour l'empêcher d'avoir la conscience en paix.

Pendant l'occupation, après avoir donné une version moderne de la fable d'*Eurydice* (1942) Anouilh entreprit de remodeler à sa manière le personnage d'Antigone. La pièce fut créée en février 1944.

Anouilh jouait une partie dangereuse. L'Antigone de Sophocle reste constamment fidèle à elle-même : elle estime qu'il est juste de résister à certaines lois, elle reconnaît un ordre du cœur supérieur à l'ordre de l'État, elle a pris une décision et s'en tiendra là. (« Je sais que je plais à qui je dois plaire », « Je suis née pour partager l'amour et non la haine » et encore : « Qui sait si vos frontières ont un sens chez les morts? ») L'Antigone d'Anouilh accepte d'écouter les raisons du tyran. Bien mieux, elle se laisse persuader par lui, elle perd ses raisons de mourir. « Je ne sais plus pourquoi je meurs », finira-t-elle par dire. Ce qui lui manque, ce sont des raisons de vivre. Mais il faut remonter plus haut.

Tous les personnages sont présents au lever du rideau, ce sont ceux de Sophocle, à l'exception du devin Tirésias. Absence significative : soit qu'Anouilh ait voulu montrer que nous vivions dans un monde sans Dieu, soit encore qu'il ait voulu signifier qu'il s'agissait d'une affaire d'hommes. Ce sont les hommes qui ont établi les lois politiques, économiques, morales, philosophiques, qui les régissent. Et aussi bien son Antigone n'est-elle pas tant le droit naturel qui se dresse devant le droit social, — que la pureté qui se révolte contre la laideur, l'hypocrisie, les mensonges, la médiocrité, l'égoïsme et la stupidité des hommes. Elle est l'enfant qui refuse de passer à l'âge adulte.

Créon met en évidence la charge du chef d'État : « Il faut pourtant qu'il y en ait qui mènent la barque. Ça prend eau de toutes parts, c'est plein de crimes, de bêtises, de misère. Et le gouvernail est là qui ballotte. L'équipage ne veut plus rien faire... » Antigone est justement là pour dire non. Pas de compromission (et l'on pense à l'Electre de Giraudoux) : « Vous me dégoûtez avec votre bonheur... avec votre vie qu'il faut aimer coûte que coûte. On dirait des chiens qui lèchent tout ce qu'ils trouvent. » Antigone veut tout, tout de suite ou rien. Elle serait sauvée si elle croyait qu'il peut y avoir un autre ordre que celui que fait régner Créon, mais elle ne croit plus à rien. Elle veut mourir par dégoût de la vie. Chez Sophocle, c'était tout autre chose : Antigone ne voulait pas la mort, simplement elle ne la craignait pas. La tragédie grecque est héroïque, le drame d'Anouilh est strictement sentimental. On a reproché à Anouilh d'avoir fait la part belle à Créon : c'est un désabusé. Il a eu l'idéalisme d'Antigone dans sa jeunesse, il a cru à un tas de belles choses, mais maintenant il sait que les hommes sont bêtes ou méchants, qu'on n'y peut rien et qu'on ne gouverne pas sans injustice. Et le chœur ne prend pas parti. Il constate avec résignation : « Dans la tragédie, on est tranquille. On est tous innocents en somme! Ce n'est pas parce qu'il y en a un qui tue et l'autre qui est tué. C'est une question de distribution. » C'est bien cela : « Créon est « innocent en somme ». Il tue parce qu'il faut bien vivre! Mais comment le spectateur ne se sentirait-il pas plus près de la jeune fille qui va mourir, que du tyran qui croit à la raison d'État?

La pièce a une simplicité et une rigueur toutes classiques. Elle se joue en costumes modernes et sans décor. Elle fut saluée tout de suite comme un chef-d'œuvre. Le seul reproche qu'on pouvait adresser à Anouilh était d'avoir transformé une héroïne de tragédie en personnage de drame. Mais Anouilh n'aurait eu aucune raison d'écrire une *Antigone* s'il n'avait voulu faire une pièce toute différente de celle de Sophocle.

Après la guerre, les pièces noires d'Anouilh sont devenues de plus en plus noires. Les pièces qu'il appelle grinçantes sont des vaudevilles où l'on insiste sur la manière dont l'homme peut devenir une marionnette aux mains de ses passions. Dans *Ardèle ou La Marguerite* (1948) ou dans *La Valse des toréadors* (1952), en costumes de la belle époque, c'est la sexualité qui mène la danse.

Mais il est d'autres passions. Dans *Pauvre Bitos ou Le Dîner de têtes* (1956) Anouilh met en accusation la passion de la justice, cherchant ce qui peut se cacher derrière. Cette pièce se déroule sur deux plans historiques. Elle se passe en France après la Libération. On y voit de riches bourgeois donner une soirée costumée où l'on a invité un jeune procureur qui s'est fait la tête de Robespierre. Par ce biais du théâtre dans le théâtre, qui rappelle Pirandello, Anouilh suggère des destins parallèles et montre comment c'est leur enfance humiliée qui a fait ces deux êtres secs et durs : Bitos et Robespierre.

Bitos a été fils de pauvres. S'il a pu faire des études au collège, c'est parce que sa mère y travaillait comme blanchisseuse. Mais lui n'avait pas, comme ses camarades, le droit de s'amuser. Son lot, c'était de bûcher, toujours bûcher, pour montrer sa reconnaissance. Il ne peut oublier. Il s'écrie : « Non, je n'ai pas grandi, je hais encore les hommes. » Mais il dit aussi qu'il est bon et sa vocation de procureur lui est venue de son désir de contribuer à mettre de l'ordre dans une société troublée.

Anouilh donne ici une grande leçon : l'expérience est déformante. Elle nous donne une seconde nature que nous confondons avec notre nature même. Là encore, il faudrait se débarrasser du poids du passé.

La leçon est d'ailleurs difficile à entendre. Nous remettrions plus facilement en question nos convictions si celles-ci nous étaient dictées par notre intelligence et non par nos sentiments.

Sur des thèmes politiques, Anouilh a donné encore une superbe bouffonnerie, *La Foire d'empoigne* (1962), où l'on voit Napoléon et Louis XVIII, tous deux joués par le même acteur. Napoléon, c'est un homme politique, ambitieux et cabotin, qui trouble la paix du monde parce qu'il veut jouer un rôle. Louis XVIII apparaît au contraire comme un sage vieillard qui se méfie de l'héroïsme. Il pense que les hommes se sont déjà suffisamment massacrés au cours de l'histoire et qu'ils ont droit à un peu de repos.

Un grand dialogue oppose ce vieux roi et un jeune officier, fanatique de Napoléon. Le jeune homme a failli tuer Louis XVIII en tirant sur son ministre de la police. Cette grande scène peut être comparée à la grande scène entre Antigone et Créon. Mais le roi pardonne et au jeune fanatique qui attendait d'être fusillé, il dit : « Croyez-moi, on a presque toujours quelque chose de mieux à faire que de mourir. » Le jeune homme se rangera finalement à cet avis.

Anouilh fait-il sienne la sagesse un peu amère de son Louis XVIII? Il répondrait qu'il est un homme de théâtre et que c'est sur les qualités théâtrales de ses pièces et non sur leur portée morale qu'il demande à être jugé.

Sa manière a beaucoup changé depuis ses premières pièces, sagement découpées en actes qui se déroulent chronologiquement dans un décor traditionnel, jusqu'aux œuvres des dernières années où la scène devient un lieu variable, avec déplacements dans le temps et dans l'espace. Ayant maîtrisé très tôt les techniques du théâtre classique (l'inoubliable *Bal des voleurs* de 1938 se présente comme une espèce de ballet superbement réglé), il a assimilé toutes les trouvailles du théâtre moderne, du moins celles qui convenaient à son tempérament. Comme il s'était diverti à traiter un thème pirandellien dans *Léocadia* (1939) ou à pasticher Marivaux dans *La Répétition ou l'amour puni* (1950), il semble avoir voulu rivaliser avec Ionesco dans *L'Orchestre* (1962). Mais son domaine reste celui de l'étude — ou de la caricature — de mœurs. Si le rêve d'une impossible pureté ne cesse de courir à travers son œuvre, les inquiétudes métaphysiques ne sont pas de son ressort. Les mystères de la nature humaine lui suffisent et c'est sur le plan terrestre qu'il traite de conflits qui mettent apparemment le ciel en cause comme dans *L'Alouette* (1953) et *Becket ou L'Honneur de Dieu* (1959), fresques historiques au demeurant fort séduisantes.

On peut remarquer que, de son côté, Giraudoux, qu'il admire beaucoup, n'a pas écrit de pièces religieuses lorsqu'il a emprunté des sujets de pièces à la Bible (*Judith, Sodome et Gomorrhe*).

Comme Giraudoux, Anouilh est cependant un poète du théâtre parce qu'il échappe toujours au réalisme : ses pièces sont un travestissement fantaisiste ou burlesque de la réalité. Il n'utilise de sentiments vrais que transposés dans un registre dramatique violent. En grand créateur de tout un univers dramatique, il ne cesse d'inventer des situations surprenantes et des personnages comme on ne risque guère d'en rencontrer d'aussi fortement typés dans la vie quotidienne. Et il réussit ainsi des chefs-d'œuvre comme *Cher Antoine* (1969) sur la difficulté d'être heureux en amour.

Nous l'avons appelé boulevardier d'avant-garde. C'est lui qui s'appelle parfois boulevardier, et même « vieux boulevardier honteux » (il est né en 1910), peut-être parce qu'il connaît toutes les ficelles du métier. Nous avons ajouté « d'avant-garde » pour indiquer que la part d'aventure est aussi importante chez lui que celle de la tradition. Il possède à la fois les ficelles et le génie de l'art dramatique. Un professionnel inspiré.

FÉLICIEN MARCEAU

Félicien Marceau (né en 1913) n'a jamais publié de poèmes, mais il s'est illustré dans tous les autres genres littéraires. Ses romans et ses pièces se sont succédé en alternance. Dans *Les Années courtes* (1968), Marceau nous laisse entendre qu'une histoire que l'on imagine exige elle-même un traitement par la forme romanesque ou par la forme dialoguée. Ainsi sa première pièce, *L'École des moroses,* est-elle née d'un projet de roman qui demanda à être écrit tout entier en dialogues. Mais deux de ses œuvres ont une double existence, sous les espèces d'un roman et d'une pièce. Dans les deux cas, le roman précéda la pièce : *L'Œuf* (1956) est sorti de *Chair et Cuir* (1951) et *Les Cailloux* (1962) furent extraits de *Capri, petite île* (qui avait paru, comme *Chair et Cuir* en 1951). Nous dirons que certaines histoires se prêtent à deux traitements et d'autres, non.

L'aventure de *L'Œuf* est d'autant plus intéressante à observer que la pièce tint l'affiche trois ans de suite, alors que le roman n'avait connu qu'un succès d'estime. Et non seulement *L'Œuf* fut un triomphe, mais tous les critiques sont d'accord pour estimer que Marceau inventait une forme théâtrale neuve, un peu l'équivalent de ce que Sacha Guitry avait apporté au cinéma quand il adapta pour l'écran ses *Mémoires d'un tricheur*. On peut en effet considérer *L'Œuf* comme un long monologue où un homme raconte sa vie. La grande trouvaille de Marceau fut de matérialiser sur scène les souvenirs de son héros en faisant apparaître les divers personnages qui avaient joué un rôle dans son aventure. Il s'agit d'un monologue illustré.

Dans une telle pièce, la scène n'est plus le lieu précis d'une action, mais un lieu d'apparitions et de résurrection des étapes d'une destinée. Il n'est pas question d'emprisonner ce nouvel espace théâtral dans un décor traditionnel : l'unité de temps et l'unité de lieu sont volatilisées. Voilà le théâtre en liberté.

Dans d'autres pièces, telles que *La Bonne Soupe* (1959) et *L'Homme en question* (1973), Marceau devait reprendre lui-même son invention et la perfectionner encore. Il a pu nous montrer en même temps un même personnage à deux époques différentes de sa vie, c'est-à-dire que le personnage se dédouble et que deux acteurs se trouvent jouer le même rôle, et il arrive que le personnage vieillissant interpelle celui qu'il fut des années auparavant.

Ces « pièces à la première personne » sont à la fois bouffonnes et cruelles, toutes nourries d'une observation précise de la vie courante. Il y a une philosophie de Maugis (le héros de *L'Œuf*) comme il y a une philosophie de Georges Courteline. Marceau nous présente Maugis comme un homme quelconque et c'est en effet avec les lieux communs qu'il se débat, mais c'est bien à ce niveau-là que toute juste réflexion commence. Car nous vivons tous dans ce que Maugis appelle « le système » et qui est le système de conventions, la règle du jeu de la société dans laquelle nous nous trouvons. Entre nous et la réalité de notre expérience et de nos sentiments s'interposent toujours les bons principes et les idées reçues. Voilà bien pourquoi les individus authentiques sont rares. On pourrait considérer la plupart des gens comme des menteurs alors qu'ils ne cherchent qu'à être conformes. Maugis aurait préféré n'être rien, mais, catalogué par les autres, il jouera le rôle que le hasard lui a attribué. Seulement, il ne se confondra jamais avec ce rôle. Il utilisera à son profit les rouages de la machinerie sociale par laquelle il a paru se laisser happer. A la fin, quand il tue sa femme qui le trompe, il a combiné son acte pour que les apparences aveuglent tout le monde et que, tout naturellement, ce soit l'amant que la police arrête.

Marie-Paule, l'héroïne de *La Bonne Soupe,* est une femme qui a compris elle aussi le système et a choisi une liberté intérieure qui se confond avec le cynisme. Elle n'a qu'un moment de faiblesse sentimentale et le paie cher.

Ce sont de « petites vies » que celles de Maugis et de Marie-Paule. Au contraire, dans son drame historique, *Caterina* (1954), Marceau nous avait conté le destin d'une petite Vénitienne qui renonçait à ses amours avec un jeune compatriote pour devenir reine de Chypre. Après la mort de son époux, elle dispose du pouvoir effectif et s'identifie entièrement à sa patrie d'adoption jusqu'à se dresser contre Venise. Ce qui mène Caterina, c'est la seule passion du pouvoir, une tenace ambition. Cette passion donne à l'héroïne sa personnalité. Elle aussi se sert du système où le hasard l'a placée.

Dans le roman *L'Homme du roi,* on trouvera le personnage de Rudolf qui est un pendant masculin de Caterina, comme Marie-Paule est un pendant féminin de Maugis. Rudolf part de l'inexistence d'un homme de plaisir pour devenir un homme fort, dès qu'il a découvert en lui le goût et la science des intrigues politiques. Il se renonce comme simple particulier pour devenir grand personnage de l'État.

Les œuvres de Marceau posent à leur façon le problème de la liberté. Celle-ci sous-entend la connaissance du système dans lequel on est embarqué et, pour s'exercer, demande de la volonté. Or la plupart des hommes n'ont pas besoin de liberté et ne cherchent pas la vérité : ils veulent simplement vivre tranquillement dans le système. La liberté exige de l'héroïsme, puisqu'il faut renoncer aux rassurantes habitudes et affronter la solitude.

A l'opposé des œuvres qui tournent autour d'un personnage principal, on trouvera chez Marceau des œuvres qui sont la peinture d'un milieu. C'est la grande réussite de *Capri, petite île*. Ici Marceau nous fait pénétrer dans une société cosmopolite où règnent en maître l'argent, bien entendu, le snobisme des relations mondaines et le plaisir physique qui, soyons juste, peut être celui de la nage ou du farniente. Parmi les personnages, il y a une Américaine, pendant féminin de L'Homme à l'Hispano, qui a rassemblé tout ce qu'elle a pu d'argent pour mener enfin à Capri une vie conforme à ses goûts et qui s'est promis de se suicider quand elle se trouverait sans ressources. Il y a un garçon, splendide nageur, qui aime surtout ses pantoufles et la compagnie d'une femme de chambre bien plus âgée que lui. Il sort pourtant faire le clown dans les dancings pour séduire une riche veuve et l'épouser. Il y a un vieux milliardaire suisse, impuissant, tyrannique, désireux de fréquenter tout ce qui porte un nom et qui, en public seulement, traite son jeune secrétaire avec une excessive familiarité. Il y a ce jeune secrétaire, un Hongrois, qui sort d'un camp de personnes déplacées, qui tentera un instant de vivre en aimant une jeune fille du pays puis qui se laissera aller tout doucement à l'engourdissement du climat et d'une vie facile. Il y a un peintre hollandais, des comtes et des princes italiens, une Lady kleptomane, un jeune homme français qui vit en séduisant aussi bien les messieurs que les dames. L'auteur n'épargne guère que deux personnages : l'écrivain Jicky Satriano et sa femme. Mais il est vrai aussi que le personnage principal, c'est Capri même, dont la séduction est considérable et qui agit sur tous de bien néfaste manière.

Dans *Capri, petite île,* Marceau use d'un simultanéisme qui doit beaucoup au cinéma, mais c'est pour la scène qu'il adapta son roman.

Observateur des mœurs, il a montré dans quelques pièces l'aboutissement de certaines tendances de la société actuelle. Ainsi, dans *Le Babour* (1969), seules les femmes exercent un métier au-dehors tandis que les hommes tiennent le ménage à la maison. Autre renversement de situation dans *L'Ouvre-boîte* (1972) où, grâce à la puissance de leurs syndicats, les domestiques imposent leur loi à leurs patrons.

L'évolution des sociétés entraîne une transformation des sentiments éternels. *Creezy* (1969) est un admirable récit de forme traditionnelle où l'auteur étudie un caractère neuf. La jeune femme que nous peint le narrateur et qui, par profession, sert de modèle pour les plus luxueuses publicités, est une jeune personne pour laquelle n'existe que l'instant présent. Hier ne l'intéresse pas et elle ne veut pas non plus penser à demain, mais peut-on exister sans racines et sans projets? Qu'est-ce que l'amour réduit à une « fièvre sèche »? L'excuse de Creezy quand son amant la surprend avec un autre, c'est : « Tu n'étais pas là. »

Marceau estime que Creezy a trouvé la liberté. Elle n'a pas trouvé le bonheur et son histoire finit très mal.

L'Homme en question (1973), pièce, nous ramenait à des débats moraux. On y voyait un insomniaque confronté à sa conscience (laquelle apparaissait en personne, comme chez Jarry). La grande passion de cet homme avait été sa fille. Quand elle s'était mariée, il s'était senti volé. Puis il avait réussi à pousser son gendre au suicide. La jalousie des pères relativement à leurs filles est un sentiment très répandu. Avant Marceau, seul Labiche avait traité le sujet, dans *Mon Isménie,* mais dans un registre tout différent.

La violence se déchaîne dans *Le Corps de mon ennemi* (1975), roman où un homme qui sort de prison entend découvrir la machination dont il a été victime. Il mène sa propre enquête pour accomplir sa vengeance et nous avons la peinture d'une société actuelle, fort mêlée, et qui rappelle l'Amérique de la Série noire. Toutefois, c'est bien notre monde.

C'est notre monde tel que le voit le romancier Marceau dont l'optimisme n'est pas la caractéristique. Dans son essai *Le Roman en liberté* (1978), il prévient : « Le roman n'est pas posé sur la réalité comme le couvercle sur une boîte. Il est une autre réalité qui gravite autour de la première et qui l'éclaire. »

Cet essai se présente également comme une enquête. Marceau étudie les buts et les moyens du romancier et il insiste avec raison sur son rôle d'accusateur public.

Félicien Marceau est aussi l'auteur d'un *Balzac et son monde* (1955), un recensement des personnages et un catalogue des thèmes de *La Comédie humaine.* Cette galerie de portraits est un des maîtres-livres de la critique contemporaine.

ANDRÉ ROUSSIN

André Roussin (né en 1911) a obtenu les plus grands succès de comédie de l'après-guerre. Ayant commencé à vingt ans sa carrière théâtrale comme comédien et metteur en scène, au *Rideau gris* de Marseille, il ne fit jouer qu'en 1941 sa première pièce, *Am-Stram-Gram,* une comédie loufoque écrite dès 1934. A la Libération, il partagea l'affiche du Vieux-Colombier avec Sartre : son *Tombeau d'Achille* était jumelé avec *Huis Clos.* Mais ses autres pièces seraient créées sur les boulevards, où Sartre d'ailleurs le rejoindrait.

Toutefois Sartre bénéficiait du label « littérature engagée » (dont il était l'inventeur) tandis que Roussin fut classé parmi les auteurs de divertissements bourgeois.

Roussin est en effet un auteur comique. Ses comédies sont bourgeoises par la plupart des personnages qu'elles mettent en scène, mais, peintre de mœurs et de caractères, Roussin ne cesse de se moquer de ses modèles et manifeste l'esprit le plus libre. Théâtre traditionnel sans doute, mais parfaitement neuf parce qu'il reflète quelques aspects caractéristiques de notre société et utilise des situations auxquelles ses prédécesseurs auraient été bien empêchés de penser. Son chef-d'œuvre est probablement *Les Œufs de l'autruche* (1948), où il a tracé l'inoubliable portrait d'un père de famille, grande gueule, ami des attitudes avantageuses et niaises, et qui ne sait plus comment réagir quand il ne peut plus se dissimuler que ses deux fils adolescents mènent une vie qu'il se doit de condamner au nom des préjugés dont il est dépositaire.

Parmi une vingtaine d'excellentes comédies, dont les plus célèbres sont *La Petite Hutte* (1947) et *Bobosse* (1950), nous avons particulièrement aimé *Le Mari, la Femme et la Mort* (1954), où Roussin s'affirme comme un maître de l'humour macabre et grinçant (ce qu'il était dès *Le Tombeau d'Achille*). Une jolie femme qui a fait un mariage d'intérêt essaie divers moyens de se débarrasser de son vieil époux. Rappelons aussi *Les Glorieuses* (1960), où Roussin s'est diverti à se moquer en alexandrins des épouses qui se parent de la célébrité de leur conjoint. Tout cela n'est pas dans la ligne brechtienne, mais se trouve digne de Molière. (Faites votre choix.)

André Roussin nous a fait d'intéressantes confidences sur son métier dans un essai intitulé *Un contentement raisonnable* (1965). Mais, se demande-t-il, connaît-on jamais parfaitement son métier? Il affirme qu'on est un débutant à chaque nouvelle pièce et qu'on peut craindre de ne pas voir revenir la bonne inspiration. Il arrive d'ailleurs qu'elle visite un auteur deux ou trois fois et qu'elle l'abandonne ensuite, le laissant justement fabriquer des pièces sans vie dramatique véritable. On les dira « mal fabriquées » alors que ce sont probablement celles qui auront demandé le plus de travail.

Comment vous vient une idée de pièce? C'est au hasard des circonstances (et il en est de même pour une idée de roman). A l'origine, il peut y avoir une scène vue, un mot entendu, un fait divers lu. L'auteur dramatique, à sa table de travail, part d'une situation : deux ou plusieurs personnages sont réunis et dialoguent. L'auteur connaît donc la situation, mais il connaît mal encore les personnages. Il se transforme en enquêteur : d'où viennent ces personnages qu'il a imaginés dans telle circonstance précise? La part de la réflexion est plus grande à ce moment que celle de l'imagination. Celle-ci sera l'essentiel quand il s'agira de savoir ce qui va arriver ensuite. Encore doit-on respecter une logique des personnages, une fois ceux-ci inventés. La pièce se transforme d'elle-même : celle qu'on voulait écrire n'est pas toujours celle qu'on se trouve avoir écrite. André Roussin donne de nombreux exemples fort plaisants.

Il y a autre chose encore : la pièce que le public entend n'est pas toujours exactement celle qu'on lui présente. Le public interprète lui aussi à sa manière. Ainsi, les bourgeois pourraient se plaindre du miroir que leur tend parfois Roussin. Non, ils reconnaissent... le voisin. Ou bien ils trouvent sympathique quelqu'un que l'auteur estimait ridicule.

Mais on peut être sympathique et ridicule : on sait que c'est le cas d'Alceste... Roussin a très bien expliqué, dans sa fantaisie historique *Jean-Baptiste le mal aimé,* comment avait dû naître ce personnage.

16.
Farces et attrapes

La littérature de recherche n'est pas forcément ennuyeuse. Elle peut même être fort drôle comme l'a prouvé Raymond Queneau. Elle peut aussi enthousiasmer la jeunesse, comme on l'a vu avec Boris Vian.

RAYMOND QUENEAU

Raymond Queneau (1903-1976) n'a connu son premier grand succès qu'en 1947 grâce à ses *Exercices de style* où il raconte quatre-vingt-dix-neuf fois le même menu fait divers de quatre-vingt-dix-neuf manières différentes. Quelques-unes de ces variations furent utilisées par les Frères Jacques pour un spectacle de cabaret.

Dans le même temps, la chanteuse Juliette Greco obtenait un triomphe avec une chanson extraite du recueil *L'Instant fatal* (1948). Le poème s'appelait *C'est bien connu* et commençait par ce vers très court : *Si tu t'imagines*. C'est ce titre qui est resté « bien connu ». Raymond Queneau l'a repris pour coiffer le recueil de tous ses premiers poèmes, publié en 1952.

Enfin, la célébrité devait venir avec le roman *Zazie dans le métro* (1959). On ne saura jamais pourquoi Queneau ne l'avait pas obtenue avec *Pierrot mon ami* (1942), *Loin de Rueil* (1944) ou *Le Dimanche de la vie* (1952), qui sont également des œuvres d'une charmante fantaisie où l'on suit les aventures de personnages simples et pittoresques.

Le titre de *Dimanche de la vie* est emprunté à Hegel : « ... c'est le dimanche de la vie, qui nivelle tout et éloigne tout ce qui est mauvais; des hommes doués d'une aussi bonne humeur ne peuvent être foncièrement mauvais ou vils. » Hegel a écrit ces lignes à propos des scènes « de naïve gaieté et de joie spontanée » de la peinture hollandaise.

La gaieté de Queneau n'éloigne pas « tout ce qui est mauvais », mais elle le rend inoffensif. La vie apparaît non pas comme une fête, mais comme une farce et s'accepte ainsi. L'égoïsme, la goinfrerie, la sottise sont énormes. Leur excès finit par être réjouissant. Il y a dans *Le Dimanche de la vie* un évident plaisir d'écrire et de pousser les choses et les gens à bout. Queneau fait dire à ses personnages non seulement tout ce qu'ils diraient dans la réalité, mais encore tout ce qui leur passe par la tête et qu'ils n'oseraient sans doute pas exprimer.

Dans *Zazie,* il y a une animation de dessin animé et des situations qu'on aurait dites scabreuses avant-guerre. Zazie est une mouflette de province que sa maman qui poursuit un coquin à Paris confie pour quarante-huit heures au tonton Gabriel, lequel, parce qu'il exerce la profession artistique de « danseuse de charme », semble offrir toutes garanties pour veiller sur un enfant du sexe féminin. Gabriel est bien marié à une nommée Marceline, mais Marceline, à la dernière page, se transforme en Marcel sans plus de façon.

La mouflette Zazie est une enfant terrible, elle se sauve au petit matin de chez le tonton pour explorer seule la capitale. Ce roman nous raconte les aventures de Zazie et du tonton parti à sa recherche. Aventures loufoques dont la fin ne serait pas indigne des meilleurs films des frères Marx. Précisons que, pendant le séjour de Zazie à Paris, le métro est en grève, à la grande déception de la mouflette qu'on n'aura donc pas l'occasion de voir dans le métro.

Le livre porte en épigraphe une phrase d'Aristote, citée dans le texte original et que Queneau a négligé de traduire (elle veut dire : « Il a modelé, il a fait disparaître »). En revanche, le perroquet La Verdure traduit librement le *Words, words...* de Shakespeare par « Tu causes, tu causes, et c'est tout ce que tu sais faire. »

Devenu homme célèbre, Queneau passa pour un homme mystérieux. Père de Zazie, il était directeur de l'Encyclopédie de la Pléiade. Académicien Goncourt, il était aussi Transcendant Satrape du Collège de Pataphysique. De fait, il avait des activités multiples et d'ordres bien différents. Il a écrit de nombreux dialogues de films, mais il a aussi recueilli et publié les leçons d'Alexandre Kojève sur « la Phénoménologie de l'Esprit » et il est l'auteur d'études austères sur la dialectique des mathématiques chez Engels. Bref, il est complexe, singulier, déroutant. Comment le définir?

C'est un encyclopédiste doublé d'un plaisantin, un auteur drôle qui a la nostalgie des sciences, un nihiliste qui jongle avec les mots et avec les connaissances. Raymond Queneau s'intéresse à tout et trouve du temps pour tout : pour le sérieux et pour la rigolade et, parfois, c'est ce qui déconcerte, pour les deux ensemble. Il est un peu de la famille de Charles Cros, qui était également attiré par la poésie et par les sciences, ainsi que par le bricolage en tous genres.

En poésie, Queneau, peut se révéler capable d'un grand souffle lyrique, comme dans la célèbre *Explication des métaphores,* il se veut plus souvent poète humoristique et il est l'auteur du divertissement *Muses et Lézards :*

Nous lézards aimons les Muses
Elles Muses aiment les Arts
Avec les Arts on s'amuse
On muse avec les lézards

Mais il a composé aussi le long poème intitulé *Petite cosmogonie portative* (1950) où Hermès lui-même explique au troisième chant le dessein bénévole de l'auteur :

Au lieu de renoncule ou bien de liseron,
Il a pris le calcium et l'abeille alvéole.
Compris? Au lieu de banc ou de lune au printemps,
Il a pris la cellule ou la fonction phénol.
On parle de Minos et de Pasiphaë,
Du pélican lassé qui revient d'un voyage,
Du vierge, du vivace et du bel aujourd'hui;
On parle d'albatros aux ailes de géant,
De bateaux descendant des fleuves impassibles,
D'enfants qui, dans le noir, volent des étincelles;
Alors pourquoi pas de l'électromagnétisme?
Ce n'est pas qu'il (c'est moi) sache très bien ce xé,
Les autres savaient-ils ce xétait que les roses?
L'albatros, le voyage? un enfant, un bateau?

. . . .

Celui-ci, voyez-vous, n'a rien de didactique,
Que didacterait-il, sachant à peine rien.

Ce poème est mieux qu'une curiosité. Certains passages (par exemple l'apostrophe au Bernard l'Hermite) atteignent une grandeur cocasse et l'on n'a pas manqué de beaucoup citer certains vers, par exemple, ce résumé de l'histoire de l'humanité :

Le singe sans effort, le singe devint homme
Lequel un peu plus tard désagrégea l'atome.

Les *Cent mille milliards de poèmes* (1961) constituent un ouvrage d'une grande originalité. François Le Lionnais le range dans le chapitre « Littérature combinatoire » de ce qu'il appelle plus généralement la littérature expérimentale, dont Queneau est maître incontesté depuis la publication de ses *Exercices de style*.

Ce livre se présente comme un recueil de dix sonnets, mais chaque vers est placé sur un volet, ce qui permet, en tournant tel et tel volet, de modifier ces sonnets à volonté. Le lecteur peut composer 10 puissances 14 sonnets différents, soit les cent mille milliards annoncés. Comme certains lecteurs ignorants peuvent demeurer sceptiques, Raymond Queneau explique :

A chaque premier vers, au nombre de dix, on peut faire correspondre dix seconds vers différents. Il y a donc cent combinaisons différentes des deux premiers vers; en y joignant le troisième, il y en aura mille, et, pour les dix sonnets, complets, de quatorze vers, on a donc bien le résultat énoncé plus haut.

Notre poète ajoute ces précisions fabuleuses :

En comptant quarante-cinq secondes pour lire un sonnet et quinze secondes pour changer les volets, à huit heures par jour, deux cents jours par an, on a pour plus d'un million de siècles de lecture, et en lisant toute la journée 365 jours par an, pour 190.258.751 années plus quelques plombes et broquilles (sans tenir compte des années bissextiles et autres détails).

Voici donc un livre que l'auteur lui-même ne peut pas se vanter d'avoir entièrement lu, un livre que personne ne lira jamais complètement, puisqu'il est matériellement impossible à un homme d'en épuiser toutes les ressources. Raymond Queneau nous confie que l'idée lui en est venue en pensant au livre pour enfants intitulé *Têtes de rechange*. Ce n'est qu'accessoirement qu'il a pensé aussi aux jeux surréalistes du genre *Cadavre exquis*. Dans un « mode d'emploi », il nous donne les règles auxquelles les dix sonnets-géniteurs devaient obéir, la principale étant de maintenir une même structure grammaticale.

Est-il exact que, grâce à ce livre, la poésie va pouvoir être faite « par tous et non par un », comme le souhaitait Lautréamont? Il n'en est rien, bien entendu. C'est au hasard que le lecteur forme telle ou telle combinaison. Son sens pratique n'y est pour rien. Au demeurant, cette machine produit exclusivement du Queneau. Pas toujours du meilleur Queneau, mais :

Frère je te comprends si parfois tu débloques
Tu me stupéfies plus que tous les ventriloques...

Naturellement, de tels exercices ne prouvent rien que la maîtrise de leur auteur. L'épigraphe du livre n'est pas facile à interpréter. La voici : « Seule une machine peut apprécier un sonnet écrit par une autre machine. » En maniant ce livre, on se sent à mi-chemin de l'homme et de la machine. Mais, selon une autre formule de Lautréamont, la littérature n'est-elle pas une « machine à crétiniser »? (Lautréamont souhaitait que son lecteur lui rende justice en disant : « Il m'aura bien crétinisé. »)

En vérité, ce qui frappe, dans une telle entreprise, c'est son ambiguïté. On dirait une entreprise peu sérieuse conduite avec beaucoup de sérieux — avec autant de sérieux que d'intelligence. Là, il faudrait nous interroger sur le sérieux. Il est clair que Raymond Queneau se soucie fort peu d'être sérieux ou de ne l'être pas : quand il invente cette machine à fabriquer des poèmes, il a le seul sérieux qui convienne en la circonstance : le sérieux des scientifiques.

Ce qu'il pense lui-même de ses livres, il ne l'a jamais dit, ni des commentaires qu'ils ont suscités. Il acceptait pourtant de parler technique : il a même expliqué comment il construisait un livre, avec le souci d'obéir à certaines règles, aussi sévères pour un roman que pour un sonnet. Dans un roman, par exemple, on ne renonce pas à la rime, mais ce sont les situations qu'on fait rimer, à des intervalles fixés à l'avance. De même décide-t-on que l'histoire se divisera en tant de sections de telle longueur et que tout cela pourra se traduire par des chiffres précis suggérant que l'art littéraire peut avoir la rigueur des sciences mathématiques : « Je suis partisan des choses très construites. J'aime que les personnages entrent et sortent avec beaucoup de précision. »

Ce n'est peut-être pas vrai pour tous ses livres, mais ça l'est pour ses deux derniers romans : *Les Fleurs bleues* (1965) et *Le Vol d'Icare* (1968). Il y a deux personnages principaux dans *Les Fleurs bleues* et l'un apparaît quand l'autre s'endort. On ne sait pas quel est celui qui vit dans le rêve de l'autre, bien qu'ils appartiennent à des époques différentes et qu'il serait assez normal que ce soit Cidrolin notre contemporain qui rêve du duc d'Auge, personnage historique.

Du point de vue de la rigueur mathématique, *Le Vol d'Icare* est peut-être la plus grande réussite de Queneau. La précision qu'on y trouve est celle-là même qu'on admire dans les meilleurs vaudevilles de Labiche ou de Feydeau.

Un écrivain lance un détective à la poursuite d'un de ses personnages qui s'est échappé des pages d'un manuscrit. A partir de cette donnée fantastique, Queneau a imaginé une incroyable suite de rebondissements, avec rencontres inespérées, enlèvements, évasions, duels, déguisements, toute la lyre. Le mouvement est endiablé : le livre est composé de chapitres courts, entièrement dialogués, où il est question de mille choses, mais sans qu'on s'attarde sur rien. On court, on vole. Bien sûr, à la fin, c'est Icare qui fait une chute grave. On n'échappe pas à son destin. L'auteur, que nous avions vu arriver sur les lieux de l'accident, se retrouve instantanément à sa table de travail et referme son manuscrit : « Tout se passa comme prévu; mon roman est terminé. »

Gide aurait appelé « sotie » ce livre sautillant, et qui sait si Queneau ne s'est pas souvenu du grand ami Hubert de *Paludes* en baptisant Hubert son romancier — et même Hubert Lubert, ce qui sonne comme Hurluberlu. Comme *Paludes* était la satire des sédentaires, *Le Vol d'Icare* pourrait passer pour une satire des gens qui bougent : aucun héros du livre n'a tué en lui la marionnette.

Paludes et *Le Vol d'Icare* sont situés à la fin du siècle dernier, vers 1895, quand apparaissent les premières « voitures sans chevaux » et d'autres merveilles, dans tous les domaines. Queneau ne manque pas de faire bavarder ses personnages sur l'avenir de ces inventions. Mais il agite aussi la question du progrès dans l'art romanesque : si les personnages fuient leurs auteurs, les auteurs ne décideront-ils pas un jour de se passer de personnages? L'homme, du même coup, disparaîtra de l'univers.

Déjà un ami d'Hubert, un nommé Jacques, écrit des romans sans sujet : il voudrait simplement donner l'impression de la couleur mauve. Queneau connaît, bien entendu, la déclaration de Flaubert qui enchantait André

Breton, déclaration selon laquelle il n'avait voulu, en écrivant *Salammbô*, que donner « l'impression de la couleur jaune ». Mais attendez : Queneau fait expliquer à Jacques comment on s'y prend pour rendre les couleurs. Si vous voulez un roman violet, choisissez de raconter « la vie d'un géologue spécialisé dans l'étude des améthystes », ou bien « un botaniste dans celle des aubergines ». Cette fois, Queneau nous renvoie à Alphonse Allais et à son *Album primo-avrilesque*.

De qui se moque-t-il? De tout le monde et de lui-même enfin, comme le prouve la dernière phrase du livre que nous avons déjà citée : « Tout se passa comme prévu. » Phrase propre à stupéfier le lecteur qui s'est trouvé dans l'imprévu durant toute sa lecture : leçon de relativité car l'auteur, lui, savait.

Certains trouveront que nous parlons légèrement de la transposition moderne d'un grand mythe. Une dame bien intentionnée écrivait l'autre jour : « Raymond Queneau est un auteur difficile qui a l'air facile. » Certes, c'est mieux que d'être un auteur facile qui aurait l'air difficile (phénomène rare au demeurant). Mais est-ce faire compliment à un auteur que d'affirmer qu'il est « difficile »? Difficile, facile, pour qui? Ici interviennent les fameux « niveaux de lecture ».

Il va de soi que, pour saisir toutes les allusions d'un auteur, il faut avoir reçu une éducation comparable à la sienne : c'est là-dessus que repose la notion d'un public possible. On écrit pour des gens capables de nous entendre. Prétendez-vous que, justement, Queneau s'adresse à des initiés? En tout cas, il n'offre aucune apparente difficulté de déchiffrement. (Mais les commentaires savants ne sont pas interdits.)

Devançant les futurs exégètes, Raymond Queneau lui-même a proposé jadis une classification de ses œuvres, basée non pas sur les genres abordés, mais sur les thèmes principaux qui l'avaient inspiré. C'était en 1938. On trouvera cette classification sur la page des *Enfants du limon* réservée à la liste des ouvrages du même auteur. Mathématiques : *Odile*. Cosmographie, Botanique et Zoologie : *Gueule de pierre*. Phénoménologie : *Le Chiendent*. Histoire de France : *Les Derniers Jours*. Psychanalyse : *Chêne et Chien*. Vous voudrez peut-être vous amuser à trouver des rubriques pour y placer les autres livres de Queneau. Ce serait aller un peu loin que de ranger *Le Vol d'Icare* sous la rubrique aéronautique.

Le point commun de tous les livres de Queneau n'est évidemment autre qu'un certain style. Une certaine disposition des mots, dans la phrase ou dans le vers, et d'abord le choix de ces mots, nous font dire : « C'est du Queneau. » On peut supposer qu'à l'origine Queneau n'avait que la volonté de s'exprimer simplement, comme ça lui venait, avec une liberté dont quelques-uns de ses camarades surréalistes avaient donné l'exemple. Puis il se demanda pourquoi tout le monde se contraignait à écrire suivant des modèles classiques et non selon la vie. Il dénonça le fossé qui existait entre le français écrit et le français parlé. Pour combler ce fossé, il fallait se décider à écrire comme on parlait. Queneau fit effort en ce sens, dès 1932, en composant *Le Chiendent*, qui parut en 1933.

Bien entendu, la langue parlée et la langue écrite n'ont jamais coïncidé. Marivaux le remarque dans sa préface aux *Serments indiscrets :* « On n'écrit presque jamais comme on parle; la composition donne un autre tour à l'esprit. » Marivaux s'estime une exception : contrairement à ses confrères, il copie la nature et refuse les conventions. En fait, il s'inspirait de la conversation des salons. Raymond Queneau, lui, plus encore que Malherbe autrefois, préfère écouter les propos dans la rue. Il a pris note de l'évolution de la langue parlée, au point de vue du vocabulaire et de la syntaxe. Il a voulu en tenir compte dans ses écrits : mais voyez, comme Marivaux écrivait du Marivaux en croyant copier la nature, Queneau écrit du Queneau, en adoptant des tournures populaires.

Il s'est intéressé aussi au vieux problème de l'orthographe. Ici, bagarres diverses, la réforme de l'orthographe gêne beaucoup plus que celle de la syntaxe. En utilisant l'orthographe phonétique, on arrive réellement à la création d'un « troisième français ». Queneau prescrit des mesures si radicales que leur adoption, loin de simplifier les échanges, les compliquerait pour deux générations.

Raymond Queneau se garde d'ailleurs d'écrire lui-même dans ce « troisième français » ou ne le fait que de temps à autre, pour s'amuser — de même qu'il s'amuse aussi à écrire en « joycien », jeu de super-intellectuel. Au vrai, il entend utiliser à sa guise toutes les écritures possibles et imaginables, comme le prouvent ses *Exercices de style :* « On a voulu voir là une tentative de démolition de la littérature, observe-t-il. En tout cas, mon intention n'était vraiment que de faire des exercices. »

Dans *Le Vol d'Icare,* on ne trouvera que deux ou trois traces légères de « troisième français ». Si l'héroïne s'appelle LN, c'est parce qu'elle est « d'origine cruciverbiste » (il est vrai qu'une fois L R [elle erre] — plus généralement elle fait le tapin). Tous les personnages emploient un langage plutôt noble, qui n'évite pas les formes en « âtes » du passé simple de l'indicatif (« vous aimâtes ») ou en « asse » de l'imparfait du subjonctif (« avant que j'existasse »), lesquelles provoquent toujours un sourire. Style dans l'ensemble d'une simplicité et d'une précision extrêmes, avec de rares jeux grammaticaux : rien ne doit risquer de ralentir le mouvement de la mécanique vaudevillesque.

Où est Queneau dans ce vaudeville? C'est l'homme qui tire les ficelles, ou plutôt qui a remonté les mécaniques avant de les lancer sur un parcours bien balisé. On remarquera sa gentillesse pour ces pantins qu'il agite et fait parler. Ses personnages sont des extravagants, parfois un peu vifs, mais sans la moindre méchanceté. Icare est un brave garçon et L N une bonne pâte de fille. Ils veulent « s'élever » et c'est ce qui les perdra, mais fera aussi leur gloire.

Le Vol d'Icare n'illustre qu'un aspect du génie de Raymond Queneau. Il en est bien d'autres.

En 1939 commençait de paraître en feuilleton dans la N.R.F. un autre roman de lui, tout différent, qui s'appelle *Un rude hiver*. C'est l'histoire très simple d'un homme malheureux, en convalescence au Havre en 1917. Il tourne à l'aigre et au sarcastique, mais l'amour d'une fillette lui rendra son courage. Il y a, dans *Un rude hiver,* des scènes très drôles et d'autres qui sont proprement déchirantes. L'évocation du Havre pendant la guerre, les premières séances de cinéma, la boutique de la libraire, la rencontre de la fillette, tout cela est inoubliable. Un réalisme de tous les instants et, à la fin, l'irruption d'un bonheur tout à fait déraisonnable.

Ce serait bien surprenant qu'*Un rude hiver* et *Le Vol d'Icare* aient été composés de la même manière. Mais ce serait bien la preuve que les mêmes procédés peuvent conduire à des résultats tout à fait inattendus.

En littérature, tout ne se réduit pas à des questions de technique. Et n'est-il pas intéressant de savoir que le héros de roman que préférait Raymond Queneau était le prince Muichkine, dans *L'Idiot,* de Dostoïevsky?

BORIS VIAN

C'est l'année où Raymond Queneau nous offrit ses *Exercices de style* que Boris Vian (1920-1959) publia coup sur coup ses trois premiers romans : *Vercoquin et le Plancton, L'Écume des jours* et *l'Automne à Pékin* (1947). Mais il avait publié l'année précédente la traduction d'un roman de Vernon Sullivan : *J'irai cracher sur vos tombes* qui connut un gros succès de vente et lui valut un procès pour atteinte aux bonnes mœurs : c'est l'histoire d'un métis, un « nègre blanc » qui, pour venger un jeune frère noir victime d'un lynchage, séduit quelques femmes blanches dont deux sœurs qu'il finit par tuer. On sut très vite que Vernon Sullivan n'était autre que Boris Vian lui-même qui signa encore de ce pseudonyme trois autres romans aux titres accrocheurs : *Les morts ont tous la même peau* (1947), *Et on tuera tous les affreux, Elles se rendent pas compte* (1948).

On voit donc qu'en deux ans Boris Vian publia sept ouvrages. Si les livres de Vernon Sullivan trouvèrent beaucoup d'acheteurs, les livres de Boris Vian furent des échecs commerciaux. Boris Vian abandonna Vernon Sullivan quand ses ventes s'effondrèrent, mais il ne devait plus publier que trois ouvrages sous son propre nom : un recueil de nouvelles, *Les Fourmis* (1949) et deux romans : *L'Herbe rouge* (1950) et *L'Arrache-cœur* (1953). Encore *L'Herbe rouge* qui avait été confié à un petit éditeur ne fut-il pas mis en vente (ledit éditeur ayant fait faillite) et *L'Arrache-cœur,* refusé par Gallimard, parut chez un autre petit éditeur et resta dans ses caves.

Raymond Queneau avait pourtant préfacé ce dernier volume. Après avoir salué *L'Écume des jours* comme « le plus poignant des romans d'amour contemporains » et *Les Fourmis* comme « la plus termitante des nouvelles écrites sur la guerre », il terminait en annonçant : « Boris Vian va devenir Boris Vian. »

Boris Vian ne devait pas voir cette prédiction se réaliser car son œuvre ne connut le succès qu'après sa mort prématurée. Sans doute ne soupçonna-t-il jamais qu'il deviendrait un personnage de légende pour la jeunesse des années soixante, que les rééditions de ses livres connaîtraient d'énormes tirages (bien supérieurs à ceux de Vernon Sullivan), que l'on exhumerait les articles qu'il avait donnés à des revues et à des journaux et que l'on publierait même des textes qu'il n'aurait jamais lui-même recueillis en volume.

De quoi est faite la légende de Boris Vian? Mort jeune, il symbolise le Saint-Germain-des-Prés des années d'après-guerre et ce qu'on a appelé l'existentialisme des caves. Il combattait l'absurde, qu'il connaissait bien, en organisant des fêtes. Il était un joueur de trompette, amateur de jazz Nouvelle-Orléans et de bibop. Il était aussi chanteur et compositeur de chansons (dont le fameux *Déserteur,* interdit à la radio pendant toute la guerre d'Algérie). Ses romans étaient pleins de drôlerie et n'ignoraient pas la tendresse. *Vercoquin,* avec ses descriptions de surprises-parties, avait été écrit « pour amuser une bande de copains ». *L'Écume des jours* avait été destiné à « émouvoir tout le monde ».

A propos de ce dernier livre, Boris Vian confia à Jacques Bens en 1959 : « Je voulais écrire un roman dont le sujet tienne en une seule phrase : un homme aime une femme, elle tombe malade, elle meurt. » Ce même sujet serait vingt ans plus tard celui de *Love Story.* Mais Erich Segal n'aurait certes pas inventé la maison qui rapetisse à mesure que la santé de Chloë se détériore, et la souris familière aux moustaches noires qui se suicide en voyant le désespoir de Colin. Sans doute est-ce en lisant Marcel Aymé que Boris Vian avait contracté le goût des déformations poétiques du réel et sa souris semble sortir des *Contes du chat perché.* L'influence de Marcel Aymé sur Boris Vian ne semble pas moindre que celle de Raymond Queneau, lequel Queneau avait d'ailleurs été séduit lui-même par nombre d'inventions d'Aymé (les monologues d'Alfred, le garçon de café des *Derniers Jours,* sont construits sur le modèle des propos de la jument dans *La Jument verte.*)

Boris Vian était attiré par le théâtre et il n'a pas laissé moins de sept pièces, dont deux au moins sont de grandes réussites. Et tout d'abord *L'Équarrissage pour tous,* écrite en 1947 et représentée aux Noctambules en 1950. Ce « vaudeville anarchiste » se situe à Arromanches (Calvados), le jour du débarquement, dans la maison d'un équarrisseur qui aimerait marier sa fille à l'Allemand avec lequel elle couche depuis quatre ans. La pièce est faite des allées et venues de soldats de toutes nationalités, y compris des F.F.I., qui entrent et sortent comme dans un moulin, au gré des attaques et des contre-attaques. La critique la plus chaleureuse fut celle de Jean Cocteau qui se souvenait du beau temps des *Mariés de la tour Eiffel.*

Les Bâtisseurs d'empire, écrit en 1957, fut créé au Théâtre Récamier six mois après la mort de l'auteur. C'est peut-être son chef-d'œuvre, et, en tout cas, une belle contribution à cette « révolution dramatique des années 50 » que nous examinerons dans un prochain chapitre.

Poursuivie par un bruit épouvantable, une famille change d'appartement, passant d'un étage à l'autre de la même maison : *toujours plus haut*. Mais l'appartement est de plus en plus petit. Il y a l'homme, la femme, la fille et la bonne. A chaque assaut du bruit, l'homme répond par la fuite et aussi par une salve d'optimisme : au scandale de la petite fille, le père et la mère ne veulent pas « réaliser la situation ». La bonne rend son tablier, puis la fille disparaît, puis l'homme abandonne sa femme et se retrouve seul dans une mansarde. Après avoir réfléchi sur sa vie et s'être jugé, il se jette par la fenêtre.

Cet homme n'est peut-être pas le personnage principal de la pièce. Nous n'avons pas encore dit que, de chambre en chambre, il retrouvait une mystérieuse présence, un être étrange que l'on prend d'abord pour une grande poupée faite de vieux chiffons. Cette chose est pourtant vivante. Personne n'y prête attention, sauf pour lui envoyer des coups de pied en passant. Or la chose finit par se redresser, par se tenir debout et l'on peut penser un moment qu'elle va étrangler le père de famille. Non : il l'abat d'un coup de revolver avant de se suicider.

Ainsi finissait la pièce au Théâtre Récamier, mais, dans le texte de Vian, publié par le Collège de Pataphysique, la scène était envahie par d'autres « schmürz » — c'est ainsi que Vian nommait son personnage loqueteux et muet — des « schmürz » qui surgissaient de partout.

Une telle pièce, apparemment absurde, est de celles qui se chargent, à mesure qu'elles se déroulent, d'angoissantes significations; — même si l'auteur ne cesse de donner à rire. Voici la question que nous nous posions en sortant de la représentation : ce schmürz qu'on ignore et qu'on maltraite, n'était-ce pas de lui que les héros de la pièce auraient dû s'occuper?

JACQUES BENS

Le meilleur commentateur de Boris Vian — et aussi de Queneau — s'appelle Jacques Bens (né en 1931), auteur lui-même de romans, nouvelles et poèmes tous nourris d'un plaisant « esprit d'adolescence » (comme on parle d'esprit d'enfance). De *Valentin* (1958) à *Rouge grenade* (1976), il a publié une dizaine de volumes où il fait des clins d'œil à ses deux auteurs de prédilection, mais qui ont un ton bien personnel. Amateur d'exercices de style dans ses poèmes, il est attentif dans ses romans aux aventures de la vie quotidienne et en tire une philosophie souriante. Ses lecteurs deviennent ses amis.

17.
Le grand cirque

Tout au long de ce livre nous avons vu et nous verrons des œuvres inspirées par les grands événements de l'époque. Dans ce chapitre, nous allons réunir des auteurs venus à la littérature poussés par le désir de témoigner. Les débuts d'un Robert Merle (né en 1908) et d'un Jules Roy (né en 1907) se sont effectués sous le signe du reportage.

Dans *Week-end à Zuydcoote* (1949), Robert Merle a raconté la tragédie de Dunkerque en 1940. Zuydcoote est, près de Dunkerque, une plage où tout avait été aménagé pour des vacances heureuses. Voici qu'une foule immense et désemparée y campe, sous la constante menace d'une mort dont les coups sont fantaisistes. La D.C.A. tonne, quasiment impuissante contre les avions allemands qui bombardent les bateaux et les abris. Robert Merle décrit admirablement ces journées et c'est à ce côté documentaire que l'on se trouve d'abord sensible. Voilà certes un témoignage qui compte.

Robert Merle a centré son livre sur quatre hommes qui se trouvent, par la défaite, séparés de leur unité. L'un, le plus pratique, devient la Providence des autres. Le deuxième qui, dans le civil, s'occupait d'affaires, porte ses réflexions sur les richesses détruites (non sans songer aux moyens d'en récupérer les restes), tandis que le troisième, qui était curé, remet en question, par-delà le sens de la guerre, le sens de la vie. Il fait part de ses méditations au quatrième, un brave garçon puisqu'il sauvera du viol une jeune fille (demeurée seule dans une maison « pour veiller à ce qu'on n'abîme pas ses parquets ») mais qui ratera son embarquement clandestin pour l'Angleterre.

« Un week-end que personne n'aimerait vivre », assure la bande du livre. On a dit que, littérairement, il se situait entre *Les Croix de bois* de Roland Dorgelès et *Les Silences du colonel Bramble* d'André Maurois.

Dans *La Vallée heureuse* (1946) Jules Roy a exposé son expérience de pilote de guerre français, inséré dans l'armée anglo-américaine. Ici la réalité nous est restituée avec une telle puissance que la monotonie même de la vie des bombardiers n'ennuie pas. On sait ce qu'est *La Vallée heureuse :* la vallée de la Ruhr. Les aviateurs étaient tenus par contrat à effectuer trente expéditions, les statistiques avaient établi qu'on n'en pouvait guère réussir qu'une vingtaine. Et c'est pourquoi les aviateurs pouvaient accepter de déclencher l'enfer : ils avaient accepté d'y mourir.

Le reportage poussé à la perfection s'élève à la dignité d'œuvre d'art. Il y a ici des accents tragiques qu'on n'oublie pas.

La mort au feu était cependant encore préférable à « l'écrasement dans l'ombre » (l'expression est de Saint-Exupéry). David Rousset a écrit un des livres capitaux de notre époque : *Les Jours de notre mort.*

Alfred Kern n'a pas utilisé directement ses souvenirs de guerre. C'est à l'amitié du peintre Camille Claus qu'il doit d'avoir pu, dans *Le Bonheur fragile,* décrire de façon si poignante le camp de Tambow où croupirent des soldats alsaciens prisonniers des Russes. Avec Kern, nous voyons comment l'air du temps nourrit un romancier et met en branle son imagination.

Dans son premier roman, Romain Gary témoignait lui aussi indirectement. Mais les meilleures de ses œuvres suivantes utilisent une expérience personnelle.

On peut parler encore de « grand cirque » à propos des œuvres rudes et violentes de Raymond Guérin et de René-Jean Clot. Celui-ci fut un des premiers écrivains de l'après-guerre à attirer l'attention sur les problèmes de l'univers psychiatrique, ce monde de la « folie » que devait étudier Michel Foucault et sur lequel ont cours les opinions les plus contradictoires.

DAVID ROUSSET

L'œuvre littéraire de David Rousset (né en 1912) s'inscrit sous le signe de la terrible promesse d'*Ubu enchaîné :* « Vous verrez très loin dans le froid, la faim et le vide. » Elle est la description la plus extraordinaire qui ait été donnée du phénomène des camps, tels qu'ils avaient été organisés par les nazis. Rousset parlait en connaissance de cause puisqu'il avait été déporté en 1943, pour faits de résistance, mais il n'a pas voulu seulement donner son témoignage sur les épreuves qu'il avait subies, il a mené une enquête pour livrer une vue d'ensemble sur ce qu'il a nommé *L'Univers concentrationnaire.* C'est le titre du premier livre, assez court, qu'il a donné dès 1946. Il y indique les caractéristiques de ce monde à part, aussi fantastiques que les pays imaginaires de Kafka ou de Michaux, et dont nous n'eûmes la pleine révélation qu'après la défaite des armées allemandes. Les Allemands eux-mêmes, dans leur grande majorité, n'en connaissaient pas toute l'horreur et Rousset prévient qu'y voir un produit proprement germanique serait « faire écho à la mentalité SS ». Au reste, les camps avaient été créés pour y enfermer des Allemands, les opposants au régime. Ce n'est qu'avec la guerre qu'ils se développèrent pour constituer cette étrange et formidable société où les politiques se trouvèrent en minorité par rapport aux « Droits communs » et où les déportés étrangers — surtout des Russes — l'emportèrent de loin en nombre sur les internés allemands.

Rappelons que le premier livre paru en France après la Libération et qui parlât des camps avait été l'ouvrage d'Arthur Koestler, traduit sous le titre *La Lie de la terre*. Il y était question des camps français créés à la veille de la guerre près de Gurs et d'Argelès. Ces camps étaient déjà effroyables mais l'horreur n'y était pas institutionnalisée : au contraire, le manque d'organisation se trouvait en partie responsable des misérables conditions de vie des détenus. Et c'est cela qui distingue principalement les camps français, dénoncés par Koestler, des camps nazis où tout était méthodiquement réglé pour briser tous les ressorts moraux des prisonniers qu'on obligeait d'ailleurs à travailler jusqu'à la limite de leurs forces. Tout était agencé pour que chaque détenu finît par se persuader qu'il était d'une race inférieure à celle de ses seigneurs et geôliers. Pour Rousset, tout régime impérialiste est capable de pareille entreprise d'abaissement de la personne humaine. Les monstruosités des camps sont le produit d'un système idéologique et économique, et non d'une race.

Parmi les trouvailles des seigneurs SS pour avilir leurs esclaves la plus ingénieuse consista à décider que ceux-ci s'administreraient eux-mêmes : d'où la création de ce que Rousset appelle une « bureaucratie détenue » qui entraîna non seulement une lutte pour occuper des postes, mais une cruauté des détenus privilégiés envers les autres concentrationnaires. Rousset montre comment les détenus politiques arrachèrent le pouvoir intérieur aux droits commun et comment, dans certains camps, ils eurent la haute main sur les « sélections » qui envoyaient des milliers d'hommes à la mort. Ces politiques, communistes pour la plupart, entendaient « sauver les meilleurs » et c'est pourquoi ils acceptaient de devenir bourreaux à leur tour. Entre l'abjection et la mort, ils avaient choisi. Certains pourtant préférèrent se tuer.

Tout cela, Rousset l'a raconté en détail dans l'énorme roman qu'il a appelé *Les Jours de notre mort* (1947). Nous disons « roman » parce que le mot figure sur la couverture, mais l'appellation est impropre puisque, dans un avertissement, Rousset précise que la fabulation n'a aucune part dans son ouvrage; tout y est vrai : les descriptions, les événements, les personnages. Alors, pourquoi roman? Parce que l'auteur, pour raconter, a employé la « technique du roman ». C'est une construction par scènes, qui n'a rien à voir avec le déroulement habituel d'un livre de souvenirs ou d'un reportage. Nous sommes jetés dès les premières lignes en plein drame. Le livre s'ouvre sur une pendaison. Rousset veut nous plonger directement dans l'enfer : voyage au bout de la nuit et du brouillard.

Ce que Rousset appelle technique du roman, c'est la technique de Dos Passos que venait d'utiliser Sartre dans *Le Sursis*. Elle donne de meilleurs résultats chez Rousset, parce que celui-ci se déplace dans un univers clos : on n'éprouve pas la même impression d'éparpillement que dans *Le Sursis*.

Rousset est lui-même un des personnages du livre et il dit « je » quand il participe aux scènes rapportées. Les scènes qu'il a reconstituées d'après les récits qu'on lui a faits sont naturellement à la troisième personne, mais le passage du « je » au « il » n'altère pas la crédibilité du récit. Dans tous les cas, Rousset a laissé à tous ses personnages leurs noms véritables. Il ne semble pas qu'aucun rescapé soit venu le contredire même sur des détails.

Le troisième livre de Rousset, *Le Pitre ne rit pas* (1948), est un montage de documents authentiques. Rousset les a distribués en un certain nombre de chapitres, présentés comme les divers tableaux d'une revue à grand spectacle, où triomphe l'humour noir.

En 1949, Rousset eut en main des renseignements qui prouvaient qu'il existait en Russie un autre « univers concentrationnaire », il ne pouvait compter sur *L'Humanité* pour dénoncer le scandale. C'est dans *Le Figaro* qu'il lança un « appel aux déportés des camps nazis pour venir au secours des déportés dans les camps soviétiques. » En 1963, dans *La Force des choses,* Simone de Beauvoir écrit à ce propos un paragraphe qu'elle ne relirait pas sans honte aujourd'hui : « Rousset montait une admirable machine antisoviétique », dit-elle. Elle n'imagine pas un instant qu'un ancien déporté n'ait pu, comme elle, décider d'ignorer une réalité gênante. Elle ne vit dans l'attitude de Rousset qu'un désir de gagner des sous : « Il s'était trouvé un job », conclut-elle (p. 220).

JEAN CAYROL

Comme Rousset, Jean Cayrol (né en 1911) a connu l'épreuve de la déportation. Mais il n'a pas écrit les souvenirs de ses années à Mauthausen. C'est le roman du rescapé qu'il nous a donné, l'histoire du Lazare des temps modernes, homme brisé, devenu marginal. On a souvent dit que le héros de la trilogie *Je vivrai l'amour des autres* (1947-1950) annonçait les personnages de Beckett. C'est une littérature de l'errance, dont les vertus sont d'ordre poétique. Des pages comme celles sur la faim, qui ouvrent le deuxième tome de la trilogie, sont justement célèbres.

Jean Cayrol est en effet poète plus que romancier. Il sait évoquer des situations mieux que dérouler une intrigue (qui ne l'intéresse guère). Pourtant il a besoin d'écrire et d'écrire encore. Son œuvre est très abondante. Le titre qui le résume est celui d'un recueil de poèmes : *Les Mots sont aussi des demeures* (1952). Ce sont même les seules demeures où Cayrol se sente à l'aise : *Seuls demeurent,* orthographierait René Char.

L'étrangeté d'être au monde, Cayrol l'a ressentie bien avant d'être précipité dans « la nuit et le brouillard ». Mais Mauthausen a matérialisé de façon terrible son angoisse : l'horreur physique justifia l'inquiétude métaphysique. C'est miracle que la foi en la poésie n'ait pas abandonné Cayrol dans les camps. Il dirait qu'elle lui a justement permis de continuer à vivre.

La poésie est toujours son soutien. « Poésie ininterrompue » (pour parler cette fois comme Éluard), qui l'a conduit aux improvisations souvent humoristiques de *Poésie journal* (1969), où il parle très bien des espoirs déçus de l'an 68, à Paris et à Prague.

ALFRED KERN

Alfred Kern (né en 1919) nous donna d'abord un merveilleux livre de souvenirs, *Le Jardin perdu* (1950), où il nous montrait comment les différentes étapes d'une enfance sont la préfiguration de toute l'histoire des hommes. Ce livre devait beaucoup à Jung dans sa conception, mais Kern avait une manière personnelle et savoureuse de faire surgir les mythes à partir de menues aventures quotidiennes.

Il devait écrire, dans le genre baroque, trois des plus intéressants romans de l'après-guerre. *Le Clown* (1957) est même un des chefs-d'œuvre de la littérature contemporaine.

La bande publicitaire nous promet « l'épopée du cirque ». Nous avons, en effet, un roman picaresque sur les gens du voyage, un roman de six cents pages fourmillant de types pittoresques et de scènes variées, tantôt dramatiques et tantôt divertissantes. Les descriptions sont précises et le livre paraît remarquablement documenté : on jurerait que l'auteur, s'il n'est pas enfant de la balle, a du moins passé quelques années de sa vie à suivre les tournées internationales du Cirque Schwander. On aurait tort de jurer : mieux vaut dire que Kern fait preuve d'une imagination débordante. Cette imagination bat son plein dans les « numéros » que l'auteur prête à son clown : beaucoup trop riches pour être réalisés sur une piste. Mais c'est le clown lui-même qui tient la plume : on admet qu'il exagère un peu.

Le clown, héros du livre, s'appelle Hans Schmetterling. Le livre, ce sont ses Mémoires. Hans est né en Suisse, à Bâle. Sa famille est pauvre. Au surplus, son père meurt dans un accident. Il est élevé par sa mère, qui fait des ménages. Il doit songer lui-même à gagner rapidement sa vie. Il devient petit employé aux grandes galeries. Mais son ambition est énorme. En même temps, il sait que son instruction et sa culture sont insuffisantes : il sera autodidacte. Chez lui, le désir du savoir et le désir de la gloire vont de pair, deux espoirs de dominer le monde. Hans est par ailleurs persuadé qu'il devrait quitter le pays natal, trop étroit : il veut respirer plus largement. A dix-sept ans, il assiste à une représentation du Cirque Schwander et entend l'appel de l'aventure. La grande aventure va commencer en effet.

Au Cirque, Hans n'est pas tout de suite accepté. Quand la patronne lui a demandé ce qu'il savait faire, il a répondu « rien »; il doit entrer en apprentissage. Parmi les différentes spécialités du cirque, il hésite. Il envie l'agilité des trapézistes, l'habileté des jongleurs. Il prend une nette conscience de ses manques, mais il se défend par l'humour et découvre, dans le même mouvement, la voie qu'il doit suivre. Il est aidé par Franz qui l'a précédé dans la carrière de clown et qui est l'ami de la patronne. Franz traîne des ambitions déçues : il n'en est que meilleur éducateur. Hans apprend beaucoup aussi auprès de la patronne, la grande Martha Schwander, dont il deviendra l'ami en titre, après maintes aventures et le départ de Franz.

Le cirque parvient à se maintenir pendant la guerre de quatorze, mais traverse ensuite une crise grave. Il faut quasiment repartir à zéro. Hans, qui n'a été jusqu'alors qu'un témoin de son temps, se découvre des talents d'organisateur insoupçonnés.

Bientôt, le cirque Schwander est renfloué et prend un nouveau départ. Il va même connaître sa plus grande gloire, mais Hans ne goûte pas la réussite d'un cœur léger. Était-ce cette réussite-là qu'il voulait? Et puis il profite amèrement de biens mal acquis. Il se rappelle les propos sur la misère du monde que lui tenait un ami socialiste mort à la guerre. Un soir, il laisse tomber une cigarette allumée et ne l'écrase pas. Le cirque flambe. Hans n'a rien prémédité mais se reconnaîtra coupable. C'est la ruine, cette fois définitive. Il est dans la nature des enfants de briser enfin leur plus beau jouet et Hans est resté, d'un certain côté, un enfant.

Martha ne peut pas comprendre. Elle pardonne pourtant. Elle finira ses jours près de son jeune amant. Ce sera pendant la Seconde Guerre mondiale, et Hans se montrera d'un dévouement parfait, jouant la comédie de la consolation et se prenant d'ailleurs à ses propres arguments. Telle est la nature humaine.

Après la guerre, Hans aura l'occasion de monter un dernier spectacle (sur le thème des Nations unies), puis il découvrira l'écriture, nouvelle expérience, nouvelle mise en forme du monde qui n'existe que par le langage. Hans parle le langage de la parodie, un langage qui n'est pas si loin de celui du Félix Krull, de Thomas Mann. Par ce parti pris, *Le Clown* est un livre essentiellement « moderne ».

Les aventures de Hans se déroulent sur cinquante années de vie européenne. Il est vrai que Hans est un témoin plutôt qu'un acteur, mais un témoin lucide qui nourrit ses numéros de ce qu'il a su voir et qui nous offre une vue originale sur son époque. Sur notre époque.

Avec *L'Amour profane* (1959), Kern nous fit passer du cirque au couvent. Cette fois, le narrateur s'appelle Jean Duperrier. Il a été ordonné prêtre, mais il a perdu la foi. Quittant la soutane, il essaie de trouver une place dans le siècle. Il échoue. On ne recommence pas facilement une vie. Duperrier finit par revenir au bercail. Son évêque le reçoit miséricordieusement. Aussi bien un prêtre est prêtre à jamais. Monseigneur décide d'envoyer Duperrier comme aumônier au couvent vosgien de Sainte-Hildegarde-du-Mont. Il en connaît bien la Supérieure, Sœur Marie-Anne, et il estime qu'elle saura veiller à ce que Duperrier ne trouble pas les âmes des nonnes dont elle a la garde. C'est une femme de tête et de caractère...

C'est Sœur Marie-Anne elle-même qui vient attendre Duperrier à la gare, dans la camionnette du couvent. Duperrier, avant de savoir qu'elle est la

Supérieure, ne laisse pas d'être sensible à la beauté de cette femme. Mais c'est lorsqu'il apprendra qui elle est, que son intérêt commencera à s'éveiller vraiment. Car effectivement ce livre va nous raconter une histoire que d'aucuns jugeront scandaleuse : Duperrier va essayer de séduire Sœur Marie-Anne.

En réalité, Kern n'a pas un instant songé à écrire un livre scandaleux. C'est tout le contraire : il a plutôt voulu écrire un livre édifiant. Que l'on en comprenne la donnée : Duperrier arrive en vaincu au couvent, il a perdu sa fierté, il a accepté l'humiliation. Il ne l'a pas si bien acceptée pourtant qu'il ne s'interroge sur l'assurance de la Supérieure. Pour quelqu'un qui n'a pas la foi ou qui ne l'a plus, celle des autres pose un problème. Est-il possible de posséder une certitude qu'aucun doute ne ronge? On soupçonne chez les autres une part de comédie égale à celle que nous déplorons en nous. Le problème est ici de savoir si Marie-Anne joue un rôle et, dans l'affirmative, s'il est possible de lui faire abandonner son rôle.

Dans le douteux combat qu'il livre, Duperrier se révèle un habile stratège, usant des armes d'une théologie fort suspecte pour ébranler les convictions de Marie-Anne. Il parvient moins à les ébranler qu'à faire éprouver à cette femme la tentation d'une vie plus naturelle que celle qu'elle a choisie. Marie-Anne, prise entre l'amour sacré et l'amour profane, tombera dans une crise d'hystérie caractérisée. C'est un refuge provisoire contre le séducteur. Mais, demain, s'il revient à la charge, que se passera-t-il?

Le lendemain, Duperrier renonce à son entreprise. C'est qu'il aime vraiment Marie-Anne et qu'il ne se reconnaît pas le droit « de rompre l'harmonie de son univers ». L'amour ne serait rien s'il n'était d'abord « respect de l'autre ».

Duperrier décide de quitter le couvent. Son renoncement montre aussi qu'on ne doit pas essayer de dissocier les apparences et la réalité. Marie-Anne vit dans un système qu'elle authentifie. Les êtres existent par le style qu'ils ont adopté et la seule morale qui vaille est celle qui nous oblige à accepter autrui dans sa singularité.

Chacun ici-bas choisit un déguisement, mais ce déguisement devient notre être même, ou plutôt sans déguisement nous ne serions rien du tout.

Le Bonheur fragile (1960) est également écrit à la première personne. Le narrateur est Paul Bachère, un jeune bourgeois alsacien. Lors de la dernière guerre, il a été mobilisé dans l'armée allemande et envoyé sur le front de Russie. Il a connu les longues marches, puis l'épuisante captivité. Libéré, il croit d'abord qu'il ne pourra jamais se réadapter, renouer avec son passé. Il pense, en particulier, ne pas pouvoir reprendre la vie conjugale. La vie est cependant la plus forte. Nous voyons Bachère à Strasbourg dans l'imprimerie familiale. Il essaie loyalement de se conduire en héritier, mais sa vocation de peintre l'entraîne vers d'autres horizons. D'abord, avec sa femme, Isabelle, il va vivre dans un village de montagne, mais il a bientôt la conscience de tricher : « Isabelle, notre amour ne sera vrai que si nous le vivons au milieu des hommes... » Il vient alors tenter sa chance à Paris. Il vivote comme professeur de dessin, tout en essayant de donner une existence artistique à ses obsessions : c'est ainsi qu'il pourra s'en délivrer. *Le Bonheur fragile* contient des réflexions d'une grande portée sur l'art d'aujourd'hui. L'art ne semble plus une réjouissance, mais l'expression d'un malaise ou d'une tare. Pourtant, l'amour qui lie Paul Bachère à Isabelle est sa plus sûre inspiration et le dévouement de la jeune femme l'aide à traverser ses crises de dépression. Cet amour triomphe parfois d'un égocentrisme maladif. Paul Bachère en a parfaitement conscience. Non seulement les autres existent, mais encore Paul Bachère pressent que le salut ne peut être que collectif. Il ne s'agit pas de se sauver dans l'imaginaire, il s'agit de partager un commun destin. Le drame de Paul Bachère n'est pas sans rappeler celui d'un autre peintre, le Jonas d'Albert Camus.

Un jour, les toiles de Paul Bachère seront célèbres, après qu'il aura bénéficié d'un lancement publicitaire de qualité douteuse. Ce succès n'est cependant pas dérisoire, qui met fin aux ennuis d'argent. Mais l'inquiétude du héros demeure. Il lui faudra l'expérience de la paternité pour porter sur la vie un regard apaisé : il situe son aventure personnelle dans une perspective élargie. Sa vie n'est qu'une étape. L'avenir permet tous les espoirs. On peut goûter un bonheur fragile, que les menaces les plus diverses rendent même plus aigu. L'antique gloire d'exister l'emporte sur l'inquiétude moderne.

Après *Le Clown,* nous avions prédit à Alfred Kern qu'il serait un jour candidat au Prix Nobel. *Le Bonheur fragile* reçut le Renaudot. Kern en fut si satisfait qu'il renonça à la littérature.

ROMAIN GARY

Romain Gary (né en 1914) est un personnage hors du commun. Sa vie elle-même, dont il nous a raconté les débuts dans *La Promesse de l'aube* (1960) est un extraordinaire roman.

Russe de naissance, l'émigration en a fait un Français très officiel, après un long passage dans l'armée de l'air britannique où il combattit durant la guerre : « C'est terrible l'émigration, écrit-il, ça vous rend consul général de France, prix Goncourt, patriote décoré, gaulliste, porte-parole de la délégation française aux Nations unies. » On voit qu'il ne déteste pas rappeler ses titres. Il est vrai que c'est dans un passage ironique. Mais on peut y voir une espèce de précaution : Romain Gary est un écrivain et ne voudrait pas être confondu avec les intellectuels de cafés ou de salons.

Le Prix Goncourt, il eût mérité de l'obtenir avec son premier roman, *Éducation européenne* (1945), qui racontait des scènes de la Résistance polonaise. On le lui donna onze ans plus tard pour une fresque africaine, *Les Racines du ciel* (1956), où l'on voit un sympathique aventurier prendre le maquis pour lutter contre ceux qui veulent exterminer les éléphants. Notez bien qu'il ne s'agit pas de ne plus tuer d'éléphants et le livre est d'ailleurs dédié au président du Comité international de la chasse. Non, il s'agit d'en laisser vivre quelques-uns pour préserver « une marge humaine », la part du rêve dans un monde de plus en plus mécanisé et rationalisé.

Dans tous les romans de Gary, on trouve des scènes puissantes et chaleureuses, mais l'auteur ne craint pas les excès : être romanesque, c'est parfait pour un romancier. Être théâtral est moins recommandable. Et du théâtre on peut passer au cinéma à effet. (Il est d'ailleurs arrivé à Gary de réaliser des films.)

Gary n'est jamais si convaincant que lorsqu'il se met lui-même en scène et parle à la première personne. Son chef-d'œuvre est *Chien blanc* (1970) où il mêle plusieurs histoires et nous offre un double document sur l'Amérique et la France d'aujourd'hui.

En Amérique, on appelle « chiens blancs » les chiens spécialement dressés pour attaquer les Noirs. C'est à Los Angeles que Gary recueillit un chien-loup perdu qui avait subi cet effroyable dressage. Quand Gary s'aperçut que son nouvel ami, si affectueux envers lui, devenait féroce envers les Noirs, il pensa que l'on pouvait le rééduquer. On lui dit que c'était trop tard : Batka avait maintenant sept ans. Il fallait le piquer. C'était tuer un innocent : Gary pensa devoir s'y résoudre, puis s'obstina à vouloir le guérir, le faire guérir. Il le confia à un spécialiste d'un zoo, un Noir, qui se faisait fort d'obtenir un bon résultat. Le dresseur en question, un musulman noir fanatique, parvint en effet à réussir un tour de force : il transforma le chien blanc en chien noir. Quand il retrouvera son maître blanc, le malheureux chien sera pris dans une telle tempête intérieure qu'il en perdra la tête. Mais ne racontons pas cette histoire. Il faut la lire, bien qu'on en sorte le cœur soulevé d'horreur et de compassion.

Dans l'histoire du chien Batka, Gary a vu une fable vraie qui a valeur de symbole. Elle illustre en effet les conséquences du racisme dans l'âme des hommes. C'est une histoire proprement désespérée et Gary, qui n'est pas de nature défaitiste, nous raconte parallèlement les amours, en France, d'une courageuse jeune Blanche et d'un Noir américain déserteur.

Il nous brosse également un tableau des milieux extrémistes noirs aux États-Unis et des milieux libéraux blancs, où milite sa femme, l'actrice Jean Seberg. Ce sont des scènes oscillant entre la comédie grinçante et la tragédie sanglante. Gary ne s'abandonne pas à la facilité de prendre parti « contre » l'Amérique : il souligne au contraire que les Noirs américains sont peut-être les plus américains des Américains... Et de toute façon les Européens n'ont pas de leçons à donner à l'Amérique.

Romain Gary a prévu qu'un lecteur pourrait lui dire : « Tout de même, monsieur, tant de drames pour un clébard... Et le Biafra? » Il répond avec quelque emportement : « Vous vous foutez de moi? Le Biafra? En somme, ne rien faire pour le Biafra, ça vous permet de ne rien faire pour un chien? Il existe aujourd'hui une nouvelle casuistique qui vous dispense, à cause du Biafra, à cause du Viet-Nam, à cause de la misère du tiers monde, à cause de tout, d'aider un aveugle à traverser la rue. »

Plus loin, Gary dit encore : « C'est assez terrible, d'aimer les bêtes. Lorsque vous voyez dans un chien un être humain, vous ne pouvez pas vous empêcher de voir un chien dans l'homme et de l'aimer. Et vous n'arrivez jamais à céder à la misanthropie, au désespoir. Vous n'avez jamais la paix. »

RAYMOND GUÉRIN

On raconte que Raymond Guérin (1905-1955), lorsqu'il apporta le manuscrit des *Poulpes* (1953) à Gaston Gallimard, déclara : « Après ce livre, j'entends être considéré comme le plus grand écrivain vivant. » Gaston Gallimard ne s'étonna pas, mais voulut une petite précision : « Par qui? » demanda-t-il.

Guérin s'était imposé en publiant *Quand vient la fin* (1941). Ni la pudeur ni le bon goût ne l'avaient retenu de donner le compte rendu le plus précis de la mort de son père, atteint d'un cancer à l'anus. Mais une sourde révolte donnait toute sa portée à ce récit terrible.

L'Apprenti (1946) fut un des derniers romans à provoquer un scandale dans le monde des lettres, par le même étalage des réalités de la vie physiologique. On y voyait un garçon de vingt ans, M. Hernnès, placé par ses parents contre son gré et contre ses goûts dans un grand hôtel. Guérin n'a pas seulement écrit le drame du métier forcé, mais celui de la découverte d'un monde ignoré. Monde de l'hôtel et monde tout court, lequel ne correspond pas aux rêves d'un adolescent. Lui-même, M. Hermès, ne ressemble pas à celui qu'il croyait être, lui qui « aurait voulu pouvoir s'incarner dans un monde comparable à celui de *Jocelyn* ». Il se livre avec désespoir à la masturbation. Et l'on voit bien le côté puritain de cet ouvrage souvent obscène et parfois même maniaque : Guérin, loin d'être un auteur érotique, exprime un violent dégoût du corps et des fonctions naturelles.

Quant aux *Poulpes,* Guérin nous y décrit sur un mode épique son expérience de prisonnier de guerre. Livre énorme : l'auteur demande « aux lecteurs qui n'ont pas un mois à perdre » de ne pas essayer de pénétrer dans son labyrinthe. Car il s'agit bien d'un labyrinthe où la créature est jetée en pâture au Minotaure : dans le mythe, Thésée échappe à un sort misérable. Dans la réalité, l'homme est vaincu par la société et voit tous ses idéaux bafoués. Céline n'est pas allé plus loin dans l'exploration de la nuit.

RENÉ-JEAN CLOT

René-Jean Clot (né en 1913) nous apparaît comme un des romanciers les plus puissants de l'après-guerre, avec des œuvres comme *Le Noir de la vigne*

(1948), *Le Poil de la Bête* (1951), *Le Mât de cocagne* (1953). C'est un écrivain sans complaisance, mais passionné et souvent visionnaire, avec un penchant pour les sujets un peu monstrueux. Est-ce pour cela qu'il n'a pas obtenu la grande célébrité qui devrait être la sienne?

Dans *Le Noir de la vigne,* on voit le directeur d'un asile d'aliénés devenir fou lui-même et, au cours de la répression d'une révolte, des gendarmes abusent d'une fille simple d'esprit, sans prêter attention à l'enfant qui les observe. Le titre du livre se rapporte à la sainte colère d'un prêtre qui mène l'enquête contre les gendarmes et qui ne parvient pas à faire parler le jeune témoin. La grave question posée par Clot est celle des « frontières » : quand cesse-t-on d'être normal, quand commence la folie? Et que connaît-on de la psychologie juvénile?

Dans *Le Poil de la bête,* un garçon falot prend de l'assurance à la guerre et devient un tueur, un roi de la vie. Il deviendrait officier si un colonel père de famille ne s'indignait de sa propension au viol et ne le faisait casser. Fin d'un beau rêve. La paix revenue, notre héros, redevenu pékin, reprend sa vie terne de petit employé. La paix a tué le surhomme.

Le Mât de Cocagne contient un tableau des milieux de peintres et des milieux littéraires à Paris. Le personnage appelé Maguarriga vous fera sans doute penser à Picasso.

Le recueil de nouvelles *Le Ramoneur de neige* (1962) pourrait être sous-titré « grandeur et servitude du maître d'école ». Nos instituteurs, qui sont de bons liseurs, auraient dû assurer un triomphe à ce livre.

18.

Les écrivains du peuple

On parle parfois d'écrivains du peuple et de littérature prolétarienne. Il faut s'entendre sur ce que l'on désigne par ces mots. Les écrivains du peuple peuvent être les écrivains qui sont nés dans des milieux populaires. Le mot désigne alors une origine sociale. La littérature prolétarienne est celle qui décrit la vie des prolétaires : elle peut être écrite pour les bourgeois. Zola était un bourgeois quand il écrivait *L'Assommoir* et *Germinal.*

Les écrivains que nous réunissons dans ce chapitre sont à la fois issus du peuple et ils ont témoigné sur les milieux où ils ont grandi. Ils manifestent une compréhension de la peine des hommes, dont nous ne prétendons pas qu'elle n'existe que chez eux, mais qui doit assurément quelque chose à l'expérience vécue. Dans son premier livre, *L'Envers et l'Endroit,* Camus est un écrivain du peuple et le redevient dans telle nouvelle de *L'Exil et le Royaume.* Mais il ne fut jamais un écrivain *populiste,* parce qu'il n'a jamais cru que, pour bien parler du peuple, il fallait utiliser le langage conventionnel qu'on lui prête et qui caractérise trop souvent la littérature populiste (on finit par reconnaître celle-ci à ses clichés).

Guilloux, Marc Bernard et Calet ne sont pas non plus des écrivains populistes. Chacun a sa voix propre qui exprime un tempérament particulier.

La question des moyens d'expression s'est au contraire posée pour Jean Meckert et il y a trouvé des réponses qui constituent une précieuse contribution au débat sur le langage parlé.

Bien qu'ils n'aient pas disparu, on parle moins aujourd'hui des « quartiers ouvriers » que des banlieues. René Fallet (né en 1927) a publié à vingt ans un roman pittoresque intitulé *Banlieue Sud-Est* où il peint avec bonne humeur de sympathiques marginaux. Il a conservé sa fraîcheur de sentiments dans d'autres ouvrages, dont *Paris au mois d'août* (1964). Le jeune Walter Prévost est plus âpre et son livre de début relève davantage de l'étude sociologique.

LOUIS GUILLOUX

Fils d'un cordonnier de Saint-Brieuc, militant socialiste, Louis Guilloux (né en 1899) a commencé sa carrière littéraire en publiant un livre de souvenirs d'enfance, *La Maison du peuple* (1927), récit nourri des espoirs de la classe ouvrière au début du siècle. Un demi-siècle plus tard, sa dernière œuvre, *Coco perdu* (1978), est le simple monologue d'un vieil homme que sa femme vient de quitter. Ce n'est pas un livre allégorique, mais il n'en est pas moins vrai que les lumières du socialisme ne scintillent plus comme autrefois et que l'individu reste aux prises avec les drames de la vie privée.

Guilloux donna dès avant-guerre son roman le plus puissant, *Le Sang noir* (1935), dont il devait plus tard tirer une pièce, *Cripure* (1962). C'est au *Sang noir* que son nom restera d'abord attaché, mais il a publié après la guerre ses deux livres les plus monumentaux. *Le Jeu de patience* (1949) qui ne compte pas moins de huit cents pages, lui valut une sorte de consécration.

Lire *Le Jeu de patience,* ce n'est pas lire un roman, mais dix, vingt, trente histoires et plus. Il s'agit en effet d'une chronique. La chronique d'une ville de province, d'une ville bretonne, durant quarante années, du début du siècle à la Seconde Guerre mondiale.

Cette chronique se compose de notes prises à différentes époques. Ces notes furent mêlées et nous sont présentées sans ordre chronologique, sous la forme d'un « jeu de patience ». On a discuté et on discutera sur ce procédé : il permet certains effets. L'enchevêtrement des générations permet des confrontations rapides et saisissantes.

Toute une galerie de personnages nous est présentée. Marcel Arland a parlé de « toute cette humanité dont l'auteur, avec sa tendresse et son humour, son art de conter, de montrer, d'animer, sa vertu comique, son accent (celui du cœur et celui de Saint-Brieuc) — toute cette humanité dont Louis Guilloux s'est fait le Dickens ».

Il y a d'abord le chroniqueur, sans parti politique, secourable aux opprimés, dans lequel l'auteur a mis certes beaucoup de lui-même. Il y a son ami Yves de Lancieux, « poursuivi par le châtiment d'une faute qu'il n'a pas commise » et qui aura l'amère désillusion d'apprendre que même l'être le plus cher l'a toujours cru coupable. (Néanmoins c'est lui qui dit qu'en ce monde sans valeur et sans issue, il reste peut-être « un recours dans la douceur ».) Il y a Zabelle et ses amours, l'invraisemblable Mège, les grévistes, les chômeurs, les réfugiés espagnols, les résistants, il y a Ernst Kende, le poète autrichien « pour toujours sans patrie et sans poésie ».

Si nous avons entre les mains un gros livre, il n'en est pas moins vrai que quelques lignes suffisent à Louis Guilloux pour camper un personnage et brosser un décor.

Il n'est pas sûr que *Le Jeu de patience* reste comme un grand roman, mais on y reviendra comme aux *Choses vues* de Victor Hugo, comme aux carnets d'un merveilleux écrivain. Il existe un ton Guilloux auquel on ne résiste pas, un ton simple et chaleureux, d'un entrain communicatif et qui peut s'enfler jusqu'à l'épique quand il s'agit d'évoquer les jours de gloire ou les jours de colère.

Les Batailles perdues (1960) est une autre fresque, qui se déroule cette fois sur quelques années seulement, de septembre 1934 à juillet 1936. Là encore, Guilloux ne raconte pas une histoire : il en raconte cent et davantage, mais il a renoncé à brouiller la chronologie.

L'action se situe tantôt en Bretagne, tantôt à Paris. Le centre breton du livre est le bourg de Kernilis, près de la petite ville de Pontivy. Là vit le recteur Alain de Kérauzern, parfois baptisé le « curé rouge », et sa sœur, Anne. Leur frère Roland est « un Parisien » et le richard de la famille. Il a été très lié avec « une fausse Anglaise », lady Glarner; issue du peuple, elle est devenue milliardaire. Les Kérauzern ont, d'autre part, une belle-sœur : Armelle, frivole personne qui tente périodiquement de vivre.

Le centre parisien du livre serait une pension de famille, rue de Buci, tenue par Mme veuve Amélie Furet, qu'on appelle familièrement Maman Furet. C'est chez elle que loge « notre grand camarade Franz », Franz « le savant, le combattant des journées de février, le fameux professeur et psychologue » : c'est un émigré autrichien. Il reçoit beaucoup : le romancier Cardinal et le jeune journaliste Nicolas Mesker, entre autres.

S'il n'y a pas de personnage privilégié dans *Les Batailles perdues,* Nicolas Mesker occupe pourtant une position particulière dans le livre. Ses contradictions nous semblent significatives. Un des premiers propos de lui qu'on nous rapporte, c'est : « qu'il ne se passait rien, qu'il ne s'était jamais rien passé, qu'il ne se passerait jamais rien ». Mais, en même temps, on croit savoir que « pendant quelque temps Nicolas avait été au parti, et qu'il l'avait quitté, ou qu'on l'en avait exclu. C'était là une chose dont il ne parlait jamais ». En fait, Nicolas voudrait combattre pour la justice, il a des moments de révolte, mais aussi des moments de dégoût : « Tout le monde savait, dans son entourage, que ce jeune intellectuel soutenait que vivre est tout simplement " dégoûtant ". A son âge! » Nicolas sera entraîné dans d'absurdes aventures, aura des démêlés avec la police. L'amour semble devoir le tirer de la confusion, mais cet amour lui sera enlevé.

Les batailles qui se livrent dans ce livre sont tantôt sur le plan de la vie privée et tantôt sur le plan de la vie publique. Les personnages ne savent ni ne sentent pas toujours dans quel engrenage ils sont pris malgré eux. De ce point de vue, on pourrait distinguer ceux qui participent lucidement aux événements de l'histoire et ceux qui vivent comme si de rien n'était. Mais les « activistes » de ce roman ne jouent jamais un rôle de premier plan : on les voit en simples manifestants lors des grandes journées : 1er mai, 14 juillet 35, 14 juillet 36. C'est toutefois dans l'évocation de ces journées que Louis Guilloux « s'engage » avec le plus de force.

Lors de la manifestation traditionnelle au Mur des Fédérés, le dimanche 24 mai 1936, Guilloux raconte qu'il y avait six cent mille Parisiens dans la rue et qu'il régnait une allégresse inoubliable. « Camarades, la vie est à vous! » répétaient au Père-Lachaise des militants du Théâtre Ouvrier. (Et quand il se rappelle ce cri, le cœur de Franz se gonfle, des larmes lui viennent aux yeux...) Le peuple semblait avoir obtenu la victoire aux élections, mais il se la fit voler par les partis qui prétendirent administrer la Révolution comme on administre une grosse société. L'échec du Front populaire est une des batailles perdues que raconte Guilloux. Mais, comme chacun sait, une bataille perdue, ce n'est pas la guerre perdue. Il y a toujours d'autres batailles à livrer. A la fin du livre, Franz s'engage pour l'Espagne...

Louis Guilloux a publié aussi des récits comme *Parpagnacco* (1954), où s'exprime son amour pour les chats, et *La Confrontation* (1968) où il lance un homme mûr à la recherche du jeune homme qu'il fut. Il est revenu, dans *Salido,* sur le temps où il s'occupait du Secours rouge pour les réfugiés espagnols et dans *O.K. Joë!,* sur les jours de la Libération où il fit fonction de traducteur auprès de la justice militaire américaine. Ces deux récits ont été publiés dans un même volume (1976). Ils sont parfaits et poignants dans leur simplicité. Pourtant, pour faire connaissance de Guilloux, nous conseillerions de lire d'abord les lettres familières qu'il adressa à son ami Jean Grenier : *Absent de Paris* (1952) où il s'ébroue en toute liberté. Le portrait qu'il y trace de Max Jacob est inoubliable.

HENRI CALET

Calet (1904-1956) se disait « condamné à peiner incessamment sur un autoportrait qui ne serait jamais achevé ». Ses livres sont toujours plus près de l'autobiographie que du véritable roman. Ce qu'il a inventé, lui aussi, c'est un ton, une manière amère, moqueuse et secrètement attendrie.

Le Tout sur le tout (1948) est son chef-d'œuvre.

Ce sont les rêveries d'un promeneur solitaire, mais ce promeneur est un piéton de Paris qui s'est « pris en filature à travers les ans et les rues ». (P. 220.)

Le tout sur le tout se compose de trois parties. *Les Quatre Veines* sont des souvenirs d'une enfance et d'une jeunesse peu fortunées. *Les Bottes de glace,* des scènes de la vie quotidienne — des scènes de la rue — dans le XIVe arrondissement (c'est le Paris populaire, comme on sait). Enfin, *Toute une vie à pied,* le récit de promenades à travers la ville.

Le narrateur a un peu plus de 40 ans. Il nous confie : « De 30 à 40, je me suis débarrassé de quelques inutilités; je ne crie plus, j'ai mis la sourdine; je vais plus librement. Et puis, à force de grimper, je crois que j'ai accédé à une sorte de plate-forme d'où l'on distingue plus nettement les objets, et les hommes, et soi-même. » (P. 121.) L'on est d'abord en effet frappé par la netteté de ces pages, rien ne reste dans le vague, un trait précis cerne chaque évocation, chaque scène. Et sans doute, pour arriver à ce résultat, l'auteur simplifie, plus exactement, il choisit. L'art est choix.

De plus, le narrateur parle de soi-même avec une exemplaire et sereine objectivité. Nous dirions de son attitude qu'elle est toute d'acceptation, mais non : simplement Calet constate.

Il parle de sa vie passée comme de la vie d'un autre, il la considère de l'extérieur. Oui, c'est bien d'un constat qu'il s'agit. Ce parti pris explique comment le narrateur peut remonter dans son récit à une époque dont il n'a pu conserver le souvenir. Il dit toujours je, mais il y a dans *Le Tout sur le tout* un double je. Par exemple, au chapitre V, la mère du narrateur et le narrateur, âgé alors de quelques semaines, se trouvent à la terrasse de la *Closerie des Lilas :* « En face de nous, le bal Bullier, la gare du chemin de fer de Sceaux, le buste de Francis Garnier sur son socle; tout près, à demi caché par les platanes, le brave des braves commandait la charge, sabre au clair; à gauche, quatre femmes nues portant une sphère armillaire; dans le fond, entre les arbres, le palais du Sénat, et, comme posé par-dessus, les chantiers de la basilique du Sacré-Cœur. » (P. 30.) Le narrateur ajoute : « Je crois que je ne voyais rien encore, ou bien j'inclinais déjà à l'indifférence. » On voit nettement que *Le Tout sur le tout* se trouve ainsi à mi-chemin de deux genres : souvenirs et roman.

Mais nous avons dans ce livre une évocation d'un demi-siècle de Paris et il faut parler de l'attitude de l'auteur non plus envers soi-même, mais envers la vie : il ne s'étonne de rien et pourtant conserve le privilège de tout regarder avec des yeux neufs. L'habitude ne l'aveugle pas. Il excelle à nous montrer ce que nous ne voyons plus pour l'avoir vu trop souvent. Cela ne va pas sans une certaine apparence de naïveté : cette naïveté nous apparaît plutôt comme une singulière clairvoyance. C'est de ce biais qu'on peut apparenter Calet à l'auteur du *Guide d'un petit voyage en Suisse*.

L'humour n'est jamais absent. Avec une impassibilité et un détachement parfaitement feints, Calet peut écrire : « Cela se passait en 1936, au temps du Front populaire. Je prenais mes dix jours de congé payé dans cette banlieue... Au vrai, ce n'était pas la campagne, une promesse tout au plus. Mais on inclinait à l'espoir, à cette époque; on souriait; on tendait le poing à l'avenir. Il ne faut jamais montrer le poing à l'avenir; on le sait maintenant. » (P. 12.) ou encore : « J'ai vu au cinéma des images d'une ville du Japon sur laquelle a explosé l'une de ces bombes atomiques. Elle est rasée au plus près; il n'en demeure qu'un tracé. Les hommes, les femmes, les enfants et leurs petites maisons ont disparu. Or, ce n'était qu'une simple expérience... Demain, on rasera gratis un pays entier, un continent probablement. Il paraît que la fabrication de ces bombes se poursuit à une cadence satisfaisante. » (P. 113.)

Oui, Calet a bien mis la sourdine. C'est aussi qu'il s'est persuadé de la vanité des cris et de certaines protestations. Il exprime par deux fois (au début et à la fin du livre) la sagesse à laquelle il est parvenu : « Voilà bien des années que nous marchons ainsi, de père en fils, en direction d'un monde meilleur sur un parcours à peu près identique. A la fin, je me demande ce que nous cherchons, depuis 1899, et bien antérieurement : le monde meilleur n'est pas au bout d'une rue, il est ici et maintenant. Nous y sommes, il faudrait s'arrêter, nous avons les pieds dedans; le monde, c'est nous. Au bout du chemin, il n'y a qu'un fossé; nul ne l'ignore. » (P. 33.) « Que l'on ne s'y trompe pas : j'aime ça (la vie), j'en suis fou. Et d'autant plus que nous n'avons rien d'autre : c'est unique, une occasion exceptionnelle, à profiter, comme disent les camelots. Tout se passe ici... » (P. 272.)

Le Tout sur le tout est un livre plein d'une mélancolie qui est un des visages de la tendresse.

Monsieur Paul (1950) se présente également comme le bilan d'une vie et Calet y verse parfois dans le misérabilisme. *Un grand voyage* (1952) nous entraîne loin du XIVe arrondissement, à Montevideo, mais c'est pour nous raconter la triple ruine, physique, morale et financière d'un garçon assez veule, mal aimant et mal aimé.

Calet avait des raisons d'avoir l'imagination noire. Il souffrait d'une maladie qui allait l'emporter, laissant inachevé un roman, *Peau d'ours,* dont on a publié en 1958 les fragments rédigés.

Peau d'ours, à l'état de notes, est le récit d'un combat, d'abord contre de dures conditions matérielles, puis contre de dures conditions physiques. Calet semble avoir gardé jusqu'au bout sa curiosité en éveil par rapport aux choses et aux gens, aux mots. Il résume ainsi sa situation de grand malade : « Le vin est tiré, il faut le boire, il est bu. »

« Ne me secouez pas, disait encore Calet. Je suis plein de larmes. »

MARC BERNARD

On donnera inévitablement un jour le nom de Marc Bernard (né en 1910) à une rue de Nîmes, qui tient dans son œuvre la place de Chaminadour dans celle de Jouhandeau.

Nîmes est notamment le personnage principal d'un triptyque romanesque, *Les Vivants et les Morts,* dont le premier volet parut sous le titre *Les Exilés* (1939) et dont le second s'appelle *Une journée toute simple* (1950). Nîmes avec ses monuments antiques, ses vieux quartiers, ses boutiques, ses ruelles et ses boulevards, et la garrigue qui l'entoure. Nîmes avec ses habitants à l'accent savoureux. La journée toute simple commence à quatre heures du matin et finira à deux heures du matin suivant. Marc Bernard n'a pas choisi un personnage conducteur pour la promenade à laquelle il nous invite. Il ne suit pas la tournée d'un facteur comme Martin du Gard dans *Vieille France* ni la trame d'une fable antique comme Joyce dans *Ulysse*. Il est un enfant du pays qui a eu le temps d'observer bien des gens et bien des scènes comiques ou tragiques. Son fil conducteur, c'est le temps qui passe, les différentes heures du jour qu'il évoque en poète.

Marc Bernard nous a raconté son enfance dans *Pareils à des enfants...* (1941). Il arrête son récit à sa douzième année, quand il fut mis en apprentissage. Il a poursuivi son autobiographie — fragmentairement — dans les premiers chapitres d'un livre intitulé *Vacances* (1953), où il relate avec bonne humeur de difficiles débuts dans la vie. Toutes les conditions étaient remplies pour faire de Marc Bernard un révolté et il ne l'est pas devenu. Il a connu les conditions matérielles les plus pénibles, mais son âme n'a jamais été envahie par les mauvais sentiments que le malheur apporte avec lui. Aux moments les plus noirs de sa jeunesse, quand il était tenté de crier *Au secours!* (c'est le titre d'un de ses premiers romans), il a conservé une certaine confiance en la vie.

Marc Bernard a jugé sur pièces la société injuste et mal organisée. Il estime également futiles la plupart des préoccupations des hommes. Sa philosophie à lui ne risque pas d'être approuvée par aucun parti organisé. Elle se réduirait aisément au titre de ce livre : *Vacances,* recueil de moments privilégiés : « Vacances longues, pour tous : que la terre ne soit plus qu'un lieu de vacances; que nous revenions à la sagesse des primitifs qui ne se soucient de rien d'autre que de pêche, de chasse et d'amour, à quoi les vacances sont particulièrement propices. »

Nous ne partageons pas l'optimisme de Marc Bernard quant au bonheur des primitifs. Cet optimisme semble fondé sur le souvenir d'un film comme *Moana* que vit Marc Bernard lorsqu'il était ouvrier : « Dans les battements des courroies, le ronflement des moteurs, j'entendais le bruit des lianes et du vent; ma tête volait vers les îles, sous les arbres d'un pain qui ne se gagnait plus à la sueur du front, là où la vieille malédiction s'exténuait. Non plus l'anathème et l'exclusion, mais l'accueil souriant, paternel, le clin d'œil et la suavité de : « Ils ne tissent, ni ne filent. »

Ayant conquis sa liberté et son indépendance, Marc Bernard nous sembla offrir l'image, si rare aujourd'hui, d'un homme heureux. Le mauvais sort lui réservait la plus cruelle épreuve : la perte d'une compagne avec laquelle il s'était trouvé d'emblée dans une entente parfaite. Il a évoqué le souvenir de leur vie commune et dit le désarroi où cette disparition l'avait jeté, dans deux livres bouleversants : *La Mort de la bien-aimée* et *Au-delà de l'absence.*

Le dernier volume du « triptyque nîmois : *Les Marionnettes,* a paru en 1977. Il avait été composé avant le drame. C'était encore le livre d'un homme heureux et qui aimait raconter d'étonnantes histoires, comme celle de cet honnête bourgeois qui ne craint pas d'épouser une ancienne pensionnaire de maison close, ce qui provoque bien des rires en ville, mais le couple devient exemplaire.

JEAN MECKERT

Une note du *Journal* d'André Gide n'a pas dû tellement faire plaisir à Jean Paulhan. Elle est du 3 avril 1942 et ainsi rédigée : « *Les Fleurs de Tarbes* pourraient et devraient servir de préface à l'étonnant livre de Jean Meckert. »

Ce livre de Jean Meckert (né en 1910) s'appelle *Les Coups*. Gide devait lui consacrer une de ses *Interviews imaginaires* : « Aux grands mots, les petits remèdes. » C'est l'histoire d'un jeune ouvrier qui n'arrive pas à se faire comprendre et qui s'énerve de voir sa maîtresse se contenter du tout venant de la conversation. Elle ne s'exprime que par clichés et parvient à coller sur les choses et les gens — et sur son amant lui-même — des étiquettes commodes. Or s'il bafouille quand il veut dire sa vérité, il a horreur des étiquettes, alors il gueule et, quand ça ne suffit pas, il cogne. « Ce Félix m'a l'air d'un butor », disait l'interviewer de Gide. Et celui-ci de répliquer : « Une sorte de Pygmalion. »

Gide ne manquait pas de remarquer que l'histoire de Félix aurait pu très bien se passer dans un milieu bourgeois. Mais l'intérêt du livre de Meckert vient aussi de ce qu'il décrit avec beaucoup de netteté la vie d'un milieu ouvrier. Des livres comme *L'Homme au marteau* (1943) et *La Lucarne* (1945) constituent également des documents de première main pour un sociologue.

La Ville de plomb (1949) nous montre comment peut naître une vocation d'écrivain : c'est par besoin d'échapper au quotidien étouffant. *La Ville de plomb* est tout à la fois le titre du livre que nous lisons et le titre du roman qu'écrit un adolescent de Belleville, dessinateur industriel. Meckert s'est essayé à une composition en contrepoint, avec récit réaliste et impersonnel, roman dans le roman et journal du romancier. Celui-ci, quand il est content de lui, en arrive à s'écrier : « Il n'y a rien de solide que l'art et les histoires qu'on raconte (p. 249). » A un autre moment, il dira que ces histoires ne sont que des « salades qui sont jeu, simple jeu, devant le miracle quotidien de la peine et de la joie du monde ». Mais sa compagne, une petite dactylo, lui répond qu'elle l'aime et le bénit pour le don qu'il possède.

Un autre roman de Meckert, *Je suis un monstre* (1952), nous entraîne loin de Paris. Nous sommes dans une école de plein-air, dans un institut médico-pédagogique de Savoie, chez les « Aiglons ». Un garçon est tué. C'est un drame que nous raconte un des moniteurs, âgé de dix-neuf ans, Francis Moulin, surnommé Narcisse parce que, dans sa chambre, il conserve une photo de lui. C'est ce Narcisse qui, du moins dans le titre contestable, se donne pour un monstre.

Le garçon qui a été tué s'appelle Claude Boucheret. Il a été tué pour des raisons politiques. Les enfants des « Aiglons », qui dans l'ensemble ont quatorze ans, se trouvent en effet partagés en « cocos » et en « popotins ». Les cocos sont les communistes et les anticommunistes forment « la popote ». Les enfants sont capables de passions extravagantes et de sanglantes violences.

Tout d'abord Narcisse pense préférable de maquiller l'assassinat de Claude en accident, afin d'éviter une vengeance qui se traduirait par d'autres crimes. Mais peu à peu il sera dépassé par son besoin de parler. Petit à petit, l'affaire se montera et prendra de vastes proportions.

C'est une grande habileté de la part de Jean Meckert d'avoir choisi comme héros et comme narrateur un garçon que modèlent les événements. Lorsque Narcisse prend finalement parti pour la vérité et se refuse à toute compromission, il n'a pas tout de suite sa conscience avec lui : « Ma conscience souriait doucement et me disait : « Imbécile! » (P. 189.)

Ce héros est loin d'être exemplaire. Très souvent, il triche avec lui-même, refuse de son caractère les évidentes explications psychanalytiques qu'un camarade lui donne. Surtout ce révolté prétend vivre seul, se passer des autres (et écrit d'ailleurs de belles pages à ce propos). Le sujet du livre pourrait bien être la découverte de la solidarité, de l'amour humain.

Narcisse, dès que les enfants savent (par ses soins, comme nous avons vu) que le jeune Boucheret a été assassiné, se trouve entrer en conflit avec le patron de la boîte. Celui-ci représente le parti de l'ordre. Narcisse quitte les « Aiglons » et part dans la montagne. Les enfants le suivent. Mais une énorme tempête se lève : valides et blessés sont contraints de rentrer : « A quoi nous avait servi la fuite dans la montagne? Nous étions revenus comme des vaincus. C'était la lutte de ceux qui avaient un toit contre ceux qui n'en avaient pas. » (P. 275.) Narcisse est expulsé de l'école. Les enfants se trouvent amenés à une mesure extrême : « Il fallait commencer par mettre le feu à la baraque : ensuite on serait à égalité! »

Et Narcisse, se rappelant l'incendie, peut conclure (provisoirement) : « Nous, on regardait, on était heureux, on aimait tout le monde... Et les gens d'en bas ne le comprendraient jamais... L'amour... J'étais content. Je regardais le feu. J'étais brûlant de joie... »

Ainsi se termine ce conflit entre l'ordre et la justice : il constitue une allégorie de plus d'une explosion populaire.

A plusieurs reprises, Meckert reprend un des thèmes des *Coups,* en soulignant l'écart entre nos sentiments tels que nous les éprouvons et ce qu'ils peuvent devenir dans l'esprit d'autrui. Par exemple, Narcisse éprouve une tendresse qu'il ressent comme très pure pour le petit colon Jacquot Embroigne, mais celui-ci n'y voit qu'un piège pour l'entraîner dans une histoire de mœurs.

D'autre part, *Je suis un monstre* peut se lire comme une série noire, collection à laquelle Meckert a collaboré sous le pseudonyme de John Amila.

WALTER PRÉVOST

Le « peuple » n'est plus du tout ce qu'il était dans l'enfance de Guilloux ou de Marc Bernard. Les milieux populaires se sont même considérablement transformés depuis les débuts de Jean Meckert. On observera les changements survenus en lisant *Tristes banlieues* (1978), d'un tout jeune homme, Walter Prévost (né en 1956).

Roger Martin du Gard qui s'était enthousiasmé pour l'*Hôtel du Nord* d'Eugène Dabit aurait certainement beaucoup aimé ces *Tristes banlieues*. Les deux livres décrivent la vie quotidienne de personnages qu'on ne peut appeler des héros et ils parviennent à tenir le lecteur envoûté par une « atmosphère » inhabituelle en littérature. Dabit parlait des pensionnaires d'un petit hôtel du quai de Jemmapes. Walter Prévost nous présente des jeunes gens, garçons et filles entre quinze et vingt-six ans, qui habitent nos modernes quartiers populaires. Les deux romans sont construits par courtes séquences, d'une parfaite netteté d'écriture, sans aucun remplissage, avec une grande abondance de notations significatives. A la qualité littéraire se joint un intérêt de document.

A tous ses personnages, dont le mieux loti est contrôleur dans un aéroport, Walter Prévost porte une sympathie très vive. Il fait cause commune avec les plus démunis. Aucun misérabilisme cependant. Aucune complaisance non plus. Par exemple, son personnage le plus attachant, Catherine, jeune mère célibataire qui travaille dans un supermarché, adore son petit Christophe et en même temps s'avoue qu'il est un sérieux fil à la patte qui l'empêchera sans doute de refaire sa vie. Mais c'est le manque d'argent qui vous emprisonne le plus sûrement.

Walter Prévost ne nous offre qu'un constat. Telle est pour l'instant sa manière d'être un écrivain engagé : il nous contraint à une prise de conscience.

19.
Changements de société

Un roman doit-il être actuel?

Un soir de février 1929, André Gide avait réuni quelques amis chez lui. Il y avait là notamment André Malraux, Emmanuel Berl, Julien Green. Dans son *Journal,* Green parle d'une « discussion sur le peu d'actualité de la littérature contemporaine ». Il n'est d'ailleurs pas d'accord, car, dit-il, une œuvre est toujours de son temps par « l'esprit qui l'anime, son inquiétude, son besoin de révolte, etc. » Il précise que « ce ne sont pas les descriptions de cheminées d'usines et de femmes à cheveux courts qui font qu'un livre est de 1928 ».

Quelqu'un remarqua que Balzac, en 1845, écrivait des romans qui se passaient en 1830. Malraux s'écria : « Ne parlons pas de Balzac! » Et Julien Green d'ajouter : « Tout le monde a paru d'avis qu'en effet il n'était pas possible de parler de Balzac, mais je n'ai pas compris pourquoi. »

Cette note de journal a beaucoup amusé Jean Lacouture qui, dans son ouvrage sur Malraux, la cite comme un exemple de l'ascendant qu'exerçait le jeune auteur des *Conquérants* non seulement sur les écrivains de sa génération, mais même sur des écrivains plus âgés.

« Ne parlons pas de Balzac! » Et Julien Green ni les autres n'osent demander pourquoi. Malraux voulait-il dire que Balzac était un cas exceptionnel? En fait, les romanciers ont généralement besoin d'un certain recul pour peindre leur époque. C'est en 1862 que Victor Hugo décrit dans *Les Misérables* les barricades qui se sont élevées à la suite des obsèques du général Lamarque en 1832. C'est en 1869 que Flaubert brosse dans *L'Éducation sentimentale* un tableau de la révolution de 1848. C'est en 1936 que Martin du Gard publie le volume des *Thibault* consacré à *L'Été 1914*.

On a même prétendu que ce recul que prennent les romanciers est ce qui les distingue d'abord des journalistes qui écrivent dans le feu de l'événement, Le génie de Malraux est cependant d'avoir pu faire croire qu'il avait participé à la révolution chinoise, en 1925. Mais il participa réellement à la guerre d'Espagne, superbement racontée à chaud dans *L'Espoir*.

On imagine très bien quelqu'un s'écriant ici : « Ne parlons pas de Malraux ! » En effet, si l'action de ses grands romans est toujours proche du moment où il la raconte, elle se situe hors de France. Autrement dit, le recul est pris dans l'espace au lieu de l'être dans le temps. Ce n'est pas en lisant Malraux qu'on pourra se faire une idée de la vie en France de la guerre de quatorze à nos jours.

Bien entendu, le rôle des romans n'est pas obligatoirement de nous donner un témoignage sur l'époque où ils ont vu le jour. Certains romanciers s'imposent comme peintres d'une société, mais d'autres, comme Green précisément, peuvent projeter leur monde intérieur dans des fictions sans réalisme.

Green est amusant quand il note qu'un livre ne se date pas par des descriptions de cheminées d'usine ou de coupes de cheveux. Il est clair que ce n'était pas non plus l'idée de Malraux ni celle de Berl.

L'idée de Berl était que les romanciers restaient très en retard sur leur temps parce qu'ils continuaient de peindre des sentiments anciens qui n'avaient plus cours.

Et que dit Gide dans son propre *Journal?* Il dit que la plupart des gens se contentent de sentiments de convention, qu'ils s'imaginent réellement éprouver. Dès lors des sentiments anciens peuvent durer assez longtemps. Mais le grand artiste, lui, invente des sentiments nouveaux qui, s'il a du succès, pourront devenir conventionnels à leur tour, un peu plus tard.

Gide, Malraux, Berl et Green parlent, chacun, évidemment, pour justifier sa propre position devant la littérature.

Dans ce chapitre, nous allons examiner l'œuvre de romanciers qui ont étudié notre société contemporaine et les changements qui n'ont cessé de s'y produire. De tels romanciers apparaissent, selon le mot de Georges Duhamel, comme les « historiens du présent » (alors que les historiens sont souvent les romanciers du passé). Ils furent nombreux autrefois : de Balzac à Zola, de Romain Rolland à Jules Romains, de Martin du Gard à Aragon, l'auteur du *Monde réel*. Tous ont donné des images discutées de leur époque et chacun a créé un monde qui lui appartient. Les deux choses s'expliquent l'une par l'autre : car tout témoignage est particulier, il n'y a pas de reproduction photographique possible, chaque romancier propose sa réalité propre et l'impose avec plus ou moins de force.

Les fresques sont peu nombreuses dans la littérature d'aujourd'hui — ou alors il s'agit de « romans historiques » et non pas de « romans contemporains ». On a dit que les écrivains sont découragés par la rapidité des changements qui se produisent et qu'en somme *le modèle bouge trop* pour qu'on puisse le fixer avec netteté. Ce serait dans des époques de stabilité que l'on pourrait songer à peindre le tableau d'une société. Pourtant les bouleversements auxquels on assiste ne constituent-ils pas une source d'inspiration plus forte que les périodes de calme? De fait, beaucoup de romanciers choisissent de décrire une crise à laquelle ils furent mêlés, mais sans l'inclure dans un panorama. Jean-Louis Curtis est presque le seul à avoir donné de vastes ensembles qui finissent par couvrir les quarante dernières années. Roger Vailland a essayé, dans certains de ses livres, de mettre en scène le monde du travail et ses revendications nouvelles : il y eut du mérite car il connaissait aussi mal les prolétaires qu'Aragon. Christian Mégret, dans un impressionnant roman-fresque, nous a présenté le monde des milliardaires et des damnés de la terre.

CHRISTIAN MÉGRET

Dans l'œuvre, très diverse et d'une verve peu banale, de Christian Mégret (né en 1904), se détache *Danaë* (1953). L'ampleur de la construction, l'abondance des détails, la variété des points de vue sont également saisissantes. *Danaë* se place bien sûr un peu dans la tradition balzacienne. Néanmoins on songe surtout à John Dos Passos. Mais non : on ne songe pas à comparer ce roman à d'autres romans. On le lit avec passion de la première à la dernière page, encore qu'il soit fait de plusieurs récits juxtaposés.

Le premier récit, c'est la vie du jeune Martin, enfant trouvé. Il travaille quelque part en Amérique du Sud dans les mines de Cochaposi. Les mines sont le principal revenu de la famille Ayabascal, une des plus riches du monde et dont l'unique héritière est Pepa. La jeunesse de Pepa forme le second récit. Nous ferons ensuite la connaissance d'un jeune juif autrichien, Rainer Freudenberg, que son père, à la veille de l'entrée des hitlériens à Vienne, enverra chez un parent d'Amérique. C'est à New York, pendant la guerre, que Pepa et Rainer se rencontrent. Pepa s'éprend de Rainer et celui-ci peut enfin utiliser ses talents d'homme d'affaires. Cependant, encore un récit distinct, naît à Aubervilliers un autre petit Martin, dont la jeunesse extrêmement démunie nous est contée. Puis nous retrouvons, à Paris, Pepa et Rainer qui donneront un bal au bénéfice d'une œuvre de bienfaisance dont dépend, entre autres, le centre de rééducation vers lequel est dirigé le jeune Martin, d'Aubervilliers.

Nous avons ainsi quatre personnages principaux et les vies de deux d'entre eux finissent par se rejoindre. A vrai dire, c'est probablement l'histoire de Pepa et de Rainer qui fut à l'origine du roman. Pepa règne en souveraine sur les milieux internationaux, à la fois par sa richesse, son esprit et sa beauté. Grâce à elle, Rainer devient une des personnalités en vue du Paris-Mondain. Par un souci de contraste, Mégret a voulu peindre deux vies misérables. La puissance des Ayabascal est construite sur la détresse abominable de toute une classe. Pepa n'y songe même pas. De même que le petit Martin, d'Aubervilliers, ne saurait imaginer la prodigieuse ascension de Rainer.

Le long chapitre consacré à ce jeune Martin montre que le problème de la délinquance juvénile est un problème d'ordre presque uniquement social.

Mégret a finalement donné à son Robert Martin la force, la beauté, la volonté. Tout cela ne suffit pas quand on n'a reçu aucune éducation et que l'on se trouve sans famille, sans relations et sans argent.

Nous ne pensons pas que ce soit par diplomatie, pour ne pas s'aliéner ses modèles, que Mégret n'a pas forcé les traits odieux de Pepa ou de Rainer. Pepa est, dans tous les sens et dans toute la force du mot, une héritière. Elle domine un monde qui ne saurait l'atteindre et elle ne veut pas comprendre ce dont elle n'a aucune expérience. Elle n'est vulnérable que du côté de ses passions. Mais elle est belle et tous les jolis garçons tombent au moins amoureux de sa richesse.

Rainer a grandi à Vienne. Trop souvent humilié, effrayé par la puissance de la foule bestiale (il a gardé des troubles révolutionnaires, de l'assassinat de Dolfus, un ineffaçable souvenir), il veut pouvoir conserver ses distances, ne plus avoir de contact avec tout ce qui lui a fait mal ou peur. Il s'élève socialement : exactement pour dominer.

Le titre du livre indique-t-il les intentions de Mégret? On sait que Jupiter approcha Danaë sous les aspects d'une pluie d'or. Et de cette scène mythologique on trouvera ici une bien obscène illustration. Mais qui est Danaë? Quelque chose que l'on ne peut obtenir qu'avec l'or et qui n'est pas le bonheur : mais cette puissance qui est un de noms de la liberté. On ne saurait écrire cela dans un manuel d'éducation civique. Plutôt dans un « Précis de décomposition ». Ce livre est essentiellement nihiliste.

On peut regretter que Mégret ait éprouvé le besoin d'en donner la clé dans les dernières pages, très théoriques. On ne croit plus à la matière comme autrefois : la physique moderne nous a montré la fragilité de ce monde et de ses apparences. Pour Mégret, la vie des gens du monde est la meilleure illustration des découvertes de la physique : « Les mondains ne sont que poussière nucléaire, dansant dans le vide. » (P. 449.)

Mégret a effectivement écrit une large fresque sociale. On s'étonnera pourtant que, de ce qu'on appelle l'échelle sociale, il ne nous ait montré que le haut et le bas. Tout ce qui existe dans l'entre-deux, nous-mêmes en somme, est presque escamoté. Mais Mégret estime peut-être qu'il nous est facile de remplir cet entre-deux.

Nous avons parlé de Dos Passos : il a voulu nous présenter un vaste tableau des U.S.A. Il s'est montré une sorte de sociologue. Christian Mégret se présente davantage comme un moraliste. Bien qu'il nous transporte de la Cordillière des Andes à Venise, de Vienne à la Californie, de New York à Paris, c'est une coupe verticale de la société contemporaine qu'il a voulu faire. Les questions de nationalités l'intéressent peu : c'est l'homme qui partout est en jeu.

Dans *Carrefour des solitudes* (1957), il a mêlé un roman russe et un roman américain, présentés par tranches alternées. L'héroïne du premier roman, une jeune paysanne ukrainienne, et le héros du second, un jeune Noir de Brooklyn, se rencontreront enfin en Normandie, au mois d'août 1944. Ils connaîtront cinq jours d'amour partagé, puis seront à nouveau séparés.

Dans un genre intimiste, on lira aussi *J'ai perdu mon ombre* (1974), émouvant livre de souvenirs et de réflexions sur la vie et la mort d'un chien.

ROGER VAILLAND

Peu après la Libération parurent un certain nombre de romans qui exaltaient la Résistance en images d'Épinal. Tous ces livres sont dès maintenant oubliés, tandis qu'on peut toujours relire *Drôle de jeu* (1945), où Roger Vailland (1907-1965) ne sacrifiait pas aux idées du jour. Pour le héros de cette histoire, la Résistance est un combat sérieux, mais c'est surtout, offerte par les circonstances, l'occasion de mener une vie plus intense et plus excitante. Il aime l'aventure en elle-même et accomplir une mission dangereuse ne le passionne pas moins que de séduire une jolie femme. Le climat de l'époque lui convient parce que les règles de la vieille morale ont volé en éclats et qu'il est permis d'affirmer sa personnalité en marge de toutes espèces de conventions. Ainsi s'agit-il d'un roman égotiste, — ce qui ne l'empêche nullement d'être un bon roman d'action, basé sur la découverte et le châtiment d'une trahison.

Roger Vailland allait perdre rapidement un peu de sa liberté en devenant un écrivain engagé. Des *Mauvais coups* (1948) à *325 000 F* (1955), on le voit partagé entre son naturel libertin et sa volonté d'être un bon militant communiste, entre son goût pour le Casanova des fameux *Mémoires* et son désir de ne pas trop contrevenir aux instructions d'un tout autre Casanova, le délégué culturel du P.C. de l'époque.

Les Mauvais Coups contient toute une « philosophie dans le boudoir », avant de finir sous les apparences d'un roman moral, comme *Les Liaisons dangereuses,* au grand scandale des mal-pensants.

Milan, le décorateur d'avant-garde, et sa femme Roberte, sont un drôle de couple et un couple de drôles. En vacances dans un village de Savoie, leur intérêt se porte sur Hélène, la petite institutrice, et ils l'invitent à leur école particulière. Ainsi se noue une aventure pédagogique pleine de surprises.

Si l'aventure finit selon les bonnes mœurs, libre aux uns de penser que le héros s'est converti (à une foi sociale), libre aux autres d'estimer que l'on peut se fatiguer de l'érotisme, de l'alcool et du jeu, et que l'on veuille sacrifier aux règles de la santé, de la droiture et de l'intégrité.

Bon pied, bon œil (1950) se situe en mars 1948. Lamballe exploite un domaine sur le plateau de l'Aubrac et Rodrigue, petit fonctionnaire, secrétaire de la cellule locale du Parti, habite en banlieue (la banlieue parisienne). Les deux amis se retrouvent un dimanche matin, à Bois-le-Prince, après un long temps de séparation. Rodrigue entraîne Lamballe vendre « L'Huma ». Discussion : Lamballe, lui, n'a pas adhéré au parti. Puis, Rodrigue annonce son mariage, mariage de raison politique : il a abandonné une fille qui, elle-même, a abandonné l'enfant né de leur bref plaisir. Pour cela, elle est en prison. Que l'on vienne à apprendre qu'un militant a renié sa paternité, quelle arme pour la propagande ennemie! Rodrigue doit épouser. Il épousera.

Il est ensuite question de divulgation de secrets concernant la Défense nationale. Rodrigue et Antoinette (révoltée contre son milieu) seront soumis par la police à de sévères traitements. La pauvre Antoinette se sacrifiera pour Rodrigue qui, loin de s'attacher à elle, s'en trouvera tout à fait séparé : l'action compte seule. A la fin, Rodrigue est parfaitement heureux. Antoinette rejoindra Lamballe dans sa province. Tous deux sont de pitoyables « éclopés de la foire », comme dirait Armen Lubin.

On retiendra surtout les curieux portraits de Rodrigue et de Lamballe. Rodrigue a vraiment adhéré au Parti et se trouve soutenu par la masse des camarades. Tous ces militants sont des fidèles. Sans doute ignorent-ils la doctrine marxiste, mais nombre de croyants ignorent leur religion. Et n'est-ce pas la foi qui sauve? Cette foi constitue une véritable emprise charnelle. Rodrigue s'est liquidé comme personne privée. Lamballe résiste, parce qu'il ne peut renoncer à soi et aux droits de l'individu (c'est lui qui sauve Antoinette).

L'engagement de Vailland devint total dans *Un jeune homme seul* (1951), dont la seconde partie nous ramène à l'époque de la Résistance. Il arrive ici à l'auteur de sacrifier à un manichéisme de propagande et de verser dans les images d'Épinal qu'il avait su si bien éviter dans *Drôle de jeu.* L'idée que défend *Un jeune homme seul,* c'est que la camaraderie de combat sauve de la solitude (p. 228). C'était aussi l'idée de *L'Inspecteur des ruines,* d'Elsa Triolet. Eugène-Marie est très malheureux tant qu'il n'a pas lié partie avec les communistes (synonyme ici de résistants). Vailland voudrait se persuader, dans une page consacrée à l'enterrement d'un militant, que celui-ci n'est pas seul : en effet, les camarades suivent son cercueil, Cette idée de l'engagement salvateur nous semble d'une fausseté à hurler. Qu'il fasse ou non de la politique, l'homme restera seul devant l'amour, devant la maladie, devant la mort.

Les critiques progressistes devaient souvent citer les dernières phrases de *Beau Masque* (1954) : « Pour Pierrette Amable, ce furent des années d'apprentissage. Les temps merveilleux et terribles approchaient. Elle sera d'une trempe sans égale. »

Pierrette Amable est ouvrière dans une usine de textiles, dans une petite ville, entre Jura et Savoie. C'est une communiste fervente, déléguée du syndicat et chargée des rapports du personnel avec la direction. Vailland montre fort bien la droiture, la distinction et l'énergie de son héroïne, mais on sait mal comment elle est venue au communisme et ce que fut sa vie privée (elle est divorcée, mère d'un enfant). C'est une image exemplaire de la militante qu'il a voulu dresser au seuil des temps nouveaux comme une figure annonciatrice.

Beau Masque, qui donne son nom au livre, est amoureux d'elle. C'est un ouvrier qui a été contraint de quitter l'Italie pour un exploit de partisan ou, si l'on préfère, pour un crime de résistance. C'est un aventurier libertin, aimé des femmes. Il devient l'amant de Pierrette.

Le directeur du personnel, Philippe Letourneau, est un bon jeune homme mou, conscient de mener une vie absurde. Il se livre à la débauche et à la poésie sans y trouver de suffisantes satisfactions. Il tombe amoureux fou de Pierrette, trahit sa classe pour elle, sans être récompensé comme il le souhaitait. Il se lie d'amitié avec Beau Masque pour le persuader que Pierrette le trompe. Et peut-être réussirait-il à séparer les amants si une grève n'éclatait où Beau Masque, désespéré, se fait tuer par les C.R.S. Philippe Letourneau se pend. Pierrette déclare : « Il peut arriver qu'un bourgeois se suicide. Mais la bourgeoisie ne se suicide pas, on la suicide. » Pierrette vivra pour le Parti, avec son espoir et le souvenir de Beau Masque. Il n'est pas exclu d'ailleurs (car c'est la vie) qu'elle trouve un nouvel amant.

D'après ce livre, on a plutôt l'impression — contrairement à ce que dit Pierrette — que la bourgeoisie tout entière est en train de se suicider. Évidemment, elle va encore agoniser quelque temps, mais ce qu'elle a perdu, c'est le sens moral et l'élan vital. On ne voit pas cependant, dans *Beau Masque,* de manichéisme primaire. Si, dans la bataille politique, s'opposent les bons et les méchants, les méchants sont tels en raison de leur position sociale qui les amène à jouer un mauvais rôle. Leur jeu est d'ailleurs d'un exemple dangereux et Vailland note que « les contradictions de la classe dirigeante se reflètent nécessairement dans les autres couches sociales. » Un bouleversement des couches sociales ne modifierait pas la loi ainsi dégagée.

Vailland nous montre aussi les capitalistes se dévorer entre eux : l'industriel paternaliste Letourneau est dépossédé par la banque protestante, qui elle-même cède le pas à la banque européenne et enfin les financiers américains occuperont la place. Il s'agit d'obtenir le pouvoir ou la puissance. Il est curieux que Vailland veuille, à propos de Pierrette Amable, nous faire penser à Stendhal : « Cette jeune femme est peut-être le Julien Sorel du XXe siècle. » Ce rouge qu'elle semblait devoir au parti n'est-il qu'un moyen de parvenir?

Beau Masque est, à la fois, un roman passionnel et un roman social. Celui-ci surtout retient et frappe par son côté rationnel. C'est un livre précis, assuré, où la stratégie est reine. Nous ne voulons pas dire qu'il soit convaincant, mais qu'il est parfaitement mené.

325 000 F est également un roman très réussi; il contient en particulier deux longs morceaux de bravoure où éclate la maîtrise de l'auteur. Premier morceau : c'est, au début du livre, un reportage de course cycliste. Le jeune Bernard Busard, qui est « dans le civil » porteur sur tricycle, est engagé dans la grande épreuve sportive de sa ville natale. Et c'est dans l'action, et à la faveur de cette action, que Vailland nous révèle le caractère de son héros, plein d'audace, d'élan, d'ambition.

Le deuxième morceau magistral raconte un exploit du travail, accompli par ce même Bernard Busard et un de ses camarades, précisément le vainqueur de la course cycliste. Mais il faut raconter comment Bernard est amené à accomplir cet exploit.

Bernard est amoureux. Il aime une jeune femme, Marie-Jeanne, qui, plutôt que de travailler à l'usine, comme la plupart des filles de l'endroit, a préféré s'installer lingère dans un baraquement. Elle ne croit pas, elle ne croit plus beaucoup à l'amour des hommes. Elle accepte pourtant celui de Bernard, mais sans accorder ce que le garçon serait bien en droit d'attendre. Les réticences de Marie-Jeanne et ses refus ne sont certainement pas pour rien dans la passion du jeune homme. Enfin, Marie-Jeanne déclare qu'elle acceptera le mariage dès que Bernard aura trouvé un vrai métier et une maison.

Bernard découvre un snack-bar dont on lui laissera la gérance pour 700 000 F. Avec les économies de Marie-Jeanne, il dispose de 375 000 F. Restent donc à trouver 325 000 F.

Bionnas est le principal centre français de matière plastique. Bernard pense à une de ces presses à injecter qui fabriquent les objets en matière plastique et qu'il a vues chez son employeur. Ces machines fonctionnent sans interruption et nécessitent trois ouvriers. Bernard calcule que, s'il se charge de l'une d'elles avec un seul compagnon, il gagnera les 325 000 F en six mois. Le voici donc au travail. Roger Vailland raconte la collaboration de l'homme et de la machine et, sérieusement documenté, il donne toutes les précisions techniques souhaitables avec une aisance et un naturel parfaits. Bernard, exténué, va être vainqueur quand il a la main broyée.

L'épilogue nous le montrera marié à Marie-Jeanne et patron de bistrot, mais manchot, aigri, buveur, vaincu par la vie. Il n'est nullement nécessaire d'imaginer que Vailland veut nous laisser entendre que son héros est puni pour avoir ignoré la solidarité ouvrière, l'activité syndicaliste, pour s'être tenu en marge des événements et, enfin, pour n'avoir pas voulu sacrifier son présent à la révolution toujours remise.

Il arrive à Vailland d'insérer dans son récit des remarques qui prêtent à discussion. Il déclare notamment : « L'écrivain arrivé à maturité a résolu, surmonté ses conflits intérieurs ; ses problèmes sont devenus ceux de l'humanité de son temps : il ne lui reste plus comme problèmes personnels que ceux de la diététique. » (P. 37.) Cela est dit à propos de course cycliste, et Vailland poursuit : « Ainsi l'écrivain tend-il à retrouver l'innocence du sportif qui ne pense qu'à sa forme, qui ne parle que d'elle et qui, à l'approche des grandes épreuves, s'impose, pour l'amour d'elle, sobriété et chasteté. »

Il est clair que vanter l'innocence du sportif n'est pas vanter l'engagement politique. Comparer l'écrivain au sportif, c'est dire que la forme physique permet de fournir le meilleur travail et que ce travail se jugera objectivement. L'écrivain sera un bon ouvrier, mais au service de l'histoire qu'il raconte. Qu'il ait résolu ses problèmes intérieurs, Vailland sait bien que c'est rarement le cas : « résolu ou surmonté », écrit-il.

La Loi (1957) nous apporta la surprise d'un Vailland entièrement libéré de tout souci de militantisme et s'abandonnant au plaisir de raconter une histoire tout à fait immorale. Il nous entraîne en Italie du Sud où il se divertit à créer des héros selon son propre tempérament. Le petit monde qu'il nous présente est orgueilleux et dédaigneux, les sentiments tendres ne dominent pas, mais un amour de la vie immédiate et de soi-même. C'est un monde de la volonté, de la cruauté et du plaisir.

Ce roman se déroule en quelques jours d'août 1956, à Porto Monacore, petite cité des Pouilles, sur la côte Adriatique, entre la lagune et la mer. Vailland commence par dresser un tableau de la ville et de ses habitants avec beaucoup de précision,

Dans la prêture habitent deux ménages : le juge Alessandro et la plantureuse donna Lucrezia ; le commissaire Attilio et la molle Anna. Le juge Alessandro, son ambition serait de pouvoir achever une biographie de Frédéric II de Souabe, commencée depuis longtemps. Pour Attilio, les femmes sont la grande affaire et, pour l'instant, il convoite Giuseppina, la fille du quincaillier.

En face de la prêture, au palais de Frédéric II, réside le racketer Matteo Brigante qui, depuis 1945, contrôle toutes les activités de la petite ville, quelle qu'en soit la nature, et prélève partout sa dîme. Il a un fils, Francesco, qui étudie le droit. Francesco aime donna Lucrezia. Quand il lit *La Chartreuse,* il ne comprend pas Fabrice, il se dit qu'à sa place, ce n'est pas Clélia qu'il aurait aimée.

Plus loin, voici la villa du riche propriétaire terrien, don César, un vieux seigneur féodal, dirions-nous, comme on le voit par les rapports qu'il a successivement avec les diverses femmes qu'il loge : une mère et ses filles, dont l'une est mariée à Tonio, l'homme de confiance, et dont la plus jeune a dix-sept ans et s'appelle Mariette. Seule, cette petite et fougueuse Mariette est encore fille quand commence le livre et elle doit se défendre contre les avances de son beau-frère.

A cette bonne douzaine de personnages, s'en joindront quelques autres : il faut nommer le gamin Pippo, chef des apprentis gangsters, et Fulvie, la pensionnaire d'une « maison » de la ville voisine.

Entre tous ces personnages se tissent des aventures et le jeu consiste à savoir lesquels feront la loi aux autres.

Les expressions « faire la loi », « avoir la loi », existent dans le langage populaire français. Elles traduisent un orgueil qui, non content de ne pas se laisser courber, prétend dominer autrui. Mais, en Italie du Sud, Roger Vailland a découvert un jeu qui s'appelle « la loi ». Celui qui, par la faveur du sort, est gagnant a le droit d'infliger aux perdants les pires affronts et de révéler tout ce qu'il peut savoir de leur vie privée. C'est une variante particulièrement cruelle du jeu de la vérité : on n'accepte pas ici de dire la vérité, mais de se l'entendre dire. Et même rien n'empêche le gagnant d'inventer, de médire, de calomnier. Il va de soi que les défaites de l'amour sont évoquées le plus volontiers. Le plaisir d'humilier est très grand à Porto Monacore. On ne sent sa force qu'en faisant plier les autres.

Roger Vailland nous fait assister dans une taverne à quelques parties de ce jeu, mais tout le roman nous montre que toute la vie, dans cette petite ville, est une longue illustration du jeu de la loi. On joue avec les cartes que le hasard de la naissance vous a données. Les pauvres n'ont pas un moindre sentiment de l'honneur que les puissants : le sentiment de l'honneur n'est pas le même chez tous, mais, le moment venu, il provoque les mêmes réactions violentes.

Le puissant racketer Matteo Brigante essaiera de violer la petite Mariette, mais il échouera et elle lui marquera le visage au greffoir. Plus encore : elle le fera arrêter pour le vol d'un portefeuille, qu'elle a elle-même dérobé avec l'aide du jeune Pippo, à qui elle se donnera pour le plaisir.

L'ami de Matteo, le commissaire Attilio, sera ridiculisé devant toute la ville par Giuseppina, vierge folle, qui révèle soudain sa roublardise.

Donna Lucrezia se soumet à Francesco et décide de fuir avec lui. Mais Matteo veille au grain, « pas d'histoires avec les juges » et chargera Fulvia de faire la loi à Francesco, qui succombe un peu rapidement sous les caresses de cette mercenaire. Il n'aura fait que révéler Lucrezia à elle-même. Elle le regarde avec dégoût, mais va mener une nouvelle vie, plus libre.

La Loi mérite la qualification de livre érotique. Les personnages obéissent à leurs passions et celles-ci les mènent à la victoire ou à la défaite. L'amour, ici, présente plus d'un visage : de la brutalité cynique des aventures de Matteo au frais émerveillement de Mariette et de Pippo, en passant par la gravité des sentiments de donna Lucrezia.

Roger Vailland aime bien tous ces personnages, leurs vices et leurs vertus, — le mot vertu prenant d'ailleurs son sens italien. Pourtant, il a peint avec une sympathie particulière le vieux don Césare qui, depuis longtemps, s'est « désintéressé » du monde et a pris ses distances. Vailland emploie le verbe « se désintéresser » absolument, pour bien montrer l'étendue du détachement de son héros. Mais don Césare est un favorisé du sort et il lui a été plus facile qu'à d'autres de rester un « homme de qualité ». Ce n'est pas du tout un héros à proposer en exemple. Il reconnaît lui-même que sa vie est une suite de refus et, en somme, un lent suicide. Il n'a toutefois renoncé ni à son amour des antiques ni à son goût du corps féminin. Au moment de mourir, il voit en Mariette, qui lui avoue ses vols, un exemple d'heureuse vitalité, une promesse pour l'avenir.

Après *La Loi,* Vailland écrivit encore deux romans, malheureusement médiocres. *La Fête* (1960) est le récit de la séduction d'une femme par un roué : une des faiblesses de Vailland était de se croire la réincarnation de Laclos. *La Truite* (1964) est le portrait à plusieurs voix d'une petite « truqueuse » qui fait perdre la tête à de cyniques hommes d'affaires et les ruine sans rien leur accorder. Tout cela est vu d'un « regard froid » (pour reprendre le titre d'un recueil d'essais de Vailland) et l'histoire finit en queue de poisson : la truite vous glisse d'entre les mains et l'on n'a pas tellement envie de savoir ce qu'elle devient.

Roger Vailland mourut l'année suivante, à moins de soixante ans (il était né en 1907). La publication de ses *Écrits intimes* (1969) a éclairé brutalement une œuvre et une vie, et en souligne les points faibles. Le volume rassemble des carnets personnels, des lettres privées et quelques articles. On s'étonnera sans doute que les éditeurs n'aient rien voulu nous cacher : certaines notations sont d'autant plus scabreuses qu'elles concernent des personnes bien vivantes. Mais Vailland tenait sans doute particulièrement à ces pages-là où il se révèle parfois comme un Sade au petit pied. Bon petit pied, mauvais œil.

L'ensemble des *Écrits intimes* permet de suivre toute la vie de Vailland, depuis son enfance de petit bourgeois à Reims, mal à l'aise dans sa peau et dans la société, jusqu'à l'apparition d'une maladie innommée (c'était un cancer) qui vint surprendre dans sa maturité un écrivain devenu célèbre par le Goncourt et riche par le cinéma.

Dans son adolescence, Vailland avait connu la tentation du « grand jeu » — le jeu métaphysique, pourrait-on dire, avec ses amis Gilbert-Lecomte et Daumal. Mais il opta pour l'engagement dans le siècle et le « drôle de jeu ». Au lendemain de la guerre, il fut un communiste très remuant, un journaliste à grande gueule, qu'aucun excès du stalinisme ne gênait. Il s'était surnommé « Marat » dans son premier roman et parlait, dans l'hebdomadaire « Action », comme Saint-Just.

Vailland méprisait les hommes en général, les Occidentaux notamment, et les Français en particulier. Il avait placé la photo du dictateur rouge au-dessus de sa table de travail, et que souhaitait-il être lui-même? La manière dont il baptise ses personnages préférés est révélatrice : après Marat, c'est Duc — la noblesse héréditaire — ou Milan — l'oiseau de proie. Ce communiste se voulait aristocrate et ne se doutait pas à quel point il restait petit bourgeois en se voulant « homme de qualité », comme M. Jourdain. Mais, contrairement à celui-ci, il savait ce qu'est la prose.

Cet homme au tempérament de droite avait choisi le communisme parce qu'il croyait raisonner dans une juste « perspective historique ». Il voulait être du côté des vainqueurs. Il écrivait des choses de cette force : « Le problème du travail forcé en U.R.S.S. ne m'intéresse en aucune manière. Il est bien évident qu'il ne peut y avoir de liberté pour les ennemis de la liberté. » Et en avant la musique.

Il lui fallut les révélations du XXe Congrès et les massacres de Budapest pour remettre en question son engagement. Alors il inventa le mot de « désintéressement » et parla de « l'homme de souveraineté » : on retournait au drôle de jeu. Celui-ci prit la forme de « la loi » qui propose un certain nombre de règles qu'il s'agit de bien comprendre et de bien utiliser.

Vailland méprisait les pauvres — s'ils sont pauvres, c'est qu'ils ne sont pas malins — et, malgré sa condamnation de la culture bourgeoise, devint fournisseur d'histoires pour le cinéma de grande consommation : « Rien ne m'oblige à faire des scénarios, sinon cupidité et fainéantise », note-t-il. Il ne croyait pas à l'indépendance dans le dénuement.

Les *Écrits intimes* contiennent une très belle correspondance amoureuse. Élisabeth métamorphosa l'homme qui pensait que le sentiment vient tout gâcher dans les relations entre hommes et femmes. Mais Vailland conserva son dégoût pour l'idée de famille. Il se moque des « femmes en cloque » et ne sait « rien de si hideux qu'un homme portant un enfant dans ses bras » (p. 693).

Il se disait très agacé par le ton de modeste supériorité que prennent les croyants. Lui, la modestie ne l'étouffait pas, mais il parle comme un croyant. Il croyait à son intelligence (il était très intelligent d'ailleurs). C'est un auteur pour roués, et pour libertins. « Un homme comme moi, dit-il à peu près, n'est possible que dans une société décadente. »

JEAN-LOUIS CURTIS

Les histoires que raconte Jean-Louis Curtis (né en 1917) sont toujours situées de façon précise dans l'Histoire. Son premier roman, *Les Jeunes Hommes* (1946) mettait en scène quelques garçons de la classe 37 ou des classes voisines. Le livre couvrait les années 1929-1941. En même temps qu'un roman d'apprentissage, c'était déjà un tableau d'époque. *Les Forêts de la nuit* (1947) raconte l'occupation et la Libération vues d'une petite ville béarnaise. L'action se déroule de 1942 à 1946. *Les Justes Causes* (1954) commence le jour de la Libération de Paris et s'achève en février 1951, le mois où s'éteignit Gide devenu le symbole de l'ancienne société humaniste. On pourrait donner des dates aussi précises pour tous les autres romans de notre auteur.

Croit-il donc tellement à l'importance de l'Histoire? Il sait que chaque individu dépend étroitement de la société dans laquelle il vit et que toute modification de l'ordre établi vient transformer peu ou beaucoup la situation de chacun de nous. Quant aux « grands événements » (et d'abord les guerres), ils peuvent nous arracher à nous-mêmes et nous jeter dans des aventures collectives. Nous arracher à nous-mêmes, c'est-à-dire nous détacher de notre personnage habituel et libérer des sentiments dont nous n'avions pas toujours pleine conscience : certaines circonstances font sortir le tigre des forêts de notre nuit. Toutefois, si l'on n'est pas bousculé directement par l'événement, si, en temps de guerre par exemple, on n'est pas mobilisé, si l'on ne vit pas dans une zone de combat ou de bombardement, on continue de mener son traintrain journalier. « C'est à travers les restrictions qu'elle entraîne et par cela seulement, ou presque, que le grand nombre sera touché par la défaite, écrivait Gide en 1940. Moins de sucre dans le café et moins de café dans les tasses, c'est à cela qu'ils seront sensibles. » Cette réflexion provoqua une interpellation à l'Assemblée d'Alger en juillet 1944 : le délégué communiste Giovoni, chatouilleux sur l'honneur des Français, demanda la prison pour Gide. Personne ne réclama l'arrestation de Curtis quand il publia *Les Forêts de la nuit,* mais il lui avait fallu du courage pour montrer que la plupart des gens vivent d'abord leur vie quotidienne et que la politique ne les touche qu'en surface. Il n'était pas si facile d'oser montrer, en 1947, que la grande majorité des Français avait été maréchaliste sous Vichy et gaulliste à la Libération; ce que chacun admet en 1978.

Les personnes qui s'engagent d'elles-mêmes dans les conflits et prennent des risques non calculés sont rares. Dans les époques troublées, ce sont les jeunes gens qui s'exposent le plus facilement au danger et vont au bout d'eux-mêmes. Parmi les personnages des *Forêts,* on s'attache particulièrement à deux adolescents : Francis de Balansun et Philippe Arréguy. Le premier donnera le meilleur de lui et l'autre lâchera la bride à ce qu'il avait de pire. Certaines des scènes où ils paraissent sont d'une grande force dramatique : comme celle qui se déroule à la Gestapo française de Bordeaux et où la vie de Francis se joue tandis que Tino Rossi susurre à la radio : « O Catharinetta bella tchi tchi... »

Par quel mystère certains hommes choisissent-ils la bonne cause et d'autres une mauvaise voie? Curtis s'est demandé s'il s'agissait vraiment de choix. Dans *Les Justes Causes,* le romancier apparaît au cours d'un dîner mondain et il explique le sujet de son roman : « Il pourrait être curieux, dit-il, sous l'angle romanesque, de rechercher le pourquoi et le comment du choix politique; si vous voulez, d'explorer les fondements psychologiques, sociaux, religieux, de ce choix. Bref, la réfraction des idées politiques dans toute l'étendue de la personnalité vivante... Le choix politique n'est pas plus « pur » que l'autre, que les autres, les choix philosophique, artistique, métaphysique... »

Et le romancier précise : « Les idées politiques ont deux modes d'existence : en tant que figuration intellectuelle et en tant que source d'émotion et de passion... Ces deux modes interfèrent constamment, et voilà l'ambiguïté. Le rapport « idée-tempérament-formation » est ambigu entre tous, mais je crois justement qu'une telle ambiguïté est le domaine d'élection du roman. »

L'éclairage des *Justes Causes* est d'abord politique et social. Mais Curtis nous montre aussi la vie toute privée de ses personnages : leur vie amoureuse détermine dans une forte mesure leur vie publique Plus exactement, il y a toujours influence de l'une sur l'autre. Là existe également une terrible ambiguïté. Enfin, Curtis, dans des retours en arrière intitulés *Fragments d'un monde disparu* nous renseigne sur la jeunesse de ses personnages. C'est généralement loin dans le passé que l'on trouve la raison, la cause juste (sinon la juste cause) d'une conduite.

Quels sont ici les personnages choisis par Curtis? Ils sont au moins cinq fortement différenciés. Quatre approchent de la trentaine quand le livre commence.

Bernard, juif très riche, intelligent et cultivé. Après un passage à Londres, il s'est battu dans le maquis, il a participé à la libération de Paris. Il a hésité à s'inscrire au parti communiste, y a renoncé. Il est rédacteur en chef d'un périodique progressiste.

Bernard est la bête noire de Roland Oyarzun, maurrassien. Oyarzun était naturellement pétainiste. Après avoir été moniteur dans les chantiers de jeunesse, il a été incarcéré à Fresnes et a été condamné à l'indignité nationale. Libéré, il est une loque humaine et semble ne vivre que par ses haines. (Curtis a réussi là ce « grand personnage d'imbécile » qu'il souhaitait faire depuis longtemps.)

François Donadieu est un provincial et, par surcroît, d'éducation protestante. Il est la bonne foi même. Il avait gagné Londres avec Bernard. Cependant sa femme lui assure qu'il est parti pour l'Angleterre afin d'échapper à l'enfer conjugal. Il s'interroge maintenant sur le sens et le non-sens des passions politiques. « Car tels croient lutter et mourir pour une idée, quand ils luttent et meurent pour venger un père humilié, guérir d'une triste enfance, échapper aux tourments du remords, affirmer leur courage ou leur génie, ou satisfaire par des voies détournées aux exigences d'une faim qu'ils n'ont peut-être jamais appelée par son nom. Ils croient lutter pour la cité déchirée quand ils ne cessent pas de lutter avec eux-mêmes, habitants de cette Argos intérieure que hantent de mystérieuses Furies et sur quoi grondent des orages inconnus. »

Nicolas Gaudie a été un parfait nihiliste, « un homme libre ». Il a poussé très loin sa négation de toutes les valeurs. « Il voulait dynamiter le monde, faute de pouvoir le dominer ou l'étreindre. » Puis il a tenté de se suicider. Une femme l'a sauvé. Il a découvert l'amour et, grâce à sa femme, dont il dit qu'elle est « très forte », il a trouvé une foi politique. Il est devenu un militant très strict, un journaliste terriblement sérieux.

Enfin Thibault Fontanes est le représentant de la nouvelle génération. Il n'a pas eu à prendre parti durant la guerre et le gâchis dont il est témoin lui donne à penser : il adopte une attitude désinvolte et, bien sûr, c'est un masque, mais il joue brillamment son rôle. « Je pensais qu'il y aurait de quoi se battre et j'ai donné quelques coups de poing autour de moi : rien ne répond plus, je cogne dans une pâte molle qui cède partout, Il s'agit donc d'écrire et d'être heureux. »

Cette phrase est une des dernières du livre. Il est normal qu'après nous avoir raconté une histoire pleine de « bruit et de fureur », Curtis ait voulu terminer sur une évocation de cette indifférence où semblait être retombée la jeunesse.

Les Justes Causes nous ont fait penser à une réflexion du marquis de Custine dans *La Russie en 1839*. Considérant la situation politique en France, Custine remarquait : « On ne rencontre que des hommes qui voient le mal et qui le déplorent : quant au remède, chacun le cherche dans ses passions, et par conséquent personne ne le trouve : car les passions ne persuadent que ceux qui les ont. » Oui, le grave, c'est que nos propres passions ne nous gênent pas, parce qu'évidemment nous pensons toujours avoir pris le parti de la vérité. Maintenant on pourrait demander à Curtis s'il pense préférable de s'abstenir par suite de l'ignorance où l'on se trouve des mobiles exacts qui nous déterminent. Son personnage le plus sympathique, Bernard, répond à la question : « Ce qui compte, c'est la réalisation d'un

Bien objectif, non la pureté des intentions objectives... L'arbre sera jugé à ses fruits. » Mais qui jugera?

Les Justes Causes est un livre salubre. S'il ne conclut pas, il permet de dissiper les brouillards des propagandes. Roger Martin du Gard pensait que c'était un livre à clés. De fait, Roger Stéphane se reconnut dans le personnage de Bernard et Roger Nimier dans celui de Thibault Fontanes. Curtis s'était librement inspiré d'Aragon pour créer Nicolas. Certains critiques imaginèrent qu'en peignant François Donadieu il avait donné son autoportrait. Il n'utilise pourtant pas sa propre biographie, mais sa parenté intellectuelle avec ce personnage est évidente.

Un autre problème qui a toujours passionné Curtis est celui de l'authenticité. Peu de personnes osent être elles-mêmes et rester naturelles devant autrui. Mais qu'est-ce qu'être soi? Nous ne prenons peut-être des contours précis qu'en jouant un rôle dans la société. Ce rôle nous convient plus ou moins bien. Pourquoi l'avons-nous adopté? La réponse va de soi. Pour exister aux yeux des autres sous une apparence avantageuse. *La Parade* (1960) aborde ces diverses questions. Mais on y trouve d'abord une histoire romanesque.

La Parade commence chez deux vieilles demoiselles d'une petite ville du Béarn. Elles vivent petitement de l'héritage que leur ont laissé leurs parents. Elles se sentent déclassées ou, plus exactement, elles ont conscience de vivre en marge de leur siècle, comme des survivantes d'un autre âge. La fortune leur tombe soudain du ciel : une compagnie pétrolière leur achète dix-huit millions un champ qu'elles estimaient sans valeur. Ce sont de ces miracles qui arrivent de nos jours. L'aînée de ces demoiselles a une filleule, Pauline, issue d'un milieu très modeste de Sault, mais Pauline ne manque pas de distinction, elle est même racée. (« Il faut bien qu'une race commence un jour ou l'autre, comme il y en a qui finissent. ») La charmante Pauline aime Simon Peyrejunte, qui est le fils de gros bourgeois de la ville. Simon est un jeune homme très différent de tout ce qu'on nous a dit des adolescents d'aujourd'hui, mais il est bien possible que Curtis soit un peintre plus fidèle de notre jeunesse actuelle que les cinéastes de la nouvelle vague, ou bien disons que ces derniers ne s'occupent que d'un milieu extrêmement étroit. Quoi qu'il en soit, Simon est un pur, qui, bien que très épris, renoncerait sans doute à Pauline s'il apprenait qu'elle n'est pas exactement la parfaite jeune fille qu'il croit. Pauline a-t-elle un secret? Et quel? Le livre nous fera assister à la lutte qu'elle devra mener contre les parents Peyrejunte pour obtenir Simon et le bonheur.

La forme adoptée pour *La Parade* fait penser à ce que Martin du Gard appelait « le roman dialogué », genre qu'il a illustré lui-même avec *Jean Barois*. C'est un découpage d'allure cinématographique où les indications scéniques n'occupent pas moins de place que les dialogues eux-mêmes.

Non seulement elles éclairent les propos et ceux qui les tiennent, mais elles permettent à l'auteur de prendre ses distances par rapport à ce qui se dit. Si Martin du Gard se refusait à l'ironie, Curtis au contraire ne cesse d'user de cette arme corrosive. D'autre part, Martin du Gard juxtaposait des scènes au présent, tandis que toutes les scènes de Curtis sont reliées par un tissu narratif classique, au passé simple (avec usage de l'imparfait).

Martin du Gard truffait ses romans de papiers collés : lettres, documents historiques. Il arrive aussi à Curtis de glisser une lettre dans son texte et aussi de placer non tant des papiers collés que, dirons-nous, des bandes magnétiques, où sont enregistrés des propos entendus dans la rue ou dans une kermesse. Enfin, dans *La Parade,* les prises de vue sont très variées : les gros plans, les plans rapprochés abondent, scènes de la vie privée; — mais la caméra prend du champ : nous avons brusquement une vue plongeante sur les Arcades, la promenade de Sault-en-Labourd, ou sur la ville tout entière. Finalement ce livre progresse si bien qu'il s'élargit jusqu'à devenir un panorama du pays tout entier.

Dès *Les Jeunes Hommes,* Curtis avait essayé ces imposantes techniques, mais en ordre un peu dispersé, et sans la maîtrise qu'on admire ici. La réussite particulière de *La Parade* vient du passage insensible d'un plan à l'autre, de la comédie dialoguée au panorama. De la fenêtre ouverte sur les Arcades à la fenêtre ouverte sur une époque.

Le titre de *Cygne sauvage* (1962) est emprunté à Shelley comme celui des *Forêts de la nuit* était emprunté à William Blake. « Jeunesse, cygne sauvage », disait Shelley. Dans la galerie de portraits de jeunes hommes que nous offre Curtis, Gilles Ferrus est le représentant de la génération qui a grandi pendant la guerre d'Algérie et sous la menace prétorienne. Nous le voyons dans sa famille, puis avec des amis, dans les cafés d'étudiants ou dans les théâtres progressistes. Les sous-titres pourraient être : « Une famille française en 1960 », « le Quartier latin à l'heure de la décolonisation », « le théâtre brechtien », etc.

Son père et ses proches trouvent Gilles un peu trop sérieux : « J'ai pour fils un moine marxiste », dit M. Ferrus, et, de fait, Gilles est farouchement « de gauche » et s'applique à vivre en accord avec ses rigoureuses convictions. Toutefois, un jeune homme ne se connaît jamais très bien lui-même : l'austérité de Gilles ne cache-t-elle pas des maladresses et des inhibitions propres à un âge où l'on ne sait pas comment employer ses forces? Gilles n'a pas encore vraiment commencé à vivre quand nous faisons sa connaissance. Très exactement, il vit « en reflet ». Le hasard va lui faire vivre une aventure qui l'obligera à se découvrir beaucoup plus compliqué qu'il ne croyait être. La rencontre est banale en soi : c'est celle de deux étrangers, Stanford, un Américain de l'âge de Gilles, et Cordélia, la mère de Stanford. Ce sont des gens aimables et cultivés qui révèlent à Gilles « un monde que gouvernent les vertus des gens heureux ». Notre jeune moine va être séduit et par ce monde, et par ceux qui le lui font connaître. Ce naturel abandon ne va pas sans conflits. Non seulement Gilles est amené à rompre avec d'anciens camarades, mais il découvre aussi « qu'il faut avoir des grâces spéciales pour soutenir sans remords la morale difficile du bonheur ».

Dans *Cygne sauvage,* les chapitres « objectifs » alternent avec des chapitres où le jeune Gilles Ferrus se raconte lui-même. On notera que, dans les chapitres à la troisième personne, la drôlerie l'emporte, tandis que la voix chaude de Gilles provoque une sympathie immédiate.

On se rappellera peut-être que Curtis a beaucoup fait pour que Salinger soit connu en France. On comprend, en lisant *Cygne sauvage,* tout ce qui rapproche l'écrivain français de l'écrivain américain. La technique du récit dialogué (chapitres impairs) est voisine de celle qu'adopte le plus souvent Salinger pour écrire ses nouvelles, tandis que la technique du récit à la première personne (chapitres pairs) est parente de celle qui fait merveille dans *L'Attrape-cœur*.

La Quarantaine (1966) nous permet de retrouver les principaux personnages des *Jeunes Hommes,* d'enfants devenus pères à leur tour. Ainsi le livre aurait pu s'intituler *La Maturité*. L'ambiguïté du titre choisi renvoie à un thème du roman qui est le cloisonnement entre les générations. Sans doute a-t-il toujours existé; jamais aussi fortement qu'aujourd'hui. Curtis insiste sur la manière dont on a divinisé la jeunesse, alors que les jeunes gens se considèrent eux-mêmes comme formant une race particulière. Il est possible aussi que le sentiment de la solitude, qui est de tout âge, ne soit éprouvé qu'après quarante ans comme définitif.

Quand on a été élevé dans le monde d'avant le déluge d'Hiroshima, il n'est pas facile de s'habituer aux temps nouveaux et ce qu'on appelle le progrès peut faire rêver : « Était-ce la peine? » A quoi a-t-on assisté dans le demi-siècle? Au déclin des vieilles valeurs morales, à la ruine de l'ordre bourgeois et à l'ascension des affairistes. La disparition de l'ancienne dualité Paris-Province pourrait être considérée comme un bien, si elle ne s'inscrivait dans un mouvement qui implique le règne du bruit et de la mécanique, la fin d'une certaine douceur de vivre.

Dans *Un jeune couple* (1967), c'est le héros de *Cygne sauvage* qui reparaît. Nous le retrouvons alors qu'il est en voyage de noces à Venise et qu'il pense avoir conquis un certain bonheur. Tout le livre racontera l'émiettement de ce bonheur.

Gilles n'est pas du tout représentatif de la jeunesse d'aujourd'hui. Il est, au contraire, un personnage un peu anachronique auquel sa femme reproche de ne pas vivre au rythme de l'époque. Pour sa part, Véronique est « de son temps ». La crise naît entre un jeune homme d'hier et une jeune femme d'aujourd'hui.

Gilles est un « jeune cadre », comme on dit maintenant, et il se satisferait de son sort. Véronique lui reproche son manque d'ambition. De tout temps, les femmes ont poussé les maris à se montrer plus entreprenants dans la conduite de leurs affaires. Le grand fait nouveau, c'est le règne de la publicité. On vit environné de belles images qui sont une tentation perpétuelle. Autrefois, on disait : « L'argent ne fait pas le bonheur. » Désormais, on adore ouvertement le veau d'or et on lie l'idée du bonheur à la possession d'un certain nombre de choses.

Gilles sait que le bonheur ne s'achète pas, qu'il tient à un état de l'âme.

Mais comment convaincrait-il Véronique qui ne s'anime qu'en présence de ses amies et qui ne cesse de comparer ce que possèdent les autres à ce qu'elle a?

On peut dire que la société de consommation ruine leur union. On voit bien cependant qu'il y a entre eux incompatibilité de caractère. Après tout, Gilles aurait pu se révéler lui aussi un jeune loup, tous ses efforts tendus vers la réussite sociale.

Tel qu'il est, Curtis lui donne la meilleure part en lui cédant la parole un chapitre sur deux (comme dans *Cygne sauvage*). Gilles court le danger d'apparaître comme une « belle âme » et c'est vrai qu'il accorde plus de prix aux valeurs morales, intellectuelles et sentimentales qu'aux valeurs en Bourse. Il n'est pas à l'aise dans une société où rien ne paraît compter qu'une réussite purement extérieure, se traduisant par le grand standing, les croisières, la fréquentation des night-clubs, etc. Il est scandalisé au surplus d'entendre autour de lui vanter l'anticonformisme et parler d'authenticité, alors que toute la conduite de ces gens contredit leurs paroles et que ces paroles elles-mêmes sont la reproduction d'articles de « magazines dans le vent ».

Dans *Le Roseau pensant* (1970) Curtis nous raconte l'histoire d'un bon vivant qui a vécu jusque-là sans grands problèmes et qui, aux alentours de la cinquantaine, a soudain une « révélation » (c'est le titre de la première partie). Le déclic est donné par la disparition soudaine d'un ami, avec lequel il avait assisté dans l'après-midi à un match de rugby. Mais ce n'est pas sur le vieux camarade, c'est sur lui-même que Martial Anglade va s'apitoyer.

Jusqu'à sa révélation, Martial n'avait guère pensé — et du même coup ne s'éprouvait pas comme un faible roseau. Il vivait sur quelques principes qu'on lui avait inculqués dans sa jeunesse et, s'il n'était pas un mari idéal ni un merveilleux père de famille, on le considérait comme un « brave homme » et lui-même se supportait parfaitement.

Soudain, tout change. Martial commence à s'interroger et tout d'abord, sachant qu'il n'est pas éternel, il se demande si du moins il aura vécu. Le vide de son existence lui apparaît comme un nouveau gouffre. Il s'inquiète, s'interroge, voudrait apprendre ce qu'est la vie et, bien entendu, s'il n'y a rien au-delà de nos petites vies terrestres et quotidiennes. Il entreprend une vaste enquête qui est le véritable sujet du roman.

On a comparé avec raison Martial Anglade à un Bouvard sans Pécuchet. *Le Roseau pensant* a un côté encyclopédique, tout comme le roman de Flaubert. C'est un répertoire des idées à la mode. Ces idées sont exprimées au cours de brillants dialogues, dans des scènes de comédie d'une drôlerie souvent irrésistible. Car, avec un sujet dramatique, Curtis a construit un livre très amusant.

Les lecteurs discutent du niveau intellectuel de Martial. Ceux qui le jugent médiocre ne sont peut-être pas les plus futés. Martial n'est pas un imbécile, mais il voudrait des certitudes et il est emporté par ses humeurs, souvent agressives. Il réagit avec un gros bon sens et soupçonne les autres de jouer des rôles. Lui-même joue un rôle. Le choix n'existe guère qu'entre s'abandonner au mécanisme des instincts et des préjugés, et se contraindre à être un autre que soi-même.

L'épilogue du roman s'appelle « Le ciel sur la terre » et nous entendrons Martial dire à sa fille : « Tu sais, le ciel sur la terre, c'est d'être avec ceux qu'on aime... »

Tout au long du livre, nous avions pensé que le grand malheur de Martial, c'était son égoïsme. On ne peut échapper à sa propre misère qu'en se tournant vers autrui.

Nous venons de passer en revue les huit grands romans de Curtis. Il est aussi l'auteur de romans brefs et de longues nouvelles qu'il appelle récits. *L'Échelle de soie* (1956) et *Le Thé sous les cyprès* (1969) ont l'Italie pour cadre et l'on y trouve des « histoires d'amour » et souvent même des aventures passionnelles. Ce sont des « scènes de la vie privée » et parfois des confessions indirectes. *Un saint au néon* (1956) réunit de savoureux récits d'anticipation où l'auteur se contente d'imaginer où peuvent mener certaines tendances du monde actuel (et il décrit une société monstrueuse). Quant à *L'Étage noble* (1976), nous pourrions définir ce recueil, en langage snob, comme une analyse spectrale de l'Occident à son déclin. La nouvelle allemande intitulée *Les Jardins de l'Occident* oppose un professeur vieillissant, amateur de peinture et de musique, et sa jeune nièce, dont il ignore qu'elle est affiliée à un groupe révolutionnaire et terroriste. Curtis se sent probablement plus d'affinités avec le professeur esthète qu'avec l'étudiante révoltée. Nous ne doutons pas qu'il refuse qu'on dise que la culture et l'art sont des alibis pour les classes possédantes, et qu'il estime que Mozart et Marivaux sont des bienfaiteurs de l'humanité. Mais la révolte de la jeunesse, il la comprend parfaitement. Sa jeune terroriste est peinte avec tendresse. Dira-t-on qu'il est réactionnaire parce qu'il doute qu'une bombe lancée dans un théâtre puisse améliorer l'ordre social?

Enfin on mettra hors de pair l'ouvrage que Curtis a consacré aux inoubliables journées de mai 1968 : *La Chine m'inquiète* (1972). C'est un roman unanimiste sous une forme inattendue. Il s'agit, en effet, de seize pastiches d'illustres auteurs contemporains. Curtis semble s'être demandé : « Qu'ont pensé réellement ou qu'auraient pensé de mai 1968, ces personnalités si diverses et que j'admire à divers titres? » Et c'est là une façon de dresser un répertoire des positions fort différentes que l'on peut adopter face à la révolution. Le livre s'ouvre sur un chapitre du tome V des *Mémoires* de Charles de Gaulle et se ferme sur une nouvelle de Nathalie Sarraute, intitulé *Escarmouches*. Dans l'intervalle, prennent place des extraits d'œuvres romanesques ou d'essais critiques, des pages de journal, des lettres et même une pièce inédite (de Claudel).

Curtis est un prince du pastiche et ce don particulier qu'il a est très révélateur de son talent de romancier : on pourrait dire que, dans ses romans, il pastiche l'époque. Il est peintre, avec un penchant pour la moquerie et la satire.

Ce penchant est contrebalancé par son goût de la justice et de l'équité. Il accentue certains traits, mais ne déforme pas les grandes lignes. Aussi bien, ne vous attendez pas à ce que *La Chine m'inquiète* tourne en dérision les écrivains dont il a emprunté la plume. Le livre est très ambigu, parce que certains des propos qu'il contient sont tout à fait sensés et convaincants. Il est très difficile de deviner quand Curtis se découvre lui-même et de quels auteurs il se sent le plus proche. Mais son propos était évidemment de s'effacer et d'être, une fois de plus, « un miroir le long du chemin ».

La littérature née de mai 1968 est extrêmement abondante et il était périlleux de prétendre renouveler le sujet. C'est pourtant ce que Curtis a réussi. Tous les grands moments de ces journées sont évoqués, ici, dans une lumière nouvelle et c'est la lumière même sous laquelle nous les avons vécus. Il fallait la plume de Céline pour montrer les C.R.S. chargeant les barricades, la plume de Léautaud pour restituer la folle kermesse de la Sorbonne, la plume de Proust pour raconter l'occupation du Théâtre de l'Odéon, la plume d'Aragon pour décrire l'ébahissement d'un jeune communiste devant les manifestations d'étudiants bourgeois, la plume de Simone de Beauvoir pour tracer le portrait d'une jeune fille privilégiée en révolte contre son milieu. Or, Curtis a emprunté toutes ces plumes-là. On tient son livre dans la main comme un enfant tiendrait un kaléidoscope. C'est merveilleux.

Deux autres ouvrages de Curtis contiennent des pastiches : *Haute École* (1950) et *A la recherche du temps posthume* (1957) où se manifestent la même intelligence critique, la même virtuosité stylistique et la même *vis comica.*

PIERRE GASCAR

L'œuvre de Pierre Gascar (né en 1916) se développe sur plusieurs plans. Cet auteur s'intéresse à la fois aux données générales de la condition humaine et aux problèmes particuliers d'aujourd'hui : tantôt ses ouvrages penchent du côté du mythe et tantôt du côté du document. Il y a chez lui un pur artiste, un témoin et un enquêteur. On sait qu'il est assez rare que ces trois sortes d'écrivains se trouvent réunies en un seul homme. Parfois, le témoin l'emporte. Parfois, c'est l'artiste.

Dès ses premiers romans, *Les Meubles* (1949) où il dénonçait comme pathologique l'attachement aux choses du passé et *Le Visage clos* (1951) où il racontait la fin d'une adolescence, on comprit qu'il serait un des meilleurs écrivains de sa génération. Il obtint très vite un grand succès avec un récit où il avait utilisé, à parts égales, toutes les grandes ressources de son talent : c'était *Le Temps des morts* (1953) où il évoquait ses souvenirs de prisonnier de guerre, contraint au rôle de fossoyeur. Un peu plus tard, il publiait des souvenirs plus anciens, des souvenirs d'enfance, sous le titre *La Graine*

(1955). Il ne s'agissait pas de ce qu'on appelle une enfance heureuse, mais Gascar précisait pourtant qu'il avait voulu raconter ce qu'avait été pour lui « le temps de la vie ». On remarquait son refus de tout romantisme : romantisme de l'attendrissement et romantisme de la noirceur. Gascar devait donner une suite à *La Graine :* le très beau récit d'adolescence intitulé *L'Herbe des rues* (1957).

Ses deux romans les plus amples parurent au début des années soixante. Ce sont des romans d'aventures, situés dans des époques troublées. Le premier s'appelle *Le Fugitif* (1961).

Camus nous avait parlé de « L'Étranger ». C'est un peu à cet étranger que Gascar oppose son « Fugitif ». L'aventure de Meursault constitue un conte philosophique non daté. Au contraire, Paul, le héros de Gascar, est très précisément un enfant de ce siècle et ce sont les événements qui ont fait de lui cet être sans attaches et qui s'interroge sur la signification de son destin. Paul est un jeune Français, prisonnier de guerre. Il s'évade au moment de l'offensive victorieuse des Alliés, après une bagarre avec un des gardiens du camp. Il n'est pas sûr de ne l'avoir pas tué. Il erre dans le pays et finit par tomber, épuisé, dans une forêt de Franconie, où le découvre une jeune Allemande qui vient tendre des filets. Elle décide de le cacher dans les écuries du domaine de son père, Witlgenstein, qui est le responsable local du parti nazi. Ils deviennent rapidement amants. Cependant Witlgenstein, qui craint d'avoir bientôt des comptes à rendre, abandonne son haras. Lena refuse de le suivre.

Vous imaginez alors Paul heureux, filant le parfait amour avec la jeune fille et, en effet, il y a là, entre le départ du père et l'arrivée des Américains, quelques jours de bonheur, malgré le bruit des canons au lointain.

De prisonnier, Paul devient occupant. Dans la vie locale, il est soudain un personnage : ne succède-t-il pas à Witlgenstein dont il va épouser la fille? L'ironie du sort le transforme en gardien. Les Américains lui laissent la haute surveillance sur un groupe de réfugiés qu'ils ont installés dans les haras. Parmi ces réfugiés, une petite Silésienne de dix-sept ans se donne un peu à tout le monde, ce qui ne satisfait personne et crée des remous dans le camp. Paul qui est lui-même très près d'être séduit, favorise enfin son évasion.

Un peu plus tard, Witlgenstein revient. Paul comprend tout de suite qu'il ne s'entendra jamais avec cet homme dont la politesse ne parvient pas à cacher les véritables sentiments. Il y a plus grave : Lena sort peu à peu de l'enchantement que lui avait causé l'arrivée de Paul. Cet amour, né dans les violences de la guerre, s'estompe dans la paix qui revient. Victime d'un accident de voiture, Paul se fait passer pour mort et disparaît.

Commence alors une longue marche, un voyage aux péripéties nombreuses dans une Allemagne en ruine où grouille une humanité misérable. Paul a l'idée de retrouver le gardien qu'il a assommé, à Harzbourg, et l'idée aussi de rejoindre Maria, la petite prostituée silésienne. De Harzbourg, il gagne Nuremberg, où il trafique des bons d'essence, puis Berlin, où nous le voyons entrer en relation avec les gens du secteur soviétique. Compromis, il est pris en chasse par la police. Aux abois, il revient un soir dans le haras de Franconie. Il y est abattu d'un coup de fusil.

Vous vous demanderez si Paul n'a jamais eu l'envie de revenir en France. Il n'y songe que tout à la fin quand il se sent un être brisé. En fait, c'est un garçon sans famille et sans amis : « ses parents morts, rien ne l'attendait en France; le premier, il avait oublié ceux qui, avant la guerre, avaient montré pour lui de l'attachement ». Il est un parfait exemple de déraciné : la guerre a coupé ses derniers liens. Il est jeté dans un monde en folie. Patrie, métier, traditions, rien de tout cela ne le soutient plus. Il ne sait même plus se contenter des chances dont il bénéficie parfois : il lui faut voir ailleurs. Il n'en finit plus de s'évader une fois qu'il a commencé. Toutefois, à quelques minutes de sa mort, l'espoir le fait fondre en larmes : « il ne demandait plus rien, il ne demanderait jamais plus rien d'autre qu'un refuge, fût-il le plus obscur, qu'une affection, fût-elle la plus banale, et que la paix, fût-elle la plus médiocre et la plus quotidienne... »

Mais là-dessus, il meurt. Et nous ne saurons pas si ses dernières résolutions ne lui étaient pas seulement dictées par une fatigue dont il se serait remis.

Les Moutons de feu (1963) ont été écrits, si l'on peut dire, à chaud. L'action se déroule en 1962, à l'époque de l'O.A.S. Cela peut nous sembler déjà lointain, mais nous ne sommes pas sortis de l'ère du terrorisme : celui-ci a changé d'objectifs, non pas de méthode.

On sait que ce ne sont point les idées, mais les passions qui mènent le monde. Parmi ces passions, les passions politiques occupent une place de choix. Les historiens les étudient avec beaucoup de calme et par là n'en donnent pas un exact compte rendu. Il arrive que les romanciers nous les rendent plus sensibles et nous montrent comment, à certaines époques, elles prétendent justifier toutes les violences. On mobilise alors les idées, mais celles-ci sont des prétextes commodes. Telle est sans doute la conviction de Pierre Gascar. Cette conviction avait inspiré déjà à Jean-Louis Curtis ses *Justes Causes.*

Gascar a noté les ressemblances qui existent entre extrémistes des camps opposés. Ses deux héros nous apparaissent comme des frères ennemis : Alain, jeune homme romantique, membre d'une organisation subversive, et Dandrieu, qui milite dans une ligue antifasciste.

Dès la première page, nous voyons Alain déposer un paquet de plastic sur le rebord d'une fenêtre, au rez-de-chaussée d'un immeuble, près de la Seine.

Alain a vingt-cinq ans. Il travaille dans un cabinet d'affaires. Il a eu une jeunesse difficile et humiliée : il cherche une revanche sur le sort. La vie ne sera acceptable que si elle permet quelque exaltation. C'est le désir d'être supérieur à lui-même qui le pousse : il n'a pas eu d'illumination politique. Le voici cependant embarqué, avec des gens tous plus âgés que lui et qui sont sûrs d'ailleurs de la justice de leur cause : le régime qu'ils attaquent est aussi pourri, pensent-ils, que le régime qui l'a laissé s'installer. Il convient de régénérer la cité. Parmi les membres de l'organisation, il y a : un avocat qui rêve du pouvoir, un ingénieur qui croit réaliser son rêve d'une nouvelle chevalerie, un commandant patriote, un naturaliste monarchiste, etc. J'ai répété avec intention le mot rêve : chacun suit un rêve personnel.

Grâce à la complicité du commandant, qui est responsable d'un dépôt de munitions à Versailles, des explosifs sont dérobés à l'armée et déposés chez le naturaliste Gocs, lequel tient une boutique d'animaux empaillés à Saint-Germain-des-Prés. Puis, par souci de sécurité, on décide de transporter ces explosifs à Lyon. Alain est chargé de l'opération : les explosifs sont dissimulés dans des moutons empaillés (d'où le titre du livre), mais il ne parviendra pas à Lyon. Il se verra contraint de précipiter son chargement dans une rivière, du haut d'un pont.

A Paris, tout ne va pas au mieux dans le groupe terroriste. Mais ce qui inquiète le plus Alain, c'est l'attitude de la fille de Gocs, Béatrice, dont il s'est épris. Or elle sort avec un nommé Dandrieu, qui est un homme de gauche de l'espèce agitée. Ce qu'il a de commun avec Alain, c'est de vouloir sa vie plus intéressante qu'elle ne l'est. Il veut que l'Histoire ait un sens et être engagé dans le sens de l'Histoire. Gascar, dont on sait que les sympathies sont plutôt de ce côté, n'a pas ménagé ses amis. Honnête écrivain, il n'hésite pas à se moquer des bavardages idéologiques de ce milieu et, dans le personnage d'un nommé Barthélémy, responsable d'un comité de vigilance antifasciste, il a dénoncé une brute qui se veut efficace. Il y a des canailles dans tous les camps. Et il devient dérisoire d'avoir des idées différentes quand on applique les mêmes méthodes.

Les plasticages continuent. Alain accepte de « descendre un traître », mais l'attentat échouera grâce à Dandrieu. Cependant Dandrieu sera arrêté tout comme Alain, car, selon l'étonnante logique du régime gaulliste, il s'est mêlé de ce qui ne le regardait pas : la défense de la République appartient à ceux-là seuls que le peuple a mandatés. Mais, en prison même, Alain et Dandrieu ne se rejoindront pas : « Au sein des ténèbres, ils continuaient de cheminer lentement l'un vers l'autre, comme des vers, se guidant dans leur obscur amour vers la lumière vacillante de leur haine. »

Après *Les Moutons de feu*, Pierre Gascar éprouva le désir de faire un nouveau retour sur son enfance et sur son adolescence. Cette fois, il ne nous parla pas de l'herbe qui pousse entre les pavés, mais de l'herbe drue de la campagne qu'il avait connue entre la période racontée dans *La Graine* et la période décrite dans *L'Herbe des rues*. L'enfance fut évoquée dans *Le Meilleur de la vie* (1964) et l'adolescence dans *Les Charmes* (1965).

Dans ces deux livres, Pierre Gascar n'utilise pas le « je », il dit « nous », peut-être pour donner à son témoignage une portée plus générale, et dans le même mouvement, il s'est permis de lâcher un peu la bride à son lyrisme qu'il avait jusqu'ici sévèrement contenu. En fait, *Le Meilleur de la vie* et *Les Charmes*, en plus d'un passage, ne relèvent plus du récit mais du poème en prose. Non point que Gascar renonce jamais à coller à la vérité : c'est seulement que ses souvenirs, avec le recul, se sont davantage décantés. Au reste, certaines anecdotes ne manquent pas de cruauté et, rarement, les troubles de la puberté nous ont mieux été restitués, avec leurs ombres et leurs menaces.

Le « nous », dans ce livre, désigne un groupe de garçons et de filles qui grandissent dans un village du Midi, un peu en marge de la vie moderne et qui conserve ses traditions. Il n'y a pas, ici, d'histoire qu'on puisse résumer et, pourtant, l'on n'imagine pas plus merveilleuse histoire, puisque c'est celle de la découverte du monde et très exactement (sans doute faut-il bien le préciser) du monde naturel. Dans un siècle où la plupart des enfants sont élevés dans les villes, ces livres apportent une bouffée de fraîcheur et aussi d'étrangeté. On y rencontre des réalités toutes simples que néglige, de plus en plus, notre civilisation technicienne. Gascar nous suggère que le meilleur de la vie, c'est la vie elle-même telle qu'elle nous est proposée par la nature. Il nous offre de vives images propres à faire rêver les habitants des métropoles assourdissantes aux répugnantes odeurs.

Les animaux occupent une place importante. Le mystère animal est un de ceux sur lesquels Gascar revient le plus souvent. On est bien sûr que ce problème l'obsède. On n'a pas oublié les contes fantastiques et souvent effrayants qu'il a publiés sous le titre *Les Bêtes* (1953) (si vous avez lu ce livre, il est même probable que le rat Gaston vous a poursuivi dans vos rêves...) Les animaux du *Meilleur de la vie* gardent un aspect inquiétant, mais ils se transforment dans *Les Charmes* en créatures poétiques. Nous citerons pour le plaisir un paragraphe significatif : « Le poisson dans le courant n'était que l'ombre ou le songe d'un poisson insaisissable. Bref, dans notre domaine, la vie animale ne consistait qu'en illusions. Les animaux de chaque jour ne nous apparaissaient plus que comme des mandataires, des représentants plus ou moins dévoyés, des messagers sans mémoire dépêchés à travers le monde par de vraies bêtes qui, quelque part, hors du temps, hors de notre vue, se réclamaient valablement, à grands cris muets, de la fraternité de l'humain. Nous devinions que, derrière le chat, le chien, l'oiseau, le poisson et même l'araignée, une créature exilée tendait à nous rejoindre, brûlait d'effacer ces malentendus que, sous ses apparences habituelles, l'animal entretenait. »

Ce retour aux sources de la sensibilité semble avoir détourné Pierre Gascar du roman traditionnel. Il s'est attaché aux problèmes de l'environnement, qui traitent des chances de survie de notre espèce. Dans les ouvrages qui suivirent *Les Charmes,* il est devenu un écrivain écologiste, — avant que l'écologie fût à la mode. Il publia des ouvrages tels que *Les Chimères* (1969), *Le Présage* (1972), *Les Sources* (1975), qui n'appartiennent pas à un genre littéraire catalogué et où il mêle observations et réflexions. Parfois il nous entraîne dans de grands voyages à travers le monde, parfois il nous fait partager la vie de son village d'élection.

L'un de ces ouvrages, *L'Arche* (1971), peut être considéré comme un roman de conception très originale : « une sorte de roman philosophique », dit l'éditeur. Un roman dont les personnages ne seraient pas des individus, mais des communautés. Un essai philosophique dont le déroulement ne suivrait pas un plan logique, mais le fil d'une rêverie.

Pierre Gascar nous parle ici du village de Baume, dans le Jura où il possède une maison de campagne. La principale curiosité naturelle du pays, ce sont des grottes appelées dans le livre « les grottes de D ». Gascar a naturellement visité ces grottes et y a découvert un monde qui (avec une lenteur infinie) continue de proliférer, alors qu'à la surface tout est soumis aux lois de l'érosion (encore que l'invasion toujours menaçante du végétal soit également un beau signe de vitalité).

C'est son émerveillement devant le monde souterrain que Gascar entend d'abord nous communiquer, en décrivant ce qu'il a vu et aussi ce qu'il a compris en lisant des ouvrages de géologie sur les sécrétions calcaires. Aux données de l'expérience et de la connaissance, se sont ajoutées des réflexions de poète et de sociologue. Du réalisme, nous passons à l'allégorie, avec l'opposition de l'univers du jour et de l'univers de la nuit, la glorification des puissances de la Terre aux dépens de l'ingéniosité des hommes.

On nous répète de tous côtés que la civilisation moderne risque de finir bientôt dans d'effroyables catastrophes, l'heure des plus grandes réalisations techniques coïncidant avec l'heure de l'abandon moral. Nous avons perdu le sens de ce que Giono appelait « les vraies richesses » et l'on se rue sur des voies sans issue : « Après nous le déluge » est un mot plus évident aujourd'hui que sous Louis XV.

Sans aller jusqu'à évoquer l'apocalypse, on peut dire que le besoin qu'éprouvent les citadins de se retrouver à la campagne ou au bord de la mer est un signe des temps. Chacun, dans les villes, sent qu'il étouffe à certaines heures. Il se défend cependant d'en tirer des conclusions décisives. On vante les bienfaits de la campagne et de la mer, mais en même temps on accepte que la terre entière devienne inhabitable par suite des retombées du « progrès » qui empoisonne l'air, les cours d'eau et la mer elle-même.

Notez bien que le citadin à la campagne ne vit pas dans la nature. Il se repose devant quelques paysages. Les paysans d'autrefois ne voyaient même pas les paysages : ils en faisaient partie et ce n'est pas certes une nuance.

Dans beaucoup de villages de France — dont Baume n'est qu'un exemple — on trouve les indigènes, qui essaient de se maintenir, et ces nouveaux venus que sont les heureux possesseurs de résidences secondaires. L'évolution de l'économie contraint les paysans à essayer de « s'adapter » s'ils veulent durer. Ici, pour quelques-uns, l'aménagement des grottes à des fins touristiques pourrait être un moyen de survivre. De leur côté, les citadins s'intéressent à une abbaye désaffectée, autre curiosité de l'endroit et qui leur permet de se livrer à des recherches archéologiques plus ou moins sérieuses. Gascar n'est pas tendre pour ces amateurs de ruines qui lui paraissent des représentants d'une fausse culture. En même temps, il s'interroge sur le besoin de s'accrocher au passé et d'essayer de le fixer. Bien entendu, les citadins ne se soucient guère de l'avenir des gens du village et ceux-ci les considèrent comme des intrus.

Peut-on parler d'une civilisation des grottes et d'une civilisation de l'abbaye? Gascar oppose les puissances du sol, plus durables, aux valeurs de l'esprit humain, plus éphémères. A notre époque, où l'esprit déraille, il rêve d'un recours à la nuit.

Le titre de *L'Arche* indique aussi que les grottes pourraient devenir le dernier refuge en cas de terreur atomique (les citadins y seraient-ils admis?). Cependant le livre s'achève sur un trait d'humour noir : le ministre des Armées envisagerait de retirer la disposition des grottes aux habitants du village afin d'en faire un dépôt de fusées.

Pierre Gascar se déclare nettement pour la vieille civilisation paysanne, dont il est issu. Il note qu'il a trahi les siens : « Ce qui m'a perdu, nous dit-il, ce sont les mots et l'idée du bonheur possible. » A ce moment du livre (un émouvant « appendice », consacré à des portraits de famille), nous ne le suivons pas très bien dans son raisonnement : car il est un bon et un mauvais usage des mots (Gascar en fait un excellent usage) et pourquoi craindrions-nous la fin du monde si, de toute façon, il était impossible d'y être heureux? Le bonheur n'existe pas, mais il y a des moments de bonheur qui permettent d'espérer et de persévérer.

Et vous vous doutez bien que Pierre Gascar n'a jamais réellement songé à se retirer dans une grotte. C'est son tempérament de poète qui lui a inspiré *L'Arche*.

Homme parmi les hommes, arbre parmi les arbres de la forêt humaine (c'est le titre de son « ce que je crois » : *Dans la forêt humaine,* 1976), il déclare se sentir à la fois solitaire et solidaire, selon la formule célèbre. Sa solidarité s'étend à la terre entière et il remarque que le grand événement de notre époque, c'est la tardive reconnaissance de l'existence des peuples du tiers-monde que les anciennes civilisations considéraient comme négligeables. Il a comparé cet événement à la découverte de l'Amérique.

Témoin de notre temps, Gascar s'intéresse aussi à l'Histoire. Son dernier livre, *Le Bal des ardents* (1978), nous raconte la vie de Charles VI, le roi fou. C'est une des caractéristiques de notre époque que nos meilleurs romanciers se transforment un jour ou l'autre en historiens.

20.
Jeunesse et aventure

L'enchantement que nous procurent Dhôtel, Vialatte et Vrigny vient d'un apparent abandon aux merveilles de la vie quotidienne, non pas que la note tragique manque dans leurs œuvres, mais ils font confiance au hasard et le désespoir semble leur être inconnu.

Dans un des rares articles où il s'est expliqué sur son art poétique, Dhôtel disait : « Que le roman soit une chanson passagère vite envolée, ou bien dont on se souvient sans savoir exactement de quoi il s'agissait! Une variation sur un thème, et que nous reprenons à des heures nostalgiques ou joyeuses par simple courtoisie pour notre chemin. »

Et il terminait : « Rien d'autre que la vie qui poursuivait son train, c'est entendu, et ce n'était qu'une histoire. Mais rien n'est perdu, amis lointains, puisqu'*il y avait une fois...* »

Toutes ces œuvres découlent d'une « scène primitive » qui n'a rien à voir avec la découverte horrifiée de la sexualité que font les enfants, mais au contraire une scène primitive liée au souvenir d'un paradis perdu.

Henri Bosco (1888-1976) appartenait lui aussi à cette famille d'écrivains et l'on garde un souvenir ému pour son *Ane culotte* (1937). Ses œuvres d'après-guerre ne sont pas de moindre qualité. Jean Lambert lui a consacré un excellent essai, *Un voyageur des deux mondes* (1952).

Georges Borgeaud (né en 1914) a donné de fines études des troubles de l'adolescence — une adolescence parfois prolongée (*Le Préau,* 1952, *Le Voyage à l'étranger*, 1974), avec des accents rousseauistes qu'il doit sans doute à son origine suisse.

ANDRÉ DHÔTEL

Du *Village pathétique* (1943) à *Bonne nuit Barbara* (1978), André Dhôtel (né en 1900) a publié plus d'une vingtaine de romans. Toutefois, c'est dans un recueil de nouvelles et de proses poétiques, *La Chronique fabuleuse* (1955), que l'on trouvera la clef de son œuvre. Dhôtel y chante la gloire de vivre dans un monde plein de merveilles. Dans cette « Chronique », le narrateur s'adresse fréquemment à un garçon qu'il appelle Martinien, qui n'est pas son Nathanaël, mais peut-être son jeune fils : « Tes yeux éclatants, Martinien, m'interrogent. Tu sais mieux que d'autres la vanité de mes recherches, mais il suffit de croiser nos regards pour que les choses les plus banales deviennent curieuses. Je me garderai pour toi, autant qu'il sera possible, un héros au cœur cabalistique. » Et c'est ainsi que Dhôtel apparaît à ses lecteurs.

On comprend que c'est avec un sourire qu'il emploie le mot *cabalistique.* Rien de moins pédant que cette œuvre. Ce n'est pas à un professeur de philosophie, mais à un manœuvre de scierie que Dhôtel confie le soin de nous donner quelques vues sur l'humaine condition : « Car je peux voir, moi qui passe et repasse toujours, les fleurs bourgeonner, grossir, trembler et s'ouvrir avec une douceur aussi puissante que le tonnerre. Toutes ces choses sont des horloges et l'on ignore le cœur de ces horloges parce que c'est aussi un abîme. Il y a des milliers d'abîmes qui s'entrecroisent. Et vous dites : voilà une fleur, voilà un chien, voilà un homme. Chaque fois que vous dites cela, vous prononcez un mot aussi grand que le ciel. »

On observe chez André Dhôtel une entière acceptation du monde et des hommes parce qu'il considère la création non pas en moraliste, mais en poète : « Il n'y a rien, absolument rien, que le temps de Dieu, que chacun mesure à sa façon. »

L'homme de la scierie dit encore : « Sur la même route, j'ai vu les mêmes visages changer, changer et les yeux seuls demeuraient éternels. Sans rien comprendre, j'ai vu, sur la route, les éclairs de nombreux orages (crimes ou colères comme en moi ou en vous, passants). Et plus tard, le ciel dormait dans des flaques d'eau. »

Dhôtel accepte les hommes avec leurs caractères et leurs travers, comme il accepte tous les autres phénomènes naturels. Et il peut même parler de leur pureté, aux uns et aux autres, quand leur esprit n'est pas faussé par des raisonnements vicieux et qu'ils souscrivent à leur destin.

Les personnages de Dhôtel font partie intégrante de la nature : il n'y a pas ici la moindre opposition entre l'ordre humain et l'ordre naturel. Les cris des filles qui sortent de l'école retentissent dans l'air comme ceux des hirondelles en été, et le passage des fillettes par bandes ne doit pas s'observer d'un autre œil qu'on regarderait tournoyer des oiseaux dans le ciel. Voici probablement un des premiers secrets d'une vie heureuse : une certaine modestie devant les êtres et les choses. On doit se contenter de saluer le créateur de ce monde léger. Rappelons les sages paroles que la vieille servante Alexandra adresse au jeune Iannis, dans *Ce lieu déshérité* (1949) : « Le monde est léger, mon fils, tu ne peux pas savoir encore combien tout cela est léger ou indifférent, les étoiles, la mer et les gens. »

Seulement, la sagesse a peu de pouvoir sur les êtres, qui obéissent à des exigences intérieures dont ils n'ont jamais une parfaite connaissance. Il y a peu de psychologie dans les romans de Dhôtel. Il y a le mouvement de la vie.

A propos d'une de ses héroïnes, la Juliette du *Plateau de Mazagran* (1947), Dhôtel note : « Ses réflexions étaient si rapides et si précises qu'elle ne pouvait jamais distinguer à quel moment elle était sincère. Mais sans doute elle ne cachait rien de ce qu'elle pensait. » L'héroïne dhôtélienne n'est pas une fille fausse. Simplement, elle est lancée dans le monde et doit vivre. Sa vie l'emporte. Elle lui obéit sans questionner. De même, le jeune Iannis ne s'encombre pas la tête de raisonnements, ni non plus le cœur de sentiments. Ce sont ceux-ci qui fondent périodiquement sur lui à l'improviste : « Je me suis jeté à ses genoux et j'ai saisi dans mes deux mains les plis de sa robe. Je n'avais pu prévoir cet incroyable élan qui m'entraîna soudain comme si un éclair m'avait traversé. »

Parce qu'ils obéissent à leurs instincts, les personnages de Dhôtel sont à l'aise dans la vie. Ils ne risquent pas de trouver rien absurde, ni d'être pris de nausée. C'est autre chose qui les guette : « En vérité, déclare calmement un personnage de Dhôtel, personne n'est capable de mesurer le bonheur. On peut en être comblé au-delà des forces humaines. Évidemment, cela n'arrive pas tous les jours. » Non, pas tous les jours, mais les chances de bonheur restent toujours intactes. Cette confiance dans la vie repose sur la certitude fabuleuse que rien de ce qui a été vécu ne peut être complètement effacé à jamais. Tout paraît se perdre dans la suite des temps, mais tout s'inscrit *ailleurs,* dans une éternité salvatrice. Cela n'est jamais dit expressément, mais l'éclairage optimiste de tout l'œuvre de Dhôtel s'explique probablement ainsi. La lumière dans laquelle baignent ses livres vient de l'origine des temps. Elle ne brille jamais mieux que dans l'évocation du premier amour, lequel rend au monde sa virginité.

Rien ni personne n'est à jamais perdu dans l'univers de Dhôtel et même les personnages criminels seront eux-mêmes sauvés un jour. Une promesse a été faite, qui sera tenue. Dhôtel éprouve du reste une tendresse particulière pour les erreurs des jeunes gens. Leurs erreurs semblent la conséquence d'une recherche mal dirigée, mais qui témoigne en leur faveur. « Il n'y a rien de plus beau que le cœur des enfants criminels », affirme un personnage de *Jean-René sur les toits.*

Le plus célèbre roman de Dhôtel, *Le Pays où l'on n'arrive jamais* (1955) raconte les aventures de deux enfants fugueurs. Ils sont mus par un immense espoir, si puissant même qu'il prend figure de certitude : le présent est considéré par eux comme un tremplin vers un avenir qui restituera un passé fabuleux. Souvent notre présent est alourdi par notre passé. Rien de tel ici. On est à la recherche d'un lieu qui annulerait le problème du temps.

Si les deux enfants trouvent le bonheur, c'est qu'ils le portaient en eux. Il est significatif cependant que la jeune héroïne du *Pays* abandonne la maison pleine de richesses de son père adoptif, pour la roulotte de sa mère à laquelle elle avait été enlevée pendant l'exode. Cela nous rappelle l'histoire qu'on nous contait en classe : pour être heureux, il fallait endosser la chemise d'un homme heureux, mais, quand on trouvait cet homme, il ne portait pas de chemise. Dhôtel aime les vagabonds, les forains et tous les originaux qui exercent de bizarres métiers. Vis-à-vis du monde moderne, il se tient sur la réserve. Il montre une grande désinvolture envers le social.

Dans ses premiers livres, il avait rêvé de sociétés moins artificielles que la nôtre. Je pense à la petite colonie que l'on voit s'organiser à la fin de *David* (1948) ou bien au *Village pathétique* (1943). Dans les deux cas, l'entreprise prenait naissance autour d'un personnage qui agissait par sa seule présence : c'était David, dans le roman qui porte ce nom, et c'était Odile, dans *Le Village*. Personnages mystérieux qu'on n'oublie pas. Le thème de la colonie a été abandonné par la suite, mais *David* et *Le Village pathétique* restent deux des plus beaux livres de Dhôtel.

Le thème principal de Dhôtel est la fidélité au premier amour. Des jeunes gens se rencontrent, s'aiment, puis, pour des raisons diverses, sont séparés. Il s'agit de savoir à la suite de quelles aventures ils seront réunis. Souvent, les pires malentendus se dressent entre eux : il arrive même qu'ils ne se comprennent pas et se meurtrissent. Mais nos sentiments sont plus forts que nous : l'amour, inavoué ou incompris ou persécuté, finit toujours par triompher, « contre tout espoir et à force d'espoir ».

Le roman devient parfois conte un peu féerique : une œuvre comme *Le Pays où l'on n'arrive jamais* s'adresse à la fois à un public adolescent et au public adulte dont le cœur n'a pas vieilli. Par là, on peut comparer Dhôtel à certains conteurs romantiques allemands, comme Brentano et Eichendorff. Dhôtel devait d'ailleurs, comme eux, aborder franchement le fantastique. Ce furent *Les Aventures de Julien Grainebis* (1958) où le fantastique n'est pas basé sur l'apparition, mais au contraire sur la disparition.

On ne doit naturellement pas résumer des histoires fantastiques, parce que c'est l'art du conteur qui nous les fait accepter ou refuser. Dhôtel gagne d'emblée la confiance du lecteur et nous fait croire à l'incroyable. La réussite du livre est un miracle de poésie.

Dirai-je que tous les romans de Dhôtel sont des romans poétiques? Non. Dhôtel ne cherche nullement à embellir ce qu'il voit : il veut seulement nous communiquer son émerveillement devant la vie. Nous avons noté qu'il n'exposait pas un système du monde. Il a fait mieux : il a créé un univers. Il l'a créé en se jouant, en s'abandonnant à la simplicité du cœur. C'est une simplicité délicate et parfois même précieuse. Quand les héros des *Premiers Temps* (1953) veulent circonvenir la marraine à héritage, ils deviennent d'une étrange politesse, même avec les plantes : « On marchait lentement dans les sentiers et l'on se gardait de froisser les herbes et les fleurs, comme si la nature devait aussi tenir compte de leur politesse, ou bien comme s'il y avait toujours des gens invisibles prêts à éprouver de l'admiration pour une si belle tenue. »

La politesse est peut-être la suprême vertu. On en trouve des exemples admirables dans l'œuvre d'André Dhôtel. Politesse envers autrui et envers la création tout entière. En lisant Dhôtel, on ne participe pas seulement à d'étonnantes aventures, on se sent devenir meilleur.

ALEXANDRE VIALATTE

Alexandre Vialatte (1907-1971) écrivait beaucoup, mais il publiait peu. On connaît de lui trois romans, parus à de longs intervalles : *Battling le ténébreux* (1928), *Le Fidèle Berger* (1942) et *Les Fruits du Congo* (1951).

La liste des « ouvrages du même auteur » remplit cependant, dans ce dernier livre, toute une page. C'est que l'on doit aussi à Vialatte d'admirables traductions. On sait qu'il fut l'introducteur en France de Kafka, dont il disait drôlement : « En 1925, je croyais présenter au public français un prince de l'humour. On me l'a transformé en prince des ténèbres, doublé d'un agrégé de philosophie. »

Vialatte a traduit tous les romans et la plupart des nouvelles de Kafka. On lui doit aussi une splendide version du *Gai Savoir* de Nietzsche et ce n'est pas sa faute si la gloire de Hofmannsthal mit du temps à briller chez nous : sa traduction de *La Femme sans ombre* date de 1930.

Quand nous disons que Vialatte publiait peu, nous voulons dire qu'il publiait peu de livres. Car il écrivait beaucoup dans les journaux et les hebdomadaires. Il tenait dans le quotidien auvergnat *La Montagne* une tribune libre extrêmement savoureuse et très célèbre dans les milieux littéraires parisiens. Les éditeurs, qui n'aiment pas beaucoup d'ordinaire les volumes de chroniques, le pressaient de réunir les siennes, ou du moins d'en donner un choix.

Dans le *Tableau de la littérature française* de la N.R.F. il s'est chargé de la présentation d'Honoré d'Urfé et de *L'Astrée*. En voici quelques lignes, pour le plaisir de vous faire entendre la voix de Vialatte : « L'Astrée est un rêve de l'âge d'or. L'homme a toujours cherché l'âge d'or. Sa plus pure ambition est de se griser de lait de chèvre, de se barbouiller de jus de raisin et d'exalter le règne végétal en jouant de la flûte à six trous. Bref, d'aller à Boën-sur-Lignon : l'écrevisse y pullule, le champignon sent bon, il suffit de changer à Pont-de-Dore. »

Vialatte, comme Kafka, était un prince de l'humour. La fantaisie de ses comparaisons et de ses enchaînements donnait à sourire, mais son humour n'était pas toujours non plus de couleur rose. Il virait souvent au noir, tout en gardant quelque chose de tendre et de mélancolique.

Son chef-d'œuvre est *Les Fruits du Congo.* Nous y suivons les aventures d'une bande d'adolescents dans une ville de province. Ces adolescents sont parents à la fois du *Grand Meaulnes,* d'Alain-Fournier et des *Enfants terribles,* de Cocteau. La petite ville, ses faubourgs, son fleuve et ses îles, est vue à travers le romantisme de la jeunesse. Baudelaire rôde dans l'impasse des Trois-Voleurs et Shakespeare s'y sent comme chez lui. Vialatte note une phrase du *Roi Jean :* « Je me souviens que quand j'étais en France, les jeunes gens s'y montraient tristes comme la nuit pour le seul plaisir de la chose. »

Ces jeunes gens, avides de « choses grandes et magnifiques », se réunissent dans un grenier où ils créent le club des *Plaisirs du Congo,* société secrète qui a ses rites et son vocabulaire, ses formules exotiques. Ils rêvent d'aventures et de rencontres. Or, apparaît une jeune fille, qui dit se prénommer Dora. Le club la nomme reine des Iles et délègue un des garçons auprès d'elle. Ce garçon, c'est Frédéric. Voici donc les amours de Frédéric. Hélas! Dora sera assassinée par un maniaque qui la couvrira de fleurs. Frédéric quittera la ville, à la recherche de ces fruits du Congo que l'on voyait sur une affiche riche en promesses. Frédéric s'engagera et disparaîtra devant une ville du Liban. Le livre se termine par une attaque contre le romanesque responsable de l'échec de Frédéric et de combien d'autres.

« Le romanesque est une optique de spectateur », dit Vialatte (p. 311). Quand on devient acteur, les prestiges de l'aventure disparaissent. Mais justement, *Les Fruits du Congo* sont une féerie à grand spectacle. Son grand charme tient peut-être dans ses contradictions : roman de l'adolescence et adieu à l'adolescence, exaltation et condamnation de l'aventure. Tout y est transfiguré par la poésie, jusqu'aux gestes d'un assassin sordide. On passe de l'opéra fabuleux, dont parlait Rimbaud, à l'opéra de quat'sous, de Brecht. Vialatte fait un grand usage de comparaisons pour évoquer les personnages et les décors. Les comparaisons finissent par créer un monde particulier comme il arrive chez Cocteau et chez Giraudoux. Ajoutons que sont également très réussis le découpage du récit et l'orchestration des thèmes, indiqués puis repris avec ampleur. C'est ainsi que ne prend que tout à la fin sa signification l'étonnant personnage qu'est Monsieur Panado. C'est d'abord une fiction créée par les collégiens, puis l'incarnation du Mystère et du Mal. Monsieur Panado est la Mort, mais sous le nom d'Aventure, il sait se faire aimer. Il est l'acteur principal des *Fruits du Congo,* qu'il transforme en roman fantastique.

ROGER VRIGNY

Dans un ouvrage composé de pages de journal et intitulé *Pourquoi cette joie?* (1974), Roger Vrigny (né en 1920) assure qu'il fut surpris quand un critique le baptisa « romancier chrétien ». Ces pages de journal montrent pourtant à l'évidence que sa sensibilité est tout imprégnée d'une certaine forme de christianisme qui se moque des dogmes, mais exalte les deux grandes vertus que sont la foi et l'espérance. « Je vous dis ces choses afin que votre joie soit complète » : quelle est cette joie sinon une confiance tout à fait irraisonnée dans la vie même? La foi qui anime le narrateur n'est pas plus dicible que son espérance. Cela est de l'ordre du cœur et non de l'intelligence. On le voit bien quand il nous parle de la mort d'un ami : « Une nuit, longtemps après, je marchais dans la rue, je pensais à lui. Le ciel était beau, j'ai levé la tête et juste devant mes yeux, j'ai aperçu une étoile qui sautillait entre les toits. Elle avait l'air de rire. Je me suis dit : “ C'est Norbert qui me regarde et qui s'amuse bien. ” »

On peut déclarer aussi très chrétien le peu d'importance accordé aux valeurs sociales. Nul doute que Vrigny n'accorde plus de prix aux lis des champs qu'aux vêtements d'apparat du roi Salomon. « Qu'est-ce qui peut être *réel,* dans une société? » demande-t-il curieusement.

Ses romans élargissent la question. Qu'est-ce que la réalité? demandent-ils; qu'est-ce que la vraie vie? Ils reprennent la réflexion de Limbour sur la difficulté de distinguer ce qu'on a vécu et ce qu'on a rêvé. Ce qui importe, ce sont les sentiments que l'on a éprouvés et qui ont échauffé ou refroidi notre cœur. La richesse d'une existence ne se mesure pas à l'importance des événements qui l'ont remplie, mais à la manière dont nous avons accueilli les hasards de la vie quotidienne.

Les livres de Roger Vrigny sont à la fois transparents et secrets. Ils sont transparents par leur écriture fluide qui sait capter les scintillements de la lumière aux diverses heures du jour. Ils sont secrets, parce que l'auteur se plaît toujours à suggérer une autre histoire derrière celle qu'il nous raconte : « L'histoire contée est-elle la véritable? Nous ne le saurons jamais. »

La poésie l'emportait dans *Arban* (1954). Ce romantique premier roman montrait comment un jeune homme bien convenable pouvait soudain éprouver une passion inattendue qui renversait le château de cartes de ses sentiments conventionnels. Dans *Lauréna* (1956), les impératifs de la vie courante tiennent une grande place. Les personnages se trouvent aux prises avec des difficultés matérielles et connaissent le poids des questions sociales, mais ils jouent des rôles avec l'espoir de se sentir un jour vraiment eux-mêmes.

Barbegal (1958) et *La Nuit de Mougins* (1963) sont deux contes sentimentaux, où Vrigny s'est révélé parent de romantiques allemands comme Brentano ou Eichendorff. Apparemment, il ne s'agit, dans *Barbegal,* que d'une aventure de colonie de vacances où un jeune garçon décide d'explorer une tour mystérieuse dont l'accès est interdit. En réalité, l'auteur nous parle de la mort, de l'amour, de Dieu et de l'éternité. Tout comme dans *La Nuit de Mougins* où un jeune homme entreprend un voyage pour revoir son père qui va mourir. Entre deux visites à l'hôpital, il fait deux rencontres : un jeune garçon et une jeune fille qui sont les représentants de la vie et de l'amour. La mort du père est racontée avec réalisme. Les histoires amoureuses relèvent de la rêverie poétique.

La Vie brève (1972) est également écrite sur deux registres, ou plutôt sur deux portées, comme un morceau de musique. La première portée est consacrée à la vie parisienne et l'autre à la vie champêtre. Dans sa vie parisienne, le personnage principal, un romancier (Norbert Formerie, dont nous avions fait connaissance dans *Lauréna*) réussit dans sa carrière littéraire, mais échoue sur le plan de la vie privée. Un jour, il ne supporte plus Paris et décide de s'installer à la campagne dans le village picard de

Méry. Il y recevra la visite de sa jeune nièce et d'un petit paysan qui est, lui aussi, un raconteur d'histoires. C'est un enfant-poète qui transforme les petits faits divers de la région en chronique fabuleuse.

Il ne s'agit assurément pas d'un retour à la terre, comme on disait sous l'occupation. Il est certain cependant que Vrigny montre pour les habitants des campagnes une sympathie qu'il n'accorde pas aux personnages de la comédie littéraire parisienne. Ses pages sur Paris relèvent souvent de la satire tandis que ses pages paysannes sont proches de l'idylle; même lorsqu'elles rapportent des anecdotes tragiques, elles témoignent en faveur de la beauté du monde. On est plus près d'une vie instinctive assumée simplement.

On trouve ainsi deux parts dans *La Vie brève :* celle d'une vie frelatée où domine la confusion des sentiments et celle d'une vie aérée où la paix du cœur serait enfin permise. Le mélange de réalisme et d'illusion lyrique est savamment dosé. Il est clairement révélé par un leitmotiv qui vient démentir le titre du roman : « Nous vivrons toujours. » Ainsi, la petite nièce de Norbert dit à l'enfant-poète : « Comme on est bien ensemble, reste avec nous, Pierrot, car on est des amis et nous vivrons toujours », et l'enfant-poète dit à Norbert (c'est la dernière phrase du livre) : « Repose-toi, Angelo, tu peux être tranquille maintenant, car je suis là et nous vivrons toujours » (mais c'est bien la fonction de la littérature que de nous faire vivre dans l'éternité).

Roger Vrigny est également l'auteur d'un court récit, *Fin de journée* (1968), d'une rare intensité dramatique, — l'action se déroule en quelques heures, — où l'on suit un industriel vieillissant dans ses diverses démarches pour éviter la faillite. Il trouve finalement une aide là où il ne l'attendait pas, mais il ne lui sera pas donné d'en profiter. Tout comme dans *Lauréna,* Vrigny montre que, pour être poète, il n'en est pas moins attentif aux problèmes financiers et qu'il connaît bien leur désastreuse importance : il n'ignore pas que les questions d'argent préoccupent plus de gens que les questions d'amour; — mais il sait que le monde n'est jamais justifié que par l'amour.

BERNARD PRIVAT

Les récits de Bernard Privat (né en 1914) sont des livres de construction très libre que l'on peut placer dans la lignée des ouvrages de la seconde manière de Chardonne et d'Arland. Ce sont des livres-promenade d'un ton confidentiel, moitié de poète, moitié de moraliste. Mais confidentiel est-il le mot? On trouve chez Privat cette sincérité qu'on ne peut avoir qu'en tête à tête avec soi-même. Sa marque propre nous paraît être un humour tantôt tendre, tantôt beaucoup moins tendre.

C'est au moins vrai pour *Au pied du mur* (1959).

Quel est ce mur dont Privat parle dans son titre? Nous ne nous hasarderons pas à le dire avec précision. Les obstacles sont nombreux dans l'existence, qui nous obligent à marquer un temps d'arrêt. Et remontent alors à la surface de la conscience les vieilles questions de l'adolescence : qu'est-ce que la vie? Qui suis-je en vérité? Ce sont les insolubles problèmes essentiels.

« Est-on jamais tout à fait sûr de vivre? demande Privat. La plupart d'entre nous ne demandent qu'à une longue habitude du mensonge cette assurance qu'ils ne sauraient acquérir autrement. »

Privat poursuit : « Parfois, le scandale nous révolte de ne devoir qu'aux poursuites hypocrites d'une vie de bavardages et de repas d'affaires, le privilège de pouvoir accepter la prison dans laquelle le malheur d'être né nous enferme. Nous voudrions nous en évader. Mais si l'heure est tardive, et que nous soyons seuls, il nous semble que la liberté serait plus redoutable encore. La peur, dont la plupart s'affranchissent dans l'accomplissement quotidien des tâches frivoles de l'esclavage moderne, s'empare de nous. Cependant, à mesure que la nuit s'avance vers l'aube blanche et se perd à travers ses forêts transparentes, le silence nous allège peu à peu du poids accumulé de nos fautes, de nos dégoûts, de cette blessure originelle dont la brûlure se rafraîchit et s'endort. C'est alors que notre cœur, étreint par le souvenir, s'éveille dans une effusion nostalgique à un monde innocent et ne doute plus qu'une porte doive s'ouvrir vers ce monde dont l'image pourtant disparaîtra, dont la trace s'effacera et qui n'aura pas existé lorsque, le lendemain matin, le téléphone sonnera... »

Les deux thèmes de la prison et du monde innocent sont les thèmes majeurs du livre. Esclavage et liberté sont les deux pôles du récit. Si ce sont les réalités bien sensibles à l'âme, on ne saurait toujours si nettement les distinguer dans la vie quotidienne, où tout est toujours remis en question. « Il n'y a pas de but, dit Privat. Il n'y a qu'un chemin. » Et encore : « On n'arrive jamais nulle part. » A certains moments, on croit arriver. On croit seulement. Le lendemain, il faut reprendre la route.

Thème de la prison : une grande partie du livre est faite des souvenirs des années de captivité en Allemagne. Mais ce même thème est plus oppressant encore quand nous le retrouvons dans l'évocation de la vie parisienne. Il apparaît derrière cet autre thème : celui de la comédie sociale. « O habitudes, étendues de dissipation, de divertissements, d'agitation... » Privat avait d'abord prononcé la litanie des mensonges : « Mensonges des fiertés légitimes, mensonges des hontes respectables, mensonges des avides dévouements, mensonges des vertus dévorantes, c'est de vous qu'est faite l'endormeuse durée de nos existences. »

L'auteur avoue qu'il observe les règles du jeu qu'il dénonce, et cela lui donne mauvaise conscience : « Mauvais prisonnier d'une prison dont, trop lâche ou trop téméraire, je ne m'évade pas, je ne cesse de regarder de travers ceux qui m'entourent et qui, semblant ne pas savoir à quoi ils sont condamnés, ne s'en soucient point. Ils ont appris leur rôle à merveille. Grâce à eux, le spectacle auquel j'assiste a beaucoup d'unité. »

L'auteur, en écrivant, cherche à savoir quel être il est authentiquement. Il excelle en tout cas à nous montrer ce que sont ses personnages derrière les rôles qu'ils jouent. Parmi les pages les plus réussies, nous vous recommandons celles où, dans le camp de prisonniers, en Bohême, l'auteur voit ses compagnons se métamorphoser : des vignerons bourguignons, des corsaires, des escholiers, des danseurs de corde et jusqu'à Henri IV lui-même, dépouillent leur déguisement d'employé des postes et de professeurs d'université; un sévère commandant devient un premier communiant. Tout cela se tassa : « De nouvelles restrictions alimentaires transformèrent tout le monde en fantômes. »

Un autre passage nous offre un parallèle entre les comédiens et les capitaines de réserve. Les comédiens sont extrêmement changeants et vont avec légèreté de rôle à rôle : sur leurs photos, on ne voit jamais leur visage nu. Tout au contraire, pour les capitaines de réserve, « les photographies qu'ils encadrent sur leur piano se présentent comme des modèles auxquels ils s'efforcent de ressembler. » Ils ne veulent jouer que le rôle qu'ils ont choisi. « Cela prouve une chose, dit Privat, les comédiens et les capitaines de réserve ne professent pas la même philosophie de l'existence. » Quant à Privat, il semble ne vouloir jouer ni cent rôles, ni un seul, Il voudrait « être ». Ce n'est pas facile.

On doit aussi à Bernard Privat deux récits : *Une nuit sans sommeil* (1966) et *La Jeune Fille* (1976).

Dans *Une nuit sans sommeil,* le narrateur dissimule son propre tourment et préfère évoquer les amours d'une jeune bonne et d'un ouvrier-couvreur. Mais il les raconte à sa façon et se peint par les réflexions que ces amours lui suggèrent.

Dans *La Jeune Fille,* l'histoire est finie au moment où le livre commence, mais le héros ne s'en est pas encore détaché et, s'il parle, c'est pour se délivrer du désarroi qui l'oppresse. Il relit les lettres que la jeune fille lui a rendues, lettres qui sont la preuve qu'il n'a pas tout rêvé, même s'il a beaucoup imaginé.

« Loin de vous, je répète votre nom... » Cette phrase sera répétée plusieurs fois, mais jamais le nom de l'héroïne ne sera prononcé. Nous saurons seulement que son prénom a deux syllabes, comme le mot amour : la jeune fille représente à elle seule toutes les femmes que le héros a pu aimer avant elle. En la voyant, il a connu un éblouissement et un déchirement d'adolescent, mais plus forts peut-être que dans sa jeunesse, parce que la jeune fille a dix-huit ans et qu'il a maintenant plus du double de cet âge. Leur entente était miraculeuse et leur séparation sans doute inévitable. Pour le héros, l'amour est d'ailleurs lié à la crainte : on n'aime pas si l'on n'a pas peur de perdre ce que l'on aime.

Peu importe ce qui a décidé la jeune fille à rompre et à renvoyer les lettres. Cela est secondaire, car ce que l'auteur veut nous communiquer, c'est l'immense vague d'espoir qui peut naître d'une rencontre, les métamorphoses que l'amour provoque, le bonheur déraisonnable et adorable qui s'impose soudain, et le malheur fou qui peut lui succéder.

Ces thèmes sont traités ici de manière musicale. Privat dépeint les transformations du monde suivant les courbes de notre vie sentimentale. Le monde prend les couleurs qui s'accordent à nos passions.

Un personnage essentiel du livre est la ville avec ses quartiers populaires. Est-ce dans le même Paris que nous voyons le couple se promener et, après la rupture, errer l'homme abandonné? Oui, dans un éclairage différent, c'est la même ville où dès que tombe le soir, on est sûr de rencontrer d'étranges personnages, plus ou moins marginaux, des « éclopés de la foire » comme disait Armen Lubin. Privat a une prédilection pour les gens de la nuit et l'on n'oubliera pas le déserteur que rencontre son héros vers la fin du livre et qui lui raconte ses déboires avec une femme nommée Isolde.

Le déserteur amoureux a songé à tuer Isolde. L'amoureux de la jeune fille songe un moment à se tuer lui-même. Les croyez-vous désespérés? Non, puisqu'ils parlent. Le terrible, c'est quand on se tait. Ce livre mélancolique nous dit que, certes, toute passion se paie, mais que les passions sont le sel et le poivre de la vie.

CHARLES-ALBERT CINGRIA

Nous terminerons ce chapitre sur un merveilleux écrivain, jusqu'à présent peu connu, mais beaucoup admiré par les connaisseurs : Charles-Albert Cingria (1883-1954), dont les éditions *L'Age d'homme,* à Lausanne, ont publié tout récemment les *Œuvres complètes.* La plupart des textes de Cingria avaient paru dans *La Nouvelle Revue française* ou dans des hebdomadaires suisses romands. Quelques-uns seulement avaient été réunis en petites plaquettes, comme *Florides helvètes* (1944). Pourtant Paulhan avait persuadé autrefois Gallimard de publier l'*Œuvre complète* de Cingria, mais un seul volume vit le jour : *Bois sec bois vert* (1948).

Ces textes ont tous l'air d'improvisations heureuses. Cingria est plein de laisser-aller, mais c'est une feinte nonchalance, le laisser-aller raffiné d'un artiste assez sûr de son oreille pour écrire comme cela lui chante. Son naturel est inimitable. Jacques Chessex a eu parfaitement raison d'étudier l'œuvre de ce prosateur sous l'angle de la poésie.

Cingria parle de sa vie quotidienne, de ses goûts et dégoûts, de ses voyages, de ses lectures, d'Histoire et de musique. Riche d'une sensibilité vive et d'une érudition cocasse, il détient le pouvoir d'éveiller le cœur et l'esprit du lecteur. S'il connaît mille choses curieuses, un rien lui suffit pour nous entraîner dans des aventures sans fin. Il nous apprend ou nous réapprend à nous émerveiller de tout.

Ses récits — vagabondages pleins de surprises — s'organisent parfois en nouvelles. Ce flâneur est alors un maître du raccourci. Il n'existe pas d'histoire d'amour plus saisissante que celle de l'ours et de la fille de ferme, histoire racontée en deux pages des *Florides helvètes.*

Il arrive à Cingria d'être tragique. Il dit cependant : « Vraiment pourquoi se plaindre? En avons-nous le droit, nous qui avons tant de capacité d'évasion rien qu'en respirant l'air? »

21.
Les insoumis

Les auteurs que nous réunissons maintenant pourraient avoir droit à l'appellation de francs-tireurs s'ils n'étaient aux prises avec les difficultés de la vie privée plutôt qu'avec les incertitudes du monde contemporain. On a l'impression qu'à n'importe quelle époque, ils se seraient trouvés en marge de la société. Ce qui les caractérise, c'est de n'avoir jamais pu parfaitement s'intégrer à quelque groupe que ce soit. Ils ont traversé divers milieux et même divers pays en y restant des étrangers. Leur rébellion ne s'exprime pas en termes politiques, mais sur le plan personnel. Ces libres oiseaux refusent toute espèce de cage. Ils entendent protéger d'abord leur propre liberté. Ils font partie de ces rebelles dont Gide disait qu'ils sont le sel de la terre — et Gide encouragea leurs débuts littéraires.

On notera aussi que leur insoumission ne se manifeste pas non plus sur le plan des moyens d'expression. Ils écrivent dans un style d'une exemplaire netteté. Écrire est pour eux le moyen de dominer leurs contradictions et de trouver un équilibre. Pour eux, le langage est innocent et permet la communication.

HENRI THOMAS

Henri Thomas (né en 1912) débuta dans les lettres à peu près à la même époque que Sartre et Camus. Les critiques n'accordèrent pas à son premier roman l'attention qu'ils portèrent à *La Nausée* et à *L'Étranger*. Il est vrai que *Le seau à charbon* parut à la plus mauvaise date qu'on puisse imaginer : en avril 1940. Mais, dans les vingt années qui suivirent, les nouveaux ouvrages de Thomas passèrent inaperçus de la grande presse et des « grands critiques ». C'est seulement à partir de 1960, quand Giono et Queneau essayèrent — sans d'ailleurs y parvenir — de lui faire attribuer le Prix

Goncourt, que son œuvre commença d'être connue au-delà d'un cercle de lecteurs fervents. Thomas ne fut sans doute pas surpris de voir sa patience mise à l'épreuve. Alors qu'il était encore étudiant, il avait écrit à un ami : « Je n'ambitionne pas tellement le succès qu'une sorte d'autorité qui s'acquiert en refusant les facilités. C'est lentement que ça se bâtit, simultanément avec moi-même, pour moi-même. »

Thomas devait conquérir une certaine autorité avant de connaître le succès. Dès ses débuts, quelques-uns des meilleurs écrivains du temps lui ont manifesté leur intérêt, de Gide à Supervielle, de Jean Grenier à Paulhan. Le témoignage le plus significatif est peut-être celui d'Ernst Jünger, qui nota dans son journal (à la date du 11 juillet 1942) après avoir rencontré le traducteur des *Falaises de marbre :* « Ce qui frappe, chez Thomas, c'est cet amalgame de jeunesse et de noblesse dans la pauvreté qui, allié à une claire intelligence, donne au jugement quelque chose d'incorruptible. »

N'imaginons pas que notre incorruptible ait jamais été détenteur d'une vérité. Il a même toujours eu des idées changeantes. L'expérience vécue l'inspire davantage que les spéculations philosophiques. Il s'est voulu artiste et a donné très tôt cette définition : « L'artiste est, avant tout, celui qui sait décrire, avec exactitude, les choses telles qu'il les voit. » Il se situe par là dans la tradition d'un réalisme qui peut faire bon ménage avec la poésie et il l'a prouvé, comme avant lui Nerval et Baudelaire. (« L'objet que je vois n'apparaît qu'à moi. N'est-il pas mon bien, ma pleine mesure? »)

Plusieurs romans de Thomas sont des œuvres autobiographiques, même si elles ne sont pas toujours écrites à la première personne et qu'elles mettent en scène, à côté d'un héros privilégié, divers personnages qui tiennent également des premiers rôles, comme on dit en termes de théâtre.

Le seau à charbon qui donne son titre au premier roman de Thomas est celui que, durant l'hiver, le Père Guert — surnommé *le Cheu* — transportait de classe en classe pour alimenter les fourneaux du collège d'une petite ville vosgienne, Saint-Romont. Quand le chauffage central a été installé, le seau à charbon est devenu inutile : le Cheu a perdu son emploi et, du même coup, sa raison d'être. Il a sombré dans l'ivrognerie.

Destinée exemplaire, car la plupart des hommes se confondent avec le métier qu'ils exercent et qui leur donne justification et assurance. Ainsi, dans le même livre, voyons-nous le garçon préposé au monte-charge, Louis Schmitt, connaître une illumination qui le libère de ses angoisses au moment même où son travail devient mécanique, donc facile. Un homme se délivre de lui-même en se transformant en un rouage d'une organisation quelconque.

A côté de ceux qui ont trouvé une place dans la société ou qui cherchent à se « caser », Thomas nous montre des rebelles à l'ordre établi et des garçons qui ne peuvent pas s'adapter. Tel est le cas du collégien Paul Souvrault. Aucune voie tracée ne le tente. Et s'il connaît des moments d'exaltation en regardant les nuages ou en lisant Rimbaud, il n'ignore pas l'angoisse d'avoir choisi une route indéfinie vers l'inconnu : « Ah! ce n'était rien, que de se dire, dans son lit, en écoutant, comme il le faisait le matin même, le clairon des tirailleurs sonner le réveil, dans la caserne au bas de la ville : je ne m'engagerai pas, je ne resterai pas non plus à la maison, je refuse tout cela. Mais se trouver d'un coup face aux autres qui travaillent, qui travailleront, auxquels on ne peut rien expliquer, et qui vous demandent ce que vous ferez, voilà ce qui bouleverse et ce qui épouvante ».

Et tout aussitôt après, voici les lignes essentielles du livre : « Il savait ce que signifiait le renoncement au métier, ne fût-ce qu'à celui de coiffeur; c'était la fin de toute sécurité, de tout honneur. Il était trop obstiné pour se demander si le renoncement était possible; il mettait toutes ses forces à retrouver l'exaltation, seule chose à laquelle il ne pouvait renoncer (...); au lieu d'elle, ne venaient que la haine sans objet, le ressentiment et le défi. »

Ces trois sentiments traduisent la révolte généralisée d'un prisonnier parfaitement étranger à tout ce qui l'entoure. Un interne est bien le prisonnier d'un monde incompréhensible, et tout ce qui nous est étranger nous semble hostile.

A quel milieu social appartient Souvrault? Ce garçon n'est pas fils d'une famille riche, c'est un boursier, issu d'une famille paysanne. Il ne pourra plus tard compter que sur soi et voilà pourquoi son : « je n'aurai pas de métier » surprend.

L'intrigue du *Seau à charbon* relate une fugue de Souvrault, alors qu'un accident s'est produit au collège et que certains établissent une relation entre cet accident et la disparition du collégien. Mais tout rentre bientôt dans l'ordre. La vraie fuite de Souvrault est remise à plus tard.

Ce thème de la fuite est un des thèmes majeurs de Thomas, dont le roman le plus ambitieux s'intitule *Les Déserteurs* (1951). Il y est question de « dégagement hors de tout ce qui se resserre autour de vous ». Peut-être est-ce le réflexe d'un ancien prisonnier qui ne veut plus connaître aucune prison.

Vingt ans après *Le Seau à charbon* parut *La Dernière Année* (1960) où, avec du recul, Thomas évoque sa rupture avec l'Université qui lui aurait procuré, sans attendre le succès littéraire, une place honorable dans la société. Il s'agit de souvenirs librement transposés en chronique romanesque. Le livre raconte la dernière année que le jeune Lucien Aubry vient de passer au lycée Henri IV et qui s'est soldée par un échec au concours d'entrée à l'École normale. Échec scolaire, mais échec plus grave : Lucien Aubry, dans la classe du célèbre Laboureur (on reconnaîtra aisément le philosophe Alain) n'a pas trouvé la moindre réponse à ses problèmes personnels, il a eu l'impression de vivre dans un univers factice. Que décide-t-il de faire? Il renonce à Normale et vient partager le petit logement d'un étudiant des Sciences Po, Marcellin, qui bientôt abandonne lui-même ses études pour se consacrer à l'enfance délinquante. Lucien vit de petits travaux de traduction, puis il part pour les Vosges où sa mère, institutrice retraitée, est mourante. Elle est morte quand il arrive. Il revient à Paris. Il doit chercher une chambre d'hôtel, car Marcellin va se marier. Il est désormais tout à fait seul, sans attaches, disponible.

Le refus qui caractérise Lucien Aubry, comme il caractérisait Paul Souvrault, nous savons qu'il fut celui de Thomas à vingt ans. Comment l'expliquer? L'événement marquant dans la vie de Lucien, c'est un déménagement qui, jeune enfant, l'a arraché au village natal pour un autre village. Il y a eu à ce moment une grave coupure dans sa vie. « Faites qu'on revienne! » priait-il. Mais on n'est pas revenu. On ne revient jamais. Lucien est quelqu'un qui a perdu son « lieu » et n'a pas trouvé de « formule » satisfaisante. Ses maîtres et le grand Laboureur lui-même n'ont rien pu pour le guérir d'une vieille blessure. Lucien condamne non seulement l'enseignement officiel, il condamne le monde moderne tout entier parce qu'il ne parvient pas à s'y adapter. « La vraie vie est absente », peut-il répéter après Rimbaud. La recherche de la vraie vie a fait de lui un écrivain et un poète.

Dans un texte recueilli dans *Sainte jeunesse,* Henri Thomas a insisté sur ses origines vosgiennes et paysannes : « Il y a très peu d'intellectuels qui viennent directement de la paysannerie, sans transition de petits bourgeois : à ma connaissance, je suis le seul depuis qu'Armand Robin est mort. »

Lorrain, veut-il évoquer les drames du déracinement? La plupart des intellectuels sont des citadins et, par là, des gens sans racine, car on ne prend pas racine sur le macadam des villes. Pour un intellectuel d'origine paysanne, le problème serait plutôt un problème d'enracinement : il ne perdrait pas ses racines, il les emporterait partout avec lui et c'est cela qui l'empêcherait de s'adapter à de nouveaux milieux. Phénomène inverse de celui de l'homme qui a perdu son ombre. Et il est vrai que Thomas a situé dans son village natal « la source dont tout le bonheur que je pourrai jamais avoir descend »: il parle d'un moment parfait qu'il a connu, enfant, en revenant des champs, un soir, sur un chariot chargé de pommes de terre (*Le Précepteur*). Mais il ne retourne pas souvent dans les Vosges. Il préfère la mer. Il est finalement moins vosgien qu'homme de l'océan. Le libre océan, lui aussi, s'oppose à la ville.

Le thème du paradis perdu n'en existe pas moins dans ses livres. On le trouvera dans *John Perkins* (1960), où le personnage qui porte ce nom, dans une petite ville américaine, rêve à la France dont il fut l'un des libérateurs et pense qu'il serait sauvé s'il revoyait certaine jeune fille qu'il a connue à Dijon.

Thomas sait sans doute qu'un paradis perdu ne se retrouve jamais. Tout se passe pourtant comme si une vérité nous avait été autrefois révélée ou qu'au moins nous l'ayons entrevue (« un phare — Scintille au fond de la vie ancienne. ») La nostalgie peut même se faire religieuse, par des voies imprévues, dans *Le Parjure* (1964) et dans *La Relique* (1969). A certaines pages, passe le regret d'un temps où l'on savait au nom de qui ou de quoi on pouvait justifier ses actes.

Souvrault éprouve un grand besoin de justification. Pour y échapper, ce garçon si soucieux de sa liberté de mouvement en arrive à souhaiter « n'être qu'un geste exact » qu'il connaîtrait et n'aurait pas à expliquer (*Le Porte-à-faux*). Il va plus loin encore dans *La Nuit de Londres* (1956) dont il est le narrateur. Quand il était encore collégien, un professeur lui demandait : « A quoi vous intéressez-vous? » et il répondait : « Je m'intéresse à moi. » Il a parcouru depuis, bien du chemin. Ici, comme Thomas dans *Les Déserteurs,* il est d'abord tourné vers les autres et s'observe lui-même avec détachement : il est le lieu où il vit. C'est un lieu qu'on n'arrive pas à fuir, sinon par la mort qui est évidemment la solution définitive de tous les problèmes. Souvrault essaie de n'être qu'un « observatoire » et de formuler des remarques impersonnelles. Son idée est justement que chacun des hommes qui constituent la foule obéit à des sollicitations dont il est inconscient, à des lois informulées, sans rapport avec la nature des institutions, mais liées à la nature même des choses. Tous ces êtres « sont vécus » plus qu'ils ne vivent. L'espoir et le désespoir finissent par s'annuler devant la nécessité.

Souvrault ne se perdra pas dans la nuit londonienne. On pourrait même dire que le portrait de ville qu'il nous présente est calqué sur son propre labyrinthe intérieur. La réussite du livre vient de là. *La Nuit de Londres* appartient à la famille des *Cahiers de Malte Laurids Brigge.*

Dans les dernières pages, Thomas décida pourtant de faire disparaître Souvrault. Mais Souvrault s'est montré rebelle à la volonté de son créateur. Après avoir reparu sous le nom de Lucien Aubry dans *La Dernière Année,* il pourrait bien être le narrateur du *Promontoire* (1961).

Ce narrateur n'est pas un écrivain professionnel. Sa profession est mal définie, si l'on peut même parler de profession. Il n'a pas d'emploi fixe. Son travail est irrégulier : traductions commerciales, besognes de librairie. Il vit en marge, comme on dit, et non pas dans une grande ville, mais dans le petit village corse de Lormia. Il est marié et il a une petite fille de deux ans. Avoir charge d'âmes rend les difficultés matérielles plus pesantes, Aussi, cet hiver-là, avant que n'arrivent les grands froids, il décide de rester seul dans l'île; sa femme ira s'abriter avec leur fillette chez ses parents. Nous allons assister à une métamorphose.

Notre héros aurait pu éviter de tomber dans une situation d'indigent. Il n'a pas voulu jouer le jeu de la société et la société l'a abandonné à son sort. Or, dans ce petit village corse, il se trouve dans une autre société, avec d'autres règles du jeu. Il va lui falloir rompre peu à peu les dernières attaches avec son ancien milieu pour trouver une place, d'abord misérable, dans ce nouveau monde dont les habitants n'ont ni le même sens de la vie, ni le même sens de la mort. Ces gens simples de Lormia sont proches des végétaux et des minéraux : ils se confondent avec le paysage, ils en sont une composante. Dès lors ils ignorent ces maladies de la conscience qui empoisonnent les intellectuels du continent. Pris de vertige, le narrateur pense qu'au terme de sa chute, il connaîtra un état d'innocence et deviendra quelque chose comme le bon sauvage de Rousseau. « Quelque chose » et non « quelqu'un », car c'est son moi que le narrateur veut perdre pour se trouver enfin en accord avec le monde. Cette histoire d'une déchéance est en réalité l'histoire d'une libération. Dans les dernières pages, le narrateur décide que tout est bien. Il rejoint Souvrault qui indiquait dans *La Vie ensemble* la seule voie du salut : « l'approbation absolue de ce qui m'est donné. »

Est-ce la seule voie? *La Relique* en propose une autre, plus commune, mais elle conduit l'abbé Dumas à abandonner la soutane. Il se persuade que l'unité perdue se retrouve, pour chaque homme, en présence du corps de la femme aimée : « le monde a juste les dimensions d'un corps humain... » Et l'exaltation du bonheur sensuel est bien l'un des thèmes d'Henri Thomas, notamment dans le recueil de poèmes intitulé *Nul désordre*.

Il est arrivé à Thomas d'écrire que ses poèmes naissaient dans des moments privilégiés, quand un accord s'instaurait entre lui et le paysage qui l'entourait. La vie paraît alors transparente et les mots qui s'ordonnent dans le poème sont des mots nécessaires et justes. Thomas n'a jamais intenté de procès au langage et il en a été récompensé : il a échappé aux modes et a inventé une musique et des images bien à lui, aussi prenantes que du Verlaine.

Ainsi, *Derniers beaux jours :*

Cristal de septembre,
Fragile, embué
D'un souffle léger

La prunelle est bleue
Le long du sentier
Confus de clartés.

Paroles dorées
Qu'une voix timide
Prononce à l'orée
Des bois vieillissants,

Donnez à ma vie
Une ombre de sens.

La perfection qu'a atteinte Thomas dans certains de ses poèmes, on la trouve dans nombre de ses nouvelles. Plus qu'un romancier, Thomas est un merveilleux conteur. « Rien d'imaginaire », pourrait-il dire à propos des histoires qu'il raconte, comme il l'assure à propos de ses poèmes. Ces histoires, simples ou étranges, lui sont arrivées ou elles sont arrivées à des amis ou à des connaissances. L'invention se manifeste dans la mise en œuvre et les arrangements de l'anecdote ou du souvenir. L'anecdote semble utilisée pour évoquer, à partir d'elle, quelque chose qui va beaucoup plus loin qu'elle. Les histoires que rapporte Thomas comportent un prolongement qui les transfigure. Un don de seconde vue lui permet d'atteindre, dans ses meilleurs moments, le domaine de la fable. Les recueils de nouvelles de Thomas s'intitulent : *La Cible* (1955), *Histoire de Pierrot* (1960), *Sainte-Jeunesse* (1973), *Les Tours de Notre-Dame* (1977).

Les divers âges de la vie y sont évoqués. Les éblouissements de l'enfance (découverte de l'inspiration littéraire, dans *Le Sermon,* découverte du plaisir, dans *La Barque*), l'ardeur sauvage et les folles timidités de l'adolescence (*Sainte Jeunesse*), les inquiétudes de l'âge mûr, la fatigue de vivre, l'angoisse de devoir mourir. Dans tous ces textes, dans les plus sombres comme dans les plus joyeux, s'affirment une sensibilité et une santé poétiques qui font d'Henri Thomas un des écrivains les plus originaux et les plus attachants d'aujourd'hui.

BÉATRIX BECK

Alors qu'Henri Thomas se met en scène sous différents noms dans ses romans, Béatrix Beck (née en 1914) est restée longtemps fidèle au personnage de Barny. Elle nous a raconté sa vie en cinq ouvrages qu'on ne manquera pas de réunir un jour en un volume de la Pléiade. Toutefois chacun des récits est centré sur une aventure particulière de l'héroïne, de sorte qu'il peut se lire comme une histoire séparée.

Le premier était précisément intitulé *Barny* (1948) : enfance et jeunesse de l'héroïne, petite personne à la fois sensible et dure, blessante et blessée, généreuse et avide, directe et secrète, souvent butée et toujours attachante. Les événements marquants étaient le suicide de la mère, et les amours avec un jeune juif d'origine polonaise, que Barny appelle Vim et qui était militant communiste. Barny « extorquait un trésor » à Vim : elle devenait enceinte sans qu'il l'eût souhaité.

Dans le volume suivant, *Une mort irrégulière* (1950), Barny et Vim sont mariés, l'enfant est né. Hélas! c'est la guerre. Vim est mobilisé dans l'armée française. Barny vit avec sa fille France dans une petite ville des Alpes. Un jour, elle apprend la mort de son mari. On lui précise qu'il n'est pas « mort pour la France ». Inscrit sur une liste noire, a-t-il été exécuté? Barny, sans argent, travaille dans une fabrique, dans une école par correspondance, devient modèle. Elle reçoit enfin une lettre lui apprenant que son mari s'est suicidé.

Léon Morin prêtre (Prix Goncourt 1952) commence par une chronique de l'occupation et se poursuit par l'histoire d'une conversion. Athée fanatique, Barny se métamorphose en catholique fervente, grâce à un jeune prêtre dont elle s'éprend. Quand il quitte la ville pour un nouveau poste, Barny demeure « dans la silencieuse nuit de Dieu ».

Des accommodements avec le ciel (1954) se situe en Belgique, où Barny et sa fille sont venues vivre auprès de la pieuse tante Francine, une « hypocrite bigote » dont la bonne conscience est monstrueuse. Mais la famille anglaise de Barny se manifeste : Lord Deirdree propose à la jeune femme de venir tenir la ferme de son fils Warren qui a décidé de se faire cultivateur.

Le Muet (1963) raconte la vie de Barny en Angleterre, auprès du cousin Warren, beau jeune homme sorti d'Oxford. Il n'est pas vraiment muet. Simplement il trouve que « c'est si bête de parler ». Il estime également absurde toute la comédie sociale et ne prend aucun soin de sa toilette. Vous allez imaginer qu'il mène une vie saine et sage. Une hémorragie cérébrale le transformera en mort-vivant. A ce moment, Barny aura quitté l'Angleterre, la publication d'un livre de « souvenirs d'enfance à peine transposés » ayant déplu à Lord Deirdree. Ce livre n'est autre que le roman intitulé *Barny*. Le cycle de Béatrix Beck se referme ainsi sur lui-même.

Tous ces romans se présentent comme une succession de brèves notations et de bouts de dialogues. C'est un travail de miniaturiste. Il est impossible de refuser plus complètement tous les développements et de mieux utiliser l'ellipse et la litote. La démarche de Béatrix Beck est sautillante. Elle passe d'une anecdote à l'autre, sans souci des enchaînements. Un petit monde surgit de ces pages d'une perfection un peu sèche parfois, jamais froide. Sous une apparente objectivité, Béatrix Beck vit dans un univers passionnel.

Barny fait une dernière apparition dans *Cou coupé court toujours* (1967) sous son nom de veuve, « Mme Aronovitch » que l'on appelle aussi, populairement, « l'Aro ». Elle loge dans une maison meublée dont la propriétaire se nomme Amélie Mallard. Nous sommes dans un port de pêche, sans doute en Bretagne. L'auteur ne nous dit pas comment Barny a échoué là.

Le cycle de *Barny* permettait de situer Béatrix Beck dans la descendance de Jules Renard. Dans *Cou coupé court toujours,* elle a opté pour une langue et une syntaxe plus libres et aventureuses. Elle s'essaie à un français parlé, dans la lignée de Queneau. Elle fait dire, par exemple, à une fillette : « Pardonnez-nous nos off comme nous par à ceux qui. » Elle supprime la ponctuation, aligne des phrases sans verbe, se livre à mille facéties et n'évite même pas les calembours. Des éclairs de poésie traversent le récit. Ainsi Béatrix Beck fait dire à la mer : « Je suis pleine de homards de langoustes et de crabes ça pince chez moi. »

Les vertus de Béatrix Beck sont celles de la mer : elle pince un peu. L'histoire de ce docker et de ses deux filles qu'elle nous conte mêle cocasserie et cruauté. Les dialogues d'enfants sont merveilleux. Mais un esprit d'enfance court à travers tout le livre. Béatrix Beck refuse tous les accommodements avec le monde des grandes personnes.

Après un silence de dix années, elle nous a donné *L'Épouvante, l'Émerveillement* (1977) où elle fait parler sa petite-fille. La petite a deux mois au début et treize ans à la fin du livre. Au début, il est clair que la grand-mère interprète les mimiques du bébé et lui prête un langage dont il ne dispose pas encore. A la fin, il doit s'agir de dialogues authentiques, bien qu'un peu arrangés. C'est tout à la fois très drôle et très émouvant. L'art d'être grand-mère est le don de se souvenir de sa propre enfance. Mais toute sa vie, Béatrix Beck a dû être partagée, comme sa petite-fille, entre l'épouvante et l'émerveillement.

Dans *Noli* (1978), la narratrice éprouve une passion homosexuelle qui la surprend toute la première et elle s'embrouille en essayant de comprendre le comportement de l'amie qui en est l'objet. On ne prend pas facilement son parti d'aimer qui ne vous aime pas. C'est aussi l'histoire d'une psychanalyse et le tout se passe, pour le principal, dans une ville universitaire en un pays nordique. Un petit livre dense et d'une force de suggestion tout à fait surprenante.

FRANÇOIS AUGIERAS

Au début des années cinquante, un certain nombre d'écrivains et de critiques parisiens reçurent une série de petites brochures intitulées *Le Vieillard et l'Enfant,* imprimées sur papiers de couleurs et abondamment corrigées à la main. Certaines étaient signées Abdallah Chaamba.

Que racontaient ces brochures? La vie d'un petit Arabe auprès d'un vieil officier français dans un domaine fortifié de la région des oasis. Vers la même époque, Montherlant publiait son *Histoire d'amour de la Rose de sable* et quelques critiques rapprochèrent les deux œuvres. Etiemble, dans un article des *Temps modernes,* écrivit que ce n'étaient pas ces amours-là, qui régleraient les problèmes du colonialisme. Parlant d'Abdallah Chaamba et de son protecteur, il déclarait : « La volupté jamais n'éclaira qui que ce soit sur quiconque. La seule amitié pourrait ouvrir l'un à l'autre les deux héros de ces deux mondes : ni leurs caresses n'en tiennent lieu, ni la condescendance du « père », ni la soumission de l'enfant. »

Etiemble avait bien raison. Seulement, le sujet vrai du livre n'était peut-être pas celui qui l'avait intéressé. Les rapports de l'enfant avec le vieillard symbolisaient les rapports de l'auteur avec le monde : un mélange d'amour et de haine, d'acceptation et de refus. On assistait à un jeu curieux que l'auteur comparait lui-même à une partie d'échecs.

Son art d'écrivain était surprenant, naïf et savant à la fois. Certains critiques le comparèrent au douanier Rousseau.

Destin curieux : le livre fut célèbre dans les milieux littéraires avant d'être mis dans le commerce. Camus, Queneau, Leiris, Nadeau, Bonnefoy en chantèrent les charmes. Et André Gide, qui parla de ces pages « remarquables entre toutes ».

Les diverses brochures furent réunies en un volume en 1954. Quatre ans plus tard, l'auteur leur donna une suite sous le titre *Le Voyage des morts.* On y retrouvait l'enfant arabe qui avait grandi et qui se livrait au vagabondage pur et simple, et aussi à ce que le code appelle le vagabondage spécial. Quelques pages nous ramenaient chez le vieux colonel qui, lui, n'avait pas changé.

Un peu plus tard, nous reçûmes une nouvelle édition du *Vieillard et l'Enfant* où le texte se trouvait réduit aux dimensions d'une plaquette. Ce travail prouvait que l'auteur était un artiste exigeant.

Là-dessus disparition d'Abdallah Chaamba.

En 1964 parut anonymement un curieux récit intitulé *L'Apprenti sorcier*. La bande portait cependant : « par l'auteur du Vieillard et l'Enfant ». Mais il n'était plus question d'Afrique du Nord. Nous étions dans le Périgord noir et certains bons juges, comme Germaine Beaumont, déclarèrent que cette région n'avait jamais été évoquée avec plus de vérité.

L'intrigue n'était pas moins scandaleuse que celle du *Vieillard et l'Enfant*. On y voyait aux prises un adolescent, français cette fois, et un inquiétant abbé auquel on l'avait confié. L'intrigue faisait apparaître un petit porteur de pain et l'on assistait à une histoire d'amour et de magie.

On se posa à nouveau la question de l'identité de l'auteur. Il fallut attendre 1968 pour avoir la surprise de le voir publier un ouvrage autobiographique intitulé *Une adolescence au temps du Maréchal et de multiples aventures*. La surprise ne venait pas seulement de ce que l'auteur détruisait lui-même le mystère qu'il avait soigneusement tramé et entretenu. Cet ouvrage révélait un personnage qui n'était pas moins singulier que ses héros. On voyait d'ailleurs très bien avec quelle part de lui-même il avait construit le livre africain et le livre périgourdin.

Le livre autobiographique s'ouvrait sur un anathème lancé contre Paris et le parisianisme. François Augiéras a passé son enfance dans la capitale. Il naquit en 1925 à Rochester, aux États-Unis, mais son père, pianiste français, était mort subitement. Sa mère, une émigrée polonaise, était revenue en France où elle gagnait sa vie en effectuant, à domicile, des décorations sur porcelaine. Augiéras insiste sur son sang polonais et se voit même, lyriquement, fils des steppes...

Il nous raconte comment il a ressenti en Périgord ce qu'il nomme « l'appel vers les forêts ». Il fut inscrit aux « Compagnons de France » et c'est autour des feux de camp qu'il rêva non pas d'un retour à la terre, mais d'un retour à une vie naturelle, loin des villes et d'une civilisation qui oublie la simple joie d'exister.

C'est après la Libération qu'il passa à « la sauvagerie », comme il dit. Il s'engagea d'abord dans les Équipages de la Flotte, mais des accidents de santé le rendirent indésirable dans l'armée une fois arrivé en Algérie. Il avait un oncle, colonel à El Goléa...

Au terme de ce volume de mémoires, nous le quittions engagé dans une compagnie méhariste à Zirara, « à l'écoute des constellations visibles de la terre ». Cela se situait en juillet 1958.

Depuis, d'autres aventures ont mené François Augiéras en Grèce. Il nous les raconte dans *Un voyage au mont Athos*. Le mont Athos où de vieux moines mènent une vie ascétique dans des couvents délabrés était bien un pays pour lui. Mais, sous son regard et sous sa plume, ce pays est devenu un pays de la magie.

Ce fut son dernier voyage. Usé prématurément par les difficultés d'une vie marginale, François Augiéras est mort en décembre 1971 à l'hospice d'une bourgade du Périgord. Il a laissé un manuscrit, *Domme ou un essai d'occupation,* dont la stupidité de la législation française a jusqu'ici retardé la publication. (En publiant ce texte, un éditeur se serait reconnu responsable des dettes connues et inconnues contractées par l'auteur disparu.)

TONY DUVERT

Gide n'était plus là pour saluer les débuts de Tony Duvert (né en 1945) qui, dans ses livres, apparaît comme un marginal très tranquillement amoral et, comme Augiéras, amoureux de jeunes garçons. *Journal d'un innocent* (1976), le livre le plus connu de Duvert, semble se situer à Marrakech. Des pages poétiques pleines de fraîcheur côtoient des scènes érotiques vécues ou parfois rêvées. (« Scènes de fantaisie », de même qu'il avait appelé un de ses romans *Paysage de fantaisie,* 1973). On ne sait pas de quoi vit le narrateur, d'ailleurs peu argenté, mais on comprend bien que, pour satisfaire ses désirs, il lui a fallu s'installer dans un pays sous-développé. Il n'en est pas moins contraint à des attitudes hypocrites qu'il nous expose honnêtement et dont il s'accommode avec philosophie.

La difficulté de vivre ses amours lui a inspiré ensuite *Quand mourut Jonathan* (1978), qui ne pèche pas par excès de réalisme. C'est un roman pittoresque, plus que joliment écrit, d'une tenue littéraire parfaite. Plus heureux qu'Augiéras, Tony Duvert est devenu un des enfants chéris de la presse progressiste. Il est vrai qu'il n'a pas de préoccupations métaphysiques.

22.

Trois poètes maudits

Un opuscule de Verlaine qui parut en 1884 et passa inaperçu nous paraît un modèle de perspicacité critique. Son titre est devenu célèbre : *Les Poètes maudits*. Verlaine abattait un brelan d'as : Corbière, Rimbaud, Mallarmé. (L'édition originale ne contient que les études sur ces trois poètes, alors ignorés.)

On pourrait appeler aujourd'hui poètes maudits : Armen Lubin, Armand Robin et Jean-Paul de Dadelsen, dont les noms brilleront un jour dans le ciel des lettres à l'égal de ceux de leurs illustres aînés. Aucun d'eux n'aura eu la vie facile, mais, bien entendu, ce n'est pas à cause de la poésie qu'ils auront été maudits. La poésie fut au contraire leur recours et leur consolation. C'est de la maladie qu'ils auront été les victimes. Atteint de tuberculose osseuse, Lubin a passé la majeure partie de sa vie dans des hôpitaux et des sanas. Robin a fini mystérieusement ses jours à l'infirmerie spéciale du Dépôt de la Préfecture de Police. Dadelsen est mort, en pleine force de l'âge, des suites d'une tumeur au cerveau.

Très différentes entre elles, les poétiques de Lubin, de Robin et de Dadelsen ont ceci de commun qu'elles se situent à l'écart de la prosodie française traditionnelle. Ce serait peu de dire que ces poètes échappent au ronronnement classique. Ils inventent de nouvelles règles, valables pour eux seuls, et nous révèlent une nouvelle musique. Ils doivent sans doute une part de leur originalité à leurs origines : Lubin était arménien, Robin était breton (ses parents ne parlaient pas le français) et Dadelsen était alsacien. Il n'est pas possible de les présenter sans raconter brièvement quelle fut leur vie.

ARMEN LUBIN

Armen Lubin était né en 1904, à Constantinople, où il avait connu une enfance heureuse. Adolescent, pour échapper à la folie raciste des Turcs, il avait été contraint à un douloureux exil. Il a décrit l'exode arménien dans un roman composé dans sa langue natale, *La Retraite sans musique,* considéré par ses compatriotes comme un roman quasi national et grâce auquel il figure dans le volume *Histoire des littératures* de la Bibliothèque de la Pléiade, sous le nom de Chahan Chahnour. Dans plusieurs poèmes français, il a évoqué aussi la difficile adaptation des Arméniens à leur arrivée en France.

Une pauvreté voisine de la misère ne l'empêcha pas d'être émerveillé par la capitale. Il restera un des grands poètes de Paris. Qui connaît son œuvre ne peut plus passer quai de la Mégisserie, place Saint-Sulpice ou rue Vavin sans se réciter certains de ses vers. Mais il allait être enlevé à la joie des découvertes et se retrouver en salle commune, sur un lit de l'Assistance publique. On l'envoya dans des sanas, à Bidard, à Pessac, à Berck. Plusieurs fois, il subit de terribles interventions chirurgicales, qui devaient lui inspirer le vibrant plaidoyer en faveur de l'euthanasie, intitulé *La Mort du loup* et que l'on trouvera dans son livre de souvenirs *Transfert nocturne,* œuvre d'une densité et d'une retenue bouleversantes. Voilà un homme qui s'est trouvé confronté aux problèmes fondamentaux de notre condition : il a été non pas le témoin, mais le lieu d'oppositions impitoyables, feux contre feux. (C'est le titre qu'il a retenu, *Feux contre feux,* pour son anthologie poétique de 1968.) Atteint dans son corps, il n'était pas question d'évasion. Dans la mesure du possible, il a cependant donné leur chance et leur place à l'amour, au désir, à la tendresse et à un humour très particulier. Il lui est arrivé d'écrire des poèmes tout vibrants d'un bonheur nostalgique : poèmes du souvenir ou du répit.

L'année de mon premier, de mon grand amour
Ce fut l'année même des horloges lumineuses.
Ce fut cette année-là que dans nos carrefours
On les dressa avec un grand feu intérieur
Et Paris ne fut plus qu'une clarté radieuse,
Clarté qui m'était due.

Lubin ne refuse pas les formes classiques. Il les plie à une sensibilité toute neuve. Il arrive à ses vers d'être heurtés, cahoteux et même techniquement boiteux, mais de chaque poème s'élève un chant qui ne ressemble à aucun autre. La rupture d'avec une certaine tradition française harmonieuse s'était produite au siècle dernier avec Corbière et Laforgue. C'est bien à cette famille qu'appartient Armen Lubin. Une famille et non pas une école : ce sont là des poètes solitaires, chacun racontant une aventure particulière avec son propre accent. Ils ne vieilliront pas parce qu'ils n'ont suivi aucune mode. Rien n'empêche de les appeler les vrais poètes réalistes. Et de donner comme exemple de réalisme poétique ce bref poème d'Armen Lubin :

Avant qu'au ciel apparaissent les chèvres savantes,
Toute la lande grise s'assombrit mais éclatante

S'étale une clarté sereine sur l'unité du ciel,
Table absolue où se signent les traités perpétuels.

Les images de Lubin créent un réseau de correspondances qui vont dans le sens des allégories et non pas des symboles, avec des savantes ellipses ou de brusques ruptures. Les allégories peuvent matérialiser un sentiment qui reste obscur, tandis que les symboles établissent une relation entre deux réalités précises. Lubin fait intervenir l'imaginaire afin de nous communiquer la teneur sensible (et non pas intellectuelle) du réel. Ses images, toujours simples et pourtant inattendues, nous convainquent immédiatement :

Quand reviennent porteurs de lance
Les novembres pluvieux
Un chien savant chien immense
Fait des comptes mystérieux.
Il compte, il compte, il recommence
Tous les chagrins s'appellent absence
Tous les chagrins porteurs de lance.

Vers la fin de sa vie, Armen Lubin devint l'hôte du Home Arménien de Saint-Raphaël et disposa enfin d'une chambre à soi. Il nous a quittés en 1974. La naturalisation française, qu'avaient réclamée pour lui dès 1948 Gide et Martin du Gard, lui fut toujours refusée — vu qu'il n'était pas en état de porter un fusil.

ARMAND ROBIN

Fils de paysans pauvres, Armand Robin était né en 1912, à Plouguernével, petit village des Côtes-du-Nord, près de Rostrenen. L'instituteur et le curé décidèrent son père, non sans difficulté, à lui faire poursuivre des études. Devenu boursier, le jeune Armand s'affirma comme un élève très brillant que ses professeurs destinèrent à l'École normale supérieure. Le voici donc à Paris, en khâgne, élève de Jean Guéhenno : « La plupart des gens qui l'ont rencontré et moi-même (dit Guéhenno) ont pu penser qu'il y avait en lui une sorte de folie, en même temps qu'une sorte de génie. » Robin avait en effet un tempérament exalté, tenaillé par une exigence de justice et de vérité. A cette époque, le Parti communiste exerçait une grande séduction sur lui. Un voyage en U.R.S.S., entrepris dans les conditions matérielles les plus médiocres, le transformeraient en ami du peuple russe et en ennemi du stalinisme.

Pour se préparer à ce grand voyage (c'était alors un grand voyage), Robin avait étudié le russe. Il possédait à un rare degré le don des langues. On peut le présenter comme un modèle de voyageur : il alla de pays à pays, mais aussi de langage en langage. Il devait finir par connaître une quarantaine de langues.

Ayant renoncé à l'enseignement — après un double échec à Normale et à l'agrégation — il inventa un original métier en chambre : la confection d'un bulletin d'écoute des radios étrangères. Divers ministères et plusieurs journaux s'y abonnèrent. Mais sa connaissance des langues étrangères lui permit surtout d'explorer les domaines poétiques des littératures du monde entier. Son premier recueil, *Ma vie sans moi* (1940), contient, à côté d'œuvres originales, des traductions de Poë, de Rilke, de Maïakowski.

Mobilisé en 1939, démobilisé en 1940, Robin passa le temps de l'Occupation à Paris. Il est alors lié avec Paul Éluard qui lui dédicace un livre en ces termes : « Pour Armand Robin, le plus grand poète vivant. » En 1943, il publie son roman lyrico-épique, *Le Temps qu'il fait*, où l'on voit à quelle profondeur sont enfouies ses racines bretonnes.

Éternel étudiant, il passe en juin 1943 neuf examens portant sur le chinois, l'arabe et le finlandais. La même année, il est dénoncé à la Gestapo pour propos antihitlériens. Il sera pourtant, en 1945, inscrit sur la liste noire du Comité national des écrivains, malgré la protestation qu'élevèrent Mauriac et Queneau en sa faveur. Le bruit court que Robin s'était brouillé avec Éluard pour des raisons privées. Mais la passion politique joua sans doute aussi un rôle en cette affaire.

Paul Éluard est l'auteur de vers comme ceux-ci, recueillis dans ses œuvres complètes (tome II, p. 352) :

Staline récompense les meilleurs des hommes
Et rend à leurs travaux les vertus du plaisir
Car la vie et les hommes ont élu Staline
Pour figurer sur terre leurs espoirs sans bornes.

Pour Robin, au contraire, Staline

C'est, doigts velus, l'hypnotiseur hébétant les nations.
Sur les tués, c'est leur tueur exigeant d'eux : « Il faut m'aimer ! »
C'est l'énorme salissure dont tout homme doit se laver.

En 1945, Robin se rallie à la Fédération Anarchiste et publie les *Poèmes indésirables* (dont sont extraits les trois vers que nous venons de citer). Il collabore de façon régulière au *Libertaire* et déclare fièrement :

Je ne serai jamais à la mode
Je ne serai jamais commode

Il continue à rédiger ses bulletins d'écoute, en marge desquels il compose son pamphlet contre la propagande contemporaine : *La Fausse Parole* (1953).

Il ne cessa jamais non plus de poursuivre son extraordinaire aventure poétique : « Je me fis tous les grands poètes de tous les pays, de toutes les langues... Trente poètes de tous les pays prirent ma tête pour auberge. » Il s'agit moins de traduction que d'efforts d'identification. Robin nous donne de saisissantes équivalences qui étonnent les spécialistes et, par le choix des œuvres, il réussit à imposer une unité à son entreprise. De sorte qu'il a pu intituler deux de ses volumes de traductions : *Poésie non traduite*. Il pouvait dire qu'il ne traduisait pas les poètes qu'il présentait : il se traduisait lui-même dans les œuvres qu'il aimait. Il entendait faire cause et voix communes avec Essénine, André Ady, Attila Josef et tous les autres : « Eux-moi sommes UN », disait-il et il prétendait nous restituer leurs poèmes non seulement sens à sens, mais son à son, rythme à rythme. Si variés que soient les poèmes qu'il a rassemblés, nous y retrouvons toujours un même souffle. Dans les poèmes qu'il transcrivait en français, Robin a mis en jeu toutes les possibilités de sa sensibilité. Mais il pouvait aussi se traduire avec bonheur sans passer par les œuvres des poètes étrangers : il devait laisser de nombreux inédits tout à fait « personnels » qui ont été publiés sous le titre *Le Monde d'une voix* (1968).

Épris de simplicité, il ne l'était pas moins d'assonances et d'allitérations. Il aimait faire s'entrechoquer les sons. La simplicité d'un grand poète n'est pas non plus celle du premier venu : ainsi admirait-il beaucoup Pasternak qui n'est pas précisément un auteur populaire. L'étendue de ses moyens était étonnante et deviendra légendaire.

Dans un de ses poèmes originaux, il dit :

Je dépasserai le temps,
Je me ferai mouvant, flottant,
Je ne serai qu'une truite d'argent.

Un mystère plane sur la mort d'Armand Robin. Pourquoi a-t-il été arrêté le 27 mars 1961 ? Comment est-il mort, trois jours plus tard, à l'infirmerie psychiatrique du Dépôt ? On n'en sait toujours rien aujourd'hui.

JEAN-PAUL DE DADELSEN

Jean-Paul de Dadelsen naquit à Strasbourg, en avril 1913. Il fit de brillantes études, à Mulhouse d'abord, puis à Paris où il fut reçu premier en 1936, à l'agrégation d'allemand. La même année — il n'avait pas vingt-trois ans — il donna une traduction remarquée du *Dernier Civil* de Glaeser. Au lycée de Marseille, il se trouva collègue de Georges Pompidou, qu'il éblouit par sa conversation et ses allures princières. (Pompidou devait déclarer plus tard que la rencontre de Dadelsen était une de celles qui l'avaient le plus impressionné.) La guerre survint comme il accomplissait son service militaire à Belfort. Affecté au G.Q.G. en sa qualité de germaniste, il demanda à être muté dans les chars et fut décoré de la Croix de Guerre au début de mai 1940. Après l'armistice, il réintégra l'enseignement et fut nommé à Oran, où il se lia avec Albert Camus, lui-même professeur à cette époque, dans une école libre. Tandis que Camus composait *L'Étranger*, Dadelsen entreprit lui-même un roman, *Mauve*, qu'il abandonna au moment du débarquement américain en Algérie.

Dès qu'il le put, Dadelsen gagna l'Angleterre, s'engagea dans les F.F.L. et obtint, comme aspirant, le brevet de parachutiste.

A la Libération, il devint directeur-adjoint au ministère de l'Information. Une carrière officielle s'ouvrait devant lui, mais il refusa le poste de chef de l'Information à Berlin, pour entrer dans l'équipe de son ami Camus, à *Combat*. Il se fit nommer correspondant de ce journal à Londres et il collabora à la B.B.C. où on lui confia une émission personnelle hebdomadaire. A la B.B.C., il se lia avec Henri Thomas dans un commun amour de la poésie. Lorsque Camus abandonna *Combat*, il passa à *Franc-Tireur* et accomplit de nombreux reportages en Afrique et en Amérique du Sud, et il assista aux grandes conférences internationales, tant à New York qu'à Moscou.

En 1951, il devint à Genève le collaborateur de Denis de Rougemont au Centre européen de la Culture et, à Luxembourg, un des conseillers de Jean Monnet. En 1956, il fut appelé à l'un des postes directoriaux de l'Institut international de presse à Zurich. C'est alors qu'il ressentit les premiers symptômes du mal qui allait l'emporter : un cancer au cerveau. En mars 1957, il subit une première opération dont il sortit défiguré. Il survécut jusqu'au mois de juin. Il mourut dans d'atroces souffrances, faisant preuve d'une résignation qui stupéfia les témoins. Grand seigneur jusqu'à la fin.

Très jeune, il avait écrit des poèmes surprenants. Mais avant toute chose, il avait voulu « vivre », non pas pour emmagasiner ce qu'on appelle de l'expérience, mais pour le plaisir même de dépenser ses forces. Sa vie aventureuse l'empêchait de construire l'œuvre qu'il portait en lui. Il esquissait des poèmes, ébauchait des romans, ne terminait rien.

« Quand donc te décideras-tu à nous donner un livre? lui demandait Camus vers 1950.

— Patience, répondit-il. Tu seras considéré plus tard comme le grand écrivain de la première moitié du siècle, et moi, comme le grand écrivain de la seconde moitié. »

Dadelsen ne semblait pas pressé. Toutefois, il semble avoir eu brusquement le pressentiment du sort qui l'attendait. Vers 1954, il se mit à l'œuvre. Tous ses grands poèmes datent des dernières années. Parmi ceux-ci figurent les poèmes consacrés à sa mère et aux femmes de la plaine d'Alsace. Pour lui, la mère et le pays natal sont étroitement liés et personne n'a mieux parlé de sa mère et de sa province que ce vagabond ensorcelé.

Le long poème où il comptait s'exprimer tout entier devait s'appeler *Jonas*. Il y communiquerait toute son expérience et surtout celle de l'homme jeté dans la guerre comme Jonas fut englouti dans le ventre de la baleine. Et l'âme ne se trouve-t-elle pas elle-même emprisonnée dans le corps, alors qu'elle aspire à s'épanouir dans toute la création? Immense projet. Sous le titre *Jonas* devaient être publiés (1962) non pas l'œuvre projetée, mais suffisamment de poèmes accomplis et de fragments significatifs pour que l'on parle d'une grande œuvre. Henri Thomas constatait dans sa présentation : « Dadelsen ne vient à la suite de personne : il ne cadre avec rien dans nos lettres, ni terroristes ni rhétoriqueurs n'y trouvent leur compte. Nous avions un peu oublié que le génie poétique se moque de nos si conformistes errances. »

Dadelsen est une manifestation fulgurante du génie alsacien. Alsacien, il l'est par la forme de sa sensibilité, par son art de mêler l'épique et le cocasse, le religieux et le profane, par sa manière de se faire se succéder dans un même poème les préoccupations les plus hautes et les plus triviales. Il l'est également par son esprit. On a beaucoup dit que la vocation de l'Alsace, c'était l'Europe : Dadelsen fut un grand Européen. En lui se mariaient harmonieusement les cultures française, allemande et anglaise. Salvador de Madariaga a fort bien défini le sens de son œuvre : « Pour le fond, c'est le courage de l'homme aux grands yeux qui voient tout, c'est la tolérance de l'homme au grand cœur qui comprend tout; c'est l'amour de l'homme à l'âme large qui sent que tout est en lui et qu'il est en tout. »

Les pendules à gros sabots, le cœur à pas lourds
mesurent la nuit qui dérive à peine. Qu'il est dur
de rompre l'amarre! Qu'il est long
le temps pour la traction de l'eau d'arracher
la chaîne qui depuis tant de temps retient à la berge!

le cœur à gros sabots arpente les prairies nocturnes,
piétine sur la berge de l'eau
que très bientôt il faudra traverser.

23.
La révolution dramatique des années 50

Au début des années 50 apparurent sur la scène française, — dans de petits théâtres pour la plupart aujourd'hui disparus, — trois auteurs d'origine étrangère qui proposaient des œuvres d'une originalité éblouissante : Eugène Ionesco, Arthur Adamov, Samuel Beckett.

Dans la même année 1953 furent créées : *Victimes du devoir,* la cinquième pièce de Ionesco, *Tous contre tous,* la quatrième d'Adamov, et *En attendant Godot,* la première de Beckett. Nous fîmes alors paraître dans *Arts* un article intitulé : *L'Avant-garde au théâtre s'est reformée,* où nous signalions les ressemblances entre ces pièces si différentes.

Voici, disions-nous, ce que ces pièces ont en commun :

1. Un aspect de farce, tragique ou bouffonne. Tout se passe comme si l'homme en était venu à ne plus pouvoir se regarder sans ricaner.

2. La netteté du dessin. Elle peut aller jusqu'à un schématisme souvent allégorique. La pièce de Samuel Beckett se développe entièrement sur deux plans, et le second plan a pu paraître mystique à certains.

3. L'importance des gestes et de tous les éléments visuels. Ainsi Adamov traduit-il la diminution morale d'un de ses personnages par une diminution physique : dans *La Grande et la Petite Manœuvre*, le héros perd peu à peu ses jambes et finit cul-de-jatte. (Pièce en quatre actes et quatre membres disait quelqu'un à la sortie.) Ainsi, dans *Victimes du devoir*, l'exploration psychanalytique se traduit par le simulacre d'une descente au centre de la Terre. Dans un accès de sublimation, un personnage monte sur une chaise, elle-même placée sur une table et nous le sentons près de s'envoler.

4. L'emploi des phrases toutes faites de la conversation courante, des lieux communs, des idées reçues. Il s'agit d'une mise en cause du langage et par-delà le langage, du sérieux de l'existence. Ionesco, dans *La Cantatrice chauve,* obtient des effets inattendus de l'utilisation des phrases du manuel *L'Anglais*

sans peine. Mais l'illustration extrême est donnée dans le grand monologue de Lucky d'*En attendant Godot* (« Dieu qui nous aime bien à quelques exceptions près, on ne sait pas pourquoi, mais ça viendra »). Là on voit un homme transformé en mécanique, il récite une leçon incomprise où manque la moitié des mots.

Ces remarques restent justes. Cependant Adamov, Beckett et Ionesco allaient poursuivre leurs recherches dans des directions opposées. Beckett donnerait des œuvres de plus en plus dépouillées, des images à la fois simples et inattendues de la condition humaine, sans référence à l'Histoire. Ionesco s'essaierait au contraire à de vastes constructions ambitieuses, faisant parfois appel à toute la machinerie d'un théâtre bien outillé.

ARTHUR ADAMOV

Arthur Adamov (1908-1970), lui, renia ses débuts : « Je voyais dans " l'avant-garde " une échappatoire facile, une diversion aux problèmes réels, le mot " théâtre absurde " déjà m'irritait. La vie n'était pas absurde, difficile, très difficile seulement. Rien qui ne demandât des efforts immenses, disproportionnés. » Il se sentait maintenant attiré par le communisme et se voulut « écrivain engagé ». On peut dire qu'il s'agissait d'une conversion, car, à l'époque de *La Grande et la Petite Manœuvre,* « j'étais non seulement antistalinien, mais antisoviétique, nous dit-il. Je n'imaginais de révolution que trahie ».

Adamov prit un nouveau tournant avec *Paolo Paoli* (1957) et se rapprocha de Bertolt Brecht, mais pas plus cette pièce-là que les suivantes n'obtint un franc succès. Adamov s'obstina dans la voie choisie, mais à mesure que les années passaient, on sentait bien que le cœur n'y était plus et que l'inspiration s'enlisait. Les raisons de ce naufrage sont nombreuses et il faudrait beaucoup de place pour les analyser.

Plus aucun critique ne placerait aujourd'hui Adamov à côté de Samuel Beckett, Prix Nobel de littérature, et d'Eugène Ionesco, de l'Académie française, mais il est possible que son destin s'organise en légende et qu'il reste comme une des grandes figures du théâtre contemporain. On peut conseiller la lecture de ses souvenirs, *L'Homme et l'Enfant* (1968), dont la sécheresse même est devenue vertu. Certes, il s'agit, plutôt que de mémoires, de « notes autobiographiques », mais elles contiennent des confidences déchirantes dans leur retenue. Adamov nous confie d'entrée ses deux terreurs de gosse : devenir pauvre, grandir. Et il note ensuite : « J'ai voulu me suicider à vingt ans, puis à trente, puis avant d'atteindre la quarantaine. » Il s'est tué en 1970 à soixante-deux ans, mais moins, semble-t-il, par refus de la vie en soi que pour échapper aux conditions d'existence que la maladie lui imposait. Il y a là une nuance qui n'est pas négligeable.

EUGÈNE IONESCO

Ionesco fit ses débuts au théâtre en mai 1950 avec *La Cantatrice chauve*, et non pas à la Huchette comme on le croit souvent, mais aux Noctambules. Né en 1912, il était dans sa trente-huitième année et complètement inconnu. En six ans, il écrivit une douzaine de courtes pièces qui resteront parmi ses meilleures. *Les Chaises* (1952) est le chef-d'œuvre de cette première période — et un chef-d'œuvre tout court, aussi cocasse que bouleversant.

Deux vieillards habitent un phare, dans une île déserte. Pour tromper leur solitude, leur ennui, l'amertume de leur existence ratée, ils se donnent la comédie d'une réception mondaine que doit couronner la lecture d'un message capital par un orateur professionnel. Aucun invité n'apparaît, mais les vieux se conduisent comme si de nombreuses personnalités se présentaient chez eux : ils les remercient d'être venus, les accablent de compliments, les prient de bien vouloir s'asseoir. Il faut sans cesse aller chercher de nouveaux sièges. La scène est bientôt couverte de chaises. La réception est si bien réussie que les vieux, pour ne pas retomber dans la plate réalité, se suicident en se jetant par la fenêtre. Alors paraît l'orateur, engagé pour lire aux invités le message capital : il émet des sons étouffés et incompréhensibles. L'orateur est sourd-muet.

La pièce ne connut le succès qu'à la reprise de 1956, en grande partie grâce à Jean Anouilh qui lui consacra un article enthousiaste dans *Le Figaro*. Le critique en place dans ce journal, Jean-Jacques Gautier, avait toujours organisé un tir de barrage pour dissuader le public de se rendre aux spectacles de Ionesco. Lors de la création de *Jacques* (1955), il avait même exprimé son hostilité sous forme d'un credo : « Je ne crois pas que M. Ionesco soit un génie ou un poète ; je ne crois pas que M. Ionesco soit un auteur important ; je ne crois pas que M. Ionesco soit un homme de théâtre ; je ne crois pas que M. Ionesco soit un penseur ou un aliéné ; je ne crois pas que M. Ionesco ait quelque chose à dire. Je crois que M. Ionesco est un plaisantin (je ne veux pas croire le contraire, ce serait trop triste), un mystificateur donc, un fumiste. »

Ionesco n'était pas mieux traité dans *Le Monde*, où Robert Kemp écrivait : « M. Eugène Ionesco est un gars dans le genre d'Alfred Jarry. M. Ionesco représente, aux yeux d'un petit, tout petit groupe, un " libertador ", une sorte de Bolivar du théâtre. Qu'il garde sa flatteuse illusion. Il est une menue curiosité du théâtre d'aujourd'hui. »

Ionesco n'avait encore été joué que dans des petits théâtres. On le pressa de divers côtés d'écrire pour des scènes plus vastes. En février 1959, il fit jouer sa première longue pièce, *Tueur sans gages*, au Récamier et, un an plus tard, Barrault présentait *Rhinocéros* au Théâtre de France. Ce fut véritablement la gloire. Jean-Jacques Gautier attendit cependant *Le Roi se meurt* (1963) pour rendre les armes. Kemp aurait peut-être fait de même s'il n'était mort dans l'intervalle. Ou peut-être, lecteur à la Comédie-Française, se serait-il opposé à la création de *La Soif et la Faim* (1966) sur notre première scène nationale.

L'attitude d'un Gautier ou d'un Kemp n'est nullement incompréhensible. Certains esprits sérieux (ou cartésiens) ont toujours protesté avec la dernière violence contre l'extravagance des histoires fantastiques. Il nous est pourtant arrivé à tous d'être les acteurs d'aventures absolument invraisemblables : dans nos rêves.

Pourquoi acceptons-nous nos rêves? Vous me direz que nous les subissons, ce qui est tout différent. Il est vrai, mais nous ne les mettons pas en doute. C'est que, derrière une apparente folie, ils sont d'une logique irréprochable, d'une vérité si évidente qu'elle se passe de preuves. Simplement, le rêve emploie un langage bien à lui que depuis longtemps s'appliquent à déchiffrer les « clefs des songes » et les psychanalystes.

Eh bien, Ionesco est un inventeur d'images et de situations aussi peu rationnelles que celles que nous proposent nos rêves, mais qui nous saisissent avec la même force. Elles traduisent certaines obsessions dont elles ont, en même temps, la mission de nous délivrer pour un moment.

Ionesco nous a expliqué quels états de conscience sont à l'origine de ses pièces. Ces deux états contradictoires se conjuguent parfois. Le premier est une prise de conscience de l'évanescence des choses. Le second de leur lourdeur.

« Chacun de nous, dit Ionesco, a pu sentir à certains moments que le monde a une substance de rêve, que les murs n'ont plus d'épaisseur, qu'il nous semble voir à travers tout. »

Cette sensation donne un vertige, mais l'angoisse peut se changer en euphorie. Et cette euphorie peut se présenter comme un des visages de la liberté : « Plus rien n'a d'importance en dehors de l'émerveillement d'être. » Le monde perdant tout son sérieux et n'étant plus qu'une suite d'apparences dérisoires, le rire est la seule réaction possible et toutes les jongleries sont permises.

Mais cet émerveillement est de courte durée : « Je suis, le plus souvent, sous la domination du sentiment opposé : la légèreté se mue en lourdeur, la transparence en épaisseur, le monde pèse, l'univers m'écrase. » Ionesco se trouve alors prisonnier dans un cachot étouffant. Les mots qui dansaient comme des bulles de savon retombent comme des pierres. C'est alors que Ionesco les remplace dans ses pièces par des objets : des champignons innombrables poussent dans un appartement (*Comment s'en débarrasser*), des centaines de tasses sont apportées pour servir du café à trois personnes (*Victimes du devoir*), des dizaines de chaises sont installées pour des invités invisibles (*Les Chaises*), plusieurs nez apparaissent sur le visage d'une jeune fille (*Jacques ou La Soumission*). Et l'on voit ce qu'est cet univers encombré par la matière : « Les objets sont la concrétisation de la solitude, de la victoire des forces antispirituelles, de tout ce contre quoi nous nous débattons. »

Comment s'en débarrasser? Dans ce cas, c'est par l'humour, « symptôme heureux de l'autre présence. »

Ce point de départ des pièces d'Ionesco explique leur vertu essentielle. Elles sont nées « d'un état d'âme, non pas d'une idéologie, d'une impulsion, non d'un programme ». Souvent aussi il doit utiliser la matière véritable de rêves ou de cauchemars qu'il a faits (la formule est intéressante : c'est nous qui fabriquons nos rêves et nos cauchemars).

Ionesco se laisse guider par sa sensibilité quand d'autres « représentent », traduisent, symbolisent, donnent des œuvres d'un schématisme allégorique Ionesco se moque de l'allégorie et la rencontre sans la chercher.

Il n'est toutefois pas interdit au spectateur (ou au lecteur) de se livrer au jeu des transcriptions et des équivalences, et de dire ce que sont, dans *Jacques ou La Soumission,* les pommes de terre au lard dont Jacques ne veut pas manger. (« Oui, j'ai vite compris. Je n'ai pas voulu accepter la situation. Je l'ai dit carrément. Je n'acceptais pas cela. ») On peut dire ce qu'est ce cadavre qui grandit monstrueusement dans le petit logis des époux de *Comment s'en débarrasser* et chacun a compris ce que sont les rhinocéros de la pièce qui porte leur nom.

En parlant de pommes de terre au lard, Ionesco a employé « un mot pour un autre ». Jean Tardieu, dans une œuvre précisément intitulée *Un mot pour un autre*, a indiqué que, dans une circonstance donnée, les mots en eux-mêmes importent peu : le ton fait la chanson et l'on comprend le sens des répliques échangées à la seule manière dont elles sont prononcées. Ce qui caractérise Jacques, c'est sa révolte. En ne précisant pas le contenu de cette révolte, Ionesco nous permettait d'imaginer qu'elle était celle-là même que nous avions connue à vingt ans. Contrairement à Jacques Lemarchand, je ne crois pas que cette pièce finisse bien : le jeune héros de Ionesco, après une cavalcade érotique, tombe épuisé et soumis aux pieds de la fille aux trois nez. N'épiloguons pas sur le sens de cette soumission : un autre en nous veut ce que nous ne voulons pas. C'est lui qui nous possède quand, selon une forte expression, nous ne nous possédons plus. Nos instincts — et nos instincts sexuels d'abord — ne sont pas nos amis : ils nous transforment en bêtes plus ou moins sauvages, d'abord, — puis en simples paillassons.

Il est évident que lorsque Ionesco lâcha ses rhinocéros sur la scène, il ne comptait pas nous tromper sur la nature véritable de ces animaux. Lors de la lecture publique qu'il donna de sa pièce, au Vieux-Colombier, en novembre 1958, chacun entendait très bien le mot « fasciste » chaque fois que le mot « rhinocéros » était prononcé. Pourtant la pièce n'était nullement inspirée des événements du printemps précédent, mais bel et bien tirée d'une nouvelle parue dans une revue deux ans plus tôt. Ionesco n'est nullement homme à écrire des pièces de circonstance. C'est même pourquoi ses pièces peuvent s'accorder à toutes les circonstances.

Jacques se plaignait de n'être pas comme les autres. Le héros de la pièce *Rhinocéros* se croirait volontiers normal, mais il voit avec inquiétude tout le monde autour de lui se métamorphoser en animaux cornus : s'il est seul à demeurer un homme, c'est lui qu'on dénoncera comme monstre; il s'en rend compte et cherche à devenir pareil aux autres. Impossible. Cela lui est impossible et l'on peut craindre qu'il finisse à l'abattoir ou du moins dans un parc zoologique. Tel est le sort réservé aux minorités. La majorité a toujours raison, parce que la force fait le Droit. Ce n'est pas d'hier, ni d'avant-hier.

Ionesco déteste tous les hommes qui veulent imposer aux autres leur vérité et, en particulier, les politiciens enfermés dans un système bien clos. Un intermède burlesque de *Tueurs sans gages* nous introduit dans une réunion électorale au cours de laquelle la mère Pipe, éleveuse d'oies publiques, réclame le pouvoir. « Je vous promets de tout changer, dit-elle. Il n'y aura que des malentendus, nous perfectionnerons le mensonge... Nous n'allons plus persécuter, mais nous punirons et nous ferons justice... Nous ferons des pas en arrière et nous serons à l'avant-garde de l'histoire... Les bons intellectuels nous appuieront. » (Remarquons seulement que ces propos ridiculisent aussi bien des politiciens d'extrême-gauche que d'extrême-droite, et vice versa.) C'est à un ivrogne que Ionesco fait répondre que « la révolution véritable se fait dans les laboratoires des savants, dans les ateliers des artistes ». L'ivrogne ose également affirmer que « les révolutions publiques sont des ressentiments qui explosent maladroitement ». Libre à nous de penser que ce sont nos ressentiments qui nous transforment en rhinocéros. Et nous revoici sur le thème de l'animalité chez Ionesco.

Dans *Jacques,* le héros devenait cheval sous nos yeux pendant la cavalcade érotique que nous évoquions plus haut, mais il redevenait homme ensuite. Les personnages qui deviennent des rhinocéros dans la pièce qui porte ce nom le restent et sont satisfaits de leur transformation. Ils grognent et galopent, grotesques et terrifiants. N'est-il pas mieux d'être un robuste animal qu'un faible roseau pensant? « Quand j'entends le mot *intelligence,* disait un rhinocéros fameux, je sors mon revolver. »

Oui, un revolver est un argument qui laisse l'intelligence sans réplique. Mais ce qui inquiète le plus Ionesco, c'est que l'intelligence ne soit peut-être pas elle-même une amie de la vie : « L'existence est, selon certains, une aberration », remarque Bérenger au cours du monologue final de *Tueur sans gages.* Et l'auteur note que son personnage trouve « en lui-même, malgré lui-même, contre lui-même, des arguments en faveur du Tueur ». Il les trouve et se laisse enfin tuer.

Le Tueur ici n'est pas forcément un rhinocéros, il est tout ce qu'on voudra, car tout nous tue et l'on a assez répété que Dieu est le premier assassin puisqu'il a créé l'homme mortel. La fin de *Tueur sans gages* est certainement ce que Ionesco a écrit de plus désespéré. Jacques se soumettait à l'ordre social, mais continuait de vivre (comme nous faisons les uns et les autres). Bérenger s'incline devant une puissance inconnue qui n'a vraiment rien d'humain et il est complètement anéanti.

Bérenger devait reparaître costumé en roi, le roi Bérenger Ier, mais c'était pour mourir encore, cette fois d'une mort que l'on dit naturelle, parce que toute vie individuelle s'achève ainsi. La rigueur classique du *Roi se meurt* fait de cette pièce le chef-d'œuvre de la seconde période de Ionesco.

Lorsqu'il publia son premier roman *Le Solitaire* qu'allait suivre immédiatement son adaptation théâtrale, *Ce formidable bordel* (1973), les critiques, généralement très élogieux, ont tous cité les grands noms de Pascal et de Voltaire. Eh oui, Pascal et Voltaire à la fois. Le premier qui refusait les séductions de ce monde parce qu'il redoutait la mort et l'éternité. L'autre qui estimait au contraire qu'il ne fallait pas penser aux grands problèmes sans solution et conseillait de s'atteler à des tâches précises et immédiates capables d'écarter de nous l'ennui et même l'angoisse.

De qui Eugène Ionesco est-il le plus proche? Son personnage solitaire est pris entre la banalité de la vie quotidienne et l'absurdité des événements brutaux qui surviennent parfois (guerres, révolutions). La partie descriptive du *Solitaire* est bien dans la tradition de Voltaire, peintre de la cocasserie tragique de la vie humaine. Mais le héros ou l'antihéros de Ionesco est un rentier, par suite d'un héritage, et il ne cultive nul jardin qui pourrait lui permettre d'oublier l'absurdité de sa condition. Il n'a de recours que dans la boisson et celle-ci le fait vivre dans un état intermédiaire entre la lucidité du philosophe et les fantasmagories des drogués, au point qu'on ne saura pas si les lueurs d'espérance ménagées par l'auteur sont des illuminations de mystique ou des hallucinations d'ivrogne.

Le côté pascalien du livre, c'est précisément l'appel à une réalité supérieure, l'espoir d'une autre vie. Voltaire avait certainement raison de nous conseiller une vie active et distrayante. Mais on ne choisit pas sa nature et, si vous êtes anxieux, les plus beaux raisonnements ne vous délivreront pas de votre anxiété. Pascal s'était, dans sa jeunesse, essayé au divertissement et, à tout prendre, que sont *Les Provinciales* sinon une joyeuse et féroce comédie? Dans le feu de la discussion et de l'argumentation, on oublie ses préoccupations essentielles, sa peur fondamentale qui finit toujours par reparaître.

Contrairement à son héros, Eugène Ionesco n'est pas lui-même un rentier. Peut-être pourrait-il vivre sur le capital qu'il a édifié en construisant ses pièces, mais non, il a le goût de combattre, de s'exprimer. Comme tout écrivain, c'est en exprimant ses angoisses qu'il s'en délivre dans la mesure du possible. Il en va de même pour le premier venu : si les gens se plaignent tellement, c'est que parler de leurs ennuis et de leurs malheurs les soulage.

On sait que les plaintes ne sont pas longtemps supportables. Aussi bien, en littérature, faut-il aller plus loin. Eugène Ionesco, au cours d'une interview, a déclaré : « Dans la création littéraire, nos angoisses, nos malheurs, nos entrailles ne sont plus que des briques avec lesquelles on construit un édifice. La littérature est le dépassement du besoin de s'exprimer personnellement. »

Voilà bien un paradoxe qui mériterait d'être longuement examiné. Il faut comprendre que, pour composer une œuvre, il est nécessaire de prendre quelque recul par rapport à sa propre expérience. Ce recul introduit immédiatement une dimension humoristique et c'est l'ironie avec laquelle on considère soi-même ses propres malheurs qui rend l'expression de ceux-ci supportable pour autrui. Et chacun sait qu'il est très humain de supporter mieux une maladie quand les autres en sont pareillement atteints : le lecteur (ou le spectateur) est reconnaissant à l'auteur qui lui montre que nous sommes tous atteints des mêmes maux.

Le monde que nous décrit Eugène Ionesco est généralement tragique ou dérisoire, ou dérisoirement tragique, mais la description elle-même n'est pas réaliste : elle est caricaturale et l'auteur nous ménage une délivrance par le rire.

Ainsi a-t-on pu rire aux *Jeux de massacre,* à *Macbett* (Shakespeare revu par un lecteur de Jarry), à *L'Homme à la valise.* Dans un des sketches qui composent cette dernière pièce, on voit une vieille femme qui retrouve sa mère dans un rêve. Cette mère est morte encore jeune et la fille a vécu longtemps : la fille est maintenant beaucoup plus âgée que sa mère. Voilà une de ces trouvailles de théâtre qui sont typiques du génie de Ionesco. Pour lui, la scène est le lieu où peuvent se matérialiser toutes les fantaisies qui vous passent par la tête à l'état de veille ou de sommeil. Quand on lui entend exposer l'argument d'une de ses pièces, on pense qu'il ne pourra en tirer qu'un conte fantastique. Or c'est le contraire qui s'est souvent produit : cinq de ses pièces et son film *La Vase* ont d'abord existé sous forme de nouvelles (il les a réunies sous le titre *La Photo du colonel*). Ionesco est l'homme de théâtre qui nous a permis de voir (et non plus d'imaginer) des hommes qui s'envolent ou se transforment en animaux; il nous a montré une femme qui entreprend un strip-tease et le pousse si loin qu'elle se dévêt même de son enveloppe charnelle et finit par exhiber son squelette...

Le théâtre, lieu de mille contraintes et difficultés artisanales, est aussi le royaume de la liberté. Jamais théâtre ne fut plus audacieux et plus libre que celui de Ionesco.

SAMUEL BECKETT

Samuel Beckett est né en Irlande en 1906. Ses premiers écrits datent des années 30 : essais, poèmes et nouvelles ainsi qu'un roman, *Murphy* (1938), où l'on trouve déjà tous les thèmes qu'il développera ou reprendra plus tard. Beckett écrivait alors dans sa langue maternelle. Mais il entreprit lui-même la traduction française de *Murphy* qui parut aux Éditions Bordas en 1947. Aucun critique ne semble avoir pris connaissance du livre : aucun article ne lui fut consacré.

Son éditeur le laissa libre de placer chez des confrères les romans qu'il avait décidé d'écrire directement en français.

Étaient-ce des livres publiables? *Molloy* et *Malone meurt* furent présentés sans succès aux divers grands éditeurs parisiens. Les manuscrits arrivèrent enfin aux Éditions de Minuit dont Jérôme Lindon venait de prendre la direction : il s'enthousiasma aussitôt. *Molloy* et *Malone meurt* parurent la même année (1951).

Dans *Molloy*, un homme se rend au chevet de sa mère mourante. Il s'égare en chemin et, au terme de son errance, échoue dans un fossé. Son père part à sa recherche, mais ne le retrouve pas. *Malone meurt* rapporte les divagations d'un agonisant.

De tels livres ne se soutiennent que par la force du langage qui les constitue. Il s'agit de monologues picaresques, où l'on parle pour parler et où l'on dit à peu près n'importe quoi. « C'était une petite boniche. Ce n'était pas le vrai amour. Vous allez voir... » Ainsi Molloy semble entamer une histoire. Mais qu'allons-nous voir un peu plus loin? Une rétractation : « Ne me parlez pas de la boniche... peut-être qu'il n'y eut jamais de boniches dans ma vie. Molloy, ou la vie sans boniche. »

On existe parce qu'on parle, mais la vie n'a pas de sens, puisque les paroles ne collent pas à la réalité et servent seulement à meubler le temps. Beckett présente un univers en décomposition où toute certitude est refusée.

Cette fois, les critiques lurent Beckett et l'on ne peut dire que les comptes rendus furent tièdes. Les uns furent violemment favorables. Les autres violemment hostiles. Ils ne s'accordaient que sur un point : il s'agissait d'un « cas limite » de la littérature contemporaine. L'auteur ne pourrait aller plus loin dans son évocation désespérée de la condition humaine. C'est en ce sens que tous se trompaient : ils n'avaient pas encore mesuré l'extraordinaire virtuosité de Beckett.

Certains, comme Robert Kanters et R.M. Albérès, ne voyaient en Beckett qu'un épigone de Joyce et de Kafka : « Ce n'est pas un événement, ni une création romanesque », affirmait péremptoirement Kanters à propos de *Molloy*. Mais les critiques qui avaient parlé de « livre-événement » avaient précisément senti que l'on était ici à mille lieues de l'exercice d'école et que Beckett nous donnait une œuvre « scrupuleusement honnête », comme le notait Jean Blanzat. Quant à Maurice Nadeau, il semblait particulièrement sensible à l'humour qui rendait soutenable et souvent savoureuse la lecture de ce livre noir.

Commercialement, les romans de Beckett n'ont cependant jamais très bien marché. C'est par son théâtre qu'il allait conquérir une audience internationale.

En même temps que *Molloy* et *Malone,* Beckett avait apporté à M. Lindon le manuscrit d'*En attendant Godot*. Cette pièce était depuis quelques années dans les mains de Roger Blin, lequel l'avait en vain proposée à divers directeurs de théâtre. En 1952, il obtint « l'aide à la première pièce », qui permit à Jean-Marie Serreau de l'accueillir au Théâtre de Babylone (petite scène aujourd'hui disparue). *Godot* fut représenté en janvier 1953.

Tout le monde connaît l'argument de la pièce : deux vagabonds sont sur une route et ils attendent la venue d'un certain Godot qui ne viendra pas. En attendant, ils s'occupent comme ils peuvent et donnent des numéros de clowns minables.

L'accueil fut triomphal. Jean Anouilh affirma : « Cela a l'importance du premier Pirandello monté à Paris par Pitoëff en 1923. » Et il donnait cette définition devenue célèbre : « Ce sont les " Pensées " de Pascal jouées par les Fratellini. »

Était-on sûr pourtant que la pièce ne s'adressât pas seulement à un petit public d'amateurs éclairés? Pour une fois, l'on avait tort de se méfier des réactions du grand public. Très rapidement, l'audience de Beckett s'étendit et c'était la preuve qu'il avait mis le doigt sur des points névralgiques de la sensibilité contemporaine. Mais « contemporaine » est peu dire : Ionesco remarquait que Beckett rejoignait le *Livre de Job.*

En attendant Godot, tout comme *Molloy,* paraissait un aboutissement. Qu'est-ce que Beckett pourrait inventer après cela? Il se révéla capable de variations sans fin sur le thème de l'approche du néant. Il trouva de nouvelles images pour illustrer le même propos sans donner l'impression de rabâcher. Il prouva que la puissance créatrice est plus forte que le désespoir et se nourrit de cela même qui devrait l'anéantir.

Peut-être n'a-t-il jamais mieux exprimé ses vues sur la condition humaine que dans un petit livre précisément intitulé *Comment c'est* (1961) et c'est ce livre-là que nous désignerions comme la meilleure introduction à son œuvre. C'est un monologue exactement divisé en trois parties : avant Pim, avec Pim, après Pim. Chacune des parties se compose d'un certain nombre de strophes non ponctuées, qui donnent au texte l'apparence d'un poème, et c'est bien un poème de la désespérance qui nous est offert : « instants passés vieux songes qui reviennent ou frais comme ceux qui passent ou chose chose toujours et souvenirs je le dis comme je les entends les murmures dans la boue ». Cette citation vous permet de comprendre que l'humour n'est pas absent de l'entreprise, car « chose chose toujours » peut aisément se traduire « cause cause toujours » et Raymond Queneau ajouterait : « C'est tout ce que tu sais faire » et c'est cela qui, justement, désespère Beckett.

L'homme qui parle, dans *Comment c'est,* est un de ces vagabonds comme il en existe beaucoup dans l'œuvre de Beckett. On ne sait d'où il vient, où il va, traînant un sac, son seul bien. La rencontre de Pim, qu'est-ce que c'est? « le petit besoin d'une vie d'une voix de qui n'a ni l'une ni l'autre ». Mais vient la séparation, inévitable : les hommes sont ici définis comme « moitié abandonnés moitié abandonnants ». Mais Pim existe-t-il seulement? « Non jamais eu de Pim non jamais eu personne non que moi. »

C'est un monde de la solitude. Il peut y avoir d'autres personnages, Bom et Bem, Krim et Kram, mais ils s'effacent tout comme Pim; et le narrateur reste dans la boue et dans le noir, hurlant à la mort : « c'est ça ma vie ici ».

Au théâtre, après *Godot,* Beckett donna deux autres chefs-d'œuvre. *Fin de partie* (1957) montre si bien l'horreur d'un monde abandonné par Dieu qu'on a pu prétendre, malgré son côté blasphématoire, que la pièce relevait du théâtre sacré. Au contraire, *Oh! les beaux jours* (1963) célèbre l'attachement à la vie, en dépit de tout. Une femme a beau peu à peu s'enfoncer dans la terre, s'enliser inexorablement (à la fin, on ne voit plus que sa tête), elle est émerveillée par la beauté du monde. On dira que l'on devient de moins en moins exigeant à mesure que l'on vieillit : une fille de dix-huit ans affirmerait sans doute qu'elle préférerait mourir plutôt que d'être une centenaire édentée. Beckett nous montre qu'elle changera d'avis en vieillissant. Dans cette pièce, on ne sait si c'est la dérision qui l'emporte, ou une increvable vitalité.

Le jury du Prix Nobel paria pour la vitalité. Samuel Beckett refusa de s'expliquer sur ses intentions. Depuis la disparition de Martin du Gard, on ne voit que Marcel Aymé parmi nos contemporains qui se soit montré aussi discret et qui ait fui les journalistes avec aussi peu d'envie d'être rattrapé par eux.

Après le Prix Nobel, il s'est effacé de plus en plus, ne publiant désormais que des plaquettes de quelques pages, juste pour faire plaisir à M. Lindon sans lequel son œuvre serait peut-être demeurée inconnue.

ROLAND DUBILLARD

Dans les années 50, sous le nom de Grégoire, Roland Dubillard (né en 1923) dialoguait chaque jour pendant une dizaine de minutes avec son ami Amédée sur les antennes de France-Inter; leurs propos farfelus enchantaient les amateurs. Puis Grégoire signa, seul, une opérette parlée « en vers radiophoniques » à laquelle il donna un titre à la Feydeau : *Si Camille me voyait...*, et qui fut représentée en 1953 au Théâtre de Babylone (aujourd'hui disparu, mais où fut créé, cette même année 1953, *En attendant Godot*). C'est dans *Si Camille me voyait* que l'on trouve ces vers à la Max Jacob :

Ainsi donc, Jules, vous mentiez.
Votre visage est un mensonge.
Je vous croyais la Vérité.
Hélas! et vous n'êtes qu'un songe.

Le nom de Roland Dubillard apparut pour la première fois en 1961, sur l'affiche du Théâtre de Poche : création de *Naïves hirondelles.* Les trompettes de la renommée furent embouchées par Eugène Ionesco et André Roussin. Ionesco assurait que, dans cette pièce, « c'est parce que rien ne se passe que tout se passe et que tant de choses se passent, et que le tableau est complet de la dérision et du tragique ».

Dubillard se déclara surpris des interprétations dont sa pièce faisait l'objet. Pour sa part, il y voyait plutôt la peinture d'une gentillesse un peu gauche. Toutefois, l'année suivante, il donnait cette *Maison d'os* que Jean-Louis

Curtis a résumée ainsi : « Un vieillard va mourir. Sa maison ressemble à ce qu'il va devenir : un squelette. Sur les rameaux de cette charpente d'os, les domestiques courent comme des rats : contraste traditionnel entre l'agitation futile de la vie et la fatigue du vieux corps usé dont les instants sont comptés. Le train des jours s'accélère autour du mystère : un vivant qui s'étend sur son lit, s'éteint, n'est plus. »

Voilà bien une pièce où il se passe tout et rien. Roland Dubillard parle lui-même de « l'action (ou l'inaction) » de sa pièce. Il n'y a pas d'intrigue à proprement parler, mais une succession de scènes dont l'ordre pourrait être modifié et où l'on voit le maître et ses domestiques, les domestiques entre eux, le maître et la mort. Si la pièce bouge, dit encore Dubillard, « c'est comme un cadavre animé par des vers ».

Bien des lecteurs vont trouver cette image du dernier mauvais goût. Et il est certain que Dubillard se moque, et parfois un peu trop, du bon goût. Mais, dirait-il, comment s'échapper dans le sens de la vie, à partir d'un sujet macabre? « Ce n'est pas le mot qui échappe à Monsieur », dit un des valets, Et le maître répond : « Non, c'est la chose. Tant pis pour la chose. »

Parlant en 1966 des nouveaux grands écrivains dramatiques, Sartre disait qu'ils « refusent les commodités de l'intrigue » : « Il n'y a plus d'intrigues au sens de petite histoire anecdotique bien construite avec un développement, un milieu et une fin. Il n'y en a plus parce qu'ils estiment que l'anecdote divertit le spectateur et détourne son attention de l'essentiel. » Sartre poursuivait : « Leur but n'est pas de raconter une histoire, mais de construire un objet temporel dans lequel le temps, par ses contradictions, par ses structurations, mettra en relief d'une façon saisissante ce qui est proprement le sujet. »

C'est vrai sans doute pour Samuel Beckett et pour Roland Dubillard, mais, si ces auteurs ont réussi leurs entreprises, c'est qu'ils disposaient d'un langage d'une solidité exceptionnelle. Le vrai sujet de leurs pièces, c'est leur sensibilité. On remarquera aussi que ni l'un ni l'autre ne sont des auteurs abondants.

Il s'agit d'œuvres de poètes. Et poète, au sens exact du terme (qui est fabricateur de poèmes), Dubillard a prouvé qu'il l'est avec son recueil : *Je dirai que je suis tombé* (1966).

Le thème de la mort reparaît très souvent :

J'ai vu un mort qui n'était pas grand-chose,
C'était une sorte d'autre homme,
Autre comme les autres
Et presque aussi semblable...

Ce sont des poèmes qui se situent quelque part du côté de Cros et de Queneau (l'auteur de *L'Instant fatal*).

Or il y a toujours
quelque chose qui nous écrase,
ne serait-ce que notre propre poids.
Et ce qui nous écrase,
comme un autocar, est parfois
plein de militaires joyeux.
A tout moment,
il faut les mentionner aussi.

Ce qui distingue Dubillard des poètes de la dérision, c'est qu'il ne manque jamais de mentionner les petits côtés heureux de la vie. Il essaie d'être tout à la fois Jean-qui-pleure et Jean-qui-rit, avec une préférence pour ce dernier. Ce qu'il appelle le sens de la vie, c'est « le sens de la rigolade ».

Les plus beaux de ses poèmes sont pourtant les poèmes graves et mystérieux, comme le sonnet en alexandrins qui commence par :

Le jour, quand il finit, ne finit rien que lui...

Au théâtre, Dubillard a donné encore *Le Jardin aux Betteraves* (1969) et... *Où boivent les vaches* (1973).

ROMAIN WEINGARTEN

Si l'on a parlé de Hoffmann à propos du *Jardin aux Betteraves* de Dubillard, — où l'on voit des musiciens bavards dont l'un se prend pour Beethoven, — c'est à un autre romantique allemand, Ludwig Tieck, que fait penser le chef-d'œuvre de Romain Weingarten, intitulé *L'Été* (1966). Tieck écrivit pour le théâtre une délicieuse fantaisie sur l'histoire du *Chat botté* (une traduction en a paru chez Rougerie en 1956 par les soins de Marcel Béalu). Or les deux personnages principaux de *L'Été* — un été à la campagne — sont des chats, Moitié-Cerise et Sa Grandeur d'Ail, joués par des acteurs non déguisés, de sorte qu'on ne comprend pas immédiatement que ce sont des félins, mais bientôt nos yeux s'ouvrent et l'on se trouve dans l'enchantement.

A côté des chats, Weingarten a placé un couple d'adolescents, un garçon et une fille. On assiste à de savoureux échanges, entre chats, entre adolescents, entre chats et adolescents. Tantôt ils ne se comprennent pas, tantôt ils s'entendent parfaitement. C'est la vie même, à son aurore, vue par un vrai poète.

Weingarten avait débuté au théâtre avec une pièce surréaliste déconcertante, *Akara* (1948). Il avait ensuite donné *Les Nourrices* (1963) dont Ionesco a chanté les louanges, disant de cette pièce qu'elle était « l'expression de la détresse même ». *L'Été* fut ainsi une surprise et reste un petit miracle de la grâce poétique.

24.
La provocation au désir

La littérature peut être considérée comme pur objet de délectation. Ce qui ne veut pas dire qu'elle devient ainsi inoffensive. Elle détient un pouvoir de « provocation au désir » qui, selon Gracq, est « son venin et sa vertu ». C'est par là, en agissant sur la sensibilité du lecteur, qu'elle présente « une vraie possibilité révolutionnaire ».

Gracq tint ces propos quand les théories de l'engagement étaient encore à la mode. Il nous semble que Limbour et Mandiargues auraient pu les contresigner. Le mot « désir » prend sans doute une coloration différente chez ces trois auteurs, mais il s'agit d'une même quête de « la merveille » — comme disaient les surréalistes — à travers les vents et marées de la vie.

GEORGES LIMBOUR

En mai 1945, Jean Cocteau déclara lyriquement dans la revue *Fontaine :* « Je ne saurais durer sans dire que le poème de Georges Limbour, intitulé *Motifs* dans *Soleils bas,* est un des plus beaux poèmes de la langue française. » Et d'affirmer que Limbour était son maître véritable.

Soleils bas est une plaquette de seize pages parue en 1924. Voici les quatre premiers vers de *Motifs :*

La jeune fille avec un amant prit la fuite
Le village accusa sitôt les Bohémiens
Et la gendarmerie se mit à leur poursuite
De son côté et moi du mien.

Quand il écrivait ces vers, Limbour n'avait que vingt-quatre ans. On l'y voyait déjà s'intéresser à des êtres en marge et prendre parti pour leurs singularités. Limbour n'a pas vécu en poète maudit. S'il est, dans ses œuvres, un maître de l'école buissonnière, il fut, dans sa vie sociale, un fort bon professeur, si l'on en croit ses anciens élèves (il enseigna longtemps à Dieppe). Mais il donnait à la société un peu de son temps pour se permettre de grandes vacances. On le citerait comme exemple d'homme dégagé si l'on ne craignait de laisser croire qu'il était insensible aux injustices de notre société (et des autres sociétés). Pas du tout, mais il ne se voyait pas en révolutionnaire, destiné à changer la vie. Il était modeste. Ce n'est pas lui non plus qui aurait répété avantageusement, comme la plupart des intellectuels contemporains, que « Dieu est mort ». Il a même fait dire à un de ses personnages : « Il est mort? Qui l'a dit? D'autres charlatans ouvrant leurs propres baraques. Concurrence. Il faut toujours surenchérir, car qu'est l'homme? Une bête à croire. »

Georges Limbour croyait-il à quelque chose? Il savait que la vie est merveilleuse quand elle est bonne et qu'elle est abominable quand elle est mauvaise. Il savait aussi que la vie d'un homme est courte et que la grande absurdité serait de s'hypnotiser sur ses laideurs. Aimant la vie, il a écrit sur les choses et les gens qui la lui faisaient aimer. C'est un amour parfois déchirant et déchiré. Mais une lumière brille toujours au cœur même des désastres.

Limbour ne se considérait par comme un « écrivain professionnel ». Il n'a publié que quatre romans en vingt-cinq ans. Avant-guerre : *Les Vanilliers* (1938) et *La Pie voleuse* (1939), aux couleurs éclatantes. Après la guerre : *Le Bridge de Madame Lyane* (1948) et *La Chasse au mérou* (1963).

Le Bridge est un livre d'amours sans espoirs. Limbour, qui situe ses livres à l'étranger, nous entraîne cette fois à Buda-Pest, toile de fond, changeant avec les saisons. Ce n'est plus la splendeur des Tropiques (*Les Vanilliers*) ou de l'Espagne (*La Pie voleuse*), mais la poésie de Limbour n'a jamais été plus brûlante et convaincante.

A travers le récit, qui se transforme souvent en monologues intérieurs, nous faisons connaissance de Mme Lyane, qui dirige une luxueuse boîte de nuit. Elle est seule et s'est attachée à Elsa, sa première entraîneuse. Celle-ci qui est très belle, est aimée du pianiste du bar, mais rêve et s'exalte en rêvant d'un mystérieux client qui lui a offert, avant de disparaître, un rameau d'arbre annonciateur du printemps. Le pianiste compose en secret, inspiré par Elsa et cette musique ne nous reste pas inconnue : c'est celle que nous écoutons en lisant le livre.

Il y a d'autres personnages : une étudiante, militante d'un parti, un mendiant, que l'on utilise pour des fins politiques, qui devient terroriste et sera blessé dans une émeute, un tzigane, joueur d'échecs, et sa fille. Ce qui compte ici, c'est la puissance de la rêverie poétique qui nous retient, nous attache et rend nôtres des aventures qui sont d'abord des aventures du cœur.

Mme Lyane mourra de son cancer, le bar sera fermé. Elsa partira pour Vienne, les aventures individuelles paraîtront condamnées. C'est un livre de fin d'époque et qui en a le charme mélancolique et pourrissant.

La Chasse au mérou déborde au contraire d'optimisme. Limbour nous ramène en Espagne et chante les joies de l'auto-stop, que pratique Enrico, un étudiant de l'Université de Salamanque.

Enrico quitte donc Salamanque pour aller pêcher le mérou dans la Méditerranée. En chemin, il rencontrera une belle joueuse de boules qui a nom Nisé et qui lui donnera un œillet. A Carthagène, il retrouvera ses amis José et Pépé, Clindia et Aminda. Mais lui seul osera s'aventurer dans les grottes sous-marines à la recherche du poisson fabuleux. Il le capturera, le mérou mourra et puis il sera mangé au cours d'une fête.

Qu'est-ce que ce mérou dont Enrico avait longtemps rêvé? Peut-être est-ce justement un rêve de jeune homme? Limbour ne nous renseigne pas à ce sujet. Il nous fait, du moins, partager les émerveillements du garçon.

Enrico repart sur les routes, tout fier et à la fois comme dépossédé par son triomphe même. Il fera de nouvelles rencontres, étonnantes et banales. Il reverra la belle joueuse de boules qui lui offrira une nuit d'amour. Il la quittera pourtant au petit matin. Il faut rentrer à Salamanque.

Au cours de ce livre, le narrateur change. Ou plutôt devons-nous dire qu'à la fin de l'aventure, l'auteur reprend la parole à son héros? Peut-être marque-t-il ainsi la fin d'une rêverie. Mais qu'est-ce qu'une vie? A cette question, une réponse est donnée : « Un récit discontinu formé de morceaux brusquement interrompus, écrits par différents auteurs, des histoires ramassées au hasard et cousues bout à bout. Ah! que de signatures sur mon vieux parchemin! »

La Chasse au mérou est sans doute un livre plein de significations secrètes, mais l'auteur ne nous demande pas de les découvrir toutes : il nous demande de nous laisser conduire et de nous laisser charmer. Il nous offre de merveilleuses vacances.

Hélas! c'est au cours de vacances en Espagne que Limbour devait périr noyé, accidentellement, en 1970, au large de Cadix.

Un volume de *Contes et Récits* a été publié en 1973. Parfait observateur du réel quand il le voulait, Limbour a écrit aussi de belles histoires fantastiques. Le réel et l'imaginaire n'étaient pas pour lui deux domaines distincts. Ils se rejoignent et se confondent au cœur de l'homme : « Toutes ces aventures passées, c'était comme s'il les eût rêvées (dit encore Limbour d'un de ses personnages) et celles qu'il avait rêvées, c'était comme s'il les eût vécues, c'est bien pareil au bout de la vie. »

JULIEN GRACQ

Quand, le premier lundi de décembre 1951, Raymond Queneau vint lire aux journalistes le communiqué des Goncourt, cet ami des contrepèteries annonça tranquillement qu'on venait de couronner un livre qui s'appelait *Les*

Ravages de Sartre. Puis il se reprit. Le roman, comme vous savez, s'intitulait *Le rivage des Syrtes.*

Julien Gracq (né en 1910) avait débuté dans les lettres à la veille de la guerre avec *Au château d'Argol* (1938), roman fantastique où il utilisait tout le bric-à-brac du romantisme noir. Or, cette œuvre violemment littéraire, c'est elle que, de New York en 1942, André Breton désigna comme l'aboutissement du surréalisme. Là, « le surréalisme se retourne librement sur lui-même pour se confronter avec les grandes expériences sensibles du passé ».

Un beau ténébreux (1945) et *Le Rivage des Syrtes* (1951) sont également des œuvres inactuelles, tournées vers le passé, mais qui mettent en relief certaines nostalgies toujours présentes au cœur de l'homme : et d'abord l'attente de quelque révélation qui donnerait sens à la vie.

Le Rivage des Syrtes est un grand opéra où la musique de Wagner est remplacée par celle de la rhétorique. On peut être rebelle à ce style. Maurice Blanchot a indiqué que le sentiment du mystère était un peu facilement obtenu par une suite de clichés poétiques et une surabondance d'adjectifs. (« *Grève désolée, obscur malaise.* ») Il n'empêche que le ton de Gracq est superbe et ne connaît aucun fléchissement. Il exerça une fascination sur de nombreux jeunes lecteurs.

Gracq apparut comme le champion du grand style face à l'assaut du style lâche et du jargon philosophique mis à la mode par les existentialistes. L'année qui précéda *Le Rivage des Syrtes*, il avait d'ailleurs publié un pamphlet intitulé *La littérature à l'estomac* (1950). Il a depuis expliqué comment cette démangeaison lui était venue. Les critiques de théâtre ayant mal reçu sa pièce *Le Roi pêcheur*, comme il jugeait qu'il serait ridicule de leur répondre, il se défoula en attaquant les prix littéraires et la foire de Saint-Germain-des-Prés, « qui n'en pouvaient mais », précise-t-il. Le pamphlet obtint un grand succès et l'on ne sait dans quelle mesure il entraîna l'attribution du Goncourt 1951 au *Rivage des Syrtes*. Ce serait beau que, par des chemins obscurs, l'échec du *Roi pêcheur* ait eu comme conséquence de faire de Gracq un auteur couronné.

Après *Le Rivage des Syrtes*, il ne publia qu'un seul autre roman, *Un balcon en forêt* (1958), quelques nouvelles et des textes critiques.

Un balcon en forêt, contrairement à ses précédents romans, est une œuvre précisément datée : c'est un livre sur la « drôle de guerre » et l'on peut penser que la part des souvenirs doit y être grande. Toutefois le passage du *Rivage* au *Balcon* est presque insensible. Peut-être d'ailleurs est-ce l'expérience vécue du *Balcon* qui conduisit Gracq à écrire son *Rivage.*

C'est le hasard de la guerre qui a envoyé le sous-lieutenant Grange en plein cœur de la forêt des Ardennes. Le balcon est celui d'un chalet qui coiffe un blockhaus : mais Grange se sent le baron de sa maison forte. Il pense que « la guerre a peut-être ses îles désertes ». Il ne mentira pas quand il affirmera se plaire dans celle-ci, en la compagnie de deux hommes et d'un caporal. Julien Gracq aurait très bien pu se contenter de nous décrire l'existence à la maison forte. Nous sommes moins en présence d'un conteur que d'un

« incantateur ». Par la magie du verbe, il métamorphose le quotidien. On y est d'autant plus sensible ici que le sujet paraissait d'abord plus banal. Et l'on pense à l'affirmation de Breton : « Ce qu'il y a d'admirable dans le fantastique, c'est qu'il n'y a plus de fantastique : il n'y a que le réel. » On pourrait dire à propos de Gracq d'*Un balcon en forêt :* « Ce qu'il y a d'admirable dans le réel, c'est qu'il n'y a plus de réel : tout y est rêvé. » Et pourtant les descriptions sont précises. Le récit semble constamment obéir à un parti pris de simplicité et de vérité immédiate. Mais l'attention accordée au réel peut apporter en récompense cette dimension supplémentaire qui fait le prix de ce livre. Cette attention se double d'une acceptation qui donne au récit sa tonalité particulière. Peut-être Gracq n'a-t-il jamais rien écrit de plus personnel. Peut-être n'a-t-il jamais mieux évoqué la réalité seconde qui donne à ce qu'il écrit sa particulière épaisseur.

Quelle est cette réalité seconde? Ne serait-ce pas que nous participons à une autre vie que notre existence étroitement personnelle? Julien Gracq semble puiser dans le sentiment de son appartenance à un vaste ensemble la force de proclamer ce qu'il appelle une « liberté grande ». Les chemins de la liberté sont toujours imprévus. Cette liberté est poétique.

Au printemps 1940, l'enchantement précaire cesse. La guerre balaiera la maison forte. L'attente a pris fin pour faire place au désastre. Grange blessé mourra sans révolte. Mais il aura connu une belle histoire d'amour, au village voisin. Serait-ce là la justification qu'il pouvait souhaiter à sa vie? Nous oserions le dire, bien qu'il nous faille avouer que nous ne croyons pas beaucoup à cette histoire. Ou plutôt, après avoir écrit que tous les faits réels du livre paraissaient rêvés, nous indiquerons que cette aventure amoureuse est peut-être la seule part du rêve dans la vie du sous-lieutenant Grange. Seulement, ce rêve est si bien le rêve de tous les hommes qu'il n'en est pas moins attachant pour n'être qu'un rêve. La petite Mona est un nouvel avatar de la « femme-enfant », c'est la « veuve-enfant ». Avant de mourir, Grange reverra « la route sous la pluie où il l'avait rencontrée, où ils avaient tant ri quand elle avait dit : « Je suis veuve. » La pauvre Mona ne se doutait pas qu'elle serait veuve deux fois. Elle restera dans notre souvenir comme Grange l'a vue : « C'est une fille de la pluie, une fadette, une petite sorcière de la forêt. » Elle est le merveilleux produit des enchantements de la forêt d'Ardennes. Elle est aussi une sûre protection contre les ravages de Sartre dans la littérature contemporaine.

La merveille des merveilles dans l'œuvre de Gracq, ce sont peut-être les deux volumes de *Lettrines* (1967 et 1974) où l'on trouve pêle-mêle des notes sur l'histoire, la littérature et la géographie, des réponses à des enquêtes, des souvenirs, des paysages et d'étonnants portraits. En art et en littérature, rien ne compte pour lui que la charge affective d'une œuvre. Cela le conduit à prendre ses distances par rapport aux théoriciens du roman. Gracq ne condamne aucune technique, mais il revendique pour sa part une « liberté illimitée ». Il se moque de la prétention de certains romanciers qui prédisent ce que sera la littérature de demain, comme certaines gens, en politique, désignent un certain « sens de l'Histoire » contre lequel il ne faut pas aller, sous peine d'être rejeté dans on ne sait quelles ténèbres extérieures. Gracq reproche aux théologiens de se transformer en inquisiteurs, et il remarque : « la théologie s'installe, alors que la foi s'en va ».

On peut bien écrire tout ce qu'on veut sur le roman. Quand tout aura été dit, « il restera que lire un roman, c'est " croire " d'une certaine manière à ce qu'il raconte ». Comment y croire, si le romancier ne prêche d'exemple, s'il n'est emporté par un élan ingénu?

ANDRÉ PIEYRE DE MANDIARGUES

André Pieyre de Mandiargues (né en 1909) avait largement passé la trentaine quand il publia son premier livre, un recueil de « proses bizarres », *Dans les années sordides* (1943), où il ne craignait pas de faire figure d'esthète et de précieux. Au lendemain de la guerre, il conquit les amateurs de bonne prose avec des contes fantastiques : *Le Musée noir* (1946), *Soleil des loups* (1951), *Feu de braise* (1959).

Mandiargues écrit pour sa délectation personnelle. Il estime scolaire d'expliquer le désir d'écrire par un besoin de communication. Le poète à ses débuts, nous dit-il, essaie de retrouver la fièvre et l'exaltation qu'il a connues en lisant certaines œuvres qui furent pour lui déterminantes. Cette recherche fait de l'acte poétique « une opération de clôture en soi-même ». Le poète ne tend pas la main à son prochain : il s'isole, au contraire. Mais la solitude de Mandiargues, à l'époque de ses premiers poèmes, vers 1935, était une solitude très peuplée. Il nous livre lui-même les noms de ses maîtres, qu'il appelle des « souverains » : Agrippa d'Aubigné, les Élizabéthains, les romantiques allemands, Coleridge, Lautréamont et les surréalistes.

Mandiargues a toujours aimé faire connaître les noms de ses auteurs de prédilection et parmi ceux-ci figurent de nombreux contemporains. Chaque conte de son recueil *Feu de braise* est dédié à un écrivain d'aujourd'hui dont une phrase est citée en épigraphe. Nous allons reproduire ces différentes épigraphes. Nous dirons ensuite ce que cette confrontation révèle. Voici d'abord Pauline Réage, que rendit célèbre cette *Histoire d'O* dont la brûlure était celle de la glace plutôt que celle du feu : « Était-elle donc de pierre ou de cire, ou bien créature d'un autre monde et pensait-on qu'il était inutile de lui parler, ou bien si l'on n'osait pas? »

Pierre Klossowski, bien connu comme essayiste, est l'auteur de singuliers romans où les préoccupations morales et théologiques le disputent aux obsessions érotiques. C'est une phrase du *Bain de Diane* que Mandiargues cite : « ... Un grand cerf, blanc comme la neige, séparait Actéon de la divinité; et couvrant le dos de la déesse des forêts, le roi cornu entre dans son royaume. »

Octavio Paz est un écrivain de langue espagnole, dont Mandiargues a traduit une pièce tirée de Hawthorne : *La fille de Rappacini.* En tête de sa nouvelle *Les Pierreuses,* Mandiargues cite ceci de Paz : « Je vais dire son secret : le jour, elle est une pierre sur le bord du chemin; la nuit, une rivière qui coule aux côtés de l'homme. »

Georges Henein et Joyce Mansour sont tous deux des poètes de langue française, et c'est à Paris que parurent *Un temps de petite fille* du premier et *Déchirures* de la seconde, mais Georges Henein et Joyce Mansour sont, croyons-nous, d'origine égyptienne. Voici l'épigraphe empruntée à Georges Henein : « Inutile, inutile pays où les femmes sont trop frêles pour être aimées de près. » Et l'épigraphe un peu rude empruntée à Joyce Mansour : « Je ne suis plus qu'une charogne verticale. »

Julien Gracq est un romancier sensible aux prestiges du surréalisme. Voici l'image de lui que Mandiargues a choisie : « ... Comme une gelée vivante où la lumière se fût faite chair par l'opération d'un sortilège inconcevable. »

Enfin, il n'est pas besoin de dire qui est Valery Larbaud, dont Mandiargues cite deux vers en tête de *L'Enfantillage.* Voici ces deux vers admirables :

Rose Aunoy, te souviens-tu de ce petit garçon exotique
Que la vieille Lola nommait « Milordito »?

Ce que tous ces auteurs ont en commun, c'est un goût amoureux pour les mots bien choisis et un penchant pour l'inhabituel. Ces auteurs nous dépaysent volontiers, mais ce n'est pas une féerie qu'ils nous proposent. Ils nous mettent en présence de leurs hantises. Pour nous les faire partager, ils emploient une technique de l'envoûtement. Ils ne craignent pas la description minutieuse, mais sont à l'opposé de « l'école du regard » qui se contente d'un froid inventaire. Ici les objets jouent un rôle, ils renvoient toujours à autre chose qu'eux-mêmes, par exemple à des souvenirs plus ou moins confus, bien qu'obsédants : ces descriptions font office de miroirs magiques qui renvoient plus qu'ils n'enregistrent.

Une surprise vous attend si vous suivez Mandiargues dans son étrange univers : les filtres et les charmes dont il use n'ont peut-être d'autre fonction que de nous débarrasser du vernis de notre monde quotidien et conventionnel. Nous nous retrouvons brusquement en face des divinités élémentaires. Mais la déesse de vie, Mandiargues l'appelle Eros ou Priape. Le mot « amour » prêterait à trop de confusions.

Pourtant, il employait bien le mot « amour » dans son premier long récit, *Le Lis de mer* (1956) qui est un poème en prose où, dans un style retenu et volontaire, il décrit un cérémonial érotique. S'il fallait parler d'un « sujet », ce serait à la façon des peintres : l'auteur avoue son propos d'ajouter une figure à cette galerie de « filles folles » et d'amoureuses qui ont surgi des livres depuis deux siècles et dont le plus ravissant exemple est probablement « la fille aux yeux d'or ». Il déclare que ces visages d'amoureuses sont pour lui le meilleur attrait de la chose écrite.

Voici donc Vanina. Et par une citation, nous pouvons indiquer dans quel climat se situe le récit : « Vanina pensait que sans nul doute, par sa gravité même, tel jeune homme, l'amant qu'elle avait choisi d'instinct à la première fois qu'elle l'avait vu, était partie de la grande nature vivante au même titre que les arbres ou que les roseaux qui semblaient bouger faiblement dans l'air tranquille; elle pensait, écoutant le martèlement rauque issu des gosiers de tant de grenouilles, que n'eût été son amour elle se fût sentie dans un désarroi triste au bruit de ce chant, devant le frémissement des tiges et des feuilles, en présence d'une certaine tension de la terre et de l'eau, sous l'attraction lunaire qu'elle croyait percevoir aussi, et qui n'était pas la moindre raison de sa communion extasiée avec le monde nocturne. »

Et le livre s'achève sur cette interrogation : « Il est assez admirable, se dit-elle, que je n'aie pas eu la mauvaise idée de lui demander son nom. L'amour a-t-il besoin d'une étiquette? »

Le Lis de mer est une réussite totale. Son lent déroulement provoque un enchantement. L'enchantement des légendes.

Deux romans, *La Motocyclette* (1963) et *La Marge* (1967) allaient permettre à Mandiargues de voir son audience largement s'agrandir. La motocyclette dont il est question est un cadeau de mariage. Elle a été offerte à Rebecca par son amant, pour qu'elle puisse aller le retrouver certains soirs. La jolie Rebecca est mariée à un honnête professeur qui répond au nom de M. Nul. L'amant s'appelle Daniel Lionart : les deux mots qui forment son nom indiquent sa force et son habileté. Rebecca éprouve près de lui toutes les délices d'une entière soumission. Mais la randonnée qui nous est racontée et au cours de laquelle Rebecca revit toute son histoire, finira tragiquement. On sait que de telles histoires finissent toujours mal : c'est pour nous donner un frisson supplémentaire. Quelqu'un a dit — un optimiste évidemment — : « Tout est bien qui finit mal. »

La Marge décrit une errance de trois jours dans Barcelone, en particulier dans le quartier réservé, le « Barrio Chino ». Mais, dès la trentième page, nous voyons le héros, Sigismond Pons, ouvrir une lettre où il apprend qu'il vient de perdre sa raison de vivre. Il ne lit que quatre phrases de cette lettre qu'il glisse dans sa poche. « Autour de lui, tout est pareil, le ciel ne s'est pas assombri... » C'est Sigismond qui n'est plus pareil et il entre dans un espace nouveau. L'auteur parle d'une « banalité décapée ». Adoptant le point de vue de son héros, il va nous proposer une description réaliste qui a l'ambition de rejoindre l'intensité du récit romantique.

Quelques lecteurs discuteront la vraisemblance de la donnée initiale : un homme dont la femme vient de se suicider peut-il refuser de connaître aussitôt les circonstances du drame et décider de mettre ce drame entre parenthèses? La réponse vous sera donnée à la dernière page. Les trois lignes qu'il avait lues l'avaient étourdi. S'étant ressaisi, Sigismond, d'une balle de revolver, se brûlera le cœur.

On voit que c'est un beau et rare sujet, car on ne meurt plus beaucoup d'amour aujourd'hui. En contrepoint, Mandiargues a composé un roman qu'on hésite à dire politique, parce que la poussée de la révolte y est uniquement sentimentale et passionnelle. C'est la catastrophe personnelle dont il est victime qui rend Sigismond solidaire du peuple catalan opprimé. Reconnaissons que, la plupart du temps, la douleur fait se replier les êtres sur eux-mêmes, mais des âmes plus orgueilleuses parviennent à convertir leur douleur en révolte. De même, Sigismond souhaitera que son suicide soit également une opération magique, un sacrifice à la cause de la liberté.

Nous sommes dans le réel et dans l'imaginaire tout à la fois, comme nous sommes à la fois dans le présent et dans le passé. Sergine, la femme aimée, continuera de vivre tant que Sigismond vivra : une absence n'est intolérable que si elle est une hantise, c'est-à-dire, paradoxalement, une présence. Quant à Barcelone, c'est la présence d'une vieille rêverie érotique sur des bouges que l'auteur qualifie de charmants. Il y a chez lui cette double attirance pour l'amour fou et pour les plaisirs troubles. La petite Juanita, image de la « Maja desnuda », occupe beaucoup Sigismond, ce qui surprendra sans doute les cœurs simples. (Et lui-même se demande « s'il est un porc » : non, il n'en est pas un, répond-il.)

Barcelone restera comme le principal personnage du livre. De *La Bandera* de Mac Orlan au *Journal du voleur* de Jean Genet, en passant par certaines pages de Cendrars, le *Barrio Chino* aura beaucoup inspiré nos écrivains. Il mérite trois étoiles dans tout guide de géographie littéraire.

25.
Hussards et mousquetaires

Gracq ne fut pas le seul à s'élever contre la vogue de l'existentialisme, qui prétendait bien militer pour la liberté mais qui interdisait aux romanciers d'écrire selon leur bon plaisir. De nouveaux venus déclarèrent que les bons écrivains se moquent des écoles et des théoriciens. Ils jugeaient aussi que Sartre donnait dans ses livres et dans ses pièces une représentation toujours nauséeuse du monde, alors que la vie a aussi ses côtés exaltants. La noblesse et la beauté existent, que la littérature ne doit pas ignorer. En tout cas, le premier devoir de l'écrivain est d'utiliser un style clair et vif et d'employer des mots simples avec assez d'adresse pour qu'ils surprennent et qu'ils ravissent. La littérature est une fête. C'est sur ce dernier point que se trouvèrent d'accord ceux qu'on allait appeler les « hussards ». Bernard Frank est responsable de ce nom de *hussards* qu'il employa dans un article pour désigner Roger Nimier et ses amis, sans se douter qu'il serait repris par les journalistes, puis par les professeurs, heureux de baptiser à peu de frais le mouvement qui venait de naître. Frank avait simplement emprunté le mot « hussard » au roman *Le Hussard bleu,* mais il y avait dans « hussard » quelque chose de conquérant qui convenait bien à un groupe de jeunes écrivains entreprenants. Aux côtés de Nimier, on citait Blondin, Laurent, Déon. Tous quatre devaient rédiger des « cartes-préfaces » pour un roman d'André Fraigneau, *L'Amour vagabond* (1956). Ils ne saluaient pas Fraigneau comme un maître, mais comme un frère aîné, aussi hostile qu'eux au misérabilisme sartrien. Fraigneau a toujours chanté la grâce humaine, le romantisme de la jeunesse, la camaraderie, la drôlerie des circonstances imprévues, le ciel de la Méditerranée. Il a recommandé la souplesse de l'esprit et du corps. Son chef-d'œuvre est *Les Étonnements de Guillaume Francœur* où il a réuni plusieurs récits parus avant-guerre et qui ont conservé toute leur fraicheur. Il représente le maillon entre la génération de Cocteau et de Morand et celle des hussards.

ROGER NIMIER

Il ne faut jamais oublier, lorsqu'on parle de Roger Nimier, que les ouvrages qui établirent sa réputation sont l'œuvre d'un tout jeune homme et qu'ils furent publiés en l'espace de cinq années seulement. Roger Nimier fit d'éclatants débuts, avec *Les Épées* (1948), à l'âge de vingt-trois ans. En 1950, il donna coup sur coup *Perfide, Le Grand d'Espagne* (recueil d'essais) et *Le Hussard bleu.* En 1951, ce fut *Les Enfants tristes.* En 1953, *Histoire d'un amour* et *Amour et Néant* (une étude pseudophilosophique). Aucun autre ouvrage de lui ne paraîtrait de son vivant. Il devait se tuer accidentellement en voiture, quelques semaines avant que soit publié son dernier roman, *D'Artagnan amoureux* (1962).

Le premier personnage qu'ait inventé Nimier s'appelle François Sanders, un jeune bourgeois, fils d'un sévère colonel, et qui, sous l'Occupation, passe de la Résistance à la Milice, pour devenir, après la Libération, un héros de la Ire armée. Nimier avait imaginé ce curieux itinéraire par provocation, mais aussi pour montrer la confusion de l'époque. Sanders apparaît comme un « desperado » qui cherche une issue dans la rage et la violence, non sans porter sur ce qu'il voit des jugements de moraliste bien motivés. Le récit est rapide, parfois impressionniste. L'auteur cède vite la parole à son héros qui emploie souvent le présent pour raconter ce qui lui est arrivé. Cynique en plus d'un endroit, il se montre discret quand il évoque son amour pour sa sœur qu'il ne se résignait pas à voir devenir la femme d'un autre, — mais on comprend que cette passion a contribué à façonner son caractère difficile.

Après ce roman brutal, Nimier donna un divertissement dans la lignée des romans satiriques de Marcel Aymé. Perfide est un lycéen de quinze ans qui désespère son géniteur, poète surréaliste, parce qu'il est le plus brillant élève de sa classe. Il est également le plus brillant personnage du livre et se révèle le chef occulte des Chourineurs, sinistre bande qui inquiète jusqu'au gouvernement « à tel point que le Président Melba achète un verrou de sûreté »... Les péripéties sont nombreuses et l'auteur n'a pas reculé devant l'évocation d'une révolution.

Nimier allait connaître ensuite un grand succès avec *Le Hussard bleu.* Dans cette chronique d'un peloton de hussards, il nous parle des jeunes Français qui, après la délivrance de Paris, s'engagèrent (comme lui-même) dans l'armée, libérèrent l'Alsace, franchirent le Rhin et occupèrent l'Allemagne. A en croire notre auteur, ces jeunes gens auraient été des anciens miliciens et des communistes venus des F.T.P., auxquels se joignirent quelques garçons des beaux quartiers, qui aimaient l'uniforme, la tradition et l'histoire de France (probablement des fils de camelots du roi). Tous ces soldats étaient des enfants. Nimier insiste là-dessus : « Il y a des élèves qu'on appelle hussards et les pions aux visages d'adjudants, des professeurs munis d'une cravache. Chaque peloton est une classe. Après l'heure où l'on épluche les pommes de terre, il y a celle où l'on tue des Allemands. Ainsi l'histoire succède-t-elle à la philo » et surtout : « La guerre est une enfance prolongée. Je n'avais pas quitté les bancs du lycée depuis cinq ans. Beaucoup étaient venus s'asseoir à côté de moi qui avaient disparu sans un mot. Ils avaient un nom, un regard, des secrets; ils se décidaient comme on respire. Trop vite assurément, ces gestes précipités rendaient leur existence intenable. Rien ne peut naître d'une telle frénésie. C'est donc se donner beaucoup de mal pour rien, c'est donc avoir vingt ans. »

Quant aux chefs de cette armée, les plus haut gradés étaient d'anciens pétainistes rengagés, des militaires de carrière qui avaient résisté en Syrie contre de Gaulle, pour la plupart catholiques déterminés qui nommaient vite brigadiers les bleus qu'ils voyaient à la messe. Il y avait aussi la masse des sous-officiers de carrière, mercenaires pour qui importent peu les raisons des guerres, mais beaucoup la bonne tenue d'un régiment.

Cela dit, vous pourriez croire qu'il s'agit d'un livre antimilitariste, anarchiste, que sais-je? Il n'en est rien. D'ailleurs, la jeunesse allemande nous est présentée sous des traits nettement favorables : elle se prépare à se battre pour l'honneur, à refuser l'humiliation (dans la dernière partie, un garçon allemand assassine un soldat français, amant de sa belle-sœur).

Le Hussard bleu, roman pessimiste, ironique, rougeoyant de tous les feux du romantisme, est le livre d'une jeunesse désabusée qui ne sait que faire de sa passion et veut pourtant vivre au-dessus de la médiocrité du monde. Mépris, orgueil et cependant désir de servir, tels sont les traits dominants de Sanders. Écoutez comme sa voix sonne ferme et comme elle a de subtiles résonances : « Dans les années qui entourent la guerre mondiale, l'envie fut grande chez les jeunes gens de posséder une arme. Une mitraillette devenait un témoignage de virilité, au même titre qu'une première maîtresse en mil neuf cents. La civilisation, qui est presque tout entière dans les ambitions de l'adolescence, ne tirait plus ses valeurs de l'amour, mais du meurtre... Le royaume des guerres, des crimes, des révolutions se trouve d'une grande consolation pour nos cœurs. Il nous prive de l'indifférence qui, à la longue, nous aurait guéris. Mais il nous donne les ailes du malheur et nous n'en demandons pas plus. »

Nous retrouvons en effet dans *Le Hussard bleu* le jeune et terrible héros des *Épées,* François Sanders, ainsi que divers autres personnages de ce roman. Mais leur biographie change quelque peu d'un livre à l'autre. De même, de l'un à l'autre des monologues qui composent *Le Hussard*, les renseignements que nous avons sur les aventures d'un même personnage sont parfois contradictoires. Souvent, cette contradiction s'explique parfaitement : un personnage raconte sa vie comme il l'entend, la recompose à notre usage ou même pour le sien propre, se trompe dans la chronologie. Et quand nous le voyons, non plus s'exprimant à la première personne, mais à travers le récit d'un autre, il apparaît avec la déformation que lui donne la bonne ou la mauvaise volonté de cet autre personnage, lequel, lui aussi, peut posséder une mémoire incertaine ou le goût du mensonge.

Le procédé des récits divergents avait été utilisé par Louis-René

Des Forêts dans son livre *Les Mendiants* (1943). Certains adeptes du « nouveau roman » le reprendront à leur manière : ce ne seront plus les personnages qui fourniront des témoignages inconciliables, c'est l'auteur qui reviendra lui-même sur certains faits pour en présenter une version différente et l'on ne verra pas toujours très bien l'intérêt de ce jeu.

Louis Jouvet trouvait des vertus théâtrales au *Hussard bleu.* Tous les personnages s'expriment comme des comédiens face à un public. Nimier a observé quelques individus pittoresques et il les imite devant nous. Nous avons successivement Roger Nimier dans les rôles d'un colonel vichyssois, d'un brigadier, d'une assistante sociale, d'un capitaine homosexuel et de plusieurs cavaliers motorisés. Chacun use d'un langage très typé et, parfois, on doit constater que Nimier utilise sa culture littéraire autant que ses souvenirs militaires : quelques passages des monologues du capitaine Ferjac sont des pastiches de Proust et le brigadier Casse-Pompons s'exprime souvent comme un héros de Céline. Sanders, lui, ne parle que comme Roger Nimier.

Le Hussard bleu est le meilleur livre de Nimier. Vers la fin, on trouve quelques longueurs et des invraisemblances un peu gênantes, mais des pages entières sont d'un grand écrivain.

Dans *Les Enfants tristes,* Roger Nimier se passa des prestiges de la violence, de la guerre et de la révolution. Il nous décrit les réactions d'un jeune homme devant la France d'après-guerre qui n'a plus religion d'aucune sorte et se vautre dans le matérialisme. La vie est devenue si plate qu'il n'est plus question de se révolter : « J'aurais fait un fameux révolté. Quel dommage que je ne sois pas né dans une autre époque, dans un autre milieu!... J'aimais l'ordre jusqu'au délire. Je ne sais pas si j'allais trop loin. Ce que je voyais autour de moi m'indignait. C'est un sentiment dont je suis revenu. Tu trouves drôle que j'avale d'un coup ces grands verres de vodka? C'était ça votre monde moderne? C'était si simple? Ça consistait à boire très vite cette gorgée d'alcool? Quel enfantillage! Comme j'étais sérieux à quinze ans! »

Olivier Malentraide (le héros) est chrétien et se plaint que plus personne ne le soit. Les sermons sur les voitures, la politique, le cinéma, l'amour l'ont écœuré « comme un libertin, jadis, naissait des contraintes religieuses. » Mais enfin il semble accepter. Nous le suivons dans les salons du siècle. Nous rencontrons des bourgeois comme en a peint Marcel Aymé et des jeunes filles vaguement parentes de celles de Montherlant. Nimier commente en même temps qu'il raconte. Le commentaire est supérieur au récit. Parfois, on pense aussi à Cocteau, celui des romans, parce que des considérations générales, écrites au présent, sont placées comme des parenthèses dans un récit le plus souvent au passé.

Après s'être bien promené dans un monde qu'il méprisait, Olivier finit par se suicider. Dégoût des autres et de soi, par peine d'amour un peu. Jadis certains vivaient d'amour et d'eau fraîche, Olivier a vécu de mépris et d'alcool. Il en est mort. Telle est la morale des *Enfants tristes.*

En 1953, ce fut *Histoire d'un amour,* récit mélancolique qui commençait le 11 novembre 1918 et faisait ensuite revivre les années 25. C'était assez curieux de voir Nimier peindre une autre guerre que celle qu'il avait connue, une autre après-guerre que celle qu'il vivait. Certes, on comprenait bien qu'il voulait souligner les ressemblances qui existaient entre 1925 et 1953. Toutefois, on ne pouvait pas se dissimuler non plus qu'il avait préféré plutôt parler du passé que du présent.

Neuf ans passèrent sans qu'il publiât un nouvel ouvrage. Il semblait se consacrer au journalisme et à l'édition. Mais l'ancien hussard se préparait à nous revenir en costume de mousquetaire.

D'Artagnan amoureux n'est pas un pastiche de Dumas. C'est une promenade en compagnie de ses héros. Nimier a imaginé une succession rapide de situations variées, où chaque phrase étincelle d'esprit. On y voit d'Artagnan partir en mission sur l'ordre de Richelieu, s'éprendre, à Saint-Tropez, de la future marquise de Sévigné, faire la connaissance à Rome du savant M. Pélisson de Pélissart, être malheureux en amour et vouloir se faire tuer à la bataille de Rocroy. On retrouve Planchet et Bonacieux. Un certain Blaise Pascal et le futur cardinal de Retz font des apparitions. Le bonheur de l'écriture est constant. Ce sont les trouvailles de détail qui font le charme de ce livre vif où, d'ailleurs, la bonne cuisine tient autant de place que le sentiment.

En 1953, Nimier parlait des années 25. Il nous a quittés sur une évocation fantaisiste des années 1642-1644. Cela n'est pas sans signification. Il avait renoncé aux airs sombres et à la tristesse. *D'Artagnan amoureux* porte en épigraphe cette phrase (peut-être apocryphe) de Mme de Sévigné : « Cette belle jeunesse où nous avons souvent pensé crever de rire ensemble. »

En dehors de ses livres, Nimier a écrit de nombreux articles et chroniques pour des revues et des hebdomadaires, où l'on reconnaît tout de suite son ton et sa manière. On parlait surtout des articles insolents qui provoquèrent parfois de petits scandales (Un déjeuner de Bernanos, Surprise à Marigny, etc.), mais c'étaient là des « articles de Paris », liés à l'actualité et à la vie mondaine. C'est aux études littéraires de Nimier qu'on aurait dû attacher de l'importance. Un choix en a été publié sous le titre proustien *Journées de lecture* (1965). Vous trouverez là notamment une émouvante présentation de Valery Larbaud et la première grande description critique qui ait été faite de l'œuvre de Marcel Aymé. Si Nimier est parfois irrespectueux avec certains grands écrivains, c'est qu'il appartient à la famille : il peut se permettre des cabrioles. Son apparente désinvolture s'oppose au sérieux des critiques à la dernière mode.

ANTOINE BLONDIN

Pendant l'Occupation, Antoine Blondin, qui appartient à la classe 42, fut requis par le S.T.O. Cette expérience lui a inspiré son premier ouvrage,

L'Europe buissonnière (1949). Ce titre à lui seul montre assez que Blondin a surtout voulu retenir le côté picaresque de l'aventure.

Blondin est le fils d'un mariage de Giraudoux avec Marcel Aymé. Il a les élégances du premier, l'humour et la fantaisie de l'autre. Il y ajoute un goût pour les jongleries verbales et même pour les calembours. Ce qu'il possède en propre, c'est un certain air d'éternelle adolescence, une espèce de grâce tendre et désabusée à la fois.

Dans *Les Enfants du bon Dieu* (1952), un jeune professeur d'Histoire, fatigué de toujours recommencer le même cours (son cours d'Histoire se confond avec le cours de sa vie) décide d'intervenir : un beau jour, il refuse de signer le traité de Westphalie. Dans *L'Humeur vagabonde* (1955), un autre jeune homme quitte sa femme et son village pour gagner la capitale. Il en revient un soir sans prévenir. Et voici que sa mère tire sur sa bru qu'elle soupçonne de recevoir un amant. Conséquence : devenu personnage d'un fait divers, le héros voit devant lui s'ouvrir des portes que l'on tenait fermées. Telle est l'étrange société d'aujourd'hui.

Un singe en hiver (1959) met en scène deux personnages d'âge, d'éducation et de milieu très différents, entre lesquels s'installe un sentiment de connivence : Gabriel Fouquet, trente-cinq ans, écrivain publicitaire, dont la faiblesse est de boire. Albert Quentin, soixante ans, ancien fusilier-marin, devenu patron d'hôtel sur une petite plage de Normandie. Gabriel est venu seul dans cet hôtel, fuyant Paris et le remords, avec l'idée de revoir sa fille de treize ans qui poursuit, pensionnaire, ses études dans une institution libre. Au vrai, il n'ose pas la revoir. Il l'observe de loin. Pendant trois semaines, Gabriel ne boit pas. Quentin, lui, est abstinent depuis dix ans, afin d'être fidèle à une promesse faite pendant les bombardements. Mais le soir où son cadet revient ivre à l'hôtel, il se laissera entraîner par sympathie et ils organiseront une « corrida » dont le village doit se souvenir encore.

Fouquet boit pour se réchauffer le cœur et se donner l'illusion d'échapper à la froideur du monde. De son côté, Quentin dit que la communication entre les hommes ne s'opère jamais mieux que devant un verre. Roman sur l'alcool, *Un singe en hiver* est plus encore un roman sur la solitude et l'amitié, — ou le besoin d'amitié. Ce sont là les thèmes qui seront repris dans le livre autobiographique intitulé *Monsieur Jadis* (1970).

Monsieur Jadis s'ouvre sur la rencontre d'un jeune hippie poursuivi par la police, rue de Buci. Le hippie disparaît, mais Antoine Blondin est appréhendé par erreur (les flics pensent qu'il était en compagnie du fugitif) et il est conduit au commissariat. Il faut dire que son attitude envers les policiers n'avait pas été prudente : « Toutes mes fibres tendaient spontanément à composer une allégorie de l'insurrection insolente, bien que j'eusse plutôt l'extérieur d'un quadragénaire vétilleux. »

La réaction de M. Jadis avait été tout instinctive. Il se sentait partie liée avec le jeune hippie, dont il avait d'abord découvert l'image reflétée dans une vitrine de magasin : « Nos reflets se confondaient dans la vitrine des libraires et je découvrais, surgi de ma personne, un garçon ardent, débordant de nonviolence contenue, vrai profil des barricades, consumé par des amours sauvages, et des philosophies hindoues. Sa fuite soudaine dans la stridence des coups de sifflet, des coups de frein, des coups de gueule, m'a causé une sensation brutale d'arrachement comme s'il se détachait de moi. »

Comment un être en marge n'aurait-il pas de sympathie pour un autre asocial ? Ils ont des ennemis communs. Blondin, à la dernière page de son livre, cite un article de sociologie : « Les marginalités constituent des formes de contestation informelle, irrationnelle, sans visées clairement discernables. » Les êtres en marge savent ce qu'ils ne veulent pas, ils savent plus rarement ce qu'ils veulent.

Monsieur Jadis, baptisé roman, mais composé de souvenirs, peut être considéré également comme une suite de nouvelles. Le chapitre IV constitue un des plus beaux contes de Noël que nous connaissions, un petit chef-d'œuvre d'humour et d'émotion. Blondin y présente Nimier, qui était son cadet de quelques années, comme un frère aîné très attentif.

D'autres nouvelles de Blondin ont été publiées sous le titre *Quat'saisons* (1975) et il a donné un recueil des articles et préfaces qui lui furent commandés au cours de sa carrière : *Certificats d'études* (1977). C'est là qu'il propose de sous-titrer *l'Odyssée :* « Ma femme m'attend. »

JACQUES LAURENT

Le nom de hussard qui convient assez mal à Blondin va parfaitement à Jacques Laurent (né en 1919) dont on ne risque pas d'oublier l'essai *Paul et Jean-Paul* (1950) où il établissait un amusant et convaincant parallèle entre le roman à thèse de Bourget et le roman engagé de Jean-Paul Sartre. Pour lutter contre la « littérature engagée », il alla jusqu'à fonder une revue (*La Parisienne*) et dirigea un hebdomadaire (*Arts*), où les textes étaient jugés sur le talent de l'auteur et pas du tout sur ses opinions.

Comme pamphlétaire, Laurent est toujours éblouissant. Dans ce genre, on retiendra aussi son *Mauriac sous de Gaulle* (1964) qui venait en réponse au médiocre *De Gaulle* de Mauriac et qui lui valut d'être poursuivi en justice. Jacques Laurent montrait que Mauriac perdait son talent quand il s'essayait à l'hagiographie. Le rôle de l'écrivain n'est pas de louer le pouvoir, mais de le critiquer.

Comme romancier, Jacques Laurent décida très tôt de mener une double carrière. D'une part, il écrirait des ouvrages dits populaires, afin de gagner sa vie aussi largement que possible. Il les signerait de divers pseudonymes dont l'un est devenu célèbre. D'autre part, sous son nom véritable, il composerait une œuvre de pure littérature, sans souci de rentabilité.

Le succès de *Caroline chérie* égala ses espérances. Il nous déclare d'ailleurs qu'il prend un vif plaisir à écrire ses romans d'aventures. Cela correspond à son goût pour Dumas père.

Ses romans de « pure littérature » sont beaucoup moins nombreux puisque, dans une récente bibliographie, il n'en a retenu que trois : *Les Corps tranquilles* (1948), *Le Petit Canard* (1954), *Les Bêtises* (1971). Ce dernier relève pour une bonne part des écrits intimes et serait moins volumineux si l'auteur ne l'avait nourri de pages de journal. Plutôt qu'un gros roman, c'est l'assemblage de quatre essais bien différents. Le premier est un récit inachevé dans le goût des années vingt et le dernier un « essai sur moi-même » à la mode du jour.

Jacques Laurent a présenté son *Histoire égoïste* (1976) comme une histoire de ses idées. Ce sont plus généralement les mémoires d'un jeune bourgeois français, né en 1919, juste au lendemain d'une guerre, et qui, à vingt ans, fut amené à participer à une autre aventure guerrière. Par la suite, il devait voir sa patrie se réduire à un hexagone, après de désastreuses guerres coloniales. Tous les lecteurs qui ont dépassé la cinquantaine seront passionnés par le film que Laurent nous propose de sa vie, car ils pourront confronter leur expérience à la sienne.

Les amateurs de discussions politiques seront, bien entendu, à leur affaire. Mais les amateurs de littérature trouveront également de quoi être satisfaits. Les souvenirs d'enfance et d'adolescence de Jacques Laurent sont vivants et drôles. On n'est pas sûr qu'ils relèvent tous du « mouvement des idées » comme le prétend l'auteur, mais ils ressuscitent toute une société. On y voit aussi se former une sensibilité. Sur les premières lectures, il y a des notations bien intéressantes.

Roman du roman (1977) développe précisément ces notations et montre par quelles voies l'auteur est devenu romancier. Souvenirs personnels et histoire littéraire forment un savoureux mélange.

MICHEL DÉON

Dès son premier livre, *Je ne veux jamais l'oublier* (1950), Michel Déon, né comme Laurent en 1919, a été appelé le romancier du bonheur. Non seulement c'est un titre qu'il veut laisser à André Fraigneau, mais il a écrit des romans assez noirs tels que *Les Trompeuses Espérances* (1956) et *Les Gens de la nuit* (1958). *Les Trompeuses Espérances* est un roman criminel, avec mort d'homme, arrestation d'innocent, aveux tardifs. Le narrateur aime une femme qui lui a caché des côtés inquiétants de son passé. Il ne cessera pas de l'aimer, mais c'en est fini de la confiance qu'il aurait voulu éprouver. *Les Gens de la nuit* raconte l'histoire d'un jeune bourgeois tout occupé par le souvenir d'une femme qui l'a quitté. Il en perd le sommeil et c'est ainsi que le livre commence : « Cette année-là, je cessai de dormir. » Il devient un habitué des boîtes de Saint-Germain-des-Prés. Il y lie connaissance avec de curieux personnages, dont un peintre non figuratif, ancien S.S. et avaleur de flammes, et la maîtresse de celui-ci, une jeune Antillaise communiste. Lui-même devient l'amant d'une fille qui souffre d'avoir « froid à l'âme ». C'est un peu le cas de tous les gens de la nuit. Notre jeune homme finit par découvrir que ses nouveaux amis sont tous liés par une histoire de stupéfiants. Cette histoire tournera mal, mais elle aura aidé le héros à oublier la femme qu'il n'a jamais désigné que par ce prénom : « elle ». Il se sentira prêt à entreprendre un long voyage.

Le mot « voyage » a une résonance un peu magique dans l'œuvre de Déon. Il contient des promesses de bonheur. Et précisément les livres vraiment heureux de Déon ne sont pas des romans. *Le Balcon de Spetsai* (1961) et *Le Rendez-vous de Patmos* (1965) sont les récits des voyages et des séjours de l'auteur en Grèce. Déon est un maître paysagiste et un maître portraitiste. Mais il nous montre les paysages qui changent suivant l'heure et le temps qu'il fait; et les gens qu'il rencontre, il nous les montre en mouvement, gens du lieu ou de passage, qui deviennent personnages de brèves nouvelles ou d'esquisses de romans. Et c'est en sourdine qu'il joue au moraliste pour exalter un mode de vie ancien que rien, hélas! ne sauvera.

En 1960, il avait donné un roman aux fortes implications politiques, *La Carotte et le Bâton*. Dix ans devaient s'écouler (un laps de temps qui peut faire penser au fameux « silence » de Nimier) avant qu'il ne revienne à l'art romanesque avec *Les Poneys sauvages*.

Dans ce livre, il a choisi de raconter trente ans d'histoire contemporaine à travers les aventures de personnages exceptionnels qui s'étaient trouvés réunis, jeunes étudiants, dans un collège anglais à la veille de la dernière guerre mondiale. Ils se sont ensuite trouvés étroitement mêlés aux grands événements de l'Histoire et nous les suivons jusqu'à une époque toute récente : l'un fut agent secret, l'autre militant politique; le troisième, grand journaliste. Leur point commun, à l'arrivée, c'est le désenchantement.

La recherche des clés pour les personnages serait vaine. Mais l'étude des sources de Déon serait bien intéressante. Il a choisi, dans la multitude d'affaires que les historiens ordonneront pour en faire l'Histoire (avec une majuscule), un certain nombre de faits qui lui paraissent significatifs de l'évolution du monde. Il a ensuite combiné une intrigue qui lui permet d'engager des personnages imaginaires dans des actions véritables. Ses personnages sont ainsi des amalgames, mais la logique des destins particuliers est respectée.

L'auteur s'est réservé un simple rôle de témoin. On devine aisément que les amis dont il nous parle sont chargés d'incarner toutes les idées et les passions qui l'ont occupé de son adolescence à sa maturité. Seulement le roman, malgré tous les dialogues d'idées qu'il contient, n'est nullement un roman abstrait. L'auteur ne paraît jamais poursuivre une démonstration.

Michel Déon est catalogué écrivain de droite et il ne songe pas à s'en cacher. Cependant, il fait dire à un de ses personnages, le journaliste Georges

Saval, que la distinction gauche-droite ne compte plus guère : « Le souci d'aimer ou de dire la vérité vous place tantôt à droite, tantôt à gauche. On reconnaît les hommes malhonnêtes à ce qu'ils sont constamment à gauche ou constamment à droite. Inscrit à un parti, fidèle à un parti et à ses chefs, vous acceptez implicitement de truquer ou de mentir par omission. »

A quoi l'on répondrait aisément qu'un homme libre est un homme inefficace et que la justice et l'action ne vont pas de pair : c'est le problème des mains sales. Déon veut avoir les mains propres et vit tantôt dans son île grecque et tantôt dans la campagne irlandaise.

Dans les ouvrages qui ont suivi *Les Poneys sauvages : Un taxi mauve* (1973), *Le Jeune homme vert* (1975), *Les Vingt Ans du jeune homme vert* (1977), il se livre au plaisir du roman picaresque et il est devenu un « best-seller ».

PAUL GUIMARD

Catalogué romancier humoriste quand il publia *Les Faux Frères* (1957), romancier populiste après *Rue du Havre* (1961), Paul Guimard — né en 1921 — a été finalement rangé parmi les néo-classiques après *L'Ironie du sort* (1961) et *Les Choses de la vie* (1967). Les « néo-classiques », c'est ainsi que certains critiques désignèrent dans les années soixante ceux qui avaient été les « hussards » dans les années cinquante. Il faut dire que Guimard avait écrit une comédie en collaboration avec Antoine Blondin : *Le Garçon d'honneur* en 1960.

Les Choses de la vie est le chef-d'œuvre de Paul Guimard. Ce livre se présente comme un monologue intérieur, interrompu à plusieurs reprises pour faire place à un rapport très sobre sur les circonstances dramatiques dans lesquelles se trouve le personnage qui parle. Ce personnage est un avocat célèbre, de 45 ans, qui se rend à Rennes en voiture pour affaires. Dans un virage, au lieu-dit « La Providence », il est victime d'un terrible accident. Il est projeté hors de sa voiture, disloqué comme un pantin. Affreusement blessé, il ne souffre pas : il s'estime « sonné » et ne peut bouger, ni ouvrir les yeux (croit-il). Des secours arrivent. On le transporte à l'hôpital où il mourra.

Il s'agit bien d'une banale histoire. Oui, mais elle est traitée de manière tout à fait originale, avec cet art supérieur qui passe inaperçu. Et voilà bien pourquoi quelques critiques parlent de « récit néo-classique » : c'est qu'on est si fortement accroché à cette histoire qu'on ne prête pas attention à la virtuosité de l'auteur et aux moyens qu'il emploie. On ne pense pas à la littérature : on pense à la vie et à la mort, au destin de ce personnage et à nos propres chances et malchances de connaître un jour son aventure. A vrai dire, nous la connaissons précisément en lisant ce livre qui agit fortement en profondeur : peu de romans nous donnent comme celui-ci la sensation d'avoir partagé une expérience.

Hélas ! il ne s'agit pas d'expérience pour le personnage, puisqu'il meurt. Il a appris trop tard que ce qui donne son prix à la vie, ce ne sont pas les choses auxquelles nous accordons le plus d'importance, grandes idées, grands sentiments, réussites matérielles, satisfactions de vanité, mais les choses les plus simples : les objets dont on s'était entouré et qui n'avaient pas toujours de valeur marchande, et puis le monde lui-même, avec ses arbres, ses fleurs, le ciel, le vent...

Il y a deux temps dans le livre : avant et après l'accident. Il était facile d'imaginer le cours des pensées d'un homme à son volant. Paul Guimard a eu l'audace d'imaginer l'inimaginable : le nouvel univers que découvre un agonisant. A la réflexion seulement, on s'aperçoit qu'il a franchi les bornes du réalisme.

Paul Guimard qui, comme Blondin, publie peu, a encore écrit *Le Mauvais Temps* (1976), variations sur le thème des « Yeux de dix-huit ans. » Voici donc en un seul personnage, Robert, un quinquagénaire, et Bob, le beau jeune homme qu'il fut et qui prétend le juger. L'epigraphe du livre est d'Oscar Wilde : « Ce n'est rien de vieillir, mais le terrible est que l'on reste jeune. » Robert réussira pourtant à prouver à Bob que les vertus que l'on acquiert en mûrissant peuvent se révéler bien utiles en cas de grosses tempêtes.

BERNARD FRANK

A vingt-deux ans, n'ayant encore publié aucun livre, Bernard Frank fut choisi par Sartre pour tenir la chronique littéraire des *Temps modernes*. Mais quand, à vingt-quatre ans, il publia son premier roman, *Les Rats* (1953), il fut vidé de la revue comme un malpropre et exécuté en quarante lignes par Jean Cau, alors secrétaire du patron. Ses amis progressistes ne lui envoyèrent pas dire qu'il avait été accueilli parmi eux par erreur. Sa vraie place se trouvait près de Nimier, Blondin et Laurent.

Dans *Les Rats,* Frank parle justement d'un écrivain qu'il appelle Niblorent, auteur d'un livre intitulé *Les Caprices des enfants tristes du bon Dieu :* « Niblorent est un des deux jeunes écrivains de l'année », déclare l'éditeur René Julliard. L'autre révélation étant naturellement Bernard Frank.

Frank fut effectivement la révélation de 1953. Non pas d'ailleurs à cause des *Rats,* mais parce qu'il avait publié, au début de cette année 53, *La Géographie universelle,* une œuvre d'une verve étourdissante et d'une conception tout à fait originale, à laquelle il ajouterait bientôt un supplément de même qualité : *Israël* (1955).

Dans cette *Géographie*, Frank nous raconte les rapports qu'il entretient avec divers pays qu'il ne connaît que par des souvenirs scolaires, des lectures, des films, des conversations. Il y voyage en imagination et y connaît de multiples aventures. Dans *Les Rats*, la *Géographie* est appelée *Le Monde en technicolor* et c'est à Sartre que Frank en confie la critique : « Ces pays sont une sorte de tourniquet. Frank ne peut s'empêcher de montrer son museau à chaque page qu'il écrit. C'est presque un gag : « Me voilà, coucou! ». Un vrai jeu de glaces. » En effet, chaque pays que présente Frank est un miroir dans lequel il s'examine, — devant lequel il prend des poses. Mais il y rencontre aussi Proust, Léon Blum, Genet ou André Maurois. Ce sont des miroirs magiques.

Quant aux *Rats*, c'est un roman baroque et bâclé, qui commence pendant le carnaval de Nice, se poursuit à Paris dans les milieux de la presse et de l'édition, et se termine, oui, en Patagonie, où le jeune héros participe à une révolution. Le début et la fin relèvent du feuilleton. Dans l'entre-deux on lit de bonnes scènes de satire sociale et des scènes familiales sans complaisance (telle la visite du jeune Philippe Weil à sa mère). Les jeunes gens que peint Frank sont vrais, vivants, bien vus. Leur malaise vient de ce qu'ils se sentent des bouchons sur l'eau tandis qu'ils aspirent à une vie extraordinaire.

Dans son deuxième roman, *L'Illusion comique* (1955), Frank s'est transformé en romancier néo-classique, il nous raconte une « histoire d'amour » dans un style lisse et brillant, très surveillé. Nous sommes loin des éclats de la *Géographie universelle*. Frank semble s'être discipliné. *La Géographie* ou *Israël*, c'étaient des moteurs à explosions. *L'Illusion comique*, c'est un mécanisme bien huilé.

Illusion, bien entendu, Frank a emprunté le moule du récit traditionnel pour y déverser ses plus perfides explosifs. Le héros est encore un jeune écrivain, ou du moins un apprenti écrivain, à qui sa culture « sert de moralité et de profession » : « Moi aussi, je m'inquiétais sur mon sort. J'aurais bien voulu travailler, mais cela semblait encore plus difficile que de ne rien faire. »

On parle de l'émancipation des filles. Mais croit-on que les garçons, eux, ne bougent pas? Au lendemain de la Libération, on nous les a présentés insolents, cyniques, mais tristes. En somme, romantiques. Le portrait qu'en brosse Bernard Frank nous semble beaucoup plus juste : ces jeunes gens sont salement égoïstes. Salement et non pleinement. Quelqu'un de pleinement égoïste, c'est quelqu'un qui se suffit à lui-même, qui n'a pas besoin des autres : il les laisse tranquilles. Et bien sûr, bel indifférent, il peut rendre les autres malheureux, mais c'est, en quelque sorte, malgré lui. Un type est salement égoïste quand il se sert des autres. Ainsi, le héros de Frank envisage le mariage, parce qu'il obtiendrait de son beau-père une place d'administrateur, ou bien il va retrouver une fille en Italie, parce que cela représente des vacances fastueuses. (On l'invite.)

Sa conduite paraît monstrueuse parce qu'il la commente avec intelligence. Beaucoup de garçons agissent naturellement comme lui et s'étonneraient fort qu'on les blâme : ils n'ont pas conscience d'agir d'une manière si intéressée. Ils ne se compliquent pas leur vie. Le narrateur de *L'Illusion comique* complique la sienne parce que, découvrant les motifs de ses gestes, il ne veut pas, à ses propres yeux, se confondre avec celui que ces gestes définissent. En somme, il n'est pas méchant, et c'est pourquoi il est souvent maladroit et provoque des catastrophes : « Malheureusement, je n'étais pas un criminel et je ne pouvais faire le mal qu'avec des précautions, qu'avec des gants. »

La lucidité contraint paradoxalement notre héros à être un comédien. Il s'analyse si bien qu'il ne parvient plus à se retrouver dans ses sentiments. D'où l'originalité de ce ballet psychologique qu'est *L'Illusion comique :* ballet psychologique et parodie de ce ballet.

Les garçons d'aujourd'hui ne veulent pas être dupes. Leur égoïsme se donne cette excuse; leur orgueil, cette justification. Cet orgueil les mène à n'écouter qu'eux-mêmes : « Je détestais les idées reçues, les précautions imbéciles, les pensées de moralistes, les leçons de la psychologie, tout cet arsenal de vaincu. » Et, bien sûr, les aînés ennuient avec leur expérience puisque, en somme, on n'a d'expérience que de ses ratages. Donc, autant agir sans garde-fou. Mais n'écouter que soi-même, c'est écouter aussi bien les mauvaises raisons qu'on invente à plaisir. On s'interroge toujours comme intelligence et ce sont nos instincts qui répondent. D'ailleurs, il est exclu qu'on n'écoute que soi-même. Vouloir trancher par soi, c'est refuser les bons conseils, mais se fier aux connaissances acquises au fil de la vie et des lectures (à l'expérience, dont nous faisions si peu de cas tout à l'heure). Et, pris au dépourvu, nous voici récitant des mots qui nous semblent convenir à la situation, mais en réalité qui ne collent pas du tout à nous-mêmes : « Je me serais certainement moqué de propos semblables, si ce n'était pas moi qui les avais tenus. »

L'Illusion comique ne connut pas le succès et Frank renonça au roman. Il inventa un nouveau genre littéraire ou plutôt reprit-il à sa façon la manière de Léautaud qui mêlait dans ses feuilletons dramatiques souvenirs personnels et libres propos à des comptes rendus de pièces. Ainsi Frank publia *Le Dernier des Mohicans* (1956) et *La Panoplie littéraire* (1958). Dans cette *Panoplie,* qui devait d'abord être un essai sur Drieu, il raconte ses relations avec ses éditeurs, son passage dans le journalisme, ses problèmes d'écrivain. Il trahit cent fois le secret professionnel. Il nous donne aussi de nombreuses analyses originales et fortes, comme les pages sur le développement d'une œuvre, ses débuts et sa systématisation (chapitre IV de l'introduction), les réflexions sur le suicide (section A du « Drieu ») ou encore l'étude sur le comportement de Gide pendant l'Occupation (section B).

Après un silence de douze ans, Frank reparut avec un essai autobiographique, *Un siècle débordé* (1970), où, d'entrée de jeu, il déclare que ce qui lui a donné la force d'écrire son livre, c'est le succès qu'ont rencontré *Les Mots,* les *Antimémoires* et les *Mémoires intérieurs.* Sartre, Malraux et Mauriac, voilà les écrivains avec lesquels il entendait « courir le 10 000 mètres » : « Si l'on n'a pas toutes les prétentions en littérature, nous annonce-t-il, on est vraiment fou d'y entrer. »

Vous remarquerez très justement que si les Mémoires très composés et parfois très truqués de Sartre, Malraux et Mauriac ont connu tant de succès et provoqué tant de commentaires, c'est que leurs auteurs étaient déjà de glorieux écrivains. Frank le sait parfaitement, mais se pose la question de savoir si ces livres autobiographiques ne sont pas très supérieurs à toute l'œuvre romanesque qui les a précédés : « On éprouve l'impression que beaucoup de livres n'ont été écrits que pour donner à l'auteur le droit d'écrire le « bon » livre. » Autrement dit, tout se passe comme si un écrivain, arrivé au sommet de sa carrière, déclarait soudain : « J'écris ce que je veux, après avoir montré que je pouvais écrire comme les autres. »

Il n'est pas sûr qu'un tel raisonnement ait jamais été tenu, mais il est certain que, de l'œuvre de Rousseau, restent essentiellement les *Confessions* et, de l'œuvre de Chateaubriand *Les Mémoires d'outre-tombe*. En revanche, *La Vie d'Henry Brulard* ne fait pas rentrer dans l'ombre *La Chartreuse de Parme*.

Soit. Frank a montré lui-même qu'il pouvait écrire comme les autres : entendez que ses romans *Les Rats* ou *L'Illusion comique* auraient très bien pu obtenir le Goncourt. Il a fourni ses preuves dans des genres traditionnels et tant pis si les records n'ont pas été homologués. Il nous donne ses *Antimémoires* sans tenir compte de l'injustice littéraire qui lui a refusé des titres officiels et il a eu joliment raison.

Bernard Frank, qui n'aime pas le théâtre, considère la littérature comme une vaste scène. Écrire, c'est monter sur l'estrade. Frank ne cesse d'être tourné vers le public. Il n'écrit pas pour mieux se connaître ou pour fixer le temps qui passe. Il organise une représentation et la veut joyeuse et bien remplie. Il se donne en spectacle et une partie de ses souvenirs se présente sous forme d'interviews imaginaires (tant il a besoin des autres, d'un auditeur au moins).

A cause de son talent, de son langage, on l'a comparé à Saint-Simon. Pourquoi pas? Certains ont ajouté que c'était dommage qu'il soit un Saint-Simon sans Versailles. Voilà qui est absurde, car c'est Saint-Simon lui-même qui rend ses modèles passionnants à regarder. De même Proust a-t-il tiré sa comédie humaine d'un milieu mondain assez vain. Frank ne nous semble pas fréquenter des milieux moins intéressants que ses illustres devanciers. Grand lecteur de journaux et d'hebdomadaires, il n'oublie pas non plus de traiter les questions à l'ordre du jour.

Certes, considéré naguère comme un écrivain engagé, il prétend se trouver maintenant en dehors de la mêlée. Nous le voyons pourtant s'y replonger avec délectation. Il nous parle avec verve des journées de mai 68 et de la guerre des Six Jours, aussi bien que de Freud et de Marx, de la culture et du progrès, ces deux idoles qu'il entreprend de remettre à leur place. Il dialogue avec Malraux et Sartre, louant celui-là de manière souvent irrespectueuse, reprochant à celui-ci de dissiper ses forces et son intelligence dans une action politique dérisoire.

Nous avons dit qu'il se mettait en scène. Il faut ajouter qu'il ne joue pas un personnage. Il se présente au naturel et c'est fort rare. Nous avons insisté sur l'éclat de ce livre : on y trouvera aussi des pages toutes simples (souvenirs d'enfance, évocations familiales) où le lecteur est traité soudain en ami et non plus en spectateur. Ce ne sont pas les moins réussies. *Un siècle débordé* est un livre complet : on y trouve un écrivain, un homme, une époque.

GÉRARD GUÉGAN

Gérard Guégan (né en 1942) sera sans doute surpris de figurer dans un chapitre intitulé *Hussards et mousquetaires,* mais il ne sera pas mécontent d'être apparenté à Bernard Frank, dont il a dit, dans *A feu vif* (1976), qu'il « demeure un des rares écrivains fréquentables de l'après-guerre » (p. 149).

Guégan et Frank ont en commun une verve peu banale, le sens de la satire et de l'exagération cocasse, un vif intérêt pour les comédies politiques et littéraires contemporaines : il leur arrive même de croire leurs lecteurs aussi bien renseignés qu'eux sur les milieux qu'ils évoquent. Ils donnent parfois l'impression d'écrire pour les seuls amis. En outre, Guégan utilise souvent le vocabulaire et la syntaxe des jeunes révoltés de mai 68 : un « nouveau français » plus débraillé que celui de Queneau.

Les bouquins de Guégan (une dizaine déjà) sont drôlement bricolés : l'auteur néglige les enchaînements entre les morceaux qui les constituent. Mais les morceaux sont succulents. Guégan excelle dans le portrait et le dialogue, aussi bien dans le portrait photographique et le dialogue exactement rapporté que dans le portrait fantaisiste et le dialogue transfiguré. Dans *A feu vif,* on trouvera le récit d'une visite à Pierre Herbart, modèle de rapport objectif, et une scène d'interrogatoire policier, traitée sur le mode épique.

Le dernier roman de Guégan, entièrement dialogué, est une parfaite réussite : *Père et fils* (1977). Au cours d'un tour de France en stop, les deux héros auront l'occasion d'aborder les problèmes contemporains les plus divers. Ils ont l'air de deux copains, mais l'auteur — lui-même père de famille — estime que les enfants doivent le respect à leurs géniteurs : cela n'empêche pas le franc-parler ni l'affection.

A le lire, on imaginerait facilement Guégan comme un affreux (et charmant) jojo. Derrière le protestataire se cache un homme d'ordre, — d'un ordre enfin acceptable.

26.
Les chroniqueurs

Hussards et mousquetaires ont tous collaboré de façon plus ou moins régulière à des journaux ou à des hebdomadaires. Plusieurs ont été des journalistes professionnels. Nous aurions pu les appeler des chroniqueurs dans la mesure où ils ont vécu dans l'actualité, attentifs aux événements quotidiens et aux détails des mœurs. C'est aussi le cas des écrivains que nous allons présenter maintenant et qui sont parfois plus connus par leurs articles — précisément appelés chroniques — que par leurs œuvres proprement dites.

Au demeurant il est rare aujourd'hui qu'un écrivain qui connaît le succès refuse de répondre aux sollicitations des journaux et de donner son avis impromptu sur tout et n'importe quoi. Parfois on a même l'impression que certains écrivains ont seulement attendu de la littérature qu'elle leur ouvre les portes du grand journalisme et leur permette de mêler leur voix aux débats du jour.

Les meilleurs de nos chroniqueurs font des livres avec leurs articles. Ces articles deviennent alors les pages d'un « journal ». Mauriac n'a pas hésité à publier des recueils d'articles sous ce titre de « Journal » (trois volumes de 1934 à 1940). Dutourd avait intitulé *Petit Journal* la tribune qu'il tenait dans *Candide* (textes réunis en volume en 1969). Mais les œuvres de nos chroniqueurs vont nous retenir davantage que leurs articles.

JEAN-LOUIS BORY

De même que Paul Morand fut l'homme pressé, Jean-Louis Bory est l'homme sous pression. Il semble bénéficier d'un excès de vitalité et ne tient pas en place, s'agite, lance ses phrases sur un rythme extraordinairement rapide et cependant régulier. Il a autant de souffle que de verve.

Voilà un homme qui vit. Est-ce un homme heureux? On le croirait à le voir et à l'entendre (à l'entendre à la radio, à le voir à la télévision). On en est moins sûr quand on le lit.

On pourrait penser que son amour de la littérature fut rapidement récompensé : jeune agrégé de lettres, il obtint à vingt-six ans le prix Goncourt avec *Mon village à l'heure allemande* (1945). Ce coup de chance lui apparut bientôt comme un coup de malchance. On le lui fit payer cher : ses livres suivants furent accueillis avec sévérité. C'est par des ouvrages de critique et d'historien que ce conteur-né devait, par la suite, s'imposer comme un des écrivains les plus doués d'aujourd'hui : sa biographie d'*Eugène Sue* (1962) et son recueil d'essais, *Tout feu, tout flamme* (1966).

Bory est bien content qu'on aime ses critiques. Toutefois, ce balzacien a l'ambition de nous donner une « Comédie humaine », comme en témoigne le regroupement de tous ses ouvrages de fiction sous le titre général *Par temps et marées.*

Dans la liste qu'il a établie, ses romans et ses nouvelles sont classés dans l'ordre chronologique des histoires racontées et non dans l'ordre où ces histoires furent écrites. En tête vient *L'Odeur de l'herbe* (1962).

Ce roman, qui se déroule au rythme des saisons, commence dans la nuit du 22 au 23 pluviôse an VII (10-11 février 1799) et s'achève dans l'après-midi du 15 germinal an IX (5 avril 1801). Ces dates donnent à penser qu'il s'agit d'un roman historique. Le tout est de savoir ce qu'il faut entendre par « roman historique ». Bory n'a pas mis en scène des personnages qui ont laissé un nom fameux dans l'Histoire, il nous parle des habitants du village de Jumainville, lequel village est son Chaminadour. En d'autres termes, au lieu de vous présenter des personnages qui font l'Histoire, il s'est placé du côté de ceux qui la subissent.

Alain disait du *Lys dans la vallée :* « C'est l'histoire des Cent-Jours vue d'un château de la Loire. » Dans cette optique, *L'Odeur de l'herbe* est l'Histoire des derniers mois du Directoire et des premières années du Consulat vue d'un village beauceron. Cette histoire n'a rien à voir, on le pense bien, avec celle que nous proposent les manuels scolaires, qui ne retiennent que des faits et des dates habilement choisis pour donner l'illusion d'une continuité logique des événements. Dans la réalité vivante, les choses se passent autrement : la plupart des gens poursuivent une petite aventure personnelle qui n'a que de lointains rapports avec ce qui sera plus tard l'Histoire officielle de l'époque et qui, pour l'instant, reste une masse informe d'événements divers. Ces rapports existent cependant : les habitants de Jumainville dépendent de cette Histoire qui a l'air de se jouer en dehors d'eux. Ils font partie de ce matériel humain dont les hommes politiques et les militaires ont besoin pour mener à bien (ou à mal) leurs entreprises. Ajoutons que les petites gens ne sont pas toujours les dupes de l'Histoire et que toute époque a ses malins, ses profiteurs et ses trafiquants.

Bory a eu l'heureuse idée d'insérer dans sa chronique villageoise un abrégé des événements qui se produisent dans le monde au même moment. Il est entendu que les habitants de Jumainville ne peuvent les connaître, car les moyens d'information sont alors limités : ce qu'on appelle l' « actualité » n'existe pas encore au sens où on l'entend aujourd'hui; mais Bory nous livre les « faits historiques » dans un style de téléscripteur : ce sont des communiqués lapidaires comme des dépêches d'agence. Ils donnent au livre un arrière-plan menaçant. Un orage ne cesse de gronder au loin.

Chaque chapitre porte un nom de saison, mais se trouve divisé en un certain nombre de sections qui portent le nom d'un personnage : Gentil-Faraud, Barthélémy Charles et Pierre Champbaudouin. Ce n'est point que le livre soit composé de monologues alternés de ces trois personnages, mais le romancier déplace le centre d'intérêt de sa chronique, suivant les circonstances, vers l'un ou l'autre. Du reste, c'est à un quatrième personnage que Bory a confié ses propres réflexions sur la marche du monde : M. Delanoue, le prêtre marié, qui déclare : « Je n'ai pas perdu la foi : elle a, comment te dire? changé de couleur. Jésus est républicain. L'Évangile, voilà la première Déclaration des droits de l'homme et du citoyen, et l'Église est la vraie révolution. J'entends : la véritable Église. »

M. Delanoue a cru que la Révolution allait réaliser cette véritable Église et c'est pourquoi il a voulu participer à l'aventure. Il a été bien déçu : « Je croyais qu'il suffirait d'avoir raison, qu'en politique le mérite était tout et qu'il suffisait d'en être digne pour exercer le pouvoir... »

Toutefois il reporte ses espoirs sur la génération montante, en particulier sur ce Pierre Champbaudouin, dix-huit ans, fils de fermier, auquel il prête l'*Émile* et *La Nouvelle Héloïse*. Le jeune Pierre est un garçon généreux et prêt à travailler pour une société meilleure. Il s'éveille aux idées et, parallèlement, à l'amour. Les amours de Pierre occupent une jolie place dans le livre. Barthélémy Charles, lui, est un vieux malin : maire de Jumainville, il ménage la chèvre et le chou pour agrandir sa fortune personnelle. Trafiquant de biens nationaux, il a prévu de longue date le retour des émigrés. Pour bien connaître la loi (il faudrait dire les lois, lesquelles se modifient beaucoup dans les périodes troubles), il n'en est pas moins peu recommandable.

Quant à Gentil-Faraud, il a voulu tenter sa chance franchement en dehors de ces lois. Ce jeune brigand appartient à la fameuse bande d'Orgères et il a toutes les séductions que la poésie populaire accorderait à un petit frère de Cartouche. Ce sont les Barthélémy Charles qui permettent qu'on accorde ainsi sa sympathie à quelqu'un qu'on ne voudrait pas rencontrer au coin d'un bois.

L'Odeur de l'herbe est écrit dans une langue savoureuse et drue. Et ce roman coulerait comme de source si Bory n'avait voulu contrarier son jaillissement naturel, pour bien montrer qu'il n'ignorait rien de toutes les techniques à la mode. En conséquence, l'élan créateur paraît brisé en plus d'un endroit et le lecteur est invité à raccorder des épisodes que l'auteur a parfois artificiellement séparés.

Supprimer les présentations de personnages pour être immédiatement dans l'action, changer d'action sans crier gare, commencer un chapitre au milieu d'une phrase, laisser une autre phrase inachevée et passer brutalement à la ligne suivante, faire sauter la ponctuation traditionnelle, intercaler des incidentes, passer de la troisième à la première personne, tels sont quelques-uns des jeux auxquels se livre Bory sans que la nécessité en paraisse toujours évidente. Nous avons l'impression que, si Bory s'était contenté du récit classique et des monologues intérieurs, son excellent roman serait meilleur encore.

Nous en avons assez dit sur le fond pour que l'on comprenne que ce sont les thèmes généraux de *L'Odeur de l'herbe* qui réapparaissent dans *Mon village à l'heure allemande* et aussi dans *Clio dans les blés* (1955). Et, dès *Mon village,* Bory subissait l'attirance des techniques modernes de narration et louchait vers les romanciers américains alors que son tempérament l'apparentait à des auteurs typiquement français comme Marcel Aymé (qu'au reste il aimait beaucoup aussi).

La Sourde Oreille (1958) est encore un roman historique, un témoignage sur l'armée d'armistice. Ce livre nous fait partager la vie du jeune aspirant François-Charles de Hernemont, de décembre 1941 à octobre 1942. Le jeune Hernemont a été nommé à l'île du Frioul, entre Pomègues et Ratoneau. Naturellement, il peut s'en évader assez souvent : il va voir sa mère à Marseille ou son oncle au Mourillon, mais, surtout, il prend des « bains de foule » après la solitude relative de l'île fortifiée, et se montre bien décidé à profiter des occasions de plaisir qui se présentent en chemin. Toutes ces pages constituent une chronique allègre où abondent les pages vives et colorées.

De la chronique, on passe au roman avec l'arrivée dans l'île de Félicien Calife, sous-lieutenant de réserve qui, après un mariage malheureux, a repris du service. C'est un roman psychologique que nous offre, à partir de ce moment, Jean-Louis Bory. Il étudie deux caractères qui s'opposent comme « noir et blanc, soleil et lune, chien et chat »; et, pourtant, une amitié se noue en six mois de vie presque commune. Hernemont appelle lucidité son appétit de jouissance, et trouve brumeuses les aspirations de Calife. Et peut-être sont-elles brumeuses en effet. Hernemont ne commencera à vraiment comprendre Calife qu'après lui avoir fait ses adieux. Il se dit alors qu'il s'est montré bien imbécile. Non, c'est que la jeunesse n'a d'oreille que pour entendre ses propres raisons, et se montre sourde aux propos des autres qui viendraient la déranger.

Ce roman subtil prend place dans la chronique sans qu'on remarque de rupture de ton, et sans que la verve de l'auteur se démente un instant.

La Peau des zèbres (1969) se situe dans l'été et l'automne 1958, époque du retour au pouvoir du général de Gaulle pour régler la question algérienne. C'est la toile de fond. En fait, le livre parle de tout autre chose : c'est la minutieuse reconstitution d'un drame passionnel. On pourrait raconter l'histoire en la maquillant un peu. On dirait alors quelque chose comme ceci : un homme distingué qui approche de la quarantaine (c'est notre vieille connaissance François-Charles) s'aperçoit que la personne dont il est épris le trompe. Cette trahison lui est insupportable. Rappellera-t-il l'infidèle? Il cherche secours auprès de parents et d'amis. Le voici à Cannes où l'accueille un vieux camarade — vieux : à peine plus âgé que lui — mais à la vitalité très amoindrie, amer et sarcastique. Ledit camarade vit avec une jeune personne, rapidement un peu trop aimable avec le nouveau venu. Et que pensez-vous que va faire celui-ci? Saoul de désespoir sentimental, il essaiera d'oublier en acceptant les avances de la jeune personne, et sans croire qu'il porte un coup terrible au vieux camarade.

Ce résumé vaut ce qu'il vaut : Proust a bien changé Albert en Albertine sans rendre tout à fait incroyables les aventures qu'il racontait. Mais Jean-Louis Bory, ici, ne joue pas du tout ce jeu-là. Albert pouvait devenir Albertine parce qu'il n'était que le prétexte de réflexions sur la passion d'amour, tandis que les rapports qu'ont entre eux les personnages de Bory ne sont compréhensibles que par le heurt de psychologies particulières et bien particularisées. En somme, Bory a traité ses héros non pas comme Proust traite Albert, mais comme Proust traite Charlus.

La Peau des zèbres fut présentée comme le premier volet d'un triptyque. Le second a paru sous le titre *Tous nés d'une femme* (1976) et nous y voyons François-Charles, pour se consoler de ses déboires, se livrer à « l'exploration attentive du plaisir ». Bory nous donne une étude de mœurs sans complaisance : sa description des « paradis marocains » a même mis mal à l'aise quelques personnes qui se flattaient de les bien connaître. Un troisième tome devrait nous donner une vue plus riante des amours masculines. Bory annonce que François-Charles connaîtra à la fois les joies du cœur et les plaisirs des sens.

Cette trilogie a amené notre auteur à se transformer dans la presse, à la télévision et à la radio en défenseur des homosexuels. Il a donné aussi un petit livre autobiographique, *Ma moitié d'orange,* où il revendique ses singularités. Ce n'est pas qu'il se sente persécuté, mais il pense pouvoir aider ceux de ses semblables qui n'ont pas la chance comme lui de vivre dans des milieux sans préjugés. Son anticonformisme proclamé lui a valu bien des sympathies. Son livre *Le Pied* (1977), divertissement rabelaisien qu'il n'a pas écrit, mais « parlé » devant un magnétophone, a connu des tirages qui rejoignaient ceux de son prix Goncourt.

Cependant, si une demi-douzaine d'années s'était écoulée entre la publication de *La Peau des zèbres* et celle de *Tous nés d'une femme,* c'est que Bory avait pris le temps d'écrire un gros ouvrage historique : *La Révolution de juillet* (1972). Dans sa biographie d'Eugène Sue, il s'était plié aux règles d'un genre traditionnel. Dans *La Révolution* il utilise un mode d'écriture et des techniques elles-mêmes révolutionnaires. Sous le prétexte qu'il aime le cinéma et qu'il est même un critique professionnel du 7ᵉ art, on a dit qu'il avait écrit son livre comme un film. Il faut bien reconnaître qu'aucun film historique n'a jamais eu la richesse et le bouillonnement d'un tel ouvrage qui joint l'exactitude la plus scrupuleuse à une passion d'adolescent.

C'est pourtant une sombre histoire que nous raconte Bory puisque le soulèvement du peuple de Paris n'a finalement réussi qu'à évincer la monarchie de droit divin au profit de la bourgeoisie. Les révolutions naissent d'abus intolérables, que tolère le pouvoir, mais elles ont toujours été confisquées par un nouveau pouvoir, sourd aux leçons du passé. On voit l'ambiguïté du livre de Bory. Ce chantre de la révolution n'a rien d'un naïf : il croit au bien-fondé des explosions populaires et pense qu'il faut soutenir les opprimés : il n'est pas tellement sûr que les lendemains doivent chanter.

Nous nous demandions s'il était un homme heureux. Paul Morand a répondu que Bory a l'intelligence gaie et la violence allègre. Cela permet d'aller de l'avant dans un monde souvent triste et pesant.

JEAN DUTOURD

Jean Dutourd ne peut se plaindre — il ne se plaint pas — d'avoir jamais rencontré l'indifférence. Dès son premier livre, *Le Complexe de César* (1946), où il manifestait avec la fougue de ses vingt-cinq ans un tempérament de moraliste, il a suscité des réactions contradictoires, allant de la franche admiration à l'agacement et au dénigrement. Son style a dès le départ été vif et mordant. C'est donc ses idées qui ont heurté certains lecteurs et peut-être surtout l'assurance avec laquelle il les exprimait.

Son goût pour les idées n'a pas fait de lui un philosophe au sens moderne. Il est philosophe comme le furent Voltaire et Diderot, en s'intéressant à la psychologie de la vie quotidienne et aux mœurs du temps, et en réagissant aux grands et petits événements de la vie publique. Dans le domaine de l'essai, il écrit des textes brefs dans la lignée des *Mélanges* de Voltaire. Dans le domaine de la fiction, il renoue avec la tradition de *Jacques le fataliste*. Il excelle aussi dans le conte moral ou immoral.

Son premier roman fut un savoureux roman-conversation, *Le Déjeuner du lundi* (1947) où sont rapportés et commentés des propos échangés avec son père et son oncle au cours des repas qui les réunissaient tous les trois au début de chaque mois.

Une tête de chien (1950) raconte les aventures d'Edmond du Chaillu, qui naquit avec une tête d'épagneul. On ne pense pas du tout à Kafka, qui était l'auteur à la mode quand le livre parut, mais plutôt à Marcel Aymé. Et c'est encore Marcel Aymé que l'on peut évoquer à propos d'*Au bon beurre* (1952) d'où date la célébrité de Dutourd. Ce livre appartient au genre que l'on appelle « vengeur » et dont relèvent *Uranus* et *La Tête des autres*.

Dutourd s'en prend aux nouveaux riches de la dernière guerre que l'on appela les B.O.F. (Beurre, Œufs, Fromages). Il nous raconte dix ans de la vie d'un crémier (1940-1950) et, parallèlement, dix ans de la vie d'un agrégatif. Ce dernier tire à la fin la morale du roman, en disant : « Mon fils sera crémier. »

Jean Dutourd n'oppose nullement la « belle mentalité » du marché noir aux austères vertus universitaires : son agrégé est un assez piètre personnage. Dutourd dit, d'ailleurs, qu'il ne prend pas parti. Mais ce n'est pas vrai, il prend le parti du lecteur, à supposer que le lecteur soit vous ou moi qui n'avons jamais fait de marché noir, n'avons pas adhéré à la Légion ou servi à la Milice. Ce parti du lecteur est le parti du bon sens, mais aussi de la bonne humeur et nous retrouvons ici toutes les histoires et plaisanteries qui nous remontaient le moral, comme on dit, dans les jours sombres. On retrouve jusqu'à des contre-pèteries comme : « Ne dites pas Métropolitain mais Pétain mollit trop. »

Au bon beurre est une brillante satire. Les traits sont gros, mais ils ne déforment pas. L'exagération de Dutourd va dans le sens de la sagesse populaire : il faut toujours exagérer un peu pour faire bien voir. *Au bon beurre* est une chronique qui a parfois des allures de revue et Jean Dutourd se rapprocherait assez des chansonniers de Montmartre si ceux-ci avaient autant d'esprit qu'on leur en prête.

Dutourd nous présente une humanité peu reluisante. Son « homme nouveau », le crémier Poissonnard, est un égoïste qui sait reprendre à son compte les lieux communs qui l'arrangent. Il ne laisse pas d'être patriote. Mais, s'il manque d'imagination, il a le sens des réalités. Et c'est sur ce point que l'idéaliste Lécuyer lui est le plus opposé. Lécuyer n'est, du reste, nullement représentatif des « intellectuels ». Il est plutôt la caricature de nos propres bons sentiments.

Après ces scènes de la vie des Français que consulteront avec profit les futurs historiens, Dutourd publia *Doucin* (1955), scènes de la vie privée d'un de nos contemporains, un employé de banque assez médiocre, sur bien des points notre semblable, notre frère, ô hypocrite lecteur!

Le malheur de Doucin est de se réveiller tous les matins à cinq heures et de ne se rendormir qu'à six heures.

« Je m'appelle Doucin, Fernand, Gérard. C'est « Fernand Doucin » qu'on dit toujours; le prénom Gérard ne m'a jamais servi, sinon sur les pièces officielles. Quelle prudence, mes parents, de m'avoir donné deux prénoms! A cinq heures du matin, je suis Gérard, à midi Fernand. Gérard Doucin est un être bizarre : il est né adulte, il y a trois ans environ. Je ne le connaissais pas. Tout s'est passé comme si, un beau jour (ou plutôt une affreuse nuit), je m'étais dédoublé. Il y a trois ans, Gérard Doucin a ouvert les yeux. Depuis, il mène une existence de vampire. Il existe une heure par jour, pendant laquelle il se repaît de ma vie et souffre. Je conserve ce monstre en moi comme le docteur Jekyll recélait dans son âme l'abominable Mr Hyde; je le hais, mais il faut que je le supporte. »

Dans la journée, Doucin n'est pas malheureux, tout au contraire. Bien qu'il n'ait pas une grande vitalité, il se laisse emporter par la vie. A cinq heures du matin, la vie lui remonte à la gorge et il ne peut même pas la vomir une bonne fois. Il la lui faut remâcher sans fin.

Les heures de crise que traverse Doucin, il semble bien que chacun les ait traversées. Cela s'appelle insomnie et tout simplement fatigue. On y assiste à une déformation du réel où les moindres incidents prennent une importance démesurée. On raisonne, on ratiocine, on est la mouche sur le papier gluant. Jean Dutourd a bien montré le côté grotesque, mais sans masquer le côté tragique de la situation.

La lecture de ces livres moqueurs ne nous préparait pas à voir l'auteur se transformer en chantre de la patrie. Il le devint en publiant *Les Taxis de la Marne* (1956) où il déclare vers la fin : « Me voici, méconnaissable à mes propres yeux, incarnant à l'extrême tout ce qui me faisait horreur il y a dix-huit ans. » Mais, en 1938, la France était une grande puissance. Aujourd'hui, Dutourd rêve de ce qu'elle fut : « Je suis vraiment l'homme d'un autre âge : non seulement je ne conçois pas le monde sans la France, mais encore je ne conçois pas que le monde puisse être mené par une autre nation. » (P. 253.) Il refuse absolument de voir qu'en quatorze déjà l'armée française aurait été battue par l'armée allemande si elle s'était trouvée toute seule devant elle. Nous avons été conduits à la défaite en quarante par la faute de nos lamentables chefs (civils et militaires) et par le relâchement des mœurs. Et nous n'avons pas su, après la Libération, opérer un redressement qui nous aurait peut-être permis de conserver notre empire colonial. L'anticonformisme de Dutourd le poussait jeune homme à montrer un esprit frondeur (parce qu'un ordre solide existait), le même anticonformisme l'oblige désormais à exalter les vertus de l'ordre (puisque nous sommes dans une époque d'abandon où toutes les anciennes valeurs sont bafouées).

Les Taxis de la Marne sont un beau livre, mais Dutourd l'a très bien nommé « poème » : il y chante une France « mère des arts, des armes et des lois » dont la plupart des Français se soucient peu. Elle existe pourtant et c'est même elle qui a longtemps assuré — et qui assure encore tant bien que mal — le prestige de notre pays à l'étranger. Dutourd se contenterait peut-être de chanter les arts, s'il ne savait qu'un pays sans armes et sans lois est fatalement amené à disparaître. Il n'est que trop vrai que la culture française n'a rayonné sur le monde que lorsque la France était une grande puissance.

Il existe aussi une France des marchands, des affairistes, des financiers, des propriétaires et des exploiteurs en tous genres. Celle-là, Dutourd ne s'y intéresse pas. Et c'est ici que beaucoup de critiques et de lecteurs se méprennent à son sujet. Ses éditeurs eux-mêmes lui ont parfois joué un mauvais tour en le présentant comme le « porte-parole de la majorité silencieuse ». Ce fut le cas quand il publia *L'École des Jocrisses* (1970) où il nous faisait part de ses idées sur les sujets à la mode : jeunesse, révolte, langage. Dans un hebdo progressiste, Claude Roy conseilla la lecture de ce livre, en le désignant comme le « bréviaire de l'homme de gauche », entendant par là que l'homme de gauche pouvait y apprendre enfin clairement ce qu'est un homme de droite.

Pourquoi, selon Claude Roy, Dutourd est-il un homme de droite?

1. Parce qu'il pense que, pour l'essentiel, la condition humaine n'a pas changé depuis le fond des temps. L'invention de l'avion et de la moulinette

laisse les grands problèmes sans solution. Le progrès existe dans les sciences — c'est souvent un progrès détestable : exemple la bombe atomique — il n'existe pas dans l'ordre moral.

2. Les diverses sociétés restent à l'image de la nature : les conditions y sont variées et inégales. Prétendre faire régner l'égalité est un leurre. Il faut s'accommoder de ce qui est et de ce que l'on est, au lieu de vouloir tout détruire en déclarant qu'on reconstruira un monde meilleur. Les révolutions n'ont jamais fait progresser l'humanité.

3. Dutourd ne croit pas que les enfants et les adolescents aient des leçons à donner aux adultes : leur pureté n'est que leur néant. Ils n'ont encore rien fait; partant, ils ne sont pas encore compromis. Mais les adultes d'aujourd'hui sont les adolescents d'hier. L'arbre se juge à ses fruits et non à ses bourgeons.

4. Dutourd estime que rien ne s'obtient sans contrainte et sans discipline (tant celles qui nous sont imposées que celles que nous nous imposons). Selon lui, il n'y a pas d'éducation possible sans un certain respect pour les éducateurs.

5. On n'a pas en naissant la notion du bien et du mal. C'est l'éducation et l'expérience qui nous la donnent. Éduquer c'est domestiquer les forces instinctives. L'homme est ainsi considéré comme un animal domestique.

6. Dutourd pense que des civilisations ont disparu parce qu'elles n'avaient plus envie de défendre les valeurs sur lesquelles elles s'étaient construites. Les vaincus ont leur part de responsabilité dans leur défaite. Les peuples heureux entrent en décadence et finissent par céder la place aux barbares.

7. La démocratie qui invite chacun à exprimer des opinions sur n'importe quoi est un terrain plus propice à la bêtise que la monarchie ou l'aristocratie.

Claude Roy omet naturellement de dire que Dutourd regrette essentiellement que le sentiment patriotique se perde chez nous. Il déplore que la France se laisse contaminer dans ses mœurs et son langage par la civilisation américaine dont il déteste le matérialisme. Notre civilisation française pourrait périr par « assimilation », sans intervention de la violence. Mais Dutourd n'exclut pas l'éventualité d'une violence qui viendrait de l'Est : une nouvelle occupation possible et qui en souffrirait? demande-t-il. Le bon peuple, car nos capitalistes sauraient bien filer à l'étranger. La patrie, dit Dutourd, est le bien des pauvres. Il prononce à ce propos l'éloge de la Commune, sursaut patriotique des prolétaires, qui effraya nos bourgeois bien plus que l'arrivée des Prussiens.

Admirateur de la Commune (*Les Taxis de la Marne* sont dédiés à la mémoire de Rossel), Dutourd est, il faut l'avouer, un curieux homme de droite. Il est réactionnaire, ce qui est tout autre chose, car, par sa célébration de la force de caractère, de la grandeur d'âme, de l'honneur et de la vaillance, il doit être honni par cette « majorité silencieuse » qui demande qu'on la laisse profiter tranquillement de sa bagnole, de son téléviseur et des divers gadgets de la société de consommation.

Les opinions de Dutourd rappellent celles d'un Jean Paulhan et, comme Paulhan, son patriotisme l'amène à prendre la défense du français. Les meilleures pages de *L'École des Jocrisses* sont consacrées à l'évolution de notre langue et à sa contamination par les mots étrangers et les mots techniques. Dutourd observe que la bêtise rationaliste du XIXe siècle, telle que l'ont étudiée et fixée Balzac, Flaubert, Monnier et Labiche, a fait place à une bêtise métaphysique. On n'utilise plus un répertoire de lieux communs, on emploie des mots magiques, c'est-à-dire un jargon qu'on n'est pas toujours sûr de comprendre soi-même, mais qui en impose justement par là.

Dutourd propose cette définition de la bêtise : « C'est les idées de tout le monde à une époque donnée. » Elle ne tient pas aux idées exprimées, mais au fait que ces idées ne sont pas repensées. Les gens pensent peu. Ils se contentent de répéter. Dutourd, à la fin de son livre, présente sous forme de dictionnaire *Le Vocabulaire chic de l'homme d'aujourd'hui.* Chacun se sentira visé en lisant tel ou tel article. Mais Dutourd lui-même, dans la conversation, doit se laisser aller à user d'expressions qu'il condamne ici. On n'échappe jamais tout à fait à son époque.

On ne sait s'il faut préférer en Dutourd l'essayiste, le conteur ou le dialoguiste. Mais les frontières sont devenues floues entre les genres. C'est ainsi que Dutourd appelle « roman d'amour » son essai sur Stendhal, *L'Ame sensible* (1959), qui est le développement d'un article qui devait paraître dans *Le Fond et la Forme,* dictionnaire des goûts et des idées de notre auteur, composé à la manière du *Dictionnaire philosophique* de Voltaire (trois tomes parus : en 1958, 1960, 1965).

Le Stendhal qui paraît ici est tantôt Stendhal tel que nous le connaissons, tantôt Dutourd, lequel se confond parfois avec son héros (comme il arrive dans les romans). C'est d'une lecture plus qu'agréable. Il n'est pas besoin d'être toujours d'accord avec Dutourd pour prendre plaisir à ses gloses. Ce serait plutôt le contraire. Dutourd ne déclare-t-il pas lui-même que Mérimée l'émeut aux larmes quand il écrit dans son *H.B. :* « Nous n'avions peut-être pas une idée en commun, et il y avait peu de sujets sur lesquels nous fussions d'accord... au demeurant bons amis et toujours charmés de recommencer une discussion. »

Les Dupes (1959) est le plus voltairien des livres de Dutourd, qui a rassemblé là un conte où il se moque de l'existentialisme sartrien (*Baba ou L'Existence*), une étude pseudo-historique sur un révolutionnaire allemand contemporain de Marx (*La Marche de l'Histoire*), un dialogue entre le diable et un athée, une note sur André Breton, le tout coiffé d'une définition de la dupe. Selon Dutourd, il y a deux positions possibles devant la vie. Soit l'on se dit : « Le monde existait avant moi, c'est donc à moi de plier mes idées et mes sentiments à ses lois. » Soit : « Il n'y a pas de vérité. J'ai seulement une idée de moi que j'imposerai au monde. Je serai ce que j'aurai voulu. » Cette dernière position est celle qu'adoptent les dupes, pour leur malheur, car « on ne trouve le bonheur que dans l'harmonie de soi avec le monde ». Tout cela est assurément plein de bon sens. Toutefois, le monde n'est pas une donnée immuable. Il change au contraire sans cesse. S'agit-il alors de marcher avec son temps? Il ne semble pas que ce soit ce que fait Dutourd. Et croit-il vraiment que les gens mal à l'aise dans notre société ont choisi de l'être?

Avec *Les Horreurs de l'amour* (1963), il revint au roman-conversation ou roman-promenade. Mais cette fois en 750 pages grand format et petits caractères. On y trouve l'histoire d'un député, nommé Roberti, marié et père de famille, qui s'éprend d'une petite secrétaire prénommée Solange. Les sentiments de Roberti ne font que prendre plus de force tandis que ceux de Solange s'amenuisent. Mais le drame viendra d'ailleurs. Le frère de Solange, Valentin, condamne cette liaison et fait des révélations à la femme légitime. Fureur de Roberti qui assassine Valentin et qui, du même coup, brise sa carrière. Tout le monde, à l'époque, comprit de quel fait divers s'était inspiré Dutourd, mais l'intrigue n'était qu'un prétexte à dissertations variées, entrecoupées d'une merveilleuse suite de tableaux parisiens.

Deux autres romans de Dutourd mettent en scène des artistes : un peintre, dans *Pluche ou l'Amour de l'art* (1967), et un écrivain, dans *Le Printemps de la vie* (1972). Il est arrivé que des critiques en rendent comptent comme s'il s'agissait d'essais, alors que les débats d'idées y figurent à titre d'éléments dramatiques. Ces romans sont des chroniques de la vie quotidienne où abondent les portraits et les scènes de comédie. On n'en tourne pas les pages avec fièvre pour savoir ce qui va advenir aux personnages : on s'attarde au contraire à chaque paragraphe parce qu'il contient des notations justes et des remarques piquantes.

Pluche est notre contemporain. Il raconte lui-même son histoire et commence d'une manière bien provocante, en déclarant : « Ma vie est fort bien organisée, étant fondée sur l'égoïsme. » Il nous expliquera très logiquement comment, se devant à son œuvre, cet égoïsme est en quelque sorte sacré. Mais tout le roman nous démontrera que le bon Pluche est tout le contraire d'un égoïste. Nous le voyons aux prises avec des difficultés familiales auxquelles il ne se dérobe pas.

Le ménage de sa sœur bat de l'aile. Son frère se fait rouler dans une affaire immobilière. Pluche apparaît comme un bon génie. Il sacrifie toutes ses économies pour son frère : c'est la cigale volant au secours de la fourmi. Il redonne confiance à sa sœur et se réconcilie avec le beau-frère, ami de jeunesse qui a réussi en prostituant son talent.

Le Printemps de la vie contient une double éducation sentimentale dans le cadre des années trente et, pour le jeune Jacques de Boissy, la transformation d'une ambition axée sur les lettres en passion pour la littérature.

Le livre autobiographique *Le Demi-Solde* (1965) pouvait lui-même être considéré comme un roman d'apprentissage. Dutourd y raconte comment il participa à la Libération de Paris en tant que commandant Arthur et comment il avait espéré en tirer bénéfice. Ses ambitions sociales furent rapidement déçues, mais il allait assez vite trouver sa vraie voie : en écrivant son premier livre, il éprouva le sentiment de « faire son salut ».

Parmi les autres genres littéraires que Dutourd a abordés avec bonheur figurent la fable et le récit d'anticipation.

En composant les « petites drôleries réactionnaires » réunies dans *La Fin des peaux-rouges* (1964) et *Le Crépuscule des loups* (1971), Dutourd a voulu prendre le contrepied des histoires qu'on lui donnait à lire quand il était enfant : on y voyait des souverains cléments, de braves gens dont la bonté ne manquait pas d'être récompensée, des méchants punis, et ainsi de suite. « Autrement dit, tout y contredisait l'expérience, tout y était imposture. » L'enfant lui-même, l'enfant surtout peut-être, car il peut moins se défendre, vit dans un univers d'iniquités. Les niaiseries des récits édifiants ne peuvent le consoler. Dutourd pense même qu'elles accroissent son malheur par la nostalgie d'un monde meilleur. Ajoutons qu'elles sont dangereuses dans la mesure où elles peuvent transformer un enfant crédule en victime de ses bons sentiments.

Par réaction, Dutourd a voulu écrire des contes pour la jeunesse où montrer comment les choses se déroulent réellement « dans ce monde où les financiers sont en général plus heureux que les savetiers, et où les cendrillons épousent rarement des princes charmants ». Il s'agit de veiller à ce que les enfants ne s'habituent pas au mensonge et ne deviennent de plats conformistes.

En vérité, pas plus que La Fontaine, Dutourd n'écrit pour les enfants, mais enfin on pourrait tenter l'expérience de le donner à lire à de très jeunes lecteurs : ils y prendraient plaisir, comme des grands.

Ah! vous voulez peut-être savoir pourquoi ces fables sont réactionnaires? C'est que Dutourd a tenté d'être plus noir qu'Ésope et La Fontaine réunis. Loin de croire aux lendemains qui chantent, il estime que « les maîtres d'aujourd'hui sont plus sournois que ceux de l'Antiquité; les rois d'aujourd'hui plus absolus que ceux du XVIIe siècle ».

Nous retombons ici dans la politique, car, pour certains critiques, être pessimiste est une manière de « défendre les positions acquises », c'est vouloir qu'on ne bouge plus, etc. Chose amusante : on a vu Matthieu Galey, à une semaine d'intervalle, reprocher à Dutourd de ne pas croire au progrès, puis terminer un article sur *L'Ile de Sakhaline* de Tchékhov par cette interrogation : « Quand on a vu Sakhaline, peut-on croire sans défiance au progrès et à la justice des hommes? » En notre siècle, Sakhaline a encore été perfectionné. Pourquoi notre défiance serait-elle moindre?

JEAN CAU

La prière d'insérer de *La Pitié de Dieu* (1961) mentionne que Jean Cau — né en 1925 — possède une licence de philosophie et qu'il a été secrétaire de

Sartre. Mais ce roman obtint le Prix Goncourt et l'auteur s'est présenté ensuite sans autre référence.

On a dit que *La Pitié de Dieu* était une transposition de *Huis Clos* sur le plan romanesque. Il s'agit plutôt de variations brillantes sur la situation que Sartre a imaginée dans cette pièce. Pour commencer, il n'est pas sûr que les quatre hommes réunis dans la même cellule soient coupables des crimes pour lesquels on les a arrêtés. Ou du moins ces crimes peuvent se raconter et s'expliquer de diverses manières, jusqu'à ce qu'on ne sache plus du tout ce que peut être la vérité. Pourtant si : une chose est certaine, ces hommes sont tous coupables, comme nous le sommes tous, notre conscience nous le dit (sans préciser de quoi). Coupables, certes, mais innocents aussi, dans la mesure où nous sommes victimes de nos passions.

Jean Cau nous fait assister à un jeu infernal. Aucun réalisme dans cette fantaisie philosophique, mais une grande sûreté de main.

Jean Cau avait débuté dans les lettres par des poèmes à la Prévert, *Le Fort intérieur* (1948) et un roman à l'américaine (*Maria-Nègre,* 1948.) Il avait poursuivi par de plaisants exercices dans le genre des soties gidiennes, *Le Coup de barre* (1950), un roman d'éducation dans le cadre de Saint-Germain-des-Prés : *Les Paroissiens* (1958) et un documentaire tauromachique : *Les Oreilles et la Queue* (1961).

Après *La Pitié de Dieu,* Jean Cau s'essaya au théâtre. Dans *Les Parachutistes* (1963) il se souvient d'avoir fréquenté Genet et, dans *Les Yeux crevés* (1968), d'avoir traduit Albee. En somme, il donne l'impression d'être disponible et ouvert à toutes les influences. Devant les œuvres contemporaines qui le séduisent, il doit se dire : « Je serais capable d'en faire autant. »

Toutefois, dans *Le Meurtre d'un enfant* (1965), c'est par opposition qu'il s'affirme : l'enfance est le meilleur de l'homme, contrairement à ce que prétend Sartre dans *Les Mots.* Cau ne cite Sartre à aucun moment, mais tout le livre est évidemment dirigé contre lui.

Cau avait cessé depuis quelque temps déjà d'appartenir à la presse progressiste dont il avait été l'un des ténors. Fils du peuple, il ne se sentait décidément pas à l'aise parmi des gens tous venus de la bourgeoisie et qui reniaient à l'envi leurs origines, tout en restant plus éloignés du peuple que quiconque, à la fois par leur genre de vie et par la nature de leurs travaux. Jean Cau formula tous ses griefs contre ses anciens amis dans une *Lettre ouverte aux têtes de chiens occidentaux.*

On ne savait pas bien ce que les malheureux chiens venaient faire dans cette querelle. Mais on constatait que Cau reprenait des arguments qui avaient beaucoup servi et ne versait aucune pièce nouvelle au dossier qu'il ouvrait. Cependant il semblait tout content de proclamer à son tour que la classe ouvrière a perdu son originalité d'autrefois, que les ouvriers de la régie Renault présentent des revendications bourgeoises, que notre bon peuple n'a pas toujours les vertus qu'on lui prête et se montre souvent xénophobe et raciste. Et voici bien ce qui gêne chez Cau : le méchant plaisir qu'il prend à répéter ces tristes vérités, comme à dénoncer les erreurs de ses anciens amis.

Ses pamphlets expriment on ne sait quel ressentiment, quelle rage froide et l'on n'y sent aucune générosité. La hargne et le mépris dominent. Cau se laisse même aller à une vulgarité qui surprend chez un écrivain de talent.

Car on ne peut lui dénier le talent. Celui-ci reste évident jusque dans un roman comme *Une nuit à Saint-Germain-des-Prés* (1977) où Cau n'est pas à la recherche des anciens paroissiens, mais où il prend en filature un vieux poète qui, après avoir chanté que « la femme est l'avenir de l'homme », ne s'émeut plus que pour les travestis (incomplète métamorphose). Cau ne lui reproche pas d'avoir des goûts différents des siens, mais de ne pas les proclamer au grand jour. Ce qu'on n'a pas manqué de reprocher à Cau, c'est de n'avoir pas eu lui-même le courage de citer le nom véritable du poète dont il parle. On doute d'autre part qu'il eût écrit un livre analogue sur Montherlant qu'il fait profession d'admirer.

Tout cela n'est pas plaisant, plaisant. Officier de la police des mœurs, Jean Cau ne doit pas être un homme heureux, malgré ses dons et ses succès.

FRANÇOIS NOURISSIER

Les premiers romans de François Nourissier (né en 1927), *L'Eau grise* (1951), *Les Orphelins d'Auteuil* (1956), *Le Corps de Diane* (1956) sont des études de psychologie amoureuse qui se situent dans la tradition des moralistes français, avec leurs phrases élégantes et claires qui tournent facilement à la maxime. (Il arrive aussi que ce soit la maxime qui se délaie en dissertation.) Le genre était à la mode : l'éditeur des *Orphelins d'Auteuil* nous invitait à voir dans cet ouvrage « l'exemple le plus achevé de ces romans glacés et pudiques que l'on a vu fleurir depuis cinq ans ». Nourissier, pour sa part, se recommandait de Benjamin Constant et on pouvait caractériser son héros en parlant de mobilité, de désabusement et d'impuissance d'aimer.

« La haine, voilà mon sujet », dit le narrateur du *Corps de Diane*. C'est la première phrase du livre. Mais cette haine n'est que la jalousie qu'il éprouve pour tous ceux qui ont connu, avant lui, le corps de certaine jeune personne. Son récit relate l'enquête à laquelle il s'est livré pour vérifier toutes ses craintes et tous ses soupçons. Son plus grand malheur est, peut-être, qu'il est contraint de s'avouer que Diane ne méritait pas tant de peines : de fait, il faut la désirer pour lui trouver de l'intérêt.

Nourissier allait ensuite abandonner le roman au profit de ce qu'il appelle lui-même des chroniques. Dans *Bleu comme la nuit* (1958), il mêle fiction et réalité, à l'exemple du Chardonne dernière manière. Ses personnages de prédilection, après lui-même, sont des jeunes filles (qui lui assurent qu'il ne vieillira pas) et des vieillards (qui furent ses vrais éducateurs). Il a élaboré le personnage de Saint-Lorges à partir de ses souvenirs de grands écrivains :

Chardonne, Morand, et aussi Drieu (qui n'a pas pris le temps de devenir un vieillard).

Dans *Un petit bourgeois* (1963), il passe au pur récit autobiographique, mais il annonce que cet ouvrage prend place, après *Bleu comme la nuit,* dans une série intitulée *Un malaise général.* De là vient la perplexité du lecteur qui se demande si beaucoup de gens se reconnaîtront dans le portrait que l'auteur trace de lui-même. Ce n'est pas le portrait d'une génération et pas même celui d'un petit bourgeois typique : Nourissier nous peint un petit bourgeois en rupture de bourgeoisie. Très exactement, c'est le portrait d'un jeune homme qui n'a su s'insérer dans les cadres qu'on avait préparés pour lui et qui s'est mis à vivre en marge du monde où l'on travaille et où l'on agit vraiment.

La littérature est devenue pour lui un alibi. Permettant la dénonciation des comédies, elle fournit de belles excuses. Nous sommes lucides, disent quelques écrivains, nous ne marchons pas, nous jouons à la rigueur, nous ne nous engageons pas. Ce qui manque au héros de Nourissier, c'est un but quelconque pour échapper à l'ennui. Ce qui le passionne, ce n'est pas comment les choses se font, mais comment elles se défont. Il s'intéresse beaucoup à lui-même et aux moindres détails de sa vie, mais il ne s'aime pas : il va même jusqu'à croire qu'il se déteste. Il forme avec lui-même un de ces couples à la Strindberg qui se haïssent et ne peuvent se séparer.

Certaines personnes ont été scandalisées que l'auteur ait dédié *Un petit bourgeois* à ses jeunes enfants : est-il possible qu'un père veuille laisser une telle image de lui-même à ses fils? Est-il possible qu'il donne des conseils du genre : inutile de se fatiguer, rien n'en vaut la peine, il faut seulement savoir se faufiler dans la vie et payer son passage sur terre le moins cher possible?

Sans doute l'auteur répondra : « Je détruis les idoles, je dénonce toutes les illusions qui m'ont empêché d'être heureux alors qu'au fond j'aurais pu l'être. » Mais il y a autre chose : *Un petit bourgeois* est le portrait d'un vieil enfant, de quelqu'un qui n'a pas su se débarrasser de sa jeunesse au moment où il s'engageait dans la vie d'adulte. Les pages que l'auteur consacre à son expérience de la paternité sont assez terribles et doivent correspondre, portées au rouge, à l'expérience de beaucoup de jeunes ménages. Mais on trouvera émouvante la manière dont la tendresse finit par l'emporter sur l'agacement et sur le désarroi.

Ce livre se veut sincère. Cependant, nous savons que la sincérité peut être encore une comédie. Une certaine rage d'autodestruction peut paraître une nouvelle forme de complaisance envers soi-même. Ainsi, qui n'accepte pas sa médiocrité décrira une extrême médiocrité et trouvera consolation dans l'excès même de cette description devenue imaginaire. Nourissier sait très bien que, lorsqu'on est capable d'écrire un livre comme *Un petit bourgeois,* on n'est assurément pas un médiocre.

Quoi qu'il en soit, ce livre ne lui avait pas permis de liquider tous ses mauvais souvenirs. Il en reprit donc les thèmes, mais cette fois en réintroduisant le roman dans la chronique. Ce fut *Une histoire française*

(1966) où l'enfance racontée est celle d'un nommé Patrice Picolet, né comme l'auteur lui-même en 1927. Le récit de cette enfance est entrecoupé par les méditations et les confidences d'un homme de quarante ans : « Il frotte à la comédie des années anciennes des comédies plus récentes, comme si des étincelles pouvaient jaillir de ces froissements de nuages. »

Eh bien, tout se passe parfois comme si des étincelles jaillissaient. L'enfant explique l'homme, dans la mesure où cet homme a voulu prendre une revanche sur tout ce qui a pesé sur lui autrefois.

Nous faisons connaissance de la famille Picolet, à la veille de la guerre de 1939 : Patrice a une mère et une sœur. Le père est mort. Les Picolet habitent la banlieue : Villemomble, dans un petit pavillon. Mme Picolet aura la fâcheuse idée de se remarier. Elle épousera M. Fallien, riche marchand de vélos. On quittera Villemomble pour une autre banlieue, Maincourt, et le pavillon pour un troisième étage dans un immeuble bien laid. Le jeune Patrice souffre de l'étroitesse de la vie qui lui est faite, et il en souffrira de plus en plus. Laideur du cadre et petitesse des idées qu'on y professe. Un drame familial vient en outre s'esquisser à Maincourt : Mme Picolet découvre qu'une intrigue s'ébauche entre sa fille et son mari. Peut-on dire que la guerre arrange les choses? De toute façon, Mme Picolet veut s'éloigner de son mauvais mari. Patrice a la joie de quitter Maincourt pour Paris. Les Picolet s'installent rue des Écoles. Mais, en mai 1940, c'est l'exode, le départ pour La Baule. Le séjour au bord de la mer, c'est d'abord des vacances pour un enfant, mais la défaite leur donne une couleur nouvelle : « Les vacances en apparence continuaient, mais au fur et à mesure que passaient les jours, c'était moins l'été au bord de la mer qu'une attente. Attente de tout, de tous. Personne ne savait si sa maison, ailleurs, était en ruine ou debout, vide ou pillée... » Le récit de l'enfance de Patrice se termine à l'automne 40. A Paris, Mme Picolet a surtout été frappée par le vide des rues : « Elles sont vides, Patrice, elles sont toutes vides. »

Cette dernière phrase introduit une méditation poursuivie dans les embouteillages du Paris d'aujourd'hui. Mais d'où vient que l'homme de quarante ans ne semble guère plus heureux que le petit Patrice de l'an quarante? Il a réussi sa vie sur le plan social, il a de belles voitures, de belles fréquentations, entreprend de beaux voyages, etc. Pourtant, il n'est pas à l'aise, non seulement dans sa peau, mais dans son pays.

C'est ici que François Nourissier va tenter de justifier son titre *Un malaise général*. Dans son livre, la France est vue « au plus creux de la vague et à la crête, défaite et refaite ». On devine qu'il joue sur les deux sens de ce dernier mot.

La France de 1940 ouvrit les yeux de Patrice sur l'illusion des héritages : « L'été 1940 nous apprit que la gloire n'ouvre droit à rien. » Mais comment oublier tous les rêves que l'éducation avait fait naître dans un cerveau d'enfant? L'auteur est désorienté par une France nouvelle qui, « restaurée », « richarde », semble avoir oublié les valeurs sur lesquelles il avait appris à tabler : « La France de l'âme, dit-il, la France toute gonflée d'âme a fait place à cette active entreprise à laquelle cela réussit de ne plus croire aux nuées. » Et voici soudain Nourissier assez proche de Dutourd.

En réalité, en quoi son histoire est-elle tellement française? Les nouveaux modes de vie qu'il déplore (tout autant qu'il déplorait les idées reçues de la petite bourgeoisie) semblent être adoptées ou devoir l'être partout sur la planète. Nous sommes entrés dans une ère de civilisation industrielle. Faut-il pourtant s'écrier : « Voici les temps morts de l'homme! », comme le fait notre auteur, ou encore : « Voici la vie de l'homme : quelconque, hâtive, semblable. »

Justement, cette *Histoire française* n'est pas quelconque, ni hâtive, ni semblable. C'est un beau livre, où la vigueur des attaques est signe de bonne santé et contredit la fatigue avouée.

La fatigue est un des thèmes que traite le plus souvent Nourissier. Il a même baptisé *La Crève* (1970) un roman qui lui a valu un de ses plus grands succès. Auparavant, il avait publié *Le Maître de maison* (1968) : ce livre, nourri d'expériences de son âge mûr, s'ordonne autour de l'aménagement d'une résidence secondaire et s'élargit en réflexions sur l'aménagement du territoire. Le livre est fait des propos alternés du propriétaire et de l'agent immobilier qui commente les manières d'être de ses clients, mais on a l'impression que c'est l'auteur qui tente de s'observer de l'extérieur avec une ironie à double détente.

Nourissier revint ensuite à son adolescence avec *Allemande* (1973), où il brosse un excellent tableau de Paris dans les dernières années de l'occupation et lors de la Libération. Il s'interdit les images d'Épinal et ne craint pas de démystifier des illustres journées. Son témoignage détruit la légende de « Paris qui n'est Paris qu'arrachant ses pavés », ainsi que chantait Aragon. On sait les liens amicaux qui unissent Nourissier et Aragon. La prise de position de Nourissier n'en est que plus intéressante. L'amusant, c'est que pendant longtemps, Aragon était apparu comme le chantre du réalisme. Ses jeunes amis lui donnent des leçons sur ce point.

Le roman de Nourissier n'est pas seulement une chronique. C'est aussi une éducation sentimentale. On y voit la fascination qu'exercent les grandes familles sur un petit bourgeois. Habiter dans le cinquième arrondissement un appartement dont le couloir est recouvert de linoléum, dans un immeuble sans ascenseur... Quelle horreur! Mais les filles du XVIe ont toutes les séductions. C'est le côté Scott Fitzgerald de Nourissier.

Lettre à mon chien (1975) mêle souvenirs, confidences, réflexions et brèves nouvelles. Le petit teckel nommé Polka va et vient à travers le livre, apparaît, disparaît, et ses entrées et ses sorties donnent au livre son articulation particulière. C'est un animal véritable, peint avec amour et vérité, mais c'est aussi le symbole d'une vie immédiate et pure, tout à l'opposé de la vie que nous menons habituellement : « Un chien peut être fou, abruti, pathétique, encombrant — il n'est jamais *sérieux*. J'en ai ma claque des humains empesés de gravité, des opinions, des consciences, des collisions d'idées, du goût du pouvoir, de la nécessité de paraître... »

Polka est arrivé dans la vie de l'auteur au moment où la comédie sociale et mondaine commençait à lui peser et elle l'a aidé à prendre ses distances. Il ne les a pas encore prises suffisamment, dans cette lettre, pour déchirer quelques pages polémiques où il exprime des vues politiques qui l'ont fait traiter ici et là de « baderne réactionnaire ». Mais le mot baderne convient mal à un écrivain dont le style n'a jamais été plus jeune, plus simple et plus alerte.

Il est vrai qu'il ne faut jamais croire non plus un écrivain quand il déclare qu'il ne participera plus aux querelles du temps. A la *Lettre à mon chien* devait succéder une *Lettre ouverte à Jacques Chirac* (1977).

JEAN D'ORMESSON

Jean d'Ormesson (né en 1925) débuta dans les lettres avec trois petits romans mondains d'amateur distingué et deux « essais sur moi-même », joliment écrits : *Du côté de chez Jean* et *Au revoir et merci*.

Du côté de chez Jean (1959) avait valeur de témoignage sur la nouvelle génération de droite. (Nous parlons de « droite littéraire ».) Pour commencer, il s'agit d'un livre où l'auteur n'est pas sincère une minute. Il ne cesse au contraire d'être spirituel. « Ma stupidité m'atterre » : ce sont les premiers mots. On doit éprouver un certain plaisir à signer une telle déclaration quand on se sait très intelligent, qu'on est ancien élève de Normale supérieure et agrégé de philosophie. Plus loin : « Ainsi va ma vie, au fond sans histoire et ne méritant aucun bruit. »

Dans la prière d'insérer, on lit que M. d'Ormesson donnerait un exemple « d'indifférence passionnée ». En fait, on ne voit ni indifférence vraie, ni vraie passion. Nous prenons plaisir à un jeu très bien mené, à un divertissement d'excellente compagnie.

Nos nouveaux jeunes gens de droite ne sont plus des enfants tristes. Ils reconnaissent qu'on éprouve une évidente joie de vivre, quand le ciel est bleu et qu'on se porte bien, même si par ailleurs le monde est absurde : « Merci de m'avoir fait naître dans un monde qui s'offre à moi. Et ce ne sont pas des justifications que j'irai lui demander comme un comptable. »

On se disait que Jean d'Ormesson, comblé de dons et de privilèges, se serait montré en effet bien ingrat s'il ne s'était avoué content de son sort.

La quarantaine passée, il se lança dans une curieuse entreprise d'érudit : *La Gloire de l'Empire* (1971) qui se présente comme un volumineux livre d'Histoire, suivi d'un appareil critique (avec index des personnages, sources bibliographiques, etc.). C'est la chronique d'une civilisation disparue qui tient à la fois de Rome, de Byzance, de l'Islam. Jean d'Ormesson a situé son empire quelque part entre l'Europe et l'Asie, mais l'on ne peut croire qu'il a spéculé sur notre ignorance de l'Histoire et de la géographie et qu'il a désiré nous faire prendre pour réelle une aventure imaginaire. Tout au contraire, il s'adresse à un lecteur cultivé qui devra s'amuser à trouver sur quels modèles les divers morceaux du livre ont été composés. On a dit qu'il s'agissait d'un jeu de normalien et c'est un peu cela.

Donnons un petit exemple des farces attrapes de Jean d'Ormesson. Il nous dit qu'il est arrivé à Corneille de s'inspirer de l'histoire de l'empire pour écrire ses tragédies et qu'il a fait jouer un *Arsaphe et Héloïse* en 1676. Jean d'Ormesson nous donne quelques fragments de cette œuvre. Écartons l'hypothèse d'un lecteur qui croirait que Corneille a bien écrit un *Arsaphe et Héloïse*. Mais il n'est pas impossible qu'un autre lecteur suppose que les extraits que d'Ormesson nous donne de la pièce sont un pastiche de Corneille. Or il n'en est rien : d'Ormesson s'est contenté de recopier quelques vers de *Suréna* en changeant seulement les noms des personnages. Ainsi le vrai et le faux se mêlent constamment dans ce livre, tout de même que, dans l'index, se succèdent des noms inventés et des noms véritables.

Cette imposante construction est-elle gratuite? L'auteur ne nous propose-t-il qu'un divertissement? Ou bien a-t-il voulu illustrer le principe qu'aime à répéter Pierre Gaxotte : « Il n'y a pas d'histoire, il n'y a que des historiens. » Ce serait une démonstration par l'absurde de la vanité de tous les ouvrages historiques. Au contraire, c'est peut-être l'éloge des historiens qui transforment le chaos des événements fortuits en une aventure cohérente.

Les œuvres n'ont pas manqué, dans le passé, où des auteurs racontaient l'histoire et les mœurs de pays imaginaires. De Rabelais à Michaux, de Swift à Butler, l'invention était poétique ou satirique ou les deux à la fois, mais très franchement. L'originalité de Jean d'Ormesson est de s'être inspiré de doctes ouvrages et d'en avoir imité le style neutre. Jacques Le Goff a pu écrire qu'il inventait l' « histoire-fiction ».

On peut penser aussi aux *Vies imaginaires* de Marcel Schwob et à certains textes de Borges, habile à manier érudition et fantaisie. Mais Schwob et Borges disent ce qu'ils ont à dire en vingt ou trente pages. Il est permis de préférer un sonnet à un poème épique.

Les poèmes épiques sont souvent lourds et fastidieux. Mais il est amusant que ce soit avec un canular que Jean d'Ormesson ait gagné ses galons d'écrivain sérieux. Il allait pouvoir bientôt se présenter à l'Académie française où son nom plaidait déjà en sa faveur et où on l'accueillit immédiatement alors que l'on avait décidé de faire attendre Curtis, Dutourd et Gascar.

Mais Jean d'Ormesson nous réservait la surprise d'une excellente chronique familiale : *Au plaisir de Dieu* (1974). Les lecteurs bourgeois qui adorent les histoires d'aristocrates assurèrent à cet ouvrage un gros succès de librairie et l'on se hâta d'en tirer un feuilleton télévisé.

JEAN-ÉDERN HALLIER

Co-fondateur de la revue *Tel Quel,* Jean-Édern Hallier (né en 1936) fut d'abord séduit par le nouveau roman avant de se convertir en 1968 au gauchisme de luxe. Sans se poser de cas de conscience, il est ensuite passé de *L'Idiot international* (qu'il finança) au *Figaro* de Robert Hersant. Ses idées sont confuses, sa syntaxe et son vocabulaire incertains, mais, dans ses derniers écrits, il se meut à l'aise dans un désuet romantisme des brumes et ne manque pas d'un certain talent de pamphlétaire.

Il ne recule devant aucune clownerie pour faire parler de lui. Par exemple, il fonda un prix littéraire pour couronner un incendiaire et le dota d'un chèque sans provision. Pour fêter le dixième anniversaire de mai 68, il posa sa candidature à l'Académie Française. Signe des temps : alors que jadis un Ferdinand Lop n'obtenait que l'unique voix d'un académicien gâteux, Hallier en recueillit sept. Tous les espoirs de se mettre un jour au vert et de siéger entre Maurice Rheims et le duc de Castres lui sont permis.

27.

Histoires et historiettes

On parle de « littérature parisienne » à propos de certains écrivains qui décrivent de préférence des milieux mondains et qui, dans leurs livres mêmes, se montrent de brillants causeurs, fertiles en anecdotes et en mots d'esprit. Ce sont des observateurs ironiques, passionnément épris de pittoresque, habiles à saisir les traits de caractère, avides de ces « détails de mœurs » (des mauvaises mœurs, bien entendu) qui enchantaient Flaubert. Toute une part de l'œuvre de Proust se range dans cette littérature parisienne, dont Abel Hermant fut jadis le grand représentant. Dans notre après-guerre sont considérés comme typiquement parisiens : Roger Peyrefitte, Philippe Jullian, Ghislain de Diesbach, Jean Chalon, qui sont d'ailleurs tous quatre originaires de province.

Leur intérêt ne se limite nullement à des milieux privilégiés de l'époque présente. Ils voyagent dans l'espace et le temps. Amateurs d'historiettes, ils le sont aussi d'histoires et d'Histoire.

ROGER PEYREFITTE

Philippe Jullian disait que Roger Peyrefitte (né en 1907) était le fils d'une chaisière toulousaine et d'un mauvais prêtre. Il le définissait ainsi d'après ses livres et non au vu de son livret de famille. D'autres personnes ont catalogué Peyrefitte comme flic de la mondaine et des mœurs parce qu'il a publié divers ouvrages, dont les *Propos secrets* (1977), qui ont permis aux fonctionnaires de la Préfecture de police de compléter leur fichier sur diverses personnalités. Au reste, il ne se ménage pas lui-même et confie sans difficulté qu'il avait, dès ses années de collège, le goût de l'espionnage et de la délation. Ce goût-là ne peut guère se confondre avec l'amour de la vérité, d'autant que Peyrefitte accueille sans vérification tous les ragots, pour peu qu'il les trouve drôles ou suffisamment scandaleux.

Là-dessus, on nous demandera pourquoi nous faisons une place à Peyrefitte dans cet ouvrage. Tout simplement parce que, dans son œuvre abondante et inégale, on trouve quelques excellents livres, et tout d'abord son premier roman, *Les Amitiés particulières,* qui parut à Marseille à la fin de l'occupation.

Dans *Les Amitiés particulières* (1944), Peyrefitte a décrit un collège catholique de province comme le lieu d'intrigues amoureuses savamment ourdies, qui n'ont rien à envier à celles que rapportent *Les Liaisons dangereuses,* et l'on a comparé son héros de quatorze ans à un Valmont adolescent. Pourtant, ce n'est pas une Cécile que Georges de Sarre entreprend de séduire, mais un autre élève, encore plus jeune que lui et qui se prénomme Alexandre. La comparaison avec Laclos doit s'arrêter là, parce que Georges de Sarre finit par éprouver un sentiment assez fort pour son petit ami : il renonce à son désir par une espèce de respect devant l'innocence d'Alexandre. Leur amitié restera sur le plan du pur amour. L'histoire finit mal cependant, à cause des adultes, qui interviennent maladroitement et provoquent le suicide d'Alexandre.

D'un point de vue littéraire, quelques petits reproches pouvaient être adressés au livre : quelques longueurs auraient pu être évitées, l'auteur étalait un peu trop son érudition en matière de littérature pieuse et profane et il la prêtait sans grande vraisemblance à plusieurs de ses jeunes personnages. Le style était d'un néo-classicisme qui convenait bien pour les passages satiriques et moins pour les passages poétiques où abondent les fleurs de rhétorique. Mais enfin le livre était une belle réussite. A première lecture, il avait même des allures de chef-d'œuvre.

Certains lecteurs furent choqués par l'esprit moqueur qui s'y manifestait, car Peyrefitte montrait son collège comme une serre chaude où la liturgie elle-même favorisait l'éclosion de sentiments ambigus. Il avait au surplus peint avec délectation un prêtre, le Père de Trennes, qui sans aucun doute eût souhaité n'être pas du tout un père pour ces jeunes élèves. Il s'ensuivit que le livre fit scandale, ce qui n'empêcha nullement le jury Renaudot de le couronner, quelques mois après la Libération de Paris, la guerre n'étant pas encore terminée.

Ceux qui pensaient que Roger Peyrefitte resterait l'homme d'un seul roman ne se trompaient pas. Tous les livres qu'il fit paraître ensuite sous l'appellation de romans relèvent d'un autre genre. En dehors de nouvelles libertines assez médiocres, comme *Mademoiselle de Murville* (1947), il nous a donné des fragments autobiographiques (*La Mort d'une mère,* 1950, un de ses meilleurs textes), des souvenirs de voyage (*Du Vésuve à l'Etna,* 1952) et des chroniques plus ou moins scandaleuses. La faiblesse de celles-ci vient de ce que l'auteur double le reportage ou l'enquête qui en font l'intérêt, d'une intrigue à laquelle on ne croit pas, mais qui lui permet d'inscrire le mot roman sur la couverture. Déjà *L'Oracle* (1948), divertissant « guide d'un petit voyage en Grèce » se trouvait gâché par le récit peu convaincant des amours d'un jeune archéologue.

La première des longues chroniques parut sous le titre *Les Ambassades* (1951) et permit à Peyrefitte de retrouver les forts tirages qu'il avait connus avec *Les Amitiés*. Il conquit un large public qui lui resterait fidèle.

Nous retrouvons Georges de Sarre devenu un élégant diplomate, érudit et tristement libertin. « Il avait constaté que son rêve de faire revivre son ami Alexandre dans sa propre vie était illusoire. » En même temps, il s'était persuadé qu'il ne connaîtrait plus l'amour. Aussi bien ne s'intéresse-t-il plus guère qu'au plaisir. Ni lui-même ni ses aventures n'ont beaucoup d'intérêt. Mais le livre vaut comme satire de la Carrière. On y trouve une suite de scènes courtelinesques et de dialogues nourris d'anecdotes savoureuses.

Le livre est situé à Athènes avant la guerre. Il ne constituait que le début d'un règlement de comptes. Sa vraie bombe contre la Carrière, dont il avait été chassé, Peyrefitte la lança avec *La Fin des ambassades* (1952), non sans prendre une pose avantageuse : « J'ai jugé de mon devoir de quitter les rivages bénis de l'indifférence et de la Sicile pour dire, après tant d'écrivains, mon sentiment sur l'époque que nous venons de vivre et sur les gens qui y ont joué un rôle. »

Le projet semble un peu grave pour un livre qui reste constamment sur le plan anecdotique. Aucune vue d'ensemble. Seulement la petite cuisine d'un grand service diplomatique. Peyrefitte nous décrit un monde clos et qui, paradoxalement, semble aussi fermé aux grands courants de l'époque que le collège des *Amitiés particulières,* Voici bien pourtant les services chargés de notre politique étrangère. Les personnages vivent dans un univers traditionnel et conventionnel. Et Georges de Sarre ne fait pas exception. Nous le retrouvons ici et nous le suivons de la veille de la guerre au lendemain de la Libération. Nous pénétrons à sa suite au quai d'Orsay, où Ribbentrop fut reçu en 1938; au commissariat général à l'Information, dirigé par Giraudoux durant la « drôle de guerre »; au château de Rochecotte et à Saint-Étienne-de-Chigny, en Touraine; à Vichy et enfin à la Délégation générale du Gouvernement français dans les territoires occupés.

Peyrefitte s'attache aux petits côtés pittoresques des individus. Il ne présente que des fantoches grotesques. A ce point que l'on est surpris de rencontrer un homme véritable. Et c'est Benjamin Crémieux, que l'on entend vouer aux gémonies un grand poète catholique qui écrivait des odes au Maréchal et « présidait le conseil d'administration d'une société fournissant des moteurs d'avions à l'Allemagne. » (p. 217)

Dans les chroniques de Peyrefitte, on ne sent jamais la personne réelle et vivante derrière le personnage. Même Mlle Crapote, surnommée Crapucelle d'Orléans, reste une charge (très réussie en tant que charge). On est obligé de penser que même un homme intelligent peut avoir des travers ridicules. Ce n'est pas bien peindre que de ne peindre que les petits côtés. Néanmoins, ces petits côtés ont leur intérêt. Si Peyrefitte ne rappelle guère Saint-Simon, il est vrai qu'il se montre souvent digne de Tallemant des Réaux. C'est ici un très grand compliment que nous lui adressons.

Les autres chroniques de Peyrefitte, enquêtes et reportages intitulés *Les*

Clés de Saint-Pierre (1955), *Les Chevaliers de Malte* (1957), *L'Exilé de Capri* (1959), *Les Fils de la lumière* (1961), *Les Juifs* (1965) ne relèvent plus guère de la littérature. Et les ouvrages sur « Manouche » et sur Fernand Legros n'en relèvent plus du tout.

Il en va différemment pour *Notre amour* (1967), récit autobiographique. Peyrefitte veut-il y prouver quelque chose? Oui : « Cet amour que j'ai nommé " impossible ", nous dit-il, me semblait le privilège de l'enfance. Il m'était réservé de me donner mon propre démenti. »

La lecture du récit peut produire une tout autre impression. L'aventure qu'il nous conte finit en effet très mal, « un naufrage », reconnaît-il, et de manière à donner raison à la moralité courante.

Peyrefitte, au cours d'une visite dans un collège religieux, rencontre un garçon qui l'admire secrètement. L'entente tacite est immédiate. Peyrefitte donne son adresse et reçoit, peu après, la visite espérée. Bonheur parfait. Le garçon revient d'abord régulièrement, envoie des billets ravissants, puis espace ses visites sous des prétextes divers. On fait du moins des projets pour les vacances, mais les vacances seront un enfer : l'homme et le garçon se trouvant tous deux à Naples, le garçon ne se manifeste que par des lettres et encore pour demander de l'argent (à verser poste restante). Il avait précédemment demandé cent mille francs, à Paris (et volé, semble-t-il, un stylo de marque). Il demande cette fois deux cent cinquante mille lires. En fait, il a maintenant un ami de son âge. Et c'est la fin de cet amour. On apprendra, dans un épilogue, que le garçon est allé ainsi d'ami en ami, qu'il n'a pas été digne de la haute idée de l'amour que son aîné avait cru lui enseigner.

Peyrefitte déclare qu'un an et plus de bonheur, « c'est beaucoup dans le monde de l'amour impossible, et c'est presque un rêve. » Mais qui ne remarquerait que le jeune garçon n'a tiré aucun profit spirituel de son commerce avec un aîné, sinon l'art de tourner de jolies lettres? « Quant à mes études, dit-il à la fin, il n'en a évidemment pas été question. » C'est-à-dire qu'il a renoncé à passer ses examens. Sa juvénile liberté de mœurs aura bel et bien gâché sa vie.

Le récit du « naufrage » constitue le meilleur du livre. Peyrefitte parvient à nous émouvoir, après nous avoir agacé quelque peu dans la première partie avec les éléments épars d'une « défense et illustration de l'amour grec ». Non content de citer Platon, Shakespeare et Michel-Ange, il prétend, selon une méthode utilisée dans un livre précédent, annexer tous les hommes célèbres, de Molière à Napoléon, qui deviennent des « pédérastes inconnus ».

Dans son dernier ouvrage, Roger Peyrefitte est revenu à Alexandre, non pas le petit héros des *Amitiés particulières,* mais à Alexandre le Grand. Le premier volume *La Jeunesse d'Alexandre* (1978) a rempli d'admiration les journalistes parisiens, stupéfaits par l'érudition qu'un tel ouvrage suppose. C'est une vie romancée et non pas un livre d'Histoire que Peyrefitte a entrepris d'écrire. La documentation mise en œuvre est imposante, mais pesante aussi.

PHILIPPE JULLIAN

Philippe Jullian (1919-1977) était un homme comblé de dons. Il mena une double carrière d'écrivain et de peintre. Comme écrivain, il cultiva des genres très divers, tour à tour romancier, historien, essayiste, critique d'art, pasticheur et même auteur d'un dictionnaire (*Le Dictionnaire du snobisme*). En somme, un écrivain-orchestre. Quant à l'homme, il était bien caché. Il s'effaçait au profit de ses personnages, réels ou imaginaires. Mais il nous a quand même fait quelques confidences dans un étincelant petit livre intitulé *La Brocante* (1975), qui pourrait être rapproché des *Portraits-Souvenir* de Cocteau. Jullian n'est nullement un disciple du poète, mais il possède lui aussi le génie des formules ramassées et il est capable d'illustrer ses textes par des dessins et des caricatures d'un style tout à fait original. *La Brocante,* tout comme *Portraits-Souvenir,* est un livre qui se lit et qui se regarde. C'est donc un livre-objet.

Les objets étaient précisément la passion de Jullian. Comment cette passion est-elle née et comment elle s'est développée, c'est ce que l'auteur nous raconte d'abord.

Deux grand-mères ont régné sur l'enfance de Jullian : la grand-mère paternelle était une gaillarde de mœurs assez libres; la grand-mère maternelle était la fille très digne de l'académicien Camille Jullian, l'historien des Gaules. Le jeune Philippe les aimait beaucoup toutes les deux, mais, après le divorce de ses parents, il fut entièrement « récupéré » par les Jullian, au point qu'il allait porter désormais le nom de jeune fille de sa mère, abandonnant celui de son père. Une part de lui-même restait déterminée par l'hérédité paternelle, bien entendu, mais son code de l'honneur serait celui des Jullian. Il désigne ainsi les valeurs qu'il ne discuterait pas : l'Histoire et les collections, l'Académie française et les familles bordelaises. Bordeaux, sa ville natale, resta toujours pour lui un modèle d'urbanisme.

L'influence du grand-père académicien semble avoir été des plus importantes : « Nulle poursuite ne me paraissait plus admirable que l'Histoire, aucun jouet ne valait ses épaves les plus infimes. » Les objets, considérés sous l'angle de l'Histoire, sont le support d'une rêverie. Ils permettent « une communication quasi médiumnique avec le passé ». Ce goût du passé aurait pu conduire Philippe Jullian à devenir historien lui-même et il l'est devenu d'une certaine manière. En fait, ce fut pour raconter des vies pittoresques du siècle dernier ou du début de celui-ci : il note lui-même avec un sourire qu'il y a loin de Vercingétorix à Montesquiou. Toutefois, il s'agit bien d'époques révolues.

Ce qui compta beaucoup aussi pour l'enfant Jullian c'est la nostalgie qu'éprouvait sa mère pour une maison de famille, située à Pessac, et qu'il avait fallu abandonner. La mère parlait de la maison de Pessac comme du paradis perdu. Les meubles de l'appartement de Bordeaux étaient ce qu'on avait pu sauver d'un grand naufrage. Le jeune Philippe rêva beaucoup de la maison perdue et un de ses désirs fut de pouvoir acquérir un jour une maison-refuge. Il en posséda une à Senlis avant d'emménager dans un moulin qui fut détruit par un incendie peu avant que Jullian décide de disparaître.

On voit la double origine de l'attachement de Jullian aux objets. Mais il ne s'agit pas de tous les objets : ici intervient le goût qui ne cesse de s'affiner avec les années et au cours de nombreux voyages et séjours à l'étranger. Jullian nous confie que, pendant longtemps, son idée fixe a été l'Angleterre, mais que ce pays a beaucoup perdu maintenant de son charme et de son éclat. Il nous avoue aussi qu'il fut longtemps snob : cela masquait son désir de voir de près non pas tant telles personnes, que les meubles, les tableaux et les bibelots dont ces personnes pouvaient s'entourer et les fastueuses demeures qu'elles habitaient.

Toutefois, le mot « brocante » indique bien que Jullian ne s'intéresse pas seulement à des œuvres d'art dont la valeur est reconnue par tout un chacun. Il sait saluer la beauté et la rareté là où peu de gens se sont avisés de la dénicher. Son livre est un guide pour amateurs éclairés et qui s'éloignent des sentiers battus. Le lecteur sera ébloui par tant d'érudition jointe à tant de non-conformisme. En fait, *La Brocante* s'adresse aux gens qui se répètent les vers du poète : « Objets inanimés, avez-vous donc une âme — Qui s'attache à notre âme et la force d'aimer? »

Jullian ne semblait pas homme à s'abandonner à la mélancolie. Il en subissait pourtant les atteintes, comme le prouvent les pages où il fait allusion à la maison Usher. Et cette mélancolie se transforma même un jour en désespoir et le conduisit au suicide.

Que retiendra-t-on de son œuvre? Ses romans « mondains » (*Gilberte retrouvée, Scraps, My Lord*) sont une dénonciation des vanités du monde et une moquerie du snobisme sous ses diverses formes. Il a tourné en dérision la brillante société internationale dont il était le familier et dont il ne craignait apparemment pas de se faire exclure (*Café-Society,* 1962). Il a pris également pour cibles les grands et petits bourgeois.

Ses dessins et illustrations nous permettent de cerner l'originalité de son talent. Il ne cherche pas le réalisme. Soulignant les bizarreries de ses modèles, il verserait dans la caricature si une certaine grâce poétique n'en faisait un satirique d'un genre particulier que nous qualifierons de féerique. Il y a du poète acrobate chez Jullian. Comme le prouve *Le Cirque du Père Lachaise* (1957), qui est une féerie noire, féerie quand même. *La Fuite en Égypte* (1968) est aussi un bal masqué, souvent grimaçant, mais d'une folle fantaisie.

Ces dernières années, Jullian avait entrepris de nous offrir une série de biographies de personnages marquants de l'époque mil neuf cent : *Un prince 1900* inaugura cette galerie de portraits. Après Montesquiou, Jullian s'intéressa à Jean Lorrain, à Oscar Wilde, à Sarah Bernhardt. Lui consacrera-t-on à lui-même un jour une étude de ce genre? On peut le penser car, très original, il fut à sa manière un témoin de son temps.

GHISLAIN DE DIESBACH

Ghislain de Diesbach (né en 1931) fit de brillants débuts de conteur avec *Iphigénie en Thuringe* (1960) où il peignait les petites cours allemandes et autrichiennes de la fin du XVIIIe siècle et du début du XIXe. Grandes-duchesses et margraves ne résistaient pas à la force de l'amour, mais l'auteur gardait ses distances par rapport au romantisme de ses héros et multipliait les inventions cocasses et fantastiques.

Vint ensuite *Un joli train de vie* (1962), Mémoires imaginaires consacrés à la vie d'une famille provinciale française de 1831 à 1935. « Familles, je vous aime ! » aurait pu s'écrier le narrateur, plus intéressé par la vie de ses ascendants que par le monde contemporain.

Diesbach inaugura sa carrière d'historien par un livre apparemment frivole : *Les Secrets du Gotha* (1964), recueil d'historiettes alertement troussées sur les grandes familles qui régnèrent autrefois sur l'Europe.

Transformé en critique littéraire, il nous proposa *Le Tour de Jules Verne en quatre-vingts livres* (1969) où, paradoxalement, l'auteur de tant de romans d'anticipation est considéré comme le témoin d'un monde disparu, un homme du XIXe siècle, dont il a décrit les mœurs et les aspirations. A propos de Jules Verne précurseur, Diesbach fait remarquer que s'il s'enthousiasmait à l'idée du magnifique avenir ouvert aux hommes par le progrès scientifique, il s'inquiétait aussi des dangers que les merveilles prévues apporteraient avec elles. Dès son premier livre, *Cinq semaines en ballon,* il écrivait : « Cela sera peut-être une fort ennuyeuse époque celle où l'industrie absorbera tout à son profit ! A force d'inventer des machines, les hommes se feront dévorer par elles ! Je me suis toujours figuré que le dernier jour du monde sera celui où quelque immense chaudière, chauffée à trois milliards d'atmosphères, fera sauter notre planète ! »

Que l'époque actuelle ne plaise guère à Diesbach, on n'en doutera pas après avoir lu *Le Grand Mourzouk* (1969), roman de politique-fiction furieusement réactionnaire, où il imagine les bienfaits qu'apporterait un retour aux anciens principes de moralité publique et privée. Livre extravagant et drôle que l'on considéra plutôt comme un divertissement que comme un pamphlet. (Le *Mascareigne* de Dutourd se situe dans la même ligne.)

Diesbach est devenu historien à part entière avec une monumentale *Histoire de l'émigration* (1975). Le livre couvre la période 1789-1814 et prend le contrepied des idées reçues sur les émigrés, lesquels étaient loin d'appartenir tous à la noblesse. Cet ouvrage a été couvert d'éloges et Julien Green en parle à plusieurs reprises dans son *Journal.*

28.

Femmes

Avant-guerre, les écrivains femmes n'étaient pas nombreux et une seule, Colette, bien entendu, était reconnue comme grand écrivain. Entre 1903 (année où il fut décerné pour la première fois) jusqu'en 1944, pas une seule fois le Prix Goncourt ne fut attribué à une femme. Depuis 1944, cinq femmes ont été couronnées : Elsa Triolet, Béatrix Beck, Simone de Beauvoir, Anna Langfus, Edmonde Charles-Roux. Dans cette même période, les académiciens Goncourt ont négligé de saluer Marguerite Yourcenar, Nathalie Sarraute, Marguerite Duras, Françoise Sagan et Christiane Rochefort qui se sont toutes cinq fort bien passé de leur prix. S'ils n'ont distingué aucun ouvrage de Françoise Mallet-Joris, ils lui ont, en guise de réparation, offert un couvert chez Drouant. Au demeurant, Colette elle-même fit partie de l'Académie sans avoir reçu le prix.

On peut dire que c'est depuis 1944 que les femmes ont conquis dans la vie littéraire une place aussi importante que les hommes. Elles ne laissent plus aux hommes le soin de parler d'elles-mêmes et, sur le problème du couple, ce sont elles qui font autorité, comme en témoignent les succès de Benoîte Groult ou de Marie Cardinal. Le nombre des livres publiés par des femmes doit être sensiblement égal à celui des livres publiés par des hommes.

Il y a quelques années encore, les critiques se laissaient aller à grouper les romans écrits par des femmes sous des titres tels que : « Romans féminins » ou bien « Ouvrages de dames. » Beaucoup de femmes écrivains considéraient ce procédé comme injurieux ou tout au moins condescendant. Elles déclaraient que ces étiquettes impliquaient une restriction. Elles réagissaient un peu comme Mauriac ou Green quand on les appelait des « romanciers catholiques ».

L'origine de cette fureur, c'est peut-être que les femmes qui écrivaient autrefois (George Sand représente la plus fameuse exception) se cantonnaient, en France du moins, dans le feuilleton sentimental et conventionnel. « Roman de femme » était alors synonyme de roman rose. Mais il est probable que Colette, grand écrivain, se moquait bien des étiquettes et qu'elle considérait au contraire comme un mérite d'avoir introduit dans la littérature une sensibilité et une sensualité neuves qu'on pouvait dire spécifiquement féminines.

En revanche, il serait ridicule de qualifier de féminins les romans de Marguerite Yourcenar, laquelle, d'ailleurs, prend pour personnages plus souvent des hommes que des femmes.

Les gros tirages obtenus par des romans et des confessions écrits par des femmes posent la question du public. Qui achète ces livres? On admet généralement que les femmes lisent plus que les hommes (c'était sans doute plus vrai quand elles avaient davantage de loisirs qu'eux). Si elles sont curieuses d'ouvrages écrits par d'autres femmes, c'est sans doute pour confronter leur propre vie à la leur. Il y a certes des problèmes propres à la condition féminine et une nouvelle maison d'édition s'est spécialisée dans des ouvrages qui les exposent. Cette maison maintenant prospère s'appelle « Éditions des femmes. » On espère que les auteurs qu'elle publie ne protestent pas contre l'étiquette d'ouvrages de dames. (Mais on est loin du tricot.)

Les femmes se sont-elles jamais vraiment reconnues dans les portraits que des hommes ont tracés d'elles? Depuis qu'elles écrivent librement, on en est venu à penser qu'il serait possible de partager les œuvres en « littérature masculine » et en « littérature féminine », non pas suivant le sexe des auteurs, mais selon la forme de leur sensibilité. Ainsi Racine serait un auteur féminin, alors que Corneille serait essentiellement masculin. Et c'est un ami de Racine qui a donné le plus fameux exemple de littérature féminine : il s'agit de Guilleragues, reconnu aujourd'hui pour l'auteur véritable des *Lettres de la religieuse portugaise.*

En vérité, nos modernes docteurs nous ont appris qu'il existait en tout être une part de féminité et une part de virilité. La littérature a d'ailleurs le mérite d'empêcher que l'on fasse des généralités du genre « les hommes », « les femmes ». Si les ouvrages publiés par les Éditions des femmes reprennent les uns et les autres les mêmes revendications, c'est à propos de situations différentes et de cas particuliers.

Il serait difficile de trouver des points communs aux quatre romancières les plus célèbres de l'après-guerre, sinon qu'elles obtinrent un grand succès dès la publication de leur premier roman. Françoise Mallet-Joris (née en 1930) n'avait que vingt et un ans quand elle publia *Le Rempart des Béguines* (1951) dont on trouva le sujet bien audacieux pour une jeune fille de bonne famille (on y voyait une adolescente séduite par la maîtresse de son père). Françoise Sagan (née en 1935) n'avait pas vingt ans quand parut *Bonjour tristesse* (1954) et l'on trouva également son héroïne bien délurée (pourtant, c'était avec un garçon qu'elle faisait l'amour, mais la vieille morale sexuelle bourgeoise n'avait pas encore été modifiée par les inventeurs de la pilule). Christiane Rochefort fit des débuts beaucoup plus tardifs, mais son premier livre *Le Repos du guerrier* (1958) choqua, lui aussi, quelques vieux critiques (une jeune fille tentait de sauver un alcoolique en se livrant à lui corps et âme). Pour sa part, Christine de Rivoyre a toujours désarmé les censeurs.

Françoise Sagan est la seule de ces auteurs à avoir poursuivi son œuvre sur la lancée de son premier succès. Françoise Mallet-Joris, Christiane Rochefort et Christine de Rivoyre s'engagèrent dans des voies souvent imprévues et leur image de marque devait se modifier aux yeux du public.

FRANÇOISE MALLET-JORIS

Le Rempart des Béguines avait séduit par son naturel et sa tranquille audace. On avait un peu facilement confondu l'auteur avec son héroïne (ce qui est le risque que court tout romancier). On l'avait appelée parfois « Mlle Laclos », ce qui n'avait pas de sens et devait à la fois la flatter et l'agacer.

Cela la flattait puisqu'elle n'hésita pas à reprendre les mêmes personnages dans *La Chambre rouge* (1955), mais les nouvelles de *Cordélia* (1956) annonçaient qu'elle ne s'en tiendrait pas à la peinture de passions exceptionnelles.

Que doit faire un auteur que la critique a placé dans un genre particulier? C'est écrire un livre qui contredise leur opinion. Mallet-Joris réussit l'opération en composant *Les Mensonges* (1956). Cette fois, on l'appela « Mlle Zola. » Décidément, elle n'attirait que des comparaisons flatteuses.

Klaes van Baunheim est un riche vieillard qui entend que tout plie devant sa volonté. Il règne sur une famille nombreuse et divisée. Il est entouré de domestiques et d'obligés, tous respectueux de la puissance de l'argent. Le drame de Klaes sera de rencontrer deux êtres qui oseront se révolter. Ces deux êtres sont une ancienne maîtresse, Isa, et la fille, Alberte, qu'il a eue d'elle.

Alberte a vingt ans. Klaes l'a recueillie chez lui quelques années plus tôt. Il ne l'a pas reconnue et peut-être un jour sera-t-elle rejetée à la rue. Quant à Elsa, elle mène dans un bas quartier une vie d'ivrognesse à moitié folle. Klaes craint un scandale. Il offre à Elsa de l'argent pour qu'elle quitte la ville et, comme elle refuse, il parvient à la faire enfermer dans un asile.

Alberte ne se pardonne pas d'avoir laissé Klaes se débarrasser d'Elsa comme il l'a fait. Elle n'a pas oublié le milieu dont elle sort et celui où elle vit maintenant l'éblouit et lui fait peur à la fois. Ses incertitudes intriguent et inquiètent Klaes qui, pour se l'attacher, finit par décider de l'adopter. Mais Alberte refuse et Klaes en meurt de saisissement. La jeune fille perd une fortune et même le jeune homme auquel elle s'était donnée.

Le quatrième roman de Mallet-Joris, *L'Empire céleste* (1958), se situe également dans la lignée de l'école naturaliste, ce qui lui valut l'attention des académiciens Goncourt qui laissèrent pourtant aux dames du Fémina le soin de couronner le livre.

Les personnages principaux sont les copropriétaires d'une maison de la rue d'Odessa, sise près de l'ancienne gare Montparnasse, à Paris. Au rez-de-chaussée de l'immeuble se trouve un petit café-restaurant, à l'enseigne de L'Empire céleste. C'est là que tous les lundis se réunissent les copropriétaires pour discuter de leurs problèmes de gérance. Ils agitent également des questions d'art et de littérature. On dira sans doute que de telles réunions sont assez peu vraisemblables, mais nous sommes à Montparnasse, ne l'oublions pas. Le patron du café est un Grec vaniteux qui précipite sa ruine en cherchant à la camoufler. La concierge voudrait établir sa fille, jolie adolescente qui prétend écouter son cœur et préfère un petit photographe pauvre à un protecteur sérieux. Un jeune peintre abstrait est l'ami d'un vieil antiquaire qui se moque des fausses interprétations qu'on peut donner à leur liaison. Un docteur émigré se laisse aller à rendre à ses clientes des services illégaux. N'oublions pas une assistante sociale, auteur d'une « Ode aux objecteurs de conscience » et véritable sainte laïque. Et puis, voici le faible et tuberculeux Stéphane, second Prix de Conservatoire devenu pianiste d'après-midi à la Brasserie dorée, et qui se trouve aux prises avec deux femmes : sa femme Louise, à qui ses charmes procurent de substantiels revenus, et Martine, jeune fille laide, vendeuse à Prix-Unique et dont il a conquis l'esprit. Car Stéphane, musicien raté, mari complaisant, joue au bel esprit, prend des poses, débite de nobles phrases et trace dans un journal intime un idéal portrait de soi. Il cherche à se tromper lui-même plus encore qu'à donner le change aux autres.

L'histoire de Stéphane qui pourrait, elle aussi, s'appeler *Les Mensonges,* se greffe sur le roman du genre *Pot-Bouille* et c'est peut-être pour la conter que Mallet-Joris a écrit tout *L'Empire céleste.* Stéphane se cache à lui-même sa faiblesse. Martine, qui ne supporte pas la contradiction entre ce qu'il lui parut être et ce qu'il endure dans sa vie conjugale, montera tout un complot avec les copropriétaires pour l'obliger à quitter Louise et le confort qu'elle lui assurait. Le malheureux, contraint de regarder sa vérité en face, en mourra.

Après avoir été Mlle Laclos et Mlle Zola, que souhaiter d'être? Mallet-Joris se tourna vers un passé plus lointain. *Les Personnages* (1961) se présente sous les apparences d'un roman historique : « Des amours royales, des complots, une conversion, une jeune et jolie nonne... Il y aurait, dit le cardinal, une bien jolie pièce à faire de tout ceci. » Le livre s'ouvre sur cette phrase, mais le lecteur comprend vite que Mallet-Joris n'a pas cherché à rivaliser avec Dumas père. Elle n'a pris à l'Histoire, à la petite histoire, qu'un prétexte, et ses héros lui appartiennent en propre, ainsi que le jeu qu'ils mènent. Il est même possible qu'elle n'ait rien écrit de plus personnel.

Mallet-Joris nous entraîne dans un univers d'intrigues pour nous peindre une héroïne qui refuse de participer à ces intrigues. Nous sommes à la cour de Louis XIII. Louise de La Fayette est depuis quelque temps la favorite du roi qu'elle aime sincèrement. Il s'agit d'ailleurs d'une idylle chaste. Aimer et être aimée, voilà qui lui suffirait. Elle voudrait rester la gentille personne qu'elle est, mais on veut la contraindre à jouer un personnage : dès qu'on appartient à la Cour, il faut se décider à choisir entre le parti du cardinal et le parti de la reine. Louise de La Fayette se refuse à ce choix. Elle peut bien n'avoir d'autre ruse que son innocence : elle n'en paraît que plus dangereuse si l'intérêt ni les passions n'ont de prise sur elle. Elle n'est pas un pion qu'on pourra manœuvrer aisément, elle est donc encombrante et c'est pourquoi il faut la soumettre ou l'évincer de l'échiquier : « Il s'agit, dit le cardinal avec netteté, de lui faire sentir qu'il n'y a pour elle que deux solutions : nous ou le couvent. » Ce sera le couvent. Le livre raconte comment le cardinal, avec l'aide d'un jeune abbé ambitieux, donné comme confesseur à Louise, parviendra à décider la jeune fille à réclamer d'être admise au couvent. On s'interrogera pour savoir si c'est une véritable vocation qu'il a suscitée en elle. L'histoire pourrait s'intituler : « Louise de La Fayette, ou La Vocation forcée. » On peut penser que les épreuves qu'elle a traversées ont mûri Louise : c'est peut-être en ce sens que, dans sa cellule, elle dit posséder maintenant une âme.

Tout lecteur étant censé savoir que Louise de La Fayette a fini sa vie au couvent, Mallet-Joris n'a nullement cherché à nous laisser un doute sur le dénouement de la situation qu'elle présente. Dès le second chapitre, nous voyons Louise méditant dans sa cellule. Cinq méditations coupent le livre et délimitent l'espace romanesque qu'a voulu couvrir Mallet-Joris. Elle s'est proposé d'étudier un « passage », la transformation capitale survenue en une jeune fille très simple et droite qui n'a pu s'accommoder des règles du milieu où elle aurait dû vivre. Si la religion joue ici un rôle, et même un rôle très important, il est clair cependant que l'histoire de Louise de La Fayette est au fond celle de tout être neuf qui se brise contre une société avec laquelle, par honnêteté, elle refuse de pactiser.

Les règles de la chronologie, nous l'avons vu, ne sont pas observées : on fait des bonds tantôt en avant, tantôt en arrière, dans le temps. Les scènes dialoguées, les scènes d'action ne sont pas seulement interrompues par les méditations de Louise mais par ses rêveries ou des réflexions des divers acteurs sur leur propre vie et leur propre caractère. Ce sont des « monologues intérieurs » qui permettent de décrire les personnages en profondeur, de leur donner une épaisseur qu'ils ne semblaient peut-être pas avoir d'abord. Mallet-Joris nous montre comment on existe à différents niveaux de conscience : nos actes ne sont pas toujours ceux que semblaient appeler nos sentiments, mais généralement, en tout homme, le personnage l'emporte sur la personne. Dure vérité.

Ayant manifesté sa liberté vis-à-vis des genres et des époques, Mallet-Joris pensa que le moment était venu de se montrer sans masque. Ce fut l'essai *Lettre à moi-même* (1963), qui marquait son retour — peut-être provisoire — à des valeurs chrétiennes traditionnelles. Mais, dans l'examen de la tradition, elle se découvrit plus sensible à l'hérésie qu'à l'orthodoxie, ainsi qu'en témoignent *Trois âges de la nuit* (1968), qui relatent des histoires de sorcellerie.

L'équilibre qu'elle avait trouvé dans sa vie personnelle, Mallet-Joris en témoigna dans *La Maison de papier* (1970), qui allait connaître un retentissement exceptionnel dans le grand public. *La Maison de papier* occupera-t-elle, dans l'œuvre de Mallet-Joris, la place privilégiée de *La Maison de Claudine,* dans l'œuvre de Colette? A vrai dire, la maison de Claudine, c'était plutôt la maison de Sido, la maison d'enfance aux murs solides. La maison de papier, c'est bien la maison de Françoise, un appartement parisien où la place est mesurée. Mais, dans les deux maisons, celle de Françoise comme celle de Claudine, il y a beaucoup d'enfants.

Colette présentait son livre un peu comme un recueil de nouvelles. Mallet-Joris a adapté la forme de chronique familière qu'a illustrée Jouhandeau. Il ne s'agit pas d'un journal intime, mais d'une suite de scènes, portraits, réflexions, le tout formant un tableau de l'existence quotidienne dans un ménage d'artistes. Livre infiniment varié et toujours attachant.

Les enfants tiennent la place centrale. L'auteur dialogue avec eux sur tous les sujets et sans doute se montre-t-elle bonne éducatrice, mais elle retire elle-même grand profit de ces échanges de points de vue : les enfants vont souvent droit à l'essentiel que nous négligeons.

Il est aujourd'hui difficile d'avouer que l'on est heureux — quand on l'est — parce qu'on vous jette aussitôt à la face toutes les misères du monde. Vous êtes alors un bel égoïste. La religion qui donne l'espoir permet la joie à défaut du bonheur, des instants de joie, et c'est une jolie page de *La Maison de papier,* celle où l'auteur s'écrie, après une répétition de chant, à l'époque de Noël : « Au fond, on n'est fait que pour chanter. »

Ayant réussi sa propre vie, Mallet-Joris reste à l'écoute de ceux qui n'ont pas encore trouvé leur voie et qui cherchent une vérité. C'est le point commun entre *Le Jeu du souterrain* (1973) et *Allegra* (1976).

FRANÇOISE SAGAN

Les prodigieux tirages qu'a obtenus *Bonjour tristesse* ont amené quelques critiques à examiner cet ouvrage à la loupe. Ce n'est pas la bonne façon de lire Sagan qui semble écrire au courant de la plume et fait confiance à son instinct. Elle n'est pas un styliste, mais elle a un ton bien à elle, aisé et naturel, qui sonne juste, — et elle ne dit jamais de bêtises. Elle n'a jamais cherché à forcer sa voix ni son talent. Elle raconte ce que sa sensibilité et sa fantaisie lui dictent. Si elle aborde des sujets graves (elle ne parle guère que de l'amour), elle ne s'est jamais fourvoyée dans de grandes entreprises à prétentions sociologiques : par exemple, à ses débuts, elle n'a pas songé un instant à nous donner un tableau de la jeunesse contemporaine et, plus tard, elle n'a pas traité doctement de l'émancipation féminine. Elle s'en est toujours tenue à raconter des histoires de la vie privée, situées dans les milieux dorés qu'elle fréquentait. Ses héroïnes ne se veulent pas représentatives des jeunes filles et des femmes d'aujourd'hui mais elles sont d'aujourd'hui. On ne les imagine pas à une autre époque ni dans une autre société et il faut bien croire qu'elles sont accordées à la sensibilité moderne puisque Sagan a conservé son public à travers les années.

Dès ses premiers livres, elle a posé les personnages et les décors dont elle ne cesserait de se servir (dans ses romans et au théâtre). Ce qui changerait, ce serait plutôt les éclairages que les intrigues, l'attention apportée à telle situation ou à tels sentiments plutôt qu'à tels autres. En ce sens, on peut parler d'une évolution de l'œuvre et d'un mûrissement de l'auteur. Mais *Bonjour tristesse* dessinait déjà une courbe qui allait du bonheur innocent à la découverte de la précarité des choses.

Le sujet est tout simple. La jeune Cécile et son père vivent en bons camarades. Cécile, satisfaite d'une existence facile et libre, se soucie peu des multiples aventures de son père. Mais un jour, il ne s'agit plus d'une aventure parmi d'autres : son père songe à se remarier. Cécile reconnaît à Anne toutes les qualités. Elle lui trouve même trop de qualités : ne va-t-elle pas mettre trop d'ordre dans la maison? Ne va-t-on pas se ranger, devenir sérieux? Au cours de l'été, Cécile va ourdir une machination qui doit aboutir à une rupture et qui aboutit à un accident mortel. Anne se tue. Cécile et son père reprennent leur vie d'auparavant : « Seulement quand je suis dans mon lit, à l'aube, avec le seul bruit des voitures dans Paris, ma mémoire parfois me trahit : l'été revient et tous ses souvenirs. Anne! Anne! Je répète ce nom très bas et très longtemps dans le noir. Quelque chose monte alors en moi que j'accueille par son nom, les yeux fermés : Bonjour Tristesse. »

Sagan a peint une autre jeune fille dans *Un certain sourire* (1956).

Dominique est une étudiante (en Droit, bien qu'elle suive des cours en Sorbonne). Elle est l'amie d'un beau jeune homme qui s'appelle Bertrand. Leur liaison est sans histoire. Le sentiment que Dominique connaît le mieux, c'est l'ennui.

Tout change lorsque Bertrand lui fait connaître son oncle Luc, quarante ans et marié. Rien d'ailleurs qui ressemble au coup de foudre romantique : nous assistons au lent développement d'un attachement. Dominique et Luc découvrent que leurs caractères sont pareils. Mais Luc ne songe pas à abandonner sa femme. Tout ce qu'il propose à Dominique, c'est quinze jours de vacances à Cannes : « Qu'est-ce que tu risques? De t'attacher à moi, de souffrir, après? Mais quoi? Ça vaut mieux que de t'ennuyer. Tu aimes mieux être heureuse et malheureuse que rien, non?

— Évidemment, dis-je. »

Les hommes de quarante ans peuvent être satisfaits : c'est auprès d'eux que les jeunes filles découvrent l'amour. Les beaux garçons de vingt ans sont trop avides. Voyez seulement comme ils épuisent vite le charme des baisers. Ils les considèrent comme une étape, non point comme « quelque chose d'inépuisable, de suffisant » : « quelque chose apparaissait en moi, que je ne connaissais pas, qui n'avait pas la hâte, l'impatience du désir, mais qui était heureux et lent, et trouble ».

A Cannes, il arrivera à Dominique de s'ennuyer encore; mais elle aura connu une entente dont elle n'avait pas idée : « Je ne sais pas si c'est l'amour ou l'entente, ça n'a pas d'importance... Et pourtant c'est probablement ce moment-là que j'aurai le mieux aimé, celui où j'ai accepté que la vie soit comme elle m'apparaît, tranquille et déchirante. »

Ayant découvert l'essentiel, Dominique ne peut accepter qu'il ne soit pas définitif. Elle s'avoue qu'elle aime : « Probablement cet amour n'est-il que cette pensée : « Je l'aime. » Ce n'est que « ça », mais en dehors de « ça », pas de salut. »

Ainsi, tout ce qui paraissait cynisme dans cette histoire est soudain balayé.

— « Alors, on a des petits coups de jeunesse? »

C'est Luc qui prononce cette petite phrase, car il ne partage pas cette passion. Finalement il est vieux. Il est atteint de l'impuissance d'aimer. Ce n'est pas son attachement à sa femme, c'est la fatigue qui le retient d'essayer de recommencer sa vie. Et pourtant : « Je donnerais n'importe quoi pour...

— Pour m'aimer? dis-je. — Oui. »

Françoise Sagan nous raconte les derniers jours d'un amour. On guérit d'un amour comme d'une maladie. Un matin, Dominique se réveille et, par sa fenêtre, écoute la radio d'un voisin : c'est un andante de Mozart. Elle y discerne un chant de naissance et de mort, un certain sourire. Elle se sent brusquement « assez heureuse » : elle est guérie.

Françoise Sagan ne donne pas aux hommes les beaux rôles : les jeunes hommes sont beaux, mais sans caractère et sans esprit; les hommes mûrs sont séduisants mais égoïstes et veules. Au contraire, les femmes de quarante ans sont prestigieuses : « Je sus, dit Dominique parlant de la femme de Luc, je sus qu'elle ne pourrait jamais être ridicule ni tenir un rôle qui ne fût pas à la mesure de son extrême bonté et de sa dignité. »

Paule, l'héroïne de *Aimez-vous Brahms?* (1959) a trente-neuf ans. Elle est un peu négligée par Roger, un amant un peu plus âgé qu'elle, et elle se laisse attendrir par un jeune homme qui nourrit pour elle une passion violente. Mais l'amant volage revient et le jeune homme est congédié. Paule ne peut espérer que, la crise passée, Roger deviendra un homme fidèle, mais, héroïne de Sagan, c'est l'âge mûr qu'elle préfère décidément.

Dans *La Chamade* (1965), une femme de trente ans va se trouver encore partagée entre un homme jeune et un homme mûr. Contrairement à Paule qui avait un métier et gagnait bien sa vie comme décoratrice, Lucile se fait entretenir par un homme de cinquante ans, Charles Blanans-Lignières, qui s'occupe d'affaires immobilières et gagne beaucoup d'argent. Cela ne l'empêche pas d'être bel homme et d'avoir une grande délicatesse de sentiments. Il aime très sérieusement Lucile. Il l'aime aussi avec discrétion, ne l'accablant pas d'exposés sur ses états d'âme et la laissant libre d'aller et venir à sa guise. Et Lucile va et vient : elle tient beaucoup à sa liberté. Moyennant quoi, elle porte à Charles une affection véritable.

On pourra noter que Sagan n'a donné qu'un prénom à son héroïne, alors que Charles a également un nom de famille. C'est le signe de positions sociales différentes. Blanans-Lignières a un métier et des responsabilités, Lucile prolonge l'irresponsabilité de l'enfance.

Bien qu'elle vive de la générosité d'un protecteur, elle semble n'avoir aucun besoin d'autrui pour être heureuse. Il y a même dans *La Chamade* une page particulièrement bien venue où l'on nous explique que les plus parfaites joies, on les goûte dans la solitude et, pour ainsi dire, sans raison : c'est, par exemple, le vent de printemps qui vous remplit d'allégresse et qui semble tout justifier. Au contraire, rien n'est plus dangereux que de faire dépendre son bonheur d'autrui. L'amour peut sans doute apporter des joies, mais l'amour ne dure pas et paraît vite une erreur : dès lors, le bonheur qu'il a pu vous apporter vous apparaît basé sur rien. Le bonheur que l'on goûte au soleil près de la mer ne peut être terni : il montre que la vie peut être bonne en soi.

Cependant *La Chamade* raconte une histoire d'amour. Dans un dîner un peu ennuyeux, Lucile rencontre Antoine, qui est un garçon de son âge. On ne nous donne pas non plus le patronyme d'Antoine. Il a pourtant un métier : il dirige une collection chez un éditeur. On nous dit ce qu'il gagne : une somme qui paraît tout à fait dérisoire à Lucile, habituée au luxe que lui dispense Charles. N'empêche : Lucile se moque de l'argent (croit-elle). Entre Antoine et elle se noue une complicité qui se transforme en violente attirance physique. L'amour, dans ce livre, est le dieu des corps, comme dirait Jules Romains. Sagan décrit merveilleusement la passion charnelle qui s'abat sur ses héros. Elle montre aussi comment la belle tranquillité intellectuelle de Lucile est compromise par cette passion. Le bonheur est quiétude. La passion est inquiétude : Lucile perd son calme, sa belle indifférence. Mais la joie d'être dans les bras d'Antoine lui paraît supérieure à tout.

Nous n'avons pas dit qu'Antoine, de son côté, avait une maîtresse plus âgée. Il songe à la quitter. Lucile, elle, ne voudrait pas abandonner Charles : elle n'a jamais éprouvé plus d'affection pour lui que depuis qu'elle connaît Antoine. Ses deux liaisons lui paraissent d'ordres différents et elle s'étonne lorsqu'Antoine lui demande de choisir. Elle pensait jusque-là que c'est le désir frustré qui provoque, chez les gens amoureux, des crises de vertu. Eh bien, non, Antoine, qui devrait être comblé, veut qu'elle abandonne Charles. Elle s'y refuse. Est-ce la fin de leur aventure? Non, parce que Lucile ne peut oublier Antoine. Elle cède, si j'ose dire. Elle annonce à Charles qu'elle le quitte. « Vous reviendrez », dit Charles.

Elle reviendra en effet dès que surgiront, dans sa vie avec Antoine, des problèmes matériels qui l'effraient. Elle voulait être unie au jeune homme pour le meilleur, pas pour le pire. Si l'on en croit Lucile, l'amour ne fait pas le bonheur : sans argent, il est condamné à bref délai. Plus tard, Lucile reverra Antoine, au cours d'un autre dîner mondain, ils seront redevenus des étrangers l'un pour l'autre.

Sagan n'ignore pas pourtant que des histoires d'amour peuvent finir tragiquement. C'est ce qu'elle nous a montré dans *Un peu de soleil dans l'eau froide* (1969) que Jean Freustié a résumé en disant que c'était « Mme Bovary chez Castel. » Il faut peut-être préciser que Castel est la boîte la plus chic de Saint-Germain-des-Prés.

Un journaliste prénommé Gilles (comme le héros de Drieu la Rochelle) a rencontré le grand amour lors d'une convalescence en province. Nathalie a tout quitté pour le suivre et découvre qu'il n'a pas un caractère à supporter longtemps des sentiments extrêmes. Il l'aime et elle le fatigue. Elle se tuera.

Des bleus à l'âme (1972) occupe une place à part dans l'œuvre de Sagan. Elle n'a pas confectionné ce livre en utilisant son gaufrier habituel : elle a enrobé une esquisse de roman dans une sorte de journal d'écrivain, qui est son propre cahier de notes et de réflexions. On dira que le procédé n'est pas révolutionnaire, mais c'est sans importance, d'autant plus qu'un des mérites de Sagan est de ne pas se prendre au sérieux et de garder toujours, quand elle parle d'elle, un naturel fort plaisant. Aussi bien c'est Sagan elle-même qui intéresse surtout ici, plus que les nouvelles aventures du couple fraternel qu'elle nous avait présenté dans sa pièce *Un château en Suède,* charmant divertissement farfelu.

Quelle est la part du roman dans *Des bleus à l'âme?* Nous retrouvons Éléonore et Sébastien à Paris, dans ce qu'on appelle le petit monde de Françoise Sagan, le milieu qu'elle décrit donc encore, mais qu'elle fréquente moins, préférant sa maison de Honfleur, ce Breuil qui fut jadis la propriété de Lucien Guitry et où séjournèrent Jules Renard et Tristan Bernard.

Éléonore et Sébastien, élégants parasites, sont aidés par un de leurs amis, Robert, qui veille à ce qu'ils aient un gîte. Sébastien ne trouve rien de répréhensible à monnayer ses complaisances pour une dame riche. Éléonore, de son côté, devient la maîtresse d'un jeune acteur de cinéma, Bruno, l'amant de Robert. Quand celui-ci revient de voyage et constate la situation, il se tue. Éléonore rompra avec Bruno, telle une héroïne de Musset.

Deux remarques s'imposent. Premier point : désormais, on se tue par amour chez Françoise Sagan. C'est le côté romantique de l'histoire. Deuxième point : les trahisons amoureuses ne sont pas permises. C'est le côté moral, Éléonore ne supporte pas d'avoir un cadavre sur la conscience. A la fin, Éléonore et Sébastien prendront la route de Normandie où Françoise Sagan les recueillera dans sa maison. Le roman et le journal de l'auteur ne font plus qu'un. C'est le côté bouclé d'un livre décousu.

Le décousu a du charme, puisque c'est en flânant autour de son histoire que Françoise Sagan passe aux confidences. Elle ne regrette absolument pas d'avoir perdu son temps en menant une existence un peu folle : on n'a pas perdu son temps si l'on s'est bien amusé et elle nous assure que ce fut le cas.

Françoise Sagan ne pose pas à la femme de lettres. Elle parle de *Bonjour tristesse* comme d'une « jolie dissertation française » d'une adolescente de dix-huit ans. Elle ne se présente pas comme quelqu'un de possédé par le besoin d'écrire. Elle écrit parce que ça lui a réussi, mais parfois la page blanche la démoralise : on serait tellement mieux dehors. Un livre ou une pièce de théâtre, c'est toujours pour elle une espèce de devoir de vacances.

Du moins préfère-t-elle faire court que de tirer à la ligne et ce qu'elle écrit est toujours — ou presque toujours — de bonne qualité.

C'est encore le cas pour *Le Lit défait* (1977) où les amours d'un auteur dramatique et d'une comédienne sont l'occasion de nouvelles brillantes variations sur des thèmes inusables.

CHRISTIANE ROCHEFORT

Vous connaîtrez un grand dépaysement en passant du petit monde de Françoise Sagan à celui de Christiane Rochefort (née en 1917).

Dans *Les Petits Enfants du siècle* (1961) Christiane Rochefort donne la parole à la jeune Josyane, fille aînée d'une famille nombreuse, et qui nous raconte son existence dans un de ces grands blocs de H.L.M. qui poussent un peu partout dans la banlieue parisienne et ailleurs. Voici comment le livre commence : « Je suis née des Allocations et d'un jour férié dont la matinée s'étirait, bienheureusement, au son de « je t'aime, tu m'aimes » joué à la trompette douce. C'était le début de l'hiver, il faisait bon dans le lit, rien ne pressait. »

Nous sommes loin, avec Christiane Rochefort, des cercles intellectuels où l'on discute du contrôle des naissances. Ici, chaque ménage a beaucoup d'enfants et chaque enfant représente un accroissement de bien-être matériel. Allocations et primes diverses permettent successivement l'achat d'un frigidaire, d'un aspirateur, d'une machine à laver, d'un poste de télévision, d'une voiture d'occasion. Bref, tout le confort américain. Et la petite Jo en arrive à se demander pourquoi toutes les épouses et mères qu'elle rencontre se plaignent. Elle a une espèce de haine pour elles et les nomme « les bonnes femmes » : « Toute la journée, ça geint, ça se traîne, ça peut pas faire trois mètres sans se planter, c'est agglutiné devant le petit commerce comme des paquets de moules (je suis polie), se racontant ses malheurs, quels malheurs? Et le soir, ça pleurniche que c'est claqué, et qu'est-ce que ça a tant produit, je vous le demande, à part de la mauvaise cuisine? Ça oblige de pauvres types, qui d'ailleurs ne méritent pas mieux, à s'échiner pour leur acheter des appareils coûteux et à crédit pour leur épargner du travail, disent-elles, que d'ailleurs ça a toujours fait faire pratiquement par les mômes : et c'est toujours aussi fatigué, à croire que la fatigue, c'est leur seule véritable profession. »

Vous allez vous écrier que voilà des lignes scandaleuses, mais attendez la fin. Auparavant, il convient de dire que les enfants ne sont pas de tout repos : « Si ça continue, dit la mère, vous irez tous au Redressement. » C'est qu'il faut bien utiliser leurs jeunes forces. Personne ne leur propose rien de bien exaltant.

La petite Jo s'exalte toute seule. C'est une curieuse petite personne que l'on voit se passionner solitairement pour l'analyse grammaticale. Le soir, elle raconte ses rêves à son petit frère. Puis, un jour, un maçon italien, d'une trentaine d'années, lui révèle le plaisir. Il disparaît ensuite. Autour de son aventure, Jo brode des variations étonnantes où se donne libre cours sa nature sentimentale. Triche-t-elle? Après se l'être demandé, elle se met à fréquenter beaucoup de garçons de son âge et qu'elle présente, eux, comme peu sentimentaux. Elle a également une brève histoire avec un père de famille. Enfin, un beau soir, elle rencontre le garçon de sa vie. Toute son inquiétude disparaît. Cette fois, c'est l'amour et elle comprend que là est la justification du monde. Elle écrit alors une très longue phrase, très remarquable parce que son rythme traduit parfaitement le mouvement de la pensée et qui se termine par une amusante exclamation, elle aussi doublement signifiante : « C'est pour ça que j'étais si souvent triste, que je pleurais sans raison, que je tournais en rond sans savoir quoi faire de moi, regardant les maisons, me demandant pourquoi ci, pourquoi ça, le monde et tout le tremblement, cherchant midi à quatorze heures et rêvassant dans le vide derrière une fenêtre, c'est pour ça, c'est pour ça, et c'est pour ça aussi que j'allais avec des tas de garçons sans être regardante sur lequel, puisqu'en tout cas aucun n'était le bon, rien que pour me passer le temps en attendant le seul qui existait sur la terre pour moi et qui maintenant, chance extraordinaire pour moi, était là, près de moi, les doigts emmêlés aux miens, et la preuve que c'était bien vrai c'est que pour lui, j'étais la seule qui existait sur la terre, qu'il avait attendue en faisant l'andouille d'une autre façon, de son côté, et qui maintenant était là, les doigts emmêlés aux miens, ouf. »

A ce moment, la jeune Jo se dit que la vie est rudement bien faite. Un peu plus tard, son amoureux lui racontera qu'il s'est épris d'elle en la voyant porter ses deux petites sœurs sur les bras. Aussitôt, il a désiré avoir un enfant d'elle. Eh bien, ils en auront. Le livre s'achève au moment où les tourtereaux vont se marier. Jo attend déjà un enfant. « Toute l'affaire c'était de se loger, et à toute pompe maintenant... En tout cas, pour la prime, on serait dans les délais. »

La boucle est bouclée. Si l'enfant qui naît est une fille, ça sera peut-être une autre Josyane. En cela réside l'ambiguïté du livre, qui porte en épigraphe la phrase de Rimbaud si souvent citée : « La vraie vie est absente. » Mais le triomphe de l'espèce est évidemment le triomphe de la vie. Il y a d'ailleurs de très belles pages, dans ce livre, sur le sentiment amoureux : C'est par lui que les citadins peuvent renouer avec une vie naturelle. Jo raconte très bien comment elle n'aimait retrouver les garçons de son âge que dans la forêt. « Entre quatre murs, on s'ennuyait. Il nous fallait la nature en définitive. Je me demande même si au fond ce n'était pas la nature qui faisait tout... »

Des bouffées de poésie se mêlent ainsi au réalisme de l'ensemble.

La satire domine dans *Les Stances à Sophie* (1963). « Le lecteur sera peut-être fâché, déclare l'auteur dans la notice imprimée au dos du livre. La lectrice, elle, reconnaîtra peut-être de ses pensées qu'elle croyait les moins avouables et qui sont en fait monnaie des plus courantes et peut-être elle se réjouira de les voir publiquement exposées. » On se demandera quelle est cette lectrice à qui s'adresse Rochefort : une lectrice qui lit très peu, probablement, car les confidences que nous fait l'héroïne des *Stances à Sophie* sont « monnaie des plus courantes » dans les livres qu'écrivent les femmes d'aujourd'hui. Rien dans ce livre qui n'ait été cent fois avoué, exposé, commenté. Mais, en revanche, ce qui appartient à Rochefort c'est un certain ton, une petite musique qui vient du cœur et que ne détruit nullement l'emploi de gros mots, d'ailleurs souvent inutiles.

On a comparé cette « petite musique » de Rochefort à celle de Céline, et l'héroïne des *Stances à Sophie* se prénomme justement Céline. Je ne crois pas cette comparaison juste. Le lyrisme de Céline est épique, sa langue est une création perpétuelle, tandis que Rochefort reste très familière. J'évoquerai à son propos Irmgard Keun qui, dans les années trente, prêta sa plume à une petite employée dont les aventures se lisent toujours avec plaisir et attendrissement. Irmgard Keun était allemande et dut s'exiler après que Hitler eut pris le pouvoir. Elle s'est suicidée en 1939. Clara Malraux a traduit en français sa *Jeune fille en soie artificielle*. Ce qui caractérise le ton de ces ouvrages, ce n'est pas seulement le naturel, ou plutôt c'est une sorte d'abandon dans le naturel, une espèce de franchise qui n'est pas celle des hommes, mais qui appartient à quelques femmes.

L'héroïne de Rochefort n'est pas une petite employée. Sa situation sociale, ses origines ne nous sont d'ailleurs pas clairement indiquées. Mais ce n'est pas une fille de la bourgeoisie. Et cela constitue une des originalités du livre. Beaucoup de romans ou de mémoires nous ont montré les efforts des femmes d'aujourd'hui pour conquérir leur indépendance. La Céline de Christiane Rochefort n'est pas de ces femmes-là. Quand nous faisons sa connaissance, elle n'est pas du tout « une jeune fille rangée ». C'est au contraire une jeune femme libre qui vit tant bien que mal de son travail et qui a eu plusieurs amants. Aussi bien, la première phrase du livre est un peu trompeuse : « Ce qu'il y a avec nous autres pauvres filles, c'est qu'on n'est pas instruites. » En fait, Céline se cherche des circonstances atténuantes : au moment où elle va se jeter dans l'aventure que nous conte ce livre, elle est parfaitement consciente de commettre une sottise. Mais quoi, elle est amoureuse et que voulez-vous faire contre ça?

L'aventure en question est celle du mariage. Le garçon qu'aime Céline est un jeune bourgeois. Un bourgeois, vous vous rendez compte, la lie de la terre, mais Philippe est beau et Céline perd la tête. Philippe ne cache nullement son jeu : il explique très honnêtement à Céline comment il comprend les femmes et le mariage. Les femmes ne sont pas les égales des hommes, elles ont besoin d'être protégées, elles doivent se consacrer à leur foyer, tenir leur maison, etc. Céline n'est pas d'accord. Elle essaie de le dire. A un moment, la rupture semble proche. Mais Céline est amoureuse : elle capitule. Elle se laisse happer non seulement par le mariage, mais du même coup par la bourgeoisie.

Les premiers temps, elle montrera de la bonne volonté. Philippe est persuadé qu'il a réussi à la transformer. Puis peu à peu la vraie nature de

Céline reprend le dessus. L'amour s'est usé dans la vie quotidienne. Céline décide de reprendre sa vie en main. Un beau jour, elle quittera Philippe. Elle aura enfin à nouveau « une chambre à soi », comme disait Virginia Woolf. Le livre s'achève sur cette exclamation de délivrance : « Enfin. Seule. » Précisons qu'elle a trouvé du travail dans un cabaret : elle fournit au patron, qui est un ancien camarade, des idées pour des numéros de strip-tease.

Le mariage aura permis à Céline de connaître la bourgeoisie « de l'intérieur ». On trouvera dans *Les Stances à Sophie* une satire des jeunes ménages du XVIe arrondissement : leur vie quotidienne, leurs distractions, leurs conversations. La voiture occupe naturellement une grande place dans ces existences mornes et, sur ce thème, Christiane Rochefort compose des variations brillantes. On aurait tort d'imaginer que notre auteur est ennemie du progrès : simplement elle dénonce le mauvais usage que l'on fait des merveilleuses inventions de la technique moderne. Elle nous montre un homme abêti par cette technique et devenant mécanique lui-même.

Peut-être faut-il enfin remarquer que si Céline rompt avec Philippe et son milieu, elle contracte une alliance avec le frère et la sœur dudit Philippe. Ne sont-ce pas de petits bourgeois? Ce sont encore des adolescents : ils n'ont pas encore adopté la règle du jeu social qu'on leur propose. Les écrivains espèrent toujours que la jeunesse saura les comprendre et les défendre...

En tout cas, Christiane Rochefort est persuadée que, pour sa part, elle comprend bien la jeunesse. Dans *Printemps au parking* (1969), elle a prêté sa plume et son langage à un petit jeune homme de la banlieue parisienne prénommé Christophe, qui subit la crise d'originalité de l'adolescence, file de chez ses parents amateurs de télé et rencontre des beaux parleurs au Quartier latin : il s'éprendra de l'un d'eux et la meilleure scène du livre est assurément celle où les deux garçons finissent par s'avouer leur amour. A noter que cet amour est donné comme une protestation contre la morale des classes dominantes. Le livre qui mêle gouaille et tendresse est une réussite.

La leçon d'école buissonnière qui est administrée dans *Encore heureux qu'on va vers l'été* (1975) est moins convaincante. Plus elle va, plus Christiane Rochefort se montre sévère pour ceux qu'on appelait hier les croulants et qu'elle appelle « décombres » et « ruines ». Elle rêve d'éternelle enfance comme d'autres d'éternelle jeunesse. Du moins est-ce un joli rêve.

CHRISTINE DE RIVOYRE

Christine de Rivoyre (née en 1921) a connu elle aussi rapidement le succès. Dès *L'Alouette au miroir* (1956), situé dans les milieux de la danse, et *La Mandarine* (1957) qui, dans un mouvement de comédie américaine, racontait la vie d'un petit hôtel de la rue de Rivoli. Mais c'est avec *Les Sultans* (1964) qu'elle devait devenir un « best seller ».

On trouve dans ce roman un tableau plein de verve de la vie qu'on mène aujourd'hui dans les grandes villes. « Roman folklorique moderne », dit avec raison l'éditeur : « voitures, embouteillages, ascenseurs, alcool, barbituriques, téléphone, la machinerie et la chimie citadines jouent un grand rôle entre les personnages ». Mais, le vrai sujet, c'est la manière dont ces personnages sont amenés à adapter les sentiments éternels à des situations nouvelles. Le livre tourne autour d'une tentative de suicide, preuve que l'adaptation n'est pas au point.

L'héroïne du livre est ce qu'on appelle une femme indépendante : elle gagne sa vie. En fait, elle n'est pas vraiment indépendante puisqu'elle est amoureuse. Christine de Rivoyre montre très bien comment la nouvelle égalité entre l'homme et la femme a transformé les rapports amoureux : à l'amour-passion s'est substitué l'amour-commodité. La passion est devenue de mauvais goût et c'est très bien sans doute que l'on refuse désormais les scènes et les crises de nerfs. Hélas! on n'est pas toujours maître de ses nerfs et c'est ce que doit constater Solange. Toutefois, elle n'en montrera rien à son sultan, elle se ressaisira. Elle lui confiera bien qu'elle a voulu mourir : il trouvera plus confortable de n'en pas croire un mot.

Ainsi ce roman d'un ton léger a un arrière-plan plutôt sombre. Mais il est de bonne compagnie : c'est la légèreté qui l'emporte... en apparence : « Oh! pourquoi? Pourquoi est-ce que j'ai eu peur? Pourquoi? »

Christine de Rivoyre risquait d'être cataloguée comme écrivain typiquement parisien, quand elle entreprit des romans provinciaux, éclairés par la poésie nostalgique des amours enfantines et adolescentes : *Le petit matin* (1968) et *Boy* (1973).

La même inspiration romantique se retrouve dans *Le Voyage à l'envers* (1977) qui nous fait voyager entre deux amours, deux âges et deux continents. Toutefois les scènes satiriques nous ramènent à la première manière de l'auteur.

29.
Les bricoleurs du roman

Ionesco a appelé « bricoleurs du roman » les écrivains qui, dans les années 56-63, prétendirent révolutionner l'art romanesque en décrétant un certain nombre d'interdictions : plus d'intrigues bien ficelées, plus de psychologie abusive. Mort à l'histoire et aux personnages !

Ce mouvement fut créé et lancé par un seul homme, Alain Robbe-Grillet, né en 1922, ingénieur agronome de formation et admirateur des constructions cérébrales de Raymond Roussel.

Il débuta dans les lettres avec un roman policier très intellectuel intitulé *Les Gommes* (1953). Si la psychologie en était absente, on y trouvait une histoire conduite avec rigueur vers un dénouement ingénieux. Les grands critiques (ceux des grands journaux) ignorèrent l'ouvrage, mais il intéressa les critiques occasionnels de quelques revues, qui le louèrent pour des raisons inattendues : le regard froid de l'auteur sur les êtres et les choses, son style neutre, son art de jouer avec l'espace et le temps (tartes à la crème de ces années-là). Roland Barthes se montra particulièrement enthousiaste et attira sur Robbe-Grillet l'attention de ses collègues universitaires.

Puisqu'on avait loué la qualité de son regard, Robbe-Grillet appela son second roman *Le Voyeur* (1955). L'intrigue n'était plus qu'un prétexte pour présenter une série de descriptions de type apparemment objectif. Barthes et les autres professeurs dans le vent s'exclamèrent que tel devait être le roman d'aujourd'hui : un constat, sans jugement de valeur. (« Le monde n'est ni signifiant ni absurde. Il *est* tout simplement. »)

Robbe-Grillet s'était jusqu'alors abstenu de commenter ses romans. Mais il remarqua que l'on parlait beaucoup plus des articles savants dont il était l'objet, que de ses romans eux-mêmes. Il savait aussi que les romans de Sartre auraient déclenché de moins vives discussions si leur auteur n'avait pas fabriqué des théories, ni publié des manifestes. Il décida de suivre cet exemple. Il reprit un certain nombre d'idées de Barthes et les développa sous forme polémique. Il passa à l'attaque en 1956. Il existait encore des journaux, des hebdomadaires et des revues pour accueillir des articles combatifs, propres à mettre de l'animation dans la vie littéraire. En quelques semaines, grâce à ses articles, Robbe-Grillet fut célèbre et les « grands critiques » se virent bien obligés de commenter ses écrits.

Pour faire parler de soi, Sartre débutant s'en était pris à Mauriac. Robbe-Grillet attaqua en bloc tous ceux qu'il appelait les descendants de Balzac. Devenu théoricien, il avait emprunté à Sartre un ton autoritaire et tranchant. Ses affirmations simplistes furent examinées avec sérieux. On se demanda seulement si un roman sans histoire et sans personnage serait encore lisible. Était-il seulement possible?

Robbe-Grillet assurait que la notion de « personnage » était périmée, attendu que nous n'étions plus au siècle de l'individu : « Si le roman ne parvient pas à se remettre de la disparition des héros, c'est que sa vie était liée à celle d'une société maintenant révolue. »

Le tout était maintenant de savoir si, dans un roman, les choses pouvaient passionner comme autrefois les personnages. Les journalistes parlèrent d'une « école de l'objet » ou encore d'une « école du regard » (appelée aussi « école du Gros Œil »). Mauriac, dans son *Bloc-Notes,* disserta sur « l'esthétique du cageot » : il avait cru comprendre que Robbe était un disciple du poète matérialiste Francis Ponge.

Promu chef d'école, Robbe-Grillet chercha quelques écrivains à enrôler sous sa bannière. Son choix se porta sur Michel Butor, qui avait publié deux romans fortement charpentés où une belle place était réservée aux descriptions; sur Nathalie Sarraute, qui avait remis en cause à sa façon la notion traditionnelle du personnage; sur Claude Simon, qui se passionnait pour les recherches de formes; sur Robert Pinget, aimable inventeur d'histoires farfelues qui se trouva embarqué pour l'unique raison qu'il publiait chez le même éditeur que Robbe et Butor. Samuel Beckett, également pressenti, s'était récusé : il désirait rester en dehors de la foire littéraire.

Ni Butor ni Sarraute, ni Simon ni Pinget n'auraient signé les manifestes de Robbe, mais ils furent conquis par son sens de la publicité. Ils acceptèrent de s'allier à lui. Comme leurs recherches n'étaient pas centrées sur l'attention aux choses, on cessa de parler de l'école de l'objet. Robbe trouva beaucoup mieux : ses amis et lui allaient former l'école du « nouveau roman ». On voit pourquoi la formule était habile : les romanciers qui n'adhéreraient pas au mouvement seraient aussitôt catalogués comme vieux ou anciens romanciers, pauvres types ne se lassant pas de faire ou de refaire du Balzac.

Robbe eût été bien en peine de citer un seul écrivain contemporain qui fabriquât du Balzac ou qui se fût seulement attelé à cette tâche impossible. Dans les trente dernières années, le roman français avait subi plus de métamorphoses qu'au cours de toute son histoire. Robbe n'avait-il rien lu, de Proust à Céline, de Gide à Malraux? Ou estimait-il sérieusement que *Les Gommes* et *Le Voyeur* représentaient les seules tentatives romanesques originales depuis *La Cousine Bette* et *Le Père Goriot?* — On aurait pu prétendre au contraire qu'il renouait avec certaines longues descriptions balzaciennes, qu'aucun moderne n'avait essayé d'imiter.

Robbe survenait-il à un moment où ne paraissaient plus de grands romans? Ce n'était pas le cas. Giono donnait son cycle du *Hussard,* Aragon : *La Semaine sainte,* Vialatte : *Les Fruits du Congo,* Queneau : *Zazie dans le métro.* Il est vrai que tous ces auteurs avaient débuté avant la guerre. Mais c'étaient bien eux qui détenaient les clés du grand art romanesque.

Tel n'était pas l'avis des universitaires. Robbe leur plaisait parce qu'ils l'avaient découvert et qu'il était en somme leur création. Il manifestait un esprit professoral par son goût d'édicter des règles, de distribuer bonnes et mauvaises notes. Il avait lancé une école, ouvert un chapitre dans l'histoire littéraire de la France : le « nouveau roman » succéderait à « l'existentialisme » dans les manuels. Les universitaires en mission à l'étranger s'employèrent d'ailleurs à accréditer l'idée que le nouveau roman représentait toute la littérature française contemporaine. Julien Gracq a eu tout à fait raison de parler d'une « avant-garde imposée par les pions ».

Le « nouveau roman » fit parler de lui, en tant qu'école, pendant sept ou huit ans — et beaucoup plus à l'étranger. Robbe fut cependant le seul auteur du groupe à susciter des disciples : il était le plus facile à imiter. Ses suiveurs ne parvinrent pas à donner une seconde vie au mouvement, et les plus doués, tel Philippe Sollers, s'engagèrent vite sur d'autres voies. Toutefois il convient de noter que le « nouveau roman » exerça une influence sur certains écrivains de talent, comme Élisabeth Porquerol, Dominique Rolin et Simonne Jacquemard qui, sans s'inscrire à l'école, se sentirent encouragés à bricoler le roman à leur façon. Mais ils ne furent pas soutenus par l'appareil publicitaire du mouvement, bien qu'ils eussent un sens des réalités charnelles et un « sentiment de la nature » qui manquent aux vedettes de l'école.

Dominique Rolin (née en 1913) avait conquis la notoriété dès *Les Marais* (1942). *Le Souffle* (1952) lui avait valu un franc succès. Au risque de déconcerter ses lecteurs, elle a décidé à partir du *For intérieur* (1962) de construire ses livres sous forme de puzzles. La rigueur et la vigueur des descriptions forment un curieux contraste avec la volonté de morcellement du récit.

Les critiques littéraires d'aujourd'hui se demandent ce que les auteurs du « nouveau roman » avaient vraiment en commun. Il serait préférable de demander ce qui leur manquait à tous. La réponse est facile : un don naturel de conteur. Chez eux la fabrication l'emporte sur l'invention.

En 1963, parlant de Robbe et de ses amis, Simone de Beauvoir écrivait dans *La Force des choses :* « La constante de cette littérature, c'est l'ennui. » Disons plutôt que le « nouveau roman » n'offre qu'une maigre chère au véritable amateur de littérature romanesque. Les amateurs de curiosités littéraires sont au contraire parfois comblés.

NATHALIE SARRAUTE

Nathalie Sarraute (née en 1900) débuta en littérature alors que Robbe était encore sur les bancs du lycée. Elle publia en 1938 un petit recueil de textes courts intitulé *Tropismes* où l'on voyait, comme des amibes sous la loupe d'un biologiste, une conscience impersonnelle réagir à de menues sollicitations extérieures. Cette plaquette ne fut remarquée que par Max Jacob.

Dix ans plus tard, c'est à Sartre que Nathalie Sarraute demanda son patronage quand elle fit paraître son premier roman : *Portrait d'un inconnu* (1948), qui racontait la vie d'un vieil avare et de sa fille. En le lisant, on comprenait vite que c'était avec le Sartre de *La Nausée* plutôt qu'avec celui des *Chemins de la liberté* qu'elle se sentait des affinités. Elle se trouvait, un peu comme Roquentin, devant un monde sans consistance où l'homme, quand il ne se réfugiait pas dans des attitudes conventionnelles, qui lui dictaient des lieux communs, n'était qu'une matière informe. Mais Nathalie Sarraute n'en éprouvait pas de nausée métaphysique. Son attitude était d'observation critique.

Martereau (1953) est une espèce de journal où se mêlent confidences, monologues intérieurs, remâchements de situations.

Le narrateur est un malade des poumons. Il loge chez son oncle, dans le confort. Il se soigne, ce qui consiste surtout à paresser : il ne travaille guère. Mais il se sent dans une dépendance qui le rend extrêmement sensible aux moindres mots, aux moindres gestes, aux moindres attitudes. Il est très soupçonneux, hérissé « à propos de bottes » (il le note), souvent haineux, pourtant soumis et, certes, nous sommes en plein roman psychologique. Nathalie Sarraute analyse avec acuité la vie d'un couple bourgeois et de la fille de ce couple. Comme elle dénonce leur comédie et leurs multiples comédies... On pense à la famille Dandillot peinte par Montherlant. Mais cet univers, il se peut bien que la susceptibilité et la nervosité du narrateur en aggrave le côté sordide. Ces personnages qu'il accable vivent en réalité sans grande consistance. Le narrateur démonte leur conduite, ils deviennent une suite de gestes précis, des marionnettes aux réactions bien calculées et dès lors, ils sont très inquiétants : ils ont brusquement une existence qui fait horreur. Mais ce doute, dans le récit, sur ce qui est la part du narrateur et sur ce qui est la part des personnages, est un premier sujet de réflexion : ce qui rend si pénible la vie du narrateur chez ses parents bourgeois, n'est-ce pas son intelligence, n'est-ce pas sa faculté d'analyse? Il a cette vue nette et précise parce qu'il est malade, sans doute, mais l'intelligence n'est-elle pas une autre maladie qui rend la vie impossible? La question a souvent été posée. Le récit de Nathalie Sarraute la sous-entend avec vigueur.

Mais qui est Martereau qui donne son nom au roman? C'est, pour le narrateur instable, l'image de ce qu'il rêve d'être : un homme tranquille et assuré, parfaitement à l'aise dans la vie et qui ne se laisse pas démonter par les incidents divers dont sont tissés nos jours. Là encore nous aurons un doute sur la réalité de ce qui nous est présenté. Le narrateur lui-même s'en rend compte : le Martereau qu'il voit est-il le Martereau que voient les tiers? Est-il le Martereau que Martereau est en lui-même? Le lecteur pense aisément que Martereau est un être que transfigure le narrateur. Et c'est si vrai que vis-à-vis de lui, à mesure que le roman se déroule, le lecteur passe par toutes les incertitudes du narrateur (et à certain moment, Martereau semble bien un escroc caractérisé).

Entre la publication de *Martereau* et celle du *Planétarium* (1959) se situe le ralliement de Nathalie Sarraute à l'école du « nouveau roman ». Refusant fermement les caractères tranchés, considérés comme une création et une invention du roman traditionnel, Sarraute nous présente des êtres mous et velléitaires, des êtres vagues. Ils voudraient bien avoir un « moi », mais se faire un « moi » paraît une entreprise désespérée. Chacun s'épuise dans ses confrontations avec autrui et se trouve rejeté dans le doute et l'inexistence.

Les autres ne sont pas l'enfer (ni le paradis) car ils n'existent guère non plus : ils ne peuvent faire illusion qu'un temps. Le héros (il conviendrait de mettre ce mot entre guillemets) est un jeune universitaire, Alain, pris entre les soucis de carrière et ses aspirations littéraires. Sa famille pense à sa situation, mais il est entré en relations avec un écrivain glorieux, Germaine Lemaire, qui exerce sur lui une grosse influence jusqu'au jour où le philosophe Lebat lui parle de cette romancière. Il suffit de quelques mots de Lebat sur Germaine Lemaire pour ruiner le crédit de celle-ci aux yeux d'Alain. On sait à quoi tiennent nos admirations! On nous dit d'un certain ton : « Vous aimez ça? » et on n'est plus du tout sûr d'aimer ça...

Notre existence et celle des autres toujours mises en doute, toujours remises à plus tard, l'univers des objets s'oppose alors naturellement à l'univers des personnages. Les choses existent. Aussi n'est-il pas étonnant que, dans l'intrigue romanesque du *Planétarium* (intrigue qui n'est qu'un prétexte) les questions de logement et d'ameublement tiennent un si grand rôle. Un appartement est un cadre pour une existence. Entendez que les personnages peuvent essayer d'y rassembler leurs esprits sur quelques objets solides.

Ce qui nous paraît le plus réussi chez Nathalie Sarraute, c'est la critique de la comédie sociale. Elle nous arrache aux apparences et nous oblige à voir ce qui se cache sous les conventions rassurantes. Elle nous fait glisser des lieux communs de la conversation courante dans le grouillement du monologue intérieur qui se poursuit parallèlement, peu distinct, inavouable. Ce monologue (qu'elle appelle sous-conversation) est, bien entendu, une convention, mais qui transpose une réalité inquiétante. Avec une suprême habileté, Sarraute montre les échanges subtils entre les sentiments cachés et les paroles prononcées. Mais avons-nous des sentiments? Proust parlait des intermittences du cœur. Sarraute nous montre des élans et des retombées, des avances et des reculs. Ces mouvements provoquent chez le lecteur tour à tour de l'amusement, de la gêne, de l'angoisse. En tout cas, une forte admiration pour l'auteur.

Certains critiques non seulement évoquent Proust à son propos, mais estiment qu'elle a voulu *raffiner* sur les découvertes déjà subtiles de son illustre devancier. Nathalie Sarraute, que le compliment n'a pas laissée indifférente, a protesté pourtant que ses livres ne sont pas « faits de bribes de substance proustienne ». Elle a remarqué que Proust travaillait sur des éléments solides, en ce sens que les phénomènes qu'il étudiait se trouvaient « comme étalés sous le scalpel de l'analyste ». Pour sa part, elle évolue dans un élément que l'on pourrait qualifier de gazeux : elle assimile ses découvertes à des sortes de bulles qui se forment et se défont à la surface des consciences. « Mais, ajoute-t-elle, ce bouillonnement ne se produit qu'en certains points, alors que l'œuvre de Proust s'étend sur de vastes domaines. »

On a beaucoup parlé de la loupe dont aurait disposé Proust pour observer ses personnages. Pour Nathalie Sarraute, il faudrait dire qu'elle se sert de caisses de résonance et d'amplificateurs pour écouter les siens. Les balbutiements de la pensée, les tâtonnements pour exprimer ce qu'on ressent sans le comprendre (et l'on voudrait l'exprimer pour le comprendre), voilà certes son domaine de prédilection. Elle voudrait saisir à leur naissance les mouvements qui nous agitent, les décrire avant que la conscience les ait apprivoisés. Elle paraît y réussir parfois.

Les ouvrages qui suivirent *Le Planétarium* ne peuvent plus du tout être appelés des romans, mais *Les Fruits d'or* (1963) est un exercice éblouissant. C'est l'histoire d'un roman, précisément appelé *Les Fruits d'or :* l'histoire de l'accueil qu'il reçoit. Le livre est fait de bouts de dialogues (phrases prononcées par des personnages non décrits) et surtout d'un commentaire amusé de ces phrases. On peut penser qu'il arrive à Nathalie Sarraute de se moquer d'elle-même et de son ami Robbe. Par exemple, dans ce passage : « Vous savez comment Bréhier voulait appeler « Les Fruits d'or »? « Pléonasmes » : C'était pas mal. Moi je trouvais ça très bon. Excellent. Et puis il a trouvé « Les Fruits d'or ». C'est le côté trompe-l'œil qui l'a séduit. Il m'a dit : « Je voulais que le lecteur crève de faim devant ça... » Comme la brave dame... « Il faut que ceux qui veulent croquer des pommes juteuses, les affamés, se cassent les dents dessus. » Mais pour les autres, n'est-ce pas, quels objets précieux! »

Ce qui nous paraît le plus proustien chez Nathalie Sarraute, c'est le sens du comique, lié à l'observation du snobisme mondain. On trouve dans les deux œuvres une cocasserie de même essence qui tient à la description de la bêtise satisfaite de soi.

Entre la vie et la mort (1968) est le portrait finement satirique d'un écrivain en train de composer son œuvre. *Vous les entendez?* (1972) évoque le vieux conflit des générations. Dans ce livre, Nathalie Sarraute ne prend pas parti entre les deux camps. Cependant toute son œuvre appartient, si originale soit-elle, au grand courant de la littérature bourgeoise : elle n'est même compréhensible que dans un contexte de culture traditionnelle. C'est encore le cas de *Disent les imbéciles* (1976).

ALAIN ROBBE-GRILLET

Nous avons vu que Robbe-Grillet avait débuté par deux romans criminels. *Les Gommes* racontait franchement une enquête policière. Dans *Le Voyeur*, l'angoisse naissait du mystère entretenu sur les circonstances de l'assassinat d'une fillette.

Devenu théoricien, Robbe décida de se passer des séductions du fait divers et d'appliquer strictement ses théories : le romancier doit rendre compte du monde tel qu'il est, c'est-à-dire se limiter à un inventaire et à un constat. Sa tâche se réduit à « décrire, situer et mesurer », car « toute interprétation et tout commentaire sont inutiles, superflus, voire malhonnêtes ».

Les efforts de Robbe aboutirent à un petit livre intitulé *La Jalousie* (1957), l'un des exercices littéraires les plus fastidieux qui aient jamais paru. Dans un cadre colonial conventionnel, des personnages sans substance prennent des positions de mannequins. Robbe les décrit à la façon d'un géomètre et cela donne, par exemple : « Il sont assis côte à côte, le buste incliné en arrière contre le dossier du fauteuil, les bras allongés sur les accoudoirs, leurs quatre mains dans une position semblable, à la même hauteur, alignées parallèlement au mur de la maison. »

Toutefois, Robbe ne remplit nullement son projet, car les scènes sont présentées du point de vue d'un mari qui observe sa femme et l'amant présumé de celle-ci. Ce n'est pas une fois, mais plusieurs, que l'auteur revient sur les mêmes scènes sans action et sur les mêmes petits détails (légèrement modifiés), car c'est le propre du jaloux que de remâcher les mêmes petits détails insignifiants pour essayer de leur trouver une signification. Robbe refuse (par principe) de nous communiquer les sentiments du mari : il se contente de nous montrer ce que le mari voit ou peut-être ce qu'il imagine. C'est à nous d'inventer ce que le mari pense et ce qu'il éprouve — comme c'était à nous d'inventer, dans *Le Voyeur,* la scène du meurtre que Robbe avait négligé de nous raconter. Éclate ici ce que Sartre appellerait la déloyauté de Robbe : il feint de décrire la réalité alors qu'il nous livre seulement ce qu'en retient le regard d'un obsédé.

Après ce livre indéfendable, Robbe donna *Dans le labyrinthe* (1959), qui est sans doute son meilleur ouvrage.

C'est l'histoire d'un soldat fatigué qui erre dans une ville enneigée et qu'il ne connaît pas. Il cherche une maison où remettre un paquet que lui a confié un camarade avant de mourir. Cependant, les ennemis sont dans les faubourgs de la ville. Le soldat sera tué au coin d'une rue, sans avoir remis le paquet à son destinataire.

Cette histoire ne nous est pas livrée simplement. Et d'abord il nous faut parler de l'avertissement qui la précède. Il s'agit d'une sorte de mode d'emploi : « Le lecteur est invité à ne voir que les choses, gestes, paroles, événements qui lui sont rapportés, sans chercher à leur donner ni plus ni moins de signification que dans sa propre vie, ou sa propre mort. » Diable!

Et si le lecteur est justement quelqu'un qui donne une grande signification à sa vie et à sa mort?

Les allées et venues du soldat, qui est le héros de *Dans le labyrinthe,* rappellent rapidement quelque chose au lecteur de Kafka et nous ont rappelé aussi l'épuisante ronde décrite par Céline, dans son *Casse-Pipe.* C'est sans doute pour nous détourner de faire ces rapprochements que Robbe a écrit son avertissement. Il ne veut pas être un romancier de l'absurde, mais un romancier de la réalité. Eh bien, il est finalement, par excellence, le romancier de l'absurde. N'est-ce pas l'absurde même que de construire des histoires compliquées qui ne doivent avoir aucune signification?

Vous nous direz que *Dans le labyrinthe,* tel que nous l'avons résumé, ne semble pas compliqué. Mais c'est que l'anecdote initiale est prise et reprise dans un jeu de miroirs bien propre à vous faire perdre le sens de la réalité. Et ce n'est pas la moindre contradiction de Robbe : s'il ne cesse de dresser des inventaires descriptifs, d'où toute poésie est exclue, il nous laisse entendre que toute l'histoire du soldat pourrait se dérouler dans la tête d'un romancier qui rêve, auprès de son feu, sur un tableau du genre *Dernières cartouches.* Cette fameuse réalité ne serait donc qu'un rêve ou qu'une rêverie? L'opposition serait complète entre la forme — qui est celle d'un constat de gendarme — et le fond — qui est romantique. Ce serait aussi le triomphe de l'imposture.

Mais le « nouveau roman » est bien une imposture de quelque point de vue qu'on le considère. N'est-on pas un imposteur si l'on prétend tout à la fois s'en tenir à la réalité et écrire une fiction? Car Robbe ne décrit pas simplement des faits, il en invente pour les décrire. « Il s'agit ici, nous dit-il, d'une réalité strictement matérielle. » Pas du tout, répondons-nous, il s'agit d'un univers imaginaire. Alors Robbe se reprend : « Réalité strictement matérielle, en ce sens qu'elle ne prétend à aucune valeur allégorique. » Ce qui n'explique pas le besoin d'inventer des faits et gestes qui n'ont ni plus ni moins de signification que les faits et gestes de la vie réelle.

A quoi bon discuter? Robbe comprit très bien lui-même le ridicule de ses prises de positions théoriques que contredisait sa pratique du roman. Il abandonna sa campagne en faveur d'un nouveau réalisme. De son propre aveu, *La Maison de rendez-vous* (1965), feuilleton sophistiqué se déroulant à Hong-Kong, « relève de l'esthétique des bandes dessinées ». Cette fois, Robbe a voulu reproduire les mouvements de l'imagination quand celle-ci brode sur les thèmes de l'exotisme, de l'érotisme, de la drogue, etc. On ne trouvera pas ici une véritable histoire, mais une ronde d'images obsessionnelles.

Robbe reprit à son compte le joli mot d'un romantique allemand : « La vie imaginaire est la vraie vie de l'homme. » Il précisait : « Ce qui distingue l'homme des autres animaux, c'est qu'il est continuellement en train d'imaginer sa propre vie. » Il ne disait pas comment il savait que les autres animaux n'imaginent pas sans cesse leur propre vie, mais il renonçait franchement à la voie qu'il avait indiquée pour le roman. On pouvait sourire en se rappelant qu'il avait prophétisé en 1956 et en 1963 encore : « C'est sur la signification immédiate des choses que portera demain l'effort de recherche et de création. »

Désormais, dans l'œuvre de Robbe, les objets ne seraient plus que des accessoires. *Projet pour une révolution à New York* (1970) fut présenté comme « une expérience de pop'art ».

En juillet 1975, à un colloque de Cerisy (texte publié dans la collection 10/18), Robbe fit de plaisantes déclarations : « Je n'ai jamais cru à la possibilité créatrice des théories, sinon pour créer autre chose que ce qu'elles disaient... Les théories ont pour moi ce rôle principal de faire peur aux gens... » Et finalement, ce qu'il réclama, face à son disciple Jean Ricardou, ce fut « une absolue liberté de créateur ».

MICHEL BUTOR

Michel Butor, né en 1926, est plutôt un écrivain intelligent qu'un écrivain inspiré. Il nous dit qu'il écrit des romans « pour obtenir une unité dans sa vie » : « L'écriture est pour moi une colonne vertébrale, un prodigieux moyen de se tenir debout. » Il faut entendre que le monde est un chaos, et qu'écrire est un des meilleurs moyens pour essayer de surmonter ce chaos. N'attendez donc point de Butor qu'il vous raconte des aventures proprement romanesques, au sens habituel du terme. Il vous offre d'ingénieuses constructions hautement intellectuelles. « Je ne puis commencer un roman, nous dit-il, qu'après en avoir étudié pendant des mois l'agencement, qu'à partir du moment où je me trouve en possession de schémas dont l'efficacité expressive me paraît enfin suffisante. »

Au début, il y a le plan du livre. Ensuite vient la recherche des éléments qui serviront à la rédaction. Butor réunit une collection de petits faits bruts, de notations diverses, de bouts de dialogues. Il s'agit d'ordonner cette matière suivant le plan. Pour Butor, inventer, en matière romanesque, c'est d'abord agencer.

D'où l'importance qu'il attache aux descriptions, « cette description méthodique s'inscrivant exactement dans le prolongement de l'évolution philosophique contemporaine qui trouve son expression la plus claire et la position la plus aiguë de ses problèmes dans la phénoménologie ». Aussi bien, est-ce par là que Butor appartient au « nouveau roman ». Il décrit minutieusement les choses et les plus dérisoires faits et gestes de ses personnages. C'est sur un fond de réalité grise et précise que pourra s'esquisser peut-être une vue nouvelle sur la condition humaine.

Les dangers d'une description minutieuse de la réalité immédiate sont évidents. Pour y parer, Butor lui-même choisit pour ses romans un cadre particulier, faute de quoi ces romans seraient informes, reproduisant trop bien le chaos du monde.

Il commença par nous décrire la vie d'un immeuble : *Passage de Milan* (1954). Il élargit son ambition à l'évocation de toute une ville : *L'Emploi du temps* (1956), puis à l'opposition de deux villes : *La Modification* (1957), qui reste le plus connu de ses livres.

Dans un train, entre Paris et Rome, un mari découvre que la maîtresse qu'il va rejoindre ne lui plaît tant que parce qu'elle habite la Ville éternelle dont les prestiges rejaillissent sur elle. A Paris, cette jeune personne ne vaut pas mieux que l'épouse légitime.

Les incidents du voyage, au hasard duquel l'histoire est évoquée, sont racontés minutieusement à la seconde personne (l'auteur s'adressant au héros). Les phrases sont souvent longues, mais l'auteur, pour que la construction ne nous échappe pas, va volontiers à la ligne dans le cours même de ces phrases. C'est une des particularités, entre autres, de ce livre curieux et réussi.

Degrés (1960), où l'intérêt romanesque est nul, nous décrit les activités des professeurs et des élèves d'un lycée parisien et, plus précisément, d'une classe de seconde au lycée Hippolyte-Taine. Le récit — ou plutôt l'inventaire — est confié à un professeur qui est en même temps l'oncle d'un élève et c'est à cet élève qu'il s'adresse (le « tu » remplace le « vous » employé dans *La Modification*). Puis l'élève remplace et relaie le professeur. Cette seconde partie est un double de la première, mais le point de vue n'est plus le même. (En fait, c'est toujours le professeur qui rédige, mais il se met à la place de l'élève et se fait aider par lui.) Une troisième partie sera rédigée par un second professeur, lui aussi oncle de l'élève. Le premier oncle finira par tomber malade et mourra. On se demandera alors si la tâche qu'il avait entreprise est cause de cette mort. Elle l'est peut-être symboliquement, car c'était une tâche désespérée : il est impossible de dresser un inventaire du temps qui passe. (C'était précisément le thème principal de *L'Emploi du temps*.) La connaissance que nous avons de ce qui se passe autour de nous est inévitablement fragmentaire. Il n'y a que des degrés de connaissance. Il n'y a pas de connaissance totale. *Degrés* peut passer pour une satire de cette méthode phénoménologique que prônait d'abord Butor.

Pour écrire ce livre, l'auteur semble avoir rassemblé une impressionnante documentation. On trouvera pêle-mêle fragments de cours, citations d'ouvrages classiques ou scolaires, jeux d'enfants, scènes de la vie domestique, etc. Le tout aurait pu être ordonné différemment et, par exemple, former un répertoire pour l'étude du monde des lycées et collèges. Ce répertoire est là en puissance.

Mobile (1962) est issu d'un même labeur d'archiviste. Mais, cette fois, plus de narrateur ou de présentateur : Butor nous livre, telles quelles, les notes et notations qu'il a accumulées sur les États-Unis. Il n'a pas cherché à les enrober dans un texte. Son travail a consisté à les distribuer artistement en trois cents feuillets et à les disposer dans les pages avec le souci de flatter l'œil. Il importe assez peu de savoir s'il a voyagé ou non en Amérique, car il aurait pu composer le même ouvrage sans quitter sa chambre.

L'ouvrage de Butor sur Venise, *Description de San Marco* (1963) et son livre sur les chutes du Niagara, *6810000 litres par seconde* (1965) se présentent également comme des puzzles. Mais Butor s'est lassé de ces jeux. Il se consacre désormais à des essais littéraires et à l'élucidation de quelques rêves. Chez lui, les facultés critiques l'emportent de loin sur les dons de créateur. Dans ses premiers romans il s'était montré un bon architecte, mais l'échafaudage était plus visible que le bâtiment, — et parfois même le bâtiment n'existait pas. Dans ses essais critiques, réunis dans les *Répertoires,* il parle en technicien et en professeur. Malgré son ingéniosité (et même quand par son excès elle le fait verser dans le farfelu), il y a toujours en lui quelque chose d'un peu guindé et d'un peu sec ; mais il est assurément, de tous les écrivains du « nouveau roman », celui qui possède la culture la plus large et le seul qui manifeste des ambitions encyclopédiques.

CLAUDE SIMON

Claude Simon, né en 1913, débuta dans le sillage de Camus avec *Le Tricheur* (1946), dont le héros est un proche parent de *L'Étranger*. Puis, c'est l'influence de Faulkner que subit l'auteur dans *Gulliver* et dans *Le Sacre du printemps.* Le passage au « nouveau roman » s'effectua dans *Le Vent* (1957) et dans *L'Herbe* (1958). Claude Simon renonçait définitivement au récit classique et entrait dans le domaine du ressassement d'images. Ses meilleurs ouvrages sont probablement *La Route des Flandres* (1960) qui évoque la débâcle de 40 où les individus sont noyés dans le flot de l'Histoire, et *Le Palace* (1962) où il restitue le climat de Barcelone pendant la guerre civile.

Son œuvre la plus typique est *Histoire* (1967). C'est le récit d'une journée pendant laquelle un homme nous dit tout ce qui lui passe par la tête, se laissant guider par les associations de pensées, de souvenirs, de mots, vaste courant intérieur, sans cesse dévié par les sollicitations du dehors. Car il y a un ordre extérieur ponctué par les heures qui s'écoulent, et un désordre de l'esprit, mêlant présent et passé. Nous sommes faits de ce mélange de souvenirs et de sensations actuelles. Chacun sait cela par soi, et qu'il faut un effort de l'intelligence pour sortir de l'espèce de confusion mentale qui est notre état naturel, quand les appétits et les passions ne viennent pas rassembler nos forces dans une direction donnée. Essayer de démêler ce qui s'agite en nous est déjà trahir la réalité, car c'est donner une forme à ce qui n'en a pas. De fait, du récit volontairement chaotique de Claude Simon émerge finalement une « histoire », comme le titre le promettait, et même beaucoup d'histoires : autant qu'il y a de personnages évoqués, chacun se définissant, non par ce qu'il était au fond de lui-même, mais par ce qui lui est arrivé. Claude Simon nous livre en désordre les éléments d'un roman d'une famille provinciale, pas tellement différente de celles que peint Henri Troyat de manière traditionnelle.

Il va de soi que c'est ironiquement que Claude Simon promettait une *Histoire.* Mais briser le moule classique du récit n'entraîne pas la disparition des histoires : celles-ci sont simplement brisées à leur tour et présentées en miettes.

Claude Simon a emprunté à Faulkner certains de ses procédés de base et tout d'abord le procédé de la chronologie disloquée, qui ne vise nullement à nier le temps, mais à montrer qu'il existe une durée particulière pour les phénomènes de conscience. Proust a joué lui aussi avec le temps : très souvent, on ne saurait dire quel âge avait son héros à l'époque de tel ou tel souvenir évoqué. Ce qui importe, c'est le souvenir toujours vivant et non la date des faits sur le calendrier.

Seulement, chez Proust ou Faulkner, l'histoire et les personnages occupent la première place dans l'œuvre. Chez Simon l'anecdote est enfouie dans une pâte poétique compacte et n'importe quoi devient prétexte à description au détriment de l'essentiel. Les hors-d'œuvre sont là, c'est le plat de résistance qui manque.

On peut regretter aussi les « tics d'écriture » de l'auteur. Évidemment, nous appelons « trucs » les procédés qui ne nous convainquent pas. Les images de Simon peuvent être ramassées en des instantanés brillants, ou s'étirer en de longues phrases grossies d'incidentes, avec les adjectifs qui vont par trois ou quatre, et de fastidieux participes présents qui permettent des enchaînements un peu trop appliqués. Parfois, Claude Simon supprime la ponctuation, commence un paragraphe sans majuscule. Le livre commence d'ailleurs sans majuscule : « l'une d'elles touchait presque la maison et l'été quand je travaillais tard dans la nuit... » Le pronom « elles » désigne les branches d'un arbre qu'on nous montre ensuite. Ce sont là des enfantillages, qui ne rendent nullement « difficile » la lecture de ce roman; mais qui ne la rendent pas non plus passionnante.

Les dernières œuvres de Claude Simon ne sont plus du tout des romans, mais des enchaînements d'images : *La Bataille de Pharsale* (anagramme de *La Bataille de la Phrase*) (1969), *Les Corps conducteurs,* (1971). L'évolution de Claude Simon est ainsi parallèle à celle de Robbe-Grillet, mais sa langue a plus de sève et il est douteux qu'il finisse dans la bande dessinée.

ROBERT PINGET

On fut bien surpris quand Robbe-Grillet annexa l'œuvre de Pinget au « nouveau roman ».

Explorateur de pays imaginaires, Robert Pinget (né en 1919), auteur de *Graal Flibuste* (1957) et de *Baga* (1958), nous semblait appartenir à la famille de Michaux. Toutefois, l'on est sensible, d'abord chez Michaux, à un feu central dévastateur. Pinget se livre beaucoup moins : le cri fait place au sourire. Alors que Michaux ne cesse de se délivrer de ses obsessions, Pinget paraît avoir atteint la sérénité : du moins, a-t-il l'apparence d'un observateur tranquille, une attitude quasi scientifique. La fantaisie de Michaux n'exclut jamais le pathétique, tandis que l'ironie de Pinget agit souvent comme une douche glacée. Mais suffit pour ce parallèle. Il est vrai que *Le Fiston* et *Lettre morte* (1959) en appellent d'autres.

Lettre morte est une pièce et *Le Fiston* un roman. Il serait intéressant de savoir dans quel ordre ces œuvres ont été écrites : elles ont, en effet, les mêmes personnages et le même sujet. Le thème central est un peu celui d'*En attendant Godot,* à moins qu'il ne s'agisse du thème opposé : dans la pièce de Samuel Beckett, on attendait Godot comme le salut et Godot pouvait être (mais il n'apparaissait pas) un grand-père à barbe blanche. Dans les deux œuvres de Pinget, c'est au contraire un père qui attend son fils.

Bien que *Le Fiston* ait été sélectionné par le « Club du Livre chrétien », Pinget ne semble pas avoir voulu donner un arrière-plan religieux à son œuvre. Si la signification du *Fiston* peut être généralisée, on peut aussi bien s'en tenir au cas précis qui est évoqué. Les rapports entre parents et enfants sont rarement bien décrits et, notamment, ce curieux renversement des rôles qui se produit à un moment donné. Le jeune enfant attend tout de ses parents, puis il arrive que les parents réclament l'aide de leurs enfants. Le drame de M. Levert, le personnage de Pinget, c'est que son fils ne s'intéresse pas du tout à lui, ne vient jamais le voir, ne lui écrit jamais. « Les lettres, ce n'est pas ce qui compte », dit l'employé de la poste à la fin de *Lettre morte,* mais ce ne peut être l'avis de M. Levert, dont la principale occupation est justement d'écrire à son fils des lettres qu'il considère comme des pièges tendus à l'absent.

Le roman *Le Fiston* commence assez bizarrement comme une chronique volontairement neutre. On a l'impression qu'il s'agit d'un pastiche du roman selon Robbe-Grillet (il y a même le truc du recommencement du récit). Puis l'on passe de la troisième à la première personne, et ici s'introduit un pathétique inattendu chez Pinget. Cela n'exclut pas le comique : « A la bonne heure, je me reconnais bien là. A mon image. Celle de sa mère. » Mais c'est ainsi que cette œuvre débouche sur une réalité très familière.

L'Inquisitoire (1962) rapporte les réponses d'un vieillard sourd aux questions que lui pose la police à propos d'un crime dont il ne sait peut-être rien. Le vieillard est très bavard. A mesure qu'il parle (à côté du sujet supposé du livre), tout un petit monde farfelu surgit, décrit avec la précision des inventaires et des procès-verbaux de Robbe-Grillet, humour en plus. Le sens privilégié, chez Pinget, est cependant l'ouïe et non la vue (ce qui explique qu'il soit attiré par le théâtre tandis que Robbe l'est par le cinéma.) Par les jeux du langage, Pinget essaie d'échapper au poids des choses. Les ouvrages qu'il écrivit ensuite, tels *Quelqu'un* (1965) ou *Passacaille* (1969) se situent en dehors de toute école.

ÉLISABETH PORQUEROL

Comme Pinget, Élisabeth Porquerol (née en 1906) a le goût de la parole vivante et de peindre des personnages à travers les phrases qu'ils prononcent. Comme Sarraute, elle n'est pas moins attentive à la sous-conversation qu'à la conversation. Comme Butor, elle aime les expérimentations hardies.

Les Voix (1965) est une tragédie de palais sous les apparences d'un roman campagnard. On y voit une citadine arriver dans une ferme où elle va être chargée de garder les moutons. Elle succède à un nommé Julio, qui est parti brusquement dans des circonstances qui seront mal élucidées. Il faut dire que l'auteur ne cherche pas à rien élucider : c'est la vie brute de la ferme qu'elle nous présente. Une vie très simple si l'on s'en tient aux petits événements de la vie courante, clairement contés. Une vie complexe et inquiétante dès que l'on réfléchit aux forces souterraines qui mènent tout ce petit monde. Les animaux jouent ici un grand rôle. Joseph, le patron, est attaché à sa chienne plus qu'à personne. Elle provoque des jalousies et même de la haine : car le fils, pour sa part, tenait à une chèvre que la chienne a tuée. Mais essayer de raconter le livre est vain : la grande réussite de l'auteur est précisément d'avoir réussi à nous passionner pour une évocation globale d'un milieu, sans paraître suivre un fil conducteur d'intrigue.

Ici, toutefois, ne nous méprenons pas : comme l'indique le titre, Élisabeth Porquerol a voulu surtout nous donner le portrait de quelques voix. Le livre se présente comme une suite de monologues alternés, où, successivement, le fermier, la fermière, le fils, la belle-mère, un voisin s'adressent à la bergère. Il s'agit ainsi de monologues dramatiques, et non pas de monologues intérieurs comme dans *Tandis que j'agonise*.

Ce que disent les voix et la manière dont elles le disent (curiosités syntaxiques), cette pâte n'est pas tout le livre. Il faut revenir aux passions qui font gonfler cette pâte. Le rabâchage même devient révélateur de la mélasse de sentiments dans laquelle barbotent les personnages. Par les mots, semble nous dire l'auteur, rien n'est jamais dit tout à fait, même et surtout quand les paroles sont en surnombre. Ce qui compte reste informulé. C'est tout le poids de l'informulé qui donne au livre d'Élisabeth Porquerol sa force sourde et inquiétante. (Mais elle sait aussi nous faire rire, entre deux malaises.)

Une seule personne nous parle dans *Clés en mains* (1967), une petite bourgeoise prénommée Sylvie. L'originalité la plus voyante de son récit est d'être rédigé au futur. C'est-à-dire que rien de ce qui nous est raconté n'est encore arrivé et que rien n'arrivera peut-être. Le sujet de ce livre, c'est la manière dont fabule un esprit, sautant sur la moindre sollicitation extérieure pour faire des siennes. Tout ce qui est certain, c'est que Paul, le mari de Sylvie, a dit qu'il était imprudent de louer une villa par correspondance, sans voir. Sylvie qui le sait retenu à Paris pour ses affaires imagine qu'elle sera amenée à faire seule le petit voyage jusqu'à la côte et Élisabeth Porquerol enregistre le petit cinéma qu'elle se fait aussitôt.

Ce qui est passionnant dans ce livre, c'est qu'il nous oblige à réfléchir sur notre propre ronron intérieur qui ne fonctionne pas autrement que celui de Sylvie. Nous sommes sans cesse à prévoir ce qui va nous arriver et nous vivons ainsi dans l'imaginaire autant que dans le réel. Et de quoi est fait notre imaginaire? De désirs et de craintes inavoués, d'une déformation du passé, une sûre manifestation de notre inconscient.

SIMONNE JACQUEMARD

Après d'excellents romans de forme traditionnelle, tels que *Vincent* (1953) et *Judith Albarès* (1957), Simonne Jacquemard (née en 1922) succomba à la tentation du roman expérimental et donna la fable du *Veilleur de nuit* (1962).

Il semble qu'elle ait rêvé sur un étrange fait divers qui devait un peu plus tard inspirer à Wyler son beau film *L'Obsédé* où s'illustra Terence Stamp (1965). Un jeune homme de 27 à 29 ans avait entrepris de creuser un puits profond dans son jardin à la recherche d'un trésor. Il aménagea un souterrain où il séquestra une jeune fille. Je crois que dans le fait divers original (anglais), la jeune fille vivait encore quand on la délivra, mais ici, quand on vient à son secours, elle est morte. Siméon Leverrier, son ravisseur, n'apparaît que plus inquiétant. Et sans nul doute le but de Simonne Jacquemard est de nous inquiéter. Toutefois, voudrait-elle nous inquiéter si elle-même n'avait pas été profondément remuée par cette histoire?

Le livre est composé avec un souci de tension policière. Siméon est interrogé par son juge — qui est à la fois un vrai juge — sa conscience, celle de l'auteur, la vôtre. Ce juge s'appuie sur des récits de témoins, sur des pages de carnet de l'accusé. Les faits sont examinés sous divers angles, examinés et réexaminés. Simonne Jacquemard use du truc des répétitions où de minces détails sont seuls modifiés. C'est afin de créer un climat obsessionnel. Mais, ce qui est en cause, c'est le tragique d'une destinée qui s'est poursuivie en marge de celle du troupeau. Leverrier est avant tout un individu original et le trésor qu'il cherche dans son souterrain, c'est la justification de sa vie : quelque chose qui prouverait aux autres qu'il a le droit d'être ce qu'il est. Il creuse, comme d'autres écrivent ou peignent. C'est un artiste.

Simonne Jacquemard nous offre un livre sur la tentation de l'individualisme. Il se double d'une réflexion sur la morale, la justice et la prédestination. Quant au sort de la jeune fille, le voici soudain secondaire ou, du moins, devenu un des éléments du débat symbolique, « car des êtres asservis sous le couvert de la légalité, il en existe par milliers »...

Mi-roman, mi-poème. Allant de la description pure à la méditation lyrique en passant par la satire.

Simonne Jacquemard donna ensuite un gros livre, dont le format géant (18,5 × 26 cm) et la présentation typographique (nombreux changements de caractères d'imprimerie) parurent un peu décourageants. D'autant plus qu'on ne se trouvait pas en présence d'un récit continu, mais d'une suite de fragments.

Réduit à son schéma, *L'Éruption du Krakatoa* (1969) rappelle le sujet d'une pièce de Jean Cocteau, intitulée *Les Monstres sacrés*. Un couple d'artistes voit sa solidité compromise par l'irruption d'une jeune personne ambitieuse dans son intimité. Le mari semble succomber à la tentation mais, sa femme tombant malade, il comprend tout ce qu'il risque de perdre et qui lui est essentiel. Il trace une croix sur l'aventure.

Le Cyril de Simonne Jacquemard et la Liane de Cocteau ne se ressemblent guère, mais ils incarnent, chacun à sa façon, le mythe de la jeunesse. L'épigraphe qu'a choisie Simonne Jacquemard indique très bien ce qui est en jeu : « Nous ne sommes pas en quête de sainteté mais de jeunesse; la jeunesse éternelle d'un être qui grandit. » Le jeune Cyril est bien plus que lui-même : il représente la cristallisation des nostalgies du couple Anne et Denis. A son propos, toutes les vieilles légendes sont évoquées, et l'auteur cite des travaux d'ethnologues aussi bien que des livres de sagesse, tant occidentaux qu'extrême-orientaux. Il arrive que l'on ait l'impression de lire un essai plutôt qu'un roman.

La réussite de Simonne Jacquemard est d'avoir donné à une mésaventure amoureuse et à une histoire d'intervention chirurgicale les dimensions d'un cataclysme comme l'éruption du Krakatoa. Par là, elle ne s'écarte pas du réalisme psychologique : car rien n'est plus important pour chaque homme que ses petites aventures, et ces petites aventures deviennent de grandes aventures quand un écrivain se montre capable de les nourrir d'une vaste culture.

Dos Passos, dans *Manhattan Transfer,* et Sartre, dans *Le Sursis,* avaient voulu nous montrer le grouillement d'individus à un moment de l'histoire du monde. Simonne Jacquemard, dans *Le Krakatoa,* a eu l'ambition de faire sentir comment coexistent en un seul homme le passé collectif, le présent multiple et l'imprévisible avenir.

Elle nous donna ensuite le puzzle historique de *La Thessalienne* (1973), constitué de pièces et de morceaux, les uns se référant à la vie d'Alcibiade, que l'auteur nomme Alkibiadès à la manière de Leconte de Lisle, et les autres à la vie d'une petite magicienne, Séphoria, venue de Thessalie, et qui finira sur le trépied de la Pythie. Séphoria aurait pu être la chance d'Alcibiade, et c'est Alcibiade au contraire qui devient sa chance à elle, car il l'envoie en Egypte où elle achève son initiation. Elle poursuit son ascension alors qu'il s'achemine vers sa ruine.

L'ouvrage de Simonne Jacquemard mêle ainsi les éléments d'un roman historique et les fragments d'un roman poétique.

Elle aurait parfaitement pu nous raconter la vie d'Alcibiade. Elle a préféré l'évoquer en juxtaposant des documents divers, parmi lesquels seul un spécialiste saurait démêler l'authentique de l'apocryphe.

Au lecteur lui-même de reconstituer la vie d'Athènes il y a vingt-quatre siècles. En tout cas, c'est une Athènes sauvage, bien éloignée de l'imagerie classique qui avait cours encore dans nos lycées à la veille de la dernière guerre. Quant à Alcibiade, pris à la glu des vanités terrestres, il sera vaincu par le destin qu'il a voulu dominer : une telle lutte est toujours inégale.

Séphoria est au contraire à l'écoute des réalités secrètes. Nous la voyons sans doute adhérer à d'étranges croyances locales et à ce que nous appelons des superstitions mais, en même temps, sa sensibilité est ouverte aux voix profondes de la Nature.

On pourrait sans doute dire que, pour Simonne Jacquemard, Athènes est le symbole des erreurs de la politique, de la Puissance éphémère et des pauvres ambitions des hommes, tandis que Séphoria représente la vraie connaissance ou, du moins, la recherche de l'accord avec une Volonté mystérieuse qui nous dépasse et que nous devrions accepter. En ce sens, le livre est très actuel : l'opposition Alcibiade-Séphoria a son équivalent de nos jours.

PHILIPPE SOLLERS

Philippe Sollers (né en 1936) débuta en publiant une petite éducation sentimentale, *Une curieuse solitude* (1958) qui fut saluée par le critique du *Monde* (alors Émile Henriot) comme une révélation. Mauriac et Aragon y retrouvèrent aussi le parfum d'une littérature qu'ils avaient aimée dans leur adolescence. Refusant d'être le contemporain de ces vieillards, Sollers renia son livre et composa *Le Parc* (1961). Il accomplit là un bond d'un demi-siècle : cessant d'écrire à la mode de 1905, il avait adopté la mode de 1955.

Un homme regarde de son balcon ce qui se passe dans l'appartement d'en face et cela donne ceci : « Dans ce fauteuil en cuir, là-bas, à droite de la cheminée et du lampadaire, un homme est assis de profil, un verre à la main. Devant lui, une femme par instants s'anime, et je peux voir sa robe rouge derrière les rideaux, ses gestes, le mouvement de ses lèvres quand elle parle, tandis qu'il est penché pour l'écouter, et je crois l'entendre, lui, disant comme d'habitude et distraitement : « Bien sûr... » Etc, etc.

Ne dirait-on pas un pastiche de Robbe-Grillet? C'en est un. Mais Sollers comprit vite qu'il ne serait pas romancier. Bien plus : après *Drame* (1965), où il relate l'échec de sa dernière tentative en ce domaine, il devait renoncer à la littérature. Il a même barré le mot dans son vocabulaire : il n'y a plus que *L'écriture*. Et sa revue *Tel quel*, littéraire à ses débuts, en 1960, est devenue une revue de sciences humaines.

30.
Loin de Paris

La France est le seul pays dont les écrivains semblent ne pouvoir vivre que dans la capitale. Il est significatif que les académiciens français ne veuillent accueillir dans leur compagnie que des hommes capables de se rendre tous les jeudis aux séances du dictionnaire. Vivre loin de Paris, c'est vivre loin de la vie littéraire et des trompettes de la renommée. On ne peut manquer de le déplorer. On se réjouit que quelques écrivains vivant en province ou à l'étranger aient accédé à la célébrité par la seule force de leur œuvre. Ce fut le cas de Giono, qui a écrit tous ses livres en Provence, et de Yourcenar, installée depuis 1940 aux États-Unis. Nous allons réunir dans ce chapitre quatre écrivains pareillement indépendants. Albert Cohen, Suisse d'adoption, Paul Gadenne, qui s'était fixé à Bayonne, le Lyonnais Jean Reverzy et le Toulousain José Cabanis. Il faut souligner qu'aucun d'eux n'a considéré la littérature comme un métier : ils furent poussés à écrire par une nécessité intérieure. C'est ainsi qu'on réussit les meilleurs livres.

ALBERT COHEN

Albert Cohen (né en 1895) n'a écrit qu'un seul roman : la saga d'une famille de juifs originaires de Céphalonie, dont le grand homme est le séduisant et solaire Solal, mais qui a ses extravagants, tel l'épique et clownesque Mangeclous, « surnommé aussi longues dents et œil de Satan et lord High Life et sultan des tousseurs et crâne en selle et pieds noirs et haut de forme et bey des menteurs et parole d'honneur et presque avocat et compliqueur de procès et médecin de lavements et âme de l'intérêt et plein d'astuce et dévoreur des patrimoines et barbe en fourche et père de la crasse et capitaine des vents ».

Les deux premiers tomes parurent avant-guerre — *Solal* (1930) et

Mangeclous (1938) — et valurent à leur auteur quelques admirateurs fervents. Trente ans après *Mangeclous,* le troisième tome fut publié comme livre indépendant, sous le titre : *Belle du Seigneur* (1968) et obtint un large retentissement : à soixante-treize ans, Cohen connut la célébrité. Un quatrième et dernier tome suivit peu après : *Les Valeureux* (1969). L'ensemble de la saga représente en nombre de pages l'équivalent de vingt à vingt-cinq romans de format courant.

Albert Cohen est aussi l'auteur du *Livre de ma mère* (1954). C'est par ce livre de souvenirs que nous avons fait sa connaissance. Il y raconte comment sa famille, originaire de l'île grecque de Corfou, est venue s'installer à Marseille quand il était tout enfant. Il était fils unique. Sa mère a vécu pour lui et par lui. Ce n'est pas ici une formule : cette femme solitaire ne pensait qu'à son fils, avec un dévouement sans défaut et une humilité qui nous étonne. Elle n'avait pas connu l'amour, qu'elle tenait pour un sentiment frivole; elle ne voulait connaître que la famille. C'était une femme d'une simplicité digne et d'une parfaite honnêteté. Quand son fils, plus tard, fut en poste à Genève, les quelques semaines qu'elle allait passer près de lui étaient le grand événement, le seul, de son existence. Le fils, lui, avait sa propre vie à réussir. Il ne trouvait même pas toujours le temps d'écrire... La mère devait mourir seule, à Marseille, pendant l'occupation, avec l'étoile jaune et la peur, tandis que son fils était à Londres.

Maintenant, le fils se souvient.

Comme le souvenir est voisin du remords!

disait Victor Hugo, et c'est ce qu'éprouve le fils qui rappelle des souvenirs, des gestes, des phrases. Et l'on voit se dessiner les portraits d'une mère, tout dévouement, mais embarrassée de son Proche-Orient natal, et d'un fils qui s'est parfaitement adapté à l'Occident, et qui est pressé de vivre. Mais pourquoi se presser? Le voici maintenant seul, comme a pu être seule sa mère. Il a bien une fille, mais il est juste qu'à son tour elle ne trouve pas le temps d'écrire.

Toute cette partie du livre, avec son côté mur des lamentations, nous atteint en plein cœur. On en accepte l'impudeur et le lyrisme baroque, on suffoque, ce n'est pas le moment de discuter.

Mais l'auteur se met lui-même à discuter, à attaquer. Nous n'avons pas cité sans raison un vers de Hugo. Albert Cohen s'en prend, en effet, aux poètes avec la dernière violence : « Ils ont des sentiments courts et c'est pour ça qu'ils vont à la ligne. » On comprend très bien à quels poètes l'auteur pense : à Musset, qui a écrit bêtement que « rien ne nous rend si grand qu'une grande douleur », et à Mme de Noailles qui a parlé de « l'honneur de souffrir ». Mais l'attitude de Vigny est toute différente quand il proclame :

Plus que tout votre règne et que ses splendeurs vaines,
J'aime la majesté des souffrances humaines.

Il s'inscrit ici dans la grande tradition de la révolte, qui est la seule attitude possible dans certains cas.

Les poètes vont parfois à la ligne, mais Cohen aussi : il fignole ses phrases, compose des paragraphes, distribue ses paragraphes en chapitres et tout son livre n'est enfin qu'un long poème. C'est le fait même d'écrire qui n'est peut-être pas très naturel. On apprend et on désapprend d'écrire. Enfin on admet parfois que les grandes douleurs sont muettes. Dès que l'on parle, c'est que la vie a repris le dessus.

Cohen parle du « péché de vie », entendant par là que le fait même de vivre constitue une espèce de crime. Le cri d'Albert Cohen est le vieux cri de désespoir devant la vanité du monde : qu'est-ce que tout cela qui doit finir? Pourquoi me condamne-t-on à vivre si l'on me condamne à mort? « Que de morts on évite en refusant de donner la vie », disait Giraudoux.

Faut-il réfléchir à ces questions? Albert Cohen rapporte qu'un jour où il était malheureux, sa mère, au lieu de le consoler par des mots abstraits, s'était bornée à lui dire : « Mets ton chapeau de côté, mon fils, et sors et va te divertir, car tu es jeune, va, ennemi de toi-même. »

Paroles d'une singulière sagesse. Albert Cohen, au contraire, quand il n'aime plus la vie veut en dégoûter tout le monde. Et parfois d'une manière inattendue : c'est ainsi qu'à deux reprises, il nous dit qu'on ne trouve pas de perles dans le mouchoir d'une jeune fille qui se mouche. Et puis son chant de mort finit en une plainte égoïste : l'auteur s'attendrit sur soi-même. Il trouverait normal que sa fille se consacrât à le soigner dans ses vieux jours. Pourtant, à la dernière page, il reconnaît qu'il a été de nouveau heureux, commettant toujours le péché de vie. « Dieu merci, les pécheurs vivants deviennent vite des morts offensés. » (Car la mère qui disparaît a vu elle-même disparaître sa propre mère.)

Après avoir donné ce *Livre de ma mère,* Albert Cohen écrivit *Belle du Seigneur* qu'il appelle « le livre de l'amour ». Il ne s'agit plus de l'amour maternel et de l'amour filial, il s'agit de l'amour du couple. Là aussi, comme devant la vie, l'attitude d'Albert Cohen se modifie du tout au tout suivant les circonstances et son état de santé : tantôt il exalte les relations charnelles et tantôt il les vomit. Dans ce dernier cas, la raison qu'il donne est forte : c'est qu'on est toujours amoureux de la peau, jamais de l'âme. L'âme la plus exquise ne saurait se faire aimer d'amour si le corps qui la contient n'est pas attirant.

Belle du Seigneur commence à Genève, quelques années avant la guerre, dans les milieux de la Société des Nations. Nous assistons à la séduction d'une jeune femme prénommée Ariane par Solal qui est haut fonctionnaire.

Quand le grand Solal remarque Ariane, elle est mariée à un de ses subordonnés, belge, Adrien Deume. Solal et Ariane, c'est un peu David et Bethsabée, à cette différence qu'on n'enverra pas Adrien se faire tuer : il essaiera lui-même de se suicider. Après quoi, Solal et Ariane vont essayer de vivre jusqu'au bout de leur amour. Comme il est essentiellement physique, la satiété ne tarde pas. Pour la combattre, les amants ne reculeront pas devant les grands moyens : jalousies rétrospectives, humiliations morales et toutes les recettes érotiques. Ce livre de l'amour est aussi un tableau des horreurs de l'amour charnel. Solal et Ariane finiront d'ailleurs par se donner eux-mêmes la mort.

Or pendant que se déroule leur passion, l'antisémitisme atteint son paroxysme en Allemagne. Solal se fait même révoquer pour avoir proposé un plan de secours aux persécutés qui déplaît en haut lieu. On est un peu surpris que les malheurs de son peuple ne réduisent pas à ses propres yeux la violence de sa tragédie amoureuse. On est surpris surtout qu'Albert Cohen n'ait pas présenté un parallélisme net entre le pourrissement de l'Europe à cette époque et le pourrissement des amours de Solal. Il ne fait que l'esquisser.

Nous avons dit que les épisodes étaient très variés dans la première partie. Nous trouvons en effet des descriptions satiriques de la bourgeoisie Deume, des milieux de la S.D.N., et les cousins Solal font des apparitions époustouflantes. Tout cela constitue une suite de morceaux de bravoure qui prouvent surabondamment que l'auteur dispose de moyens littéraires exceptionnels. Mais le roman, au lieu de s'élargir, va se rétrécissant : il se concentre autour de deux personnages. L'histoire de la révocation de Solal n'occupe que quelques pages : nous aurions voulu qu'elle en occupât deux cents pour que le roman trouve un équilibre. Oui, ce livre de huit cents pages et plus nous paraît, sous cet angle, trop court.

De toute manière, ce n'est pas un livre harmonieux : il se veut violemment baroque et ses outrances ne plairont pas à tout le monde. Mais enfin, à tous points de vue, c'est une œuvre qui sort de l'ordinaire. Aimer, aimer moins, n'aimer pas, détester... ce n'est plus qu'affaire de goût.

Dans son dernier ouvrage, *O vous frères humains* (1973), qui est autobiographique, Albert Cohen nous communique son sentiment sur une troisième forme d'amour qui est l'amour du prochain. Il estime qu'aucun homme n'a le cœur assez grand pour « aimer son prochain comme soi-même » : aimer tout le monde, c'est finalement n'aimer personne. Ce qu'on peut souhaiter que les hommes éprouvent les uns pour les autres, c'est seulement un peu de pitié. Et s'ils l'éprouvaient, ce serait déjà beaucoup. Le monde en serait changé.

PAUL GADENNE

Paul Gadenne naquit en 1907, à Armentières. Il y connut une première occupation, en 1914. Il habita ensuite Boulogne-sur-Mer, puis Paris où il poursuivit des études universitaires. Après son service militaire (à Remiremont), il fut nommé professeur de lettres au lycée Corneille de Rouen. La maladie l'obligea à interrompre une première fois sa carrière. Il passa deux ans en Savoie. En 1935, il reprit ses cours, à Gap cette fois. L'année suivante, il fut victime d'une rechute. En 1940, il obtint un nouveau poste, à Bayonne, qui allait désormais être son port d'attache.

Siloë (1941) fut tout naturellement un roman d'éducation et de sanatorium, comme *La Montagne magique*. Simon Delambre, jeune agrégatif, devait interrompre ses études pour aller se soigner en sana. Et sa véritable initiation commençait, sa vraie vie, car « il y a plus de vie dans un homme malade que dans toute une ville de gens bien portants ». (C'est un des camarades de Simon qui le dit. Nous retrouverons plus loin pareil propos chez Jean Reverzy.)

Simon ne se préoccupait plus de livres ni de situation sociale. Il se trouvait en face de la nature et il s'agissait pour lui de se fondre en elle.

Une jeune fille surgissait, Ariane, Simon la rencontrait une nuit, sous la pluie :

« Vous êtes mouillée, dit-il.

— J'aime la pluie.

— Mais elle a l'air de fouetter terriblement.

— J'aime le vent...

— Je ne remarquerai donc pas qu'il fait noir, parce que vous me diriez que vous aimez la nuit.

— J'aime la nuit, dit-elle en riant, et il vit ses dents qui luisaient. » (P. 173.)

Entre les deux jeunes malades naissait un amour à la fois simple et passionné et ils partaient ensemble à la découverte du monde et de leur âme, à la conquête aussi de la santé. Dès le début, ils dépassaient la sensualité, non point par mépris ou dégoût du corps, mais parce que l'origine de leur sentiment leur paraissait être ailleurs. Ils se donnaient du reste l'un à l'autre et parvenaient à ce moment où l'amour ne peut plus s'élever. Alors Ariane était tuée par une avalanche. Simon retournait vers la vie des villes.

« Il suffit qu'Ariane ait existé.

— C'est ce que je pense. Peut-être même eût-il suffi de croire que son existence était possible.

— Il aurait fallu du génie.

— Pourquoi pas? L'amour n'est pas autre chose. Ce n'est pas une affaire de circonstance : c'est une faculté de vision, de découverte, poussée très haut, poussée jusqu'au génie... » (P. 431.)

Cette explication de Simon était un aveu de l'auteur qui obligeait le lecteur à revenir en arrière et à tout reconsidérer de l'histoire qu'il avait lue et dont le pathétique paraissait brusquement tout différent.

Dans *Le Vent noir* (1947), l'impossibilité de trouver une existence conforme à son attente et à ses aspirations poussait le héros vers la folie.

C'était un roman ample comme *Siloë*. Gadenne s'essaya ensuite au récit court, relevant de l'art du dessin. *La Rue profonde* et *L'Avenue* (parus tous deux en 1949) sont des méditations sur le sens de la vie et sur le sens de l'art. Ce sont des « romans symboliques » sans presque aucune action qu'intérieure et sans autre véritable personnage que l'auteur.

Le narrateur de *La Rue profonde* est un poète. Une citation vous donnera une idée du mélange d'ironie et de tendresse dont est capable Paul Gadenne. « Cette fois, mon poème avance. Je me suis enfermé tout le jour, ne pouvant penser à autre chose qu'à l'incident d'hier soir, et à la fin de la journée, j'étais parvenu à former sur mon papier quelques vers. Les voici :

L'ombre monte et soudain le cheval qui passait...

Qui passait!... Je ne sais si cet imparfait vous dira autant qu'à moi, vous fera entendre comme à moi ce son rouillé, fêlé, — le son des choses qui ne sont plus... Allons, je serai hardi jusqu'au bout :

... et soudain le cheval qui passait,
Remorquant ses tonneaux de vin et ses barriques...

Remorquant... Je crois qu'il n'y a rien à changer à ce mot, s'il contient jusqu'à cette sensation de rivière qui me troublait tout à l'heure... Mais voilà, il faudrait maintenant exprimer la tristesse très particulière qui était dans ce cheval, ou plutôt la tristesse qui était dans cette rue; — ou pour mieux dire... » (P. 44.)

L'on pense à *Paludes,* aux *Créateurs* (dans *Les Hommes de bonne volonté*) et, bien sûr, son poème achevé, le narrateur en sera mécontent et le jugera comme il se doit, mais le drame n'en sera que plus émouvant. « La preuve en était faite, celui qui avait imité mon écriture pour écrire cela s'était bien moqué de moi. » (P. 193.) Ou encore : « Peut-être chacun est-il un grand poète pour soi-même, mais sa poésie meurt avec lui. » (P. 177.)

L'on croit être ceci et l'on ne peut écrire que cela, l'on pense profondément ceci et l'on ne communique que cela... les problèmes de l'engagement sont peu de chose à côté de ces misères...

Les deux romans suivants de Paul Gadenne renouent avec un romanesque plus traditionnel et les personnages de femmes y sont particulièrement bien venus : *La Plage de Scheveningen* (1952) et *Invitation chez les Stirl* (1955).

Quand il mourut en 1956, Gadenne laissait un roman inachevé, *Les Hauts Quartiers,* dont la publication tardive (1973) obtint un chaleureux accueil de la critique, tel que l'auteur n'en avait jamais connu de son vivant.

JEAN REVERZY

La carrière littéraire de Jean Reverzy tient en cinq années. Né en 1914, il publie son premier livre en 1954 et connaît le succès grâce à un grand prix de fin d'année. Il meurt en 1959.

C'est le pressentiment de sa fin prochaine qui l'avait amené à la littérature, et ses livres furent une tentative pour apprivoiser l'idée de la mort. Le premier d'entre eux s'appelait *La Psychologie des agonisants,* avant de devenir *Le Passage.*

« Cette histoire commença un après-midi, loin de la mer. » C'est par cette phrase que s'ouvre *Le Passage.* La phrase est significative, à différents titres. On voit tout de suite l'importance accordée à la mer par le narrateur puisqu'il se situe immédiatement par rapport à elle. Mais on peut aussi s'interroger, se demander quelle histoire commença cet après-midi-là. Ce n'est assurément pas celle de Palabaud qui, tout au contraire, vient de revenir à Lyon pour y mourir. Palabaud est pourtant bien le héros du livre. Alors? Eh bien, c'est que *Le Passage* est, au sujet de la vie de Palabaud, une longue méditation qui commença ce jour-là. La vie de Palabaud en fut le prétexte. Le narrateur, médecin dans un quartier ouvrier, ne nous cache pas qu'il l'imagine, cette vie, qu'il l'invente à partir de renseignements dont son ami est avare. Il peut l'inventer, car il a lui-même voyagé en Polynésie, lui-même enfant, avait placé, dans ces îles, tout l'espoir de la vie. Et il nous donne un roman d'aventures peut-être aussi réussi que *La Folie Almayer,* de Conrad.

Une œuvre d'art est un système complexe de références. *Le Passage* est un livre tout en contrastes et en rappels. Dans son thème, ses images et sa composition. Reverzy joue sur des oppositions : la terre et la mer, une grande ville française et un petit port de Polynésie, la Polynésie telle qu'on la rêve et telle qu'on la découvre, la vie civilisée souvent absurde et la vie simple que l'on pourrait mener, la santé et la maladie, l'inquiétude et l'absence de problèmes, enfin et surtout la vie et la mort.

Palabaud, le héros du livre, n'a rien d'un être exceptionnel. Reverzy dit de lui : « Palabaud pouvait paraître un indigent de la pensée, et cependant, en lui, un peu d'intelligence, des débris de rêves anciens, un besoin de comprendre survivaient de sa jeunesse. »

La rencontre déterminante qu'a faite Palabaud enfant fut celle de la mer, pendant des vacances, en Bretagne. Dès lors, il a su qu'il partirait, qu'il quitterait le vieux continent où les hommes ont si mal organisé leur vie. Et il est parti. Qu'est-il devenu? Instituteur stagiaire à Bora-Bora, puis patron de bistrot-restaurant à Raïatera. Mais ce n'est pas là-dessus qu'on peut juger de la réussite ou de l'échec de la vie d'un homme. L'échec et la réussite sont toujours relatifs, car on arrive tous au même point : « Quelques pelletées de terre et tout est dit. » Le tout est de savoir si l'on a trouvé, entre naître et mourir, des conditions acceptables de vie. Palabaud a trouvé aux îles son paysage d'élection et une simplicité de mœurs qu'il aimait.

Il est revenu dans sa ville natale pour y mourir. Ce sont les médecins qui l'ont persuadé de regagner la France. Il erre dans la ville qui lui est devenue une ville étrangère. Il s'abandonne. Il est rongé vivant par la maladie qui lui durcit le foie. Et quand il meurt, que peut-on dire?

La vie n'a d'autre justification qu'elle-même. La splendeur de la vie peut seule la faire accepter. Quand cette splendeur nous échappe, comment pourrions-nous comprendre le monde? Reverzy ne pose même pas la question tant il est assuré de la réponse. *Le Passage* est un livre d'athéisme parfait. Certes, parlant des religieuses, des veilleuses, des infirmières, Reverzy peut dire : « Chez ces humbles, on rencontre d'extraordinaires dévouements qui peuvent donner un instant l'illusion que tout n'est pas mauvais et absurde dans l'homme, qu'il s'élève et peut-être survit par cette incompréhensible vertu qu'est la charité. » Mais ce n'est là qu'une illusion et Reverzy se hâte d'ajouter : « Celui qui meurt a perçu l'écoulement, le passage, l'effacement total du passé et, dans la lucidité prémonitoire du vide futur, n'a rien à demander à la philosophie ou à la religion; il quitte ce monde sans appréhension de ce qui va survenir ou plus exactement de ce qui ne va pas survenir. A leur dernière heure, les grands croyants perdent leur foi, car la question religieuse est un passionnant débat à l'usage des vivants et non des moribonds. Et puis Dieu n'assiste pas à la fin des hommes : il n'était qu'une projection de l'angoisse des vivants. »

On est un peu étonné par cette calme assurance de l'auteur. Le cas de Palabaud n'en est pas moins vraisemblable. Reverzy a écrit des pages convaincantes sur son détachement progressif, sur l'écart qui grandit entre le monde des vivants et son monde de malade, un monde qui n'a plus le même rythme ni les mêmes couleurs. Le monde se décolore avant de disparaître.

Le roman finit sur une scène d'autopsie et la méditation s'achève ainsi : « Satisfait d'un regard sur le mince trait bleu de l'horizon, il parcourut le monde, chercha et trouva. Cet amoureux des mers, pauvre, faible, sans yacht, sans casquette de marine, devint essentiellement l'homme des mers du sud. L'exil de la Polynésie lui réserva des surprises, des joies profondes et enfin la pure vision de la mer. Qu'importait maintenant que sa dépouille se décomposât dans un cimetière de banlieue, loin des océans, que pas un humain ne se souciât de son souvenir? Parce qu'il est mort, quelque chose manquera aux mers du sud. Là-bas, en scrutant les soirs, on devinera une absence, un vide ou un passage. »

On voit les deux sens que peut prendre le titre : passage dans le monde et passage hors du monde. Sur ces vieux thèmes, Jean Reverzy a écrit un livre poignant, qui ne débouche pas sur le désespoir, mais sur une sérénité acquise sur les chemins qui mènent à la mer.

Jean Reverzy était médecin lui-même et c'est de son expérience personnelle qu'il nous a parlé dans son second livre. Il existe toutes sortes de médecins. Reverzy n'a pas cherché à écrire « le livre du médecin ». Il a voulu écrire et a parfaitement écrit le livre du médecin qu'il était lui-même.

Place des Angoisses est écrit sur trois notes qui sont fatigue, misère et solitude. Toutes les variations se résoudront en un accord final : Reverzy n'annonce pas le triomphe de la vie, mais celui de la mort : « ... je continue ma route, accompagné par ma fatigue, annonciatrice d'une mort si peu redoutable, malgré ses rigueurs, qu'un jour sans débat, je me confondrai avec elle. Je ne lui survivrai pas; elle ne me survivra pas. Je mourrai en même temps que ma mort, saluée comme le but de ma longue étude... »

C'est la place Bellecour, à Lyon, que Reverzy appelle la place des Angoisses. Là logent les grands médecins de la ville. C'est de là aussi que Reverzy est parti, un matin, jeune étudiant, pour gagner l'hôpital sur la colline et se joindre à la cohorte qui suivait le professeur Joberton de Belleville. Le professeur est un homme fatigué, c'est pourquoi il se déplace d'un pas si rapide, il est « à la recherche de son équilibre » : s'il s'arrêtait, il tomberait. Et telle est la vie du médecin selon Reverzy : une course incessante. C'est la maladie que le médecin traque, mais, en définitive, c'est le plus souvent l'usure qui mine les corps. Reverzy nous parle longuement de son premier malade. Or, ce malade n'est qu'un homme fatigué : c'est sa fatigue qui va l'emporter. Le médecin ne parviendra pas à le sauver, mais sentira s'affermir sa vocation : « Je m'étais trouvé près d'un vieillard endormi, je l'avais réveillé; nos voix s'étaient levées pour proclamer notre alliance, pendant que derrière nous une femme se signalait par une phrase sans fin. Je ne voulais rien comprendre, parce que rien d'humain ne se comprend, mais j'avais trouvé ma place au milieu des hommes. »

Le vieux professeur et le vieil ouvrier sont au centre du livre : autour d'eux s'ordonnent les souvenirs déterminants de l'auteur. Il trace de ces hommes des portraits inoubliables. En particulier celui du professeur, personnage de grand format, grand homme et grotesque, tour à tour.

Place des Angoisses est un livre serré, un livre plein. C'est un livre rare : « Il m'arrive, dit Reverzy, de penser qu'une science est encore à naître qui se préoccupera de l'approche des vivants, de leur contact, de leur retrait, des mouvements de leur corps et de leurs membres. Science qui serait celle de la solitude de l'homme et, par là, celle de l'homme même. » Reverzy ajoute que « le rêve seul est permis devant le mystère des forces qui attirent les êtres, les éloignent ou les immobilisent face à face, cependant que la pensée se contente de cette observation, sans conclusion ni profit pour l'intelligence, de sons articulés, de signes écrits, de gestes, de décharges de regard, grâce auxquels semblent communiquer les âmes ».

Dans son troisième ouvrage, *Le Corridor,* Reverzy sembla poser des jalons pour servir à cette « science à naître ». Ce petit livre est déconcertant. Reverzy prétendait nous communiquer son inquiétude en n'utilisant que le tout-venant de l'existence quotidienne.

Tout intérêt romanesque habituel est absent de ce livre, mais c'est tout ce que nous cachent nos habitudes qui en est la matière. Nous vivons sans nous en apercevoir, nous faisons des gestes machinaux, l'esprit ne se mêle pas du fonctionnement du corps : pourtant, ces gestes machinaux sont révélateurs. Ils sont un langage auquel d'ailleurs nous accordons de l'importance, mais chez les autres : nous parlons de leur comportement et il existe toute une psychologie du comportement. C'est sur cette psychologie que Jean Reverzy fait porter son effort. Il s'y prend d'une manière très neuve, d'autant plus que son personnage parle à la première personne et qu'il se décrit bougeant. D'ordinaire, un narrateur est un regard et un esprit : ici, il est doté d'un corps bien réel, moins encombrant (peut-être) qu'étrange. Ajoutons que, dans un récit, l'action avance à coups de dialogues ou d'interventions de l'auteur qui commente l'action et souligne des raisons d'agir. Ici les actes, les gestes veulent être aussi parlants que des mots prononcés.

Toute description minutieuse verse rapidement dans le fantastique. Les descriptions de Reverzy n'y manquent pas. Un geste que l'on décompose pour le décrire paraît exécuté au ralenti. *Le Corridor* semble ainsi se dérouler dans un cauchemar. Le héros n'est pas seulement en proie aux choses : il se sent chose lui-même. Dans *Le Corridor* règne un malaise continuel. Nous ne pensons pas que cette tentative puisse être rapprochée de celle de Robbe-Grillet. Celui-ci prétend se débarrasser des personnages, Jean Reverzy étudiait les siens sous des aspects qu'on avait jusqu'alors négligés. Il ne s'interdisait pas les moyens d'investigation classiques. Il aurait voulu en inventer de nouveaux. Il s'est gardé d'exposer ses intentions dans des manifestes. Il nous a présenté sans commentaire une tentative qui, sur le plan de la littérature de laboratoire, ne manque pas d'intérêt.

Les deux courts romans posthumes dont Maurice Nadeau nous a procuré une édition en 1960 : *Le Silence de Cambridge* et *La Vraie Vie,* nous prouvent qu'il avait encore beaucoup à nous dire.

JOSÉ CABANIS

Chacun des dix romans de José Cabanis (né en 1922) forme un tout et peut se lire séparément. Leur ensemble constitue cependant une « comédie humaine », offrant un tableau de la vie provinciale française avec ses inégalités sociales, ses monstrueuses injustices, ses drames privés et publics, où l'amour et l'argent mènent la ronde. Nous ne quittons guère la même ville du Sud-Ouest et ses environs; de nombreux personnages reparaissent d'un livre à l'autre, jouant ici un rôle principal, ailleurs un rôle secondaire.

Ces romans se divisent en deux cycles. Les premiers sont des romans de mœurs et des romans d'intrigues. Quatre d'entre eux sont écrits à la troisième personne et l'auteur y mène de front plusieurs actions, en respectant la chronologie. *L'Age ingrat* (1952) est l'éducation sentimentale d'un jeune bourgeois, Gilbert Samalagnou, peint sans complaisance. *L'Auberge fameuse* (1953) a été inspiré à José Cabanis par ses souvenirs des tribunaux pour enfants, lorsqu'il était avocat. On y voit deux innocents, un petit garçon et une fillette, broyés par la justice des adultes. (« La justice, dit un des personnages, c'est l'art de mépriser et d'écraser les faibles. ») José Cabanis ne semble pas chercher à émouvoir. Il pose les faits et ne s'attarde pas. Il a inventé une sorte de réalisme sec et parfois tranchant, qui fait également merveille dans *Juliette Bonviolle* (1954), aventures et mésaventures d'une femme célibataire pauvre. *Le Fils* (1956) retrace les troubles d'une sensibilité singulière. Dans *Les Mariages de raison* (1958), à côté des problèmes du couple, une large place est faite à la vie sociale et à la politique : José Cabanis pouvait être classé parmi les romanciers qui sont des historiens de leur temps.

Avec son suivant roman, *Le Bonheur du jour* (1960), il changea brusquement de registre et inaugura un second cycle, de cinq ouvrages également. Ce sont des récits d'un ton confidentiel, écrits à la première personne, où le ton n'est plus d'un constat : le style en est plus fluide et souvent musical.

Le Bonheur du jour se présente comme un album de souvenirs, et l'on croit même d'abord qu'il va s'agir de souvenirs d'enfance. On se trompe : le livre se développe librement et l'on s'aperçoit vite qu'il y aura un personnage central, l'oncle Octave. Finalement, le livre pourrait s'appeler « le Secret de l'oncle Octave ».

Pour les amateurs de technique romanesque, indiquons quelques particularités du *Bonheur du jour*. Le narrateur ne s'astreint pas à respecter la chronologie, il groupe les souvenirs comme ceux-ci lui viennent, s'appelant parfois les uns les autres. L'oncle Octave apparaîtra successivement, suivant les jours, sous des aspects différents qu'il faut rassembler pour avoir son portrait exact. Le narrateur semble d'abord soucieux de nous restituer les scènes d'autrefois telles qu'il les vit avec ses yeux d'alors. Vous vous rappelez que Henry James a su raconter, dans *Ce que savait Maisie,* un drame d'adultes vu par des yeux d'enfant. Mais le propos de Cabanis est différent : le narrateur ne renoncera à aucun moyen d'approcher de plus près le secret de l'oncle Octave et même il finira par se transformer en romancier et par nous raconter des scènes dont il n'a pas été témoin. Il reconstitue ces scènes d'après les papiers intimes qui, après la mort de son oncle, lui ont été confiés : « Il m'a semblé que j'apprenais lentement à le connaître, comme jamais je n'avais connu personne, de la même manière peut-être qu'on se connaît soi-même, avec le sentiment d'être unique et irremplaçable, tel enfin qu'on ne peut admettre sans horreur de disparaître tout entier. J'ai commencé à écrire ceci. »

La vie de l'oncle Octave a été des plus médiocres. Il a tout raté : son œuvre, car il se voulait poète; et son mariage avec la charmante Agnès; et même une fort déplaisante entreprise de captation d'héritage. Ses vers n'ont jamais obtenu d'audience. Auprès d'Agnès, il s'est perdu par des confidences trop libres. Auprès du riche cousin Puyvers, il a connu soudain la fatigue et le dégoût de soi. Il aurait eu bien des raisons de rester sur ce dégoût. Mais, à la fin, il se raccroche à une petite lumière venue on ne sait d'où. Ou, plutôt, si, on le sait : l'oncle Octave n'a jamais perdu sa confiance dans la poésie : « J'aimerais que mes vers portent témoignage de moi, dit-il, ils étaient plus vrais que ma vie. » Le narrateur peut bien nous confier que ces vers ne valent rien. Qu'importe, du moment que l'oncle Octave a eu le sentiment de la poésie éparse dans la vie. C'est cela qui compte. Et ce même sentiment, il l'éprouve en écoutant les *Concertos brandebourgeois*. Il pense alors à la « petite phrase » de Vinteuil, qui est, dans toute l'œuvre de Proust, « le seul gage de l'immortalité de l'âme ».

L'oncle Octave et quelques autres personnages du *Bonheur du jour* reparaissent dans *Les Cartes du temps* (1962). Là encore, le narrateur semble vouloir feuilleter devant nous un album de famille. Le livre s'ouvre sur l'évocation de la mort d'une mère. Le narrateur dira : « J'ai commencé ce cahier devant le premier feu de l'automne, il y a un an... J'ai commencé par la mort de ma mère, et croyais n'y parler que d'elle et de mon enfance... Le récit prit un autre tour que je n'avais prévu. D'autres souvenirs me revinrent que ceux de ma mère et se mêlèrent à eux... Je m'étonnais de ce retour du passé dans le présent, et je me disais que la vie est un grand artiste, qui ménage ses effets, joue avec la mémoire et l'oubli, fait resurgir ses personnages, efface le temps, et soudain le recrée et en fait un gouffre. »

Si le narrateur semble se laisser aller au gré de ses souvenirs, il est, en réalité, comme la vie qu'il semble copier, un grand artiste. Mais il ne copie pas du tout la vie : se soustrayant au poids du temps, il juxtapose des moments différents de la vie de ses personnages. Ces divers moments, ce sont précisément les cartes qu'il abat tour à tour au cours de son jeu subtil. Ce récit se développe en spirale et non en ligne droite. Présent et passé s'entremêlent, tantôt pour former un contraste et tantôt une harmonie.

Si *Le Bonheur du jour* et *Les Cartes du temps* se présentent comme des recherches et des résurrections du temps passé, rien n'est plus différent de ces deux récits que *Les Jeux de la nuit* (1964) qui est, au contraire, une exaltation du moment présent.

C'est un roman de la quarantaine, âge terrible aussi bien pour l'homme que pour la femme : on est encore jeune, mais l'on sait parfaitement qu'il ne s'agit plus de remettre à demain. Ainsi se pourrait-il que beaucoup d'hommes de quarante ans aient soudain un appétit de vivre beaucoup plus grand que des garçons de vingt ans qui vivent dans l'illusion que leur jeunesse ne finira jamais.

Parce qu'il a rencontré Gabrielle, le narrateur a l'impression de commencer une nouvelle vie et le voici qui découvre les splendeurs des nuits d'été sur les plages du Midi. Comment n'avait-il pas découvert plus tôt ce paradis terrestre? C'est qu'il ne suffit pas d'ouvrir les yeux pour le voir. Nous sommes souvent prisonniers de notre éducation et de nos habitudes, et nous n'en savons rien. C'est lentement qu'on en vient parfois à se demander si l'on est vraiment celui que l'on croyait être.

Le narrateur des *Jeux de la nuit* écrit : « Depuis longtemps je ne croyais plus que la vie est une vallée de larmes, mais pour l'avoir cru j'en restais marqué. On ne se délivre pas si facilement de Dieu. Ce qui me rattachait à un monde dont je m'étais évadé, mais dont le souvenir ne laissait pas de me hanter, se défit dans mes yeux, montra la corde, et j'en vins à ne plus même concevoir ce qu'était le Dieu de mon enfance. »

Le narrateur ne regrette-t-il vraiment plus rien? Du moins veut-il s'en persuader. Il évoque avec bonheur quelques moments de joie parfaite qu'il a connus grâce à Gabrielle. Mais il ne s'agit que de moments : c'est également une des découvertes de la quarantaine, il n'existe que des moments.

La Bataille de Toulouse (1966) raconte précisément la fin de ce grand amour. Ce qui l'a détruit, ce n'est pas l'habitude, mais la fatigue. Chez Proust, l'amour de Marcel pour Albertine se nourrissait des mensonges de celle-ci et de la jalousie qu'ils entretenaient. L'amant de Gabrielle, au contraire, finit par ne plus supporter de vivre avec quelqu'un qui lui échappe : il décide de rompre. Il en souffre d'abord, il se consolera en écrivant : « Écrire, c'est le remède à tout, le salut, je le sais bien. »

C'est un roman historique qu'il entreprend : *La Bataille de Toulouse,* qui, dans son esprit, ne doit être rien de moins qu'un nouveau *Guerre et Paix.* Ce roman, il ne nous en donnera que l'ébauche, très réussie, avec le récit de l'amour conjugal qui combla Mme de Cantalauze.

Le cycle « confidentiel » de Cabanis s'acheva avec *Des jardins en Espagne* (1969). Les feux de la passion charnelle se sont éteints et le narrateur revient sur ce qu'il a pu prétendre : non, nous déclare-t-il, les jeux de l'été ne sont pas l'essentiel de la vie. Et le voici qui nous reparle de ce Dieu qu'il croyait avoir abandonné et qu'il retrouve dans la solitude. Il revient sans honte au catholicisme de son enfance : le souvenir qu'il a gardé d'une petite sœur des pauvres réduit à rien les images qu'on lui présente d'évêques bénisseurs de canons.

Le narrateur de *La Bataille de Toulouse* avait abandonné la fresque historique qu'il avait entreprise, mais Cabanis sut mener à bonne fin un grand livre d'Histoire : *Le Sacre de Napoléon* (1970).

Historien, Cabanis utilise son art de romancier. Son *Sacre de Napoléon* peut être rapproché des *Cartes du temps.* Le narrateur des *Cartes du temps* se trouvait, devant ses souvenirs, comme un amateur de « patiences » devant son jeu de cartes : en les disposant de telle ou telle façon, il obtenait des révélations différentes sur sa vie et sur celles des gens qu'il avait connus. Mais ce n'était pas au hasard qu'il laissait le soin d'ordonner son jeu : certaines cartes exigeaient d'être rapprochées et l'on cheminait vers des découvertes et peut-être vers la vérité d'un être.

Cette démarche et cette méthode se retrouvent dans le *Napoléon* de Cabanis : « Le Sacre » c'est la journée du 2 décembre 1804, mais elle ne prend tout son sens que dans la double lumière du passé et de l'avenir. Le Napoléon de 1804 s'explique par un passé et ce sont les événements à venir qui donnent tout son intérêt à l'événement présent.

Ce sacre est avant tout l'histoire d'une imposture. Pourquoi Napoléon voulut-il se faire sacrer alors qu'il n'avait que mépris pour la religion? La religion que la Révolution avait voulu détruire reparaît au service de l'État et du clan Bonaparte. Cabanis démonte tous les rouages de cette étonnante comédie.

Dans son monumental *Charles X, roi ultra* (1972), il ne se montra pas plus tendre pour la monarchie que pour l'empire. Le gouvernement et toute la haute société d'alors sont présentés avec une allégresse vengeresse : Cabanis déteste les « importants » et il peint des personnages qui semblent les ancêtres de certains notables de sa province du Sud-Ouest. Dans un fourmillement de scènes et de portraits, on relève des pages féroces contre le clergé, mais le catholique Cabanis aime l'Église souffrante et non l'Église du Pouvoir.

Saint-Simon l'admirable (1975) est à la fois un ouvrage d'historien et d'essayiste. L'image de Saint-Simon qui nous est présentée pendant la première moitié du livre est assez conforme à celle qui a cours ordinairement. Mais, à la page 137, exactement, voici que nous est proposé un éclairage tout à fait original : « Lorsqu'on pénètre plus avant dans les *Mémoires,* écartant ce qui saute aux yeux pour découvrir ce que ce duc et pair pensait et croyait vraiment, fût-ce malgré lui, et ce qu'il avait vraiment à dire, même s'il perdait son temps à parler d'autre chose, on discerne que si pour lui la France était à Versailles, la vérité n'y était pas. »

Cabanis a été très impressionné par la manière dont Saint-Simon parle de contemporains qui se retirèrent du monde, parfois dans un couvent, afin de se ménager « un sage intervalle entre la vie et la mort ». Comment faut-il comprendre le mot « vérité »? « La mort, dit Saint-Simon, amène ces terribles moments où la figure du monde s'éclipse et où la vérité seule paraît. » La vérité, c'est la vanité de toute vie humaine, mais, pour un croyant, c'est aussi bien davantage. Et Saint-Simon était un croyant. Il fit de nombreuses retraites à la Trappe, du vivant de Rancé et après la mort de celui-ci, dont il parle toujours avec le plus grand respect. « Le vrai héros de Saint-Simon n'est pas dans Versailles », assure Cabanis, de même que pour lui la vérité, la sagesse, la paix, sont dans « un profond mépris des choses d'ici-bas », « dans une rupture totale, on pourrait dire sauvage mais si douce, avec tout ce qui était perpétué et magnifié par Versailles et la Cour ».

Les lecteurs des romans de Cabanis connaissent bien ce balancement entre le charme des « choses d'ici-bas » et la vérité d'un autre monde « sans lequel la vie n'a pas de sens ». Une éducation religieuse laisse souvent dans les âmes sensibles une trace indélébile. Quand Cabanis note : « Saint-Simon, jeune, allait déjà à la Trappe, et en fut marqué dès le départ », nous nous rappelons que c'est à la Trappe que, jeune également, le narrateur de *La Bataille de Toulouse* passa une certaine inoubliable nuit de Noël.

Saint-Simon donne à Cabanis l'occasion de nous parler à son tour de Rancé et de Fénelon : ces deux grands personnages tiennent une place infiniment plus grande dans *Saint-Simon l'admirable* que dans les *Mémoires* du duc. Mais les personnages de ses propres romans que Cabanis préfère sont peut-être la vieille Mme Sire et le vieux Père Cornaud de *L'Auberge fameuse,* où ils ne tiennent pas le devant de la scène. En pensant à eux, nous avions écrit — quand le livre parut — qu'il n'était pas exclu que José Cabanis nous raconte un jour la vie d'un saint. Ce n'est toujours pas exclu.

31.

Les tchékhoviens

Si les influences étrangères les plus voyantes sur notre littérature d'après-guerre sont celles de Kafka, de Faulkner et de Dos Passos, l'influence de Tchékhov ne nous paraît pas moins importante. Elle est d'un ordre différent : Kafka donna le goût des allégories, Faulkner et Dos Passos des recettes pour la construction d'un roman. C'est leur technique que l'on a surtout imitée. Tchékhov a plutôt agi sur la sensibilité des écrivains et il a renforcé, chez certains, le goût de la simplicité.

On a beaucoup répété que les pièces de Tchékhov sont sans intrigue, comme ses nouvelles seraient sans sujet. Il faut s'entendre sur les mots, car Tchékhov traite au contraire des sujets essentiels et il se passe beaucoup de choses dans ses pièces, et même il a un faible pour les rebondissements dramatiques avec coups de feu. Seulement, il réussit à nous faire croire qu'il reproduit la banalité de la vie quotidienne, alors qu'il nous en distille le tragique.

Qu'est-ce que le tragique de la vie quotidienne? Il est de deux sortes. L'une tient à la faiblesse de nos caractères, et l'autre à la fuite du temps. Pour Tchékhov, il y a inadéquation entre l'homme et son désir, un abîme entre ce qu'on voudrait être et ce qu'on est : d'où une insatisfaction perpétuelle. Par nature, on aspire à être un autre et à se trouver ailleurs : ainsi rêve-t-on à ce qui pourrait advenir, comme les trois sœurs, ou à ce qui a été, comme les héros de *La Cerisaie*. Pendant ce temps, le temps passe et l'âme s'use. Le réel nous échappe : « Nous n'existons pas, dit Tcheboutykine, rien n'existe au monde, nous n'existons pas, voyons, il nous semble seulement que nous existons... Donc, tout ça... »

Des biographes nous expliquent que Tchékhov manquait de volonté et qu'il inventait des héros à son image. Pour écrire une œuvre abondante et forte comme la sienne, il fallait pourtant beaucoup de volonté. D'autant plus que Tchékhov était malade, et, médecin, ne s'illusionnait pas trop sur le nombre d'années qu'il avait à vivre. De là sans doute qu'un sentiment nostalgique est venu tempérer sa verve satirique. « Vivre pour mourir, ce n'est pas drôle, a-t-il dit. Mais vivre en sachant que l'on mourra de bonne heure, c'est tout à fait bête. »

La bêtise des choses peut rendre méchant. Elle a rendu Tchékhov indulgent. Gorki avait raison : Tchékhov ne nous donne jamais de leçons de morale, il se contente de nous dire, sur un ton de doux et profond reproche : « Messieurs, comme vous vivez mal... » Et nous le voyons bien. Mais le moyen de vivre autrement?

Daniel Gillès a sous-titré sa belle biographie de Tchékhov : *Le Spectateur désenchanté.* Tchékhov nous apparaît spectateur parce qu'il ne semble avoir connu aucune de ces aventures pathétiques qui sont le lot des héros de roman. Mais la maladie suffit à rendre sa vie pathétique. Ajoutons que, s'il s'est refusé toujours aux confidences, on n'a pas manqué de le découvrir dans tel ou tel personnage de ses œuvres. Ainsi, il se serait peint dans un personnage de *La Mouette*. Mais, note Daniel Gillès, « si pour les uns, c'est Treplev, pour les autres, c'est Trigorine. A la vérité, Tchékhov s'est une fois de plus, ici, contenté d'*exposer le problème* et, pour le faire sous tous ses aspects, souvent contradictoires, il s'exprime tantôt par la bouche de l'un, tantôt par la bouche de l'autre, ou même encore celle de Nina ou d'un personnage plus épisodique, le docteur Dorn. On pourrait presque dire, en schématisant, que Trigorine, c'est l'irrécusable " homme de lettres " qu'est Tchékhov; Tréplev, le créateur qui voudrait imposer des " idées nouvelles "; Nina, l'artiste qui veut croire en sa mission; et Dorn, le docteur Tchékhov, souriant et désabusé ».

Ce désabusé est resté souriant. A la fin de sa vie, il se plaignait de la façon dont on montait parfois ses pièces : « Ils commencent par me transformer en écrivain larmoyant, puis tout simplement en raseur. » Parlant de *La Ceriseraie,* il précise : « Ce n'est pas un drame, c'est une comédie et, parfois même, une farce. » Dans toutes ses pièces, on trouve une part de farce. Parfois, c'est le personnage le plus dramatique qui est le plus cocasse. Ainsi, dans *Les Trois Sœurs,* le lieutenant Solioni, qui déclare brutalement à la jeune mère qui lui casse les pieds avec les mérites de son bébé : « Si cet enfant était à moi, je le ferais sauter à la poêle et je le mangerais. » Voilà qui est digne d'Alfred Jarry.

Les œuvres les plus réussies des écrivains français que l'on peut placer dans la descendance de Tchékhov sont souvent des nouvelles. Ainsi, chez Marguerite Duras, *Madame Dodin,* qui raconte la vie d'une concierge et son amitié avec un balayeur de la Ville de Paris (texte recueilli dans *Des journées entières dans les arbres*). Chez Roger Grenier, *Chère petite madame,* portrait d'un minable chroniqueur de radio. Chez Jean Freustié, *Un verre de mirabelle.* Aucun de ces trois auteurs n'a dû penser à Tchékhov en écrivant : les influences les plus certaines sont celles que l'on n'a pas conscience de subir, parce qu'on les a parfaitement assimilées.

MARGUERITE DURAS

Marguerite Duras est née en 1914 en Cochinchine, aujourd'hui Sud-Vietnam. Elle ne vint vivre en France qu'à l'âge de dix-huit ans, pour y poursuivre ses études. Depuis, elle est restée parisienne, logée au cœur de Saint-Germain-des-Prés, mais, le succès venu, s'évadant fréquemment vers une résidence secondaire, une maison des champs comme on disait au grand siècle. Nous ne savons pas s'il lui est arrivé de retourner en Asie depuis la guerre, mais elle y revient souvent en imagination, et pas seulement dans l'ancienne Indochine, aussi bien en Inde (*Le Vice-Consul,* 1965) et au Japon (rappelez-vous : « non tu n'as jamais connu Hiroshima », « tu me tues, tu me fais du bien », c'est Duras qui écrivit le scénario et les dialogues de *Hiroshima mon amour,* 1960).

Les premiers romans de Marguerite Duras sont écrits dans une forme traditionnelle, mais s'attachent davantage à décrire des situations qu'à raconter une histoire. *Les Impudents* (1942) nous fait partager la vie d'une famille dont les membres ne se défendent de l'ennui qu'en se détestant sourdement les uns les autres. *La Vie tranquille* (1944) est un roman paysan, situé dans le Sud-Ouest de la France, qui nous présente des âmes mortes (ou plutôt pas encore nées) et qu'un drame (un meurtre) contraindra à faire semblant d'exister.

La critique loua très fort *Un barrage contre le Pacifique* (1950). En Cochinchine, l'administration a cédé un terrain à une ancienne institutrice qui entend l'exploiter avec l'aide de son fils, de sa fille et d'un domestique. L'océan vient, deux ans de suite, recouvrir les terres à la saison du repiquage du riz. L'institutrice a été roulée. Au lieu de restituer le domaine, elle s'entête et entreprend, avec l'aide des voisins, de dresser contre le Pacifique un barrage, — qui s'avère dérisoire. Ici commence le livre. Duras nous trace les portraits de la mère, qui ruse et calcule, craint d'être seule, rêve d'assassiner les employés du cadastre et de marier richement sa fille; — de Suzanne (dix-sept ans) qui soutire de l'argent à un beau parti avant de coucher par fantaisie avec le fils d'un aubergiste; — de Joseph (vingt ans), tout en instincts, qui se fait finalement enlever par une riche bourgeoise. Le livre s'achève sur ce départ. Il baigne dans un climat surchauffé. On crève de soleil, d'alcool et de misère. On passe du rire frénétique au complet désespoir. On s'oublie dans une sensualité contagieuse.

Le Marin de Gibraltar (1952) se compose de deux romans. Dans le premier, un homme aux prises avec une existence médiocre, une femme qu'il n'aime plus, un métier qui l'excède, réfléchit aux moyens de se libérer, de vivre enfin, d'avoir son histoire. Il trouve le courage d'agir. Et alors commence le second roman, le plus singulier, avec la rencontre d'une autre femme, belle, riche, qui, sur un bateau, parcourt les mers à la recherche d'un amant qui l'a quittée. Le narrateur (car l'aventure est contée à la première personne) va aider cette femme à rechercher le marin de Gibraltar. Tel qu'on en parle, ce marin est un personnage de conte. Il est jeune et séduisant, bien sûr, et criminel, mais innocent. C'est un rêve d'amour? Pourtant, l'amour est là, sur le bateau : entre l'homme et la femme qui feignent de ne pas trop le savoir et ne renonceront pas à leur quête, de port en port et d'Europe en Afrique. En dernière page, ils voguent vers les Caraïbes. Et tant mieux si le bonheur se trouve dans la recherche du bonheur et l'amour dans la recherche de l'amour.

Après *Le Marin,* on s'attendait à voir Marguerite Duras s'abandonner aux prestiges du romanesque pur et nous donner de longs romans d'aventures. Il n'en fut rien. Elle allait au contraire revenir à des descriptions de la « vie tranquille », c'est-à-dire de la vie absente (*Les Petits Chevaux de Tarquinia,* 1953) et ses récits seraient de plus en plus dépouillés, faisant une grande place à des conversations qui n'établissent pas une vraie communication et ramènent à leur point de départ (*Le Square,* 1955). L'essentiel pour Marguerite Duras est indicible.

Ce qu'on ne peut dire, on peut essayer de le suggérer. Si l'on y parvient, la réussite sera d'autant plus éclatante qu'elle paraissait improbable. Elle est totale dans *Moderato Cantabile* (1958).

Le titre nous avertit de ne pas nous laisser prendre à l'allure de roman réaliste des premières pages. *Moderato Cantabile* est plutôt un beau poème en prose, parfaitement mesuré. Un poème qui n'est pas sans rappeler la *Ballade de la geôle de Reading*. Wilde disait que « chacun tue ce qu'il aime ». Marguerite Duras laisse entendre qu'être supprimée, c'est parfois ce qu'une femme attend de l'homme vers lequel elle se sent irrésistiblement attirée.

L'héroïne de *Moderato Cantabile* est la femme d'un riche industriel, mais elle ne l'aime pas et s'étonne d'avoir un enfant. (« Quelquefois je crois que ce n'est pas vrai. ») Un jour que son mari recevait ses employés, elle a remarqué l'un d'eux et n'a pas pu oublier son regard. Par la suite, elle a su qu'il avait quitté son emploi. Le hasard fait qu'elle le retrouve dans un bistrot, où elle est entrée pour se renseigner sur une scène dont elle a été le témoin la veille. Elle a assisté à l'arrestation d'un homme qui avait tué sa maîtresse, mais ne parvenait pas à se détacher du cadavre. Quel a été le mobile de ce crime? Elle en discute avec l'employé dont elle n'a pu oublier le regard. Et elle revient les jours suivants. Ils ne parlent jamais que du crime accompli, mais il apparaît peu à peu qu'ils ne parlent que d'eux-mêmes. Ils sont trop éloignés socialement l'un de l'autre pour que la femme, en se rapprochant de l'homme, n'ait pas l'air de s'encanailler (d'autant qu'elle boit pour se donner du courage) et l'homme sait bien qu'il a surtout été bouleversé, lors de la réception chez son patron, par une femme inaccessible qui portait une fleur blanche de magnolia au-dessus de ses seins à moitié nus. Cette femme réelle qu'il voit maintenant n'est pas tellement intéressante, elle ne cherche qu'à s'évader d'elle-même. L'aidera-t-il? Non, il ne pourra que souhaiter la voir morte. « C'est fait », répondra-t-elle. Mais avait-elle jamais été vivante?

Le cœur du livre, ce sont des dialogues qui sont parfois des chants alternés, où les nostalgies de cet étrange couple se dessinent peu à peu. Marguerite Duras obtient rapidement la complicité du lecteur, lequel ne s'interroge pas sur la vraisemblance des faits : ils illustrent une réalité sentimentale qui lui est sensible, tant que dure sa lecture.

Le récit est situé dans un port que l'on sent vivre. Quelques indications suffisent à Duras pour que l'on sache exactement où l'on est, l'heure qu'il est, le temps qu'il fait. Tout cela est d'un art très sûr. L'écriture est aussi d'une belle qualité. (Nous regrettons seulement quelques rares négligences syntaxiques et notamment des « après que » suivis du subjonctif. Cela se remarque dans un livre presque parfait.) Le chapitre du dîner dans la maison conjugale est un grand morceau d'anthologie.

Marguerite Duras a-t-elle jamais retrouvé cette maîtrise? Dans *L'Après-midi de M. Andesmas* (1962), elle entend à peu près se passer de sujet. Un vieil homme, un après-midi d'été, attend dans une propriété achetée pour sa fille, la venue d'un entrepreneur qui doit construire une terrasse. Il est en retard et sa fillette puis sa femme viendront tour à tour prévenir M. Andesmas que ce retard sera plus long que prévu. C'est la situation que peint Marguerite Duras, dans un style sans ornement, avec des dialogues plats et répétitifs, à travers lesquels nous comprenons qu'un amour est né entre la fille de M. Andesmas et l'entrepreneur, ce qui inquiète la femme de celui-ci. Et bientôt M. Andesmas ne va-t-il pas sentir, en même temps que décline le soleil dans le ciel, le froid de la solitude qui le guette?

Certes, Marguerite Duras sait nous rendre sensibles à l'épaisseur du moment présent et aux menaces subtiles qui nous entourent. Si le grand art, comme le veut notre classicisme, est de faire quelque chose de rien, c'est du grand art. Toutefois le rien est souvent plus présent que le quelque chose. Les romans de Marguerite Duras, du *Ravissement de Lol V. Stein* (1964) à *Détruire dit-elle* (1969), *Abahn Sabana David* (1971) et la suite exigent beaucoup de la collaboration du lecteur. Ils ont cependant trouvé des lecteurs enthousiastes et les commentaires des critiques se font de plus en plus ingénieux à mesure que l'art de l'auteur devient plus ascétique.

Dans son théâtre, Marguerite Duras apparaît moins comme une disciple de Tchékhov que de Jean-Jacques Bernard, l'auteur de *Martine* qui eut son heure de gloire dans les années vingt, mais que l'on accusa de « vouloir faire des pièces avec des silences ». Lui-même parlait seulement d'un « théâtre de l'inexprimé » et s'efforçait de rendre perceptible « sous le dialogue entendu, un dialogue sous-jacent ». Pour sa part, Marguerite Duras, abandonnant la sous-conversation à Nathalie Sarraute, a effectivement laissé d'énormes « blancs » entre les répliques de ses pièces pour montrer les abîmes qui séparent les êtres. Son adaptation de sa nouvelle *Des journées entières dans les arbres* est la meilleure illustration de ses ambitions scéniques. Ce théâtre est le véritable antithéâtre de notre après-guerre.

ROGER GRENIER

Au dos des livres de Roger Grenier on trouve, comme seul renseignement biographique : « Né à Caen en 1919. » Mais qui a lu ses romans devine qu'il a passé son enfance et son adolescence dans le Béarn. Il y a situé plusieurs d'entre eux en précisant que les personnages n'en étaient pas tout à fait imaginaires : il a rêvé sur la vie de personnes qu'il a rencontrées.

On sait aussi que Roger Grenier a été journaliste et d'abord à *Combat* du temps de Pascal Pia et de Camus. Il y devint chroniqueur judiciaire et de cette expérience naquit son premier livre : *Le Rôle d'accusé* (1949). Il travailla ensuite à *France-Soir* et anima des émissions de radio. De son premier roman, *Les Monstres* (1953), à son recueil de nouvelles *La Salle de rédaction* (1977), il a souvent décrit le monde si particulier des journaux imprimés et de la « presse parlée ».

Ainsi cohabitent en Roger Grenier un ancien petit provincial et un ancien journaliste parisien, deux personnages bien différents et c'est tantôt à l'un, tantôt à l'autre qu'il emprunte des souvenirs pour nourrir ses fictions. On pourrait classer celles-ci en négligeant leurs dates de composition et de publication, ne retenant que les dates où les histoires se déroulent. Et pourquoi ne commencerait-on pas par parler de *Ciné-Roman* qui parut en 1972?

Dans l'éducation sentimentale de plusieurs générations, le cinéma aura joué un rôle considérable. Cela continue, direz-vous? Mais ce n'est plus tout à fait la même chose. Les enfants d'aujourd'hui regardent la télévision tous les jours et à domicile, tandis que les séances du samedi soir ou du dimanche après-midi à l'Excelsior, à l'Eden ou au Magic-Palace, c'était chaque fois un événement, une fête exceptionnelle dont on rêvait toute la semaine.

On peut s'étonner que nos romanciers n'envoient pas plus souvent leurs personnages au cinéma. Si je cherche dans mes souvenirs de lecture, je trouve l'évocation d'une séance de cinéma au Havre en 1917 : dans *Un rude hiver,* de Queneau. Je trouve la description d'une salle étrange et louche, le « Joy Rio », dans *Sucre d'orge* de Tennessee Williams. Oh! je trouverais d'autres exemples, mais sans doute un seul livre entièrement consacré à la vie d'un cinéma et à l'influence des films sur la sensibilité d'un jeune garçon, et c'est *Ciné-Roman.*

Roger Grenier raconte l'histoire d'un cinéma de quartier — plus exactement d'un cinéma de banlieue — dans une ville du Sud-Ouest (Pau), au cours des années trente. C'est une salle assez minable que son fondateur, une espèce de saltimbanque du nom de La Flèche, est trop heureux de céder à des petits-bourgeois venus du Nord et jusque-là tout à fait étrangers au monde du spectacle, les Laurent. Ceux-ci ont un fils, François. Quinze ans au début du livre et dix-huit à la fin. Le jeune François partagera d'abord les grandes espérances de ses parents, puis assistera au lent naufrage de leur entreprise. Il n'épargnera pas sa peine pour les aider. Il deviendra même le seul projectionniste de l'établissement.

Roger Grenier intervient à plusieurs reprises à la première personne dans cette chronique du Magic-Palace. Par exemple, pour nous dire, dans une longue parenthèse du chapitre huit, qu'il a perdu toute sa documentation sur les « scénarios » qui l'enchantèrent jadis. Mais sa mémoire a conservé bien des images et il nous les restitue ici.

Dans un autre passage, tout au début du livre, il nous parle d'une production à épisodes du temps du muet (avant que les Laurent aient acheté le Magic-Palace) intitulée *Les Rois de la pédale* et interprétée par le comique Biscot. Il nous dit : « Biscot avait pris une place dans mon cœur que conquirent plus tard, je ne sais pas, disons Baudelaire, Flaubert, Tchékhov, Kafka, Mozart et Schubert. » La succession de nos amours, à partir de l'enfance, est une chose curieuse et très troublante si l'on veut bien y réfléchir. Car c'est en effet la même place qu'occupent à tour de rôle des artistes aussi différents que Biscot et Schubert.

Il y aurait toute une étude à faire sur le prestige qui revêt les acteurs aux yeux des enfants : ils comptent parmi les héros des temps modernes. Avec l'adolescence, apparaît la rêverie sensuelle et sentimentale. Ainsi Roger Grenier nous dit que le jeune François fut charmé par la brune Kay Francis : « Avec son visage régulier, serein, sa bouche où flottait un léger sourire, elle était l'idéal d'un type de femme sage et sensuelle qu'il rechercherait toujours. »

Bien entendu, les acteurs et les actrices donnent également à rêver aux adultes. Ainsi Mme Laurent s'extasie sur la « distinction » de Francis Maréchaux, la vedette du « Chevalier de minuit ». Hélas ! la gloire de celui-ci s'est effritée à l'avènement du parlant. Il se consola en se droguant et devint une épave...

C'est une des surprises que vous réserve *Ciné-Roman*. Francis Maréchaux a échoué dans une maison de repos, non loin de la ville du Magic-Palace. La Flèche va décider de s'occuper de lui. Il va organiser une grande tournée (on commencera par Mont-de-Marsan) où l'ancienne idole chantera et dansera, en compagnie de la rescapée d'un marathon de danse. A ce moment, la chronique devient roman picaresque.

Nous ne savons quel acteur a servi de modèle à Francis Maréchaux, mais je me suis rappelé une séance de music-hall à laquelle j'assistai vers 1938 dans un cinéma d'une sous-préfecture des Vosges. C'était Henri Garat qui était la vedette du spectacle. Il avait été la vedette illustre de nombreux films : le couple Henri Garat-Lilian Harvey avait déplacé des foules. Ce soir-là, devant un public clairsemé, il chantait ses refrains de naguère, accompagné par trois musiciens et entouré de quatre girls. Le malheureux (il est mort aujourd'hui) n'avait jamais bien joué ni bien chanté. Réduit à lui-même, il avait triste apparence. Ce fut une de mes déceptions d'enfant, mais je n'ai compris que plus tard le tragique de l'affaire. Le destin de Francis Maréchaux illustre la phrase de Francis Scott Fitzgerald que Grenier a choisie comme épigraphe d'un autre de ses livres : « Toute vie est bien entendu un processus de démolition. »

Construction beaucoup plus ample, *Le Palais d'hiver* (1965) couvre trente années de vie provinciale française. Nous rencontrons les personnages à la veille de la guerre de quatorze et les quittons — ceux qui vivent encore — au lendemain de la Libération de quarante-quatre. « Le Temps, nous dit l'éditeur, est le principal personnage de ce livre. » Si l'on veut. Mais ce n'est pas vraiment un personnage : c'est un acide qui transforme et finalement détruit tout, les hommes et les sociétés. Sans doute le temps n'est pas une invention moderne : ce qui est nouveau, c'est un sentiment aigu de la précarité des choses.

Relatant des épisodes de l'occupation, l'auteur dit : « Tout cela n'avait aucun rapport avec la vie d'autrefois. Comment se pouvait-il que ce fussent les mêmes acteurs? » C'est par un effort de la volonté que nous maintenons une continuité de la conscience à travers les métamorphoses de notre existence. Le rapport est très mince qui existe entre un vieillard et le petit garçon qu'il fut. A mesure que nous vieillissons, nous jouons des rôles nouveaux dans des peaux nouvelles. Nous devenons méconnaissables. Pour les autres, toujours. Et parfois pour nous-mêmes.

Ce que certains traînent toujours avec eux, c'est le sentiment que leur vie aurait pu être plus réussie. Selon un personnage de Grenier, ce sont les esprits romanesques : « Tu crois, dit Gilles Colette à Lydia, tu crois toujours que ta destinée aurait pu être meilleure. Si tu avais fait le Conservatoire, et si tu avais réussi, ce qui reste à prouver, tu aurais été riche et célèbre, et après?... Au contraire, je trouve que ta vie réelle possède une supériorité sur celle que tu regrettes. Tu as l'illusion que tout aurait pu être mieux. »

Il est possible en effet que ce soit une illusion et que ce soit en nous-mêmes et non dans les circonstances de la vie que résident nos possibilités de bonheur et de malheur. Certaines éclatantes réussites se révèlent dérisoires dès que l'on connaît un peu intimement ceux qui en bénéficient. Seuls, de naïfs matérialistes croient que le monde serait sauvé si les richesses étaient plus justement réparties.

Il y a des heureux et des tristes. Il me semble que Grenier préfère les tristes. Et ce n'est pas de la pitié, précise-t-il, c'est de l'amour qu'il éprouve pour eux. Vous pensez bien que l'amour ne s'explique pas. D'ailleurs, rien ne s'explique. (C'est le genre de phrases qui vous vient quand l'on sort du Palais d'hiver.)

Lydia Lafforgue est le principal personnage de ce roman. Ce sont ses parents, riches bourgeois de Chazelles, en Anjou, qui, pour des raisons de respectabilité, l'ont empêchée d'entreprendre une carrière de cantatrice. Riches? Mais les Lafforgue, à la fin de la guerre (la première), ont été ruinés et ils ont quitté la petite ville d'Anjou où ils ne pouvaient plus « faire figure ». Ils sont partis pour Pau où ils ont ouvert une boutique de confiserie. C'est la désagrégation à Pau, en trente ans, de la famille Lafforgue et de quelques autres que nous raconte Grenier. On va de faillites financières en débâcles sentimentales. Fin d'un monde? C'est possible. Le paradoxe du roman, c'est que les évocations de cette société agonisante suscitent chez le lecteur la nostalgie d'un paradis perdu. Quoi! tous ces échecs, tous ces ratages, toute cette médiocrité...et dans tout cela nous trouvons une patrie? C'est que tout est plus compliqué dans nos cœurs que ça ne l'est dans les apparences, elles-mêmes déjà si peu simples. « Dites ces mots : ma vie, et retenez vos larmes. » Le vers d'Aragon trouve une nouvelle illustration dans ce roman.

Nous n'oublierons pas Lydia, dont l'existence est une dérision. Nous la voyons devenir la maîtresse d'un homme marié, Gilles Colette, un ancien polytechnicien qui se saoule. Les âmes romanesques s'abandonnent souvent à des aventures sensuelles qui paraissent extravagantes (quand ce n'est pas sordides) aux gens raisonnables. De Gilles, Lydia aura un enfant, dont elle accouchera clandestinement. Cette histoire n'est certainement pas une belle histoire d'amour, mais personne ne s'est présenté pour offrir un véritable amour à Lydia (tout aurait été changé si Paul Casadebat y avait songé). Et Lydia faute d'avoir à écouter les raisons du cœur, écoute les raisons du corps. Elle fera plus tard un essai de vie commune avec Gilles, à Bordeaux. Gilles donne des leçons de mathématiques, mais l'alcool est sa passion dominante, et c'est la chute. Le couple se sépare. Lydia finit par rejoindre ses parents qui, après de mauvaises affaires, sont retournés en Anjou. Elle n'aura pas connu de vraie vie. Mais la vraie vie n'est-elle pas toujours absente?

Vous aimerez beaucoup le personnage de Paul Casadebat, cité plus haut. Quand quelqu'un lui dit : « Je suis heureux », il sent un poids s'abattre sur lui. « C'était l'effet du mot « heureux », dit-il. Je dois être un esprit chagrin. Tout ce que l'idée de bonheur m'inspire, c'est un attendrissement naïf suivi de mélancolie. Au fond de moi, je ne dois pas croire au bonheur, et quand je le rencontre, je suis troublé et misérable, comme si je sentais que je me suis trompé, d'un bout à l'autre de ma vie. »

Au moment où il parle ainsi, Paul n'est pas à l'autre bout de sa vie. C'est en 1936. Et voyez l'étrangeté des destinées : Paul prétendait soumettre sa conduite à deux interrogations : « Pour qui je me prends? » et « De quoi je me mêle? » Voici la guerre et l'occupation, et ce garçon s'engage dans la Résistance. Il mourra en déportation. Oui, de quoi s'était-il mêlé? Mais ce sont de telles questions, nombreuses dans ce livre, qui lui donnent sa vraie portée. « C'est trop pour ma tête » (ainsi que dit Sherwood Anderson cité en épigraphe).

La Libération de Paris est évoquée dans une nouvelle du recueil *Le Silence* (1961). Nous y voyons un jeune homme, Marceau Tivolier, aux prises avec le problème du choix. Nous sommes au premier jour de l'insurrection d'août 1944. Marceau sort avec l'intention de participer aux événements, mais il s'arrête chez une camarade qui paraît ne songer qu'à se bronzer au soleil. « Ce serait une belle histoire à raconter, dira-t-il, l'histoire du gars qui part pour faire la révolution et qui n'arrive jamais, parce qu'en route il tombe amoureux. »

Marceau est employé à la Chambre syndicale des Ficelles, Cordes et Câblages. Il a beaucoup de collègues, mais n'en est pas moins seul. Il expliquera : « Je ne connais personne. A un certain degré de solitude, on reste à l'écart de tout. Même de la guerre. » Il souffre néanmoins de son isolement, mais « il se venge de la solitude par le refus ». « J'ai été l'homme qui refuse la guerre, le seul peut-être. » Il suffit toutefois d'une conversation avec un collègue pour qu'il essaie de participer à un mouvement de Résistance. On lui confie quelques journaux clandestins à distribuer. Mais à distribuer à qui? Il ne parvient pas à en écouler dix. Il en donne un notamment à un collègue inoffensif, chez lequel cet exemplaire sera trouvé par la police. Voyez d'ailleurs l'ironie du sort : le brave collègue se livrait à un petit trafic de savonnettes afin de pouvoir nourrir son chien et c'est la police des affaires économiques qui s'était présentée chez lui. Elle trouva le journal clandestin et remit son possesseur aux Allemands. L'activité résistante de Marceau n'eut ainsi d'autre effet que de provoquer cette absurde arrestation. Il y avait de quoi réfléchir aux vertus de l'action. D'autant plus que Marceau avait toujours eu des doutes à ce propos : « Je sais très bien, moi aussi, que la simple dignité peut nous obliger à choisir le combat... Mais je n'arrive pas à bannir entièrement ce sentiment que le dernier mot reste aux vivants, et que ceux qui se font tuer en route sont des dupes. » Ajoutons qu'un jeune physicien avait dit à Marceau que « le sort de la guerre dépendait beaucoup plus de gens qui se penchaient sur des formules mathématiques que des gamins qui faisaient dérailler les trains ». Bref, Marceau était pris dans un réseau de forces et d'idées contradictoires. Auprès de Monique, il cesse d'être tiraillé entre le désir et le refus de l'action. Il a trouvé la vérité de l'amour. Mais au bout de trois jours, Monique l'a assez vu. Le premier jour, elle avait dit : « Nous allons déjeuner. Tu iras faire la Révolution après. » Aujourd'hui, elle l'invite à rejoindre les combattants. Il la quitte, sort et se trouve soudain au centre d'une fusillade, du côté du Sénat. « Lorsque les combats eurent cessé et qu'il fut possible de s'approcher de lui, il était parfaitement immobile, la face tournée vers le ciel, ou plutôt vers le feuillage des arbres qui dépassaient la grille du jardin, les yeux ouverts, et il n'y avait plus aucune question à se poser. »

Les Embuscades (1958) sont un de ces romans dont on dit qu'ils dressent le bilan d'une génération (dans le cas, celle qui eut vingt ans en 1939). Le narrateur en est un photographe, envoyé spécial dans tous les pays où se passent « les grands événements », Grèce, Corée, Algérie. S'il a entrepris une chronique des conflits auxquels il fut mêlé, c'est que, pour lui, « ils se trouvaient inséparables du visage, du regard de Constance Klotz ». L'occupation, la résistance et le reste, les grands reportages à l'étranger, ne seraient que le décor d'un roman d'amour. Celui-ci existe bien dans *Les Embuscades,* mais la chronique des événements n'en a pas moins été écrite. Et l'art de Roger Grenier est parvenu à ne faire de ces deux sujets qu'un seul. On ne parvient à se passionner pour les problèmes généraux qu'à travers des cas particuliers. Et ce n'est pas seulement le pathétique visage de Constance qui se dégage de ce livre, mais toute une série de personnages, assez singuliers pour nous toucher, assez représentatifs pour donner au livre une large portée. Roger Grenier a particulièrement réussi le portrait d'un idéaliste, un de ces purs qui prennent tous les risques pour faire triompher les justes causes et qui s'effacent ensuite, laissant à d'autres le bénéfice de leur action : dans les jours de la Libération, nous verrons Prulières préfet, ministre, député, puis nous le retrouverons quelques années plus tard derrière le comptoir d'une agence de voyages. Un peintre italien, Nando Cateni, n'est pas moins désintéressé. Tout au contraire, Constance est ambitieuse et ne cache pas son ambition. C'est elle, dans ce roman, qui pourrait reprendre la phrase d'un héros de Malraux : « L'important, c'est de ne pas être vaincu. » Elle sera plus d'une fois vaincue, mais elle repartira à la poursuite d'une illusoire victoire. L'auteur ne prévoit pas pour elle une fin heureuse : les aventurières vieillissent mal. Le charme de Constance vient pourtant en grande partie de son appétit de vivre. Sans oser bien se l'avouer, les hommes admirent sa conduite qu'ils désapprouvent et qui les désespère. Ils sont plus sages, mais aussi plus fatigués. Roger Grenier s'est bien gardé de pousser la figure de Constance vers le symbole. Le livre n'en illustre pas moins l'opposition entre intelligence et action.

L'intelligence des justes les pousse tout au moins au scepticisme : « On n'en finirait plus avec les coups et les tortures, les victimes et les bourreaux. Ils avaient tout pris, nos aînés. Dans l'âge innocent des révolutions, ils avaient pu être communistes, se battre en Espagne, en Chine. Ils nous avaient laissé en héritage les procès de 37, l'imposture partout, les grands mots tournés en mensonge et en dérision. Nous savions d'avance, nous, que les plus nobles révolutions risquent fort d'aboutir à un plus grand avilissement de l'homme. Plus rien n'était simple, ni pur, si ce n'est le repos amer du nihilisme. »

Bien que nous l'ayons examinée dans le désordre, l'œuvre de Roger Grenier suit une ligne ascendante. Il a acquis une sûreté de main à peu près infaillible, comme on le verra dans deux recueils de nouvelles : *Une maison place des fêtes* (1972) et *Le Miroir des eaux* (1975). C'est dans ce dernier livre qu'on trouvera *Les Cariatides* où il peint une jeune femme atteinte de dépression nerveuse et qu'il faut interner dans une clinique psychiatrique. La déprime est la maladie du siècle, mais, se demande l'auteur, n'est-ce pas la vie elle-même qui est une maladie incurable? Toutefois le jeune mari ne désespère pas de voir sa femme guérie. « Quand elle reviendrait, ce serait pour toujours. »

Roger Grenier ne hausse jamais la voix, il raconte calmement des histoires auxquelles on croit, qui sont des histoires simples (même quand elles deviennent assez terribles), qui sont des histoires tristes, mais d'une tristesse aérée. Quelque chose les empêche d'être désespérantes : une vibration où l'attendrissement et l'ironie se marient. Et puis l'on sent que Roger Grenier ne trahira jamais la vérité. On n'est nullement surpris d'apprendre que, s'il lui fallait désigner la meilleure nouvelle de la littérature universelle, il répondrait sans hésitation : *Bartleby l'écrivain,* d'Herman Melville. « Bartleby! Souvent, je me répète ton nom mélancolique et cela suffit à me réconforter. » C'est ainsi que les nouvelles de Roger Grenier sont elles-mêmes réconfortantes. Nous sommes moins seuls lorsque nous les lisons.

JEAN FREUSTIÉ

« Dites-moi, il est médecin, Freustié? » C'est une question que l'on pose souvent quand on parle de Freustié romancier ou de Freustié critique. Comme si le fait d'être médecin expliquait des choses. Mais lesquelles? Cela explique sans doute que l'on trouve beaucoup de médecins dans ses livres.

Freustié, né en 1914, n'a pas été poussé vers la médecine par une irrésistible vocation. Toutefois, médiocre élève chez les maristes de Libourne, il devint brillant étudiant dès son P.C.B. Sans la guerre, survenue l'année où il allait passer l'internat, peut-être serait-il devenu grand patron à Bordeaux. A moins que ses options politiques, ses frasques amoureuses et son penchant pour les boissons fortes ne l'aient empêché d'accéder aux dignités bourgeoises. « Les filles, je les voulais toutes, et je les manquais toutes (il exagère) parce que ma passion les effrayait. »

La guerre. Pour connaître les aventures militaires de Freustié, on lira, dans *Les Collines de l'est* (1967) la nouvelle qui donne son titre au volume et une autre nouvelle intitulée « les Collines de Rome ». Entre les jours et les nuits de Bar-le-Duc et la campagne d'Italie, il y a place pour un long séjour en Algérie : en juillet 1940, Freustié s'était fait démobiliser comme « originaire d'Algérie ayant perdu tous ses papiers » : il savait pouvoir trouver un poste à l'hôpital de Philippeville. « Pendant deux ans, c'est la vie de plage. Parfois, la nuit, des fenêtres de l'internat qui domine la baie, on aperçoit de brusques lueurs suivies de grondements, vers l'horizon. Pas un orage, non. La bataille du ravitaillement pour Malte. »

Cette époque de sa vie devait inspirer à Freustié son premier roman : *Ne délivrer que sur ordonnance*. C'est une description, dans le paradis de Philippeville, de l'enfer de la drogue. Mais les Américains débarquent en novembre 1942. Notre médecin redevient militaire et peut se flatter d'avoir une conduite exemplaire : c'est le bon toubib, compatissant, actif et dévoué. « Dans l'armée, je passais pour un saint, à qui on pouvait tout demander. »

A cette période de la vie de Freustié se rattachent deux romans : les événements relatés dans *Harmonie ou les horreurs de la guerre* (1973) ne sont pas précisément datés, mais c'est la guerre et nous nous trouvons dans un hôpital militaire de campagne. Freustié y confronte l'abjection de la guerre et le miracle de l'amour. Une idylle naît entre un médecin et une jeune infirmière. Elle est plus forte que l'enfer, même si c'est l'enfer qui doit l'emporter.

C'est un livre grave et noble. Tout à l'opposé de la folle journée que relate avec une verve endiablée le récit intitulé *Les Filles* (1959), situé au lendemain du débarquement des Alliés sur les côtes de Provence en août 1944 et où l'on voit deux officiers français à la recherche de l'ancienne amie de l'un d'eux. Ils la retrouvent, mais en butte à bien des tracas car elle et ses proches sont accusés d'avoir fricoté avec l'occupant. Bah! Cela ne l'empêche pas d'être toujours désirable. Ici, il n'est pas question d'amour et les héros n'obéissent qu'au dieu des corps. C'est une œuvre érotique doublée d'une excellente reconstitution historique.

Mais que devient Freustié après la guerre? Démobilisé en août 1945, il hésite quelques mois sur le lieu où se fixer : Bordeaux, l'Algérie, Paris? Il se décide pour Paris et le voici qui s'installe fastueusement dans le XVIe. « Hélas! pas de clients du tout. » Et c'est en attendant le client, et faute d'avoir des ordonnances à rédiger, qu'il écrit *Ne délivrer que sur ordonnance*. Ce livre est achevé au printemps 1947, puis enfermé dans un tiroir. Il ne sera présenté à un éditeur qu'en 1952; aussitôt accepté et publié. A ce moment, après bien des péripéties (lire *Un autre été* (1962), le bel appartement a été abandonné et Freustié est devenu médecin du travail dans la banlieue industrielle.

Jusque-là il ne connaissait personne dans les milieux littéraires. Du reste, il avait découvert assez tard sa vocation d'écrivain. Il a pu prétendre s'être longtemps mépris sur ses goûts véritables : « Je me croyais un homme à femmes et je suis un homme à livres. »

Par « homme à femmes », entendez un homme aimanté par les mirages (autant que par les réalités) du désir et de l'amour. C'est le thème central d'*Auteuil* (1954), roman élégant, et de cette espèce de somme passionnelle qu'est *Marthe* (1958), roman cru. « Après cela, dit l'auteur, faisant allusion à l'aventure qui lui inspira ce dernier livre, on peut prendre sa retraite, on connaît la question. »

Auteuil est un parfait exemple de récit classique, à la française : les aventures y sont stylisées et les caractères des personnages se trouvent cernés d'un trait ferme. Dans *Marthe,* tout nous est livré en vrac. Pas de choix et tous les détails nous sont donnés. Cette minutie a un effet paradoxal : le narrateur paraît détaché et l'on peut parler d'une « objectivité de constat ». C'est par sa lucidité qu'un écrivain paraît parfois un monstre à ses lecteurs : on ne peut pas vivre et se regarder vivre. Oui, mais l'amant de Marthe ne vit pas : il revit une histoire terminée. Au surplus, s'il est d'une lucidité exceptionnelle, la femme qu'il a aimée et qu'il désire toujours lui échappe deux fois : d'abord ils se séparent, ensuite il n'est point parvenu à percer son mystère. Freustié, parfaitement capable de dessiner et d'élucider un caractère en deux cents pages, sait aussi en quatre cents pages nous montrer qu'autrui demeure toujours insaisissable. Nous ne saurons pas qui est Marthe exactement, mais nous ne douterons pas de son existence et de sa vérité.

Bien entendu, nous saurons quand même pas mal de choses. On pourrait dire par exemple que l'amour que se portent ces deux êtres est rongé par les préoccupations égoïstes de chacun. Cela est inévitable mais il arrive qu'on puisse faire la part du feu : ici les amants se heurtent sans parvenir à se comprendre parce qu'ils sont aveuglés par des soucis d'ordres différents. Le narrateur vit un roman, tandis que Marthe songe à l'avenir et désire la sécurité. Le narrateur ne sort pas d'un univers passionnel et regarde Marthe avec les lunettes de la jalousie : il se pourrait qu'il la voie mal, qu'il ne soupçonne pas qu'ils mènent leurs vies sur des plans différents. Cette possibilité de méprise essentielle donne du pathétique à une histoire qui refuse apparemment l'éclat et le pathétique. Des deux amants, le plus fou n'est peut-être pas celui qu'on pense d'abord.

Devons-nous demander à Freustié de nous excuser d'avoir cédé à la tentation de voir dans ses livres des fragments d'autobiographie? Bien entendu, personne n'invente qu'à partir de ses souvenirs, mais on transpose plus ou moins. Freustié nous donne l'impression de ne pas transposer du tout. C'est aussi le cas d'un José Cabanis, qui a pourtant bel et bien inventé un narrateur dont la biographie ne correspond pas à la sienne. Que Freustié nous convainque immédiatement de la réalité des histoires qu'il nous propose, ce n'est pas le signe que ces histoires sont vraies : c'est la preuve qu'il a beaucoup de talent.

On peut dire aussi qu'on transpose malgré soi, parce que le temps déforme tous les souvenirs. On peut dire surtout que certaines transpositions traduisent beaucoup mieux la vérité profonde de l'auteur, laquelle importe seule en littérature. La voix de Freustié est précise, tendre par nostalgie, cruelle par objectivité, indulgente par désabusement, ironique par philosophie. Elle est tout cela à la fois.

C'est lorsque parut en revue la nouvelle intitulée *Le Verre de mirabelle* que l'on a pour la première fois évoqué Tchékhov à propos de Freustié. Cette nouvelle qui raconte la mort d'une grand-mère filtre le pathétique. Le narrateur avoue que, sans être indifférent, il se sent à distance des malheurs qui arrivent aux autres (la grand-mère est la grand-mère de sa femme) : « La vie des autres, pour moi — comme pour d'autres — se déroule dans un autre univers. » Mais le plus curieux est qu'il s'observe lui-même comme s'il était un étranger. Libre vis-à-vis de lui-même, comment ne l'excuserait-on pas de l'être vis-à-vis des autres? Chez Tchékhov aussi, l'on voit ce détachement, qui n'est pas indifférence et qui se nuance de pitié, mais qui peut s'accompagner d'agacement à l'égard des gens incapables de jamais se dépêtrer d'eux-mêmes. « Essayons de regarder calmement les choses », semblent nous dire Tchékhov et Freustié. Elles vont mal, mais elles vont, sans que nous puissions y changer grand-chose. » Il y a nos bonheurs et nos malheurs de chaque jour, mais il y a surtout le temps qui emporte tout. Le sentiment du temps qui passe explique l'importance que Freustié attache aux habitudes : « On épilogue sans fin sur le mal que nous fait l'habitude, dit-il. C'est en réalité notre seule passion. » Elle est une protection : par elle, on a l'illusion de s'ancrer dans le temps. Et c'est aussi pourquoi les vieilles gens tiennent tant à leurs meubles et à tous leurs petits souvenirs.

Freustié est médecin comme l'était Tchékhov. Bons médecins l'un et l'autre, j'imagine, mais ne croyant pas aux miracles. L'expérience de médecin nourrit une grande partie du recueil des *Collines de l'Est* dont, au surplus, les deux tiers sont écrits à la première personne : « Je courais d'un malade à l'autre; j'étais au feu comme un pompier à toute heure du jour et de la nuit; je courais d'une fille à l'autre, d'un soulagement à un autre, mais je n'éteindrais pas l'enfer... »

Il y a l'enfer de la souffrance. Il y a aussi la fatigue, le simple vieillissement. Robert, le héros de *Désenchantement,* lorsque ses désirs perdent leur force, sent s'éveiller en lui un moraliste pointilleux : « Désormais il n'aurait pas fallu le pousser beaucoup pour lui faire avouer que l'amour est un acte plutôt répugnant. » Freustié ajoute : « Il se méfiait pourtant et préférait encore admirer le curieux mécanisme qui compense chaque défaillance par un jugement moral. »

La modestie et l'humour, voilà ce qui rapproche le plus Freustié de Tchékhov. Toutes les histoires qu'il raconte dans ses nouvelles sont de « banales histoires » (pour reprendre le titre d'un chef-d'œuvre de Tchékhov), mais les meilleures touchent à l'essentiel de nos propres vies.

Dans ses romans, Freustié aborde parfois des thèmes moins généraux. *Le Droit d'aînesse* (1968) est une comédie de la « vaine perspicacité » (dirait Maurice Blanchot) : un amateur de psychologie justifie sa conduite à ses propres yeux en prêtant de bonne foi une vie secrète à l'ami auquel il va souffler la maîtresse. Dans *Isabelle ou l'arrière-saison* (1970), un père divorcé retrouve sa fille devenue adolescente et celle-ci représente soudain pour lui « le mythe de sa propre jeunesse perdue ». Dans *Loin du paradis* (1975), un homme dresse le bilan de ses conquêtes féminines et le trouve décevant : il nous confie qu'il attendait que l'amour fût une explosion atomique et il a découvert que cela se réduisait le plus souvent à l'éclatement d'un pétard de Quatorze Juillet. Cela ne le dissuade pas de se laisser aller à de nouvelles aventures baroques, d'une cocasserie souvent irrésistible. Comme Tchékhov encore, Freustié ne craint pas la farce.

Trois de ses romans constituent un cycle à part, de pure imagination, et c'est là qu'il a donné les preuves les plus éclatantes de sa virtuosité technique, en utilisant tour à tour les plus divers procédés de narration pour orchestrer ses thèmes de prédilection. Les mêmes personnages reparaissent dans *La Passerelle* (1963), *Proche est la mer* (1976) et *La Maison d'Albertine* (1977). Tous ont une fin tragique.

L'un des héros est un peintre, dont les tableaux représentent des barques abandonnées ou bien des épaves déposées par la mer sur le rivage. Or, sa vraie passion, c'est la mer elle-même près de laquelle il a passé son enfance. La mer était promesse et image d'infini. Le peintre n'est-il plus sensible qu'aux débris divers qu'elle rejette sur ses bords? On devine que ce sont ses désenchantements qu'il peint.

Qu'y a-t-il à l'arrière-plan de tous les livres de Freustié? Le regret des premières années et ce qu'Armen Lubin, cité en épigraphe de *Proche est la mer*, appelait « le désir des lointains ». On le comprendra en lisant les deux seuls ouvrages que Freustié lui-même donne comme purement autobiographiques : *Aux balcons du ciel* (1963) et *L'Aventure familiale* (1975). Le désir des lointains, qui nous poussait vers l'avenir, ramène un jour vers le passé ceux dont l'enfance fut heureuse. Ce jour-là aussi, l'on découvre que l'on appartient plus qu'on ne le pensait à une lignée et l'on s'intéresse — un peu tard — à tous ces « proches », « si proches qu'on n'y avait guère prêté attention ». Freustié a brossé des portraits de famille dignes de Jouhandeau.

32.

Le roman traditionnel

Le succès d'un roman ne s'établit jamais sur une méprise, sauf s'il s'agit d'un livre qui a été primé par un jury. Le grand public sait ce qui lui convient; l'ennui pour les auteurs qu'il distingue, c'est qu'il les abandonne dès que paraît un nouvel écrivain capable de traiter des sujets identiques. Car le grand public ne relit pas.

Les favoris du public ont parfaitement maîtrisé la technique du roman traditionnel : c'est le cas d'un Henri Troyat, auquel on ne voit que des compliments à adresser, et même d'un Maurice Druon, peu regardant pourtant sur le style, ou d'un Guy des Cars, qui n'a pas de style du tout.

Bazin, Sabatier, Clancier, Michel Mohrt ajoutent à une parfaite connaissance du métier un ton qui retient l'attention.

HERVÉ BAZIN

Président de l'académie Goncourt, Hervé Bazin (né en 1911) a expliqué ce que représentait pour lui un « bon Goncourt » : « Le Goncourt doit aller à un ouvrage en situation qui attire l'attention du public sur un problème particulier, et qui est écrit de telle sorte qu'un très grand nombre de lecteurs puissent y trouver pâture. Le Goncourt est lui-même quand il couronne, par exemple, *Les Grandes Familles* ou *Le Dernier des justes.* »

On peut se demander si c'est vraiment là le rôle du Goncourt. Les ouvrages que Bazin conseille de couronner sont ceux qui, pour se répandre dans le public, n'ont pas besoin de couronne. Ce sont également des ouvrages dont les mérites principaux ne sont pas d'ordre littéraire. Mais laissons cela. Si nous avons cité la réponse de Bazin à une enquête sur les prix, c'est qu'elle nous renseigne aussi sur les intentions de Bazin romancier. Ne s'agirait-il pas pour lui, avant tout, de traiter des problèmes qui intéressent un vaste public? Rien que de très honorable d'ailleurs dans cette ambition.

Hervé Bazin n'a pas obtenu pour sa part le prix Goncourt, mais il a bénéficié à ses débuts du plus sensationnel battage qu'un éditeur ait organisé, depuis l'avant-guerre, autour des romans d'un jeune écrivain. Ce fut donc un succès un peu tapageur et *Vipère au poing,* s'il révélait certes un tempérament, n'était pas exempt non plus de complaisances : il y avait là plus de vigueur que de rigueur, d'énergie que de concision (on n'en admirait que plus Jules Renard).

Avec *La Mort du petit cheval* (1950) Bazin donna une suite à *Vipère au poing* (1948) et opéra un retour vers la tradition familiale : les journaux nous ont assez fait savoir qu'il était le neveu de René Bazin, l'auteur de ces *Oberlé* que nous avons bien aimés quand nous avions douze ans (nous ne les avons pas relus depuis). C'est un livre édifiant et moral, la chose se fait rare. On y voit un garçon dont la jeunesse fut malheureuse et qui a rompu avec sa famille, trouver l'apaisement, après deux autres aventures féminines, auprès d'une femme qu'il aime et de ses enfants. Comme dit un poète : « On n'est jamais si bien qu'au sein de sa famille. » Mais Bazin a quelque scrupule d'avoir renoncé à la révolte et d'avoir trahi le jeune révolté qu'il fut. Il affirme : « Ce n'est pas s'embourgeoiser que d'accepter ce qu'il y a d'humain (et cela seulement) dans l'ordre bourgeois. » Mais pourquoi se défendre d'être bourgeois? N'y a-t-il pas des vertus bourgeoises incontestées? N'y a-t-il pas des avantages bourgeois que désirent tous ceux qui n'en bénéficient pas? Pourquoi Bazin dit-il employer le mot « heureux » par « provocation »? Est-ce un crime d'être heureux et cherchons-nous autre chose? Il y a ainsi dans *La Mort du petit cheval* un peu trop de provocations inutiles. Il y a un contentement de soi un peu visible et un certain manque de naturel. On note aussi des phrases précieuses telles que : « Cent mille mouches, vedettes des Six Jours, autour de la lampe, avaient signé le plafond, livre d'or de l'ennui » ou encore : « Tu es bien moins gênée que moi, ma verticale, en pénétrant dans notre chambre meublée de ce divan, trop horizontal. »

Bazin est essentiellement un romancier de la famille et du mariage; — et aussi du divorce, ainsi que l'a prouvé *Madame Ex,* qui a une valeur certaine de document sociologique.

Une de ses réussites est *Qui j'ose aimer* (1959) où une femme gravement malade voit naître un amour entre sa fille d'un premier lit et le nouveau mari qui avait fait d'abord figure d'intrus dans la maison.

Au nom du fils (1961) se présente comme le récit d'un brave homme : un petit professeur, veuf, et qui ne s'est pas remarié pour se consacrer à l'éducation de ses enfants, avec l'aide de sa belle-sœur (il finira pourtant par épouser celle-ci). Il y a trois enfants : Michel, Louise et Bruno. Ah! Il faut bien dire qu'il marque une préférence pour ce dernier, qui est le dernier-né, mais dont il n'est pas tout à fait sûr d'être le père. Bruno est un enfant difficile, alors que Michel est un garçon qui réussit parfaitement en classe (il deviendra polytechnicien) et que Louise est une plaisante coquette (elle deviendra mannequin). Le livre s'étend sur un certain nombre d'années : on voit les enfants grandir et finalement quitter ceux qui les ont élevés. Il y a toujours de la mélancolie dans les séparations. Le père ne nourrira pas la plus tendre affection pour la fille qui lui enlèvera Bruno...

En chemin, Bazin fait une remarque singulière : c'est que nos enfants sont les seuls êtres qui soient tout à fait irremplaçables, bien qu'on ne les ait pas choisis tels qu'ils sont. On peut changer de femme ou d'amis, nous dit Bazin, mais on ne peut pas changer d'enfants. Voilà qui est bizarre, car enfin une femme avec laquelle nous avons été marié, rien ne fera que nous n'ayons pas été marié avec elle, et si, au surplus, elle est la mère de nos enfants, voilà qui lui donne dans notre vie un rôle absolument unique. Ce n'est pas tout. Le sujet même que traite Bazin tendrait à montrer que ce qui nous attache à nos enfants, ce ne sont pas tellement les liens du sang, mais des sentiments bien plus difficiles à définir. Schlumberger dans *L'Inquiète paternité* et Supervielle dans *Le Voleur d'enfants* avaient déjà montré que l'amour paternel s'exerce aussi bien à l'égard d'enfants adoptés.

Un des derniers grands succès de Bazin est *Cri de la chouette* (1972) où il nous raconte les dernières années de Folcoche, la terrible mère de *Vipère au poing*.

ROBERT SABATIER

Robert Sabatier (né en 1923) n'a pas obtenu non plus le prix Goncourt, mais il est, comme Bazin, l'auteur d'une trilogie qui l'a rendu célèbre. L'opposition est d'ailleurs parfaite entre *Vipère au poing* et *Les Allumettes suédoises,* puisque Bazin nous parle de la bourgeoisie provinciale et Sabatier du petit peuple de Paris, et parce que le héros de Bazin se plaint d'avoir une mère terrible alors que le héros de Sabatier se trouve brutalement privé d'une mère adorable.

Les Allumettes suédoises (1969) connut un succès foudroyant. Cette histoire d'un petit orphelin aux yeux bleus, dans le Montmartre d'autrefois, ne laissa aucun cœur insensible. On retrouva avec plaisir le jeune Olivier dans *Trois sucettes à la menthe* (1972) où il finissait par s'insérer dans la famille bourgeoise qui l'avait adopté. Le charme du livre ne tient pas seulement à la gentille figure d'Olivier. Il naît de l'évocation d'un milieu bien français d'avant-guerre et, plus encore, du Paris des années trente. Pour les lecteurs qui approchent ou ont dépassé la cinquantaine, c'est un véritable festival du souvenir. Plus exactement, Robert Sabatier leur remet en mémoire mille détails de la vie quotidienne qui prennent aujourd'hui une bien séduisante coloration poétique.

Après nous avoir montré Olivier dans le petit peuple puis dans la bourgeoisie, Robert Sabatier le conduisit au village dans *Les Noisettes sauvages* (1974), occasion de brosser une savoureuse chronique campagnarde.

La caractéristique de cette trilogie sentimentale est la fraîcheur. Sabatier peint un univers comme on aimerait qu'il en existât. Ah! direz-vous, il existe ou a existé, mais Sabatier insiste sur les bons sentiments et passe sous silence tout ce qui concerne la sexualité de son petit garçon.

La division de l'œuvre de Sabatier en « avant » et « après » *Les Noisettes* serait arbitraire. Robert Sabatier n'a pas tellement changé, de son premier roman, *Alain et le Nègre,* où il nous parlait déjà des enfants de la Butte, jusqu'au récent *Les Enfants de l'été* (1978). Toutefois, dans ce dernier livre, il est passé à une fantaisie très franche et s'ébat dans le merveilleux. On distinguera en lui deux sortes d'inspiration : une veine populiste et parfois picaresque, et une veine symboliste et princière. Lui-même emploie ce dernier adjectif pour qualifier la condition du poète : son essai *L'État princier* parut en 1961.

Parallèlement à ses romans, Sabatier n'a cessé d'écrire des poèmes qui, des *Fêtes solaires* (1955) à *Icare* (1976), en passant par les *Châteaux de millions d'années,* le montrent amoureux de la musique des mots et de la magie des images.

> *Cours mon cheval avec tes quatre fers,*
> *Le premier d'air et le second de feu.*
> *Trois, c'est la terre et quatre l'eau des rêves*
> *Et le chemin, c'est le monde où tu vis.*

Sabatier n'a nulle intention d'écrire une histoire du roman, mais il a entrepris une monumentale *Histoire de la poésie française,* qui se présente comme une anthologie de vers mémorables.

GEORGES-EMMANUEL CLANCIER

Pas de prix Goncourt non plus pour Clancier (né en 1914), mais également à son actif divers romans dont une « suite » en plusieurs volumes (*Le Pain noir,* 1956-1961), des recueils de vers (dont *Une voix,* 1956) et des livres d'histoire de la poésie (*Panorama de Chénier à Baudelaire, Panorama de Rimbaud au surréalisme*).

Dans *Le Pain noir,* Clancier nous montre comment des paysans pauvres du Limousin quittèrent les champs pour la ville et voulurent s'intégrer au prolétariat ouvrier afin d'améliorer leur condition. Ils allèrent à Limoges où l'industrie de la porcelaine n'employait pas moins de vingt mille ouvriers, au début du siècle. Ce monde essaie de s'organiser et la politique joue un rôle : les drapeaux noirs et rouges de la ville prennent la place des fleurs délaissées des prés et des bois. Dans une note Clancier fait état des « souvenirs de jeunesse ouvrière » que M. Desmoulins a évoqués pour lui. On se doute en effet qu'un livre comme *Les Drapeaux de la ville* utilise parallèlement les ressources de l'imagination et une sérieuse documentation. Limoges et sa porcelaine avaient déjà inspiré un romancier, mais ce romancier était issu de la bourgeoisie : c'est Jacques Chardonne, auteur de *Porcelaine de Limoges.* Avec *Les Drapeaux de la ville,* nous sommes de l'autre côté. Comparer les deux œuvres serait riche d'enseignements.

Les couleurs de cette suite romanesque sont loin d'être uniformément sombres. Les scènes paysannes pourraient même parfois être rapprochées des *Chroniques fabuleuses* de Dhôtel. Toujours Clancier parle avec tendresse des pauvres réalités quotidiennes et cette chaleur les métamorphose. Ses scènes de la vie ouvrière baignent dans une lumière qui peut faire penser à Louis Guilloux. Et le personnage de Catherine Charon compte parmi les émouvantes figures du roman contemporain.

Le dernier et quatrième tome, *La Dernière Saison,* s'achève sur la phrase par laquelle s'ouvrait le premier volume. Nous découvrons en effet que l'œuvre entière a été écrite par le petit-fils de Catherine. Il l'a composée avec les histoires que sa grand-mère, depuis son enfance, n'a cessé de lui raconter. A la dernière page, Catherine commence à lire le roman qu'elle a inspiré.

Elle a d'abord cru que ce roman ne l'intéresserait pas : « Vous écrivez bizarrement aujourd'hui... », mais c'est l'occasion pour Pierre, le romancier, de présenter une espèce d'auto-justification, car les explications qu'il donne sur sa manière d'écrire s'adressent tout aussi bien aux lecteurs et aux critiques, qu'à la grand-mère. On verra ici un des effets de la terreur que font peser sur nos écrivains les vaillants défenseurs de la littérature expérimentale.

Donc Pierre explique qu'aucune bizarrerie ne s'est glissée dans son œuvre. Certes, il s'était posé bien des problèmes de forme. Il avait eu l'idée de mêler le passé, le présent et l'avenir, parce que, n'est-ce pas, les trois sont réellement mêlés dans nos vies : le présent a été préparé par le passé et c'est de lui que naîtra l'avenir. Il aurait donc fallu rendre sensible cette unité à l'intérieur de quoi les contrastes sont si sensibles etc. etc. Bref, Pierre voyait d'abord son roman comme « un labyrinthe dans le temps ». Heureusement, lorsqu'on a quelque chose à dire, on n'est pas libre de s'abandonner à de gratuites recherches techniques. Forme et fond s'avèrent inséparables : « Le livre a été plus fort que moi », dit Pierre. Et nous avons ainsi un livre « lisse, lent, transparent comme l'eau d'une rivière. »

La Dernière Saison nous mène de 1905 à l'actuelle après-guerre. Il couvre ainsi une durée beaucoup plus longue que les trois précédents volumes, dont il constitue l'épilogue. Il est assez facile de mettre en scène un grand nombre de personnages, mais il n'est pas aisé de les conduire chacun jusqu'au terme de leur destinée. Certes, on pourra dire que Clancier, tout comme Hugo dans *Les Misérables,* finit par rendre une justice distributive qui témoigne d'une bien grande confiance en la Providence, mais ce n'est nullement une concession au public : là encore, le livre a commandé et sa fin pacifiante était incluse dans son projet.

Je viens de citer Hugo et je crois que Clancier a parfaitement le droit de dire qu'il a écrit une « épopée », l'épopée, sur le plan de la poésie quotidienne du réel et du songe, d'un groupe (microcosme, si j'ose dire, du peuple de France) autour du destin d'une femme.

MICHEL MOHRT

Michel Mohrt (né en 1914) n'ignore rien du maniement des techniques modernes du roman, mais il connaît encore mieux les vertus de la narration classique et leur doit ses plus belles réussites. *La Prison maritime* (1961) est un roman d'aventures conçu très franchement dans la tradition des ouvrages similaires du XIXe siècle. Les chapitres sont ornés d'une épigraphe empruntée aux maîtres du genre. Ils s'appellent : *Le cotre à tape-cul, La Nuit des charpentiers, Le Combat, La danse au clair de lune,* ou même *Les Mystères de Londres.* Si votre cœur se met à battre en lisant ces seuls titres, nul doute : ce livre est fait pour vous.

La Campagne d'Italie (1965) nous offre la meilleure peinture de la vie de garnison qu'ait réussie un auteur depuis *Lucien Leuwen.* C'est naturellement une vie toute différente de celle qu'a évoquée Stendhal. Michel Mohrt ressuscite les années de l'immédiat avant-guerre. Mais le jeune Talbot, qui sort de Saint-Maixent, ne fait pas seulement son éducation militaire. Comme Lucien Leuwen, il accomplit son éducation sentimentale.

Le dernier chapitre est consacré à la drôle de guerre. Pour le Royal-Piémont, il n'y aura que dix jours de combat. L'armistice survient, la campagne d'Italie n'aura pas lieu. Michel Mohrt appartient à cette génération qui ne s'est pas remise de la catastrophe de 1940. Amoureux du monde ancien, il nous fait partager ses nostalgies.

Parmi les romanciers de la nostalgie — nostalgie aux multiples facettes —, il convient de saluer Luc Estang (né en 1911), peintre de fresques sociales et religieuses (*Charge d'âmes,* 1949-1955), mais auteur aussi de romans historiques et d'aventures. Camille Bourniquel (né en 1918) est le styliste élégant du *Lac* (1964) et de *Tempo* (1977). Le romantique François-Régis Bastide (né en 1926), après des romans traditionnels (*Les Adieux,* 1956) a donné avec *La vie rêvée* (1962) et *La Fantaisie du voyageur* (1976) des œuvres où il mêle habilement souvenirs et fiction.

33.
La querelle des deux critiques

De même que, dans les années 50, on avait parlé de « nouveau roman », on se mit à parler, dans les années 60, de « nouvelle critique ». De même que le « nouveau roman » rassemblait des romanciers de tendances très différentes, la « nouvelle critique » réunissait (souvent malgré eux) des essayistes dont les méthodes et les réussites étaient très diverses.

La nouvelle critique s'est développée parallèlement aux sciences humaines, qui ne furent elles-mêmes baptisées qu'assez tard, et elle apparaît parfois comme une branche desdites sciences puisqu'elle essaie d'appliquer à l'étude de la littérature des méthodes qui sont celles de la psychanalyse, de la phénoménologie, de la linguistique, de la sociologie et du marxisme. Son statut est ambigu : est-elle déjà scientifique? est-elle encore littéraire? On peut la créditer de quelques livres très remarquables.

Dès avant-guerre, le philosophe Gaston Bachelard (1884-1962) s'était engagé dans des recherches tout à fait neuves avec sa *Psychanalyse du feu* (1937) et *L'Eau et les Rêves* (1940). Il y étudiait l'imagination poétique dans ses rapports avec les éléments, l'esprit dans ses relations avec la matière. Sa psychanalyse littéraire se présentait comme une poétique. Après 1940, il publia des œuvres telles que *L'Air et les Songes, La Terre et les Rêveries du repos, Poétique de l'espace.* Il saluait chez les poètes, comme l'avait fait Freud, un pouvoir de révélation et il s'était mis à leur écoute avec une attention passionnée.

Georges Poulet (né en 1902) dans ses *Études sur le temps humain* (premier tome en 1950) a entrepris de se couler dans la conscience de quelques grands écrivains afin de retrouver, en s'aidant des théories phénoménologiques, leur expérience fondamentale. Cette critique savante est une critique de sympathie.

Jean-Pierre Richard (né en 1922), dès son premier grand essai, *Littérature et sensation* (1954), s'était engagé dans une critique thématique, grâce à laquelle retrouver le contact premier de l'écrivain avec le monde.

Autre grand essayiste, Jean Starobinski (né en 1920) ne s'en tient pas à une méthode particulière. Il utilise tous les outils critiques que l'époque met à sa disposition. D'où la réussite exceptionnelle de son *Jean-Jacques Rousseau, la transparence et l'espace* (1958) et le constant intérêt des études réunies sous le titre *L'Œil vivant* (premier tome en 1961).

La critique marxiste était représentée par Lucien Goldmann (né en 1913) dont le livre le plus fameux s'intitule *Le Dieu caché* (1956). Il y étudiait Pascal et Racine en leur temps, et tentait de montrer que leur vision tragique du monde s'expliquait moins par des raisons métaphysiques que par la situation historique de la classe sociale à laquelle ils appartenaient.

C'est également comme critique marxiste que Roland Barthes (né en 1915) avait commencé de se faire connaître avec *Le Degré zéro de l'écriture* (1953), mais c'est lorsqu'il publia à son tour un essai *Sur Racine* (1963) que se déclencha la querelle dite « de la nouvelle critique ».

Il n'était jamais venu à l'idée de Bachelard ou de Poulet, de Richard ou de Starobinski, ni même de Goldmann, d'attaquer la critique traditionnelle. Celle-ci ne les gênait pas du tout. Ils inventaient de nouvelles approches des œuvres et des écrivains, ils ne pensaient pas réduire à néant les anciennes méthodes critiques. Mais, de même que Robbe-Grillet était parti en guerre contre les « romanciers à l'ancienne », Roland Barthes décida de s'en prendre aux « critiques conservateurs » qu'il appela « critiques universitaires », qualificatif assez drôle dans la mesure où il était lui-même professeur. Le résultat fut qu'il devint la figure de proue de la « nouvelle critique ».

ROLAND BARTHES

Le Degré zéro de l'écriture (1953) s'inscrivait dans la double ligne du terrorisme antilittéraire, qu'avait suscité Sartre avec sa théorie de l'engagement, et du nouvel intérêt porté aux problèmes linguistiques par des écrivains comme Parain, Paulhan et Queneau.

Barthes partait du fait que tout langage est l'expression d'une époque et d'une société. Longtemps, croyait-il, le langage de l'écrivain avait été le langage de la société de son temps (sinon le langage de tout son peuple). Il existait un « bien écrire » dont les lois se trouvaient inscrites dans le « temple du goût ». Mais celui-ci fut détruit au siècle dernier. L'écrivain commença de vivre séparé de la société et c'est alors qu'au « bien écrire » se substitua le style, mot qui désigne une manière particulière d'utiliser le langage commun. Barthes déclare que l'événement s'est produit vers 1850, date où l'écrivain (et tout artiste d'ailleurs) cesse d'être « témoin de l'universel » pour devenir « conscience malheureuse ». Et cela vient de ce que la société bouge, que les structures économiques ont changé et qu'un nouvel équilibre n'a pas encore été trouvé. Ainsi l'économie politique et la politique elle-même expliqueraient l'évolution de la littérature.

Voit-on vraiment une coupure dans l'état d'esprit des écrivains dans les années 1850? Barthes oppose les œuvres de Balzac et de Flaubert, ou plutôt « leurs écritures » (comme il dit), et explique leurs différences par la modification des structures économiques qui marque l'époque. Nous rappellerons seulement que Balzac se voulait un grand romancier populaire et qu'il espérait la plus vaste audience, quand Flaubert se voulait d'abord un artiste rigoureux.

Il est parfaitement vrai que nombre d'écrivains au XIXe siècle, par réaction contre la nouvelle société bourgeoise — mais aussi par une complète indifférence vis-à-vis du public populaire — se sont réfugiés dans l'art pour l'art et n'ont pas craint de se forger une langue peu accessible au profane : et l'on pense aussi bien aux poèmes hermétiques de Mallarmé qu'à l'écriture artiste des Goncourt ou de Huysmans. N'empêche qu'ils ne formaient que des chapelles, alors que d'autres écrivains pratiquaient une littérature ouverte sans le moindre problème de langage . Zola, Maupassant, France communiquaient parfaitement bien avec leurs lecteurs. Barthes dit qu'ils « assumaient l'écriture de leur passé » tandis que les autres la refusaient. Or nous savons bien que choisir telle ou telle forme d'écriture n'est pas le fait d'une « conscience malheureuse » (ou heureuse). Il n'y a pas même de choix pour un écrivain : il écrit suivant son tempérament. Il ne « s'engage pas dans une forme », comme le croit Barthes : il s'exprime au mieux de ses possibilités.

Autrefois, en tout cas, aucun écrivain ne se sentait coupable d'être écrivain. Cela changea au XXe siècle et ce sont des écrivains qui se mirent à tonner contre la littérature et prétendirent donner mauvaise conscience à leurs confrères. Ils leur reprochèrent d'être inutiles et les sommèrent de servir à quelque chose. Par exemple : ils leur enjoignirent de se mettre au service de la révolution. Tout à la fois Sartre les accusa d'être des parasites et d'ignorer leur mission véritable qui serait d'éclairer l'humanité.

En fait, Sartre avait découvert l'importance des masses et que les masses ne s'intéressaient pas à la littérature. Dans un premier mouvement, il voulut transformer la littérature pour que les masses puissent s'y intéresser. Dans un deuxième mouvement, il s'écarta de la littérature.

Barthes intervint dans la comédie littéraire alors que Sartre n'avait pas renoncé à la littérature. Il décrivit une société en crise et montra les écrivains comme des êtres déchirés. Ils n'étaient plus la voix de tous et, ce qui les séparait d'abord de leurs frères humains, c'était leur beau langage, leur style. Le beau langage est un luxe : « aucun luxe n'est innocent », déclarait Barthes. (En tout cas, le beau langage est le luxe dont les riches se passent le plus facilement.)

Comment se débarrasser de la malédiction d'avoir du style? Barthes avait remarqué que quelques écrivains paraissaient à la recherche d'un style neutre — ce qu'il appelait « le degré zéro de l'écriture » — pour éviter une franche coupure entre leur écriture et le langage du plus grand nombre. Comme ce langage du plus grand nombre resterait flottant jusqu'à la constitution d'une société homogène, lesdits écrivains devaient se contenter de refuser tout éclat par quoi ils se fussent distingués. Barthes parlait d'une « impasse du style » qui était le signe de l'impasse de l'actuelle société. Un écrivain à l'écriture neutre n'était pas encore l'écrivain d'une idéale société socialiste : en tout cas, il n'était plus un écrivain bourgeois.

Mais quels écrivains, vous demanderez-vous, avaient sacrifié leur style pour soulager leur conscience malheureuse? Le Camus de *L'Étranger* et Sartre, bien entendu. Barthes affirmait avec un sérieux à toute épreuve : « C'est incontestablement une victoire de Sartre, qu'on n'ait jamais dit qu'il écrivait bien. » (*sic*) Barthes signalait aussi les écrivains qui introduisaient les formes parlées dans l'écriture : Queneau et Prévert, dont le style passe inaperçu!

Après avoir proposé ces exemples peu convaincants de « degré zéro », Barthes allait pourtant découvrir une écriture selon ses vœux dans les romans de Robbe-Grillet. Nous avons vu qu'il joua un rôle important dans le lancement de l'école du regard, lui apportant la caution des jeunes critiques universitaires. Ainsi *Le Degré zéro* n'est qu'une bizarrerie critique qui porte fortement la marque de l'époque où elle fut conçue.

Barthes devient très intéressant quand il ne parle pas de littérature. Dans ses *Mythologies* (1957), il a étudié divers aspects de la vie quotidienne d'aujourd'hui afin de dissocier le fait réel du discours culturel ou idéologique dont on l'entoure. Ses analyses portent aussi bien sur des articles de journaux que sur des spectacles, sur le sport que sur la mode. Elles sont souvent divertissantes et les meilleures se situent dans la ligne du Gourmont de *La Culture des idées*. Nous ne faisons pas là un mince compliment à Barthes. Quant à sa mythologie privée, on la trouvera dans ses essais sur Michelet et sur Racine.

Sur Racine n'a rien d'un travail d'érudit : c'est une fantaisie critique écrite non pas cette fois par un critique marxiste mais par un lecteur de Freud. Le livre est à double détente : car Barthes étudie les pièces de Racine comme un psychanalyste analyserait les rêves d'un malade, mais d'autre part comme il dit n'importe quoi qui lui passe par la tête en lisant Racine, sa critique est sans doute révélatrice de ses obsessions personnelles.

Malgré le côté fragile de son entreprise, Barthes n'a pas hésité à parler avec condescendance de Raymond Picard, qui est l'auteur d'une magistrale *Carrière de Jean Racine* et l'éditeur des œuvres complètes du poète dans la Pléiade. Barthes accusait Picard de faire de la « critique biographique » alors que, le titre de son grand ouvrage l'indique assez, Picard n'avait pas du tout étudié l'individu nommé Racine (au demeurant inconnaissable) mais « son insertion dans certains cadres sociologiques ». Dans la mesure où Picard n'établissait aucune relation entre l'homme dont il retraçait la carrière et les tragédies que Racine avait écrites, on aurait pu croire qu'il avait composé un ouvrage de « nouvelle critique » et du moins était-ce de la critique nouvelle.

Picard décida de répondre aux accusations de Barthes, mais au lieu d'écrire une simple rectification, il entreprit de dire ce qu'il pensait de la nouvelle critique en général. Il rédigea un très amusant pamphlet : *Nouvelle critique ou nouvelle imposture* (1965) où il épingle les incohérences, les contradictions et de toute façon la gratuité des affirmations de Barthes dans ses commentaires des pièces de Racine. Il affirme que Barthes a effectué un retour à l'impressionnisme : « un impressionnisme idéologique qui est d'essence dogmatique : c'est la Pythie philosophe ».

Picard passait ensuite à l'examen de l'inénarrable ouvrage de Jean-Paul Weber *La Genèse de l'œuvre poétique* (1960) où l'auteur a entrepris de démontrer que toute œuvre exprime un thème unique, « se racinant dans quelque événement en général oublié de l'enfance de l'écrivain ». Ainsi le thème de Vigny est l'Horloge et celui de Valéry le Cygne. Il suffit à Picard de résumer quelques trouvailles de Jean-Paul Weber pour nous donner l'impression que sa théorie relève du canular.

Raymond Picard jouait sur du velours en prenant comme exemples de « nouvelle critique » des livres aussi contestables que le *Sur Racine* et *La Genèse de l'œuvre poétique*. Il montrait à quelles absurdités pouvaient mener les théories de l'inconscient. Il serait faux de penser que Picard était tout à fait fermé à celles-ci, mais il déclarait nettement : « La vérité d'un écrivain est dans ce qu'il a choisi, non pas exclusivement dans ce qui l'a choisi. » Il s'ensuit que l'œuvre n'est pas seulement ce qu'elle ne dit pas : elle est d'abord ce qu'elle dit. Et ce qu'elle ne dit pas risque d'être pure invention de critique.

Et voilà le point sur lequel s'opposent irréductiblement Barthes et Picard. Car pour Barthes, la critique est bel et bien créatrice de sens. Un texte existe-t-il autrement que par la lecture qu'on en fait? Picard croit à l'existence d'une œuvre littéraire en soi et à la signification précise d'un texte. Toute œuvre, nous dit Barthes, est génératrice d'une pluralité de sens et ne vit que de son ouverture symbolique. Barthes se moque bien de Racine et de ses intentions, ce qui l'intéresse, c'est Barthes lisant Racine.

Cette querelle de « la nouvelle critique » ne vit la victoire d'aucun camp. Barthes, soupçonné quand même de ne pas aimer la littérature, publierait *Le Plaisir du texte* (1973) pour montrer qu'il ne la détestait pas. Vinrent ensuite *Barthes par Barthes* (1975) et *Fragments d'un discours amoureux* (1977). Aucun de ces livres n'offrait prétexte à polémique, parce qu'il s'agissait d'une succession, en vrac, de notes et notules. Barthes qui est un de ceux qui ont remis le mot *discours* à la mode s'est avoué incapable d'en composer un. Mais les feuillets de ses carnets sont pleins de remarques intéressantes.

Le grand reproche qu'on peut lui adresser est celui de pédantisme. Cet homme qui avait appelé de ses vœux le degré zéro de l'écriture apparaît comme un de nos derniers précieux. Personne, par son style et ses mots rares, n'est plus éloigné du peuple que lui. « Le *tenebroso* racinien constitue une véritable *photogénie* », écrit-il. Ou bien : « Il y a probablement chez Racine une imagination *descensionnelle.* » Veut-il, dans son dernier livre, parler d' « union absolue », il préfère le mot « fruition » qui — « grâce à son frottis initial et à son ruissellement de voyelles » — lui permet de « jouir de cette union dans la bouche ». (*Fragments d'un discours amoureux*)

Il assure beaucoup aimer *Paludes*. On y lit pourtant le conseil de ne pas appeler les poissons *des stupeurs opaques*. Roland Barthes est l'écrivain qui a choisi d'appeler les poissons des « stupeurs opaques ». Il est notre antigide. Car tout l'effort de Gide fut de se débarrasser des préciosités du symbolisme dans lesquelles Barthes barbote avec délectation.

MICHEL FOUCAULT

Le premier ouvrage de Michel Foucault (né en 1926) fut un essai sur Raymond Roussel (1963) qui relevait de la nouvelle critique et passa à peu près inaperçu, mais son monumental essai *Les Mots et les Choses* (1966) fit sensation : Foucault ravit à Barthes la place que celui-ci occupait dans l'avant-garde intellectuelle.

Ici, la question ne se pose plus de savoir si nous sommes encore ou si nous ne sommes plus dans la littérature. Nous n'y sommes plus. En 1947, Sartre avait terminé son essai *Qu'est-ce que la littérature* par ces deux phrases brillantes : « Le monde peut fort bien se passer de la littérature. Mais il peut se passer de l'homme encore mieux. » Ces phrases annonçaient mystérieusement Foucault et les siens.

Foucault est l'un de ces nouveaux docteurs qui nous affirment que le temps est venu de penser dans « cette dimension du *on* où chaque individu, chaque discours ne forme rien de plus que l'épisode d'une réflexion ».

Les Mots et les Choses sont un épisode de la lutte qu'ont entreprise certains intellectuels contemporains contre l'humanisme et, plus généralement, contre l'idée d'*Homme* qui serait toute récente et appelée à s'évanouir bientôt.

Dans les années 40, Audiberti nous avait proposé une philosophie nouvelle qu'il avait baptisée l'*Abhumanisme* et qu'il définissait ainsi : « C'est l'homme acceptant de perdre de vue qu'il est le centre de l'Univers. Et peut-être aussi qu'il n'est pas le centre de l'Univers. » Audiberti pensait que nous accepterions mieux les misères de notre condition, si nous admettions que ce que nous appelons *humain* est un rêve et que « rien de vraiment humain ne s'attache aux traditions humaines, pour autant que celles-ci sont obligatoires, naturelles et fatales chez l'homme, comme les traditions coq chez le coq et les traditions pou chez le pou ». Mais Audiberti ne faisait que nous inviter à un scepticisme libérateur et ne manifestait aucune prétention à la science. Foucault, au contraire, croit détenir quelques vérités. Et, à l'exemple de Nietzsche annonçant la mort de Dieu, il proclame que l'homme à son tour va disparaître. Ne restera que l'espèce, régie par un certain nombre de « systèmes ». Il y a d'abord le système biologique, qui fait de l'homme un homme, et non pas un coq ou un pou; mais tout est soutenu dans la vie par un système aussi contraignant : nous parlons, pensons, écrivons, gouvernés par quelque chose qui nous traverse et nous dépasse (on reconnaît ici

« l'inconscient » du professeur Lacan qui n'est pas du tout l' « inconscient » freudien).

Il s'agit, direz-vous, d'une adhésion à un déterminisme sans remède. En effet. L'homme, selon Lacan, Foucault et autres, n'est qu'un robot obéissant à une pensée anonyme. Ce que nous appelons liberté n'est qu'un scintillement fugitif à la surface du système qui gouverne tout.

Ce n'est pas d'hier que certains soupçonnent que « tout est écrit ». Mais nos modernes docteurs en ont acquis la conviction par des chemins nouveaux : par la voie de ce qu'on appelle paradoxalement les sciences humaines. La lecture des *Mots et les Choses* vous persuadera que si Foucault ne tient pas à paraître humain, du moins est-il érudit et ingénieux, car il sait sélectionner les données historiques et les interpréter pour les besoins de sa démonstration.

Jusqu'ici, dans les nouvelles générations, on voyait les intellectuels craindre l'avènement de la termitière, la *réification* de l'homme (comme certains disaient). Foucault et ses amis tournent en dérision cet effort pour « revendiquer l'homme *contre* le savoir et *contre* la technique ». Leur tâche est au contraire de « montrer que notre pensée, notre vie, notre manière d'être, jusqu'à notre manière d'être la plus quotidienne, font partie de la même organisation systématique et donc relèvent des mêmes catégories que le monde scientifique et technique ». En d'autres termes, la vieille psychologie, les catégories du goût et du « cœur humain », les problèmes de la création artistique, les idées de liberté et de bonheur, tout cela doit être rejeté. Nous sommes les petits rouages d'une vaste mécanique et devons nous accepter tels quels.

Avouons que l'on voit mal ce qui, dans cette école, peut exalter qui que ce soit. Et il nous paraît inquiétant que l'écrivain qui plaît le plus à Foucault, ce soit Sade, l'homme des instincts aveugles et criminels. Foucault déclare que, s'il est « froid », Sade est aussi « passionné ». Les passionnés froids sont les pires. « Nous entrons dans l'ère des poissons », disait Odon de Horvath. Quelle rancune inexpiable nos poissons nourrissent-ils contre l'homme?

Foucault estime la notion d'*Homme* toute récente. C'est jouer avec les mots. Depuis que l'homme existe, l'homme a été pour l'homme la grande merveille de l'univers. Rien ne peut faire que chacun de nous ne soit le centre de l'univers, et que ce ne soit pas à partir des notions de plaisir et de souffrance que la planète s'organise pour nous.

Il est probable que les philosophes ne parviendront pas plus à supprimer la notion d'Homme dans notre univers intérieur, que les théoriciens du « nouveau roman » n'ont réussi à supprimer le personnage dans le roman. L'Homme ne disparaîtra que si la planète explose et ce ne sont ni les écrivains, ni les critiques, ni les philosophes qui tiennent son sort entre leurs mains.

34.
La querelle du fantastique

Alors que les professeurs se passionnaient pour la querelle de la critique, les amateurs de littérature s'intéressaient à la querelle du fantastique. Celle-ci faisait moins de bruit que celle-là parce que les adversaires en présence ne s'injuriaient pas et se contentaient d'exposer leurs points de vue divergents. Pourtant, les deux conceptions du fantastique qu'on nous exposait étaient résolument inconciliables, alors que les deux groupes de critiques s'opposaient non pas sur un objet précis, mais sur les méthodes pour aborder l'étude des œuvres. Claude Lévi-Strauss estime avec raison que les « deux critiques » devraient être complémentaires et non pas ennemies.

Qu'est-ce que le fantastique? Dans son étude, *La Littérature fantastique en France* (1964), Marcel Schneider nous rappelle l'évolution de sens qu'a subie le mot depuis la Renaissance. Chez Ronsard, « fantastique » signifie « mené par l'imagination, visionnaire, nourri de chimères ». Ainsi la Muse dit-elle au poète, dans *L'Hymne à l'automne :*

Tu seras du vulgaire appelé frénétique,
Insensé, furieux, farouche, fantastique.

Retenons les deux mots qui riment. Il fut un temps où frénétique et fantastique signifiaient la même chose. Dans l'ordre de la littérature, on remarquera que l'adjectif « frénétique » fut employé pour désigner les romans noirs anglais, ceux de Lewis et de Maturin, comme aussi les œuvres d'imagination française du marquis de Sade. Le genre frénétique trouva son expression suprême dans *Les Chants de Maldoror*.

Quant au mot fantastique, on l'utilisa en France pour baptiser les œuvres qui s'inspiraient de la littérature de Hoffmann, à la mode chez nous dans les années 1830. Le dictionnaire de l'Académie définit ainsi les « contes fantastiques » : « contes où il est beaucoup question de revenants, de fantômes, d'esprits ». Définition très controversée. Prétendait-elle traduire : « Fantaisie Stücke », c'est-à-dire pièces de fantaisie? Il est clair que fantaisie a un côté riant, évoquant la rêverie vagabonde plutôt que l'horreur. On a traduit néanmoins fantaisie par fantastique, et d'autant plus facilement que la fantaisie allemande nous entraîne souvent dans des aventures inquiétantes. Pourtant, ce qui distingue le plus le fantastique allemand du fantastique français, c'est le goût de l'irrationnel en soi, la primauté du sentiment sur l'idée et de la sensation sur l'analyse. C'est bien pourquoi le romantisme allemand a une force poétique beaucoup plus forte et agissante que le romantisme français.

Sur quel point repose la querelle moderne du fantastique?

Il s'agit d'adhérer ou non à la profession de foi de Charles Nodier : « Pour intéresser, dans le conte fantastique, il faut d'abord se faire croire, et, une condition indispensable pour se faire croire, c'est de croire. » Pour les uns, le fantastique est une manière de traduire des réalités secrètes. Pour les autres, le fantastique est seulement un jeu. « Les récits fantastiques, dit Roger Caillois, n'ont nullement pour objet d'accréditer l'occulte et les fantômes. Ils sont d'abord un jeu avec la peur. »

Dans sa préface à son *Anthologie du fantastique* (1966), Caillois précise que c'est le critère de terreur qui l'a guidé dans sa sélection. Il s'agit d'une anthologie de la peur imaginaire, un catalogue des motifs d'épouvante, non point réels, mais inventés de toutes pièces, sans obligation, par plaisir.

Auteur d'une étude sur la littérature fantastique en France (1964), Marcel Schneider objecte : « Il me paraît que la terreur n'est qu'une des manifestations possibles du fantastique, qu'il en existe d'autres, le délire, la vision, l'extase. » Et il affirme, avec force : « Le fantastique est le truchement du sacré, il a partie liée avec l'horreur poétique, il est transcendance sans lien avec aucune religion établie. Il existe par lui-même, il se situe à côté de la science, de la logique, de la magie, de l'ésotérisme. C'est un moyen de connaissance qui possède sa propre perfection. »

En publiant une *Anthologie de la poésie fantastique* (1966), Henri Parisot apporta de l'eau au moulin de Marcel Schneider. Il nie que l'intervention du surnaturel soit indispensable pour qu'il y ait fantastique, et plus encore que cette intervention doive aboutir à un effet de terreur. L'existence même d'une poésie fantastique nous en assure. Parisot écrit : « L'émotion très particulière — cette nostalgie d'un monde étrange où nous aurions une fois vécu et à nous désormais interdit — qu'éveille en nous la lecture de *Koubla Khan*, de *La Belle Dame sans merci*, d'*Annabel Lee* et de tant d'autres chefs-d'œuvre de la poésie fantastique, ne saurait être assimilée à aucune des formes de la peur. »

Henri Parisot ajoute que les bons récits fantastiques sont eux-mêmes rarement terrifiants. De nombreux contes d'Hoffmann sont même amusants plutôt que terribles. Parisot, tous comptes faits, ne voit que trois contes fantastiques de Poë qui soient propres à effrayer un lecteur sensible : *Bérénice, Le Chat noir* et *Le Masque de la mort rouge*. Parisot en vient à proposer cette définition : « Pour qu'il y ait fantastique, il faut et il suffit qu'il y ait évocation réussie de cette réalité secrète, de cette surréalité que l'on suppose tapie derrière les apparences (« de l'autre côté du miroir », a dit Lewis Carroll) et ne se révélant à nous que par bribes et dans certaines conditions fortuites allant rarement de pair avec la faculté d'écrire. »

Les récits réunis par Roger Caillois sont d'ailleurs loin d'appliquer les règles du jeu établies dans la préface. Leur intérêt et leur valeur esthétique ne sont pas en cause, mais leur capacité de déclencher la terreur. Marcel Schneider observe que l'épouvante à l'état pur est une spécialité anglo-saxonne. Dès qu'il s'éloigne du domaine anglo-saxon, Caillois propose des récits qui ne relèvent pas d'une littérature de terreur. Mais c'est tant mieux : c'est précisément parce que Caillois ne s'en est pas tenu de très près à son propos que son anthologie donne un bon panorama du fantastique dans les diverses littératures du monde.

Outre certaines œuvres de Michaux et de Mandiargues, de Limbour et de Dhôtel, la littérature française contemporaine offre bien des exemples d'excellente littérature fantastique. On lira les *Mémoires de l'ombre* (1944) et *L'Expérience de la nuit* (1945) de Marcel Béalu, *La Chanson de l'oiseau étranger* (1958), contes de Marcel Brion qui est aussi l'auteur de romans initiatiques. C'est dans ce genre du roman initiatique que s'est fait connaître Christian Charrière (né en 1940), avec notamment *Mayapura* (1973), *Les Vergers du ciel* (1975) et *Le Sîmorgh* (1977). Charrière nous fait assister à l'apprentissage d'adolescents romantiques. Le héros des *Vergers du ciel* veut devenir pianiste, il vit dans un milieu provincial pittoresque, mais les morts sont ici plus importants que les vivants : c'est eux qui seront ses vrais éducateurs. Dans *Le Sîmorgh,* le jeune Jérôme disposera d'une plume de cet oiseau pour surmonter les épreuves qui l'attendent et l'on pense parfois à *La Flûte enchantée.*

Trois écrivains sont essentiellement des auteurs fantastiques, dans la tradition de Nodier : Marcel Schneider, Noël Devaulx et Georges-Olivier Châteaureynaud.

MARCEL SCHNEIDER

Cocteau appelait « poésie » tout ce qui sortait de sa plume et dont il attribuait le mérite au mystérieux inconnu qui l'habitait. A côté de la « poésie » même, ses incomparables poèmes, il classait ses romans, ses essais, ses pièces, ses films, sous des rubriques intitulées « Poésie de roman », « poésie critique », « poésie de théâtre », « poésie cinématographique ». Cette classification avait le mérite de souligner l'unité de son œuvre.

Pour sa part Marcel Schneider (né en 1913) répartit ses ouvrages en quatre sections et qualifie chacune d'un adjectif : « fantastique », « romanesque », « intime » et « musical ». Bien entendu, les préoccupations sont les mêmes dans les quatre sections et l'unité n'est pas moindre que chez Cocteau.

Toutefois, on comprend bien que les œuvres romanesques de Schneider ne contiennent aucun rebondissement qui bafoue les lois de la vraisemblance immédiate, tandis que ses œuvres fantastiques se permettent des entorses au réalisme au profit de la vérité des sentiments. Les œuvres que l'auteur qualifie de « musicales » sont en fait des études sur des musiciens proches de son cœur (Schubert) et de son esprit (Wagner). Quant aux ouvrages « intimes », ce sont évidemment des récits autobiographiques.

Sur une étoile (1976) ne porte que la mention « récit » sur la couverture, mais sera évidemment rangé plus tard sous la rubrique « intime ». On peut le considérer comme la meilleure introduction à l'œuvre d'un des auteurs les plus singuliers de notre époque. Schneider nous y présente sa famille, nous raconte son enfance et son adolescence, les grands et petits événements qui ont décidé de tout son avenir d'homme et d'écrivain.

Les souvenirs qu'il évoque forment une suite de petites nouvelles bien concrètes. Le livre s'ouvre par le souvenir d'un Noël passé dans un chalet alsacien, en 1938, et ces pages sont d'une grande puissance poétique.

L'Alsace est au centre de « sur une étoile » bien qu'en fait Marcel Schneider soit un Alsacien de la Diaspora, comme il dit joliment, et que son père seul fût le fils d'un authentique Alsacien. Mais, dit encore Schneider, « il arrive que les minorités crient plus fort que les autres ». En vérité, ce n'est peut-être pas tant l'hérédité que des souvenirs d'enfance qui l'ont marqué. Il écrit : « Ce qui agace les Alsaciens, c'est que mon lien le plus évident avec la patrie ancestrale, ce soit la nostalgie. Si certains plongent leurs racines dans la terre d'Alsace, j'enfonce les miennes dans son ciel — où elles se perdent. »

C'est dans le ciel d'Alsace que se situe l'étoile de Marcel Schneider. Mais le titre du livre s'explique par une boutade de François Mauriac qui dit un jour à notre auteur : « Vous qui vivez sur une étoile... » et l'auteur du *Bloc-Notes* voulait signifier : « Vous qui vivez loin de nos combats quotidiens, vous qui ne vous mêlez pas des affaires du siècle... » et il est certain que l'Alsace de Marcel Schneider est celle des grands bois et des légendes, non pas celle du Rhin pollué et des difficultés actuelles. On est sûr pourtant que si Schneider avait été le prince de cette magnifique province, l'eau du Rhin serait pure et que l'on ignorerait tout du monde industriel.

Marcel Schneider se désintéresse-t-il du monde moderne? Il le subit comme nous tous. Pour nous montrer la relativité des passions partisanes, il nous raconte comment deux vieilles dames protestantes du petit village de Wasserburg lui dirent un peu après la Libération : « La France n'a pas été punie. » Il protesta, rappela la défaite de 1940, l'occupation, la milice et le reste. Mais les deux dames écartèrent l'objection et affirmèrent : « Non, Monsieur, la France n'a pas été punie. Elle a décrété la Saint-Barthélemy, la révocation de l'Édit de Nantes, et elle existe encore! »

Schneider commente : « Chacun vit dans son univers avec ses références, son système de valeurs, qui semblent absurdes au voisin, lequel n'agit pas de façon plus raisonnable pour cela. »

Mais il ne s'agit pas, pour Marcel Schneider, d'être raisonnable. Il s'agit d'explorer l'espace intérieur où se cache notre vérité. Et tant pis si cette vérité n'est pas communicable à tous : c'est à soi-même qu'il faut plaire d'abord.

Parmi les beaux romans de l'après-guerre, nous plaçons sans hésitation *La Première Ile* (1951), où Marcel Schneider utilise tout un étonnant bric-à-brac symbolique et une érudition à la Gérard de Nerval. Comme tous les livres de l'auteur il est né d'une réflexion sur la solitude et l'amour.

La solitude a deux faces. Certains rêvent à la chaleur du ventre maternel comme à un *jardin perdu.* Ils attendent un impensable jardin futur où ils cesseront d'être séparés. D'autres recherchent ici même leur complément. Ils pensent qu'un couple uni peut faire un tout suffisant. Cet être unique, formé par un homme et une femme, se trouve évidemment être un hermaphrodite. Ici l'on pense aux paroles d'Aristophane dans *Le Banquet* de Platon et aussi, d'une autre façon, à Adam, avant que Dieu eût décidé d'en tirer Ève. Ce mythe de l'homme indifférencié existe également dans le Veda hindou et le Zend-Avesta perse : sa forme change, non la signification qu'on peut lui donner : l'unité a été rompue. D'un seul être, il en a été fait deux. Et les malheurs ont commencé.

Le mythe de l'androgyne, ou plutôt celui de l'hermaphrodite (car, tel qu'on le voit dans la statuaire, l'androgyne est plutôt un être à poitrine féminine et à sexe masculin, que Freud désigne, dans son livre sur Léonard, comme la matérialisation de l'idée que le jeune enfant mâle se fait du physique de sa mère), ce mythe prête à bien d'autres explications : il symbolise l'union des contraires. A ce propos, l'auteur note encore que le Bien et le Mal qui s'opposent dans la morale traditionnelle, sont l'envers l'un de l'autre dans l'ordre du sacré. Ainsi Dieu est tout à la fois Amour et Destruction. La raison doit être renoncée, semble dire l'auteur. Et l'un de ses personnages s'écrie : « Qu'importe que les choses soient obscures pourvu qu'elles nous mènent quelque part? (p. 245) » S'abandonnant à leurs instincts profonds, les uns vogueront vers l'Ile du Paradis. S'abandonnant à la foi, les autres gagneront le séjour des Bienheureux.

La Première Ile nous introduit dans l'intimité des enfants Waldberg, Laurence et Pix, sœur et frère jumeaux, orphelins de mère. La trouvaille des jumeaux de sexes différents est certainement à l'origine du récit. Il y a de l'androgyne dans leur cas et Marcel Schneider s'inspire ici du folklore rhénan, selon lequel les jumeaux présentent un caractère sacré, et une innocence adamantine. Leur union charnelle est admise et, si un tiers s'éprend d'eux, il doit s'éprendre des deux. C'est en les aimant qu'il donnera à chacun des jumeaux une âme particulière. (Notons en passant que Mme Germaine Dieterlen, dans son *Essai sur la religion Bambara,* nous apprend que les nègres bambaras reconnaissent eux aussi l'origine divine des jumeaux qui jouissent de lois particulières. Deux frères jumeaux, par exemple, épousent la même femme.)

En face de ce couple fraternel, nous en trouverons un autre formé par Sylvain et Rénate. Sylvain, appelé par Laurence, révélera l'amour aux jumeaux, mais lui-même sera incapable de supporter cet amour, effrayé par l'extraordinaire aventure où il est entraîné. On pourrait d'ailleurs chicaner l'auteur sur le caractère de ses garçons : Pix vit dans l'ombre de Laurence, il est à sa traîne. De même Rénate domine Sylvain et l'envoûte. Les garçons, dans ce livre, sont un peu des ombres mélancoliques. Ainsi, dans *Les Enfants terribles,* est-ce Élisabeth qui mène la ronde.

Abandonnés par Sylvain, mais ayant compris qu'ils ne forment à eux deux qu'un seul être, Laurence et Pix chercheront, par-delà la mort, l'île de l'unité perdue.

Bien que pour des raisons toutes différentes, Schneider parle des morts tout autant qu'en parlait Barrès. Mais les morts étaient-ils dignes de tant d'amour de leur vivant? C'est souvent leur destin tragique qui les a magnifiés. Il en était ainsi dans deux précédents romans de Marcel Schneider : *Cueillir le romarin* (1948) et *Le Chasseur vert* (1949).

Dans *le Romarin,* Noëlle n'est sauvée du libertinage et d'aventures décevantes que par l'annonce de la mort d'Ivan : « Elle se mit à sourire. Personne ne pourrait le lui enlever, il n'appartenait qu'à Noëlle maintenant. » Et, sans le sacre d'une mort violente, le chasseur vert, séducteur d'une femme de chambre, ne risquait-il pas de perdre ses prestiges? *Le Chasseur vert* appartient à la même famille que l'*Isabelle* de Gide.

Pourtant, dans *Chasseur* et *Romarin,* romans de forme traditionnelle, on remarquera surtout comment les jeunes héros de Marcel Schneider savent transformer en royaume leurs petits univers et en mystères les faits divers de leurs jours. Ils y sont aidés par l'éducation qu'ils reçoivent où les religions, les légendes et les superstitions tiennent toujours beaucoup de place. Ces enfants grandissent sous le triple signe de l'amour, de la poésie et du sacré. Ce sera encore le cas de l'adolescent des *Colonnes du Temple* (1962).

Dans *Le Jeu de l'oie* (1960), le narrateur est l'auteur lui-même. Il s'agit du premier des écrits « intimes ». Marcel Schneider a eu la très ingénieuse idée d'utiliser, pour se raconter, les données de l'antique jeu de l'oie. Il s'agit bien de ce jeu que nous avons tous connu, enfant, mais il n'est pas interdit de se rappeler que les règles en furent autrefois fixées par les prêtres d'Eleusis. Son rythme est le rythme de toute vie : « On avance, on marque le pas, on revient en arrière, on passe son tour, etc. » Oui, ainsi allons-nous sur l'échiquier du monde.

Dans la table du *Jeu de l'oie,* les chapitres ne sont pas numérotés 1, 2, 3, et la suite, comme on le fait habituellement, mais 5, 6, 11, 17 suivant ce qu'ont décidé les dés : 5, la grotte : 5-6, le mont; 6-11, le château; 11-17, la tour. De tour en auberge, de prison en labyrinthe, on arrive à 63, le lac sacré, dont le secret « c'est la rencontre avec soi-même ».

Marcel Schneider a adopté le ton de la confidence. Lire ce livre, c'est être admis dans son intimité. Toutefois, *Le Jeu de l'oie* n'est pas un livre de souvenirs réels, après les souvenirs fictifs des *Deux Miroirs* (1956). Les meilleurs exemples de sa « manière de voir », Schneider les donne dans quelques nouvelles qui viennent illustrer ses propos : *Santa Casilda,Tous les saints d'Espagne* et *Le Dessin volé* sont des contes parfaits à l'intérieur d'un livre lui-même parfaitement composé.

Son centre est un noyau de nuit. Marcel Schneider laisse toujours une grande place au mystère, mais c'est un mystère éclairant. « On a dit que j'avais l'obsession du sacré, écrit-il, qu'il me tenait lieu de religion. En tout cas, je ne perds jamais de vue son ambiguïté et ce sens m'aide peut-être à concevoir la nature des choses. »

Après avoir noté que notre civilisation occidentale est née avec le vin herbé de Tristan, Marcel Schneider écrit : « La légende celtique domine tout ce que les poètes ont rêvé depuis le XIIe siècle : les chanteurs bretons ont tracé la courbe de la passion d'amour la plus aventureuse et la plus exemplaire. Amour et mort, jour et nuit, corps et âme, destin et volonté, tous les contraires ont été réunis à jamais, une fois pour toutes — et jamais plus! — sous l'ascendant du breuvage magique : ce qui retient les amants de Cornouailles au fond de la mer, sous un ciel de cristal, ce ne sont pas les liens de la chair ni ceux de l'esprit, mais le partage d'un secret. »

Quel est ce secret? Comment Wagner l'a-t-il si bien compris? C'est qu'il possédait ce fameux « sens sacré », « ce sens-là qui existe en dehors des dogmes et des rites, que chacun trouve en soi s'il y porte attention, constitue une religion à l'état naissant. Dieu n'y a point encore de nom; c'est le mystère de l'amour qui tient sa place ».

Qui prête encore attention en soi au sens du sacré? Peut-être plus de personnes qu'on ne pense. C'est à ces personnes-là que s'adresse Marcel Schneider. Lui-même, en tout cas, est fidèle à ses exigences intérieures. En écrivant ses livres, il trouve, dans l'acceptation des contraires, l'accord qui est la source du bonheur.

Quel accord? Il le dit parfaitement : « Tous, nous souhaitons faire corps avec nous-mêmes, être tout entiers dans chacun de nos actes, chacune de nos paroles afin que notre propre lumière nous éblouisse et nous transfigure. Alors on ne quête approbation ni désaveu, on ne se soucie pas plus de provoquer que de plaire, on agit en parfaite ingénuité, on tourne tous ses yeux vers le dedans et sans égard à l'effet que l'on produit, au jugement des autres, aux regards curieux, on se donne à soi-même une fête, on célèbre ses noces avec son double. »

Un autre écrit « intime », *La Sibylle de Cumes* (1966), est dédié à Villiers de l'Isle-Adam pour le remercier d'avoir dit : « La vie ne se distingue du rêve que parce qu'on a les yeux ouverts. » Pour sa part, Schneider affirme : « Passions du jour, rêves de la nuit ne diffèrent pas. Passions de la nuit, rêves du jour. » Et il ajoute : « A la limite, on pourra dire : J'ai fait cette nuit une passion terrible, ou bien : je me suis pris pour elle du plus vif des rêves. » Toutefois le rêve qu'il raconte et commente dans *La Sibylle* est une invitation à renoncer à des passions qui ne conviennent qu'à la jeunesse. A partir d'un certain âge (l'âge de la culture, selon Jung), certaines passions ne sont plus acceptables qu'en rêve.

Les contes fantastiques qu'a écrits Schneider peuvent être considérés comme des rêves éveillés. Ils se déroulent dans le présent, dans le passé et parfois dans le futur. Les contes recueillis dans *Aux couleurs de la nuit* (1955), à une exception près, sont situés dans la première moitié du siècle. Quelquefois le fantastique naît simplement de l'angoisse que connaît le narrateur : ainsi dans *Les Trois Cordes,* évocation de Rouen pendant l'hiver 1941-1942. Mais la logique peut être mise en échec, comme dans *De la race du déluge,* où un fugitif tente de se dissimuler sur la terrasse d'un palais parmi les statues et devient statue avant d'aller se fracasser sur la chaussée.

Les contes du *Cardinal de Virginie* (1961) nous transportent dans ce XVIIIe siècle où Valéry prétendait qu'il aurait aimé vivre, mais les lumières qui les éclairent ne sont pas celles des philosophes.

A quels héros Schneider s'est-il attaché? C'est d'abord à certain marquis que nous voyons prisonnier dans le donjon de Vincennes. Ce marquis n'est rien de moins que le marquis de Sade, mais c'est encore, à l'époque où se situe le conte, un jeune homme sentimental et séduisant. Son aventure avec la petite Rosine, la fille du geôlier, l'amène à découvrir l'ambiguïté des sentiments amoureux et ce « charme des larmes » qu'a si bien chanté Racine. Nous faisons ensuite connaissance du bourreau de Colmar, puis d'un terrible « chasseur vert » des forêts germaniques et qui mourra dans d'affreuses tortures méritées. Toute la violence des instincts et de la nature se déchaîne dans *Le Tombeau d'Arminius*. Schneider nous entraîne ensuite dans *La Grotte aux coquillages* de Bayreuth, où la jeune Mélitta rejoindra dans la mort un invisible fiancé — à moins que ce ne soit la mort elle-même qui, pour la séduire et l'attirer, ait pris les apparences de l'amour. On ne peut s'empêcher de penser qu'à Bayreuth retentiraient un jour les déchirants accents de *Tristan...*

Le livre s'achève sur l'histoire d'une charmante petite fille, Méta, qui ne veut pas grandir; mais l'amour, toujours lui, la décidera finalement à devenir une grande personne. Ce conte se situe à Strasbourg et c'est Méta qui est *La Colombe de Cagliostro*. Je n'ai pas dit que, si la colombe de Cagliostro est une petite fille, le cardinal de Virginie, lui, est un oiseau dont la robe est de pourpre. Mais cardinal et colombe possèdent des pouvoirs surnaturels.

Si l'on n'imagine pas d'auteur plus éloigné de l'école dite « du nouveau roman » que Marcel Schneider, il faut remarquer qu'il attache une grande importance aux lieux où il situe ses récits. Mais il ne se contente pas de les décrire à la manière d'un géomètre : il les évoque tels qu'ils se reflètent dans sa sensibilité. On pense naturellement à la célèbre phrase d'Amiel sur les paysages qui sont des « états d'âme ». On pourrait dire que les personnages de ce recueil ont été suscités par des paysages ou des édifices — qu'ils les incarnent pour devenir ce que fut l'auteur devant eux. Le paysage peut du reste être déjà l'œuvre d'un artiste : et c'est ainsi que *Le Tombeau d'Arminius* est dédié au peintre romantique Kaspar-David Friedrich qui l'inspira. Quand Schneider a vu le donjon de Vincennes et la grotte de Bayreuth, il ne pensait sans doute pas encore aux nouvelles où il les décrirait : les nouvelles sont nées, au contraire, de visites à Vincennes et à Bayreuth. Elles sont des équivalents poétiques d'une réalité qu'il nous est possible à tous de contempler. Ainsi se marient poésie et vérité.

La nouvelle qui donne son titre au recueil *Opéra Massacre* (1965) est un essai de science-fiction. Schneider ne s'est pas ici inspiré d'un rêve, mais d'un cauchemar. Voilà, nous dit-il, ce qui pourrait advenir quand la technique aura résolu tous les problèmes pratiques et que l'État se chargera de la santé de nos âmes.

Le Guerrier de pierre (1969) et *Le Lieutenant perdu* (1972) sont de courts romans ou de longues nouvelles qui se déroulent dans des époques anciennes et jouent des prestiges de l'exotisme. *Le Guerrier de pierre* fait revivre un Moyen Age partagé entre christianisme et paganisme. *Le Lieutenant perdu* nous transporte en Slovénie au temps des guerres napoléoniennes, et l'histoire que conte Schneider présente des parentés avec un fameux roman populaire : *L'Atlantide*. Nous rappellerons que Paulhan a très bien expliqué les raisons du succès de Pierre Benoit : le recours à de grands mythes dont le pouvoir est fort sur notre inconscient.

Enfin, le recueil *Déjà la neige* (1974) contient trois nouvelles qui relèvent chacune d'une province particulière du royaume de l'irrationnel : la première appartient au fantastique proprement dit, la deuxième emprunte des rebondissements au féerique et la troisième (*Le Granit et l'Absence,* version remaniée d'un texte paru en 1947) développe les ressources du merveilleux, qui doit plus aux légendes du Moyen Age qu'au surréalisme. Le livre s'ouvre sur un *Discours du fantastique* — comme il y eut un *Discours de la méthode* —, c'est la défense d'un genre par un auteur qui n'a cessé de l'illustrer. Aussi bien, l'essai critique se fait écrit intime.

NOËL DEVAULX

C'est dans la revue *Mesures*, en 1938, que Noël Devaulx (né en 1905) fut publié pour la première fois. La même revue, à la même époque, avait révélé les premiers poèmes d'Henri Thomas.

En quarante ans, Noël Devaulx n'a publié qu'une dizaine de minces volumes qui n'ont jamais atteint un vaste public, mais lui ont valu un petit cercle de lecteurs fervents.

Jean Paulhan présenta *L'Auberge Parpillon* (1945), ou plutôt, non, il la postfaça. En effet, son excellente étude contenait des compliments ambigus qui, placés en tête de l'œuvre, auraient pu en détourner le lecteur. Paulhan insistait sur le côté difficile et déroutant de certains textes de Devaulx. Voulait-il faire entendre que Devaulx collait à la vie qui est souvent difficile et déroutante? Non, il remarquait que cet auteur proposait « des allégories sans explication et des paraboles sans clefs ». Le tout est de savoir si nous avons besoin de clefs et d'explications pour nous intéresser à des contes fantastiques ou si nous sommes capables d'être attentifs à l'étrange pour l'étrange.

Remarquons qu'il n'est pas vrai que Noël Devaulx prenne soin de rendre impossible toute interprétation rationnelle de ses contes. Simplement, il se moque du réalisme et de la vraisemblance. Son but est atteint quand, par la magie de son style, il nous a fait partager un moment ses hantises qu'il ne peut nous rendre sensibles qu'à travers des histoires que le bon sens condamne, mais qui le lui rendent bien. Nous sommes dans un univers de poète.

Ces histoires peuvent se dérouler dans les endroits et les pays les plus divers, décors misérables ou décors de grand opéra, elles peuvent provoquer l'horreur ou l'émerveillement. Mais les frontières sont facilement franchies d'un univers à l'autre, ainsi que l'on voit dans la nouvelle qui s'appelle précisément *Frontières* et donne son titre à tout un recueil (1966). Cela commence en idylle conventionnelle qui se révèle bientôt un intermède calme dans les délires d'un fou. Le médecin traitant hésite à porter un diagnostic. Cette brève nouvelle nous montre que les êtres et les choses sont perçus de façons différentes par chacun de nous et que chacun de nous les comprend différemment suivant les circonstances ou les conditions où il est placé.

Il y a chez Noël Devaulx un doute sur ce qu'est un monde que nous n'entrevoyons qu'à travers des apparences et des interprétations toujours contestables. Le fantastique peut naître sans doute de l'apparition d'un sphynge ou de quelque autre monstre, mais aussi bien des interventions de notre imaginaire dans la vie courante, sous la pression des sentiments, et, par exemple, on peut se demander si dans *L'Aubade à la folle,* ce n'est pas la beauté de la musique qui transforme un instant la vieille sorcière en merveilleuse créature. Cette nouvelle se trouve dans le recueil *La Dame de Murcie* (1961).

Nous n'avons pas sans raison parlé des « décors » où ces nouvelles se déroulaient, car la vie apparaît ici comme une pièce de théâtre, drame ou comédie, qu'elle se déroule chez les princes (*Bal chez Alféoni,* 1956) ou qu'elle soit moins brillante (*Avec vue sur la zone,*1974) —, et les visages sont des masques changeants. Noël Devaulx songe toujours à ce qu'il y a derrière les décors et derrière les visages. Certains voient en lui un écrivain mystique.

Dans son œuvre, *Sainte Barbegrise* (1952) se situe un peu à part. Ce divertissement plein d'humour se donne comme un roman et se présente comme des souvenirs d'enfance. Il est cependant composé d'une suite de nouvelles qui relèvent tantôt du fantastique et tantôt du merveilleux des contes de fées.

Sainte-Barbegrise est la patronne du port breton où le narrateur passa son enfance. Un sombre jour du Moyen Age que des malandrins voulaient abuser d'elle, une opulente barbe lui poussa grâce à quoi fut préservée sa vertu. Sainte Barbegrise est aussi la patronne de la famille du narrateur. Il y a la grand-mère, tyran domestique et terreur du curé qu'elle n'hésite pas à interrompre en chaire. Il y a l'oncle Jaune (orthographe phonétique, nous est-il précisé), qui s'est fait construire, au-dessus de sa maison Louis XIII, un phare dont les rayons convergent vers l'intérieur. Il y a le père qui s'essaie à oublier son veuvage. Il y a la jeune sœur Carmen qui se croit enceinte mais, par envoûtement, sa grossesse passera à l'abbé Trouineau qui mourra d'une enflure au ventre... et puis il y a les non moins surprenantes amours du narrateur.

A la fin, il exprime sa crainte que son enfance ne s'évanouisse un jour sans retour. C'est sans doute pour conjurer un tel malheur qu'écrit Noël Devaulx.

GEORGES-OLIVIER CHATEAUREYNAUD

Chez Chateaureynaud (né en 1947), le fantastique apparaît tour à tour comme un jeu intellectuel, une fantaisie poétique, une rêverie métaphysique, une audacieuse anticipation. Il naît toujours de préoccupations fort sérieuses et capables de provoquer un malaise ou une angoisse véritable. Angoisse devant la mort et la possibilité d'une survie, interrogations sur ce que nous appelons notre personnalité, sur l'âme et sur l'éternité.

La peur, les réalités secrètes, l'exploration de mondes inconnus : Chateaureynaud dispose ainsi d'un vaste domaine.

Pour lui trouver des parentés littéraires, il faudrait chercher du côté des *Labyrinthes* de Borges ou du côté de l'*Orphée* de Cocteau. Chateaureynaud cite incidemment ces deux œuvres dans son premier ouvrage, *Le Fou dans la chaloupe* (1973) et sans doute est-ce un salut qu'il adresse à des auteurs aimés.

Avec le roman intitulé *Les Messagers* (1974), nous sommes plutôt du côté des romantiques allemands et de Kafka. Nous suivons les aventures d'un jeune vagabond qui fait la rencontre d'un étrange bonhomme, en route depuis longtemps, porteur d'un message dont il ignore la teneur. A qui doit-il remettre ce message? Sa recherche du destinataire le conduit d'intermédiaire en intermédiaire, et il mourra sans avoir atteint son but. Le jeune vagabond prend alors le relais.

La Belle Charbonnière (1976) contient des récits qui se passent tantôt dans une époque légendaire et tantôt de nos jours. Dans le récit qui donne son titre au recueil, un chevalier bien fatigué arrive un soir chez des paysans, au cœur d'une forêt profonde. On lui parle d'une femme mystérieuse qui vit au bord de la rivière : elle devrait avoir cent ans, mais elle est la jeunesse même. Le chevalier curieux veut voir cette belle charbonnière. Elle est belle et jeune en effet. Il s'attarde, heureux auprès d'elle, mais il faut bien un jour reprendre la route, croit-il. Elle le met en garde contre son projet. Il part pourtant. C'est l'hiver et il meurt sous la neige.

Quelle est cette belle charbonnière? Quel est l'asile qu'elle propose? Quel est son secret que n'a pas compris le chevalier?

Toutes les nouvelles de Chateaureynaud proposent des énigmes à résoudre, que chaque lecteur déchiffrera sans mal selon son tempérament et selon son cœur.

Mathieu Chain (1978) est un roman contemporain. Le héros est un écrivain à la recherche de sa vérité. Le succès qu'il obtient avec ses livres ne le satisfait pas, car il n'a pas réussi à y élucider l'énigme qu'il est pour lui-même. Le fantastique naît ici du malaise que le héros éprouve devant le monde et qui se transforme peu à peu en démence. Mathieu Chain retrouvera l'équilibre dans le renoncement à ses ambitions et dans l'acceptation d'une vie simple dans un petit village d'une île nordique où il travaillera de ses mains. (Pour finir, il est plus sage que le chevalier de *La Belle Charbonnière*.)

Chateaureynaud écrit dans une langue admirable. Dès ses premiers textes (pas encore recueillis en volume), nous avions été frappés par la sûreté de son style. Voici trois citations, des extraits de *La Fortune* (écrit en 1971) :

« Vivre n'est pas une situation d'avenir. Aussi le jeune homme préfère-t-il écrire le récit avant d'accomplir le voyage. Dans Grenade, plus tard, il fermera les yeux pour se souvenir de Grenade telle qu'il la rêvait avant de l'avoir vue. »

« Un verre d'eau. L'un s'y noie, l'autre y trouve l'Amérique. L'y trouve ou l'y transporte. Colomb naïf! Mais vivre c'est toujours un voyage aux Indes erronées. »

« Le monde répond toujours à côté de toute question. Il convient donc de ne lui poser que des questions décalées. »

35.
La folle du logis

Les trois auteurs dont nous allons parler maintenant sont eux aussi des familiers du fantastique, mais leur fantastique n'est ni un jeu avec la peur ni la transcription de réalités secrètes. Il est une manifestation de leur imagination exubérante qui prétend échapper à la grisaille du quotidien.

René de Obaldia et Daniel Boulanger mettent en scène des personnages pittoresques et prennent autant de plaisir à jouer avec les mots qu'avec les sentiments.

Pierre Boulle s'en tient au langage de tous les jours et n'hésite pas à mettre en scène des personnages conventionnels : c'est que son jeu consiste à faire éclater les conventions. Le narrateur d'un de ses contes déclare : « Ceux qui me connaissent savent l'horreur que m'inspire le conformisme, et la griserie dans laquelle me plonge, au contraire, la moindre attitude insolite chez mes frères humains... »

PIERRE BOULLE

Pierre Boulle (né en 1912) a publié des *Contes de l'absurde* (1953), mais, s'il s'agit de contes philosophiques, ils ne s'inscrivent pas dans la lignée du « romanesque métaphysique ». Ce qui intéresse Pierre Boulle, ce sont les cas psychologiques singuliers et les histoires extraordinaires.

Il aime partir d'une donnée simple pour conter une aventure paradoxale dont les rebondissements inattendus sont d'une logique imperturbable. Naturellement, absurde et logique vont ensemble : ils existent en s'opposant l'un à l'autre. Mais il arrive que la logique, poussée à bout, rejoigne l'absurde, et la confusion qui s'ensuit devient délectable pour l'amateur de littérature. Elle n'est le plus souvent qu'apparente : on suivait une seule succession de causes et d'effets, et voici qu'on rencontre une autre série de causes et d'effets dont on n'avait pas tenu compte. Il faut tout reconsidérer. Boulle nous invite à nous méfier de nos jugements hâtifs.

Il nous montre aussi que nous vivons sur des idées dont nous avons rarement expérimenté la valeur et les conséquences possibles. C'est pourquoi ces idées peuvent si facilement se retourner contre nous. Il en est ainsi dans le fameux *Pont de la rivière Kwaï* (1952) où l'amour du travail bien fait conduit des militaires britanniques prisonniers à servir les intérêts de l'ennemi; et dans *Les Voies du salut* (1958) où un couple de blancs, en Malaisie, s'emploient à convertir une jeune Chinoise à leur conception de la vie, sans prévoir la manière dont elle deviendra « une des nôtres ».

Pierre Boulle n'écrit pas des romans d'analyse. Il invente des situations qui montrent l'instabilité de l'individu et ses contradictions, ce qui n'empêche pas tout homme d'être fortement attaché à une certaine figure qu'il entend donner de lui-même.

Dans *La Face* (1953), un intègre procureur, en promenade sur les bords du Rhône, est témoin d'un accident : une jeune fille se noie sous ses yeux. Il n'intervient pas. Sa fiancée pendant ce temps est endormie près de lui. S'il avait été seul, peut-être aurait-il donné l'alarme; mais il a peur de passer pour un lâche en ne sautant pas lui-même à l'eau. Quand le corps de la noyée sera découvert, on soupçonnera un crime. Un ami de la jeune fille sera arrêté. Le procureur n'hésitera pas à traiter l'accusé en coupable, à repousser les pressions politiques dont il sera l'objet et, au terme d'un violent réquisitoire, à requérir la peine capitale.

L'intègre magistrat, comme on voit, ne veut pas perdre la face. Le plus curieux, c'est qu'il finit par être de bonne foi : il oublie la scène dont il a été témoin, se laisse convaincre par les indices qui accablent l'accusé et l'honnêteté professionnelle fait le reste : un innocent sera condamné.

Un métier de seigneur (1960) aurait pu également s'intituler *La Face*. Le métier dont il est question est le métier d'espion ou, en termes plus nobles, d'agent secret. On peut penser qu'il s'agit d'un titre ironique, mais il ne fait aucun doute que c'est un métier qui intéresse Pierre Boulle, puisque sa première œuvre, *William Conrad* (1950), avait déjà comme personnage principal un agent secret. William Conrad, agent secret allemand vivant à Londres pendant la guerre et travaillant dans les services de propagande, finissait par se prendre lui-même à ses propres arguments et se faisait tuer pour l'Angleterre et pour la liberté, à la veille d'être démasqué par un agent du contre-espionnage. Cousin, alias Arvers, le héros d'*Un métier de seigneur,* connaît une tout autre aventure. C'est un agent français qui, sous la menace de la torture, donne les noms de ses camarades et tue le compagnon qui a été témoin de sa lâcheté. Mais, plus tard, lorsque la mère et la sœur de ce compagnon voudront lui faire avouer sa lâcheté en employant à leur tour la torture, il saura se taire et mourra héroïquement.

Le sujet du livre, c'est ce que le docteur Fog, haut dirigeant de l'Intelligence Service, appelle « les interactions du mental et du physique, du corps et de l'âme ». Et il est bien possible que ce soit là « le problème essentiel en ce monde ». Il est étudié dans *Un métier de seigneur* à propos de la torture, mais pourrait l'être à propos de l'amour. Qui sommes-nous? Nous croyons parfois le savoir, nous avons certaines idées, certaines croyances, certaines répugnances aussi, et puis soudain telle circonstance nous fait réagir de manière tout à fait inattendue. Le corps a ses raisons que la raison et que le cœur ignorent. On ne peut jamais dire qui triomphera : le corps ou l'esprit. Quand il est interrogé par les Allemands, Cousin parle avant d'être brutalisé et va même jusqu'à donner plus de renseignements qu'on ne lui en demande. Plus tard, torturé par les deux femmes, il résiste magnifiquement. Il est décidé à mourir et pourrait briser l'ampoule de strichnyne qu'il a dans la bouche, mais il veut d'abord se prouver qu'il n'est pas un lâche. Il se dit : « Aucune bête n'aurait fait cela. »

Cette phrase, on le sait, a été rendue célèbre par Saint-Exupéry, qui la rapporte dans *Terre des hommes* (elle est de Guillaumet). Prononcée par Cousin dans le roman de Boulle elle nous oblige à poser une terrible question à propos du courage. Qu'on se fasse tuer pour une cause ne prouve rien en faveur de cette cause. D'ailleurs Cousin, contrairement à William Conrad, ne se fait pas tuer pour une cause : il meurt pour sauvegarder l'image qu'il avait de lui-même. Il avait oublié la lâcheté qu'il avait montrée devant les Allemands, il l'avait effacée en tuant le camarade qui en avait été le témoin, il avait réintégré son rôle de héros. A ce rôle, à cette apparence, il tient plus qu'à la vie. Pour les défendre, il montre soudain le courage d'un héros, il devient un héros. Là-dessus également on peut rêver. Quel est le vrai Cousin? Quelle est la vérité d'un homme? Avons-nous une apparence et pas de réalité? Ou encore : pas d'autre réalité que notre apparence? Mais quelqu'un qui peut être successivement un lâche et un héros, n'est ni un lâche ni un héros. Qu'est-il?

Pierre Boulle a pris soin de faire de son personnage « un intellectuel ». Cousin, avant-guerre, était un écrivain, mais, selon Boulle, ce n'est pas le métier qui fait l'intellectuel. On rencontre aussi bien des intellectuels chez les maçons et chez les militaires que chez les hommes de lettres. Ce qui définit l'intellectuel, c'est sa tendance à fabuler, à se fier à son imagination. L'intellectuel interprète toujours la réalité. Dans un cas extrême, comme celui de Cousin, il invente sa réalité. Cousin est un rêveur : au lieu d'avancer dans un univers concret, il vit dans le film colorié qu'il déroule dans sa tête. Lorsque la pellicule casse, il se hâte de la recoller. Sorti de son univers de fiction, il s'asphyxie comme un poisson hors de l'eau. Mais la réalité n'est-elle pas irrespirable pour tout le monde?

Un métier de seigneur est une fantaisie philosophique. Les nouvelles réunies dans *E=mc²* (1957) relèvent de la science-fiction. *La Planète des singes* (1963) est un roman d'anticipation. C'est un récit écrit en l'an 2 500 par le journaliste Ulysse Mérou, cosmonaute amateur, qui le plaça dans une bouteille et le confia à l'espace « pour aider, peut-être, à conjurer l'épouvantable fléau qui menace l'humanité ». Ce futur Ulysse (si nous osons dire) a débarqué sur une planète du système de Bételgeuse où il a eu la surprise de voir le pouvoir aux quatre mains des singes tandis que les hommes, avec leurs deux mains, étaient enfermés dans des jardins zoologiques. Ulysse est mis en cage et il a du mal à se faire reconnaître comme *homo sapiens*. Quand il est reconnu comme tel, les singes s'inquiètent : si jadis les singes ont pu vivre sous la domination de l'homme, est-ce que l'homme ne représente plus pour eux un danger possible? Ne vaudrait-il pas mieux supprimer cette race? Ulysse parvient à s'évader. Il rejoint la Terre après un voyage d'un certain nombre d'années-lumière. A l'aéroport d'Orly, il est accueilli par un gorille. Est-il nécessaire de préciser que c'est également dans les mains de singes que parviendra le récit confié à l'espace?

Le goût du paradoxe a poussé Pierre Boulle à inventer *Le Bon Léviathan* (1978), un superpétrolier nucléaire qui se révèle un monstre bienfaisant. Pierre Boulle semble penser que les prévisions pessimistes des écologistes sont excessives et son livre pourrait être sous-titré, comme *Le Soulier de satin :* « Le pire n'est pas toujours sûr. » Hélas! quelques mois après sa publication survenait la catastrophe de l'*Amoco-Cadiz*. Pour une fois qu'un auteur d'anticipation voyait l'avenir en rose, la réalité s'est rapidement chargé de le démentir.

RENÉ DE OBALDIA

Comme Pierre Boulle, René de Obaldia sait trouver des sujets neufs. Mais alors que Boulle traite les siens avec flegme, Obaldia (né en 1918) s'abandonne souvent au lyrisme. Si leur imagination est également vive, leurs tempéraments sont opposés. Boulle est un conteur au sang froid. Obaldia un poète au sang chaud.

Son premier roman s'appelle *Tamerlan des cœurs* (1955). Le héros véritable en est un jeune écrivain d'aujourd'hui nommé Jaime Salvador, mais, parrallèlement à ses aventures, Obaldia nous invite à une grande cavalcade historique. Les chapitres de la petite histoire de Jaime alternent avec les chapitres de la Grande Histoire du Monde. Ainsi s'organise le roman : Roland sonnait du cor, puis Un café-crème avec des croissants, puis Les six bourgeois de Calais, puis A quoi penses-tu? L'alternance se poursuit jusqu'au moment où Jaime est rattrapé par l'histoire : c'est-à-dire par la guerre. L'unité du livre est scellée dans les dernières pages où le contrepoint fait place à une large symphonie.

René de Obaldia donne au rêve une place aussi importante qu'à la veille. Les rêves n'ouvrent pas sur un monde moins tragique que le monde dit réel : ce n'est pas, en effet, un monde moins réel et ce n'est même pas un autre monde.

Tamerlan des cœurs est une succession de batailles, de massacres et d'exterminations. Tantôt ce sont les corps qui souffrent, tantôt les cœurs, et tantôt les corps et les cœurs à la fois. On soupçonne qu'il entre une énorme innocence, une notable irresponsabilité, dans tant de cruauté. Pourtant, on se cherche des justifications. On cherche une réponse à une énigme, comme si devant le monde on se trouvait tel Œdipe devant le sphinx — et que la réponse pouvait nous préserver et nous sauver. C'est aux femmes que Jaime s'adresse pour savoir la raison de son existence. Il ne parvient qu'à rejouer quelques scènes d'une vieille comédie. Au terme du livre, les obus se chargent de le distribuer aux quatre coins de l'esprit et de l'espace (mais il n'y a pas de coin dans l'espace) et c'est une manière de retrouver l'unité que d'être ainsi dissous en elle.

La construction de *Tamerlan des cœurs* fait penser un peu aujourd'hui à celle des *Fleurs bleues* de Queneau (qui parurent dix ans après). Mais les deux livres diffèrent beaucoup par l'esprit qui les anime : celui de Queneau est bon-enfant tandis qu'Obaldia a une vue tragique de notre condition.

Il l'a encore exprimée d'une manière originale et cocasse dans le second des deux récits réunis sous le titre : *Fugue à Waterloo* (1956). Ce second récit, *Le Graf Zeppelin,* s'appelle aussi *La Passion d'Émile* et la passion d'Émile est celle que lui fait endurer sa paternité.

Émile est un employé de bureau, myope et ridicule. Il n'est pas à l'aise dans sa peau ni dans sa vie. Du reste, il existe à peine et voilà pourtant que, par suite d'un acte inconsidéré, un nouvel être va venir au monde. Est-ce pensable? Est-ce admissible? Le drame évoqué n'est pas celui de l'enfant qu'on ne désirait pas. D'un tel drame, la victime qui requerrait notre sympathie serait évidemment l'enfant, peut-être la mère, certainement pas le père. Non, le drame que raconte Obaldia est celui d'un homme soudain aux prises avec un tourment métaphysique.

Émile n'avait pas pensé au mystère des naissances. La succession des générations lui apparaît soudain dans un effroyable cauchemar : « Il fallait arrêter cette énorme machinerie, machination, cette écœurante fabrication de cadavres, arrêter, arrêter... redevenir vierge, intact, épée, foudre, silex. Tenter soi-même de naître UNE FOIS POUR TOUTES. »

Émile se sent déjà poussé hors de la vie par cet enfant qui va naître. Or, on voudrait, dans son entourage, que cette naissance lui donne enfin le désir d'arriver... — « D'arriver à quoi? — Sacrebleu! je ne sais pas moi... d'arriver à faire arriver son mouflet. C'est pas important, ça? — Oh! si, très important... Lui-même tâchera de faire arriver le mouflet qui ne manquera pas de lui arriver. »

Quand l'enfant naît, Émile doit s'aliter, renouant avec une coutume que les ethnologues ont décrite : « Chez les Thraces comme chez les Scythes, comme chez les Guaranis et tant d'autres races fraternelles, lorsqu'une femme mettait au monde un enfant, le père, abandonnant aussitôt toute activité, se jetait sur sa couche et y demeurait plusieurs semaines, dans un état confinant à la prostration. Dès le lendemain de l'accouchement, la mère vaquait à ses occupations habituelles, reprenait les gros travaux, un fier sourire aux lèvres, tandis que les visites affluaient au chevet du père. »

Après ses relevailles, Émile ne parviendra pas à accepter l'événement. Il s'enfoncera dans la folie et finira par se noyer.

L'histoire d'Émile, ainsi résumée, peut paraître abstraite. Elle ne l'est pas. Obaldia a peint avec une verve féroce la vie quotidienne d'Émile. Il nous le montre dans sa vie familiale, dans sa vie de bureau, allant faire ses visites à la maternité, recevant au lit, fréquentant une prostituée. Ah! et puis, il y a le Graf Zeppelin : Émile n'a jamais pu oublier la bande d'actualité où l'on voyait exploser ce dirigeable. Cette obsession ponctue les différentes phases du récit. Y a-t-il, d'autre part, un rapport précis entre ce zeppelin et le ballon Montgolfier, auquel il est fait allusion au début du récit? Voilà ce que nous n'avons pu élucider. En tout cas, le zeppelin éclate, le ballon se vide, Émile se tue. Et la vie continue.

Le Centenaire (1959) se présente comme un journal intime, bien que l'homme qui tient la plume, et qui parle souvent de lui en s'appelant M. le Comte, n'aime pas ce genre littéraire où l'on inflige au prochain « sa thermogène, ses furoncles, sa température, ses couverts, sa mésopotamie ». On peut dire alors que ce sont les fragments d'un grand monologue (avec même des bouts de dialogues, car le vieillard rapporte des scènes diverses et converse avec lui-même). Au fait, il n'a que quatre-vingt-sept ans, ce centenaire, et c'est un rôle que joue Obaldia, très doué pour le théâtre.

Un tel livre est un livre d'artiste. Il ne se lit pas réflexion après réflexion, anecdote après anecdote, mais phrase après phrase. Vous l'aimerez si vous prenez plaisir aux quelques citations que nous allons faire et que nous prenons presque au hasard :

« Honneur aux rides. J'attends la bohémienne qui me lira les lignes du visage.

— Mes femmes sont mortes, je n'ai plus de feu, ouvrez-moi la porte... Toute la vie peut se tambouriner sur les vitres en fredonnant des petits airs. Les petits airs font les grands sanglots.

— Je commence à savoir aimer.

— La fleur de l'âge, la fleur que vous m'avez jetée..

— Je pourrais être mon père.

— Jésus-Christ ne riait jamais. Apparemment, il n'y avait pas de quoi.

— Le phonographe de Monsieur le Comte est remonté : dois-je prier les invités de faire silence?

— Ma tête et ma main sont ailleurs.

— Il m'avoua qu'il passait ses nuits à lire des lettres d'amour calcinées, des lettres brûlées par les mots eux-mêmes...

— Le vent qui souffle où il veut ne veut rien du tout. »

En 1960, Obaldia fit ses débuts au théâtre avec *Génousie,* où l'on parlait une langue jusqu'alors inconnue que les spectateurs comprenaient aussitôt. Une douzaine d'autres pièces ont suivi, dont *Du vent dans les branches de Sassafras,* un western délirant qui contient des tirades en alexandrins, et

Monsieur Klebs et Rosalie, aventures d'un Pygmalion de l'ère électronique. En plus de ces longues pièces, Obaldia a écrit ce qu'il appelle des « impromptus à loisir », parmi lesquels *L'Azote* et *Le Grand Vizir,* dont les jeunes troupes se sont emparées et qu'elles ont souvent inscrits au même programme que des pièces de Tardieu et de Ionesco. Elles ont été traduites et jouées un peu partout dans le monde.

DANIEL BOULANGER

Depuis son premier roman, *L'Ombre* (1959) — réédité récemment sous le titre *Miroirs d'ici,* — jusqu'à son dernier recueil de nouvelles, *L'Enfant de bohème* (1978), Daniel Boulanger (né en 1922) a construit tout un petit monde à la fois ancien et tout neuf, familier et extravagant. Car on n'est pas bien sûr que la province qu'il ne cesse d'évoquer existe encore, mais on est certain que, de toute façon, elle est d'abord le lieu de ses rêveries. Boulanger fait souvent penser à un Giraudoux, le Giraudoux des *Provinciales* précisément, qui aurait été touché par le surréalisme. Il aime les comparaisons inattendues et peut écrire : « A la fenêtre, dans ses plumes d'autruche, l'hiver sonnait ses noces. La neige était l'impudeur même. »

Qui refuserait à Daniel Boulanger les beaux noms de magicien ou d'enchanteur? Un petit fait divers dont il s'empare se développe soudain et se ramifie comme ces fleurs japonaises que l'on plonge dans l'eau. Daniel Boulanger a une telle imagination que le moindre prétexte lui suffit pour susciter des merveilles. Il est à l'opposé de nos petits réalistes : par un jeu savant de comparaisons poétiques, il fait surgir à tout instant des floraisons d'images. Sans arrêt, il crée. L'accusera-t-on d'être précieux? Il nous libère de la pesanteur des choses en leur conférant « la légèreté des ombres ». C'est que tout se transforme sous son regard, tout se métamorphose. C'est un univers d'apparences changeantes qui sont autant de petits miracles. On dira de Boulanger ce qu'il dit d'un de ses héros : « Sa mémoire est dans sa main comme une riche reliure. Il repasse les jours, suit du doigt les plus anciens, n'y lit que des mots d'amour. »

La Mer à cheval (1965) est un de ses meilleurs livres. Le titre trouve une explication en tête de l'ouvrage. Il s'agit d'une phrase de la servante qui se prénomme Marguerite et qui s'écrie : « Vouloir changer les gens! Autant passer la mer à cheval. »

Nous sommes en Picardie, au village d'Angeroy, ou plutôt un peu à l'écart du village, dans le beau domaine de Charles Parent. Charles est marié à Jeanne. Il se croyait heureux. Il l'était. Mais Jeanne est partie, sans qu'on sache avec qui, ni pour quelle destination. Un seul être vous manque et la vie perd son sens. Que reste-t-il à Charles? Sa maison, son chien, ses bois, sa cuisinière. Non, ce n'est plus pareil. Il entreprend une collection d'insectes.

Et c'est joli, une coccinelle. C'est curieux, une chenille. Tout cela ne vaut pas Jeanne. Charles la cherche et la fait rechercher. Il n'est plus capable d'administrer ses biens et l'on pense dans le village que c'est la fin du château.

Puis, un beau soir, voici que Jeanne est de retour. Cela ne suffit-il pas? Faut-il poser des questions? Elle raconte. C'est le bizarre récit d'un voyage, sans doute bizarre lui-même. Charles écoute. Il entend ainsi Jeanne lui dire qu'il est son seul amour et que c'est auprès de lui qu'il fait bon vivre. Charles est content, pas tout à fait cependant : il sent bien, comme nous, qu'il y a chez Jeanne un besoin d'aventures qui peut la reprendre à tout moment. Et qu'y faire? Il serait fou de vouloir passer la mer à cheval, c'est entendu. Mais pourquoi ne pas être fou, pourquoi ne pas essayer de rendre un nouveau départ de Jeanne impossible?

Les efforts de Charles pour subjuguer sa femme ne seront pas suffisants. Elle disparaîtra à nouveau. Ici, le récit devient très mystérieux. Nous voyons Charles moins désemparé qu'il n'était lors de la première fugue de sa femme. Quant à Marguerite, la cuisinière, on ne l'étonnerait pas trop en lui affirmant que Jeanne s'amuse à se cacher dans la vaste maison qui se prête à un tel jeu. En réalité, si Jeanne ne s'est pas enfuie, elle ne se cache pas non plus : on la retrouve pendue à un hêtre centenaire d'une propriété voisine. Charles prend sur lui de faire abattre l'arbre et de le réduire en cendres.

Ah! mais ce n'est pas fini et Daniel Boulanger n'hésite pas à faire une embardée dans le fantastique. Charles parle à sa femme morte et celle-ci lui répond. Grâce à Jeanne, une jeune servante est engagée. Charles la trouve charmante et, comme elle est enceinte, il décide soudain qu'il sera le père du garçon qui va naître. Car il ne doute pas que ce soit un garçon : « Cet enfant portera mon nom. Nous l'appellerons Charles. » Ainsi la vie continuera-t-elle au château d'Angeroy.

Voici le ton du livre : « Charles se rappela les délices du commencement de la nuit. Ce qui est bel et bon fait sentir l'éphémère. Il craignit que Jeanne s'en fût allée, mais toute la douceur de la terre tapissait la chambre. Sous les noirs de toutes profondeurs, des murs au lit, il y avait, pareille à la caresse d'une source, l'idée fragile que les choses continuent. Il n'osa pas avancer de peur que le plancher se mît à crier, à lézarder l'ordonnance royale du sommeil... Charles baissa la tête et recula, ainsi que saluent dans les temples ceux qui savent la politesse de Dieu. »

Le secret de l'art de Daniel Boulanger, c'est peut-être une grande politesse envers toute la création. Cette politesse que nous avons signalée aussi chez Dhôtel.

On a vu que le tragique n'est jamais absent de cet univers de fantaisie. Daniel Boulanger possède à un rare degré le don de sympathie, lequel s'exerce avec un naturel ravissant : gens, bêtes et choses sont adoptés par lui dès qu'ils traversent son champ visuel. Les titres de ses recueils de nouvelles : *Les Noces du merle, L'Été des femmes, Le Chemin des caracoles, Fouette cocher* sont caractéristiques d'un conteur plein d'allégresse. Oui, mais il n'en a pas moins dédié son roman *Les Portes* (1966) « à la solitude ». Et il a traité le thème de l'homme qui aimerait s'échapper à lui-même en changeant d'identité. *Le Téméraire* (1962) raconte l'histoire d'Hermann Hesling, portier à l'hôtel Flambaum, de New York qui, pendant la guerre, s'engage dans les armées de la Libération. Il s'emparera des papiers d'identité d'un nommé Adrien Faulenmuss, tué en Alsace. Il voudra devenir Faulenmuss, mais les circonstances ne lui permettront pas de se refaire une vie. Boulanger ne croit pas qu'on puisse « sauter son ombre », sinon pour sombrer dans la folie.

Comme il n'est pas question de changer d'existence ou de passer la mer à cheval, le mieux est d'exalter le monde qui contient tant de richesses. Le style de Daniel Boulanger ne témoigne pas seulement d'un art d'écrire : il est un style de vie, il révèle un art de vivre.

36.
La nouvelle fable

Cette étiquette de « nouvelle fable » fera-t-elle fortune chez les universitaires? Elle permet de regrouper un certain nombre d'écrivains indépendants et de faire croire à l'existence d'une nouvelle école qui aurait succédé au « nouveau roman ». Nous ne l'avons pas fabriquée nous-même : elle fut utilisée dès 1964 par des critiques comme François Nourissier et Matthieu Galey pour désigner les premières œuvres de Jean-Marie Le Clézio. Yves Berger, Jean-Loup Trassard, Robert Quatrepoint, Raphaël Pividal et dix autres qui se refusaient à appliquer les théories austères des bricoleurs du roman, réclamaient une liberté entière pour les jeux de l'imagination et semblaient à la recherche de nouvelles mythologies.

J.-M.-G. LE CLÉZIO

Nous aurions pu placer Jean-Marie-Gustave Le Clézio dans le chapitre « loin de Paris », car cet auteur a grandi à Nice. Il a séjourné assez longuement en Thaïlande (pour son service militaire), au Mexique (pour le seul agrément), au Nouveau Mexique (où il est actuellement professeur), mais il n'a jamais fait que de courtes apparitions à Paris.

Il n'avait que vingt-trois ans quand parut son premier livre, *Le Procès-Verbal* (1963). De nombreux critiques s'enthousiasmèrent et il obtint cinq voix au Goncourt et le Prix Renaudot.

Par le choix de son titre, le jeune écrivain semblait se référer à l'objectivité apparente de Meursault (l'anti-héros de *L'Étranger*), mais il partageait surtout avec Camus le goût d'une vie considérée dans ses données immédiates, c'est-à-dire dans une pureté pas encore troublée par les remous de la conscience. Pour peindre le personnage d'Adam Pollo, Le Clério avait même poussé ce goût assez loin : il avait voulu qu'Adam Pollo ne fût pas un homme pensant, mais « une espèce d'objet où la conscience de la vie n'est que la connaissance nerveuse de la matière ». Voici en clair la règle du jeu : pas d'idées, ni de sentiments, seulement des sensations. Adam Pollo apparaît comme un de ces beatniks dont on parlait beaucoup dans les années soixante.

Est-il possible de vivre entièrement dégagé du milieu social? Le Clézio semblait répondre à la question en renvoyant Adam Pollo à l'asile psychiatrique dont il s'était échappé. Une société bien organisée enferme ceux qui n'observènt pas les règles qu'elle a établies. Cela ne prouve pas que le contrevenant soit un fou.

Le Procès-verbal était précédé d'une lettre, où l'auteur confiait son espoir « de parfaire plus tard un roman vraiment effectif. » Il précisait ce qu'il entendait par là : « quelque chose dans le genre de Conan Doyle, qui s'adresserait non pas au goût vériste du public — dans les grandes lignes de l'analyse psychologique et de l'illustration — mais à sa sentimentalité. » La phrase était bizarre dans la mesure où il ne paraît pas très évident que Conan Doyle se soit jamais adressé à la sentimentalité du lecteur.

En attendant ce roman sentimental, Le Clézio nous offrit *La Fièvre* (1965), un recueil de neuf histoires assez courtes. Il parut beaucoup plus à l'aise dans la nouvelle que dans le roman. *Le Procès-Verbal* est fait du rassemblement de morceaux inégaux et disparates et le travail de jointoiement laisse à désirer. La suite de nouvelles qui composent *La Fièvre* présente au contraire une remarquable cohérence.

Le Clézio en souligne très bien la ligne de force en disant qu'il est surpris que les romanciers traditionnels prêtent à leurs personnages de grands sentiments et qu'ils traitent de l'amour, de la torture, de la haine, de la mort. Le Clézio observe que, dans notre vie réelle, nous sommes sujets bien plus souvent à des passions beaucoup moins augustes, mais non moins fortes. Ce sont également des passions (en jouant à peine sur les mots) que la fièvre, la douleur, la fatigue, le sommeil. On voit bien que loin de s'adresser à notre sentimentalité, c'est à notre sensibilité que s'intéresse Le Clézio : « Tous les jours, dit-il, nous perdons la tête à cause d'un peu de température, d'une rage de dents, d'un vertige passager. Nous nous mettons en colère. Nous jouissons. Nous sommes ivres. Cela ne dure pas longtemps, mais cela suffit. »

Il arrive en fait que cela dure longtemps. Il est vrai, en tout cas, que l'attention prêtée à cette part de notre existence a largement suffi à Le Clézio pour écrire de fort curieux récits, dont le meilleur est sans doute *Le Jour où Beaumont fit connaissance avec sa douleur.*

La Fièvre s'ouvrait, comme *Le Procès-verbal,* sur une lettre à un destinataire inconnu. Cette fois, Le Clézio ne nous parlait plus d'un roman en préparation. Bien loin de là. Il écrivait bravement : « La poésie, les romans, les nouvelles sont de singulières antiquités qui ne trompent plus personne ou presque. L'écriture, il ne reste plus que l'écriture, l'écriture seule... »

Ses déclarations furent accueillies avec faveur. Elles allaient dans le sens de la mode qui voulait que la littérature se réduisît à un phénomène particulier de langage. On passait d'un « univers des formes » à un « univers des mots ». Toutefois, Le Clézio n'était nullement ébloui par les modernes professeurs de linguistique. Il refusait simplement tous les carcans de la littérature traditionnelle et voulait s'exprimer en toute liberté.

Les textes de *La Fièvre,* bien qu'il préférât les appeler des « histoires », n'en étaient pas moins d'excellentes nouvelles. Par contre, ses romans ne devaient jamais être de bons romans. Les interviews qu'il a accordées permettent de comprendre pourquoi.

Questionné sur l'origine de ses livres, Le Clézio confiait : « Au départ, il y a des séquences, des mouvements, comme un film qui ne déroule jamais d'images immobiles. Tantôt il s'agit de scènes que j'ai réellement vécues au cours de mes promenades à pied dans Nice. Tantôt il s'agit de scènes fournies par mes lectures, ou simplement imaginées. En tout cas, elles sont toujours voisines de souvenirs d'enfance. »

Le Clézio avoue d'autre part qu'il est incapable de se plier à un plan de travail. Il lui est arrivé parfois d'essayer, mais il ne peut échapper à l'inspiration (laquelle bouleverse tous les plans).

Le mot « inspiration » est-il juste? Le Clézio est un jeune homme qui ne peut résister aux provocations du monde extérieur et qui oppose à toutes les agressions la force de l'écriture. Le langage est son arme dans la guerre de tous les jours.

Tout cela est bien sympathique, mais explique le décousu de ses livres où d'interminables plages d'ennui succèdent à des morceaux brillants. Cet amoureux de la vie immédiate est un grand liseur et il s'approprie tous les trucs qui l'ont amusé dans les ouvrages de ses contemporains. Ainsi utilise-t-il les collages : coupures de journaux ou pages d'annuaires téléphoniques. Il procède à des énumérations fastidieuses ou joue avec la typographie. Nous reconnaissons qu'il se livre à ces facéties en étudiant blagueur plutôt qu'en sérieux professeur : elles n'en deviennent pas plus efficaces pour autant.

Puisqu'il considère le roman comme une « singulière antiquité », Le Clézio ne nous en voudra pas de constater qu'il n'est pas un romancier. En fait de personnages, il n'a su en créer qu'un seul qui est une projection de lui-même, tantôt en négatif et tantôt en relief.

Côté négatif, voici *Le Déluge* (1966), dont le héros est, comme Adam Pollo, un asocial. François Besson est un étudiant hanté par l'idée de la mort. Il se transforme peu à peu en clochard et, fatigué par tout ce qu'il est obligé de voir, il s'aveugle volontairement en exposant ses yeux au soleil.

Pour la vision en relief, voici *Terra amata* (1967), qui montre le « triomphe de la vie », comme aurait dit Giono. Nous suivons un nommé Chancelade de son enfance à sa vieillesse, et au-delà de sa fin, — puisque Le Clézio a imaginé ce qu'on peut éprouver quand on est réduit à l'état de cadavre. La morale du livre est aussi bien celle du Ronsard de « Cueillez dès aujourd'hui... » que celle des *Nourritures terrestres.*

L'Extase matérielle parut la même année que *Terra amata*. Cette fois, Le Clézio nous donnait un essai, aussi fragmentaire que ses romans, et il ne craignait pas de paraître un écrivain naïf. Il n'hésitait pas à reprendre toutes les questions qui se posent à chacun dès avant la classe de philosophie et il y répondait avec l'assurance et les lieux communs d'un étudiant de première année. Cela serait sans intérêt (il ne nous apprend rien), s'il ne disposait d'un tempérament d'écrivain capable de rendre à nouveau passionnel le plus vieux débat philosophique. Le Clézio n'y réussit pas à tout coup. Il y a dans son livre beaucoup d'enfantillages (ce qui ne veut pas dire que tous ses problèmes ne soient pas sérieux), mais il y a une passion vraie. Et l'on ne résiste pas à cette authenticité. On se revoit brusquement avec ses yeux de dix-huit ans. Épreuve salubre.

Épreuve salubre pour l'auteur lui-même. Dans *Le Livre des fuites* (1969), il souligne lui-même ses contradictions et ne se décide pas à trouver une conclusion aux pérégrinations de son héros (qu'il appelle cette fois Jeune Homme Hogan) à travers le monde. Il termine son livre par un « à suivre ». Il n'a pas trouvé le lieu où il pourrait vivre en appliquant sa formule de « l'extase matérielle ». Partout, les difficultés de la vie quotidienne, liées à l'organisation sociale, s'opposent au simple bonheur d'exister. La paix n'est pas de ce monde. Nous vivons dans la guerre. Le livre qui suivit *Le Livre des fuites* s'appelle précisément *La Guerre* (1970).

Qu'est-ce que cette guerre? Ce n'est pas une guerre précise, géographiquement située, où des intérêts particuliers seraient en jeu. La guerre, c'est proprement notre condition sur la terre. La paix est un état précaire, tout au plus une trêve. Sans arrêt nous sommes attaqués, aussi bien par la sonnerie du téléphone que par les marteaux piqueurs qui défoncent la chaussée sous une fenêtre.

Les poètes qui font l'éloge de la nature sont d'heureux citoyens qui vivent dans le calme relatif d'une campagne domestiquée : ils parleraient autrement s'ils vivaient dans la jungle, menacés par les reptiles et les fauves. Aujourd'hui, les plus grands ennemis de l'homme sont nés de son ingéniosité : ne parlons pas seulement des bombes atomiques, mais aussi bien de la vitesse qui rend les routes si dangereuses. Peut-être l'homme ne peut-il se passer du danger. Il préfère la guerre au bonheur. On ne l'avoue pas, on dit même le contraire. Mais que voyons-nous?

La Guerre de Le Clézio est une promenade dans le monde moderne. Un essai pour nous faire voir d'une manière pathétique ce que nous voyons tous les jours. Le Clézio fait d'ailleurs suivre son récit d'une suite de clichés photographiques comme pour prouver qu'il n'invente rien. Pourquoi une photo relativement banale peut-elle nous frapper comme ne le peut pas la réalité qu'elle représente? A cause de la distance qu'elle nous oblige à prendre. Le recul seul peut permettre de juger.

Le Clézio semble avoir toujours un certain recul par rapport aux choses dont il parle. Ce recul l'empêche de rien trouver de naturel au monde. Tout l'étonne. L'habitude ne mord pas sur lui.

On ne sait jamais non plus si l'étonnement va nous faire basculer du côté de l'horreur ou de la merveille. C'est-à-dire si la fascination qu'éprouve le jeune homme le fera s'émerveiller ou s'effrayer. Il ne détesterait pas d'être un témoin impassible, un simple instrument enregistreur. Son rôle se bornerait à dresser un inventaire.

Mais intervient l'imaginaire qui prétend trouver un sens à toute l'agitation du monde. Ici, Le Clézio s'affirme comme un vrai disciple de Lautréamont. Écoutez-le raconter le mythe de la conduite intérieure noire :

« Le monde n'a pas toujours été là. Mais dès qu'il a été créé, avec toutes ses rues et toutes ses autoroutes, il y a eu cette grande limousine noire qui a commencé à rôder. C'est une voiture étonnante, très belle et très grande, mais personne n'a jamais su dire comment elle est, car elle tue tous ceux qu'elle rencontre. Tout ce qu'on sait, c'est que c'est une voiture noire très longue et qu'elle n'a pas de chrome. Toute sa carrosserie est mate, même ses vitres sont opaques et on ne sait pas qui la conduit. Elle rôde le jour et la nuit, de préférence la nuit, alors qu'elle allume ses phrares blancs qui aveuglent le long des rues désertes. Elle va sans faire de bruit, et ceux qu'elle rencontre on les retrouve écrasés sur le bitume, avec des marques de pneus sur la gorge et sur le sexe, de drôles de marques en forme de Z. »

Ne voilà-t-il pas un parfait petit conte, très représentatif de la société accidentelle d'aujourd'hui? Le Clézio est tout à la fois réaliste et visionnaire. Il conclut : « Ceux qui verront la paix ne sont pas encore là, ils n'ont même pas été conçus. Moi-même, je ne suis pas vraiment sûr d'être né. »

Les Géants (1973) relève encore de la littérature fantastique. On y trouve des images hallucinées de notre société de consommation, une description d'un supermarché géant, Hyperpolis, où l'on nous crée des désirs artificiels que nous risquons de prendre pour des besoins véritables. Et le livre se double cette fois d'une prédication. D'entrée de jeu, Le Clézio nous dit : « Libérez-vous ! » La société moderne est une vaste entreprise de travaux forcés pour obtenir des choses dont nous pourrions très bien nous passer et qui ne sont nullement indispensables à la joie de vivre : au contraire, la joie de vivre est tuée par l'épuisante course à la possession des choses.

Cette dénonciation de cette forme d'esclavage n'est certes pas neuve. Beaucoup de gens en reconnaissent la justesse, sans pourtant modifier leur manière de vivre. Et nos villes deviennent chaque année un peu plus inhumaines. C'est bien pourquoi Le Clézio a raison de mettre son talent au service d'une cause qui n'a jamais été de plus grande actualité. Il le fait à sa manière propre. On peut être très personnel en traitant le thème le plus rebattu. D'ailleurs, il est normal que les grands thèmes, qui intéressent tout le monde, soient des thèmes rebattus.

Le Clézio n'allait pourtant pas devenir le porte-parole d'un mouvement contestataire. Chez lui, l'homme de *Terra amata* l'a emporté, au moins provisoirement, sur celui du *Déluge*. Les raisons d'exalter la vie sur celles de condamner le monde moderne. « Je veux écrire, dit-il, pour une aventure libre, sans histoire, sans issue, une aventure de terre, d'eau et d'air, où il n'y aurait jamais que les animaux, les plantes et les enfants. » Son dernier essai, *L'Inconnu sur la terre* (1978) a l'ambition avouée de réintroduire dans notre littérature la figure de *l'homme non révolté.* Parallèlement, Le Clézio a choisi des enfants comme personnages d'un nouveau recueil de nouvelles : *Mondo et autres histoires.*

MICHEL TOURNIER

Depuis Montherlant, on n'avait vu aucun auteur aussi soucieux que Michel Tournier de s'expliquer sur le sens de ses écrits. Après avoir publié trois romans, il leur a consacré une longue étude, tout à fait remarquable : *Le Vent Paraclet* (1977).

Né en 1924, condisciple de Nimier au lycée Pasteur en classe de philosophie, il a débuté tardivement dans les lettres, en 1967, avec *Vendredi ou Les Limbes du Pacifique.* C'est que la littérature l'intéressait beaucoup moins que la métaphysique et qu'il a eu du mal à se remettre d'un échec à l'agrégation de philosophie. A le lire, on croirait que cet échec lui fermait les portes du domaine où il aurait aimé vivre et que l'on ne peut devenir philosophe si l'on n'a pas en poche un diplôme officiel. Il eût aimé composer de savants traités qui auraient exposé un système du monde. Il s'est résigné à ne communiquer ses spéculations métaphysiques qu'au moyen de fables. Sa réussite fut immédiate et, dès son coup d'essai, on le plaça au tout premier rang des romanciers d'aujourd'hui.

Il lui est arrivé de désigner le *Monsieur Teste* de Valéry comme le modèle de ses romans et il nous rappelle que Valéry lui-même considérait comme une espèce de roman *Le Discours de la Méthode* où Descartes raconte « la vie d'une théorie comme on a trop écrit celle d'une passion (couchage) ». Michel Tournier résume ainsi l'entreprise de Descartes et de Valéry : « Il s'agit en somme de raconter une suite de démarches et de découvertes purement cérébrales sans les dégager de leur gangue historique et autobiographique. » (*Vent Paraclet,* p. 225.)

On ne manquera pas de dire que l'on n'imagine pas de tempéraments plus différents que ceux de Tournier et de Valéry. Leurs œuvres ne semblent pouvoir être rapprochées que pour illustrer l'opposition entre l'art baroque et l'art classique. Mais elles révèlent toutes deux un même goût pour les opérations de l'intellect.

Vendredi propose des variations d'un esprit tout moderne sur le vieux thème de *Robinson Crusoé.* Michel Tournier renouvelle complètement le sujet et l'on remarque dès l'abord que Vendredi dispute la vedette à Robinson.

Que nous racontait Daniel Defoë? Comment un naufragé qui se retrouve seul sur un île déserte essaie de reconstituer peu à peu la civilisation dont il est issu. Quand il rencontre Vendredi, il essaie, en bon colonisateur, de lui donner quelque éducation pour en faire son domestique.

Michel Tournier nous montre au contraire son héros se libérer peu à peu de son éducation et découvrir, dans une solitude décapante, de nouveaux rapports avec le monde. Vendredi n'apparaît pas du tout comme appartenant à une race inférieure : il est plus proche des éléments et il aidera Robinson à se métamorphoser de personnage terrien en personnage solaire. Quand un bateau abordera l'île, Robinson refusera de retourner dans son pays natal.

L'influence de Valéry est perceptible par l'introduction dans le récit d'un *Log-Book* de Robinson, comme il existe un *Log-Book* de M. Teste.

Dans l'œuvre de Goethe, Valéry s'était intéressé au personnage de Faust. Michel Tournier a rêvé sur la ballade du *Roi des Aulnes* et lui a emprunté le titre de son second roman (1970).

Le héros de ce livre nous confie d'entrée de jeu : « Tu es un ogre, me disait parfois Rachel. Un ogre? c'est-à-dire un monstre féerique, émergeant de la nuit des temps? Je crois, oui, à ma nature féerique, je veux dire à cette connivence secrète qui mêle en profondeur mon aventure personnelle au cours des choses, et lui permet de l'incliner dans son sens. »

C'est après avoir développé cette idée qu'il ajoute : « Je m'appelle Abel Tiffauges, je tiens un garage place de la Porte-des-Ternes, et je ne suis pas fou. » Chacun sait qu'il faut être un peu fou pour éprouver le besoin de préciser qu'on ne l'est pas.

Le garagiste Albert Tiffauges a la maladie des grandeurs et la manie des symboles. C'est une manie, notez-le bien, qu'ont beaucoup de poètes. Goethe traduit par Nerval nous dit dans *Le Second Faust* que « le temporel, le périssable, n'est que symbole, n'est que fable ». Et le vieux Claudel écrit dans son journal : « Tout ce qui existe est symbole, tout ce qui arrive est parabole. »

Il arrive cependant que les chercheurs de symboles soient des esprits hautement imaginatifs, fuyant la vulgarité de leur vie quotidienne. Dans le cas de Tiffauges, il se découvre des instincts asociaux et décide donc de se référer à des valeurs supérieures à celles de la société : il se veut le complice et l'instrument du destin.

Jusqu'à la guerre, il n'est qu'un pauvre type humilié, s'intéressant à la jeunesse des écoles communales. Le goût de la chair fraîche l'amène aussi à se délecter à l'odeur de l'étal des bouchers. Une affaire de mœurs le conduirait en cour d'assises si précisément la guerre n'éclatait. Il bénéficie d'un non-lieu puisqu'il va partir au front.

La défaite sera pour lui le début d'une nouvelle vie. Prisonnier, il est envoyé dans un pays mythique par excellence, la Prusse orientale. Les maîtres de l'heure sont deux grands ogres : Goering, grand chasseur, tueur de cerfs et mangeur de venaison, et Hitler, l'ogre « qui pétrit sa chair à canon avec les enfants allemands ».

Tiffauges est au sommet de sa carrière quand on l'envoie dans une ancienne forteresse teutonique transformée en école militaire pour enfants. Il cède à tous les enchantements de l'idéologie nazie.

Il faut préciser que le roman de Michel Tournier s'appuie sur une très sérieuse documentation et — serait-on tenté de dire — sur une érudition à la manière allemande. Les inventions cocasses de l'auteur ont été largement égalées par les absurdités atterrantes de règlements qui furent bien réellement en vigueur.

Tiffauges serait-il un représentant-type d'une époque démente? Cette interprétation serait trop simple et Michel Tournier lui a réservé une fin édifiante et d'ailleurs bien déconcertante. On voit Tiffauges fuir dans les marais avec un enfant juif sur ses épaules et il meurt, enlisé, les yeux tournés vers « une étoile d'or à six branches qui tourne lentement dans le ciel noir ».

Le Roi des Aulnes de Michel Tournier occupe dans la littérature actuelle une place analogue à celle que les manuels commencent à donner au *Là-bas* de J.-K. Huysmans dans la littérature du début du siècle : « Dans *Là-bas,* disent les manuels, Huysmans utilise les étrangetés hermétiques des sectes occultistes où il cherche une voie d'évasion; il multiplie les tableaux étranges où l'on voit les instincts s'égarer sur la piste des vérités surnaturelles. »

Le sujet des *Météores* (1975) n'est pas moins curieux que celui du *Roi des Aulnes :* « Deux frères s'aimaient d'amour tendre. Survint une femme. L'un des frères voulut l'épouser. L'autre s'y opposa et, par manœuvre félone, parvint à chasser l'intruse. Mal lui en prit car du coup, son frère bien-aimé le quitta à tout jamais. » Ce résumé se trouve à la page 128. C'est un des frères qui parle. Il se prénomme Paul. Il poursuit : « Telle est notre histoire réduite aux deux dimensions de la vision « sans-pareil ». Restaurés dans leur vérité stéréoscopique, ces quelques faits prennent un tout autre sens et s'inscrivent dans un ensemble beaucoup plus signifiant. »

Le mot composé « sans-pareil » peut prêter à méprise. Car pour Michel Tournier, le « sans-pareil » ou encore le « singulier » correspond à ce que nous appellerions plutôt le « banal » et l'habituel. C'est que le livre entier repose sur une théorie de la gémellité qu'il convient tout de suite de résumer.

Toute femme fécondée porterait en elle des jumeaux. S'ils viennent à terme, on assiste à la naissance d'un couple parfait qui pourrait connaître le bonheur si n'intervenaient pas les influences d'un milieu social hostile. En outre, c'est un couple innocent, « tandis que chaque enfant singulier ne naît solitaire que pour avoir tué et mangé *in utero* son frère jumeau ».

Les deux frères des *Météores,* on l'a maintenant compris, sont des jumeaux. Paul se veut le gardien de l'intégrité gémellaire, tandis que Jean découvre « le charme impur et âcre des amours singulières ». Il s'éprend d'une femme et Paul interviendra pour que les fiançailles soient rompues. Jean ne reviendra pas pour autant près de son frère. Nous assisterons alors à une course-poursuite à travers le monde, qui prendra fin à Berlin, le 13 août 1961, quand les Allemands de l'Est édifient le mur de la honte. La prière d'insérer des *Météores* précise : « le mur trouve enfin sa véritable explication : Walter Ulbricht n'avait d'autre but en l'élevant que de séparer les deux frères ».

On voit que Michel Tournier ne craint pas de passer pour un extravagant. Mais c'est un des charmes les plus certains de son livre que sa prodigieuse charge d'humour. Elle n'empêche pas que le propos soit sérieux. La méditation sur le sort de Berlin (avant-dernier chapitre : « les emmurés de Berlin ») nous semble mériter l'attention. Elle est en outre révélatrice de la méthode symboliste de Michel Tournier. Mais peut-être ne convient-il pas de parler de méthode : c'est un tour d'esprit naturel à notre auteur.

L'idée poétique de la gémellité ne peut être comparée qu'au mythe des êtres coupés en deux qu'expose Aristophane dans *Le Banquet* de Platon. Chaque être est à la poursuite de sa moitié, nous disait Aristophane. Et Michel Tournier : « un jumeau ne peut vivre sans son pareil ».

Mais, pour ceux qui n'ont pas ou qui n'ont plus un jumeau? Michel Tournier note que le « couple conjugal ordinaire » (celui de l'homme et de la femme) n'a d'autre ressource, pour lutter contre la fatigue et le vieillissement, que d'en appeler à des figures tutélaires — Tristan et Yseult, Roméo et Juliette — « qui ne sont en vérité que des frères jumeaux déguisés ». La théorie de la gémellité permet également de donner une nouvelle clé pour comprendre l'homosexualité : « N'ayant pas de frère pareil, Alexandre devrait se marier et avoir des enfants. Au lieu de quoi, il cherche en gémissant un jumeau qui n'existe pas. »

A vrai dire, Alexandre (qui est un oncle de Paul et Jean) ne gémit guère. C'est un dandy d'un genre nouveau, et il accable de sarcasmes les hétérosexuels. « L'originalité d'Alexandre, a noté Tournier lui-même au cours d'une interview, c'est d'attaquer l'hétérosexualité au lieu de défendre l'homosexualité, ainsi que faisait Gide dans *Corydon.* » L'interview a paru dans *Le Figaro* sous le titre « Chef-d'œuvre ou provocation? »

Le livre se recommande par une richesse d'invention surprenante, une grandiose érudition baroque, un souffle poétique qui ne craint pas plus d'évoquer l'enfer et ses égouts que le paradis et la pureté du ciel étoilé.

PATRICK MODIANO

La Place de l'Étoile de Patrick Modiano parut au printemps 1968 : dans le genre brillant, nous n'avions rien lu d'aussi saisissant depuis *Les Épées* de Nimier et *La Géographie universelle* de Bernard Frank. L'auteur, nous disait-on, n'avait que vingt et un ans. (En fait, il était né en 1945.)

Il apparaissait comme un écorché vif, qui ne reculait devant rien pour nous imposer le spectacle de ses blessures. Mais le comble, le plus scandaleux, c'est que sur un sujet de tragédie, il nous offrait une farce qui provoquait d'immenses éclats de rire jaune.

C'est par la sensibilité blessée que le narrateur de *La Place de l'Étoile* rappelle le Nimier des *Épées.* Par les procédés qu'il utilise, il se rapproche davantage de Bernard Frank. Son sujet est celui-ci : « Il n'est pas facile d'être juif » et, pour le prouver, il crée des situations, il se prête une succession de vies imaginaires dont le côté farfelu ne cache pas la vérité profonde.

Beaucoup de ces « situations » paraîtront historiquement dépassées. Modiano est marqué par les années d'occupation comme s'il les avait vécues, mais ce serait indécent de lui demander de penser comme si elles n'avaient jamais existé.

Nous devons avouer que, sous l'influence de Sartre (probablement), nous avons longtemps cru que la question juive n'existait pas et qu'il n'y avait qu'un problème de l'antisémitisme. Mais c'est un paradoxe d'intellectuel, comme l'a bien montré Albert Memmi, et Patrick Modiano tourne en dérision les théories séduisantes de Sartre. Mais que ne tourne-t-il pas en dérision? Il n'y a pas jusqu'à sa visite en Israël qui ne lui inspire des sarcasmes. Car Israël a compris la leçon de l'Histoire et n'a pas besoin d'intellectuels évanescents et gémisseurs, de génies décadents à la Proust ou à la Kafka, mais de combattants solides ayant (comme on dit) les pieds sur la terre.

Tout ce livre est la matérialisation farfelue d'idées profondément éprouvées. Ce n'est pas commun de vivre — même en imagination — ce qu'on appelle des idées. Et c'est plus rare encore que des idées aient leur poids de chair et de sang. C'est le cas ici.

L'explication du titre est donnée dans une épigraphe que voici : « Au mois de juin 1942, un officier allemand s'avance vers un jeune homme et lui dit : « Pardon, Monsieur, où se trouve la place de l'Étoile? » Le jeune homme désigne le côté gauche de sa poitrine. »

L'esprit du livre se trouve là. Il est d'une parfaite ambiguïté, car si cette histoire juive veut nous faire sourire, elle nous fait beaucoup plus sûrement monter le rouge au front. Modiano joue sur cette ambiguïté. L'atroce et le burlesque se côtoient sans cesse, mais l'on est emporté. (Signalons la jolie trouvaille qui consiste à citer comme les écrivains français juifs les plus célèbres : Montaigne, Proust et Céline.)

Avec son second roman, *La Ronde de nuit* (1969), Modiano manifesta ses dons de pur romancier. Quelle est la nuit qu'il nous invite à explorer? A première vue, c'est encore la nuit de l'occupation allemande qui permit à quelques Français de s'accomplir dans l'héroïsme ou dans le crime. Modiano nous présente un jeune homme faible qui, d'abord escroc à la Maurice Sachs, devient indicateur pour le compte d'un gang, lequel n'est pas sans rappeler la sinistre bande Bonny-Laffont : la rue Lauriston devient ici square Cimarosa. Ce jeune homme est chargé par ses patrons, Le Khédive et M. Philibert, d'entrer en relations avec un groupe de patriotes, dirigé par le lieutenant Dominique, afin de contrôler ses activités et de permettre, au bon moment, un beau coup de filet.

Le garçon accomplit très bien sa mission : le voilà même chargé par Dominique de s'introduire dans la bande du square Cimarosa, pour informer la Résistance de tout ce qui s'y trame et s'y accomplit. La position d'agent double n'est pas facile : le garçon se voit demander par Le Khédive de livrer Dominique et les hommes de son réseau, et, par Dominique, d'abattre Le Khédive et M. Philibert. Que fera-t-il?

On comprend vite que la nuit qu'explore Modiano est surtout celle de la conscience. Le problème qui sous-tend tout le livre, c'est le vieux problème du mal. Est-ce le hasard ou la prédestination qui fait de vous un lâche ou un héros, un traître ou un martyr? Le héros de Modiano semble ballotté par les circonstances. Il se laisse manœuvrer par elles et ne colle pas à ses actes : « Je n'étais pas fait pour ça. Je n'avais jamais rien demandé à personne. On était venu me chercher. »

Parlant ainsi, il semble se chercher des excuses. Mais il lui arrive aussi de trouver de la grandeur dans son abjection. Et c'est alors qu'il pense à Judas : « On l'avait méconnu. Il fallait beaucoup d'humilité et de courage pour prendre à son compte toute l'ignominie des hommes. En mourir. Seul. Comme un grand. Judas, mon frère aîné. Nous étions l'un et l'autre d'un naturel méfiant. Nous n'espérions rien de nos semblables, ni de nous-mêmes, ni d'un sauveur éventuel. Aurais-je la force de suivre ton exemple, jusqu'au bout? »

Le cas de Judas est un casse-tête pour les moralistes chrétiens. Il était traître par destination, puisque, s'il n'avait pas trahi, les Écritures ne se seraient pas réalisées. Il avait été désigné de toute éternité pour jouer un mauvais rôle : dans ces conditions, sa responsabilité était tout à fait limitée. Le coupable, c'était celui qui lui avait confié la tâche dont il s'était acquitté.

Le héros de Modiano peut se comparer à Judas dans la mesure où il se sent victime d'une fatalité. L'ignominie des hommes, il en prend sa part, mais ce n'est pas lui qui a créé les hommes, ni le monde.

N'allez pas croire que Modiano nous offre une analyse psychologique de son héros. Il lui laisse la parole et celui-ci nous entraîne dans la ronde des images qui l'habitent. *La Ronde de nuit* est un livre d'images et non un livre d'idées : « Je n'ai pas le goût des idées. Trop émotif pour cela. » Ces images se succèdent à un rythme vif. Le récit n'est jamais réaliste : nous avons les rêveries et les obsessions d'un jeune homme en proie à une espèce de vertige. Il est à lui seul tout un théâtre où il joue toutes sortes de rôles, jusqu'à celui du roi Lear...

Dans le réseau du lieutenant Dominique, le héros de Modiano a reçu le surnom de Lamballe. Il lui arrive de penser à la princesse de Lamballe et à son refus, à la prison de la Force, de crier : « Vive la Nation! » comme on le lui demandait. Pourquoi a-t-elle préféré se laisser assassiner? Était-elle persuadée que la mort l'attendait de toute façon? Mais n'essayons pas de diminuer le courage de la princesse. Le héros de *La Ronde de nuit* finira par s'en montrer capable. N'est-ce qu'une dernière comédie?

On voit qu'il s'agit d'un livre grinçant, comme c'était le cas de *La Place de l'Étoile*. Seulement, et c'est la grande réussite de Modiano, on ne le lit pas comme un roman d'intrigue ou un roman de mœurs. Nous assistons à une tempête sous un crâne, comme disait Hugo. Pas de chronologie véritable : les mêmes histoires sont souvent reprises, en mot à mot, ou avec de faibles variantes, pour qu'elles pénètrent en nous comme des chansons. Les mêmes noms de personnages pittoresques reparaissent en énumération, comme une incantation (les familiers du square et l'état-major du lieutenant). Modiano fait usage en outre de refrains jadis à la mode pour scander son récit. Nous sommes en présence d'un livre musical.

Les Boulevards de ceinture (1972) vint contredire les thèses brillamment exposées par Marthe Robert dans son essai *Roman des origines, origines du roman.* En effet, le jeune héros de ce livre ne s'est jamais cru enfant trouvé, ni bâtard : c'est un enfant perdu, à la recherche de son père et qui, lorsqu'il l'aura rencontré, s'attachera désespérément à lui, bien que l'homme en question n'ait rien de glorieux, et ne soit ni beau, ni brave. Mais c'est le père : « Vous m'intéressiez, « papa ». On est toujours curieux de connaître ses origines. »

Notre jeune homme, qui se fait appeler Serge Alexandre, n'a nul dessein de conquérir le monde, nul désir de se venger de quoi que ce soit. Il ne se réfugie pas non plus dans un paradis imaginaire. Tout au contraire, le monde qu'il ressuscite pour s'y perdre, est un enfer : celui des trafiquants et des dénonciateurs de la période d'occupation.

Cet attachement à un père indigne, cette complaisance à peindre des milieux abjects, qu'est-ce que cela veut dire? Est-ce de la provocation? Mais quel sens aurait cette provocation? Certains évoqueront peut-être Jean Genet, autre enfant perdu, qui transforme, dans ses romans, une expérience de petit voyou en opéra fabuleux. On comprend le combat de Genet. On devine moins facilement le sens de l'entreprise de Modiano qui n'utilise apparemment pas de souvenirs personnels et qui, de toute façon, parle d'une époque qu'il n'a pas connue. Mais c'est le propre du romancier doué de nous faire croire à ce qu'il veut.

Les Boulevards de ceinture, pas plus que *La Place de l'Étoile* ou *La Ronde de nuit,* ne prétend au réalisme, et même, l'auteur nous rappelle à diverses reprises au cours de son récit qu'il s'agit de fabulations. Le point de départ est une rêverie sur une photo jaunie et le livre se termine sur un retour à cette photographie. Tout le roman tient dans la rêverie qui, parfois, devient invention farceuse et, parfois, cauchemar. On est pris sous un charme noir. La réussite est, cette fois encore, d'ordre poétique et musical. Pas de récit chronologique, mais des allées et venues : les variations d'un virtuose sur ses thèmes de prédilection.

Les esprits logiques chercheront quel est l'âge du narrateur. Nul doute que ce soit un adolescent. Pourtant, cet adolescent est un jeune homme de vingt-sept ans au moment des principaux événements qu'il rapporte et il devrait avoir cinquante-sept ans au moment où il écrit. Voilà ce qu'on peut calculer, d'après quelques précisions qu'il nous fournit (aux pages 82, 116 et 199). Cependant, il dit aussi, à la dernière page : « Mais moi, si jeune, comment se fait-il que je parle de ces gens-là? »

Ce sont en effet des gens qu'il n'a pas connus. Il les invente sur photographie, imagine qu'il aurait pu les connaître et, parmi eux, retrouver son père. Imagination déroutante, puisqu'il nous présente ce père sous les aspects d'un juif levantin caricatural, aventurier obèse de petite envergure et qui n'est touchant que par ses maladresses, la cocasserie de quelques-unes de ses entreprises et sa fin tragique.

Mais voyons l'enfance et la jeunesse que Serge Alexandre s'invente. Ce garçon n'a pas eu de mère. Entendez par là qu'il n'en parle jamais. Dans ses plus anciens souvenirs, il voit seulement une dame à laquelle son père l'avait confié (quand et à la suite de quelles circonstances? mystère) et qui elle-même le plaça dans un collège de Bordeaux, où il resta jusqu'à son baccalauréat. A cette époque, son père qu'il ne connaissait pas encore vient le chercher et décide de lui faire partager son existence aventureuse. Toutefois, le père se lasse vite de son rejeton et, un soir, essaye de le pousser sous les roues du métro. Ayant raté son coup, il disparaît, et son fils ne le retrouve que dix ans plus tard. Alors, cet étrange père ne semble pas reconnaître son fils. En tout cas, il agit « comme si », ou plutôt n'agit guère. C'est son fils qui essaiera, vainement, de le sortir du guêpier où il s'est fourré.

Le narrateur commente curieusement ce qu'il appelle « le douloureux épisode du métro » : « Qu'un père cherche à tuer son fils ou à s'en débarrasser me semble tout à fait symptomatique du grand bouleversement des valeurs que nous vivons. Naguère, on observait le phénomène inverse : les fils tuaient leur père pour se prouver qu'ils avaient des muscles. Mais maintenant contre qui porter ses coups? Nous voilà condamnés, orphelins que nous sommes, à poursuivre un fantôme en reconnaissance de paternité. »

Ces phrases humoristiques cachent probablement des constatations très sérieuses. Si les fils tuaient naguère leur père, est-il besoin de dire que c'était moralement, pour se sentir libres et pour exister à leur tour? Si les pères aujourd'hui tuent leurs fils, c'est seulement en les abandonnant prématurément à leur sort. On a remarqué que Modiano écrit : « Tuer son fils ou s'en débarrasser. » Là aussi, tout se passe sur un plan moral.

Il est possible que Patrick Modiano nous ait donné un roman-fable. On le croit d'abord simplement habité par des obsessions bizarres, tournant autour des années d'occupation. Mais ces années furent capitales : Modiano constate que rien n'a remplacé les anciennes valeurs détruites. Il est orphelin d'une civilisation (la mère dont il ne parle pas) et il se découvre un père, à la fois répugnant et pitoyable, dont il décide de se déclarer solidaire.

On se demandait ce qu'il écrirait quand il se déciderait à parler de l'après-guerre et d'années qu'il aurait réellement vécues. Ce fut *Villa triste* (1975). Nous sommes « au tout début des années 60 ». Le narrateur avait dix-huit ans lors des souvenirs qu'il rapporte et se faisait appeler comte Victor Chmara. Notons que Modiano n'avait pour sa part que treize ans en 1960. S'il a choisi de situer l'action de son roman à cette date, c'est qu'il régnait alors à Paris une atmosphère troublée, conséquence de la guerre d'Algérie : les attentats étaient nombreux et les bombes faisaient parfois des victimes. L'activité des barbouzes n'était pas sans rappeler les exploits de la bande Bony-Laffont.

Victor Chmara a quitté Paris, fuyant quelque vague menace (qui n'est pas la peur d'être envoyé se battre dans les Aurès ou ailleurs, puisqu'il n'a pas l'âge du service militaire). Non, il a peur que les choses tournent mal d'une façon ou d'une autre et il ne se sent aucune envie de se dévouer à une cause ou à un parti. Il s'est installé dans un hôtel vieillot d'une station thermale à proximité de la Suisse. Apparemment, il a la chance de jouir de petites rentes. Il fait la connaissance d'une fille à peine plus âgée que lui et qui a joué un second rôle dans un film qui ne paraîtra peut-être jamais sur les écrans. Elle est liée avec un garçon plus âgé (vingt-huit ans), qui est médecin et mène une existence doublement mystérieuse : parce qu'il est homosexuel et parce qu'il est en rapport avec des réseaux d'agents secrets (F.L.N. ou barbouzes, on ne sait).

Ces trois personnages sont en marge de la société, ils se sentent des étrangers. Ils participent pourtant à la vie mondaine de la station thermale, mais ils sont alors en représentation, comme on dit pour les acteurs : ils savent bien que ces distractions sont dérisoires, ce qui ne les empêche pas d'y prendre plaisir.

Le jeune Chmara a deux tentations, mais deux tentations également chimériques. L'une est d'abandonner la France, vieux pays désormais sans avenir, et d'aller vivre en Amérique. Comme il lit beaucoup *Cinémonde* et autres hebdomadaires de ce genre, il se voit partir là-bas avec Yvonne (la jeune fille se prénomme ainsi) : elle deviendrait une nouvelle Marilyn Monroë et lui un nouvel Arthur Miller. L'autre tentation est d'aller vivre dans un petit appartement, rue Thiers, à Bayonne (symbole ici de la vieille province française). Yvonne et lui formeraient alors un couple du genre Paulette Goddard-Erich Maria Remarque. En réalité, Chmara finira par rentrer seul à Paris et n'en bougera guère. Il fera cependant, une douzaine d'années plus tard, un petit voyage pour revoir la station thermale et rêver de ses juvéniles amours. Dans l'intervalle, le docteur s'est suicidé. Yvonne n'est pas devenue une actrice célèbre.

Le livre se déroule sur deux plans : hier et aujourd'hui. Il s'en dégage une mélancolie pareille à celle d'une petite musique romantique. Le nom de « Villa triste » est celui de la villa du docteur et le narrateur s'interroge sur la signification du qualificatif. Il nous assure percevoir dans la sonorité du mot « triste » quelque chose de doux et de cristallin : « Après avoir franchi le seuil de la villa, on était saisi d'une mélancolie limpide. On entrait dans une zone de calme et de silence. L'air était plus léger. On flottait. »

C'est une sensation de ce genre que vous éprouverez en pénétrant dans le roman de Patrick Modiano. Le mot « triste » se trouvait aussi dans le titre du quatrième roman de Roger Nimier : *Les Enfants tristes*. C'est une tristesse apaisée que ressentent les héros de Modiano. Elle n'a pas un goût de malheur. Elle est plutôt liée tout naturellement au temps qui passe.

Le temps passe et Modiano est devenu père à son tour. Son dernier livre, *Livret de famille* (1977), commence par le récit des démarches qu'il entreprit pour inscrire sa fille à l'état civil. Mais s'agit-il vraiment d'un livre autobiographique? Modiano nous dit en tout cas que « sa mémoire a précédé sa naissance ». Il nous parle aussi de ses vies antérieures. C'est que son imagination est vive et fonctionne à partir de rencontres de hasard : « Et brusquement il me sembla que dans une autre vie... »

Comment distinguer entre ce qu'on a vécu et ce qu'on a rêvé? Nous retrouvons ici un des thèmes de Limbour et de Vrigny. En tout cas, ce n'est pas le lecteur qui pourra désigner de façon certaine les véritables souvenirs et les fausses confidences dans ce *Livret de famille*, quinze chapitres sans ordre chronologique, autant de petites nouvelles d'une écriture limpide et d'un ton juste.

DIDIER MARTIN

Didier Martin (né en 1938) a beaucoup réfléchi aux problèmes de la création littéraire. Dans *Le Jéroboam* (1969) et dans *Le Secrétaire* (1972), il met en scène un jeune romancier, auquel il donne son prénom et qui a eu la révélation de la littérature en lisant un livre intitulé *Les Jours* d'un nommé Brézé. Le hasard a voulu qu'il soit engagé comme secrétaire et comme chauffeur par l'écrivain devenu un vieillard. Didier brosse un portrait savoureux de Brézé, dont le métier n'était d'ailleurs pas la littérature, mais la diplomatie (un ambassadeur en retraite). Brézé affecte même d'attacher plus d'importance à sa carrière diplomatique qu'à son œuvre...

Or, Didier craint de ne pouvoir créer parce que tout ce qu'il aurait voulu dire, Brézé l'a déjà magnifiquement écrit. Didier se demande s'il en sera réduit à le citer et à le commenter (ce qu'il fait avec beaucoup de finesse et sans paraître se douter qu'un commentaire peut être une espèce de création).

De toute façon, l'impuissance de Didier est relative et n'apparaît même qu'à lui, puisque, pour nous, il invente Brézé et l'œuvre de Brézé. Le jeu se complique cependant, parce que le livre de Brézé *Les Jours* (dont on nous donne de nombreux extraits) évoque fortement *La Recherche* de Proust (il s'agit même de pastiches). Mais l'homme Brézé ne rappelle en rien l'homme Proust. On verra là, si l'on veut, une illustration de la célèbre théorie de Proust, selon laquelle un écrivain ne peut s'expliquer par l'homme qu'est cet écrivain, ou plutôt que la vie créatrice est autre que la vie quotidienne et qu'elle se développe sur un autre plan. Comme corollaire, on dira que la littérature n'est pas la vie, elle est une autre vie, consolante dans la mesure où elle nous rend maître de quelques lois et donne l'illusion de fixer le temps parce qu'elle crée un temps qui lui est propre.

Quand commence *Le Secrétaire* Didier n'est plus secrétaire : Brézé est mort, mais Didier est loin de s'être débarrassé de son emprise. Il lui faut liquider l'influence de l'œuvre et les souvenirs de l'homme. La liquidation de l'œuvre se fait par le pastiche et l'analyse (ici intervient un autre jeu de miroirs, car on apprend que Brézé, lui aussi, avait été amené à la littérature par l'œuvre d'un maître : un nommé Gailly). Quant à se débarrasser de l'homme Brézé, c'est épuiser le récit des souvenirs qui le concernent. Y compris les scènes de son incinération au Père-Lachaise.

L'évocation de cette cérémonie macabre amène une première évasion : Didier développe le portrait d'une amie de Brézé, Mme Dupreux-Verrier, et en fait une création qui nous paraît très personnelle.

Mais c'est un faux départ. L'inspiration tourne court et Didier revient à ses doutes sur son originalité. Il est alors victime de curieux cauchemars, dont la relation entraîne une burlesque rupture de ton.

Nous avons là un passage d'imagination folle, sans soutien réaliste. Dans une baraque foraine, l'auteur se donne en attraction au public, écrivant un livre en un temps record (comme on raconte, inexactement, que fit Simenon à ses débuts, dans la vitrine d'un grand magasin). S'agit-il pour se trouver, de se livrer à l'écriture automatique? La voie paraît sans issue. Didier se réveille et reprend conscience de sa solitude.

Après quelques pages d'auto-analyse, Didier revient à son point de départ, l'étude de l'œuvre de Brézé. Cette fois, il s'attarde en compagnie d'un personnage dont il se sent proche, Gabriel de San Régis, et, à propos de ce personnage, on a bientôt l'impression que c'est l'auto-analyse qui se poursuit. Puis Didier se décide à « sauter le pas » : le voici qui se substitue comme narrateur à Brézé. Et bientôt il cesse de paraphraser son maître. Racontant la dernière soirée de Brézé, il développe le récit d'une réception mondaine, au cours de laquelle le grand écrivain s'entretient longuement avec San Régis qui lui pose des questions indiscrètes. Brézé élude, mais rentre chez lui profondément ébranlé. Il a soudain la conviction d'avoir raté et sa vie et son œuvre, cette œuvre capable de subjuguer la postérité et qui lui paraît, cette nuit-là, tout à fait insuffisante. Il se suicide.

Didier ne reparaît pas : c'est qu'il existe désormais comme auteur accompli et non plus comme apprenti. Il s'efface au profit de son œuvre. Il a tué son père spirituel : Brézé n'est plus qu'un personnage inventé.

Le Secrétaire ne se résume pas facilement, mais c'est un livre d'une lecture aisée, constamment drôle et attachant, avec des moments d'émotion vraie. Le problème central qu'il pose de façon aiguë — parce que le héros est un écrivain — existe pour chacun de nous, écrivains ou pas : c'est celui de l'essence de la personnalité.

Si Didier en avait fini avec Brézé, Didier Martin restait sous l'influence de Proust. Dans *Le Double Jeu* (1973), il reprend un thème proustien, mais cette fois sans jamais emprunter la plume de son écrivain préféré. Il expose à sa manière propre le déchirement de l'artiste entre la vie et l'œuvre. La tentation de la vie heureuse prend le visage et le corps d'une jeune fille nommée Claude. Les heures données à Claude sont les heures volées au livre. Peut-on vivre pleinement deux amours à la fois ou, plutôt, un artiste n'est-il pas toujours pour une femme un mauvais compagnon?

Vous penserez que le héros de Didier Martin pourrait être aussi bien n'importe quel homme passionné par un métier qui réclame beaucoup de temps. Ce qui est singulier, chez les artistes, c'est qu'ils semblent avoir tout leur temps et que leur travail n'apparaît jamais aux profanes comme une occupation sérieuse et il n'est pas douteux que l'activité artistique tient du jeu. Mais certains y ont vu le moyen de se réaliser pleinement et même d'assurer leur salut.

Nous touchons là au vrai sujet du *Double Jeu.* Il n'est pas dans la double tentation de l'amour ordinaire et du travail créateur qui, l'un et l'autre, peuvent justifier la vie. Il est dans la recherche d'un autre monde dont l'œuvre d'art pourrait ouvrir les portes. Le narrateur pense qu'il y trouverait sa patrie véritable, car il n'est pas à l'aise dans son existence quotidienne. Il se sent perdu dans les lieux de plaisir où Claude s'épanouit. Il ne se retrouve lui-même que dans la solitude et devant sa feuille de papier, ou bien lorsqu'il écoute du Bach ou du Mozart sur son électrophone. Le reste est divertissement frelaté : dans les boîtes de nuit (au Jéroboam), il est un autre et se regarde lui-même parler et agir sans se confondre avec le personnage que lui renvoient les miroirs. Dans les bras de Claude, c'est autre chose sans doute, mais il n'est plus alors qu'un jouet de l'instinct.

Vous voyez maintenant les grandes interrogations que pose ce curieux livre : quand est-on soi-même? Peut-on l'être vraiment? N'est-on pas condamné à un perpétuel double jeu, répondant tantôt aux exigences du monde et tantôt à des aspirations plus profondes, en tout cas très mystérieuses?

A cette œuvre grave. Didier Martin a donné l'aspect d'un divertissement où il multiplie les traits d'humour. Cependant les différents chapitres portent des titres empruntés à une partition musicale : Didier Martin est bien un des rares jeunes auteurs d'aujourd'hui qui écrivent une histoire en espérant que s'en dégagera un chant.

Le Prince dénaturé (1974) se présente sous forme de mémoires, les mémoires d'un prince qui gouverne l'électorat d'un empire imaginaire d'Europe centrale, à une époque indéterminée, probablement le XVIIIe siècle, si l'on en juge par le style du narrateur.

Nous ne savons pas si Didier Martin éprouve, comme Stendhal, une passion pour les épinards, mais, comme l'auteur de *La Chartreuse de Parme,* il se délecte assurément à la lecture de Saint-Simon. *Le Prince dénaturé* fait penser à Saint-Simon par nombre de tournures de phrases et surtout par la minutieuse description du cérémonial de cour et d'intrigues politiques diverses.

Le sujet du livre est cependant aux antipodes de Saint-Simon. Le jeune prince de Didier Martin n'aime pas la vie du palais, ni la sombre capitale : il ne rêve que de se retrouver dans la forteresse de Varsagora, située au sud du pays. C'est bien là qu'il décide de s'installer, sans renoncer à diriger les affaires de l'État. Il ne manque pas de bonnes idées, mais la plupart de ses initiatives, tant à l'intérieur qu'à l'extérieur, sont mal comprises ou contrecarrées. On lui reproche aussi de s'entourer de pages et d'artistes. Par ses penchants amoureux, il peut rappeler un Henri III de France ou un Louis II de Bavière. Mais il aura une fin tragique, très différente de celle de ces deux princes : il se fera tuer sous les murs de Varsagora en luttant contre l'envahisseur, et, probablement, c'est en héros qu'il entrera dans l'Histoire et la légende.

Pour le lecteur du roman, le prince aura surtout cherché à concilier le sens du devoir et la recherche du bonheur. C'est peut-être parce qu'il n'a pas osé aller assez loin dans l'affirmation de lui-même qu'il échoue comme souverain. Aussi, sa confession tient de l'apologie et du réquisitoire : d'où une intéressante ambiguïté.

Mais la grande réussite de l'auteur est probablement sa peinture de Varsagora : on sent qu'elle est pour lui, comme pour son héros, une source de joie et un rêve. Peut-être Didier Martin a-t-il écrit cet ouvrage pour le plaisir de vivre en imagination dans cette citadelle. *Le Prince dénaturé* appartiendrait ainsi à la littérature de refuge (comme on dit, littérature d'évasion).

Dans *Il serait une fois* (1976) c'est auprès des conteurs des *Mille et Une Nuits* que Didier Martin a cherché son inspiration. Les auteurs populaires arabes n'avaient d'autre but que de divertir par le récit d'aventures merveilleuses. Cette littérature géniale est une littérature naïve. Didier Martin dirait peut-être que lui aussi n'a voulu que nous amuser en nous racontant l'histoire du seigneur de Cholionte, à la poursuite de la belle Sunya, fille du préfet Ajmer qui entend la soustraire à sa flamme. Mais il nous offre un jeu très intellectuel, en nous laissant toujours un doute sur l'identité du narrateur, à la fois le seigneur de Cholionte et son conteur favori, le jeune esclave noir Douma. Et la dernière page contient une plaisante pirouette : « Voilà, c'est fini », dit le vieux Douma, « en refermant sa bouche édentée. »

Attiré par la fable, Didier Martin a donné ensuite *Un garçon en l'air* (1977) qui est l'histoire d'un garçon volant. Celui-ci n'est pas très fier de son privilège : c'est plutôt une particularité qu'il faut tenir secrète. Quand il la révélera à sa fiancée, celle-ci sera effrayée et renoncera à... convoler en justes noces. Didier Martin s'est arrangé pour qu'on ne puisse donner une interprétation précise à son conte. Son garçon volant est seulement un garçon pas comme les autres : il appartient à une minorité et ce n'est jamais facile d'être un marginal.

Ainsi Didier Martin a-t-il pu aborder successivement le roman psychologique, le roman de mœurs, le roman poétique, la chronique historique, le conte oriental et la pure fantaisie.

DOMINIQUE FERNANDEZ

Dominique Fernandez (né en 1929) s'était imposé comme un brillant essayiste avec des livres comme *Mère Méditerranée* (1965), *L'Échec de Pavese*

(1968) et *L'Arbre jusqu'aux racines* (1972). Ses romans avaient moins convaincu, parce que plus intellectuels qu'instinctifs. Et puis Dominique Fernandez nous donna la fresque de *Porporino* ou *Les Mystères de Naples* (1974), qui appartient au domaine de la nouvelle fable.

Le voyage auquel nous convie Fernandez nous entraîne deux siècles en arrière, au royaume des Deux-Siciles, sous le règne du roi Ferdinand. Fernandez a réussi un vivant tableau de Naples à l'époque de sa splendeur, « quand les Bourbons en avaient fait la métropole de l'opéra, un des centres les plus actifs de l'architecture, de la peinture, de la sculpture baroques, et le rendez-vous de l'Europe éclairée, comparable seulement, par l'afflux des visiteurs, le lustre des fêtes, le développement du commerce et de l'industrie, l'essor des sciences pures et des sciences appliquées, la fermentation intellectuelle, l'inquiétude politique, à Paris et à Londres ».

L'auteur lui-même qualifie ce « portrait de ville » de « document complet », mais document serait peu de chose, du point de vue romanesque, si tout cela n'était merveilleusement animé. La promenade dans Naples qui ouvre la troisième partie du volume est une réussite dans l'ordre de la chronique. On admirera comment l'auteur a assimilé ses lectures au point de faire paraître toute naturelle son érudition.

Dans *Porporino,* Naples n'est pas un décor : c'est un personnage. Le sous-titre, *Les Mystères de Naples,* est amplement justifié par le nombre, la diversité et le pittoresque des scènes qui se déroulent sous nos yeux. On passe sans cesse de la comédie au drame, et Fernandez se montre à l'aise dans les deux registres. Mais, pour nous, le mystère essentiel est celui de l'institution des castrats, institution si particulière que Naples put être appelée « Castrapolis ».

La plaisante extravagance de l'auteur, que son amour du « bel canto » entraîne très loin, est de s'élever contre la réprobation qui continue de peser, depuis la Révolution française, sur une pratique cruelle qui symbolise à elle seule les tares de l'ancien régime. Fernandez a donc imaginé un castrat heureux : c'est Porporino, le narrateur même de ces Mémoires que nous lisons.

Paul Valéry, dans sa préface aux *Lettres persanes,* s'est interrogé sur l'abondance des eunuques dans la littérature du XVIIIe siècle. Il parle de ces « êtres privés de tout et en quelque sorte d'eux-mêmes ». Il pense aux gardiens des harems et non à des chanteurs d'opéra. Fernandez n'aurait sans doute pas pris la défense de la brutalité des Sultans, mais il a trouvé des justifications pour les mutilations pratiquées en Italie pour la plus grande gloire de l'art vocal. Il ne nous suggère pas son explication, il l'expose en clair dès l'avertissement placé en tête du volume : « ... Qui ne songera au phénomène social le plus spectaculaire de notre temps, né au sein des empires industriels et par réaction contre leur tyrannie, la révolution pacifique des jeunes, le pouvoir des fleurs, la mode unisexe, le vagabondage enfantin, l'amour de la musique et l'amour de l'amour? Garçons aux cheveux longs, filles aux hanches étroites, comme si la quête du paradis archaïque, où règnent l'indifférenciation sexuelle et la liberté, commençait à s'inscrire dans leur morphologie. »

Y aurait-il vraiment un rapport entre la protestation des hippies dans notre siècle et la vogue des castrats dans l'autre? Il est bien certain que la sexualité est un esclavage (parfois heureux), mais il ne l'est pas moins que le castrat était un être mutilé et non pas un androgyne. Et quand, dans le finale du roman, Porporino pense que le romantisme, avec son culte de la nuit et de la liberté, relève du même esprit que celui des castrats, on peut rester un peu incrédule.

Les chrétiens se rappelleront pourtant une des paroles les plus curieuses de Jésus : « Certains eunuques furent tels dès le ventre de leur mère, d'autres ont été mutilés par les hommes, mais d'autres se sont mutilés eux-mêmes pour gagner le royaume de Dieu. » Les castrats de Fernandez, sacrifiés sur l'autel de l'opéra, donnent un exemple du bon usage des mutilations : elles peuvent devenir le chemin d'un paradis.

Par son foisonnement et par ses folies qu'emporte la vérité du détail, *Porporino* est l'œuvre baroque la plus réussie que nous ayons lue depuis *Le Roi des Aulnes*.

YVES BERGER

Les deux romans d'Yves Berger (né en 1935) pourraient s'intituler Le Rêve de l'Amérique. Dans le premier, *Le Sud* (1962), Berger a peint un père de famille qui, vivant de nos jours en Provence, refuse son époque et son pays. C'est dans la Virginie de 1842 qu'il aurait été heureux, du moins il veut le croire, et il essaie de recréer autour de lui l'atmosphère et le décor de ce paradis perdu. Son entreprise vise à rien de moins qu'à nier le temps et peut-être même la mort. Le drame se jouera entre ses deux enfants : une fille et un garçon. La fille qui s'appelle Virginie réussit à vaincre les enchantements sudistes et voudrait aider son frère à s'en libérer à son tour. C'est le frère qui raconte l'histoire : il a entrepris son livre comme un exorcisme, mais il échouera dans sa tentative. La littérature ne fera que l'enfoncer plus avant dans le vieux rêve paternel. Il succombe définitivement aux prestiges du Sud.

De 1962 à 1976, Berger ne publia que quelques articles, comptes rendus de livres et reportages. Ces divers textes révélaient que sa passion pour le Sud américain s'était étendue à l'Amérique du Nord et que, en particulier, tout ce qui concernait les Indiens le concernait lui-même. Il semblait partager son temps entre la lecture d'innombrables ouvrages spécialisés sur l'Amérique et des voyages bien réels dans ce grand pays. Le résultat de ces lectures et de ces voyages fut le curieux roman *Le Fou d'Amérique*.

L'originalité du livre vient d'abord de ce qu'il traduit un amour de rêve, une passion enfantine. En dépit de nombreuses descriptions luxuriantes de paysages pris sur le vif, le livre exalte une Amérique qui n'existe plus. Si l'on excepte New York, l'Amérique qu'aime le héros de Berger est une Amérique d'avant l'Indépendance, l'Amérique des grands espaces et de peuples autochtones détruits par les conquérants européens. Cette Amérique-là ne peut plus être qu'une patrie intérieure dont on ne trouve dans la réalité que de faibles traces. Mais, à son arrivée à New York, le héros de Berger a bénéficié d'un miracle : la rencontre, sur un bateau-mouche, d'une jeune ethnographe nommée Luronne. L'amour partagé qu'il va connaître se confondra avec sa passion pour le nouveau continent. Et le livre est le récit d'une double exploration : celle d'un corps et celle d'un pays. L'amour fou du petit Français pour l'Amérique n'aurait pu se maintenir s'il ne s'était doublé de l'amour pour une Américaine — une Américaine d'ailleurs à moitié française, mais aussi bien renseignée que le narrateur sur l'Histoire et la Géographie du nouveau continent.

Le livre lui-même a trouvé sa forme dans l'histoire du couple : c'est un chant à deux voix alternées, avec les indications précises de ce que dit Luronne et de ce que répond le narrateur. Berger utilise un rituel avec des formules inlassablement répétées, comme « Et Luronne dit », « Et je dis à mon tour ». Le procédé avait été inventé par Dante dans *La Divine Comédie* et Berger le reprend avec une espèce d'ivresse. (Nous pensons d'ailleurs qu'il l'a réinventé, ne pensant nullement à son illustre devancier.)

Berger a voulu que son livre soit une fête du langage. On le verra se délecter de mots rares, se lançant dans de longues énumérations qui sont de véritables incantations. Il retrouve aussi des rythmes à la Péguy, lequel était au service d'une autre religion car la religion de Berger et de ses personnages est évidemment très peu catholique.

Le Fou d'Amérique est moins l'histoire d'un amour que la célébration de cet amour, moins un roman qu'un poème d'érudit dont toute l'érudition n'est qu'un moyen de séduire. Ce livre n'enseigne rien; c'est véritablement une nouvelle fable.

CHRISTIAN GIUDICELLI

C'est une curieuse trajectoire que dessine l'œuvre de Christian Giudicelli, (né en 1942) du *Jeune Homme à la licorne* (1966) aux *Insulaire* (1976). *Le Jeune Homme à la licorne* était un récit romantique, discret et feutré, d'une écriture un peu précieuse. Vint ensuite *Une leçon particulière* (1963) où l'auteur révélait ses dons pour l'humour et la satire. Puis ce fut *Une poignée de cendres* (1971) où le romantisme et la nostalgie reprenaient le dessus : un livre très réussi, d'une sensibilité très fine, aux émotions communicatives.

Les Insulaires marquent un tournant. C'est un roman résolument « moderne », tournant le dos aux bonnes manières, dans le sujet traité et dans l'écriture même, accordée au langage de notre époque. On a l'impression que Giudicelli s'était jusqu'ici surveillé et qu'il a décidé de se livrer directement, sans aucun souci des convenances.

Nous ne voulons pas dire qu'il a écrit une œuvre autobiographique. Pas du tout, ce n'est pas sa vie qu'il nous raconte mais son malaise devant la vie. Malaise qu'il surmonte par une ironie qui grince et dont il tire des effets saisissants. Il nous montre une humanité déboussolée qui rêve de catastrophes parce qu'elle ne sait à quelles valeurs se raccrocher.

On dira qu'il s'est fait la part belle en nous peignant des marginaux. Deux de ses cinq personnages relèvent même de l'hôpital psychiatrique (l'un en sort), mais nous vivons précisément à l'époque de l'antipsychiatrie et nous nous doutons que si certains de nos contemporains deviennent fous, c'est que nous sommes dans un monde qui lui-même est dément. François Mauriac pensait que Beckett et Ionesco relevaient du psychanalyste. Mais le premier a reçu le prix Nobel et l'autre est le plus célèbre des Académiciens français.

Beckett et Ionesco sont essentiellement des auteurs dramatiques. On dira que Giudicelli est lui-même doué pour le théâtre, où il a fait d'excellents débuts avec *La Reine de la nuit* (1976).

Le personnage principal des *Insulaires* est une vieille folle (elle est appelée simplement « la vieille ») qui a été mariée à un député et fut jadis une notabilité de province, présidant inaugurations et banquets. Elle s'est retirée dans un petit logement à Paris et s'est attachée à un violoniste miteux qu'elle veut considérer comme un génie. Elle le persuade de se produire à la terrasse du café de Flore (café de l'élite intellectuelle) pour qu'il soit reconnu, mais elle ne réussit qu'à provoquer un pénible scandale et une intervention de la police (le nouveau génie de la musique ne sait tirer de son instrument que des grincements insupportables). Tout finirait au poste si trois personnages ne venaient secourir le couple provocateur.

Ces trois personnages seront désormais considérés par la vieille comme des disciples du maître. Ils se prêtent à la comédie, moins par charité que par goût de la dérision. L'un est un romancier qui gagne sa vie dans le journalisme. Il protège un petit couple formé par une prostituée et un jeune Marocain. C'est du Marocain qu'il est épris et vous devinez quels drames peuvent découler d'une telle situation.

Autant le couple de « la vieille » et du violoniste relève du théâtre, autant les rapports de l'écrivain et de ses protégés sont décrits avec réalisme. Claire, la petite prostituée, est l'image de l'amour fou et du don total. Le jeune Brahim, pas mauvais gars cependant, préfère pour sa part la liberté à l'amour. Mais quelle liberté? Refusant de prendre ses responsabilités vis-à-vis de Claire et ne voulant plus dépendre d'un protecteur, il lui restera à se lancer dans une activité terroriste : il veut détruire un monde où il ne voit pas de place pour lui.

L'écrivain, lui, rêve des palmeraies où il fut jadis heureux avec Brahim. Mais il n'a connu Brahim que parce que celui-ci était pauvre. En quelque sorte, il l'avait acheté. Brahim, en grandissant, refuse une situation d'esclave : il se sent tel, même si l'écrivain prétend en faire son égal.

Les héros des *Insulaires* sont condamnés à la solitude. C'est Claire qui obtiendra la sympathie du lecteur parce qu'elle est la plus désarmée. Elle est victime de Brahim, quand celui-ci se retrouve seul par orgueil et par égoïsme.

YVES NAVARRE

La phrase de Le Clézio : « L'écriture, il ne reste que l'écriture... » a été entendue par nombre d'écrivains qui sont venus après lui. Elle fut reçue comme une invitation à s'abandonner aux mots, sans se plier à aucune règle.

Une formule d'Yves Navarre (né en 1940, comme Le Clézio) semble vouloir justifier cet abandon. L'auteur de *Lady Black* (1971) parle de « l'urgence de l'expression ». On sait que ce qu'il a voulu exprimer, c'est sa vision baroque de l'homosexualité. Il a dit aussi : « Se livrer pour se délivrer. » Mais délivrer qui? Pas soi-même en tout cas. « Plus je tue mes fantômes, plus il en vient », comme il est écrit dans *Les Loukoums* (1973). Et en effet Yves Navarre paraît prisonnier de ses obsessions. Il les traduit souvent de façon apocalyptique. Son œuvre nous propose de nombreuses scènes d'homosexualité à l'américaine, dans la lignée du *Masseur noir* de Tennessee Williams. C'est par là qu'il prend place dans la nouvelle fable et que Michel Tournier a pu prononcer son éloge.

ANGELO RINALDI

Tous les romans d'Angelo Rinaldi (né lui aussi, en 1940) sont sous-tendus par une fable des origines. L'homme y est prisonnier de son passé et, pour se libérer, il doit se plier à *l'éducation de l'oubli,* mais l'oubli (peut-être) ne vient-il que lorsqu'on a donné forme à ce qu'on voulait oublier : on se délivre par l'expression. Aussi bien, Rinaldi a-t-il besoin d'un narrateur comme premier personnage de ses romans. Ce narrateur est différent dans chaque livre et son âge même varie : la cinquantaine dans *La Maison des Atlantes* (1971), la trentaine dans *L'éducation de l'oubli* (1974), mais ils éprouvent tous le même besoin de regarder en arrière — besoin qui fut fatal à la femme de Loth et qui caractérise les natures d'artiste. Leurs plongées dans les souvenirs ne respectent pas la chronologie : elles se présentent comme les vagabondages d'une mémoire jamais en repos.

Le chef-d'œuvre de Rinaldi est *Les Dames de France* (1977) où il renouvelle le genre du « roman dans le roman ». Car *Les Dames de France,* ce n'est pas seulement le récit que nous propose un narrateur nommé Antoine, c'est d'abord le livre qu'a écrit, avant de se suicider, Léna, sa jeune tante, — la sœur de sa mère, mais du même âge que lui et avec laquelle il était venu vivre à Paris (où il a fini par s'assurer de bons revenus dans des affaires immobilières). Le titre un peu mystérieux désigne la boutiquue de fanfreluches où Antoine et Léna furent élevés dans une ville de Corse. C'est à partir du livre de Léna qu'Antoine évoque ses propres souvenirs et recrée toute une société provinciale animée de passions secrètes. Rinaldi ne craint pas les personnages pittoresques et fortement typés, et il en est récompensé car tous vivent et paraissent vrais dans leur singularité. Ses notations précises, enchâssées dans des phrases longues, donnent à son style une épaisseur que l'on a dite proustienne.

Dans *Les Dames de France,* on peut penser d'autant plus à Proust que l'homosexualité joue un grand rôle. Contrairement au narrateur de *La Recherche,* Antoine est lui-même attiré par les garçons et, dans son adolescence, il a dû soigneusement dissimuler ses goûts. (En même temps, il est devenu habile à démonter les comédies d'autrui.) Passé de l'hypocrisie provinciale à la clandestinité parisienne, a-t-il connu une délivrance? Il n'en est pas si sûr. Mais de quoi est-on sûr? A la dernière ligne, il avoue douter parfois que « sa vie ait bien été sa vie ».

C'est naturellement flatteur d'être comparé à Proust. En fait, Rinaldi est aussi viscéralement corse que Proust était parisien. Mais la Corse elle-même est chez lui une île de fable, dans la mesure où elle apparaît comme symbole d'isolement et de particularisme. Elle est peinte sous le double éclairage de la vérité et de la poésie. Pour notre part, peut-être à cause du côté provincial si réussi des *Dames de France,* nous voyons en Rinaldi un parent de Giorgio Bassani, le merveilleux conteur des *Histoires de Ferrare.*

37.
Le complexe de Pontmartin

Dans son livre sur *Les Critiques littéraires* (1968), Bernard Pivot consacre un chapitre aux critiques « qui avaient raison » et un autre chapitre aux critiques « qui avaient tort ». Par exemple, pour un critique de 1857, avoir eu raison, c'est avoir salué le génie de Baudelaire et celui de Flaubert. Avoir eu tort, c'est avoir dit que *Les Fleurs du mal* et *Madame Bovary* ne valaient pas un clou. Bien. Cela paraît évident.

Mais il est plus difficile de se prononcer sur les critiques d'aujourd'hui. Les critiques d'hier n'ont pas eu raison ou tort dans l'absolu : ils ont tort ou raison par rapport aux jugements que nous portons nous-mêmes sur les œuvres dont ils ont parlé ou dont ils auraient dû parler. Or il n'est pas question de savoir quels livres contemporains retiendra la postérité.

Ce qui est certain, c'est que les grands critiques du siècle dernier, les critiques « importants », se sont trompés avec ensemble sur les œuvres de leur temps que nous lisons encore aujourd'hui. José Cabanis consacre un chapitre du tome II de *Plaisir et Lectures* à l'illustre Armand de Pontmartin; illustre : nous voulons dire l'un des plus écoutés des critiques du XIXe siècle. Il voyait en Stendhal « un immonde pourceau », en Flaubert « un maniaque », en Baudelaire « un fou »; mais il n'avait que louanges pour Victor de Laprade, Octave Feuillet et Georges Ohnet. Là-dessus, on peut dire que Pontmartin est bien oublié et que c'est justice. Sans doute, mais Cabanis a raison de déclarer que nous souffrons tous du « complexe de Pontmartin ». Quand nous parlons des livres de nos contemporains, nous avons toujours peur de méconnaître un Stendhal, un Flaubert ou un Baudelaire.

On remarquera que les jugements de Pontmartin étaient essentiellement des jugements moraux. Nous porterions plutôt maintenant des jugements immoraux : un auteur scandaleux bénéficie d'un préjugé favorable. Mais l'immoralité n'est pas plus un critère littéraire que la moralité. Pontmartin était un dévot du bon sens et de la clarté. Nous faisons plutôt confiance aux aliénés et aux esprits confus. Pour toute une école, un texte facilement lisible est insignifiant par principe. Il est vrai que, pour cette école, il s'agit de tourner le dos à toute la littérature du passé, à toute littérature même, et de s'occuper d'une affaire sérieuse : le langage, qui relève de la science.

Existe-t-il un critère littéraire honnête? José Cabanis le pense et n'hésite pas à l'écrire : c'est le plaisir. Un livre est bon s'il me passionne et il est mauvais s'il m'ennuie. Mais c'est là une position de lecteur qui n'engage que lui-même, et non pas de critique, tenu à plus d'objectivité. J'estime pour ma part que Borgès a mille fois raison quand il fait dire à son Pierre Ménard : « Blâmer et faire l'éloge sont des opérations sentimentales qui n'ont rien à voir avec la critique. »

Le critique idéal serait celui qui se contenterait de décrire le livre dont il parle et de le situer parmi les autres livres. Il indiquerait à quelle famille appartient l'auteur, ce qu'il a retenu de ses devanciers et ce qu'il a ajouté de lui-même, ses emprunts et son originalité, la direction de ses recherches, etc... On comprend que, pour se livrer à une telle critique, une vaste culture est nécessaire. Qui a peu lu se laisse aller à signaler de vieilles lunes comme de nouveaux soleils. Il risque aussi de prendre au sérieux la publicité des éditeurs et les déclarations avantageuses des auteurs eux-mêmes.

Précisons maintenant que le plaisir dont parle Cabanis est justement un plaisir de lecteur cultivé : « Ce plaisir ne s'acquiert pas aisément, il se mérite. Il implique une intime connaissance, une longue pratique, des approches, des retours, une application amoureuse. »

Cabanis n'est pas l'homme de l'article par semaine : il passe des mois dans l'intimité des auteurs qui le retiennent. Aussi finit-il par connaître Chateaubriand mieux que ne fait Guillemin, et parvient-il à projeter sur Proust des lumières nouvelles. A vrai dire, Cabanis souffre d'autant moins du complexe de Pontmartin qu'il nous parle d'écrivains classiques. Mais ce qui importe surtout, c'est sa manière de les aborder, sous un angle inattendu. Cabanis sait nous faire partager ses passions et n'est-ce pas là la première qualité d'un critique? Nous estimerons notre *Histoire de la littérature* réussie si elle parvient à donner à quelques lecteurs le désir de connaître quelques auteurs qu'ils avaient négligés jusqu'ici.

Il est clair aussi que nous aurions pu ajouter bien des chapitres. De même que nous avons présenté les bricoleurs du roman, nous aurions pu parler des « bricoleurs du journal ». En effet, les auteurs qui tiennent des carnets ne nous les livrent plus toujours tels quels. Ainsi Claude Mauriac (né en 1914) a imaginé dans sa série *Le Temps immobile* (premier tome en 1974) de briser l'ordre chronologique et de rapprocher des notes prises à des époques différentes. Il opère des « montages » aux effets inattendus. Des essayistes comme E. M. Cioran (né en 1914), Jacques Brosse (né en 1922) et Georges Perros (1923-1978) procèdent eux aussi à un classement particulier de leurs notes. Brosse est le mieux organisé des trois. Il raisonne en scientifique. (*L'Ordre des choses,* 1958. *Inventaire des sens,* 1965.) Cioran se présente comme le témoin de la « décomposition » du monde d'aujourd'hui, mais il souffre lui-même du mal qu'il dénonce. (*Syllogisme de l'amertume,* 1952. *De l'inconvénient d'être né,* 1973.) Georges Perros était l'esprit le plus libre qui fût. Il se voulait un homme ordinaire, mais il avait le cœur aventureux. Plus poète encore que bon observateur de la vie quotidienne. (*Papiers collés,* 1960 et 1973. *Poèmes bleus,* 1963.)

Des philosophes ont tenté d'échapper à leur spécialité. De même qu'Apollinaire s'écriait : « Et moi aussi je suis peintre », ils ont décidé « et moi aussi, je suis romancier ». Ainsi Brice Parain (1897-1970) a-t-il donné *La Mort de Socrate* (1950) et *Joseph* (1964). Ainsi Roger Caillois (né en 1913) a-t-il écrit un *Ponce Pilate* (1961). Mais ils sont plus convaincants quand ils composent une autobiographie spirituelle : *De fil en aiguille* (1960) de Parain et *Le fleuve Alphée* (1978) de Caillois comptent parmi les beaux livres de notre temps. Il serait intéressant de comparer leurs styles. Tous deux refusent les grands mots et cherchent une simplicité de bon aloi. Parain adopte un langage familier. Caillois choisit un classicisme parfois un peu hautain. (Il a écrit aussi des poèmes en prose, comme sont les textes de *Pierres,* 1966.)

Des romanciers se sont révélés de merveilleux biographes. C'est ainsi que Jean Orieux a donné un étincelant *Voltaire* (1966) et Henri Troyat un impressionnant *Tolstoï* (1965). Voilà des livres de base pour une bibliothèque.

Enfin de bons poètes et romanciers ont parfois donné le meilleur d'eux-mêmes dans des Mémoires. C'est le cas de Claude Roy (né en 1915), brillant styliste que l'on situera à mi-chemin de Giraudoux et d'Aragon. Il faut lire sa trilogie autobiographique : *Moi, je* (1969), *Nous* (1972), *Somme toute* (1976), qui est le bilan d'une génération.

Nous terminerons par un aveu : si nous avons la prétention de croire que personne n'a lu plus d'ouvrages contemporains que nous, nous savons que nous n'avons pu prendre connaissance que d'une faible partie d'une production diluvienne. Peut-être aussi que le chef-d'œuvre de ces dernières années est une plaquette de poésie, parue à compte d'auteur chez un petit imprimeur de province et qui n'est pas parvenue jusqu'à nous. Et pourquoi ne s'agirait-il pas d'un manuscrit refusé par tous les grands éditeurs parisiens? C'est peu probable, mais tout est possible.

Repères

1940 MARTIN DU GARD : *Épilogue des Thibault.* — CHARDONNE : *Chronique privée.* — BACHELARD : *L'eau et les rêves.* — SIMENON : *Les Inconnus dans la maison.* — Henri THOMAS : *Le Seau à charbon.* — Armand ROBIN : *Ma vie sans moi.* — SARTRE : *L'imaginaire.*

CINÉMA : PAGNOL : *La fille du puisatier.*

1941 PAULHAN : *Les fleurs de Tarbes.* — VALÉRY : *Mélange.* — CHARDONNE : *Chronique privée de l'an 40.* — MONTHERLANT : *Le Solstice de juin.* — CÉLINE : *Les beaux draps.* — MORAND : *L'Homme pressé.* — GADENNE : *Siloë.* — COCTEAU : *Allégories.* — ÉLUARD : *Choix de poèmes.* — AUDIBERTI : *Des tonnes de semence.* — ARAGON : *Le Crève-Cœur.* — THOMAS : *Travaux d'aveugle.* — SIMENON : *Il pleut, bergère.*

THÉÂTRE : COCTEAU : *La machine à écrire.* — ANOUILH : *Le rendez-vous de Senlis.* — GIONO : *Le Bout de la route.*

MORT DE : BERGSON.

1942 SAINT-EXUPÉRY : *Pilote de guerre.* — CAMUS : *L'Étranger.* — BACHELARD : *L'air et les songes.* — VALÉRY : *Mauvaises pensées et autres.* — SAINT-JOHN PERSE : *Exil.* — FOLLAIN : *Canisy.* — ARAGON : *Les yeux d'Elsa.* — FOMBEURE : *A dos d'oiseau.* — PONGE : *Le parti pris des choses.* — AYMÉ : *Travelingue.* — QUENEAU : *Pierrot mon ami.* — SIMENON : *La veuve Couderc.* — MECKERT : *Les coups.*

THÉÂTRE : MONTHERLANT : *La Reine morte.* — ANOUILH : *Eurydice.*

CINÉMA : GIRAUDOUX-BARONCELLI : *La Duchesse de Langeais.* — PRÉVERT-CARNÉ : *Les Visiteurs du soir.*

TRADUCTIONS : JÜNGER : *Sur les falaises de marbre.* — *Le cœur aventureux.*

1943 MALRAUX : *Les Noyers de l'Altenburg.* — DRIEU LA ROCHELLE : *L'homme à cheval.* — AYMÉ : *Le Passe-muraille.* — SARTRE : *L'Être et le Néant.* — BATAILLE :

L'expérience intérieure. — BLANCHOT : *Faux pas.* — QUENEAU : *Les Ziaux.* — TARDIEU : *Le témoin invisible.*

THÉÂTRE : GIRAUDOUX : *Sodome et Gomorrhe.* — COCTEAU : *Renaud et Armide.* — SARTRE : *Les Mouches.* — Représentation du *Soulier de satin*, de CLAUDEL.

CINÉMA : GIRAUDOUX-BRESSON : *Les Anges du péché.* — COCTEAU-DELANNOY : *L'Éternel retour.* — CLOUZOT : *Le Corbeau.*

1944 MICHAUX : *L'Espace du dedans.* — AUDIBERTI : *Toujours.* — BRETON : *Arcane 17.* — CÉLINE : *Guignol's Band.* — ARAGON : *Aurélien.* — PEYREFITTE : *Les Amitiés particulières.* — GENET : *Notre-Dame des fleurs.*

THÉÂTRE : ANOUILH : *Antigone.* — SARTRE : *Huis clos.* — CAMUS : *Caligula.*

MORT DE : GIRAUDOUX, Max JACOB, SAINT-EXUPÉRY, ROMAIN ROLLAND.

1945 VALÉRY : *Mon Faust.* — SARTRE : *L'Age de raison — Le Sursis.* — DHÔTEL : *Les rues dans l'aurore.* — HERBART : *Alcyon.* — VAILLAND : *Drôle de jeu.* — BOSCO : *Le Mas Théotime.*

THÉÂTRE : GIRAUDOUX : *La Folle de Chaillot.*

CINÉMA : PRÉVERT-CARNÉ : *Les Enfants du paradis.*

MORT DE : DESNOS, DRIEU LA ROCHELLE, VALÉRY.

TRADUCTIONS : Thomas MANN : *Charlotte à Weimar.* — MILLER : *Tropique du Cancer.*

1946 GIDE : *Thésée.* — JOUHANDEAU : *Essai sur moi-même.* — BERNANOS : *Monsieur Ouine.* — AYMÉ : *Le Chemin des écoliers.* — GENET : *Le Miracle de la rose.* — MANDIARGUES : *Le Musée noir.* — MICHAUX : *Épreuves, exorcismes.* — COCTEAU : *La Crucifixion.* — PRÉVERT : *Paroles.* — SACHS : *Le Sabbat.*

THÉÂTRE : COCTEAU : *L'Aigle à deux têtes.* — AUDIBERTI : *Quoat-quoat.*

CINÉMA : COCTEAU : *La Belle et la Bête.*

TRADUCTIONS : KAFKA : *L'Amérique.* — DOS PASSOS : *La Grosse galette.* — FAULKNER : *Pylone.* — FITZGERALD : *Gatsby le magnifique.* — MILLER : *Tropique du Capricorne.* — MAC CULLERS : *Reflets dans un œil d'or.* — ISHERVOOD : *Intimités berlinoises.* — WAUGH : *Retour à Brideshead.* — KŒSTLER : *Le Zéro et l'Infini.*

1947 CAMUS : *La Peste.* — MALRAUX : *Le Musée imaginaire.* — ROUSSET : *Les Jours de notre mort.* — ARTAUD : *Van Gogh, le suicidé de la société.* — GIONO : *Noë.* — COCTEAU : *La Difficulté d'être.* — MORAND : *Parfaite de Saligny.* — AYMÉ : *Le Vin de Paris.* — QUENEAU : *Exercices de style.* — ARLAND : *Il faut de tout pour faire un monde.* — THOMAS : *Le Monde absent.* — VIAN : *L'Écume des jours.*

THÉÂTRE : GIDE-BARRAULT : *Le Procès* (d'après Kafka). — AUDIBERTI : *Le Mal court.* — GENET : *Les Bonnes.* — MONTHERLANT : *Le Maître de Santiago.* — Représentation des *Fastes d'enfer* de GHELDERODE.

CINÉMA : PRÉVERT-CARNÉ : *Les Portes de la nuit.* — CLAIR : *Le silence est d'or.* — CLOUZOT : *Quai des Orfèvres.*

Mort de : FARGUE et RAMUZ.

Traductions : T. S. ELIOT : *La terre vaine.* — GREENE : *Le rocher de Brighton.* — MAC CULLERS : *Le cœur est un chasseur solitaire.*

1948 GIONO : *Un roi sans divertissement.* — CHARDONNE : *Chimériques.* — SIMENON : *La Neige était sale.* — JOUHANDEAU : début de la publication du *Mémorial.* — AYMÉ : *Uranus.* — Jean GRENIER : *Entretiens sur le bon usage de la Liberté.* — LEIRIS : *Biffures.* — CALET : *Le tout sur le tout.* — NIMIER : *Les Épées.* — BAZIN : *Vipère au poing.*

Théâtre : AUDIBERTI : *La Fête noire.* — SARTRE : *Les Mains sales.* — ANOUILH : *Ardèle ou la marguerite.* — ROUSSIN : *Les Œufs de l'autruche.*

Cinéma : COCTEAU : *Les Parents terribles.*

Mort de : BERNANOS, ARTAUD, SUARÈS.

Traductions : KAFKA : *La Colonie pénitentiaire.* — HESSE : *Narcisse et Goldmund.* — MILLER : *Le Colosse de Maroussi.* — HUXLEY : *La Philosophie éternelle.* — LOWRY : *Au-dessous du volcan.*

1949 SIMENON : *Pedigree.* — SARTRE : *La Mort dans l'âme.* — GIONO : *Mort d'un personnage.* — CÉLINE : *Le Casse-Pipe.* — GUILLOUX : *Le jeu de patience.* — SUPERVIELLE : *Oublieuse mémoire.* — MICHAUX : *La vie dans les plis.* — AYMÉ : *Le Confort intellectuel.* — CIORAN : *Précis de décomposition.*

Théâtre : BERNANOS : *Dialogues des Carmélites.*

Cinéma : TATI : *Jour de fête.*

Mort de : MAETERLINCK.

Traductions : FAULKNER : *L'Invaincu.* — BUZZATI : *Le Désert des Tartares.*

1950 GREEN : *Moïra.* — GIONO : *Les âmes fortes.* — JOUHANDEAU : *L'Imposteur.* — PAULHAN : *Les Causes célèbres.* — SCHLUMBERGER : *Éveils.* — NIMIER : *Le Hussard bleu.* — DURAS : *Un barrage contre le Pacifique.*

Théâtre : GIDE : *Les Caves du Vatican.* — AYMÉ : *Clérambard.* — IONESCO : *La Cantatrice chauve.*

Cinéma : COCTEAU : *Orphée.* — CLAIR : *La Beauté du diable.* — WHEELER : *Premières armes.*

Traductions : Thomas MANN . *Docteur Faustus.* — KAFKA : *La Muraille de Chine.* — HEMINGWAY : *Paradis perdu.* — ORWELL : 1984.

1951 GIONO : *Le Hussard sur le toit.* — YOURCENAR : *Mémoires d'Hadrien.* — CAMUS : *L'Homme révolté.* — VIALATTE : *Les Fruits du Congo.* — GRACQ : *Le Rivage des Syrtes.* — SCHNEIDER : *La Première Ile.* — BECKETT : *Molloy.* — TARDIEU : *Monsieur Monsieur.* — LÉAUTAUD : *Entretiens avec Robert Mallet.*

Théâtre : COCTEAU : *Bacchus.* — SARTRE : *Le Diable et le Bon Dieu.* Publication de : *La Ville dont le prince est un enfant* de MONTHERLANT.

Mort de : GIDE et ALAIN.

Traductions : NABOKOV : *La vraie vie de Sébastien Knight.* — BORGES : *Fictions.* — BRECHT : *Mère courage.* — FITZGERALD : *Tendre est la nuit.*

1952 GIDE : *Ainsi soit-il.* — BRETON : *Entretiens.* — CÉLINE : *Féerie pour une autre fois.* — SARTRE : *Saint Genet comédien et martyr.* — ARLAND : *La consolation du voyageur.* — DEVAULX : *Sainte-Barbegrise.* — B. BECK : *Léon Morin, prêtre.* — BLONDIN : *Les Enfants du bon Dieu.* — DUTOURD : *Au Bon Beurre.* — PEYREFITTE : *La Fin des Ambassades.* — BOULLE : *Le Pont de la rivière Kwaï.*

Théâtre : IONESCO : *Les Chaises.* — AYMÉ : *La Tête des autres.* — ROUSSIN : *Lorsque l'enfant paraît.*

Cinéma : CLAIR : *Belles de Nuit.* — CLÉMENT : *Jeux interdits.*

Mort de : ÉLUARD et MAURRAS.

Traductions : FITZGERALD : *Le dernier nabab.* — FAULKNER : *Palmiers sauvages.* — HEMINGWAY : *Le Vieil Homme et la mer.*

1953 PROUST : *Jean Santeuil.* — GIONO : *Le Moulin de Pologne.* — MICHAUX : *Nouvelles de l'étranger.* — FRANK : *Géographie universelle.* — SARRAUTE : *Martereau.* — CABANIS : *L'auberge fameuse.* — GASCAR : *Les Bêtes.* — *Le Temps des morts.* — BARTHES : *Le degré zéro de l'écriture.*

Théâtre : BECKETT : *En attendant Godot.* — GREEN : *Sud.*

Cinéma : TATI : *Les Vacances de M. Hulot.*

Traductions : SALINGER : *L'Attrape-cœur.* — PAVESE : *Avant que le coq chante.*

1954 LEAUTAUD : Début de la publication du *Journal littéraire.* — PROUST : *Contre Sainte-Beuve.* — BEAUVOIR : *Les Mandarins.* — SAGAN : *Bonjour, tristesse.* — CURTIS : *Les Justes Causes.* — REVERZY : *Le Passage.* — COHEN : *Le Livre de ma mère.* — AUGIÉRAS : *Le Vieillard et l'enfant.*

Théâtre : MONTHERLANT : *Port-Royal.* — IONESCO : *Amédée ou comment s'en débarrasser.*

Mort de : COLETTE.

Traductions : A. WILSON : *La Ciguë et après.* — CESPEDES : *Le Cahier interdit.*

1955 DHÔTEL : *Le pays où l'on n'arrive jamais.* — ROBBE-GRILLET : *Le Voyeur.* — SCHNEIDER : *Aux couleurs de la nuit.* — LEVI-STRAUSS : *Tristes tropiques.*

Théâtre : AUDIBERTI : publication du *Cavalier seul.*

Cinéma : CLAIR : *Les Grandes Manœuvres.*

Mort de : CLAUDEL.

Traductions : HESSE : *Le jeu des perles de verres.* — K. BLIXEN : *Sept contes gothiques.* — PAVESE : *Le bel été.*

1956 ARAGON : *Le roman inachevé.* — CAMUS : *La Chute.* — THOMAS : *La Nuit de Londres.* — REVERZY : *Place des Angoisses.* — BUTOR : *L'Emploi du temps.* — CLANCIER : *Le Pain noir.*

Théâtre : ANOUILH : *Pauvre Bitos.* — MARCEAU : *L'Œuf.*

Cinéma : BRESSON : *Un condamné à mort s'est échappé.* — VADIM : *Et Dieu créa la femme.*

Mort de : LÉAUTAUD.

Traductions : Thomas MANN : *Félix Krull.* — FAULKNER : *Descends, Moïse.*

1957 Jean GRENIER : *Les Grèves.* — CÉLINE : *D'un château l'autre.* — GIONO : *Le Bonheur fou.* — KERN : *Le Clown.* — VAILLAND : *La Loi.* — GASCAR : *L'Herbe des rues.* — ROBBE-GRILLET : *La Jalousie.* — BUTOR : *La Modification.* — BARTHES : *Mythologies.*

Théâtre : BECKETT : *Fin de partie.*

Mort de : LARBAUD et DADELSEN.

Traductions : MUSIL : *L'Homme sans qualités.* — FAULKNER : *Requiem pour une nonne.* — BORGES : *Enquêtes.* — A. WILSON : *Attitudes anglo-saxonnes.*

1958 ARAGON : *La Semaine sainte.* — HERBART : *La Ligne de force.* — MAURIAC : *Bloc-Notes.* — GRACQ : *Un balcon en forêt.* — DURAS : *Moderato Cantabile.*

Théâtre : AUDIBERTI : *La Hoberaute.*

Cinéma : TATI : *Mon oncle.* — MALLE-NIMIER : *Ascenseur pour l'échafaud.*

Mort de : CARCO et MARTIN DU GARD.

Traductions : PASTERNAK : *Le Docteur Jivago.* — Virginia WOOLF : *Journal d'un écrivain.* — PAVESE : *Le métier de vivre.* — GOMBROVICZ : *Ferdydurke.*

1959 CHARDONNE : *Le ciel dans la fenêtre.* — MAURIAC : *Mémoires intérieurs.* — QUENEAU : *Zazie dans le métro.* — OBALDIA : *Le Centenaire.* — BLONDIN : *Un singe en hiver.* — MANDIARGUES : *Feu de braise.* — SARRAUTE : *Le Planétarium.*

Théâtre : ANOUILH : *Beckett ou l'honneur de Dieu.* — SARTRE : *Les Séquestrés d'Altona.* — IONESCO : *Tueur sans gages.* — AUDIBERTI : *L'Effet Glapion.* — Représentation de *Tête d'or* de CLAUDEL.

Cinéma : COCTEAU : *Le Testament d'Orphée.* — BRESSON : *Pickpocket.* — RESNAIS-DURAS : *Hiroshima mon amour.*

Mort de : VIAN et REVERZY.

Traductions : NABOKOV : *Lolita.* — BUZZATI : *Barnabo des montagnes.* — F. O' CONNOR : *La sagesse dans le sang.*

1960 CÉLINE : *Nord.* — CABANIS : *Le Bonheur du jour.* — REVERZY : *Le Silence de Cambridge.* — PARAIN : *De fil en aiguille.* — SIMON : *La Route des Flandres.*

THÉÂTRE : IONESCO : *Rhinocéros.* — OBALDIA : *Génousie.* — SAGAN : *Château en Suède.*

CINÉMA : GODARD : *A bout de souffle.*

MORT DE : SUPERVIELLE, CAMUS et REVERDY.

TRADUCTIONS : MUSIL : *Les Désarrois de l'élève Törless.* — KEROUAC : *Sur la route.*

1961 MICHAUX : *Connaissance par les gouffres.* — BECKETT : *Comment c'est.* — DEVAULX : *La Dame de Murcie.* — ROCHEFORT : *Les Petits Enfants du siècle.* — DÉON : *Le Balcon de Spetsai.* — THOMAS : *Le Promontoire.*

THÉÂTRE : DUBILLARD : *Naïves hirondelles.*

CINÉMA : RESNAIS-ROBBE-GRILLET : *L'année dernière à Marienbad.*

MORT DE : CÉLINE, CENDRARS et ROBIN.

TRADUCTIONS : MISHIMA : *Le Pavillon d'or.* — SALINGER : *Nouvelles.*

1962 COCTEAU : *Requiem.* — DADELSEN : *Jonas.* — CABANIS : *Les cartes du temps.* — JACQUEMARD : *Le Veilleur de nuit.* — PINGET : *L'Inquisitoire.*

THÉÂTRE : ANOUILH · *La Foire d'empoigne.* — DUBILLARD : *La Maison d'os.*

MORT DE : BATAILLE et NIMIER.

TRADUCTION : GOMBROVICZ : *La Pornographie.*

1963 MONTHERLANT : *Le Chaos et la Nuit.* — SIMENON : *Les Anneaux de Bicêtre.* — GREEN : *Partir avant le jour* (premier tome de ses souvenirs). — VRIGNY : *La Nuit de Mougins.* — LIMBOUR : *La Chasse au Mérou.* — MANDIARGUES : *La Motocyclette.* — Le CLÉZIO : *Le Procès-verbal.* — BARTHES : *Sur Racine.*

THÉÂTRE : IONESCO : *Le Roi se meurt.* — BECKETT : *Oh! les beaux jours!*

MORT DE : COCTEAU.

TRADUCTIONS : FITZGERALD : *La Fêlure.* — SOLJENITSYNE : *Une journée d'Ivan Denissovitch.*

1964 SARTRE : *Les Mots.* — CHARDONNE : *Demi-Jour.* — ARLAND : *Le Grand Pardon.* — AUGIÉRAS : *L'Apprenti-sorcier.* — Violette LEDUC : *La Bâtarde.* — DUTOURD · *La Fin des peaux-rouges.*

CINÉMA : Philippe de BROCA-BOULANGER : *L'Homme de Rio.* — DEMY : *Les Parapluies de Cherbourg.*

TRADUCTIONS : HEMINGWAY : *Paris est une fête.* — ISHERWOOD : *Mr Norris change de train.* — BURROUGHS : *Le festin nu.*

1965 GIONO : *Deux cavaliers de l'orage.* — ARAGON : *La Mise à mort.* — AUDIBERTI : *Dimanche m'attend.* — MORAND : *Tais-toi.* — QUENEAU : *Les Fleurs bleues.* — Roger GRENIER : *Le Palais d'hiver.* — LE CLÉZIO : *La Fièvre.*

CINÉMA : ALLIO : *La vieille dame indigne.* — CARNÉ : *Trois chambres à Manhattan.* — SCHOENDOERFFER : *317e section.* — ETAIX : *Yoyo.* — GODARD : *Pierrot le fou.*

MORT DE : AUDIBERTI.

TRADUCTIONS : SOLJENITSYNE : *La Maison de Matriona.* — Publication d'*Ulysse* de JOYCE en Livre de Poche.

1966 CABANIS : *La Bataille de Toulouse.* — MICHAUX : *Les Grandes Épreuves de l'esprit.* — FOUCAULT : *Les Mots et les choses.*

THÉÂTRE : IONESCO : *La Soif et la Faim.* — Représentation des *Paravents* de GENET.

MORT DE : BRETON et DUHAMEL.

1967 MALRAUX : *Antimémoires.* — TOURNIER : *Vendredi ou les Limbes du Pacifique.* — MANDIARGUES : *La Marge.* — FREUSTIÉ : *Les Collines de l'est.*

MORT DE : AYMÉ et MAUROIS.

1968 YOURCENAR : *L'Œuvre au noir.* — MONTHERLANT : *La Rose de sable.* — COHEN : *Belle du Seigneur.* — NOURISSIER : *Le Maître de maison.* — MODIANO : *La Place de l'Étoile.* — DELTEIL : *La Deltheillerie.* — LUBIN : *Feux contre feux.*

THÉÂTRE : ANOUILH : *Le boulanger, la boulangère et le petit mitron.*

MORT DE : PAULHAN, SCHLUMBERGER et CHARDONNE.

TRADUCTIONS : SOLJENITSYNE : *Le Premier cercle.* — *Le Pavillon des cancéreux.*

1969 CÉLINE : *Rigodon.* — THOMAS : *La Relique.* — ROCHEFORT : *Printemps au parking.* — MARTIN : *Le Jéroboam.* — MODIANO : *La Ronde de Nuit.* — SABATIER : *Les Allumettes suédoises.* — MARCEAU : *Creezy.*

THÉÂTRE : ANOUILH : *Cher Antoine.*

TRADUCTION : Gabriel G. MARQUEZ : *Cent ans de solitude.*

1970 CURTIS : *Le Roseau pensant.* — BLONDIN : *Monsieur Jadis.* — DÉON : *Les Poneys sauvages.* — TOURNIER : *Le Roi des Aulnes.* — FRANK : *Un siècle débordé.* — LE CLÉZIO : *La Guerre.* — MALLET-JORIS : *La Maison de papier.*

THÉÂTRE : ANOUILH : *Les Poissons rouges.*

MORT DE : MAURIAC, PARAIN, GIONO, LIMBOUR et ADAMOV.

1971 MORAND : *Venises.* — MALRAUX : *Les chênes qu'on abat.* — GASCAR : *L'Arche.* — SARTRE : *L'Idiot de la famille* (I et II). — LAURENT : *Les Bêtises.*

MORT DE : VIALATTE, FOLLAIN et AUGIÉRAS.

1972 CURTIS : *La Chine m'inquiète.* — SARRAUTE : *Vous les entendez?.* — SAGAN : *Des bleus à l'âme.* — Roger GRENIER : *Ciné-Roman.* — MARTIN : *Le Secrétaire.*

MORT DE : MONTHERLANT et ROMAINS.

TRADUCTION : MISHIMA : *Confession d'un masque.*

1973 GADENNE : *Les Hauts Quartiers.* — FREUSTIÉ : *Harmonie ou les horreurs de la guerre.* — JACQUEMARD : *La Thessalienne.*

THÉÂTRE : MARCEAU : *L'Homme en question.*

MORT DE : Gabriel MARCEL et MARITAIN.

TRADUCTION : FORSTER : *Retour à Penge.*

1974 YOURCENAR : *Souvenirs pieux.* — MALRAUX : *Lazare.* — D'ORMESSON : *Au plaisir de Dieu.* — FERNANDEZ : *Porporino ou Les mystères de Naples.*

MORT DE : Jean WAHL, HERBART et LUBIN.

1975 CABANIS : *Saint-Simon l'admirable.* — Roger GRENIER : *Le Miroir des eaux.* — AJAR : *La Vie devant soi.*

MORT DE : SAINT-JOHN PERSE, JOUVE et LA TOUR DU PIN.

TRADUCTIONS : SOLJENITSYNE : *Le chêne et le veau.* — NABOKOV : *Ada ou l'ardeur.*

1976 GUILLOUX : *Salido.* — CURTIS : *L'étage noble.* — CHATEAUREYNAUD : *La belle charbonnière.* — SARRAUTE : *... disent les imbéciles.*

MORT DE : MALRAUX, QUENEAU et BOSCO.

TRADUCTIONS : JÜNGER : *Le contemplateur solitaire.* — DAGERMAN : *Dieu rend visite à Newton.*

1977 YOURCENAR : *Archives du Nord.* — THOMAS : *Les Tours de Notre-Dame.* — ARLAND : *Avons-nous vécu?.* — GUEGAN : *Père et fils.* — LAPOUGE : *Équinoxiales.* — DEVAULX : *Le Lézard d'immortalité.* — RINALDI : *Les Dames de France.*

MORT DE : PRÉVERT.

TRADUCTIONS : MAC CULLERS : *Le Cœur hypothéqué.* — Mario POMILIO : *Le Cinquième Évangile.*

1978 W. PRÉVOST : *Tristes banlieues.* — B. BECK : *Noli.* — BOULANGER : *L'Enfant de Bohême.* — JOUHANDEAU : *La mort d'Élise.*

MORT DE : DELTEIL.

TRADUCTIONS : NABOKOV : *Regarde, regarde les arlequins.* — JÜNGER : *Eumeswil.* — SABA : *Ernesto.*

Index des personnes citées

Table des matières

I

LITTÉRATURE VIVANTE

II

LES DERNIERS MAÎTRES

III

ALENTOURS DU CATHOLICISME

IV
Les poètes de la prose

V
Alentours du surréalisme

VI
Laboratoires secrets

VII
Trois poètes de la vie profonde

VIII
Les vies légendaires

IX
Les splendeurs du verbe

X
Puissance du roman

XI
Une grande époque poétique

XII
La comédie sartrienne

XIII
Destin et liberté

XIV
Les derniers grands classiques

XV
Les francs-tireurs

XVI
Farces et attrapes

XVII
Le grand cirque

XVIII
LES ÉCRIVAINS DU PEUPLE

XIX
CHANGEMENTS DE SOCIÉTÉ

XX
JEUNESSE ET AVENTURE

XXI
LES INSOUMIS

XXII
Trois poètes maudits

XXIII
La révolution dramatique des années 50

XXIV
La provocation au désir

XXV
Hussards et mousquetaires

XXVI
Les chroniqueurs

XXVII
HISTOIRE ET HISTORIETTES

XXVIII
FEMMES

XXIX
LES BRICOLEURS DU ROMAN

XXX
LOIN DE PARIS

XXXI
Les tchékhoviens

XXXII
Le roman traditionnel

XXXIII
La querelle des deux critiques

XXXIV
La querelle du fantastique

XXXV
La folle du logis

XXXVI
La nouvelle fable

XXXVII
Le complexe de Pontmartin

Achevé d'imprimer le 14 septembre 1978
sur presse CAMERON
dans les ateliers de la S.E.P.C.
à Saint-Amand-Montrond (Cher)
pour le compte de la librairie Arthème Fayard
75, rue des Saints-Pères - 75006 Paris

ISBN 2-213-00592-3

Dépôt légal : 4e trimestre 1978.
N° d'Édition : 5716. N° d'Impression : 1385/516.
Imprimé en France

H/35-6370-7